Die Kirche des Anfangs

Die Kirche des Anfangs

Für Heinz Schürmann

Herausgegeben von
Rudolf Schnackenburg, Josef Ernst
und Joachim Wanke

Herder
Freiburg · Basel · Wien

Die Originalausgabe erschien als Band 38 der Reihe „Erfurter theologische Studien", im Auftrag des Philosophisch-theologischen Studiums Erfurt herausgegeben von Wilhelm Ernst und Konrad Feiereis

Mit kirchlicher Druckerlaubnis: Dresden, 16. 2. 1977
† Weinhold, Stellv. Generalvikar
Satz: VOB Buch- und Offsetdruck, Leipzig
Druck und Bindearbeiten: Freiburger Graphische Betriebe 1978
ISBN 3-451-18136-3

HEINZ SCHÜRMANN
zur Vollendung des 65. Lebensjahres
am 18. Januar 1978
von
Freunden, Kollegen und Schülern gewidmet

Verehrter Kollege, lieber Freund!

Das Anliegen, das Du in einem an Forschung, Lehre und Verkündigung reichen Leben verfolgt hast, läßt sich kaum besser wiedergeben, als Du es selbst in dem Sammelband „Ursprung und Gestalt" ausgedrückt hast: „Es geht um den ‚Ursprung' in Werk und Wort Jesu einerseits, in Leben und Verkündigung der apostolischen Kirche andererseits – weil dieser Ursprung ‚Gestalt' in sich hat, die Maßgestalt bleiben muß." Wer die Urkunden des Neuen Testaments untersucht, hat es mit der „Kirche des Anfangs" zu tun, die doch mehr ist als ein beginnendes Unternehmen, das vielleicht erst tastend und suchend seine Ziele absteckt und allmählich Gestalt gewinnen will. Diese Kirche hat bei aller Vielfalt der Menschen, die sie bildeten, bei aller Verschiedenheit der Gemeinden, die mit ihr entstanden, bei aller Mannigfaltigkeit von Verkündigung und Theologie, Gottesdienst und Diakonie, die in ihr lebendig waren, einen einheitlichen Ursprung. Sie ist nicht eigene Setzung, sondern wurde aus dem Werk Jesu gesetzt und aus dem Wirken des Geistes geformt. Darum besitzt sie ursprunghaft eine Gestalt, die erst alle weitere Gestaltung ihres Lebens, alle künftige Strukturierung und Profilierung ihrer Gemeinschaft ermöglicht. Nach der Ursprungsgestalt der Kirche im Spiegel urkirchlichen Lebens und Denkens zu fragen und zu forschen war Dein ständiges Bemühen, weil Du damit der heutigen Kirche in ihrem notvollen Suchen nach Erneuerung dienen wolltest. „Neuerungen führen nur zur Erneuerung, wenn sie sich dem Ursprung verpflichtet wissen." Alle, die Dich nicht nur als Forscher, sondern auch als geistlichen Lehrer und tätig Mitschaffenden am Bau der Kirche in unserer Zeit kennen, werden bestätigen, wie wahr, notwendig und fruchtbar Dein Ansatz ist.

Viele Menschen, denen Du durch Dein Wort, durch Deine literarischen Werke und nicht zuletzt durch das Zeugnis Deines Lebens und Wirkens viel bedeutest, können ihre Hochschätzung, Dankbarkeit und Liebe Dir gegenüber nicht zur Sprache bringen. Stellvertretend für sie alle kommen hier einige Deiner näheren Kollegen und Freunde zu Wort. Wir sind uns bewußt, daß unsere Beiträge nur kleine Bausteine sind, überdies noch wenig zugeschnitten für den Bau der Kirche in unserer Zeit, aber doch aus der gleichen Intention entstanden, die Dich selbst bewegt. Je gründlicher wir die „Kirche des Anfangs" untersuchen, die trotz ihrer menschlichen Schwächen und geschichtlichen Bedingtheiten maßgeblich und richtungweisend bleibt, je besser wir sie zu verstehen und je mehr wir von ihr zu lernen trachten, um so zuversichtlicher dürfen wir hoffen, unseren spezifischen Beitrag als Exegeten zur ecclesia semper reformanda zu leisten. In unserer Zeit heißt das zugleich, daß wir an der ökumenischen Einigung der Christenheit mitwirken wollen, und darum freuen wir uns, daß auch Angehörige anderer Kirchen und Konfessionen in dieser Festschrift vertreten sind.

Nach gutem akademischen Brauch sind Dir diese Blätter zu Deinem 65. Geburtstag gewidmet, nicht als Epilog auf Dein Lebenswerk, sondern als Freundesgabe, die Dich zu weiterem Schaffen und reifer Vollendung ermutigen will. Wir wünschen Dir von Herzen gute Gesundheit und die Kraft, Begonnenes fertigzustellen und Geplantes zu verwirklichen. Die Bibliographie am Ende dieses Bandes enthält eine Fülle von Arbeiten aus den letzten Jahren, die einen schönen neuen Band gesammelter Aufsätze ergeben. Doch auch sonst dürfen wir von Deinem Charisma, aktuelle Fragen in Theologie und Kirche aufzugreifen und im Blick auf das Neue Testament zu klären, noch manches erwarten. Auf dieser Rast am Weg drücken Dir die Freunde die Hand, damit Du getrost mit dem Herrn weiterwanderst, der uns stets neu die Schrift erschließt, sein Wort mitteilt, sein Brot bricht, seine Gegenwart schenkt.

Rudolf Schnackenburg
Josef Ernst
Joachim Wanke

Inhalt

Grußwort 5

Gerhard Schneider, Bochum
Christusbekenntnis und christliches Handeln. Lk 6, 46 und Mt 7, 21 im Kontext der Evangelien 9

Rudolf Pesch, Frankfurt a. M.
Über die Autorität Jesu. Eine Rückfrage anhand des Bekenner- und Verleugnerspruchs Lk 12, 8f par 25

Josef Ernst, Paderborn
Gastmahlgespräche: Lk 14, 1–24 57

Heinrich Zimmermann, Bonn
Das Gleichnis vom Richter und der Witwe (Lk 18, 1–8) 79

Jacques Dupont, Ottognies
La persécution comme situation missionaire (Marc 13, 9–11) 97

Petr Pokorný, Prag
„Anfang des Evangeliums.“ Zum Problem des Anfangs und des Schlusses des Markusevangeliums 115

Hans Lubsczyk, Erfurt
Kyrios Jesus. Beobachtungen und Gedanken zum Schluß des Markus-Evangeliums 133

Walter Grundmann †, Eisenach
Weisheit im Horizont des Reiches Gottes. Eine Studie zur Verkündigung Jesu nach der Spruchüberlieferung Q 175

Wolfgang Trilling, Leipzig
Die Entstehung des Zwölferkreises. Eine geschichtskritische Überlegung . . 201

Joachim Gnilka, München
Martyriumsparänese und Sühnetod in synoptischen und jüdischen Traditionen 223

Jakob Kremer, Wien
Jesu Verheißung des Geistes. Zur Verankerung der Aussage von Joh 16, 13 im Leben Jesu 247

Rudolf Schnackenburg, Würzburg
Die johanneische Gemeinde und ihre Geisterfahrung 277

Wilhelm Thüsing, Münster
Die Bitten des johanneischen Jesus in dem Gebet Joh 17 und die Intentionen Jesu von Nazaret 307

Eugen Ruckstuhl, Luzern
Zur Aussage und Botschaft von Johannes 21 339

Xavier Léon-Dufour, Paris
Autour du sémeion johannique 363

Ignace de la Potterie, Rom
La notion de „commencement" dans les écrits johanniques 379

Franz Mußner, Regensburg
Zur stilistischen und semantischen Struktur der Formel 1 Kor 15, 3–5 . . . 405

Nikolaus Walter, Naumburg
Die Philipper und das Leiden. Aus den Anfängen einer heidenchristlichen Gemeinde 417

Günter Baumbach, Berlin
Die Zukunftserwartung nach dem Philipperbrief 435

Traugott Holtz, Halle/S.
„Euer Glaube an Gott." Zu Form und Inhalt 1 Thess 1, 9 f 459

Joachim Wanke, Erfurt
Die urchristlichen Lehrer nach dem Zeugnis des Jakobusbriefes 489

Johannes B. Bauer, Graz
Der erste Petrusbrief und die Verfolgung unter Domitian 513

Anton Vögtle, Freiburg i. Br.
Exegetische Reflexionen zur Apostolizität des Amtes und zur Amtssukzession 529

Karl Kertelge, Münster
Offene Frage zum Thema „Geistliches Amt" und das neutestamentliche Verständnis von der „repraesentatio Christi" 583

Karl Hermann Schelkle, Tübingen
Israel und Kirche im Neuen Testament 607

Gerhard Delling, Halle/S.
Die „Söhne (Kinder) Gottes" im Neuen Testament 615

Bibliographie Heinz Schürmann (bearb. von C.-P. März) 633

Register der modernen Autoren 659

Register der Schriftstellen (in Auswahl) 665

CHRISTUSBEKENNTNIS UND CHRISTLICHES HANDELN

Lk 6,46 und Mt 7,21 im Kontext der Evangelien

Von Gerhard Schneider

Dafür, daß in der gegenwärtigen Theologie das Verhältnis von „Orthodoxie" und „Orthopraxie"[1] oder von „Theorie" und „Praxis"[2] diskutiert und dabei die Bedeutung der christlichen „Praxis" energisch unterstrichen wird, gibt es vielerlei Gründe. Man kann bei dieser Diskussion häufig den Eindruck gewinnen, daß das Verhältnis des „Glaubens" zum „Handeln" unzulässigerweise im Sinne einer Theorie-Praxis-Relation verstanden und damit aus seinem biblisch-christlichen Zusammenhang herausgerissen wird. Allzuleicht wird dann der Glaube intellektualistisch als theoretische Prämisse des Handelns angesehen. Andere meinen, das gläubige Bekenntnis sei für das Handeln unerheblich. Das geforderte Tun ist bisweilen kaum mehr von dem zu unterscheiden, was Paulus als „Werk" des eigenmächtig handelnden Menschen disqualifiziert[3].

In dieser Situation dürfte es von Bedeutung sein, sich das angesprochene Problem anhand eines neutestamentlichen Textes in seiner urchristlichen Prägung vorzuführen und ihn – auch im Blick auf die gegenwärtige Fragestellung – zu erörtern. Es handelt sich um den Spruch vom „Herr"-Sagen, der sich Lk 6,46 par Mt 7,21 findet. Er ist ein Herrenwort der Logienquelle (Q), das schon im Kontext dieser Quelle innerhalb der Jüngerrede stand, die die Grundlage der lukanischen „Feldrede" (Lk 6,20–49) und der mattäischen „Bergpredigt" (Mt 5–7) darstellt. Diesen Spruch gilt es in seiner ursprünglichen Fassung und Tragweite zu rekonstruieren (I). Dann soll er im Kontext des Mattäus- (II) und des Lukas-Evangeliums (III) interpretiert werden. Abschließend kommen wir auf die Fragestellung zurück, von der wir ausgegangen sind (IV).

[1] *W. Beilner,* Orthodoxie und Orthopraxie 257, nennt 1974 zur bisherigen Diskussion u. a.: *P. Schoonenberg,* Orthodoxie und Orthopraxie; *C. Dumont,* Orthopraxie vor Orthodoxie?; *D. Berdesinski,* Die Praxis – Kriterium für die Wahrheit des Glaubens. 1975 erschien: *G. Koch/ J. Pretscher,* Rechter Glaube – Rechtes Handeln.

[2] *N. Greinacher,* Theologie im Spannungsfeld von Theorie und Praxis; *J. Beutler,* Das Theorie-Praxis-Problem.

[3] Siehe Gal 5,19–21 („die Werke des Fleisches") im Gegensatz zu 5,22–24 („die Frucht des Geistes"). Nur in bezug auf die „Werke des Fleisches" heißt es in V.21: οἱ τὰ τοιαῦτα πράσσοντες (vgl. Röm 1,32). Die negative Beurteilung von πράσσω liegt im Neuen Testament nicht nur bei Paulus vor; vgl. *Ch. Maurer,* ThWNT VI 635–637. Auch für πρᾶξις gilt, daß „ein abwertendes Urteil in der Mehrzahl der Belege mitschwingt" (ebd. 644). Zur positiven Wertung der „Werke" im Jakobusbrief siehe den Exkurs „Das ‚Werk' bei Paulus und Jakobus" in: *F. Mußner,* Jakobusbrief 152–157.

I.

Da der Spruch vom „Herr"-Sagen aus der Logienquelle stammt und in zweifacher Fassung begegnet, stellt sich die Frage nach seiner ursprünglichen Gestalt. Die knappere Form steht als Frage Lk 6,46: „Was nennt ihr mich aber: Herr, Herr!, und tut nicht, was ich sage?" Die mattäische Fassung lautet: „Nicht jeder, der zu mir: Herr, Herr! sagt, wird ins Himmelreich hineinkommen, sondern wer den Willen meines Vaters im Himmel tut" (Mt 7,21). Noch der Kommentar von E. Klostermann ging der Frage, ob die lukanische Fassung „Abkürzung oder das Ursprüngliche" sei[4], nicht weiter nach. Er stellte nur fest, daß der Spruch bei Mattäus das unmittelbar Vorhergehende (Mt 7,15–20) abschließt und zugleich Mt 7,22f einleitet, während er bei Lukas „kaum noch mit dem Vorhergehenden verknüpft zu sein" scheint[5]. Der Spruch leitet bei Lukas unmittelbar das „Gleichnis vom Hausbau" ein (Lk 6,47–49 par Mt 7,24–27). Die Logienquelle enthielt am Ende der Jüngerrede die Stücke Lk 6,43f(Mt 7,16–18).46(Mt 7,21).47–49(Mt 7,24–27). Mt 7,19–20.22f gehörte diesem Komplex wahrscheinlich noch nicht an[6], wohl aber Lk 6,45, ein Logion, das Mattäus in einen anderen Zusammenhang verlegt haben dürfte (Mt 12,34b.35). Auf jeden Fall stand der Spruch vom „Herr"-Sagen schon in Q unmittelbar vor dem Vergleich vom Hausbau.

Klostermann begnügte sich damit, die Frage zu stellen, ob der lukanische Text des Spruches „Abkürzung oder das Ursprüngliche" sei[7]. Eine ausführlich begründete Antwort findet sich bei F. Hahn[8]. Er wendet sich gegen bisher vorgebrachte (und selten argumentativ gestützte) Behauptungen, Lukas biete die ältere oder gar ursprüngliche Form des Spruches[9], und vertritt die Priorität der Mattäus-Fassung[10]. Die Begründung ist bei Hahn dreifach. Einerseits sei „diesem Spruch bei Lukas die eschatologische Ausrichtung genommen"; andererseits sei nun „an Stelle eines Tuns des Gotteswillens von einem Tun

[4] *E. Klostermann,* Lukasevangelium 84.

[5] Ebd.

[6] Mt 7,19f hat keine synoptische Parallele, während 7,22f par Lk 13,25b–27 steht und sich „mit aller Deutlichkeit als Einschub des ersten Evangelisten" erweist, wie *J. Schmid,* Matthäus und Lukas 244f, gezeigt hat. Zu Mt 7,19.20 siehe ebd. 249: Wiederholungen des Evangelisten.

[7] Siehe hingegen die ohne Argument beiläufig geäußerte Ansicht, Lk 6,46 biete eine „ursprünglichere Fassung", bei *E. Klostermann,* Matthäusevangelium 70.

[8] *F. Hahn,* Hoheitstitel 97f.

[9] Vgl. *W. Bousset,* Kyrios Christos 51; *R. Bultmann,* Geschichte 122f; *E. Klostermann,* Matthäusevangelium 70; *H. Greeven,* Gebet 62.

[10] Frühere Vertreter der Mt-Priorität waren z. B. *W. L. Knox,* The Sources 31f, und *E. Käsemann,* Die Anfänge 84. Siehe ferner *P. Bonnard,* Évangile selon Saint Matthieu 105; *H.-Th. Wrege,* Überlieferungsgeschichte 147.

dessen, was Jesus sagt, die Rede“[11]. Drittens verweist Hahn auf die Altertümlichkeit der Redewendung vom „Eingehen in die Himmelsherrschaft“, die sich Mt 7,21 findet, wenngleich er den Spruch vom „Herr“-Sagen nicht dem irdischen Jesus zusprechen möchte[12]. Diesen Argumenten ist nun – wenn auch nicht in direkter Auseinandersetzung mit Hahn – von H. Schürmann widersprochen worden[13].

Bei Schürmann, der wiederum für die Priorität der Lukas-Fassung plädiert, kommt jene „neue“ Literarkritik zum Zuge, die – letztlich im Dienste der redaktionsgeschichtlichen Fragestellung – form- und stilkritische Gesichtspunkte einbezieht und die Schürmann in seinem dreibändigen exegetischen Erstlingswerk, das für seine Methodik auch im Lukas-Kommentar bestimmend wurde, erstmalig vorführte[14]. Schürmann kann zeigen, daß sich in den Wendungen vom „Willen meines Vaters“[15], vom „Vater, der im Himmel (ist)“[16] und vom „Himmelreich“[17] mattäische „Redaktion“ verrät[18]. Aber ist damit schon gesichert, daß die „redaktionellen“ Wendungen des Mattäus-Evangelisten freie Redaktion sind, die keine Traditionsgrundlage hat? Schürmann behauptet das nicht. Freilich kann er für die Priorität der Lukas-Fassung weiter anführen, daß der dritte Evangelist „sonst oft“ die Frageform vermeidet und diese somit „vermutlich“ vorlukanisch ist[19]. Auf der anderen Seite kann Schürmann darauf verweisen, daß Mt 7,21 in der Wendung vom „Hineinkommen ins Himmelreich“ an Mt 7,13f erinnert und daß ferner Mattäus die Redefigur des auf eine Verneinung folgenden ἀλλά liebt[20]. Stellt man, über Schürmanns Argumente hinausgehend, theologische Tendenzen des Mattäus-Evangelisten in Rechnung, so läßt sich der sekundäre Charakter der Mattäus-

[11] *F. Hahn,* Hoheitstitel 97.

[12] „Hier sind wohl ältere Elemente in einen neuen Spruch übernommen. Das ‚Herr, Herr‘ kann auch nicht als Anrede des irdischen Jesus gemeint sein, sondern wie in Mt 7,22f. handelt es sich offensichtlich um ein Problem, das die nachösterliche Gemeinde beschäftigt hat“ (*F. Hahn,* aaO. 97). *R. Bultmann,* Geschichte 135. 163, wollte die lukanische Fassung des Spruches als primäre Überlieferung, als Wort des irdischen Jesus gelten lassen.

[13] *H. Schürmann,* Lukasevangelium 379–381.

[14] *H. Schürmann,* Paschamahlbericht; Einsetzungsbericht; Jesu Abschiedsrede.

[15] Vgl. Mt 12,50 diff Mk. Siehe auch Mt 6,10 diff Lk; 21,31 S; 26,42 diff Mk.

[16] Vgl. Mt 6,14 par Mk; 12,50 diff Mk; Sondergut: 6,1; 15,13; 16,17; 18,10.19.35. Im Q-Stoff geht die Wendung wohl (außer in Mt 5,45 und 7,11?) auf den Evangelisten zurück: Mt 5,16.48; 6,9.26.32; 7,21.

[17] Im Neuen Testament bekanntlich nur (34mal) bei Mt (und Joh 3,5 v.l.).

[18] *H. Schürmann,* Lukasevangelium 381. Siehe neuerdings auch *S. Schulz,* Spruchquelle 427f; *J. Dupont,* Béatitudes III 252–256.

[19] *H. Schürmann,* Lukasevangelium 381.

[20] Ebd. Zu ἀλλά nach einer Negation vgl. *H. Schürmann,* Traditionsgeschichtliche Untersuchungen 102.

Fassung sicherstellen. Zugleich wird damit die Priorität von Lk 6,46 erwiesen[21].

Die entscheidende Analogie zu der Fassung von Mt 7,21 sind die Seligpreisungen am Anfang der Bergpredigt, die der Evangelist gegenüber der von Lk 6,20b–23 repräsentierten Q-Fassung zu einer Art Tugendkatalog mit lehrsatzhaften Einlaßsprüchen umgestaltet hat. Aus dem ursprünglichen Anredecharakter der Makarismen sind Mt 5,3–10 Sprüche in der dritten Person geworden, die die Bedingungen nennen, unter denen der Besitz „des Himmelreiches" zuteil wird[22]. Im Zusammenhang mit einer entsprechenden Umformung des Spruches vom „Herr"-Sagen am Ende der Bergpredigt hat Mattäus die fragende Anrede des prophetischen Mahnwortes aufgegeben. Sie ist „zu einer allgemeingültigen Regel, zu einem ‚Einlaßspruch' von definitionsartigem Charakter geworden"[23]. Daß Mt 7,21 im Unterschied zu Lk 6,46 nicht vom Tun der Jesusforderung, sondern vom Tun des Willens Gottes spricht, geht nicht nur in der Formulierung („den Willen meines Vaters im Himmelreich") auf Mattäus zurück. Es handelt sich nicht – wie Hahn meinte – um eine ältere Fassung des Spruches. Vielmehr will Mattäus die Forderungen, die Jesus in der Bergpredigt erhoben hat, als mit dem Willen Gottes identische Weisung vorstellen. Wer Jesu Forderung nicht im Tun erfüllt, übt nach 7,23 „Gesetzlosigkeit". Auch 7,24 gibt zu erkennen, daß Vers 21 die *Jesus*forderung als Ausdruck des Willens Gottes kennzeichnen will. Erklären sich somit von der mattäischen Theologie aus die Differenzen zu Lk 6,46, so ist es nicht nötig, die beiden einzigen Elemente weiter zu erörtern, die in der Lukas-Fassung auf den Evangelisten zurückgehen könnten, nämlich die Frageform[24] und das Verbum καλέω[25]. Denn die Frageform war mit der anredenden zweiten Person des Spruches verbunden. Und λέγω ist bei Mattäus an die Stelle von

[21] Geht man davon aus, daß die beiden Evangelisten den Spruch bereits in verschiedener Fassung vorgefunden haben, so läßt sich der redaktionelle Anteil an der jeweiligen kanonischen Fassung kaum mehr ausmachen. Nimmt man jedoch – wie wir es zunächst methodisch tun – eine identische Q-Vorlage der Evangelisten an und kann man ferner die Differenzen der beiden Spruchfassungen von der (anderweitig erkannten) theologischen Zielsetzung der Evangelisten (oder wenigstens eines der beiden) plausibel machen, so ist (wenigstens für diesen Fall) die Gleichheit der Vorlagen im Nachhinein bestätigt.

[22] Siehe *G. Schneider*, Bergpredigt 35–37; *H. Schürmann*, Lukasevangelium 329f. *J. Dupont*, Béatitudes I 341f, schreibt hingegen den Anredecharakter der Makarismen dem Verfasser des dritten Evangeliums zu.

[23] *W. Trilling*, Israel 162(189).

[24] *H. Schürmann*, Lukasevangelium 381: „Die von Luk sonst oft vermiedene Frageform ist vermutlich vorluk."

[25] *S. Schulz*, Spruchquelle 427f: „Das Verb λέγειν bei Mt könnte allerdings ursprünglicher sein als das technischere καλεῖν." Dafür verweist Schulz auf Lk 20,44 diff Mk. Doch steht Mt 7,21 nicht λέγειν κύριον, sondern λέγων μοι (!) κύριε (!).

καλέω getreten, weil es dem ποιεῖν gegenübergestellt werden sollte. Dem Tun wird das Reden entgegengesetzt (vgl. Mt 21,28–31; 23,3b)[26]. Der ursprüngliche Gegensatz zwischen Bekenntnis (zum Herrn) und fehlendem Gehorsam (zum Herrn) wurde von Mattäus aufgegeben.

Die Q-Fassung unseres Spruches entspricht also der von Lk 6,46. Es handelt sich um ein prophetisch anfragendes Mahnwort an die Gemeinde, die sich zu Jesus als dem Herrn bekennt. Da die (zitierte) „Herr"-Anrede nicht als Höflichkeitsform[27] oder als Anrede an den Lehrer Jesus[28] aufgefaßt werden kann, ist der Spruch im Munde des vorösterlichen Jesus kaum denkbar. Ob es sich um einen isoliert tradierten christlichen Prophetenspruch handelt, ist nicht sicher zu entscheiden, weil zumindest der Verdacht besteht, daß der Spruch als Einleitung zum Gleichnis vom Hausbau entstanden ist[29]. Freilich muß auch beachtet werden, daß Lk 6,46 nicht den im „Gleichnis" 6,47–49 vorherrschenden Gegensatz zwischen *Hören* und *Tun* aufgreift. Der Spruch kann als Verknüpfung von 6,43–45 und 6,47–49 entstanden sein, falls er nicht doch einen isolierten prophetischen Ruf darstellt, der als Überleitung benutzt wurde. Das „Herr"-Rufen ist im ursprünglichen Spruch auf den Gebetsruf der Christen bezogen und an den erhöhten und zur Parusie erwarteten Christus gerichtet (vgl. das Marana-tha), wie offensichtlich auch Hahn einräumt[31]. Trifft dies aber zu, dann kann man nicht mit Hahn[32] behaupten, daß dem Spruch in der Lukasfassung „die eschatologische Ausrichtung genommen" sei, und aus diesem Grund für die Mattäus-Priorität eintreten. Eschatologische Dimension hat das Logion in beiden Fassungen.

Da der Spruch, obwohl man seine isolierte Überlieferung in Frage stellen kann, immerhin für sich verständlich ist, sollte man ihn nicht nur innerhalb des Kontextes zu verstehen suchen. In ihm wird die sich zu Jesus als dem „Herrn" bekennende Gemeinde in Form einer eindringlichen Frage ermahnt, ihr Handeln mit dem Bekenntnis in Einklang zu bringen. Wer (im Gottesdienst) Jesus als „Herrn" bekennt und anruft, muß sich ihm auch gehorsam unter-

[26] Vgl. *W. Trilling,* Israel 162(189).

[27] So *O. Cullmann,* Christologie 210: „die Doppelung ‚Herr, Herr' entspricht ganz der semitischen Höflichkeitsform".

[28] Vgl. *G. Dalman,* Worte Jesu I 269–272; *R. Bultmann,* Geschichte 122 Anm. 1.

[29] *H. Schürmann,* Lukasevangelium 380 Anm. 3: „Eine selbständige Tradition hat das Logion schwerlich je gehabt." Vielleicht darf man für die „Unselbständigkeit" des Logions veranschlagen, daß es später zu einem Apophthegma ausgestaltet wurde (Ps-Clem. hom. VIII 7,4; vgl. *E. Klostermann,* Lukasevangelium 84). *H. Greeven,* Gebet 62, meint hingegen, es habe „frei existiert".

[30] *E. Klostermann,* Lukasevangelium 84, schreibt Lk 6,46 die Funktion einer kurzen „Überleitung zu dem Schlußgleichnis" zu.

[31] *F. Hahn,* Hoheitstitel 98: „im besonderen an die eschatologische Funktion Jesu gedacht".

[32] *F. Hahn,* aaO. 97.

stellen und tun, was er sagt. Ein Bekenntnis ohne gehorsames Handeln (nach den Weisungen Jesu) wäre nutzlos, weil es nicht dazu führt, daß der kommende Herr die Seinen „aus dem kommenden Zorn(-gericht) rettet" (1 Thess 1,10)[33]. Die Praxis wird hier nicht einer „Theorie" gegenübergestellt, sondern es wird ein totales Bekenntnis zum Herrn verlangt. Ein Blick auf den Kontext kann das Vorstellungsschema verdeutlichen. Die Spruchreihe Lk 6,39f.41f.43–44a. 44b.45 lag wohl bereits in der Logienquelle vor, und zwar als Warnung vor falschen Lehrern, vielleicht näherhin vor dem Pharisäismus[34]. In dieser Spruchkette wird davon ausgegangen, daß die Qualität der Frucht der des Baumes entspricht (V.43). Deshalb kann man die Qualität der Lehrer wie den Baum an der „Frucht" erkennen (V.44a). Auch in den Versen 44b.45 liegt ein entsprechendes Denkschema vor: Der gute Mensch bringt Gutes, der böse Böses hervor. Wenn von hier aus der Spruch vom „Herr"-Sagen wieder zur Anrede an die Jesusjünger zurücklenkt, so kann er nach dem vorausgehenden Vorstellungsschema zweierlei sagen. Wer Jesu Forderungen erfüllt, erweist sich als wahrer Jünger des „Herrn". Und: Der Jünger, dessen Bekenntnis zum „Herrn" nicht nur Lippenbekenntnis ist, erweist seinen Gehorsam zum Herrn durch das Tun der Jesusforderung. Da die Jüngerrede schon in Q als zentrale Forderung Jesu das Liebesgebot nannte, ist „was ich sage" in Vers 46 auf diese entscheidende Weisung Jesu zu beziehen. Die „Q-Gemeinde" versteht die Weisungen der Jüngerrede als gegenwärtig vom Herrn ergehendes Wort. „Wer Jesu Liebesgebot befolgt, bekennt sich damit zu Jesu ‚Herr-Sein'"[35]. Das sagt der Spruch nicht erst im Kontext des dritten Evangeliums.

II.

Wie Mattäus den Spruch vom „Herr"-Sagen umgedeutet und verstanden hat, ergibt sich für uns aus der Umgestaltung des Spruches selbst, aus seiner Kontextverbundenheit und aus weiteren Anhaltspunkten des Mattäus-Evangeliums.

Die Neufassung des Q-Spruches erstreckte sich auf folgende Punkte: 1. Die prophetische Frage wurde zu einem lehrhaft warnenden Aussagesatz umge-

[33] Vgl. *S. Schulz*, Spruchquelle 429f. Daß der Spruch allerdings gegen die Auffassung gerichtet sei, „das κύριος-Bekenntnis könne alternativ gegen die gehorsame Erfüllung der tora-verschärfenden Forderungen ausgespielt werden" (429), und daß er besage, „allein die Tat des radikalisierten Toragehorsams und der bedingungslosen Jesus-Nachfolge" eröffneten die Rettung im nahen Weltgericht (430), geht aus dem Spruch nicht hervor.

[34] *H. Schürmann*, Lukasevangelium 369.378.

[35] *H. Schürmann*, aaO. 379.

staltet. 2. Es stehen sich nun *Reden* und Tun gegenüber. 3. Was zu tun ist, sind nicht mehr die Worte Jesu, sondern wird „der Wille meines Vaters im Himmel" genannt. 4. Der heilsentscheidende Charakter des Tuns wird verdeutlicht durch die Formulierung vom „Eintreten ins Himmelreich". Aus dem Kontext ergibt sich: 5. Der Spruch ist zwar wie in Q an die Christen insgesamt gerichtet, bezieht sich aber, wie die Verse 22f zeigen, potentiell auch auf christliche Propheten, die als „Täter der Ungesetzlichkeit" (V. 23) gekennzeichnet sind, weil sie den Willen Gottes (V.21) nicht erfüllen. 6. Der Spruch vom „Herr"-Sagen wird durch die Verse 22f erweitert, die eindeutig die Situation beim Endgericht ins Auge fassen. Die Propheten reden den Richter Jesus zwar mit „Herr, Herr!" an, berufen sich auf ihr „im Namen" Jesu ausgeübtes prophetisches Reden, ihre Exorzismen und Macht-Taten, sie werden aber doch verworfen.

Diese Beobachtungen können im Lichte des gesamten Mattäus-Evangeliums zur Erkenntnis der theologischen Motive des Evangelisten führen. 1. Mit 7,21 wendet sich der Evangelist – nach dem zunächst abschließenden Vers 20 – dem Schlußteil der Bergpredigt zu, der zugleich zu den schon an deren Anfang genannten Einlaßbedingungen für die Basileia zurücklenkt. Wie der Anrede-Charakter der Makarismen dort ist auch die Anredeform des Einzelspruches hier zu einer lehrhaften Aussageform geworden. 2. Dieser Änderung entspricht, daß Mattäus das geforderte Tun (ποιεῖν) nicht nur stärker betont als Lukas[36], sondern es vor allem als Tun des Willens Gottes der bloßen Kyrios-Anrede gegenüberstellt. Aus dem (gottesdienstlichen) Ruf an den zur Parusie erwarteten Kyrios ist die Kyrios-Anrede[37] geworden. Der Gegensatz zwischen Kyriosbekenntnis und fehlendem Gehorsam gegen den Kyrios kommt nicht mehr zum Vorschein. Die Anrede ist offenbar nicht mehr (oder nicht nur) die der gegenwärtigen Beter, sondern – wie Vers 22 nahelegt – vor allem die der beim Endgericht um Einlaß in die Basileia Bittenden. 3. Daß nicht mehr die Forderung[38] Jesu, sondern der Wille seines Vaters angibt, was es zu tun gilt, ist nicht Indiz für die Priorität der mattäischen Fassung des Spruches, sondern zeigt, wie dieser Evangelist die Forderung Jesu versteht und betont zu verstehen lehrt. Wenn er Vers 24 schreibt: „Jeder *nun*, der *diese* meine Worte

[36] Siehe neben Mt 28,20a vor allem die Verwendung von ποιεῖν innerhalb der Bergpredigt: 5,19.32.46.47; 6,1.2.3; 7,12.17.18.19.21.22.24.26. Vgl. ferner den Makarismus der εἰρηνοποιοί Mt 5,9.

[37] με καλεῖτε wird durch ὁ λέγων μοι ersetzt. Möglicherweise ist πᾶς ὁ mit Partizip (Mt 7,21) durch den Anfang des Gleichnisses in Q (Lk 6,47 Anfang) veranlaßt; siehe *H. Schürmann,* Lukasevangelium 381.

[38] Diesen Sinn von „was ich sage" (Lk 6,46) verdeutlichen die interpretierenden Zitationen des Spruches 2 Clem 4,1f.5; Pap. Egerton 2f.2^{r}; Ps-Clem.hom. VIII 7,4.

hört und sie tut...", gibt er zu erkennen, daß er die in der „Bergpredigt" bisher gebotenen Jüngeranweisungen meint, die zugleich das wahre „Gesetz" (V.23: ἀνομία) und den Willen des himmlischen Vaters (V.21) darstellen. „Jesu Forderung steht nicht neben, über oder unter der Forderung Gottes, sondern ist sie selber in völliger Identität"[39]. 4. Daß der Eintritt ins „Himmelreich"[40] von der Ausführung des göttlichen Willens abhängt, ist nach dem Gesagten nun einsichtig. Der Vater „im Himmel" hat die Bedingung gesetzt, unter der er den Zutritt in sein Reich gewährt. Der himmlische Kyrios Jesus stellt als Richter fest, ob jener von Gott geforderte Gehorsam verwirklicht wurde oder ob der Einlaßbegehrende „Ungesetzlichkeit ausübte" (V.23). Nicht bloßes Tun, nicht einmal Tätigkeit „im Namen Jesu" (V.22) erfüllt die Einlaßbedingung Gottes, sondern nur die Ausführung der *sittlichen Forderung Jesu*, die auch Mattäus im Liebesgebot zusammengefaßt sieht[41].

5. Auf den ersten Blick ist schwer auszumachen, ob der Evangelist 7,21–23 noch wie 7,15–20 auf die Pseudopropheten bezieht oder allgemein auf die Jünger[42]. In Vers 22 ist zwar deutlich auf Propheten Bezug genommen, aber nicht eigentlich auf Falschpropheten. Doch ist nicht zu verkennen, daß Vers 20 resümierend die Warnung vor den Falschpropheten beendete und daß mit Vers 21 ein neuer Gedanke einsetzt, der schließlich mit dem „Gleichnis" (V.24: πᾶς οὖν) seinen Abschluß findet. Vers 21 redet zwar als Unterweisung allgemein jeden Jünger an, spricht aber doch in Verbindung mit den Versen 22f[43] von der Bedingung, unter der das Heil erreicht wird, und dann – wenn auch betont – von denen, die das Heil nicht erreichen. Damit entspricht das Stück der Struktur des Gleichnisses und kann somit als vorausgehende Verständnishilfe gelten. Diese hat vor allem die Worte Jesu als den „Willen" Gottes, ja als das „Gesetz" Gottes, kennzeichnen wollen. 6. Die „Erweiterung" von Vers 21 durch die Ausführung der negativen Alternative, nämlich der eschatologischen Folge dessen, daß ein Christ den Willen Gottes nicht tat,

[39] *W. Trilling,* Israel 163(190), mit dem Hinweis, daß diese Identität „die Auswirkung, eine Seite der Identität von ‚Gottes Königtum' und dem ‚Herrentum Christi'" ist.

[40] Auch mit diesem Zentralbegriff lenkt Mattäus zu den Makarismen zurück, in denen er diesen Begriff zur „Rahmung" (5,3.10) benutzte.

[41] *G. Schneider,* Bergpredigt 165–167.

[42] *J. Schmid,* Das Evangelium nach Matthäus 151f.

[43] Die VV.22f sind vom Evangelisten an V.21 (par Lk 6,46) angehängt worden. Ihre Vorlage stand ursprünglich in anderem Zusammenhang, wie Lk 13,25b–27 zeigt; vgl. *J. Schmid,* aaO. 152. M.E. hat Mattäus in V.22 die Anrede verdoppelt (vgl. Mt 25,11). *F. Hahn,* Hoheitstitel 98, hält die Doppelung der Anrede für ursprünglicher. Doch muß dagegen vermerkt werden, daß Lukas eine Doppelanrede sonst aus Quellen *übernommen* hat (6,46 und 13,34 par Mt; 10,41 und 22,31 Sondergut oder gar – wie 8,24 diff Mk – „Redaktion"). Vgl. Apg 9,4 (= 22,7; 26,14); dazu *H. Schürmann,* Jesu Abschiedsrede 101.

obgleich er „im Namen Jesu“ tätig war, zeigt – über die Aussage des folgenden Gleichnisses hinausgehend –, daß es entscheidend auf das Tun der sittlichen Forderung Jesu ankommt (vgl. 25,31–46). Das wird am Ende des Evangeliums noch einmal ausdrücklich gesagt: „Lehret sie alles halten, was ich euch befohlen habe“ (28,20a)! Es zeigt sich, daß das mattäische Verständnis des Spruches vom „Herr“-Sagen dem Denkschema von Theorie und Praxis zwar näherkommt als die ursprüngliche Fassung, ihm aber doch nicht voll entspricht. Immerhin kann die sittliche Weisung Jesu, also vor allem die „Bergpredigt“, als vor aller tätigen Erfüllung existent angesehen werden[44], während man einem „Herr“-Rufen ohne Gehorsam gegenüber dem Herrn die Qualität des gläubigen Bekennens absprechen muß und allenfalls von einem leeren Lippenbekenntnis reden kann.

III.

Da der lukanische Wortlaut des auszulegenden Spruches mit dem von Q übereinstimmt und da der Spruch auch im gleichen Kontext steht wie in der Logienquelle, läßt sich der spezifische Sinn, den ihm der dritte Evangelist gab, von dem der Quelle nur schwer abheben. Dennoch kann die lukanische Sinngebung erkannt werden, und zwar vor allem vom Gesamtwerk dieses Evangelisten her.
Wie bei Mattäus ist zuerst der nähere Kontext zu beachten, nämlich die Rede, deren Schluß Lk 6,46 einleitet. Die in der Situationsangabe 6,17–19 vor Beginn der Rede genannten Zuhörer sind auch in der Frage von 6,46 angesprochen: eine große Jüngerschar und die Volksmenge aus dem Judenland und aus Jerusalem, ja aus dem benachbarten Tyrus und Sidon. Sie sind als „hörwillige“ und „Heilung“ suchende Menschen vorgestellt. Sie waren zu Jesus gekommen (V. 18 par Mk 3,8), woran Lk 6,47 ausdrücklich erinnert (Jeder, „der zu mir kommt“). Die „Herr“-Anrede von Vers 46 ist demzufolge als Anrede hörwilliger Zeitgenossen Jesu verstanden, und es wird deutlich gemacht, daß das Hören der Worte Jesu nicht schon zum Heil genügt. So wie das „Hören“ nicht hinreicht (VV.47–49), genügt auch nicht die erwartungsvolle und ergebene „Herr“-Anrede (V.46). Vielmehr gilt es zu tun, was Jesus sagt (V.46: ἃ λέγω, V.47: μου τῶν λόγων . . . αὐτούς). Wiederum ist vornehmlich an das Liebesgebot gedacht (vgl. V.27a: „Aber euch, den Zuhörenden, sage ich“). Dem „Hören“ ist auch in dem Abschnitt über dieses Gebot

44 „Lehren“ hat indessen bei Mattäus einen direkten Bezug zum Handeln; es will und soll Tun erreichen (vgl. Mt 28,15.20a).

(6,27–35) ausdrücklich das „Tun“ (ποιεῖν, ἀγαθοποιεῖν) gegenübergestellt (VV.27b.31.33.35). Entsprechend formuliert Lukas 8,21 (im Unterschied zu Mk 3,35): „Meine Mutter und meine Brüder, das sind die, die das Wort Gottes hören und tun.“ Das im Tun zu befolgende „Wort Gottes“ (11,28) wird im „Wort“ Jesu (4,32; 8,5.11; 10,39) bzw. in seinen „Worten“ (9,26; 21,33; 24,44) vernommen[45].

Die Anrede von 6,46 ist also an den irdischen Jesus gerichtet, wie dem Leser des dritten Evangeliums durch das vorausgehende gleiche κύριε in 5,8.12 nahegelegt wird[46]. Trotzdem ist 6,46 (wie die gesamte Jüngerrede) nicht nur im Sinne eines Berichts auf der Ebene des Berichteten zu lesen. Vielmehr gilt die Mahnung auch den Lesern des Evangeliums, die als Christen „den Namen des Herrn anrufen“ (Apg 2,21; vgl. 9,14.21; 22,16)[47].

Die „Herr“-Anrede findet sich im Mund von Menschen, die Jesu Lehrautorität und Heilungsmacht anerkennen. Doch gibt der Evangelist zu erkennen, daß ein solches Zutrauen nicht genügt. Die Anerkennung der Lehrhoheit darf sich nicht auf Anfragen an Jesu besonderes Wissen beschränken, sondern muß sich im Tun vollziehen. Das wird – in einer dem dritten Evangelisten eigenen Form – an mehreren Stellen seines Werkes deutlich. „Jemand“ fragt 13,23a: „Herr, sind es wenige, die gerettet werden?“ Die Antwort Jesu, die dem Evangelisten – im Gegensatz zu der Anfrage – materiell vorgegeben war (vgl. Mt 7,13f), lenkt von der „theoretischen“ Frage zum praktischen Tun: „Kämpft darum, durch die enge Tür hineinzukommen!“ (13,24a) Ähnliche redaktionelle Einführungsfragen liegen 10,29 („Und wer ist mein Nächster?“) und 17,20a („wann das Reich Gottes komme“) vor. Die Antwort Jesu ruft jedesmal zum Handeln gemäß seiner Weisung auf (10,36f; 17,21b[48]). Am Ende

[45] Vgl. *C.-P. März,* Wort Gottes 57–60.

[46] Siehe ferner Lk 7,6; 9,54.59.61; 10,17.40; 11,1; 12,41; 13,23; 17,37a; 18,41; 19,8; 22,33.38.49. Bei Mt begegnet hingegen die erste „Herr“-Anrede an (den irdischen) Jesus erst 8,2, also *nach* 7,21. Die 18 κύριε-Anreden des Lk an den irdischen Jesus kommen in 11 Fällen von Jüngern, in 7 von nachfolgewilligen oder Heilung erwartenden Menschen. In 7 bis 9 Fällen ist die Anrede vom Evangelisten gebildet (5,12; 11,1?; 12,41; 13,23; 17,37a; 18,41; 19,8?; 22,33.49).

[47] „Erst so wird dann recht eigentlich verstehbar, warum über den eigentlich gemeinten Gegensatz Hören-Tun VV. 46b.47ff hinaus – in solchem Zusammenhang doch eigentlich unbegründet – V.46a die Kyrios-Homologese erscheint“ (*H. Schürmann,* Lukasevangelium 380f). Da in Apg für die (Tauf-)Homologese regelmäßig ἐπι-καλέω verwendet wird (2,21; 9,14.21; 22,16), ist indessen fraglich, ob Lukas auch Lk 6,46 auf dieses Bekenntnis bezieht. Da ferner die „Herr“-Anrede als Gebetsanrede (abgesehen von den Anm. 52 genannten Fällen) in Apg an *Gott* gerichtet ist (1,24; 4,29), wird sie Lk 6,46 als Anrede an den irdischen Jesus verstanden sein. Das grundlegende κύριος-Bekenntnis ist nach Apg 2,21.36.38 erst seit Ostern möglich.

[48] Zum lukanischen Anteil an Lk 17,20f siehe *R. Schnackenburg,* Abschnitt 214–221. Die Antwort Jesu auf die apokalyptische Pharisäerfrage enthält das problematische ἐντὸς ὑμῶν. *R. Schnackenburg* (218) deutet es mit *A. Rüstow,* ZNW 51 (1960), in dem Sinn, daß den Pharisäern die Basileia *zur Verfügung* steht, so daß Jesus „zu persönlicher Anstrengung“ mahnt.

des Gleichnisses vom gottlosen Richter hat Lukas die implizit vorhandene Frage nach der Rechtfertigung der bedrängten Frommen (18,7.8a) durch die nach dem Glauben der Jünger (18,8b) erweitert[49]. Der Menschensohn fragt bei seinem Kommen nach jenem Glauben, der sich u. a. im unablässigen Beten (18,1) äußert.

Gerade solchen, die Jesus mit „Herr" anreden, wird von ihm eine Antwort zuteil, die ihre Vorstellung und Erwartung korrigiert. Insofern können auch diese Stellen den Spruch vom „Herr"-Sagen beleuchten, aber auch im Lichte von 6,46 gelesen werden. Jesus geht nicht von Petrus, dem „sündigen Menschen", weg, sondern macht ihn zum „Menschenfischer" (5,8.10). Jesus weist den Wunsch von Jakobus und Johannes, Feuer über das ungastliche Samariterdorf herabzurufen, zurück (9,54f). Er entspricht nicht dem Ansinnen der Nachfolgewilligen, die zuvor „den Vater begraben" oder von der Familie Abschied nehmen wollen (9,59f.61f). Den Siebzig, die sich freuen, daß ihnen die Dämonen untertan sind, nennt Jesus korrigierend den wahren Grund zur Freude (10,17.20). Der dienenden Martha gegenüber läßt Jesus die leise Kritik an der hörenden Schwester Maria nicht gelten, ja er weist auf den Vorrang des Hörens (auf sein Wort) hin (10,39.40.42). Um recht zu handeln, genügt nicht einmal eine dienende Aktivität. Rechtes Handeln setzt das Hören *auf Jesu Wort* (6,46b; 10,39b) voraus. Der Frage, ob wenige gerettet werden, wird die Aufforderung zum kämpferischen Ringen entgegengestellt (13,23f). Die Frage der Jünger, wo sich die Endereignisse abspielen werden, wird durch das Sprichwort vom Aas und den Geiern zurückgewiesen (17,37a.b)[50]. Vielleicht ist auch der Hinweis Jesu auf die Sendung des Menschensohnes zur Rettung des Verlorenen (19,10) eine korrigierende Antwort, diesmal auf das „moralische" Versprechen des Zachäus (19,8). Schließlich kann nicht übersehen werden, daß Jesus auch die Apostel trotz der von ihnen bekundeten Bereitschaft zurechtweist. Petrus ist zwar bereit, Jesus in den Tod zu folgen; doch Jesus sagt ihm die dreimalige Verleugnung voraus (22,33f). Die Verteidigung Jesu mit dem Schwert, zu der die Apostel sich bereit erklären, wird abgelehnt (22,38a.b.49–51).

Obwohl Lk 6,46 der Q-Fassung des Spruches entspricht, hat Lukas die Weise, in der nach Ostern die Worte Jesu vernommen werden, wohl nicht mehr als gegenwärtige Anrede des erhöhten Herrn an die Seinen verstanden, sondern als in der Vergangenheit gesprochene Worte, deren es zu „gedenken" gilt[51].

[49] Vgl. *E. Gräßer,* Parusieverzögerung 36–38; *G. Schneider,* Parusiegleichnisse 71–78.

[50] 17,37a ist lukanisch-redaktionell; siehe *R. Schnackenburg,* Abschnitt 225f.231. Vgl. *E. Gräßer,* aaO. 171.

[51] Siehe besonders Apg 20,35, wo „Geben ist seliger als nehmen" an das Liebesgebot Jesu erinnern dürfte; vgl. Lk 6,30f.

Die κύριε-Anrede an Jesus ist in der Apostelgeschichte offenbar nicht normale Gebetsanrede der Christen, sondern setzt wie Apg 1,6 die besondere Anwesenheit des Auferstandenen während der „40 Tage" oder in einem „Gesicht" voraus[52]. Die Worte des Herrn müssen nach Lukas „im Herzen bewahrt" werden[53]. Während die Neufassung des Spruches Mt 7,21 ihn als Mahnung an den einzelnen Christen und nicht als Frage an die Gemeinde versteht („Jeder, der...,"), hat Lukas seine Form bewahrt. Die „Herr"-Anrede, von der er spricht, ist ja zunächst auf die damaligen Hörer Jesu zu beziehen. Doch auch Lukas gibt zu erkennen, daß er an den Einzelmenschen denkt, wenn er im Gleichnis vom Hausbau allegorisierend andeutet, was der Mensch nach dem „Hören" der Worte Jesu „tun" soll („er grub tief hinein und legte das Fundament auf Felsen" V.48).

Wie in der „Feldrede" auf die anfängliche Seligpreisung der Jünger (6,20–23) am Ende die Mahnung an den einzelnen folgt (6,47–49), geschieht das auch nach der Seligpreisung 10,23f. Es folgen zwei Stücke, die im wesentlichen Sondergut darstellen. Sie sprechen vom *Tun* der Nächstenliebe einerseits (10,25–37), vom *Hören* auf Jesu Wort andererseits (10,38–42) und beantworten die Frage nach dem zum ewigen Leben notwendigen Tun (10,25.42). Diese beiden Perikopen sind als grundlegende Jüngerunterweisung gewiß aufeinander bezogen, so daß die Aufforderung zum Handeln (V.37) durch die zum Hören auf Jesus als dem Einen-Notwendigen (V.42) ergänzt wird.

IV.

Überblickt man die frühe Traditionsgeschichte des Spruches vom „Herr"-Sagen und macht von diesem Überblick aus den Versuch, das urchristliche Verständnis des „Theorie-Praxis"-Problems mit dem heutigen zu vergleichen, dann kann sich der Vergleich wohl nur auf ein heute verbreitetes Normal-Verständnis der Problematik beziehen. Wollte man die verschiedenen philosophischen oder theologischen Konzeptionen heranziehen, so würde ein solches Unternehmen den gegebenen Rahmen sprengen. Insofern man heutzutage die rechte Praxis der bloßen („grauen") Theorie gegenüberstellt und ihren Vorrang betont, wird man sich nicht auf den Spruch vom „Herr"-Sagen berufen können. Denn dieser Spruch sieht im *Herr-Sein Jesu* den Grund des Heils. Nur wer das Herr-Sein Jesu nicht bloß *bekennt*, sondern auch im Gehor-

[52] Letzteres ist der Fall: Apg 7,59.60 (Stephanus); 9,5; 22,8.10.19; 26,15 (Paulus); 9,10.13 (Ananias); 10,4 (Kornelius); 10,14; 11,8 (Petrus). Im eigentlichen Gebet gilt die „Herr"-Anrede *Gott* (Apg 1,24; 4,29).

[53] Lk 8,15 diff Mk; vgl. 2,19.51.

sam zu seinem Wort *anerkennt*, kommt zum Heil. Das Bekenntnis ist unwahr, wenn ihm nicht der Gehorsam folgt. Und der geforderte Gehorsam ist seinem Wesen nach Anerkennung des Herr-Seins Jesu, weil er sich an seinem Wort orientiert.

Abschließend und zusammenfassend soll daher festgehalten werden, wie sich die Problematik in dem herangezogenen Beispiel urchristlicher Jesusverkündigung positiv darstellt. Möglicherweise ist Lk 6,46 ursprünglich als *Einzelspruch*, nämlich als prophetisches Mahnwort, überliefert worden. Sollte das der Fall gewesen sein, so richtete sich das Logion wohl gegen einen „Enthusiasmus", der angesichts der Erwartung eines nahen Kommens des „Herrn" die sittliche Weisung Jesu ignorierte. Die mahnende Frage ruft die Gemeinde derer, die Jesus als den kommenden „Herrn" anrufen, zum Gehorsam gegenüber seinen Forderungen auf. Sie macht die Wertlosigkeit eines bloßen Lippenbekenntnisses deutlich.

Innerhalb der *Logienquelle* läßt sich die Funktion des Spruches mit größerer Gewißheit ausmachen. Ungewiß bleibt zwar, ob der Spruch nun angesichts einer Entspannung der eschatologischen Naherwartung vor Lethargie warnt[54] oder z. B. die „tora-verschärfenden" Forderungen Jesu herausstellen möchte[55]. Die Voraussetzungen der „Tatenlosigkeit" der Gemeinde werden nicht genannt, und man kann allenfalls aus dem mit Lk 6,46 verbundenen Gleichnis vom Hausbau schließen, daß die Gemeinde Jesu Worte nicht nur aktuell als konkrete Anrede vernimmt, sondern sie auch „bloß-hörend" besitzt und tradiert. Da das Gleichnis vom Hausbau in der Logienquelle eine eschatologische Warnung angesichts der endzeitlichen Katastrophe ist, wird auch der einleitende Spruch vom „Herr"-Sagen diese eschatologische Dimension wahren wollen. Ein Kyrios-Bekenntnis zu dem Herrn, den man zur Parusie herbeiruft, ist ohne gehorsame Erfüllung seiner Forderungen nutzlos. Der Herr wird nur den vor dem kommenden Gericht retten, der ihn durch die Tat als Herr anerkannte. Der Kontext der Logienquelle sieht im Liebesgebot die Mitte der Forderungen Jesu[56].

[54] Zu der Frage, ob Q bereits eine „Verzögerung" der Parusie kennt und berücksichtigt, siehe *D. Lührmann,* Redaktion der Logienquelle 69–71 (mit positiver Antwort), und *P. Hoffmann,* Studien 49f (mit eingeschränkt positiver Antwort).

[55] Vgl. die Anm. 33 angeführte Auffassung von *Schulz*.

[56] Das „Ich sage euch" stand, wie Lk 6,27 par Mt 5,44 zeigt, schon in Q vor dem Gebot der Feindesliebe. – Aus dem paulinischen Briefkorpus ist Gal 5,6 zu vergleichen: „Glaube der durch Liebe wirksam ist". Die johanneische Theologie läßt Jesus sagen: „Wenn ihr mich liebt, werdet ihr meine Gebote halten" (Joh 14,15; vgl. 14,23f). Dieses Logion scheint mit dem Spruch vom „Herr"-Sagen traditionsgeschichtlich verwandt zu sein. Die spätere Überlieferung verbindet die johanneischen Logien mit dem Spruch der beiden Synoptiker; vgl. 2 Clem 4,1–5; Epist. Apostolorum 24(35). Mt 7,21 und Lk 6,46 werden schon von Justin, Apol. I 16,9f, miteinander verknüpft.

Das *Mattäus-Evangelium* betont die Identität der Jesusworte mit dem Willen Gottes. Jesu Weisung, die als Lehre weitergegeben wird, steht nicht *neben* dem Willen Gottes. Sie ist die wahre Kundgabe des göttlichen Willens und insofern „Gesetz". Sie ist nicht ohne Anleitung zur tätigen Erfüllung lehrbar: Die Jünger sollen die Völker „lehren, alles zu halten, was ich euch (zu tun) geboten habe" (Mt 28,20a). Was es zu tun gilt, spricht vor allem die mattäische Bergpredigt aus. Sie gibt durch die letzte der Antithesen zu erkennen, daß die Weisung Jesu im Gebot der Liebe kulminiert (5,43–48; vgl. 19,19b; 22,39f). Nur Taten der Liebe zählen vor Gottes Gericht (25,31–46), nicht aber charismatisch-prophetische Aktivitäten (7,22f). Wenn der Evangelist den Spruch vom „Herr"-Sagen zu einem lehrsatzhaften Einlaßspruch umgestaltete, appelliert er an die Entscheidungsfähigkeit des einzelnen und nennt ihm verdeutlichend und motivierend das Ziel des Handelns und den heilsentscheidenden Charakter des handelnden Gehorsams: Er spricht von der Bedingung für den Eintritt ins Himmelreich.

Der *dritte Evangelist* versteht die „Herr"-Anrede des Spruches als Anrede hörwilliger Zeitgenossen Jesu. Den mahnenden Spruch als solchen legt er indessen seinen *Lesern* vor, damit sie ihn wie alle Herrenworte bedenken und befolgen. Insofern ist die ursprüngliche eschatologische Dimension von 6,46 durch den Gesamtkontext aufgehoben. Auch Lukas denkt bei der Weisung Jesu vornehmlich an das Liebesgebot. Voraussetzung für rechtes Handeln ist indessen die grundlegende Bemühung des Hörers um das rechte Verstehen der Jesusworte, wie Lukas 6,48 (im Bild von den „Fundamentierungsarbeiten") und 8,15 (im Bild vom „guten Boden" und vom „Frucht-Bringen") andeutet und 10,39.42 ausdrücklich sagt. Die Herrenworte bedeuten gerade dem hörwilligen Menschen eine Korrektur seiner eigenen Erwartung und Vorstellung. Der „Herr" weist dem Christen den wahren Weg zum Heil. Und gerade in seiner den Menschen „ent-täuschenden" Weisung muß er als „Herr" anerkannt werden.

Literatur

Beilner, W., Orthodoxie und Orthopraxie: Cath 28 (1974) 257–270.
Berdesinski, D., Die Praxis – Kriterium für die Wahrheit des Glaubens. Untersuchungen zu einem Aspekt politischer Theologie, München 1973.
Beutler, J., Das Theorie-Praxis-Problem in neutestamentlicher Sicht, in: *L. Bertsch* (Hrsg.), Theologie zwischen Theorie und Praxis, Frankfurt a. M. 1975, 149–178.
Bonnard, P., L'Évangile selon Saint Matthieu (Commentaire du NT 1), Neuchatel 1963.
Bousset, W., Kyrios Christos. Geschichte des Christusglaubens von den Anfängen des Christentums bis Irenaeus (FRLANT 21), Göttingen ^{5}1965 (= ^{2}1921).
Bultmann, R., Die Geschichte der synoptischen Tradition (FRLANT 29), Göttingen ^{5}1961 (Nachdr. Berlin 1961).
Cullmann, O., Die Christologie des Neuen Testaments, Tübingen (1957) ^{3}1963.
Dalman, G., Die Worte Jesu, Bd. I, Leipzig ^{2}1930 (Neudruck Darmstadt 1965).
Dumont, C., Orthopraxie vor Orthodoxie?: Theologie der Gegenwart 13 (1970) 184–191.
Dupont, J., Les Béatitudes, 3 Bde., Paris (I^{2}. II) 1969. (III) 1973.
Gräßer, E., Das Problem der Parusieverzögerung in den synoptischen Evangelien und in der Apostelgeschichte (BZNW 22), Westberlin ^{2}1960.
Greeven, H., Gebet und Eschatologie im Neuen Testament, Gütersloh 1931.
Greinacher, N., Theologie im Spannungsfeld von Theorie und Praxis, in: *P. Neuenzeit* (Hrsg.), Die Funktion der Theologie in Kirche und Gesellschaft, München 1969, 156–170.
Hahn, F., Christologische Hoheitstitel. Ihre Geschichte im frühen Christentum (FRLANT 83), Göttingen (1963) ^{3}1966 (Nachdr. der 2. Aufl. Berlin 1965).
Hoffmann, P., Studien zur Theologie der Logienquelle (NTA NF 8), Münster 1972.
Käsemann, E., Die Anfänge christlicher Theologie (erstm. 1960), in: *Ders.*, Exegetische Versuche und Besinnungen, Bd. II, Göttingen ^{3}1968, 82–104 (Nachdr. Berlin 1968, 170–192).
Klostermann, E., Das Lukasevangelium (HNT 5), Tübingen ^{2}1929.
Ders., Das Matthäusevangelium (HNT 4), Tübingen ^{4}1971 (= ^{2}1927).
Knox, W. L., The Sources of the Synoptic Gospels, Bd. II, Cambrigde 1957.
Koch, G./Pretscher, J., Rechter Glaube – Rechtes Handeln, Freiburg 1975.
Lührmann, D., Die Redaktion der Logienquelle (WMANT 33), Neukirchen 1969.
März, C.-P., Das Wort Gottes bei Lukas (EThSchr 11), Leipzig 1974.
Maurer, Ch., Art. πράσσω κτλ., in: ThWNT VI (1959) 632–645.
Mußner, F., Der Jakobusbrief (HThK XIII/1), Freiburg ^{2}1967.
Rüstow, A., ΕΝΤΟΣ ΥΜΩΝ ΕΣΤΙΝ. Zur Deutung von Lukas 17,20–21: ZNW 51 (1960) 197–224.
Schmid, J., Das Evangelium nach Matthäus (RNT 1), Regensburg ^{3}1956 (Nachdr. Leipzig 1963).
Ders., Matthäus und Lukas. Eine Untersuchung des Verhältnisses ihrer Evangelien (BSt 23,2–4), Freiburg 1930.
Schnackenburg, R., Der eschatologische Abschnitt Lk 17,20–37, in: Mélanges Bibliques (Festschr. für B. Rigaux), Gembloux 1970, 213–234.
Schneider, G., Botschaft der Bergpredigt (1969) (BGNT 30), Leipzig ^{2}1973.
Ders., Parusiegleichnisse im Lukas-Evangelium (SBS 74), Stuttgart 1975.
Schoonenberg, P., Orthodoxie und Orthopraxie, in: *K. Rahner* (Hrsg.), Die Antwort der Theologen, Düsseldorf 1968, 27–61.
Schürmann, H., Jesu Abschiedsrede Lk 22,21–38 (NTA XX/5), Münster 1957.
Ders., Der Einsetzungsbericht Lk 22,19–20 (NTA XX/4), Münster 1955.
Ders., Das Lukasevangelium. Erster Teil: Kommentar zu Kap. 1,1–9,50 (HThK III/1), Freiburg 1969 (Nachdr. Leipzig ^{2}1971).
Ders., Der Paschamahlbericht Lk 22,(7–14.)15–18 (NTA XIX/5), Münster 1953.
Ders., Traditionsgeschichtliche Untersuchungen zu den synoptischen Evangelien, Düsseldorf 1968.
Schulz, S., Q. Die Spruchquelle der Evangelisten, Zürich 1972.

Trilling, W., Das wahre Israel (EThSt 7), Leipzig 1959; (StANT 10) München [3]1964 (Nachdr. [EThSt 7] Leipzig 1975).
Wrege, H.-Th., Die Überlieferungsgeschichte der Bergpredigt (WUNT 9), Tübingen 1968.

ÜBER DIE AUTORITÄT JESU

Eine Rückfrage anhand des Bekenner- und Verleugnerspruchs Lk 12,8f par.

Von Rudolf Pesch

Jesu Autorität wird im christlichen Glauben als göttliche Autorität angenommen und geglaubt. Am Schluß des Mattäusevangeliums ist als ein Basissatz christlichen Glaubens im Munde des Auferstandenen formuliert: „Gegeben ist mir (von Gott) alle Autorität *(exousia)* im Himmel und auf Erden" (Mt 28, 18). Der auferstandene Jesus wird als der umfassend Bevollmächtigte vorgestellt. Theologie und insbesondere Christologie kann heute nicht mehr so betrieben werden, daß solche Basissätze christlichen Glaubens nur gedeutet, entfaltet, spekulativ bedacht und zur Geltung gebracht werden; ihre Geltung ist für uns mit davon abhängig geworden, inwieweit es uns gelingt, die Basissätze christlich-christologischer Tradition mit dem Leben Jesu von Nazaret selbst zu vermitteln[1]. Wenden wir uns unvermittelt unserem Thema zu: Hat Jesus von Nazaret selbst göttliche Autorität beansprucht bzw. geltend gemacht – oder schreibt ihm solchen Anspruch allein erst der nachösterliche Glaube zu? Diese Frage ist insofern nicht belanglos, als als Grundkriterium christlicher Theologie gilt: „Im Glauben darf nichts über Jesus ausgesagt werden, was nicht Anhalt am historischen Jesus selbst hat".[2] Fragen wir also: Inwieweit hat Jesus von Nazaret, der irdische, der historische (historischer Würdigung zugängliche) Jesus göttliche Autorität beansprucht bzw. geltend gemacht?

In der exegetischen Diskussion um die Autorität Jesu spielt mit Recht der Bekenner- und Verleugnerspruch eine wichtige Rolle. Auch unser Versuch, etwas über die Autorität Jesu auszumachen, soll von ihm ausgehen. Dieser „Ausgang" setzt freilich voraus, daß wir den Bekenner- und Verleugnerspruch historisch-kritisch als Jesusgut sichern können (I); bevor wir uns dann in stärker systematischem Horizont der Auslegung der in Lk 12, 8f bezeugten Autorität Jesu widmen können (III), bedarf der als Jesusgut gesicherte Spruch zunächst einer einläßlichen historischen Interpretation (II). Indem wir methodische Fragestellungen aufgreifen, deren Ausarbeitung der Jubilar, dem dieser Beitrag zugeeignet ist, entsprechend gefördert hat, hoffen wir ihm auf angemessene Weise Dank und Verbundenheit zu bekunden.

[1] Vgl. zu dieser Fragestellung auch *R. Pesch,* Exegese.

[2] *P. Knauer,* Jesus 159.

I. Geht der Bekenner- und Verleugnerspruch Lk 12, 8f par auf Jesus zurück?

Da der Verleugner- und teilweise auch der Bekennerspruch in mehreren Fassungen überliefert ist, muß zunächst geklärt werden, welche Fassung als älteste den Ausgangspunkt einer Rückfrage nach dem historischen Jesus bilden kann (1); die älteste Fassung des Spruches, die uns erreichbar ist, muß daraufhin geprüft werden, ob sie als authentisches Jesusgut gelten kann (2).

1. Die Rekonstruktion der ältesten Fassung des Bekenner- und Verleugnerspruchs

Der Bekennerspruch ist nur aus der Q-Tradition in Mt 10, 32 und Lk 12, 8 erhalten, der Verleugnerspruch neben Mt 10, 33 und Lk 12, 9 auch in Mk 8,38 par Lk 9,26. Von späteren Aufnahmen (Joh Ev Apocr XXX, 2)[3] der Sprüche bzw. Anspielungen an sie (vgl. 2 Tim 2,12; IgnSmyrn 10,2; 2 Clem Kor 3, 2; Offb 3, 5) können wir zunächst absehen. Daß Lk 9, 26 eine redaktionelle Bearbeitung von Mk 8, 38 vorliegt – Lukas hat bei seiner Bearbeitung an die Q-Fassung Lk 12,9 angeglichen –, darf hier mit H. Schürmann[4] als zureichend begründet vorausgesetzt werden. Daß Mt 10,32f im ganzen, vor allem in der Ersetzung von „Menschensohn“ durch „ich“, gegenüber Lk 12,8f sekundär ist, die lukanische Fassung demgemäß die Q-Fassung eher bewahrt hat, ist zuletzt wieder von A. J. B. Higgins[5] dargetan worden. Doch kann für die Rekonstruktion der Q-Fassung die mattäische Fassung nicht ganz außer acht gelassen werden; die hinter Mt 10,32f *und* Lk 12,8f greifbare Fassung muß im sorgfältigen Vergleich der beiden Fassungen unter Beachtung der Redaktionen der Evangelisten zurückgewonnen werden (a). Da jüngst von W. G. Kümmel[6] wieder der (von markinisch-redaktionellen Zutaten befreiten) markinischen Fassung (Mk 8,38) vor der hinter Mt 10,32f/Lk 12,8f greifbaren Q-Fassung der Vorzug der ältesten erreichbaren Gestalt des Spruches gegeben wurde, bedarf auch der Vergleich zwischen der zu rekonstruierenden vormarkinischen Fassung (b) und der Q-Fassung besonderer Beachtung (c).

[3] Johannis Evangelium apocryphon (ed. Giovani Galbiati, 1957): „Omnis qui in me crediderit coram hominibus, confitebor et eum in conspectu Patris mei et Angelorum meorum, qui autem me abnegavit coram hominibus, abnegabo eum in conspectu Patris mei et Angelorum meorum“.

[4] Vgl. *H. Schürmann,* Lk I, 547–549; vgl. auch *W. G. Kümmel,* Verhalten 212 mit Anm. 13.

[5] Vgl. *A. J. B. Higgins,* Menschensohn; vgl. ebenfalls *W. G. Kümmel,* Verhalten 214f; *G. Schneider,* Menschensohn 273.

[6] Vgl. *W. G. Kümmel,* Verhalten 216–219.

a) Die Q-Fassung des Bekenner- und Verleugnerspruchs

In beiden Fassungen des Doppelspruchs, je eines konditionalen Relativsatzes, sind Protasis und Apodosis in sorgfältiger Entsprechung je zweigliedrig gehalten: Dem Akt des Bekennens bzw. Verleugnens (1) vor einem Forum (2) entspricht ein Akt des Bekennens bzw. Verleugnens (1) vor einem anderen Forum (2).
Wir stellen die Texte entsprechend dieser Gliederung zusammen, um Übereinstimmung und Variation möglichst genau *sichtbar* zu machen:

PROTASIS

Mt 10,32a: (1) πᾶς οὖν ὅστις ὁμολογήσει ἐν ἐμοὶ
(2) ἔμπροσθεν τῶν ἀνθρώπων
Lk 12,8a: (1) πᾶς ὃς ἂν ὁμολογήσῃ ἐν ἐμοὶ
(2) ἔμπροσθεν τῶν ἀνθρώπων
Mt 10,33a: (1) ὅστις δ' ἂν ἀρνήσηταί με
(2) ἔμπροσθεν τῶν ἀνθρώπων
Lk 12,9a: (1) ὁ δὲ ἀρνησάμενός με
(2) ἐνώπιον τῶν ἀνθρώπων

APODOSIS[7]

Mt 10,32b: (1) καὶ ἐγὼ ὁμολογήσω ἐν αὐτῷ
(2) ἔμπροσθεν τοῦ πατρός μου ἐν τοῖς οὐρανοῖς
Lk 12,8b: (1) καὶ ὁ υ.τ.α. ὁμολογήσει ἐν αὐτῷ
(2) ἔμπροσθεν τῶν ἀγγέλων τοῦ θεοῦ
Mt 10,33b: (1) καὶ ἐγὼ ἀρνήσομαι αὐτὸν
(2) ἔμπροσθεν τοῦ πατρός μου ἐν τοῖς οὐρανοῖς
Lk 12,9b: (1) ἀρνηθήσεται
(2) ἐνώπιον τῶν ἀγγέλων τοῦ θεοῦ

Wenden wir uns zunächst der Rekonstruktion der Q-Fassung der Protasis von Bekenner- und Verleugnerspruch zu. Bei voller inhaltlich-sachlicher Übereinstimmung verdienen die stilistischen, syntaktischen, temporalen und vokabularen Unterschiede peinlichste Aufmerksamkeit, sofern wir nicht allzu voreilig die Unterschiede durch die Hypothese „Übersetzungsvarianten" erklären wollen.

[7] Die mt Formulierungen ὁμολογήσω bzw. ἀρνήσομαι κἀγώ sind als καὶ ἐγώ + Verb wiedergegeben, der leichteren Übersicht wegen.

1) *Die Protasis des Bekennerspruchs* differiert – sehen wir zunächst von dem mattäisch-redaktionellen Kontextanschluß mit οὖν ab[8] – nur in der Konstruktion mit ὅστις + Ind. Fut. bzw. mit ὃς ἂν + Conj. Aor. Mit (πᾶς) ὅστις eingeleitete Konditionalsätze finden sich bei Lukas nur einmal (Lk 14,27 ὅστις diff Mt 10,38 καὶ ὅς; bei Mattäus im Anschluß an V. 37 wohl redaktionell geändert), bei Mattäus hingegen mehrfach (Mt 7,24 πᾶς οὖν ὅστις diff Lk 6,47 πᾶς ὁ + Part./vgl. Mt 7,26 πᾶς ὁ + Part. diff Lk 6,49 ὁ δὲ + Part.; Mt 19,29 πᾶς ὅστις diff Mk 10,29 = Lk 18,29 οὐδείς ἐστιν ὅς; vgl. auch Mt 5,39b diff Lk 6,29; Mt 5,41; Mt 12,50 diff Mk 3,35; Mt 13,12 diff Mk 4,25; Mt 18,4; Mt 23,12 diff Lk 14,11; 18,14). Zum Indik. Fut. vgl. Mt 5,41; 18,4; 23,12. Die Formulierung mit ὅστις + Ind. Fut. verdankt sich also wohl der mattäischen Redaktion[9].

Mit ὃς ἄν eingeleitete Konditionalsätze (ὃς ἐάν ist als Einleitung gleichwertig) finden sich häufiger bei allen drei Synoptikern. Die Feststellung, daß die Einleitung mit ὅστις mattäisch-redaktionell ist, erlaubt noch nicht die Unterstellung, bei Lukas liege keine redaktionelle Formulierung vor. Der lukanische Gebrauch von ὃς ἄν (ἐάν) bleibt zu prüfen. Von den 15 Einleitungen mit ὃς ἄν (ἐάν) zu Konditionalsätzen der Markusvorlage übernimmt Lukas nur 4 (Mk 8,35 = Lk 9,24 u. 17,33; Mk 8,38 = Lk 9,26; Mk 9,37 = Lk 9,48; Mk 10,15 = Lk 18,17), nur einmal (Lk 8,18 diff Mk 4,25) bildet Lukas diese Einleitung[10]. Mit Mattäus (= Q) stimmt Lukas in Lk 9,4; 10,5.8.10 = Mt 10,11 (εἰς ἣν ἄν, diff Mk 6,10) überein; vgl. Lk 9,5 diff Mk 6,11 = Mt 10,14.[11] Eindeutig ist, daß Lukas keine Vorliebe für den Gebrauch von ὃς ἄν (ἐάν) zeigt.

Mattäus hingegen übernimmt von den 15 markinischen Belegen (Mk 3,29 = Mt 12,32; Mk 6,11 = Mt 10,14; Mk 8,35 = Mt 16,25; Mk 9,37 = Mt 18,5; Mk 9,41 = Mt 10,42; Mk 9,42 = Mt 18,6; Mk 10,11 = Mt 19,9; Mk 10,43 = Mt 20,26; Mk 10,44 = Mt 20,27) 9 Belege und verwendet die Einleitung ὃς ἄν (ἐάν) überdies häufig in seinem Sondergut (vgl. Mt 5,19 bis; 5,21.22 [nach πᾶς ὁ].31 [Dtn 24,1].32 [nach πᾶς ὁ; vgl. Mk 10,11]; 23,16.18); vgl. ferner die Bildung 15,5 diff Mk 7,11.[12]

Als *Ergebnis* unserer Überprüfung der Differenzen in der *Protasis des Bekennerspruchs* läßt sich festhalten: Alle Wahrscheinlichkeit spricht dafür, *daß Lukas die ältere, aus der Logienquelle stammende Fassung bietet,* die folglich lautete: πᾶς ὃς ἂν ὁμολγήσῃ ἐν ἐμοὶ ἔμπροσθεν τῶν ἀνθρώπων.

Dieses Ergebnis ist freilich bei der Musterung der Protasis des Verleugnerspruchs noch weiter abzusichern, zumal die Möglichkeit lukanischer Angleichung von Lk 12,8a an Mk 8,38a = Lk 9,26a noch nicht diskutiert ist.

2) *Die Protasis des Verleugnerspruchs* differiert in Mt 10,33a und Lk 12,9a nicht nur in der Konstruktion mit ὅστις ἂν + Conj. Aor. bzw. ὁ + Partiz. Aor., also im ersten Glied (1), sondern auch im zweiten Glied (2) in der Einführung des Forums mit der Präposition ἔμπροσθεν (so auch im Bekennerspruch) bzw. ἐνώπιον.

Beginnen wir mit der Analyse der Präpositionen: ἐνώπιον begegnet in forensischer Bedeutung (Gerichtskontext) außer Offb 12,10 nur noch (wohl in Abhängigkeit von Lk 12,9) in Offb 3,5 und 2 Clem Kor 3,2.[13] ἐνώπιον fehlt gänzlich bei Markus und Mattäus, im Johannesevangelium

[8] Vgl. schon die redaktionelle Setzung von οὖν in Mt 10,31diff Lk 12,7.

[9] Vgl. auch *H. Schürmann,* Lk I, 348 Anm. 42: „Matth liebt ὅστις". Dort noch Verweis auf Mt 21,33 und 27,55diff Mk. Vgl. auch *S. Schulz,* Q 68 mit Anm. 65. Das *Futur* entspricht nicht nur dem Kontext (V. 31), sondern auch der christologischen Auffüllung der Apodosis, welche in die nachösterliche Situation verweist; vgl. unten. – Zur christologischen Bindung der mit πᾶς ὅστις eingeleiteten Sätze des Mattäus vgl. den Hinweis bei *K. Berger,* Sätze 17.

[10] Markinische Formulierungen mit ὃ ἐάν (Mk 6,22.23; 7,11; 13,11) oder ὃν ἄν (Mk 14,44) rezipiert Lukas gar nicht!

[11] Vgl. noch Lk 7,23 = Mt 11,6; Lk 10,22 = Mt 11,27.

[12] Markinische Formulierung mit ὃ ἐάν ist nur Mk 6,23 = Mt 14,7 übernommen; im mattäischen Sondergut: Mt 16,19; 20,4.

[13] Zu den beiden Texten vgl. weiter unten.

findet sich nur ein Beleg (Joh 20,30); die Präposition kommt hingegen häufig in den lukanischen Schriften vor (35 Belege). Wichtiger ist, daß auch Apg 10,4.31 ein Wechsel zwischen ἔμπροσθεν und ἐνώπιον vorliegt. Das bedeutet: Wir haben für Lk 12,9a mit einer lukanischen Variation zu rechnen; Mt 10,33a (ἔμπροσθεν = Protasis des Bekennerspruchs) bietet die ältere, die Q-Fassung.

Dieses Ergebnis läßt sich durch die Untersuchung der Verwendung der Präposition ἔμπροσθεν erhärten[14]. In der Apodosis begegnet sie in ihrer forensischen Verwendung für das Stehen vor dem Gerichtsforum. Zur Verwendung in der Protasis liegen parallele Wendungen in Mt 5,16 und 6,1 vor. Vgl. auch die mattäisch-redaktionelle Formulierung Mt 25,32.

Die Verwendung derselben forensischen Präposition ἔμπροσθεν entspricht auch der talionsartig formulierten Entsprechung in Protasis und Apodosis des Bekenner- und Verleugnerspruchs.

Die mattäische Einleitung mit ὅστις darf nach dem unter 1) Ausgeführten als sekundär gelten, doch bleibt zu überlegen, ob die mattäische Konstruktion mit ἄν + Conj. Aor (= Lk = Q-Fassung der Protasis des Bekennerspruchs) noch die Fassung der Logienquelle anzeigt (die Lukas dann ebenfalls variierend verändert hätte). Daß Mattäus die Einleitung von Konditionalsätzen aus ὃς ἄν + Conj. Aor. in ὅστις ἄν + Conj. Aor. ändert, ist Mt 12,50 diff Mk 3,35 belegt; die sonstigen Belege mit ὅστις sind nicht mit ἄν + Konj. formuliert. Die mattäische Formulierung der Protasis weist also auf die Q-Fassung: ὃς δ' ἂν ἀρνήσηται. Hat Lukas also auch hier – wie im Gebrauch der Präpositionen variierend geändert? Dafür spricht die Variation in der Apodosis des Verleugnerspruchs (vgl. unten 4)), die eine Variation der Protasis bedingte (bzw. viceversa). Sichern läßt sich die Vermutung durch Belege, in denen Lukas eine direkt vergleichbare Variation bietet; vgl. Mk 3,28f und Mt 12,32 mit Lk 12,10; ferner: Lk 14,11; 18,14; vgl. auch Lk 8,18 (Mk 4,25; Mt 13,12) mit Lk 19,26 (Mt 21,29).

Als *Ergebnis* unserer Überprüfung der Differenzen in der *Protasis des Verleugnerspruchs* läßt sich festhalten: Alle Wahrscheinlichkeit spricht dafür, daß *die ältere, aus der Logienquelle stammende Fassung* weder von Mattäus noch von Lukas bewahrt wurde, sondern *lautete:*

ὃς δ' ἂν ἀρνήσηταί με ἔμπροσθεν τῶν ἀνθρώπων.

Die unter 1) noch erwähnte Möglichkeit lukanischer Angleichung von Lk 12,8a an Mk 8,38a = Lk 9,26a entfällt damit auch, wie im übrigen noch unter b) zu erhärten ist.

Wir wenden uns nun der Apodosis der Sprüche zu; wir können uns kurz fassen:

3) *Die Apodosis des Bekennerspruchs* ist in allen Abweichungen der mattäischen Fassung von der lukanischen sekundär[15]; die lukanische Fassung ist in genauer Entsprechung zur Protasis formuliert, sie ist mit der Q-Fassung identisch, die also lautete:

καὶ ὁ υἱὸς τοῦ ἀνθρώπου ὁμολογήσει ἐν αὐτῷ ἔμπροσθεν τῶν ἀγγέλων τοῦ θεοῦ.

4) *Die Apodosis des Verleugnerspruchs,* die Mattäus in Entsprechung zum Bekennerspruch redigiert hat, ist von Lukas in Entsprechung zur Protasis variiert worden. Die Belege für vergleichbare Variationen sind unter 2) schon

[14] Vgl. dazu *O. Michel,* in: ThWNT V, 207.

[15] Vgl. Anm. 4. – Ferner ist zu bemerken: Mattäus liest Mt 10,32f im Licht von Mt 10,23; der Evangelist identifiziert auch sonst eindeutig Jesus mit dem Menschensohn (vgl. bes. Mt 16,13–16diff Mk 8,27–30).

aufgelistet worden. H. Schürmann[16] hält mit Recht auch durch Mk 8,38 par Lk 9,26 „zur Genüge" bewiesen, daß der Menschensohn „ursprünglich auch in der zweiten Hälfte des Parallelismus Subjekt war". Die Q-Fassung ist also in Entsprechung zur Apodosis des Bekennerspruchs (auch zur Struktur der mattäischen Apodosis) zu rekonstruieren und lautete:

καὶ ὁ υἱὸς τοῦ ἀνθρώπου ἀρνήσεται αὐτὸν ἔμπροσθεν τῶν ἀγγέλων τοῦ θεοῦ.

Die in Q überlieferte Fassung des Doppelspruchs lautete also:

πᾶς ὃς ἂν ὁμολογήσῃ ἐν ἐμοί ἔμπροσθεν τῶν ἀνθρώπων,
καὶ ὁ υἱὸς τοῦ ἀνθρώπου ὁμολογήσει ἐν αὐτῷ ἔμπροσθεν τῶν ἀγγέλων τοῦ θεοῦ.
ὃς δ' ἂν ἀρνήσηταί με ἔμπροσθεν τῶν ἀνθρώπων
καὶ ὁ υἱὸς τοῦ ἀνθρώπου ἀρνήσεται αὐτὸν ἔμπροσθεν τῶν ἀγγέλων τοῦ θεοῦ.

5) Das Problem der Einleitung des Bekenner- und Verleugnerspruchs ist, soweit ich sehe, bislang kaum erörtert worden, wird aber durch die lukanische Fassung, die Lk 12,8 mit λέγω δὲ ὑμῖν einleitet, zur Erörterung aufgegeben. Ging auch in der Q-Fassung dem Doppelspruch die für den Sprecher Offenbarung beanspruchende λέγω ὑμῖν-Formel[17] voraus? Die Formel erscheint im lukanischen Kontext (Lk 12,4 diff Mt 10,28; Lk 12,5 diff Mt 10,28) noch zweimal; beim doppelten οὖν-Anschluß in Mt 10,31f ist für sie kein Platz. Hat Mattäus die λέγω ὑμῖν-Formel gestrichen? Diese Vermutung kann durch den folgenden Nachweis gesichert werden; wir ziehen im beurteilten Material alle Variationen der *Formel* (mit ἀμήν, ναί, ἀληθῶς, ἐπ' ἀληθείας, πλήν, γάρ, δέ, διὰ τοῦτο, πάλιν, ἀλλά, οὐ, οὐχί, οὐδέ, ἐγώ auch σοί statt ὑμῖν – und die vorhandenen Kombinationen)[18] in Betracht.

Mattäus hat in *den 15 markinischen Belegen* (Mk 3,28; 8,12; 9,1.13.41; 10,15.29; 11,23.24; 12,43; 13,30; 14,9.18.25.30, bis auf 9,13 und 11,24 alles mit der ἀμὴν λέγω ὑμῖν – Formel eingeleitete Logien)[19] 2 mal die *Formel* gestrichen (Mk 8,12 diff Mt 12,39; 16,4 und Mk 11,24 diff Mt 21,22), einmal das ganze Logion (Mk 12,43) bzw. die ganze Perikope (Mk 12,41–44). Lukas hat die

[16] *H. Schürmann,* Lk I, 548f; *P. Vielhauer,* Jesus 101 wies auch auf die Benutzung des Passivs (kein *passivum divinum:* der Menschensohn ist Akteur) zur Vermeidung einer Kollision mit Lk 12,9 hin; so auch *S. Schulz,* Q 69. – Anders *A. J. B. Higgins,* Menschensohn 118–120.123, der die Variation mit dem Passiv als ursprünglich verteidigt, weil er nicht mit lukanischer Variation rechnen mag; mit Recht weist Higgins die Rekonstruktion von Lk 12,8 in Analogie zu Lk 12,9 ab, wie sie *N. Perrin,* Rediscovering 189 vorschlug.

[17] Vgl. dazu *S. Schulz,* Q 57–62; *K. Berger* Amen 89–93; *V. Hasler,* Amen.

[18] Eine korrekturbedürftige Übersicht bietet *V. Hasler,* Amen 17f, 119ff. Wir berücksichtigen nicht die Formel in Heilworten der Wundergeschichten, auch nicht satzintegrierte Wendungen mit λέγω σοι.

[19] Von der Untersuchung der Übernahme oder Streichung bzw. Ersetzung des Amen sehen wir hier noch ab. Siehe unten (S. 34f).

Formel einmal (Lk 11,29 diff Mk 8,12; folgt er der Q-Variante?, vgl. Mt 12,38f) nicht übernommen bzw. die entsprechenden Logien (teilweise mit den Perikopen) 7 bzw. 8 mal gestrichen (Mk 3,28; 9,13.41; 11,23.24; 14,9.18). Während im Markusvergleich bei Mattäus eine leichte Tendenz zur Tilgung der Formel (2 mal) feststellbar ist, läßt sich für Lukas eine solche nicht nachweisen.

Mattäus hat die Formel 12 mal aus der Markusvorlage übernommen (hinzu kommt die Doppelung Mt 17,20; 21,21 = Mk 11,23; Eintragung der Formel in Q-Logion), 5 mal hat er sie redaktionell in den Markusstoff eingefügt (Mt 19,9diff Mk 10,1; vgl. Mt 5,32; Mt 19,23diff Mk 10,23; Mt 19,24diff Mk 10,24; Mt 24,2diff Mk 13,2; Mt 26,64diff = Mk 14,62), dann noch mit 21,43 zu Mk 12,11, so daß der leichten Tendenz zur Tilgung der Formel eine stärkere zu ihrer Vermehrung zur Seite steht. 19 mal findet sich die Formel im mattäischen Sondergut (Mt 5,20.22.28.34.39; 6,2.5.16; 10,23; 12,6.36; 16,18; 18,10.18.19; 21,31; 25,12.40.45), auffällig gedrängt (und deutlich teilweise redaktionell) in Spruchsequenzen. 14 mal bezeugt Mattäus übereinstimmend mit Lukas das Vorkommen der Formel in Q (Mt 3,9 = Lk 3,8; Mt 5,26 = Lk 12,59; Mt 5,44 = Lk 6,27; Mt 6,25 = Lk 12,22; Mt 6,29 = Lk 12,27; Mt 8,10 = Lk 7,9; Mt 10,15 = Lk 10,12; Mt 11,9 = Lk 7,26; Mt 11,11 = Lk 7,28; Mt 13,17 = Lk 10,24; Mt 18,13 = Lk 15,7; Mt 23,36 = Lk 11,51; Mt 23,39 = Lk 13,35; Mt 24,47 = Lk 12,44), nur 1 mal bewahrt Mattäus die Formel (Mt 11,22), während Lukas sie auf πλήν reduziert (Lk 10,14; oder hat Mattäus um λέγω ὑμῖν erweitert?); 4 mal bietet Mattäus die Formel über Lukas hinaus im Q-Stoff (Mt 5,18diff Lk 16,17; Mt 5,32diff Lk 16,18; Mt 8,11diff Lk 13,28f; Mt 17,20diff Lk 17,6), in Mt 18,10 (Sondergut) liegt eine Verdoppelung (aus Mt 18,13 = Lk 15,7; vgl. Lk 15,10) vor. Insgesamt bietet Mattäus die Formel (bzw. ihre Variationen) 56 mal (Markus 15 mal, Lukas 45 mal). Dieser Befund ist nun mit dem lukanischen zu korrelieren!

Lukas hat die Formel 7 mal (diff 12 mal Mattäus) aus der Markusvorlage übernommen (dazu kommt die Doppelung 22,16), er hat sie in den Markusstoff höchstens 1 mal (Lk 4,24diff Mk 3,4) eingetragen (diff 5 mal Mattäus), er bezeugt sie mit Mattäus 14 mal im Q-Stoff (siehe oben). Im lukanischen Sondergut findet sich die Formel 14 mal (diff 19 mal Mattäus), darunter 6 mal in Gleichnisstoffen (Lk 4,25; 7,47 [vgl. Mk 14,9]; 11,8; 12,37; 13,3.5; 15,10; 16,9; 17,34; 18,8.14; 19,40; 22,37; 23,43). Über Mattäus hinaus bietet Lukas die Formel 8 mal (diff 4 mal Mattäus) im Q-Stoff (Lk 11,9diff Mt 7,7; 12,4diff Mt 10,28; 12,5diff Mt 10,28f; 12,8diff Mt 10,32; 12,51diff Mt 10,34; 13,24diff Mt 7,14; 14,24diff Mt 22,10; 19,26diff Mt 25,29).

Halten wir noch einmal fest: Mattäus ist sowohl eine leichte Tendenz zur Streichung der Formel als auch eine stärkere Tendenz zur Vermehrung der Formel nachzuweisen. Lukas ist hingegen weder eine Tendenz zur Streichung noch zur Vermehrung der Formel nachzuweisen. Da wir uns hier nicht auf eine detaillierte Erörterung des traditionellen oder redaktionellen Charakters der Formel im jeweiligen Sondergut einlassen können (deren Ergebnis wohl der Nachweis der stärkeren Tendenz zur Vermehrung der Formel bei Mattäus als bei Lukas wäre)[20] und auch ohne diese Untersuchung zu einem gesicherten Ergebnis bei der Beantwortung unserer Frage gelangen können, diskutieren wir nur die 8 Belege (bzw. ohne Lk 12,8 die 7 Belege), in denen Lukas im Q-Stoff über Mattäus hinaus die λέγω ὑμῖν-Formel bietet.

Lk 11,9diff Mt 7,7: Mattäus hat die Formel in 5,18.20.22.26.28.32.34.39.44; 6,2.5.16 durchweg im antithetischen (die bessere Gerechtigkeit vergleichenden Horizont) gebraucht und benutzt sie in

[20] Nach *V. Hasler,* Amen 127, wären von den 18 Formeln im mattäischen Sondergut 6 Formeln traditionell (6,2.5.16; 10,23; 18,10.18), 12 hingegen redaktionell, 11 Formeln im lukanischen Sondergut wären redaktionell. Dagegen spricht schon der von uns diskutierte Befund in den 8 Belegen, die Lukas allein im Q-Stoff bietet. Ferner ist zu bemerken: Die Formel kann Lk 4,25 traditionell sein (wohl redaktionell umformuliert; 4,24 redaktionell verdoppelt). 7,47 kann auf Mt 19,24diff Mk 10,24; Mt 24,2diff Mk 13,2; Mt 26,64diff = Mk 14,62), dann noch mit 21,43 zu die harte Doppelung in 11,9; 12,37: die Formel ist im Kontext unentbehrlich; 15,10: vgl. 15,7 Mtpar!; 16,9; 18,8.14) ist sicher vorlukanisch, in Lk 13,3.5 ist die Formel nicht ersetzbar. Im lukanischen Sondergut ist keine stärkere Tendenz zur Vermehrung der Formel nachweisbar!

der Bergpredigt nur noch 6,25.29 (= Q), nicht mehr in den Reihungen von Kap. 7 (wo sie unterbrechend stören würde). Lukas bietet die Formel noch in 11,8, der wiederholende Anschluß in 11,9 (κἀγὼ ὑμῖν λέγω) ist eher sperrig und spricht für Tradition. Fazit: Mattäus hat die Formel wohl gestrichen.[21]

Lk 12,4f diff Mk 10,28f: Mattäus könnte die Formel in V 27 in freier Verwendung (ὃ λέγω ὑμῖν ἐν τῇ σκοτίᾳ) vorweggenommen haben, während Lukas in V 4 die Erweiterung von λέγω δὲ ὑμῖν um τοῖς φίλοις μου (vgl. Joh 15,14f; φίλος sonst 15 mal bei Lk diff Mt 1 mal) zuzuschreiben ist. Fazit: Mattäus hat die Formel wohl gestrichen.[22] Zu Lk 12,5fin (ναί, λέγω ὑμῖν) bietet Mattäus keine Parallele; seine kürzere Fassung dürfte ebenfalls redaktionell hergestellt sein.

Lk 12,51diff Mt 10,34: Mattäus hat die prägnantere, der Form der ἦλθον-Sprüche und dem Kontext angepaßtere Fassung (beachte die Einleitung und das ausgeführte Zitat in V. 35); er beschließt seine Logiensequenz überdies mit einem mit der ἀμήν λέγω ὑμῖν-Formel ausgestatteten Spruch (Mt 10,42 = Mk 9,41; om Lk). Fazit: Mattäus hat die Formel wohl gestrichen.[23]

Lk 13,24diff Mt 7,14: Vgl. schon oben zu Lk 11,9diff Mt 7,7 zur mattäischen Verwendung der Formel in der Bergpredigt. Die beiden Fassungen des Logions von der engen Pforte sind schwer vergleichbar. In der mattäischen Fassung hat unsere Formel keinen Platz, in der lukanischen wirkt sie nicht sekundär. Fazit: Sofern die mattäische Fassung im ganzen eher sekundär ist, ist die Formel hier weggefallen; vgl. auch Lk 13,27diff Mt 7,23.[24]

Lk 14,24diff Mt 22,10: Da Mattäus in 22,11–14 dem Gleichnis vom Hochzeitsmahl einen sekundären Anhang hinzufügt, dürfte die abschließende Sentenz des Mahlherrn Lk 14,24 (und damit die λέγω ὑμῖν-Formel) von Mattäus gestrichen sein.[25]

Lk 19,26diff Mt 25,29: Der *Redewechsel ohne Redeeinführung* im lukanischen Text des Gleichnisses von den Talenten ist ursprünglicher, ohne unsere Formel aber nicht durchführbar. Überdies hat allein Mattäus deutlich redaktionell an Mt 13,12 = Mk 4,25 (vgl. auch Lk 8,18) angeglichen. Fazit: Mattäus hat wohl die Formel gestrichen.[26]

Die Untersuchung der Q-Stoffe, in denen Lukas diff Mattäus die λέγω ὑμῖν-Formel bezeugt, hat ein bisheriges Ergebnis bestätigt: Mattäus hat eine stärkere Tendenz, die Formel zu streichen. Ebenso ist bestätigt, daß Lukas weder eine Tendenz zur Vermehrung noch eine Tendenz zur Streichung der λέγω ὑμῖν-Formel nachzuweisen ist.

Kommen wir nun zu Lk 12,8diff Mt 10,32 zurück. Mattäus schließt den Bekenner- und Verleugnerspruch (wie Lukas mit der Logienquelle) an Mahnungen zur Furchtlosigkeit an, die von Mattäus unter dem einleitenden Imperativ μὴ οὖν φοβηθῆτε αὐτούς (V. 26) viel stärker durchkomponiert sind (vgl. V. 28: καὶ μὴ φοβεῖσθε; V. 31: μὴ οὖν φοβεῖσθε); der Bekenner- und Verleugnerspruch ist mit dem einleitenden οὖν (V. 32) in diese Komposition als Abschluß einbezogen. Wie die temporale Unterscheidung (ὁμολογήσει-ἀρνήσηται) mit anzeigt, soll das (künftige) Bekenntnis und die (erfolgte, vgl. VV. 17–25, die bei Mattäus die Interpretation mitbestimmen) Verleugnung weniger auf die Jünger, als auf deren Verfolger (die Jesus als Beelzebul denunzierten: V. 25) bezogen werden. Die λέγω ὑμῖν-Formel hätte nicht nur den mattäischen οὖν-Anschluß, sondern auch die mattäische Interpretation des Bekenner- und Verleugnerspruchs gestört. Mattäus hat die Formel gestrichen. Bei Lukas bleibt der Bekenner- und Verleugnerspruch paränetisch auf die Jünger Jesu bezogen, die Formel behält ihre sinnvolle Adresse.

[21] Anders *S. Schulz,* Q 161 mit *V. Hasler,* Amen 101. – *S. Schulz,* 158 mit Anm. 140 gibt den mattäischen Befund nicht zutreffend wieder. – Zum Anschluß von Mt 7,7 an V 6 vgl. *W. Grundmann,* Mt 223; *E. Schweizer,* Mt 110.

[22] Mit *J. Schmid,* Mt und Lk 274f gegen *S. Schulz,* Q 157f. – Vgl. auch *E. Schweizer,* Mt 159.

[23] Anders *V. Hasler,* Amen 75, der Lk 12,51 mit Hinweis auf Lk 13,3.5 als lukanische Bildung erklärt. Doch, woraus soll οὐχί, λέγω ὑμῖν dort umgebildet sein? *S. Schulz,* Q 258 folgt Hasler.

[24] Unentschieden *S. Schulz,* Q 310.

[25] *A. Vögtle,* Einladung 188–190 erwägend und bestimmter *F. Hahn,* Gleichnis 65 rechnen mit frühem Zuwachs von Lk 14,24 zum Gleichnis, nicht mit lukanischer Bildung!

[26] Anders *V. Hasler,* Amen 76.

Unsere Untersuchung muß noch insofern abgerundet werden, als wir bislang nur unterstellt haben, *der* οὖν-*Anschluß* in Mt 10,32 sei mattäisch-redaktionell. Der Nachweis soll jetzt nachgeholt werden:
οὖν begegnet bei Markus 4mal (Mk 10,9; 11,31; 13,35; 15,12) und ist von Mattäus jeweils übernommen worden (Mt 19,6; 21,25; 24,42 = 25,13; 27,22), von Lukas nie übernommen (Lk 20,5diff Mk 11,31, sonst Auslassung der entsprechenden Markusstücke). Lukas bringt aber 11mal οὖν in Markusstücke ein (Lk 8,18diff Mk 4,24; 14,34diff Mk 9,50; Lk 20,15diff Mk 12,9, vgl. Mt 21,40; Lk 20,17diff Mk 12,10; Lk 20,29diff Mk 12,20; Lk 20,33diff Mk 12,33, vgl. Mt 22,28; Lk 20,44diff Mk 12,37, vgl. Mt 22,45; Lk 21,7diff Mk 13,4; Lk 21,14diff Mk 13,11; Lk 22,70diff Mk 14,62; Lk 23,22 = 23,16diff Mk 15,14), so daß von einer οὖν-Vermeidung als lukanischer Tendenz nicht die Rede sein kann. Bei Lukas findet sich οὖν auch 11mal im Sondergut (Lk 3,10.18; 7,31.42; 10,40; 11,36; 13,14; 14,33; 16,11.27; 23,16), ferner 5mal mit Mattäus im Q-Stoff (Lk 3,8 = Mt 3,8; Lk 3,9 = Mt 3,9; Lk 10,2 = Mt 9,38; Lk 11,13 = Mt 7,11; Lk 11,35 = Mt 6,23), schließlich noch 4mal diff Mt (Lk 3,7diff Mt 3,7; Lk 4,7diff Mt 4,9; Lk 11,26diff Mt 6,28; Lk 19,12diff Mt 25,14); vgl. auch das häufige Vorkommen in Apg. Für eine Annahme, Lukas habe Mt 10,32 für Q bezeugtes οὖν geändert, gibt es keinen Anhaltspunkt.
Mattäus, der οὖν weitaus häufiger als Lukas (57 gegen 31mal) benutzt, kann hingegen eindeutig für den οὖν-Anschluß in Mt 10,32 verantwortlich gemacht werden. Korrelieren wir den mattäischen Befund. Wie schon erwähnt, übernimmt Mattäus 4mal (Lukas 0mal) οὖν von Markus, hinzukommen 15 (Lukas 11) Eintragungen in den Markusstoff (Mt 12,12diff Mk 3,3; Mt 13,18diff Mk 4,13; Mt 13,56diff Mk 6,2; Mt 14,15diff Mk 6,36; Mt 17,10diff Mk 9,11; Mt 19,7diff Mk 10,3; Mt 21,40diff Mk 12,9; Mt 22,17diff Mk 12,14; Mt 22,21diff Mk 12,12; Mt 22,28diff Mk 10,23; Mt 22,43diff Mk 12,36; Mt 22,45diff Mk 12,37; Mt 24,15diff Mk 13,14; Mt 26,54diff Mk 14,49; Mt 27,17diff Mk 15,9). Im mattäischen Sondergut begegnet οὖν 16 (im lukanischen 11)mal (Mt 1,17; 5,19.23; 6,2.8; 13,27.28.40; 18,26.29.31; 23,3.20; 25,13; 27,64; 28,19). Neben den 4 mit Lukas gemeinsamen Belegen (s. oben) hat Mattäus 17 weitere Belege im Q-Stoff diff Lk (Mt 5,48diff Lk 6,36; Mt 6,9diff Lk 11,2; Mt 6,22diff Lk 11,34; Mt 6,31diff Lk 12,39; Mt 6,34diff Lk 12,31; Mt 7,12diff Lk 6,31; Mt 7,24diff Lk 6,47; Mt 10,16diff Lk 10,3; Mt 10,26diff Lk 12,2, vgl. Mt 10,31; Mt 10,31diff Lk 12,7; Mt 10,32diff Lk 12,8; Mt 12,26diff Lk 11,18, vgl. Mk 3,26; Mt 18,4diff Lk 14,11 und 18,14; Mt 22,9diff Lk 14,23, Mt 24,26diff Lk 17,23; Mt 25,27diff Lk 19,23; Mt 25,28diff Lk 19,24).
Da bei Lukas eine οὖν-Vermeidungstendenz konstatierbar war, bei Mattäus eine stärkere οὖν-Vermehrungstendez feststellbar ist, darf man vermuten, daß Mattäus für die Vermehrung des οὖν im Q-Stoff (und auch in seinem Sondergut) verantwortlich ist. Diese Vermutung wird stärker, wenn man darauf achtet, daß οὖν für die Gliederung und Bindung der Spruchsequenzen in den mattäischen Reden charakteristisch ist. Eine Analyse der diff Lk gebotenen Belege erweist, daß Mattäus jeweils οὖν redaktionell einbringt; die eindrucksvollsten Stellen sind Mt 7,24 (πᾶς οὖν ὅστις) und Mt 18,4 (ὅστις οὖν), weil hier die Mt 10,32 vorliegende Verbindung von οὖν und ὅστις (vgl. dazu oben unter 1) redaktionell hergestellt ist. Fazit: Auch οὖν ist in Mt 10,32 redaktionell eingebracht.

Als Ergebnis unserer mühenreichen Untersuchung läßt sich nun festhalten: In Lukas 12,8 ist die λέγω ὑμῖν-Formel als Q vorgegebene Tradition bezeugt[27]. *Der Bekenner- und Verleugnerspruch war aller Wahrscheinlichkeit nach in Q mit* λέγω ὑμῖν *eingeleitet!*

6) Mit der Feststellung, daß alle Wahrscheinlichkeit dafür spricht, daß der Bekenner- und Verleugnerspruch in Q mit der λέγω ὑμῖν Formel eingeleitet war, kann unsere *Untersuchung der Einleitung des Doppelspruchs noch nicht als*

[27] Mit der Möglichkeit rechnet auch *V. Hasler,* Amen 74f, der λέγω δὲ ὑμῖν als *Q*-Form der Formel versteht; *S. Schulz,* Q 67 hält es für „durchaus wahrscheinlich, daß die λέγω δὲ ὑμῖν-Formel aus Q stammt".

abgeschlossen gelten. In Lukas 12,8 ist mit λέγω δὲ ὑμῖν in Kontextanschluß mittels δέ eingeleitet. Ruft man sich in Erinnerung, wie häufig Lukas die ἀμὴν λέγω ὑμῖν-Formel um ἀμήν kürzt, ist *zunächst* zu untersuchen, ob es Gründe gibt, die für eine Auswechslung von ἀμήν durch δέ aufgrund der Redaktion des Lukas in Lk 12,8 sprechen.

Von den 13 mit ἀμήν eingeleiteten Formeln der Markustradition, von denen 4 dem Bekenner- und Verleugnerspruch verwandte Konditionalsätze einleiten, hat Lukas in 7 Sprüchen (Lk 9,27 = Mk 9,1; Lk 18,17 = Mk 10,15; Lk 18,29 = Mk 10,29; Lk 21,3 = Mk 12,43; Lk 21,32 = Mk 13,30; Lk 22,16.18 = Mk 14,25; Lk 22,34 = Mk 14,30) nur 3mal (Lk 18,17.29; 21,32) ἀμήν übernommen, 2mal durch ἀληθῶς (nach λέγω [δέ] ὑμῖν) ersetzt (9,27; 21,3); im übrigen schreibt er λέγω γὰρ ὑμῖν (Lk 22,16.18) bzw. λέγω σοι (22,34). Lukas benutzt ἀμὴν λέγω ὑμῖν (σοι), noch 3mal im Sondergut (4,24; 12,37; 23,43), ebendort auch ἐπ' ἀληθείας δὲ λέγω ὑμῖν (Lk 4,25: Variation zu 4,24). Mit Mattäus bietet Lukas im Q-Stoff (Lk 7,26 = Mt 11,9) noch ναὶ λέγω ὑμῖν, so statt mit ἀμήν auch Lk 11,51diff Mt 23,36; ἀληθῶς λέγω ὑμῖν (statt mit ἀμήν) auch Lk 12,44diff Mt 24,47. Lk 12,5 ist diff Mt 10,28 ναὶ λέγω ὑμῖν im Q-Stoff erhalten. An 6 Stellen im Q-Stoff fehlt in der lukanischen Fassung das in der mattäischen Fassung für Q bezeugte ἀμήν: 4mal steht λέγω ὑμῖν statt ἀμὴν λέγω ὑμῖν (Lk 7,9diff Mt 8,10; Lk 10,12diff Mt 10,15; Lk 7,28diff Mt 11,11; Lk 15,7diff Mt 18,13), 1mal λέγω γὰρ ὑμῖν statt ἀμὴν γὰρ λέγω ὑμῖν (Lk 10,24diff Mt 13,17), 1mal λέγω σοι statt ἀμὴν λέγω σοι (Lk 15,29diff Mt 5,26). Der Ersatz von ἀμὴν λέγω ὑμῖν durch λέγω δὲ ὑμῖν ist nur noch Mk 8,12diff Mt 12,36; Mk 14,25diff Mt 26,29 nachweisbar (beachte ferner: Lesarten zu Lk 7,28; 10,12; 17,7).

Läßt sich die Tatsächlichkeit eines Ersatzes von ἀμὴν λέγω ὑμῖν durch λέγω δὲ ὑμῖν durch lukanische Redaktion auch nicht zureichend sichern, so ist die Möglichkeit aber keineswegs auszuschließen, da Lukas wiederholt das Amen der Q-Vorlage streicht.[28]

7) Sofern damit gerechnet werden muß – und das ist wohl nicht anzufechten –, daß der Bekenner- und Verleugnerspruch als isolierter Doppelspruch umlief (was durch Mk 8,38 erhärtet wird), bevor er in den durch Mt/Lk bezeugten Kontext in der Logienquelle eingebracht wurde, muß nun noch erwogen werden, ob es Gründe für die Annahme gibt, daß schon bei der Anfügung des Doppelspruchs an die in Q vorangehenden Logien die Einleitung aus ἀμὴν λέγω ὑμῖν in λέγω δὲ ὑμῖν geändert wurde.

Zunächst ist festzuhalten, daß die Konstanz der Amen-Einleitung in selbständigen, nicht kontextgebundenen und -bezogenen Sprüchen am stärksten ist (vgl. Mk 9,1parr; 10,15parr; 10,29parr; 13,30parr; darunter 2 von den 4 mit der Amen-Einleitung versehenen markinischen Konditionalsätzen). Der Fall, daß ein *selbständiger* Spruch mit der λέγω ὑμῖν-Formel (Variationen ohne ἀμήν, ναί, ἀληθῶς, ἐπ' ἀληθείας) eingeleitet wird, begegnet in der Q-Überlieferung immer so, daß er mit der Formel in den Kontext integriert wird: Mt 5,44/Lk 6,27 (mit λέγω δέ bzw. ἀλλά); Mt 6,25/Lk 12,22 (mit διὰ τοῦτο). Das bedeutet, daß eine Einleitung *selbständig tradierbarer* Logien mit der bloßen λέγω ὑμῖν-Formel nicht nachweisbar ist, vielmehr entweder mit Ersatz von ἀμήν oder mit Einführung der Formel gerechnet werden muß.

[28] *H. Schürmann,* Sprache 67 Anm. 111 hält mit Recht Mt 8,10diff Lk 7,9 Amen für Q-Bestandteil; gegen *V. Hasler,* Amen 61, der 62f auch Mt 10,15diff Lk 10,12 für Q πλήν (vgl. Mt 11,22.24) vorziehen möchte, wogegen jedoch die Lk parr sprechen. Gegen *V. Hasler* 65 ist Amen auch mit Mt 11,11diff Lk 7,28, mit *Hasler* 68 mit Mt 18,13diff Lk 15,7 für Q vorauszusetzen; ebenso mit *Hasler* 66 mit Mt 13,17diff Lk 10,24 sowie mit *Hasler* 58 mit Mt 5,26diff Lk 15,29.

In dem selbständigen Spruch aus dem Q-Stoff, dessen Einleitung in der mattäischen und lukanischen Fassung differiert, ist die mattäische Fassung mit ἀμὴν λέγω ὑμῖν, die lukanische sekundär redaktionell ohne ἀμήν, aber bei kontextintegrierender redaktioneller Neufassung des Spruchs eingeleitet (Mt 11,11diff Lk 7,28; mit Vorbehalt als selbständiges Logion aufzufassen: Mt 13,17/Lk 10,24: γάρ). Die selbständig tradierbaren Logien des mattäischen Sonderguts weisen dieselben Merkmale auf wie die wenigen selbständigen Sprüche des Q-Stoffes, sie sind an den Kontext angeschlossen (Mt 5,20: λέγω γὰρ ὑμῖν; 5,22: ἐγὼ δὲ λέγω ὑμῖν, ebenso Mt 5,28.32.34. 39), im lukanischen Sondergut finden sich keine mit der λέγω ὑμῖν-Formel eingeleiteten selbständig tradierbaren Logien.
In der synoptischen Überlieferung ist also die Einleitung selbständig tradierbarer, nicht kontextgebundener Logien mit λέγω ὑμῖν nicht nachweisbar. Aus dieser Feststellung ergibt sich zwingend für die ursprüngliche Einleitung des selbständig tradierbaren und tradierten Bekenner- und Verleugnerspruchs, daß sie ἀμὴν λέγω ὑμῖν gelautet haben muß. Ob ἀμήν bereits bei der Kontextanfügung in Q oder erst durch Lukas durch (hinter λέγω gestelltes) δέ ersetzt wurde, ist nicht sicher entscheidbar. Daß in Mk 8,38 keine Amen-Einleitung vorliegt, besagt nichts gegen unsere Feststellung, da hier nur der Verleugnerspruch, und zwar mit γάρ kontextangebunden, tradiert wird.

Wir können also abschließend festhalten: Die von Q rezipierte oder von Q gebotene Fassung des Bekenner- und Verleugnerspruchs war mit ἀμὴν λέγω ὑμῖν eingeleitet (und ist daher ein den markinischen Konditionalsätzen mit Amen-Einleitung vergleichbares Logion). Da, wie jetzt noch nachzuweisen ist, die Q-Fassung gegenüber der markinischen Fassung (des Verleugnerspruchs) die ältere ist, gilt unsere Feststellung für die älteste (rekonstruierbare) Fassung des Doppelspruchs.

b) *Die vormarkinische Fassung des Verleugnerspruchs*[29]

Die in Mk 8,38 greifbare Fassung des Verleugnerspruchs bildet den gewiß schon vormarkinischen Abschluß der Spruchsequenz Mk 8,34–38 und ist auf den Zusammenhang dieser Spruchfolge, die zur Leidens- und Martyriumsbereitschaft um Jesu, seiner Worte, des Evangeliums (V. 35) willen anhält, hin formuliert. Sicher sekundär zugewachsen ist die Wendung καὶ τοὺς ἐμοὺς λόγους (vgl. Mk 13,31parr; Mt 7,24/Lk 6,47; Lk 24,44; häufiger in Joh), die voraussetzt, daß Jesus durch seinen Tod der unmittelbaren Begegnung entzogen ist, daß auf seine Worte (wie sie tradiert werden) alles Gewicht fällt. Aber dieser Zusatz ist nicht erst der markinischen Redaktion, sondern schon der vormarkinischen Tradition zuzuschreiben. Markus kann auch nicht für einzelne Details des apokalyptischen Sprachkolorits der Fassung haftbar gemacht werden, die nicht literarkritisch sezierbar ist, sondern als festgefügte Fassung mit der Q-Fassung zu vergleichen ist. W. G. Kümmel hielt zuletzt die Verdoppelung des Objekts durch „und meiner Worte" für einen *marki-*

[29] Vgl. dazu *R. Pesch,* Mk II.

nischen Zusatz, stellte ansonsten aber auch fest: „Im übrigen aber weist Mk 8,38 sprachlich keine markinischen Lieblingsworte oder Besonderheiten auf, so daß unter dieser Fragestellung eine weitere redaktionelle Bearbeitung des Spruches durch den Evangelisten nicht wahrscheinlich zu machen ist".[30] Aber auch der Zuwachs gegenüber der Q-Fassung kann zu der ursprünglichen Fassung von Mk 8,38 gehören, sofern diese – wie sich zeigen wird – gegenüber der Q-Fassung sekundär ist.

Es bleibt festzuhalten: Auch wenn die Erweiterung um καὶ τοὺς ἐμοὺς λόγους kein markinischer Zusatz ist, bleibt er als Zuwachs auf vormarkinischer Stufe anzusehen. Für einen Vergleich der vormarkinischen Fassung mit der Q-Fassung kann der Zusatz außer acht bleiben – außer für die Frage ob die Wahl des Verbums ἐπαισχύνομαι diff ἀρνέομαι nicht gerade durch diesen Zusatz bedingt ist.

c) *Der Vergleich der vormarkinischen Fassung mit der Q-Fassung des Verleugnerspruchs*

Wir vergleichen zunächst die *Protasis* der Fassungen:

ὃς γὰρ ἐὰν ἐπαισχυνθῇ με ἐν τῇ γενεᾷ ταύτῃ τῇ μοιχαλίδι καὶ ἁμαρτωλῷ.

ὃς δ' ἂν ἀρνήσηταί με ἔμπροσθεν τῶν ἀνθρώπων.

Im Kontextanschluß mit γάρ ist der Verleugnerspruch in der vormarkinischen Fassung gegenüber dem adversativ auf den Bekennerspruch bezogenen δέ der Q-Fassung eindeutig sekundär. ἐπαισχύνομαι diff ἀρνέομαι ist zuletzt von W. G. Kümmel[31] als ursprünglicher verteidigt worden. Das Verb[32] begegnet bei den Synoptikern zwar nur hier, ist aber sonst im Neuen Testament nie auf eine Person, sondern stets auf einen Sachbegriff bzw. einen Vorgang bezogen (vgl. Röm 1,16; 2 Tim 1,8.16; 2,11; Hebr. 2,11; 11,16; absolut: Röm 6,21; 2 Tim 1,12), gerade auch in den Belegen, die in traditionsgeschichtlichem Zusammenhang mit Mk 8,38 stehen könnten.[33] Es geht um den mangelnden Mut (vgl. 1 Joh 2,28: παρρησία) bei der Vertretung einer Sache! Derselbe Sprachgebrauch hält sich auch bei den apostolischen Vätern durch (IgnSmyrn

[30] *W. G. Kümmel,* Verhalten 213.

[31] *W. G. Kümmel,* Verhalten 217f. Kümmel ist dabei offensichtlich von dem Bestreben geleitet, den Einwand zu entkräften, die „eindeutige Verfolgungssituation der nachösterlichen Gemeinde", die mit ἀρνέομαι angezeigt sei, spreche gegen die Authentizität des Spruches. – *H. Schürmann,* Lk I, 548 Anm. 10 plädiert hingegen mit Recht für ἀρνέομαι als ursprünglicher.

[32] Vgl. *R. Bultmann,* in: ThWNT I, 188–190.

[33] Vgl. dazu *C. K. Barret,* I am not Ashamed. – Vgl. auch *C. Colpe,* in: ThWNT VIII, 450 Anm. 331: „Das sich schämen des Mk ist bereits Gemeindeterminologie".

10,2; Herm Sim VIII,6; IX,14.21); in der Septuaginta ist ἐπαισχύνομαι nur 3 mal belegt (Ps 118,6: zuschanden werden; Jer 1,29: absolut; Ijob 34,19, ohne Parallele im MT: mit Sachbegriff).[34] Beachtet man, daß „verleugnen" (aktiver Akt) zum richterlichen Handeln des Menschensohnes, das in der Apodosis der vormarkinischen Fassung (ohne die forensische Entsprechung) schwächer zum Ausdruck kommt, weitaus besser paßt als „sich schämen" (passiver Einschlag, vgl. Anm. 34!), ferner daß ἀρνέομαι mit ὁμολογέω ein (eher personenbezogenes) Begriffspaar bildet (vgl. z.B. Joh 1,20; Tit 1,16), schließlich daß ἐπαισχύνομαι in der Fassung, die uns als vormarkinische begegnet (s.b), auch mit dem Sachbegriff τοὺς ἐμοὺς λόγους verbunden ist[35], so dürfte kaum noch zweifelhaft sein, daß ἐπαισχύνομαι sekundär (vermutlich im Zuge der Neufassung des Verleugnerspruchs, die mit der Erweiterung um καὶ τοὺς ἐμοὺς λόγους zugleich entstanden zu denken ist, s. unten) gewählt wurde.

Die zweite Differenz in der Protasis betrifft das Forum; W. G. Kümmel möchte auch hier der vormarkinischen Fassung den Vorzug geben[36]. Zunächst ist zu bemerken, daß mit ἐν diff ἔμπροσθεν (vgl. unten II,1) nicht forensisch formuliert ist, kein Forum, sondern eine „Umgebung" angegeben ist, in der man sich befindet. Die Umgebung ist mit „diesem ehebrecherischen und sündigen Geschlecht" gegenüber dem Forum „der Menschen" (vgl. unten II,1) präzisiert. Der verurteilende Ausdruck legt die Umwelt derer, die „sich schämen" könnten, negativ fest; darin scheint sich ein missionsgeschichtlich späteres Stadium anzuzeigen, das der Verkündigung der Worte Jesu (Zusatz καὶ τοὺς ἐμοὺς λόγους) in Israel, die auf Ablehnung stößt, entspricht. Der Ausdruck ἡ γενεὰ αὕτη ἡ μοιχαλὶς καὶ ἁμαρτωλός ist unter den Varianten, die Adjektive zum Kurzausdruck ἡ γενεὰ αὕτη (vgl. Mk 8,12; 13,30parr; Mt 11,16 = Lk 7,31; Mt 12,41f = Lk 11,32f; Mt 23,36; Lk 11,30.50; 17,25) fügen (+ πονηρά: Mt 12,45; Lk 11,29; + πονηρὰ καὶ μοιχαλίς: Mt 12,39; 16,4; + ἄπιστος: Mk 9,19; + ἄπιστος καὶ διεστραμμένη: Mt 17,17 = Lk 9,41diff Mk 9,19; + τῆς σκολιᾶς: Apg 2,40; + σκολιᾶς καὶ διεστραμμένης: Phil 2,15), singulär. μοιχαλίς begegnet in der synoptischen Tradition nur in den drei Verbindungen mit γενεά zur Bezeichnung des bundesbrüchigen Israel;[37] ἁμαρτωλός in der Verwendung als Adjektiv ist ebenfalls selten (und die Belege sind für den Vergleich mit Mk 8,38 unspezifisch:

[34] ἐπαισχύνομαι gibt bōš wieder; vgl. dazu *F. Stolz*, in: THAT I, 269–272; beachte besonders *H. Seebaß*, in: ThWAT I, 571: „Kurz, bōš hat stets, auch in seiner Kausativform, etwas Passives".

[35] ἀρνέομαι begegnet überwiegend personal bezogen: Mk 14,68.70parr; Joh 13,38.25.27; Lk 9,23; Apg 3,13.14; 7,35; 2 Tim 2,12; Tit 1,16; 2 Petr 2,1; Jud 4; 1 Joh 2,22f; IgnSmyrn 5,1; mit Sachbegriff 1 Tim 5,8; Offb 2,13; 3,8.

[36] *W. G. Kümmel*, Verhalten 217f; doch beachte seine Reserve in Anm. 36.

[37] Vgl. *F. Hauck*, in: ThWNT IV, 737–743.

Lk 5,8; 7,37.39), in unserer Zusammensetzung ist damit das „ehebrecherische Geschlecht“ bezeichnet, das nicht zum (christlichen) Glauben gekommen ist,[38] die Boten des Evangeliums sogar verfolgt.[39] Das bedeutet: unsere besondere Zusammensetzung setzt bereits negative Erfahrungen der Israelmission (s.o.) voraus. Die Q-Fassung ist die primäre.

Wir vergleichen nun die *Apodosis* der Fassungen:

καὶ ὁ υἱὸς τοῦ ἀνθρώπου ἐπαισχυνθήσεται αὐτόν,
καὶ ὁ υἱὸς τοῦ ἀνθρώπου ἀρνήσηται αὐτόν
ὅταν ἔλθῃ ἐν τῇ δόξῃ τοῦ πατρὸς αὐτοῦ μετὰ τῶν ἀγγέλων ἁγίων.
ἔμπροσθεν τῶν ἀγγέλων τοῦ θεοῦ.

Da ἀρνέομαι diff ἐπαισχύνομαι schon als ursprünglicher nachgewiesen ist, braucht uns nur das zweite Glied zu beschäftigen. Der Korrespondenz der Form in der Q-Fassung entspricht in der vormarkinischen Fassung die Korrespondenz der gegenwärtigen Umwelt und des zukünftigen Kommens des Menschensohnes in seiner „Umwelt“. Die Frage nach dem „Wo“ (Forum) ist der Frage nach dem „Wann“ (ὅταν ἔλθῃ) gewichen, wie leicht gezeigt werden kann. Auf den Zeitpunkt (ὅταν: vgl. Mk 12,25; 13,4.7.14; Joh 7,27.31; 1 Kor 15,24.27f.54) des Kommens (vgl. Mk 13,26; 14,62; Orientierung an Dan 7,13) des Menschensohnes ist abgehoben. Die temporal orientierte Sicht (Naherwartung in der palästinischen Judenmission? vgl. Mt 10,23) entspricht dem Kontext (Mk 8,34–37). Sie setzt überdies die „Identität“ des Menschensohns mit Jesus schon voraus, wie dann vollends in der Rede vom Vater des Menschensohnes (τοῦ πατρὸς αὐτοῦ) deutlich wird. W. G. Kümmel möchte diese Wendung, die „nur eine christliche Bildung sein kann“[40], streichen, um den temporalen Abschlußsatz im übrigen als ursprünglich zu retten. Kümmel sieht aber richtig, daß damit auch die Wendung ἐν τῇ δόξῃ (traditionelle Vorstellung: vgl. Mk 13,26parr; Mt 19,28; 25,31; äthHen passim), von der τοῦ πατρὸς αὐτοῦ abhängt (vgl. Röm 6,4; Phil 2,11), mit fraglich wird. Wollte man τοῦ πατρὸς αὐτοῦ durch bloßes αὐτοῦ ersetzen – ein fragwürdiges traditionskritisches Subtraktionsverfahren –, so bliebe der Einwand, daß die Identität Jesu mit dem Menschensohn mit der temporalen Sicht vorausgesetzt ist (vgl. Mt 19,28; 25,31), bestehen. Schließlich: die Schlußwendung der vormarkinischen Fassung μετὰ τῶν ἀγγέλων τῶν ἁγίων (vgl. Mt 25,31; 2 Thess 1,7) ist auch auffällig, weil hier statt der „Engel“ in der Begleitung des Menschensohns (vgl. Mk 13,27parr; Mt 13,41.49; 25,31) bzw. statt der „Heiligen“ (vgl. 1 Thess 3,13; 2 Thess 1,7; Jud 14) von den „heiligen Engeln“

[38] Vgl. *K. H. Rengstorf,* in: ThWNT I, 320–329. – Zur innerjüdischen Polemik mit ἁμαρτωλός vgl. PsSal 2,17; 4,9.27.

[39] Vgl. *P. Hoffmann,* Studien 73.181; *O. H. Steck,* Israel, passim.

[40] *W. G. Kümmel,* Verhalten 219. – Er klammert auch ἐν τῇ δόξῃ ein: „in Herrlichkeit?“.

gesprochen wird. Die seltene Wendung begegnet noch Offb 14,10[41] in vergleichbarem Kontext und (ἄγγελος ἅγιος) Apg 10,22 im Munde eines Heiden zur Identifizierung des „göttlichen" Boten (vgl. noch 2 Tim 5,21). Die Wendung paßt zu dem stärker apokalyptischen Kolorit der ganzen Apodosis der vormarkinischen Fassung.[42]
Die vormarkinische Fassung fügt sich an den vormarkinischen Kontext (Mk 8,34–37), in dem der Bekennerspruch nicht passen würde, vorzüglich an (vgl. bes. V. 35fin: ἕνεκεν ἐμοῦ καὶ τοῦ εὐαγγελίου mit V. 38: με καὶ τοὺς ἐμοὺς λόγους), so daß sie als eine kontextbezogene Umbildung der Q-Fassung anzusehen ist.
Als Ergebnis unseres Vergleichs läßt sich somit feststellen: Die Q-Fassung des Bekenner- und Verleugnerspruchs ist die älteste Fassung.

d) *Die älteste Fassung des Bekenner- und Verleugnerspruchs*

Die Q-Fassung des Doppellogions bietet weiterer traditionskritischer Analyse keinen Anhaltspunkt mehr. Der mit der Amen-Einleitung versehene, formal streng gebaute, aus zwei je zweigliedrigen Sprüchen antithetisch aufgebaute Doppelspruch mit seinen genauen Entsprechungen ist nicht weiter dekomponierbar und leicht tradierbar. Die Rückfrage nach Jesus darf bei ihm mit gutem Recht einsetzen.

2. *Geht der Bekenner- und Verleugnerspruch auf Jesus zurück?*

Die älteste Fassung des Doppelspruchs lautete:
Amen, ich sage euch:
Jeder, der sich zu mir bekennt vor den Menschen,
zu dem wird sich auch der Menschensohn bekennen vor den Engeln Gottes.
Wer aber mich verleugnet vor den Menschen,
den wird auch der Menschensohn verleugnen vor den Engeln Gottes.
Geht man nicht von dem unbewiesenen und unbeweisbaren Vorurteil aus, Jesus habe nicht oder könne nicht vom „Menschensohn" gesprochen haben, so kann der Doppelspruch nur als authentisches Jesuswort angesehen werden.

[41] Die Textüberlieferung hat sie mehrfach geändert! – Vgl. noch 1 QM 7,6; 10,11; 12,1; 1 QSa 2,8; 1 QSb 3,6.

[42] Ob der zusammengesetzte Ausdruck die „Heiligen" und die „Engel" als Gerichtshof bzw. Begleiter des Richters verschmilzt, könnte weiter erwogen werden. Vgl. auch *J. W. Doewe*, Hermeneutics 149f. – Wenig ergiebig: *P. T. Coke*, Angeles.

Alle verfügbaren Kriterien zur überlieferungskritischen Prüfung des Spruchs verweisen auf dessen Authentizität:
a) Die Amen-Formel läßt sich auch sonst als jesuanisch nachweisen (vgl. z.B. Mk 3,28; 8,12; 12,43; 14,9.25);[43] b) die Rückübersetzung des Doppelspruchs ins Aramäische bereitet keine Schwierigkeit, überdies weisen Semitismen auf eine aramäische Vorlage hin;[44] c) die Form des konditionalen Relativsatzes ist auch sonst für Jesus nachweisbar (vgl. z.B. Mk 3,28f; 10,15; 10,29f; 11,23),[45] ebenso die Form des antithetischen Doppelspruchs;[46] d) Sätze, in denen talionsähnlich die genaue Entsprechung von Tun und (zukünftigem) Ergehen formuliert wird (und zwar im Blick auf die Zukunft des Gerichts), sind ebenfalls sonst für Jesus nachweisbar (vgl. z.B. Mk 4,24; 8,35; Mt 6,14), e) weder Begrifflichkeit, noch Vorstellungswelt, noch Struktur des Spruches sprechen gegen eine Herkunft von Jesus (vgl. im einzelnen unter II); f) das „kritische Aussonderungsprinzip" als Kriterium der Prüfung der Echtheit spricht strikt für Echtheit des Spruches;[47] g) die Vorordnung der einladenden Heilsverheißung vor der warnenden Gerichtsansage entspricht genau der Struktur der zentralen Theologie Jesu!
Die Argumente, die gegen die Herkunft des Bekenner- und Verleugnerspruchs vorgebracht werden, können durchweg als nicht stichhaltig entlarvt werden:
a) Daß der Spruch zu einer urchristlich-prophetischen Gattung von Sätzen „heiligen Rechts" gehöre, ist als unhaltbare Hypothese widerlegt worden;[48] b) daß die vorausgesetzte forensische Situation nur eine Verfolgungssituation des frühen Christentums sein könne, ist selbst bei einseitiger Betonung des forensischen Charakters der Begrifflichkeit des Spruches eine unbeweisbare Annahme;[49] c) daß die Identifikation Jesu mit dem Menschensohn die nachösterliche Christologie spiegele, ist eine Auslegung des Verhältnisses Jesu und des Menschensohnes, die der Struktur wie der Konzeption des Doppelspruchs nicht gerecht wird (vgl. unten II); d) daß dieses Wort völlig *singulär* die

[43] Darin behält *J. Jeremias,* Kennzeichen, gegen *K. Berger,* Amen-Worte, und *V. Hasler,* Amen, recht; vgl. auch *J. Jeremias,* Amen; Theologie I, 43f. Selbst *M. E. Boring,* 512. – Zu den angeführten Stellen vgl. *R. Pesch,* Markuskommentar I, II; Salbung; Abendmahl.

[44] Vgl. zur Struktur der Sätze *K. Beyer,* Syntax I, 177,211; *J. Jeremias,* Theologie 25. Zu einzelnen Wendungen s. unten II. Auch nach *S. Schulz,* Q 70 weist der Spruch „in sprachlicher Hinsicht in palästinensisch-semitisches Milieu".

[45] Vgl. zu den angeführten Stellen *R. Pesch,* Mk I,II.

[46] Vgl. *J. Jeremias,* Theologie I, 24–30.

[47] Zur Diskussion dieses Echtheitskriteriums vgl. die Beiträge von *F. Hahn, F. Lentzen-Deis, F. Mussner,* in: *K. Kertelge,* Rückfrage. Auch: *W. O. Walker,* Quest. – Zur Sache: *J. Becker,* Johannes 101.

[48] Gegen *E. Käsemann,* Sätze (und Autoren in seiner Nachfolge, zuletzt *S. Schulz,* Q 69) mit *K. Berger,* Sätze; *J. Becker,* Johannes 100f; *D. Hill,* Role, und *W. G. Kümmel,* Verhalten 221f.

[49] Gegen *P. Vielhauer,* Jesus 106f (und Autoren in seinem Gefolge) mit *H. E. Tödt,* Menschensohn 310f. Von einer „irdischen Gerichtsszene" (*S. Schulz,* Q 72) ist nicht die Rede.

eschatologische Bedeutsamkeit Jesu herausstelle und das Heil von der Loyalität zu Jesu Person abhängig mache, ist nicht zutreffend[50]; e) daß in nachösterlicher Perspektive in Prophetenmund „zwei Stadien“ der Wirksamkeit Jesu unterschieden würden, ist keine der Struktur des Spruches angemessene Auslegung seiner Konzeption[51]; f) die Vermutung, daß Lk 12,8f gegenüber den Sätzen der Gattung „Eschatological Correlative“ in Q (Lk 11,30 = Mt 12,40; Lk 17,24 = Mt 14,27; Lk 17,26 = Mt 24,37; Lk 17,28.30 = Mt 24,38f) sekundär sei, bleibt ein bloßes Postulat.[52]
Wir können also festhalten: *Alle Wahrscheinlichkeit spricht dafür, daß der Bekenner- und Verleugnerspruch ein Wort Jesu ist!*[53]

II. Zur Interpretation des Bekenner- und Verleugnerspruchs

Unser Doppelspruch gehört zu den Logien Jesu, in denen in konditionalen Relativsätzen eine genaue Entsprechung zwischen (gegenwärtigem) Tun und (zukünftigem) Ergehen, genauer: zwischen gegenwärtigem Handeln der Adressaten und zukünftigem Handeln einer himmlischen Instanz an den Adressaten, formuliert ist. Solche Sätze[54] haben ihre Vorläufer in der Weisheitsliteratur, in der in Form genauer Korrelation die *notwendige* Folge bedingten Tuns formuliert wird. In der apokalyptischen Literatur wird in solchen Sätzen eine Folge im welttranszendenten Zusammenhang des Gerichts formuliert, deren *Notwendigkeit* (bzw. Zwangsläufigkeit) nur durch die Beanspruchung von Offenbarungswissen über die Kriterien des göttlichen Gerichts bzw. über das (freie) Verhalten des eschatologischen Richters (Gottes, des Menschensohnes) behauptet werden kann.
In einfachen Sätzen dieser Art, sind nur 2 handelnde Personen (Prädikatoren) genannt, z.B. Lk 14,11:
πᾶς ὁ ὑψῶν ἑαυτὸν ταπεινωθήσεται.
καὶ ὁ ταπεινῶν ἑαυτὸν ὑψωθήσεται.
Wer sich erhöht, wird von Gott erniedrigt.
Der Handlung von A an sich, entspricht die Handlung von B an A. Schema A → A = B → A. In diesem Beispiel ist die Handlungs- bzw. Ergehensfolge jeweils als eschatologische Umkehrung formuliert. In Mt 6,14f sind 3 handelnde

[50] Gegen *P. Vielhauer,* Jesus 106f; *H. M. Teeple,* Origin 222 mit *W. G. Kümmel,* Verhalten 222f; *H. Patsch,* Abendmahl 109f.
[51] Gegen *P. Vielhauer,* Jesus 100f; *S. Schulz,* Q 72; *P. Hoffmann,* Studien 155.
[52] Gegen *R. A. Edwards,* Correlative.
[53] Die Skepsis von *H. Schürmann,* Beobachtungen 137 Anm. 70 hoffen wir mit unseren Darlegungen wieder überwinden zu können.
[54] Vgl. *K. Berger,* Sätze 19–25.

Personen (Prädikatoren) genannt, und der Zusammenhang von Tun und Ergehen (= Handeln Gottes am Menschen in Entsprechung zu dessen Tun) als talions-ähnliche Entsprechung formuliert:
Ἐὰν ἀφῆτε τοῖς ἀνθρώποις τὰ παραπτώματα αὐτῶν,
ἀφήσει καὶ ὑμῖν ὁ πατὴρ ὑμῶν ὁ οὐράνιος.
ἐὰν δὲ μὴ ἀφῆτε τοῖς ἀνθρώποις,
οὐδὲ ὁ πατὴρ ὑμῶν ἀφήσει τὰ παραπτώματα ὑμῶν.
Wenn ihr verzeiht den Menschen, wird Gott euch verzeihen.
Schema A → B = C → A.
Ähnlich ist die Struktur des Bekenner- und Verleugnerspruchs, der ein positives und ein negatives Verhalten von jedermann (πᾶς ὅς) gegenüber dem Sprecher mit dem Verhalten des Menschensohns gegenüber den Handelnden korreliert.
A → B = C → A. (Die mattäische Form gibt sich auch in ihrer Reduktion auf zwei Prädikatoren als sekundär zu erkennen: A → B = B → A: Muster: Wie du mir, so ich dir; Jesus selbst ist *direkt* als der Richter = Menschensohn eingeführt).
Da jeweils ein positives und negatives Verhalten der Menschen gegenüber dem Sprecher (ἐν ἐμοί-με) vor einem irdischen Forum (ἔμπροσθεν ἀνθρώπων) mit dem Verhalten des „Menschensohnes" vor dem himmlischen Gerichtsforum (ἔμπροσθεν τῶν ἀγγέλων τοῦ θεοῦ) korreliert ist, beansprucht der Sprecher (Jesus) *Offenbarungswissen* über das künftige Verhalten des Endrichters (des Menschensohnes) in Entsprechung zum Verhalten der Menschen zum Sprecher (Jesus). *Zu dieser Beanspruchung von Offenbarungswissen* (in einem Konditionalsatz mit 3 Prädikatoren; in der mattäischen Form mit der Reduktion auf 2 Prädikatoren fehlt dieser Offenbarungsanspruch, weil der Richter selbst der Sprecher ist: Christologisierung) *paßt die Amen-Einleitung sehr genau,* da auch mit ihr apokalyptische Einsicht beansprucht wird.[55]
Haben wir uns so die formale Struktur und den mit ihr mitgegebenen „Gehalt" des Doppelspruchs klar gemacht, so sind wir zur Analyse seiner beiden Hälften (des positiven wie des negativen Satzes) grundlegend gerüstet.

1. Der Bekennerspruch

Der Bekennerspruch stellt in der Protasis als bedingtes Tun von jedermann das Bekenntnis zum Sprecher = Jesus vor: πᾶς ὃς ἂν ὁμολογήσῃ ἐν ἐμοί. Jesus spricht von der Möglichkeit des Bekenntnisses zu ihm, die angesichts

[55] Vgl. *K. Berger,* Amen.

der formulierten Folge (und insbesondere auch der Folge des im Verleugnerspruchs vorgestellten gegenteiligen Verhaltens und dessen Folge) zu einer (freien) Notwendigkeit wird.
ὁμολογέω (hebr. hōdā, aram. ōdi) ist u.a. ein Ausdruck der Gerichtssprache[56] (Gegenwort: ἀρνέομαι, s. unter 2): frei heraus sprechen, sich zu einer Tat, zu einem Sachverhalt bekennen, dann übertragen auch: sich zu einer Person bekennen (vgl. im NT z.B. Mt 7,23; Joh 1,20; 9,22; 12,42).
ἐν ἐμοί ist Aramaismus[57] (ἐν = lᵉ). Das Bekenntnis zu einer Person meint ein Sich-zu-ihr-Stellen, eine Bejahung ihres Anspruchs und ihres Verhaltens, ihrer Sendung usw. und zwar angesichts eines Forums. Als Forum des Bekenntnisses zu Jesus werden „die Menschen" genannt: ἔμπροσθεν τῶν ἀνθρώπων. ἔμπροσθεν ist u.a. fester forensischer Terminus[58]; das Forum der Menschen für das Verhalten der Anhänger Jesu ist mit ἔμπροσθεν τῶν ἀνθρώπων auch in Mt 5,16; 6,1 angegeben. Doch ein menschlicher Gerichtshof ist nicht vorgestellt. „Die Menschen" (vgl. besonders etwa Lk 6,22.26; 16,15) sind in der Rede Jesu negativ von seinen Anhängern, von denen, die sich zu ihm bekennen, unterschieden. Der Gegensatz „Menschen-Gott" färbt die Redeweise ein, die Vorstellung des „irdischen" Forums in der Protasis entspricht der Vorstellung des „himmlischen" Forums in der Apodosis (ἔμπροσθεν τῶν ἀγγέλων τοῦ θεοῦ). Dabei ist impliziert, daß das „irdische" *Forum* keine eschatologische Qualität hat, sondern allein derjenige, zu dem man sich bekennt.

Dem Bekenntnis zu Jesus (bedingtes Tun) entspricht, so ist in der Apodosis formuliert, das zukünftige Bekenntnis des Menschensohns zum Bekenner Jesu (mit Offenbarungsanspruch als sicher bezeichnete Folge). Dem Bekenner Jesu wird eine „Versicherung", ein Versprechen, eine Verheißung gegeben. Der „Menschensohn" ist als der von Gott eingesetzte Richter vorgestellt, nicht bloß als Gerichtszeuge.[59] Sein Bekenntnis übersteigt als Bekenntnis zu den Bekennern Jesu den Akt eines Gerichtszeugnisses, ist vielmehr als Sich-zu-ihnen-Stellen eine Bejahung der Bekenner als der „Gerechten", die der eschatologischen Gemeinschaft mit dem Menschensohn würdig sind, eine Bejahung ihres „Anspruchs".[60]

[56] Vgl. *O. Michel,* in: ThWNT V, 207f; *C. Westermann,* in: THAT I, 681f. Auch *G. Lindeskog,* Rätsel 159 betont den semitischen Hintergrund von ὁμολογεῖν, hält den Spruch aber für sekundär.

[57] Vgl. *Blass-Debrunner* § 220.2; *O. Michel,* in: ThWNT V, 207 Anm. 27 (Lit); *W. Bauer,* Wb 1032.

[58] Vgl. z.B. Mt 25,32; 27,11; Lk 21,36; Apg 18,17; 2 Kor 5,10.

[59] So auch zutreffend *S. Schulz,* Q 72. – Wichtige Hinweise bei *O. Michel,* Menschensohn 84f,95–97; *D. Flusser,* Melchizedek; vgl. auch: *A. S. van der Woude,* Melchisedek.

[60] Vgl. Mt 19,28; Lk 22,28–30; ebenso Mt 25,31–46.

Wie in der Protasis ist in der Apodosis der rechtlich-forensische Horizont überschritten. Das Forum der Engel Gottes (vgl. auch Lk 15,10) ist zwar einerseits das himmlische Gerichtsforum, andererseits aber auch die Gemeinschaft derer, in deren Mitte der Menschensohn Gemeinschaft gewährt. Der Richter spricht durch sein Bekenntnis den Bekenner Jesu gerecht vor dem himmlischen Gerichtshof, dem Forum eschatologischer Qualität.
Mit dem Bekennerspruch gibt Jesus also ein Versprechen, eine Verheißung in der Form apokalyptischer Belehrung, in der Gestalt von Offenbarung. Eine Besonderheit des Spruches besteht darin, daß der Sprecher = Jesus die Folge des Verhaltens anderer zum Sprecher (Jesus) beurteilt und damit den Hörer auf eine Entscheidung hin anspricht. Der Spruch hat einladenden Charakter.
Eine weitere Besonderheit des Spruches besteht darin, daß zwischen dem „Menschensohn" und Jesus eine einzigartige Beziehung vorausgesetzt wird, insofern sich der Menschensohn in seinem Bekenntnis zum Bekenner Jesu mit Jesus „identifiziert". Davon wird noch zu handeln sein (3).
Die dritte Besonderheit des Spruches besteht darin, daß der Sprecher = Jesus mit der Einladung zum Bekenntnis zu sich (welches durch den Verleugnerspruch als heils-notwendig dargetan ist) sich selbst zum (gerichts-)entscheidenden Heilskriterium macht: zum Heilsmittler. Jesus mißt sich nicht nur Offenbarer-, sondern zugleich Heilsmittlerqualität, eschatologische Autorität zu.

2. *Der Verleugnerspruch*

Der Verleugnerspruch stellt in der Protasis als bedingtes Tun von jedermann das Gegenteil des Bekenntnisses, die Verleugnung des Sprechers = Jesus vor: ὃς δ' ἂν ἀρνήσηταί με. Jesus spricht von der Möglichkeit seiner Verleugnung, die angesichts der formulierten Folge (und insbesondere auch der Folge des im Bekennerspruchs vorgestellten gegenteiligen Verhaltens und dessen Folge, angesichts der im Bekennerspruch zunächst gegebenen Verheißung) zu einer „Un-möglichkeit" wird.
ἀρνέομαι (hebr. kāḥaš, aram. kᵉḥaš)[61] ist ebenfalls u.a. Ausdruck der Gerichtssprache (Gegenwort: ὁμολογέω, s. unter 1): leugnen, bestreiten, sich zu einer Tat (vgl. Lk 8,45), zu einem Sachverhalt (vgl. Joh 1,20) nicht bekennen, dann übertragen auch: eine Person verleugnen (vgl. z.B. Mk 14,68.70parr; Apg. 3,13.14; 7,35), identisch mit ἀπαρνέομαι (vgl. Mk 14,30.31.72parr). Die Ver-

[61] Vgl. *H. Schlier,* in: ThWNT I, 468; *H. Riesenfeld,* Meaning; *M. A. Klopfenstein,* in: THAT I, 825–828. *J. Jeremias,* Theologie I, 18 Anm. 49 schlug als aramäisches Äquivalent kᵉpar vor; ebenso *C. Colpe,* in: ThWNT VIII, 450.

leugnung einer Person meint (über das Sie-nicht-kennen-Wollen hinaus) die Bestreitung ihres Anspruchs, das Nicht-Bejahen ihres Verhaltens, ihrer Sendung usw., und zwar angesichts eines Forums.
Als „unqualifiziertes" Forum sind wie im Bekennerspruch „die Menschen" genannt, die – das wird im Verleugnerspruch in seiner Implikation deutlicher – über die eschatologische Qualität Jesu nicht zu befinden haben, insofern sie „menschliche" Maßstäbe anlegen.
Der Verleugnung Jesu (bedingtes Tun) entspricht (Apodosis) die zukünftige Verleugnung des Verleugners Jesu durch den Menschensohn (strukturell in der lukanischen Fassung durch das Passiv vorzüglich formuliert!); der Menschensohn wird ihn verleugnen (mit Offenbarungsanspruch als sicher bezeichnete Folge). Auch dem Verleugner Jesu wird eine „Versicherung" gegeben, aber eine Warnung, eine Drohung. Auch die Verleugnung des „Menschensohnes" übersteigt als Verleugnung der Verleugner Jesu den Akt eines Gerichtszeugnisses, ist vielmehr als Sich-nicht-zu-ihnen-Stellen eine Entlarvung der Verleugner als der „Ungerechten", die der eschatologischen Gemeinschaft mit dem Menschensohn unwürdig sind, – aber auch ein Ernstnehmen ihres „Anspruchs", mit dem Ernst des Gerichts. Der Richter entlarvt durch seine Verleugnung der Verleugner Jesu die Ungerechtigkeit der Verleugner, und zwar vor dem himmlischen Gerichtshof, dem Forum eschatologischer Qualität.
Mit dem Verleugnerspruch gibt Jesus also eine Warnung, eine Drohung in der Form apokalyptischer Belehrung, als Offenbarung. Eine Besonderheit des Spruches besteht (wie beim Bekennerspruch) darin, daß Jesus die Folge des Verhaltens anderer zu sich beurteilt; auch hier wird der Hörer auf eine Entscheidung, aber eine negative Entscheidung hin angesprochen (er soll Jesus *nicht* verleugnen). Der Spruch hat warnenden Charakter.
Die zweite Besonderheit besteht auch im Verleugnerspruch darin, daß zwischen dem „Menschensohn" und Jesus eine einzigartige Beziehung vorausgesetzt wird, insofern sich der Menschensohn in seiner Verleugnung der Verleugner Jesu mit Jesus „identifiziert", d.h. jetzt aber: insofern der Menschensohn (die eschatologische Gemeinschaft mit ihm) von den Verleugnern Jesu verleugnet ist. Das negative Tun ist keine (freie) Notwendigkeit, sondern – wie seine zwangsläufige Folge offenbar macht – unfreie Verstrickung: Gericht.
Die dritte Besonderheit besteht auch im Verleugnerspruch darin, daß der Sprecher = Jesus mit der Warnung vor seiner Verleugnung sich selbst zum (gerichts-)entscheidenden Heilskriterium macht: zum Heilsmittler. Indem er vor der Verleugnung durch Aufdeckung ihrer negativen Folgen warnt, indem er droht, ist die Verantwortung für das Unheil den Angesprochenen belassen. Gerade als derjenige, welcher die Gerichtsdrohung als der Heilsmittler selbst verantwortet, mißt sich Jesus eschatologische Autorität zu.

3. Der Doppelspruch

Der Doppelspruch entspricht in der Reihenfolge von Verheißung und Drohung, Einladung und Warnung (die unumkehrbar ist!) ganz der Verkündigung Jesu. Für Jesus ist die Dominanz der Heilsverkündigung, das ins Zweite-Glied-Treten der Gerichtsdrohung (zumal im Vergleich seiner Predigt mit der Predigt Johannes des Täufers) charakteristisch[62]. In der Form solcher Doppelsprüche (vgl. neben Mt 6,14f auch Mk 4,25parr) gibt Jesus seiner Theologie „unbedingter" Heilsverkündigung, in der allein die Umkehr des Menschen (in der Hinwendung zu Gott, sichtbar in der Hinwendung zu jedem menschlichen Bruder, vgl. bes. Lk 15,11–32)[63] als die Annahme des Heils (Gottes und jedes von Gott angenommenen Menschen, aller Menschen) das Heil „bedingt", präzisen Ausdruck (vgl. auch den mit der Amen-Einleitung versehenen Doppelspruch Mk 3,28f).[64]

Die Besonderheit unseres Doppelspruchs (vgl. das jeweils dreifach unter 1 und 2 Ausgeführte) liegt darin, daß Jesus sich selbst ausdrücklich als Heilsmittler bzw. Gerichtskriterium in dieses Logion einbringt, daß er eschatologische Autorität *ausdrücklich* beansprucht – und daß er dies dadurch tut, daß er von einer „Identifizierung" des Menschensohns spricht. Diese Besonderheit verweist zunächst auf eine besondere Verkündigungssituation (4), sodann auch auf eine besondere Offenbarungssituation (5).

4. Die historische „Situation" des Bekenner- und Verleugnerspruchs

Als Einladung zum Bekenntnis zu Jesus und insbesondere als Warnung vor seiner Verleugnung verweist der Doppelspruch auf eine besondere Entscheidungssituation seiner Adressaten, die am ehesten als eine Situation der Anhänger Jesu, die sich vor dem Forum „der Menschen" bewähren müssen, bestimmt werden kann, als eine „Martyriums"-Situation. Der Doppelspruch gehört in eine Situation der Anfechtung der Anhänger Jesu, eine Verfolgungssituation, die selbstverständlich zunächst eine Verfolgungssituation Jesu (des Meisters) selbst ist.

Diese Bestimmung der Situation des Spruches wird indirekt durch seine Traditionsgeschichte gestützt: Der Spruch wird in der Logienquelle und bei allen Synoptikern in Kontexte der Martyriumsparänese eingestellt. Auch die Aufnahme des Spruchs in mehr oder weniger starken Anklängen in 2 Tim 2,12;

[62] Vgl. bes. *J. Becker,* Johannes 71ff; *P. Wolf,* Gericht.
[63] Vgl. dazu *R. Pesch,* Exegese.
[64] Vgl. *R. Pesch,* Mk I, 216–218.

Offb 3,5; IgnSmyrn 10,2; 2 Clem Kor 3,2 erfolgt jeweils in diesem Kontext[65]. Diese Rezeptionsgeschichte des Spruchs ist aber durch ihn selbst bestimmt. Denn, daß zum „Bekenntnis" eingeladen und vor der „Verleugnung" gewarnt wird, ist nur aus der „Martyriums"-Situation verständlich, in der das persönliche Zeugnis gefordert ist. Die „forensische" Prägung des Spruches ist signifikant (ὁμολογέω, ἀρνέομαι, ἔμπροσθεν), und die auf Jesus bezogene personale Bekenntniseinladung und Verleugnungswarnung spricht eindeutig für eine Situation der Ablehnung Jesu, die seine Anhänger mit betrifft. Diese Situation ist mit den Konflikten Jesu wiederholt und in der Spätphase seines Wirkens zugespitzt gegeben. Daß für die Formulierung des Spruches nicht die Ihr-Anrede (an die Jünger; beachte aber die Einleitung!) gewählt ist, ist voll verständlich: Einladung und Warnung gelten generell und sind nicht auf den Jüngerkreis Jesu zu begrenzen!

5. *Die „Offenbarungssituation": Jesus und der Menschensohn*

Die „Martyriums"-Situation der Jünger vor dem Forum „der Menschen" ist für Jesus selbst auch eine „Martyriums"-Situation vor dem Forum seiner Anhänger. Er gibt „Zeugnis" für sich selbst als denjenigen, mit dem sich der „Menschensohn" „identifiziert". In der Situation seiner Ablehnung hat er Anlaß, von sich selbst zu sprechen (vgl. Mk 12,1–12).[66] Er äußert sich dahingehend, daß sein Anspruch, seine Sendung, seine Autorität (vgl. Mk 11,27–33)[67], die in Frage stehen (und nach der Intention seiner Gegner auch von seinen Jüngern in Frage gestellt werden sollen), durch den „Menschensohn" gedeckt werden, durch denjenigen, dem Gott das Gericht übertragen hat, der (nach den Vorstellungen, die sich mit der eschatologischen „Figur" verbinden) zur Rechten Gottes, auf dem Thron seiner Herrlichkeit, in höchst denkbarer Gottunmittelbarkeit gedacht ist.

Daraus ergibt sich die Paradoxie des Spruches, die zur Auflösung drängt: Indem Jesus sich selbst nicht nur Offenbarerqualität, sondern eschatologische Heilsmittlerautorität zuspricht, „konkurriert" er mit dem „Menschensohn". Wer ist aber dann nach der Auffassung Jesu und der Verständnismöglichkeit seiner Hörer „der Menschensohn"?

Die Frage, wer der Menschensohn sei bzw. wer zum Menschensohn erwählt

[65] Zur späteren Traditionsgeschichte des Spruches in der Märtyrerliteratur vgl. *G. W. H. Lampe,* Denial. Zur Aufnahme bei Tertullian vgl. *C. K. Barret,* I am not Ashamed 32f.

[66] Vgl. *R. Pesch,* Mk II. Auch Mk 8,27–30 gehört in diesen Horizont; vgl. dazu *R. Pesch,* Messiasbekenntnis.

[67] Vgl. *R. Pesch,* Mk II.

und bestimmt sei, liegt nun gerade auch von den jüdischen Menschensohnerwartungen her nahe, in denen „Menschensohn“ eher ein *Deckname* für verschiedene „Autoritäten“ denn eine fest umrissene, unverwechselbare, bestimmte Person, Figur, Gestalt ist.[68] *Wer* der Menschensohn *ist,* liegt nicht fest, sondern wird in den Traditionen, die vom Menschensohn reden, bestimmt.

Der Deckname „Menschensohn“ ist also im Zeugnis Jesu in besonderer Weise zur Beanspruchung seiner Autorität geeignet. Jesus identifiziert sich nicht direkt mit dem „Menschensohn“ – und dieser Sachverhalt ist ein starkes Indiz der Authentizität des Spruches –, er beläßt dem *reflektierenden* Hörer aber auch nicht die Möglichkeit, zwischen Jesus und dem Menschensohn zu unterscheiden. Im Bekenner- und Verleugnerspruch läßt er den „Menschensohn“ sich mit ihm „identifizieren“ und hält damit die Form der *Offenbarungssprache* ein (vgl. die genaue Analogie in Mt 25,31–46). Mit anderen Worten: Wer der Menschensohn ist, wird nicht außerhalb des mit Offenbarungsanspruch (beachte nochmal Struktur und Amen-Einleitung des Logions!) vorgetragenen Doppelspruchs (vom Hörer) schon gewußt (oder als wißbar vorgestellt), sondern im Spruch selbst geoffenbart, und zwar sachgemäß nicht im direkten Selbstzeugnis (einer Selbstprädikation), sondern nur im indirekten Selbstzeugnis der mit Offenbarungseinsicht beanspruchten „Identifizierung“ des Menschensohns mit Jesus.

Der Hörer darf glauben, was Jesus glaubt: Er ist der Menschensohn. Diese „Mitteilung“ hat nicht deskriptiven, sondern performativen Charakter und geschieht nicht von ungefähr im Rahmen performativer (einladender, warnender) Rede. Wer sich zu Jesus bekennt, weiß, „wer“ der Menschensohn ist, wer ihn verleugnet, weiß es nicht, weil es im Unglauben nicht gewußt werden kann. Wer sich zu Jesus bekennt, kennt den Menschensohn, weil man ihn nur durch *seine* Offenbarung (seinen Anspruch, seine Sendung, seine Autorität) kennen kann (vgl. Mt 11,25–27/Lk 10,21f).

Gerade durch die formale Unterscheidung zwischen Jesus und dem Menschensohn wird Jesus im Bekenner- und Verleugnerspruch (vom Menschensohn: dem Gottunmittelbaren) mit dem Menschensohn identifiziert: Die „Konkurrenz“ der Gottunmittelbarkeit Jesu und des Menschensohnes ist von Gott her aufgehoben durch Jesus.

[68] Vgl. auch *M. Hengel,* Sohn 102f; *U. B. Müller,* Messias passim; *K. Müller,* Menschensohn passim; *E. Schweizer,* Menschensohn 101f.

6. Offenbarungsgeschichtliche (historische) Voraussetzungen des Bekenner- und Verleugnerspruchs

Im Blick auf das ganze Wirken Jesu kann konstatiert werden: „Jesus behauptete die vollständige Identität zwischen seiner Person und der von ihm vertretenen Sache Gottes – ein Vorgang, der im Ansatz bereits in der alttestamentlichen Prophetie zu beobachten war".[69] Eine Aufgipfelung prophetischen Selbstbewußtseins eschatologischer Qualität findet sich schon bei Johannes dem Täufer, der sich als letzten Boten Gottes vor dem Kommen des Menschensohnes versteht. Jesu Rollenbewußtsein ist angesichts seiner durchgehalten positiven Stellungnahme zum Täufer unvorgegeben neu in eschatologischer Komplexion: der letzte Bote nach dem letzten Boten! Sofern der Täufer das nahe Kommen des Menschensohnes ankündigte, ergab sich für Jesus geradezu die Notwendigkeit, sein Verhältnis zum „Menschensohn" zu reflektieren, d. h. seine Gottunmittelbarkeit mit der Menschensohnerwartung zu vermitteln. Jesu „gottunmittelbares" Selbstverständnis ließ keine Mediatisierung, die Dominanz seiner Heilsverkündigung keine Konzentration auf das Zorngericht des Menschensohns mehr zu. Im Bekenner- und Verleugnerspruch gewinnt der Menschensohn erneut die Züge einer Heilbringergestalt. Wer der Menschensohn ist, wird von Jesus definiert[70]. Der Bekenner- und Verleugnerspruch setzt die Verkündigung, das Wirken Jesu voraus und will in ihrem Horizont reflektiert werden.

III. Die eschatologische Autorität Jesu

Zur Auslegung der Autorität Jesu bietet der Bekenner- und Verleugnerspruch einen ausgezeichnet geeigneten Ausgangspunkt. Autorität ist ein Relationsbegriff[71], der einen Träger und ein Subjekt und deren Beziehung voraussetzt. Wenn Jesus das Bekenntnis zu sich fordert und vor seiner Verleugnung warnt – und zwar mit dem Hinweis auf die Folgen göttlichen Gerichts, so beansprucht er „göttliche" Autorität, und zwar mittels der Identifizierung des Menschensohns mit ihm, die Autorität des von Gott *ganz* gedeckten Gesandten, eschatologische, d. h. letztgültige, bei Gott selbst gültige Autorität. Jesus als Träger solcher Autorität weist das Subjekt seiner Autorität, das ihm glaubt, auf Gott selbst an. Das „Kriterium" seiner Autorität ist seine Gott-

[69] *F. Stolz,* Zeichen 142.

[70] Vgl. zur Vervollständigung die Ausführungen in *R. Pesch,* Passion 193f.

[71] Wichtige Anregungen verdanke ich meinem Kollegen Hermann Schrödter und den Teilnehmern eines im SS 1975 mit ihm zusammen gehaltenen Seminars.

unmittelbarkeit – überprüfbar in seinen Worten und Taten, in seiner Auslegung Gottes durch ihn selbst.

Autorität als Freiheit stiftende Macht kann nur aposteriorisch anerkannt, nicht apriorisch gesetzt und mit vor-gefaßten Maßstäben gemessen werden. Sie erweist sich als wahre Autorität in ihrer Freiheitsstiftung. Insofern Jesu Autorität das Subjekt, das ihm glaubt, „gottunmittelbar" macht, d.h. zum Glaubenden macht, der im Geist „Abba" sagen darf (Röm 8,15), ist sie eschatologische Autorität.

Als von Gott ganz gedeckte Autorität kann die Autorität Jesu nicht „unter" dem Gericht stehen, wie der Bekenner oder Verleugner Jesu unter dem Gericht steht – deshalb auch nicht unter dem „Tod". Jesus, der in einer Verfolgungssituation unser Doppellogion äußert, setzt für sich als „Menschensohn" Auferstehung und Erhöhung voraus (vgl. Mk 14,62). Auch unter diesem Aspekt birgt der Bekenner- und Verleugnerspruch christologische Implikationen, die Implikation einzigartigen Glaubens des gottunmittelbaren Gottverbundenen. Der Spruch ist ein Zeugnis der Gotteserfahrung Jesu in einzigartiger Gottverbundenheit.

Wir versuchen, uns einige Implikationen des Bekenner- und Verleugnerspruchs, die eine Auslegung der Autorität Jesu erlauben, abschließend mit einigen am Phänomen der Autorität orientierten Modellen zu veranschaulichen.

1. *Das Verhältnis von Träger und Subjekt der Autorität*

Der Träger (T) der Autorität fordert vom Subjekt (S) in seiner Äußerung (A), dem Bekenner- und Verleugnerspruch, das Bekenntnis zu seiner Person.

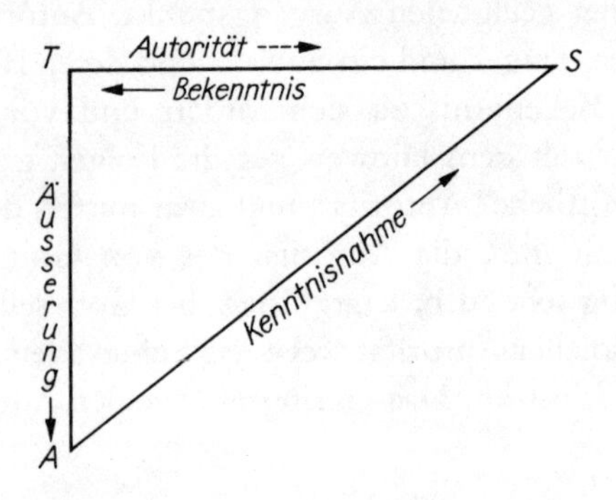

Mit seiner Forderung verweist er insgesamt auf seine Äußerungen in Wort und Tat (A), deren Kenntnisnahme (A ⟶ S) durch das Subjekt dessen Bekenntnis, die Beziehung zum Träger der Autorität rechtfertigt (S → T). (Das Bekenntnis ließe sich als Äußerung des Subjekts S → A auch als Prädikation des Trägers A → T darstellen; vgl. z.B. Mk 8,27–30).

2. *Die Begründung der Autorität*

Der Träger (T) der Autorität verweist durch den Hinweis auf den Menschensohn (MS), der „zur Rechten Gottes" (G) vorgestellt ist, auf eine „höhere" Autorität, die in Relation zum Subjekt (S) tritt – und deren Relation zum Träger als „Identität" enthüllt wird:

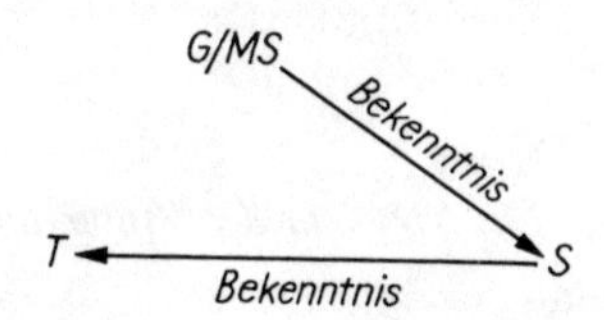

Wer sich zu Jesus bekennt (S → T), zu dem wird sich der Menschensohn bekennen (G/MS → S).
Indem der Träger diese Entsprechung der Relationen formuliert, weist er das Subjekt dazu an, seine eigene Autorität mit der Autorität des Menschensohnes zu identifizieren, d.h. ihm selbst als dem eschatologischen Vollmachtsträger zu glauben:

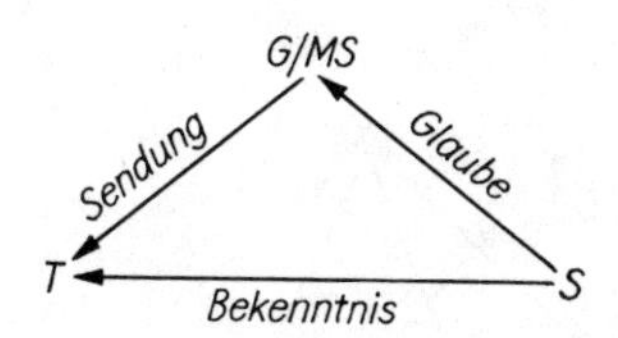

Im Glauben (S → G) des Subjekts gewinnt die Relation G/MS → T (göttliche Sendung Jesu; Identifizierung des Menschensohns mit Jesus) entscheidende Bedeutung.
Die Relation T → G (der Glaube Jesu) entspricht seiner Sendung, seinem Gesandtsein (G → T). Die Äußerungen des Trägers (T → A) sind dem Glauben, der sich zu Jesus bekennt (S → G/MS → T), Jesu Autorität anerkennt (S → T), Worte Gottes (G → A):

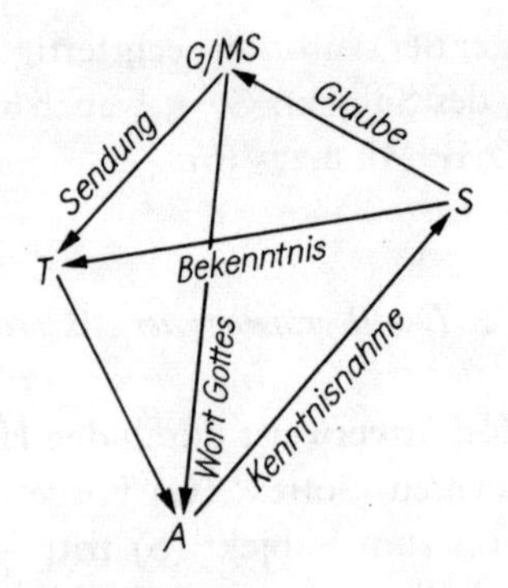

(Der Sachverhalt ist in Mk 8,38 mit dem Zusatz καὶ τοὺς ἐμοὺς λόγους in nachösterlicher Perspektive ausformuliert).

3. Die Struktur der Autorität

Mit der Amen-Einleitung und der apokalyptischen Struktur und dem Inhalt des Spruches beansprucht Jesus in seiner Äußerung (T → A) Offenbarungswissen über das Verhalten des Menschensohns (MS → S). Sofern das Subjekt einen Vorbegriff (V) von der Gerichtstätigkeit des Menschensohnes hat (was eine Bedingung für das Verständnis der Äußerung Jesu ist), wird dieser durch die bejahende Kenntnisnahme der Äußerung Jesu verändert, und zwar gerade dadurch, daß mit der talionsartigen Entsprechung (S → T = MS → S) die Identifizierung des Menschensohns mit Jesus angedeutet ist:

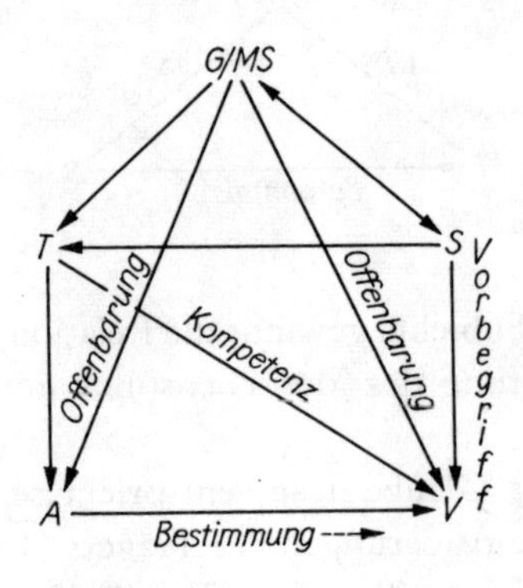

Die Kompetenz Jesu (T → V) bestimmt über seine Äußerung (T → A) neu, was der Menschensohn tut (A → V), so daß der Vorbegriff zum Offenbarungsverstehen (G/MS → V) gewandelt wird, und zwar deshalb, weil Jesu Äußerung Offenbarungswissen ist (G → A). Der Vorbegriff ist der „Deckname“ Menschensohn: Wer der Menschensohn ist (personal: Jesus selbst; funktional: der Heilsmittler) offenbart Jesus; sein Anspruch als Menschensohn-Heilsmittler kann deshalb nicht außerhalb seiner Heilspredigt (Gottesreichverkündigung) apriorisch „gemessen“ werden. Da das Subjekt, das Jesu Autorität anerkennt, sich in die Gnade Gottes, die Freiheit, den Glauben einweisen läßt und Jesu Autorität in der Freiheit des Glaubens anerkennt, ist Jesu Autorität kein autoritärer Zwang, insofern auch jeder Vorbegriff des Heils an seinem Anspruch vernünftig gemessen werden kann bzw. die Bestimmung des Heils auch der Vernunft des Glaubenden einleuchten muß.
Die Verleugnung Jesu besteht demgemäß darin, daß das Subjekt an seinem Vorbegriff (S → V) festhält, Jesu Kompetenz (T → V) nicht anerkennt, sein Gesandtsein durch Gott (G → T), seine Identität mit dem Menschensohn (MS → T) nicht glaubt. (In der johanneischen Christologie ist diese Struktur der Autorität Jesu ausformuliert).

4. Die Differenz zwischen Jesus und dem Menschensohn und die Identifizierung des Menschensohnes mit Jesus

Indem Jesus im Bekenner- und Verleugnerspruch zwischen sich und dem Menschensohn formal differenziert, weist er die Angesprochenen in die Freiheit ihres Glaubens an Gott ein, die er vermittelt – er weist sie auf sich als Mittler insofern an, als er ihre Gottunmittelbarkeit vermittelt. Die Identifizierung des Menschensohnes mit Jesus, so zeigt die Differenz an, kann nur im Glauben geschehen. Der *Kairos* dieses Glaubens ist ein für allemal mit Ostern gekommen, da Gott sich in der Auferstehung Jesu (der Erhöhung des Menschensohnes Jesus zu seiner Rechten) auch mit dem sterbenden Jesus identifiziert: die Äußerung des Todes Jesu (T → A) zur eschatologischen Ent-Äußerung der Liebe Gottes wird (G → A): Jesus selbst zum Wort Gottes.
Die mit der Vorstellung vom „Menschensohn“ signalisierte Gottesnähe ist im Tod Jesu (dem Eschaton der eschatologischen Autorität) eschatologisch ereignet: Jesus *ist* der Menschensohn zur Rechten Gottes. Die nachösterliche Christologie bleibt an die Auslegung Jesu gebunden, auch seine Auslegung des Menschensohnes, die er selbst ist. Sie gerät auf die Bahn der Verleugnung Jesu, wenn sie statt Jesus irgendwelche Vorbegriffe vom Menschensohn auslegt!

Literatur

(Eine ausführliche Bibliographie bietet *W. G. Kümmel,* Verhalten).

Barret, C. K., I am Not Ashamed of the Gospel, in: Foi et salut selon S. Paul (AnBib 42), Rom 1970, 19–41.

Becker, J., Johannes der Täufer und Jesus von Nazareth (BSt 63), Neukirchen-Vluyn 1972.

Berger, K., Die Amen-Worte Jesu (BZNW 39), Berlin 1970.

Berger, K., Zu den sogenannten Sätzen heiligen Rechts: NTS 17 (1970/71) 10–40.

Beyer, K., Semitische Syntax im Neuen Testament I, Göttingen ²1968.

Boring, M. E., How May we Identify Oracles of Christian Prophets in the Synoptic Tradition: JBL 91 (1972) 501–521.

Coke, P. T., Los Angeles del Hijo del Hombre: EstB 32 (1973) 281–289.

Doewe, J. W., Jewish Hermeneutics in the Synoptic Gospels and Acts, Assen 1953.

Edwards, R. A., The Eschatological Correlative as a *Gattung* in the New Testament: ZNW 60 (1969) 9–20.

Flusser, D., Melchizedek and the Son of Man, in: Christian News from Israel (1966) 23–29 = in: Judaism and Christianity, Jerusalem o.J., 229–236.

Grundmann, W., Das Evangelium nach Matthäus (ThHK I), Berlin 1968.

Hahn, F., Das Gleichnis von der Einladung zum Festmahl, in: Verborum Veritas (Festschr. für G. Stählin), Wuppertal 1970, 51–82.

Hasler, V., Amen, Zürich 1969.

Hengel, M., Der Sohn Gottes, Tübingen 1975.

Higgins, A. J. B., „Menschensohn" oder „ich" in Q?, in: Jesus und der Menschensohn (Festschr. für A. Vögtle), Freiburg i.Br. 1975, 117–123.

Hill, D., On the Evidence for the Creative Role of Christian Prophets: NTS 20 (1973/74) 262–274.

Hoffmann, P., Studien zur Theologie der Logienquelle (NTA NF 8), Münster 1971.

Jeremias, J., Kennzeichen der ipsissima vox Jesu, in: Synoptische Studien (Festschr. für A. Wikenhauser), München 1954, 86–93 = in: Abba, Göttingen 1966, 145–152.

Jeremias, J., Neutestamentliche Theologie I, Gütersloh 1971 (Nachdr. Berlin 1973).

Jeremias, J., Zum nicht-responsorischen Amen: ZNW 64 (1973) 122f.

Käsemann, E., Sätze heiligen Rechtes im Neuen Testament: NTS 1 (1954/55) 248–260 = in: EVB II, 69–82.

Kertelge, K., (Hrsg.), Rückfrage nach Jesus (QD 63), Freiburg 1974.

Knauer, P., Jesus als Gegenstand kirchlicher Christologie, in: *Schierse, F. J.* (Hrsg.), Jesus von Nazareth, Mainz 1972, 156–166.

Kümmel, W. G., Das Verhalten Jesus gegenüber und das Verhalten des Menschensohns, in: Jesus und der Menschensohn (Festschr. für A. Vögtle), Freiburg 1975, 210–224.

Lampe, G. W. H., St.Peter's Denial: BJRL 55 (1973) 346–368.

Lindeskog, G., Das Rätsel des Menschensohnes: StTh 22 (1968) 149–174.

Michel, O., Der Menschensohn: ThZ 27 (1971) 81–104.

Moule, C. F. D., Neglected Features in the Problem of „the Son of Man", in: Neues Testament und Kirche (Festschr. für R. Schnackenburg), Freiburg 1974, 413–428.

Müller, K., Menschensohn und Messias: BZ NF 15 (1972) 161–167 und 16 (1973) 52–66.

Müller, U. B., Messias und Menschensohn in jüdischen Apokalypsen und in der Offenbarung des Johannes (StNT 6), Gütersloh 1972.

Patsch, H., Abendmahl und historischer Jesus (CThM, A1), Stuttgart 1972.

Perrin, N., Rediscovering the Teaching of Jesus, London 1967.

Pesch, R., Die Salbung Jesu in Bethanien (Mk 14,3–9), in: Orientierung an Jesus (Festschr. für J. Schmid), Freiburg 1973, 267–285.

Pesch, R., Das Messias-Bekenntnis des Petrus (Mk 8,27–30): BZ NF 17 (1973) 178–195 und 18 (1974) 20–31.
Pesch, R., Die Passion des Menschensohnes, in: Jesus und der Menschensohn (Festschr. für A. Vögtle), Freiburg 1975, 166–195.
Pesch, R., Das Abendmahl und Jesu Todesverständnis, in: *K. Kertelge* (Hrsg.), Der Tod Jesu (QD 74), Freiburg 1976, 137–187.
Pesch, R., Das Markusevangelium I, II (HThK II, 1–2), Freiburg 1976/77.
Pesch, R., Zur Exegese Gottes durch Jesus von Nazareth, in: Jesus, Ort der Erfahrung Gottes. (Festschr. für B. Welte), Freiburg 1976, 140–189.
Riesenfeld, H., The Meaning of the Verb ἀρνεῖσθαι: CNT 11 (1947) 207–219.
Schmid, J., Matthäus und Lukas, Freiburg 1930.
Schneider, G., „Der Menschensohn" in der lukanischen Christologie, in: Jesus und der Menschensohn (Festschr. für A. Vögtle), Freiburg 1975, 267–282.
Schürmann, H., Das Lukasevangelium I (HThK III,1), Freiburg 1969 (Nachdr. Leipzig ²1971).
Schürmann, H., Beobachtungen zum Menschensohn-Titel in der Redequelle, in: Jesus und der Menschensohn (Festschr. für A. Vögtle), Freiburg 1975, 124–147.
Schürmann, H., Die Sprache des Christus: BZ NF 2 (1958) 54–84 = in: Traditionsgeschichtliche Untersuchungen zu den synoptischen Evangelien, Düsseldorf 1968, 83–108.
Schulz, S., Q. Die Spruchquelle der Evangelisten, Zürich 1972.
Schweizer, E., Das Evangelium nach Matthäus (NTD 2), Göttingen 1973.
Schweizer, E., Menschensohn und eschatologischer Mensch im Frühjudentum, in: Jesus und der Menschensohn (Festschr. für A. Vögtle), Freiburg 1975, 100–116.
Steck, O. H., Israel und das gewaltsame Geschick der Propheten (WMANT 23), Neukirchen-Vluyn 1967.
Stolz, F., Zeichen und Wunder. Die prophetische Legitimation und ihre Geschichte: ZThK 69 (1972) 125–144.
Teeple, H. M., The Origin of the Son of Man Christology: JBL 84 (1965) 213–250.
Tödt, H. E., Der Menschensohn in der synoptischen Überlieferung, Gütersloh 1959.
Vielhauer, P., Jesus und der Menschensohn: ZThK 60 (1963) 133–177 = in: Aufsätze zum Neuen Testament (ThB 31), München 1965, 92–137.
Vögtle, A., Die Einladung zum großen Gastmahl und zum königlichen Hochzeitsmahl, in: Das Evangelium und die Evangelien, Düsseldorf 1971, 171–218.
Walker, W. O., The Quest for the Historical Jesus: A Discussion in Methodology: AThR 51 (1969) 38–56.
Wolf, P., Gericht und Reich Gottes bei Johannes und Jesus, in: Gegenwart und kommendes Reich (Schülergabe für A. Vögtle), Stuttgart 1975, 43–49.
Woude, A. S. van der, Melchisedek als himmlische Erlösergestalt in den neugefundenen eschatologischen Midraschim aus Qumran-Höhle XI: OTS 14 (1965) 345–373.

GASTMAHLGESPRÄCHE: LK 14,1–24

Von Josef Ernst

H. Schürmann hat die Vermutung geäußert, daß in den Nachtischgesprächen der neutestamentlichen Abendmahlsberichte (Lk 22,21–38; Joh 13,7–16,33) die Anfänge des urchristlichen Wortgottesdienstes erkennbar sein könnten. Der formale Anknüpfungspunkt sei das antike Symposion gewesen, das mit der Ursprungsgeschichte der Eucharistie zu tun habe[1]. Wir möchten dieser Spur ein wenig folgen und am Beispiel der Redekomposition Lk 14,1–24 aufzeigen, wie stark der Einfluß des profanen literarischen Modells auf das dritte Evangelium gewesen ist. Möglicherweise ergeben sich aus der hier erkennbaren Einordnung der Verkündigung in den Mahlablauf neue Perspektiven für das moderne Problem einer grundsätzlichen Ortsbestimmung der Predigt. Es empfiehlt sich, zunächst die Werde- und Wirkgeschichte des antiken Symposions zu bedenken (1), um dann in einem exegetischen Teil auf die lukanischen Tischgespräche (2) und die besondere Verarbeitung der literarischen Vorlage (3) einzugehen. Abschließend soll nach möglichen Anstößen für die gegenwärtige Verkündigungssituation gefragt werden (4).

1. Die Gestalt des Symposions

Die Grundgestalt der lukanischen Tisch- und Gastmahlsgespräche ist im antiken Symposion, das in der griechisch-römischen Literatur und Kulturgeschichte eine lange Tradition hat, vorgegeben. Die Ursprünge liegen in dem weitverbreiteten Brauch eines Trinkgelages, das gewöhnlich auf das Abendessen folgte, aber auch unabhängig davon stattfinden konnte. Der Ausdruck „Symposion" ist in seiner Bedeutung zwar unscharf – er wechselt gelegentlich mit verwandten Begriffen wie πότος, κῶμος, manchmal hat er das vorausgehende Abendessen an sich gezogen, gelegentlich ist das an sich selbständige Trinkgelage im Oberbegriff δεῖπνον mitgemeint, in späterer Zeit ist der Name auf den Ort des Geschehens, den Speisesaal übertragen worden[2], aber die Sache als solche ist verhältnismäßig gut bezeugt. Über den Hergang und Ver-

[1] *H. Schürmann,* Gestalt 87.
[2] *Athenaios* V 204f; *Lukian,* De Mercede Conductis 27; *Plutarch,* De Iside et Osiride 13.

lauf vermitteln die klassischen Gastmahlgespräche von Plato, Xenophon, Lukian, Athenaios, besonders aber die detaillierten Schilderungen des Plutarch ausreichende Kenntnisse. Das Wort „Symposion" charakterisiert das Geschehen als „gemütliches Trinken in fröhlicher Gesellschaft"[3]. Für die Veranstaltung selbst gab es ein mehr oder weniger festes „Ritual": das Trinkgelage begann mit dem Auftragen des Weins nach dem eigentlichen Abendessen, das mit einem Schluck ungemischten Weines und einem dazugehörigen Trinkspruch (ἀγαθοῦ δαίμονος) beendet wurde. Im Anschluß daran wurde der Festsaal umgeräumt und festlich ausgeschmückt, während die Gäste sich selbst herrichteten (Waschen der Hände, Salben, Schmücken mit Kränzen usw.). Das eigentliche Gelage begann mit einem Trankopfer, der σπονδή, das begleitet war durch das Absingen des Paian[4]. Die Trinkgewohnheiten, d. h. die Zahl der zu leerenden Becher[5], der Anlaß des Trinkens, die Konventionalstrafen, der Toast usw. waren nach bestimmten Vorschriften geregelt. Die Leitung des Symposions lag in der Hand eines Symposiarchos, der gewöhnlich vorher bestellt wurde[6]. Seine Aufgabe war u. a. auch die Auswahl und Einladung der Gäste, die Platzanweisung, die Überwachung der Zubereitung von Speisen und Getränken, sowie die Bestellung von Musik und Tanz. Zur guten Vorbereitung gehörte die Ausstattung des Festraumes mit Blumenschmuck und Kränzen.

Äußerer Anlaß für ein Symposion waren die herkömmlichen Festtage wie Hochzeit, Geburtstag oder auch außergewöhnliche freudige Ereignisse, etwa der Sieg in einem Kampfspiel[7], der Abschied oder die Rückkehr eines Freundes[8]. Oft genug war jedoch die Vergnügungssucht, die immer auch eine Gelegenheit fand, der entscheidende Grund. „Schlimmer war es, daß das müßige Leben in den Städten den größten Teil der jungen Männer vor ihrer Verehelichung zu ausgelassenen Gelagen in Gesellschaft von Hetären verführte"[9]. Der Teilnehmerkreis deckte sich nicht in allen Fällen mit dem des vorausgehenden Mahles; in den meisten Fällen entfernten sich Frauen und Kinder, bisweilen auch seriöse Herren[10], wenn es allzu ausgelassen oder gar frivol herging. Andererseits kamen auch Personen, die am vorausgehenden Mahl

[3] *Pauly-Wissowa* IV A7, Sp. 1267.

[4] *Athenaios* II 38d; XI 462e u. ö.; *Xenophon,* Symposion II 1; *Plato,* Symposion 176a.

[5] In vielen Fällen wurden bei jeder neuen Weinkanne die einzelnen Götter und Heroen mit weiteren Trankopfern bedacht; eine einheitliche Praxis scheint es jedoch nicht gegeben zu haben; vgl. *Pauly-Wissowa* IV, Sp. 611.

[6] Auch ἄρχων τῆς πόσεως, βασιλεύς, potandi modiperator, arbiter bibendi genannt.

[7] *Pauly-Wissowa* IV A7, Sp. 1267.

[8] *Polybius* XXXI 21,8; *Plutarch* V 5,1; *Lukian,* Amores 9.

[9] *Pauly-Wissowa* IV A7, Sp. 1268.

[10] *Aristoteles,* Politica VII 17; *Cicero,* Verr I 66; *Plutarch,* Conv. sept. sap. 13; *Xenophon,* Symposion IX 1; *Plutarch,* Perikles VII 2.

nicht teilgenommen hatten, hinzu[11], und zwar nicht nur offiziell Geladene, sondern auch Ungeladene (ἄκλητοι), teils aus eigenem Antrieb[12], teils aber auch in Begleitung von offiziellen Festgästen.

Das Symposion diente der Unterhaltung im weitesten Sinne, angefangen von ausgelassener Fröhlichkeit (Würfelspiel, mimische Vorstellungen), über schöngeistig-literarische oder auch volkstümlich-kurzweilige Gespräche bis hin zum philosophischen Dialog und zum wissenschaftlichen Vortrag. Literarische Belege bezeugen insbesondere für die römische Zeit das anspruchsvolle Tischgespräch. Alexander Severus lud den Gelehrten Ulpian zum geistigen Austausch zu sich zu Tisch[13]; ähnliches ist von Herodes Atticus berichtet. Der Sophist Favorinus ließ während der Mahlzeit aus poetischen und historischen Werken vorlesen und anschließend darüber diskutieren.

Trinkgelage und Tischgespräche haben einen Niederschlag gefunden in einer ausgeprägten Symposienliteratur. Ein frühes Beispiel liegt in den Mahlszenen der Odyssee des Homer vor. Seit dem 5. Jahrhundert v. Chr. gibt es auch Prosaschilderungen, etwa die des Jon von Chios, der über die Kriegstaten des Kimon berichtet[14], vielleicht auch eine Mahlerzählung des weisen Sophron, die Plato gelesen hat. Literarisches Format erhält die Gattung jedoch erst durch den sokratisch-platonischen Dialog über den Eros und durch die realistischen Dialoge des Xenophon über praktische Lebensfragen. Inhalt und Thema waren abhängig vom jeweiligen Zeitgeist bzw. von den gesellschaftlichen Gegebenheiten. Natürlich hat die Philosophie und Sophistik einen nachhaltigen Einfluß ausgeübt. Xenophanes[15] empfahl Gespräche über Fragen der Tugend und Philosophie anstelle der ausgelassenen Heiterkeit. Das große und beherrschende Vorbild ist Sokrates[16], der zu ernster Unterhaltung über geistige Fragen mahnt. Die Nachwirkungen sind noch greifbar in der Kaiserzeit bei Libanius[17].

Eine literaturgeschichtliche Behandlung des Symposions kann nicht Aufgabe dieser Untersuchung sein[18], es sei nur auf einige typische Ausprägungen hingewiesen. Eine Nebenform, die freilich keine größere Nachwirkung gehabt hat, ist das Symposion in Briefform: der Dialog wird durch die Korrespondenz ersetzt, ohne daß ein thematischer Fortschritt erreicht würde[19]. Epikur[20]

[11] *Plato,* Symposion 216c; 223b.
[12] *Homer,* Ilias II 408.
[13] Historiae Augustae Scriptores XVIII 34,6.
[14] *Plutarch,* Cimon 9.
[15] *Athenaios* XI 462c.
[16] *Xenophon,* Memorabilia Socratis III 14.
[17] *Libanius,* Apologia Socratis XXVII 21.
[18] Vgl. den Artikel Symposion-Literatur, in: *Pauly-Wissowa* IV A8, Sp. 1273–82.
[19] *Athenaios* IV 128c–130d.
[20] *Plutarch,* Quaest. conv. prooem. 1; *Diogenes Laertius* X 28.

liefert ein trocken-nüchternes Gegenstück zu den klassischen Dialogen, das über materiell-vordergründige Fragen nicht hinauskommt. Der allgemeine Sittenverfall der Zeit findet natürlich sein getreues Spiegelbild in den Symposien bzw. in ihrer literarischen Darstellung. So beschäftigen sich die Tischgespräche des Persaios[21] mit der sinnlichen Liebe bis hinein in alle Einzelheiten. Die Gastmähler arten aus zu Schwelgereien; Vorträge und Dialoge mit Dichtern[22] sind nicht mehr der Ausdruck eines echten Verlangens nach Wissen und Bildung, sondern nur noch snobistische Zutaten und äußere Staffage. Tatsächlich sinkt das Niveau auf die unterste Grenze ab. Beachtung verdient für unsere Fragestellung das Vordringen der Symposienliteratur in den hellenistisch-jüdischen Bereich. Der Verfasser des Aristeasbriefes läßt den König Ptolemäus II. die 72 jüdischen Gelehrten einen ethisch-religiösen Katechismus abfragen. Die Examinierten verblüffen den Fragesteller durch ihre Schlagfertigkeit. Weite Teile des Briefes[23] sind in die Form eines Tischgespräches gegossen. In der römischen Zeit setzt sich das dichterisch-poetische Element stärker durch; leichte platonische Dialoge wurden in Theateraufführungen von Knaben rezitiert. Aus der reichen Trivialliteratur ragt das Symposion des Maecenas bei dem Grammatiker Servius (um 400 n. Chr.)[23a] heraus, das die angesehensten Männer der römischen Geisteswelt, Vergil, Horaz, Valerius Messala in einer Tischrunde auftreten läßt. Plutarch wählt zu seiner Zeit die Symposienform, um die sieben Weisen zusammenzuführen. Seine große Sammlung von Tischgesprächen umfaßt neun Bücher (συμποσιακὰ προβλήματα). Das Werk des Lukian (Συμπόσιον ἢ Λαπίδαι), eine Parodie auf die kultivierten Philosophensymposien, ist in seiner Drastik und primitiven Realistik sicher verzerrend, aber zugleich auch entlarvend. Herausragende Bedeutung kommt den Quaestiones convivales des Apulejus und insbesondere den Werken des Grammatikers Athenaios zu, der an Umfang und Inhaltsreichtum alle Vorgänger in den Schatten stellt. Der Stoff ist so gewaltig, daß zu seiner Darstellung verschiedene aneinandergereihte Mahlzeiten benötigt wurden. In der Zeit der Auseinandersetzung zwischen dem aufstrebenden Christentum und dem sterbenden römischen Kaiserkult gehört das bewußt heidnisch gehaltene Symposion des Julian Apostata[24], das die religionspolitische Bedeutung des Kaisertums restaurieren wollte. Der Ort der Handlung ist der Götterhimmel, wo ein Saturnalienfest Gelegenheit zu einer wertenden Beurteilung einzelner Kaisergestalten bietet. Die Zulassung zum Mahl bzw.

[21] *Athenaios* XIII 607b.
[22] *Diogenes Laertius* II 73.111; *Plutarch,* Non posse suav. vivi 13 p. 1095.
[23] Aristeasbrief, §§ 187–300.
[23a] *Servius,* Aen. VIII 310.
[24] Convivium sive Caesares.

die Zurückweisung sind als quasireligiöse Gerichtsakte zu verstehen. Auf christlicher Seite steht als erster Lactanz[25], der sein Symposion allerdings wohl schon vor der Bekehrung geschrieben hat. Eine wirklich christliche Adaptation des platonischen Werkes ist das Symposion des Bischofs Methodius von Olympos († 311), das in einer an einen überirdischen Ort verlegten Mahlszene das christliche Gegenstück zum Eros, die Jungfräulichkeit abhandelt. Zehn Jungfrauen sprechen miteinander über Keuschheit und Ehe. Christliche Überformung des herkömmlichen Modells zeigt sich unter anderem auch in dem abschließenden Hymnus[26].

Das letzte Glied einer langen literarischen Kette sind die Saturnalien des Neuplatonikers Macrobius am Ende des 4. Jahrhunderts, die sich deutlich an Athenaios anlehnen, in der national-römischen Ausrichtung aber eigene Wege gehen.

Aber nicht nur in der griechisch-römischen Welt, sondern auch im jüdischen Raum gab es eine vergleichbare Einrichtung, die bei der Rückfrage nach der Vorgeschichte der lukanischen Gastmahlgespräche mitbedacht werden muß. Das Trinkgelage, die mischtītā, die ursprünglich ähnlich wie das Symposion vom eigentlichen Sättigungsmahl unterschieden wurde, hat mehr und mehr den Gesamtablauf geprägt. „Jedes festliche Mahl hieß später ohne weiteres ‚ein Trinkgelage' (mischtītā), das ‚gegessen' werden kann"[27]. Der Weingenuß, von der Natur der Sache her Ausdruck und Zeichen der Freude, spielt im Verlauf einer solchen Mahlveranstaltung eine gewichtige Rolle. Der Jerusalemer Talmud[28] berichtet von insgesamt zehn Bechern, die bei einem Totenmahl zu leeren sind: zwei vor dem Essen, fünf während der Mahlzeit, drei nach dem Essen. Nach dem Historiker Strabo[29] waren jedem Teilnehmer eines Gelages insgesamt elf Becher gestattet. „Eine reichliche Leistung, die mit Rausch enden mußte, aber damit zusammenhing, daß an den Bechern vor und nach dem Mahl bestimmte fromme Pflichten hafteten"[30]. Einschlägige Bestimmungen und Interpretationen des Talmud vertiefen den Weingenuß beim Festmahl: „Es ist dem Menschen geboten, sein Weib und seine Söhne am Wallfahrtsfeste fröhlich zu machen. Womit macht man fröhlich? Mit Wein"[31]. Was hier grundsätzlich konstatiert wird, gilt vorzüglich für das Paschamahl. Rabbinische Gedankenspielereien über die Zahl der Becher und die Verteilung der Menge auf die einzelnen Mahlabschnitte unterscheiden zwischen dem Wein

[25] *Hieronymus,* De viris illustribus 80.
[26] *O. Bardenhewer,* Geschichte II² 339ff.
[27] *G. Dalman,* Jesus-Jeschua 134.
[28] j. Ber. 6ª.
[29] *Strabo* XVI 4,26.
[30] *G. Dalman,* Jesus-Jeschua 135.
[31] j. Pes. 37ᵇ; Tos. Pes. X,4; b. Pes. 109ª.

nach dem Essen, der berauscht und dem Wein während der Mahlzeit, der zur Erhöhung der Stimmung dient[32].

Im Unterschied zu den griechischen Symposien ist das gepflegte Gespräch bei der mischtītā unterentwickelt, aber das Grundmotiv Freude, Fröhlichkeit ist doch deutlich zu erkennen. Es ist nicht nur denkbar, sondern wahrscheinlich, daß die Feier des christlichen Herrenmahles, die ja in ihren Ursprüngen mit dem jüdischen Paschamahl zu tun hat[33], mit dem Becher auch seine Grundbedeutung übernommen hat. Daß Freude, Fröhlichkeit und Jubel durch das Christusgeschehen und die eschatologischen Erwartungen eine völlig neue Qualität erhielten, muß an dieser Stelle nicht eigens aufgezeigt werden[34].

Wir können feststellen, daß die christliche Eucharistiefeier insgesamt in einer vertieften, geläuterten und vergeistigten Gestalt eine Grundstimmung auf sich gezogen hat, die im jüdischen und deutlicher im griechisch-römischen Festmahl „ausgelagert" war und vorzüglich in der Einrichtung des Symposions ihren Niederschlag gefunden hat.

2. Das Symposion Lk 14,1–24

Lukas hat im Rahmen seines Reiseberichtes (9,51–19,27) eine Gastmahlszene gestaltet, die enge Berührungen mit dem antiken Symposion aufweist. Das Mahlgeschehen tritt ähnlich wie bei vielen profanen Parallelen völlig in den Hintergrund, das Interesse richtet sich fast ausschließlich auf das Tischgespräch. Die christliche Überformung ist freilich an vielen Einzelheiten deutlich zu erkennen. Auf den ersten Blick fällt die herausragende Rolle Jesu, der nur als Gast anwesend ist und doch den Vorsitz zu führen scheint, ins Auge. Von einem Dialog im eigentlichen Sinne kann nicht die Rede sein. Es wird zwar der Eindruck einer lebendigen Konversation erweckt: „Alle am Mahl Teilnehmenden werden angesprochen: die Geladenen, der Gastgeber, ein Gast"[35], aber tatsächlich redet Jesus mit Ausnahme eines einzigen Zwischenrufs (V. 15) immerfort alleine. Das Bild des Christos Didaskalos, den die Gemeinde bei ihren gottesdienstlichen Versammlungen vor Augen hatte, prägt die ganze Szene. Der Einfluß der Gemeindeparänese zeigt sich deutlich erkennbar in der Auswahl und Gestaltung der Thematik. Der „äußere Sitz im Leben" der Erzählung ist klar vorgeprägt. Darüber hinaus wird ein Ausblick auf das

[32] j. Pes. 37[d].
[33] *H. Schürmann,* Gestalt 83f.
[34] *H. Schürmann,* Gemeinde 70.
[35] *A. Stöger,* Lukas II 27f.

eschatologische Freudenmahl gegeben, das die christlichen Hörer als Hoffnungsgut vor Augen haben. Alle drei Ebenen sind zwar ineinandergeschoben, aber sie lassen sich doch voneinander abheben. Die Perikope enthält a) eine Heilungsgeschichte (14,1–6), welche die Mahlsituation nur voraussetzt, ohne sie thematisch auszuwerten[36]; b) zwei Instruktionen Jesu, die sich unmittelbar auf das Verhalten beim Mahl beziehen. Die erste (14,7–11) gibt Weisungen für die Geladenen, die zweite (14,12–14) für den Gastgeber[37]; c) und abschließend eine Mahl-Parabel (14,15–24), die die heils- und endgeschichtlichen Perspektiven des vordergründigen Geschehens im Haus des Pharisäers aufzeigt[38].

[36] Die Quellenfrage interessiert nur am Rande. Gegen Abhängigkeit von Mk 3,1–6 spricht neben Motivabweichungen – hier ein Wassersüchtiger dort ein Gelähmter; der Vorgang der Heilung: hier das Berühren des Kranken, dort der Befehl, den Arm auszustrecken – vor allem der „Deutespruch" vom Sohn oder Ochsen, der am Sabbat in den Brunnen fällt (V. 5). Offenbar hat Lukas eine aus Q stammende Erzählung tradiert, die Mt 12,9–14 mit der Mk-Variante kombiniert worden ist, vgl. *H. Schürmann,* Spracheigentümlichkeiten 213. Anders *W. Grundmann,* Lukas 291: „Nach durchgängigem Urteil hat Lukas die Erzählung seinem Sondergut entnommen".

[37] Für eine sachliche und traditionsgeschichtliche Einheit von VV. 7–11 (8÷10) und 12–14 (einschließlich V. 13!) spricht der parallele Aufbau und die überlegte Gliederung: Einleitung – negative und positive Formulierung der Mahlregel: „Wenn du geladen bist, so darfst du nicht..." – „vielmehr mußt du..." – eschatologischer Ausblick. Zwei antithetisch aufgebaute profane Klugheitsregeln ohne spezifischen Verkündigungsgehalt haben durch den jeweils angehängten eschatologischen Schlußvers (VV. 11.14) eine neue Orientierung erhalten. Aller Wahrscheinlichkeit nach ist die Gastgeberregel analog zur Gastregel gestaltet worden. Das Mahnwort vom Sich-erhöhen und -erniedrigen (V. 11), eine lukanische Dublette zu 18,14b, ist keinesfalls redaktionell, sondern interpretierender und im Sinne der Christusverkündigung umformender Bestandteil des Gleichniswortes. Da die eschatologische Verheißung V. 14 ohne den vorausgehenden Spruch unverständlich ist, muß sie ebenfalls zum Grundbestand gerechnet werden.

[38] Da V. 13 aus stilistischen Gründen zum ursprünglichen Bestand zu rechnen ist, liegt eine Weiterführung des Gedankens in dem Gleichnis vom Gastmahl nahe. Mt 22,1–10 bietet eine Variante, die jedoch in wichtigen Punkten stark differiert: die Erzählung vom Mann ohne hochzeitliches Gewand (Mt 22,11–14); statt von einem Mann (Lk 14,16) ist bei Mt 22,2 von einem König die Rede; statt vom „großen Mahl" (Lk 14,16) von einer Hochzeitsfeier (Mt 22,2); statt von einem Knecht (Lk 14,17.21) von mehreren (Mt 22,3f); an Stelle der einen Einladung (Lk 14,17) ergehen mehrere (Mt 22,3f). Mattäus bietet den Abriß der Heilsgeschichte, angefangen von den Propheten des Alten Bundes bis zur Zerstörung Jerusalems und zur Ankündigung des Endgerichtes.
Die Einleitung V. 15, die auf die Situation von 14,1 zurückweist, ist redaktionell. Möglicherweise wurde der Zusammenhang schon vorlukanisch hergestellt. Das Gleichnis selbst stammt aus dem SLk.

a) Die Erzählung von der Heilung des Wassersüchtigen (14,1–6)

Die aus der Logienquelle übernommene Perikope ist redaktionell durch den Einleitungsvers in ein Mahlgeschehen eingeordnet und thematisch akzentuiert worden. Wir haben es mit einer für Jesus offenbar typischen Situation zu tun. Jüdische Lebensgewohnheiten werden vorausgesetzt[39], die Einzelheiten interessieren nur am Rande. Wichtig ist, daß das Freudenmahl im Rahmen der Sabbatfeier eine besondere Rolle spielt. „Der gottgeweihte Tag war ja das Zeichen für den Anteil Israels an Gott... um diesen Tag festlich zu machen, wurden auch reichlich die natürlichen Werte benützt"[40]. Relativ belanglos ist die Frage, ob der Oberste der Pharisäer ein örtlicher Synagogenvorsteher (vgl. 8,41), ein Führer der pharisäischen Partei oder ein Synedriumsmitglied pharisäischer Herkunft ist; die sprachliche Form ermöglicht alle drei Deutungen. Von Bedeutung ist das Stichwort „Sabbat" und das feindliche Beobachten der anderen Mahlteilnehmer. Das überraschende Auftreten eines Wassersüchtigen (V. 2)[41] sollte den Blick nicht unnötig auf die Einzelheiten der orientalischen Haus- und Gesellschaftsordnung – Zaungäste beim Festmahl der Reichen – lenken. Weil für den Ablauf der Erzählung der Kranke in diesem Augenblick gebraucht wird, muß er einfach zur Stelle sein; er steht plötzlich vor Jesus. Immerhin sollte angemerkt werden, daß auch die hellenistisch-römische Symposienliteratur den ungeladenen Gast, der die Ordnung stört, kennt[42]. Ohne längeren Disput über die verschiedenen kasuistischen Möglichkeiten[43] fordert Jesus von den anwesenden Gesetzeskundigen und Pharisäern Antwort auf die Entscheidungsfrage: erlaubt oder nicht erlaubt. Die Alternative „Heilen oder nicht" ist gegenüber den Parallelen, die allgemeiner vom Gutes-Tun am Sabbat (Mt 12,12) bzw. vom Leben-Retten oder Zugrundegehenlassen (Mk 3,4; Lk 6,9) reden, schärfer ausgeprägt. Das Schweigen

[39] Der Sabbat wurde durch das Festmahl und das Toragespräch besonders ausgezeichnet. Midr. HL 5,16 (121[b]): R. Acha (um 320) und R. Tanchum b. Chijje (um 300) haben im Namen des R. Jochanan († 279) gesagt: Es heißt Ez 20,20: „Und meine Sabbate heiligt!" Womit sollst du ihn heiligen? Heilige ihn mit Essen und Trinken und mit reinem Gewand; vgl. DtR 3 (199[d]), hier der Gedanke der Freude: – denn es heißt Jes 58,13: Wenn du den Sabbat eine Lust nennst usw. Was steht dahinter geschrieben? „Dann sollst du deine Lust finden an Jahve und er wird dir die Wünsche deines Herzens gewähren"; p. Schab. 15,15[a], 48: R. B[e]rekhja (um 340) hat im Namen des R. Chijja bar Ba (um 280) gesagt: Die Sabbate und die Festtage sind mir gegeben worden, daß man sich an ihnen mit den Worten der Tora beschäftige... Weise den halben (Sabbat oder Festtag) dem Torastudium und den halben dem Essen und Trinken zu; vgl. *Billerbeck* I 611–615.

[40] *A. Schlatter,* Lukas 334.

[41] Ob an Unzucht als Ursache der Krankheit erinnert werden soll, wie das jüdisch-rabbinische Denken nahelegen könnte, bleibt fraglich; vgl. *Billerbeck* II 203f.

[42] Vgl. *Plutarch,* Brutus 34.

[43] *Billerbeck* I 622–629.

der Befragten ist vielsagend (V. 4). Zu einem Gespräch kommt es nicht, weil Jesus einerseits sich auf einen schriftgelehrten Disput nicht einlassen will und die „Partner" andererseits sich grundsätzlich gegen Jesus entschieden haben. Für eine offene Auseinandersetzung ist der Zeitpunkt zwar noch nicht gekommen, aber die Fronten sind klar. Die erste Antwort auf die Frage ergeht „via facti": Jesus faßt den Wassersüchtigen an und heilt ihn ohne weitere Erklärungen. Für den Mann ist damit die Angelegenheit erledigt, er kann gehen. Eine zweite Antwort argumentiert mit einem Logion, das in den Sabbatdebatten der Urgemeinde seinen traditionellen „Sitz im Leben" gehabt haben kann[44]. Das Wort ist trotz einiger textkritischer Schwierigkeiten[45] in seiner Aussageabsicht eindeutig: die Nächstenliebe und erst recht Jesu helfende Tat wird nicht durch Gesetzestüftelei, sondern durch Einsicht in das Gebotene geregelt. „Helfende Güte duldet keine Begrenzung, sondern ist oberstes Gebot"[46]. Der Widerspruch Jesu gründet in seiner persönlichen Vollmacht, die in der autoritativen Rückführung des vordergründigen Sabbatgebotes auf den Willen Gottes als eigentlichen Kern begründet ist. „Die Ruhe des Sabbats bedeutet für Jesus die Offenbarung des göttlichen Wohlwollens für seine Geschöpfe, Friede und Heil"[47]. Das Fehlen des chorartigen Abschlusses (vgl. Lk 13,17) erklärt sich aus der zunehmenden Verhärtung der Standpunkte, die für eine freundliche Kulisse keinen Raum mehr läßt. Zugleich klingt in dem Unvermögen der Gegner die hoheitliche Überlegenheit Jesu an.

Die Erzählung über das Verhalten Jesu an einem Sabbat hat für die zur Feier des Herrenmahles versammelte Gemeinde exemplarische Bedeutung[48]. Offenbar wird hier eine betonte Reflexion über die christliche Interpretation des Sabbatgebotes (vgl. 4,12) im Spannungsfeld zwischen Mt 5,17–19 und Röm 10,4 erkennbar. Die christliche Sonntagsfeier wird in den Gemeinden

[44] *R. Bultmann,* Geschichte 10.

[45] Folgende Lesarten sind bezeugt: Esel oder Ochs: S it^{var}; vgl. syr^{s}: Stier oder Esel; syr^{c}: Sohn oder Stier oder Esel; D: Schaf oder Ochs (nach Mt 12,11). Sohn oder Ochs: AB it^{var}. Zur Diskussion über den Sinn des Spruchs vgl. *E. Klostermann,* Lukas 149: „... gewiß ist υἱός trotz Ex 20,10 Dt 5,14 unmöglich, wenn bei Lc der gleiche Sinn wie in der Parallele Mt 12,12 erreicht werden soll: wie viel mehr wert ist ein Mensch als ein Tier! Dann wäre die biblische Zusammenstellung ὄνος ἢ βοῦς (13,15 Dt 22,4 Js 32,20) ... wohl der ... Erklärung von υἱός (υς) als Verderbung aus οις (Schaf) vorzuziehen. Es könnte aber allenfalls Lc dahin verstanden werden; wenn *euch selbst* ein Kind oder auch nur ein Tier am Sabbat in Lebensgefahr gerät, so kommt ihr doch ohne Bedenken (εὐθέως) zu Hilfe: vgl. Baba Qamma V 6 wem in den Brunnen fällt ein Rind oder Esel ... Sohn oder Tochter, Sklave oder Sklavin, Joma 84b wenn jemand ein Kind in einen Brunnen fallen sieht, so reißt er die Einfassung ... weg und holt es herauf".

[46] *W. Grundmann,* Lukas 292.

[47] *A. Stöger,* Lukas II 33.

[48] Die Häufung von Sabbatkonflikten (6,1–5.6–11; 13,15f) ist für Lukas, der Dubletten gerne vermeidet, auffällig. Der Verweis auf gewissenhaftes Überliefern reicht nicht aus.

praktiziert (vgl. Lk 24,1; Apg 20,7; 1 Kor 16,2), aber die alte Ordnung ist noch zählebig. Wichtiger noch als die Kalenderfrage ist das damit verbundene theologische Problem: ist die alte Gesetzesordnung noch verbindlich, oder hat die „nova lex Christi" sie schon verdrängt? Die Antwort Jesu lautet: „wem von euch fällt ein Sohn oder Ochs in den Brunnen und er zieht ihn nicht sofort heraus am Tag des Sabbats?" (14,5). Oder noch deutlicher: „Der Sabbat ist für den Menschen da, nicht der Mensch für den Sabbat. Deshalb ist der Menschensohn auch Herr über den Sabbat" (Mk 2,27f). Damit ist aber deutlich gemacht, daß es nicht etwa nur um die Ablösung der alten jüdischen Satzungen durch neue christliche geht, das Anliegen Jesu ist die Freiheit vom Buchstaben. Die Mitte der neuen Ordnung ist das Gebot der Liebe. Der Mensch in seiner Not verpflichtet den Christen, wo immer er ihm begegnet. Die Hilfe am Bruder, die Nächstenliebe, hat qualitativen Vorrang vor den Geboten und Gesetzesverordnungen. Die Tatsache, daß eine solche Weisung in einem Kontext, der zum mindesten andeutungsweise an das Herrenmahl der christlichen Gemeinde erinnert, gegeben wird, macht zur Genüge deutlich, daß es keinen Widerspruch zwischen Gottesdienst und Dienst am Menschen geben kann. Offenbar bestand für Lukas noch oder schon wieder Veranlassung, diesen Gesichtspunkt herauszustellen.
Wir erfahren hier aber auch Wesentliches über das neue Verständnis von „Feier" und „Fest": wenn Jesus feiert, sind die Außenstehenden, die Kranken und vom Schicksal Gezeichneten mit dabei. Es gibt keine exklusive Gesellschaft der Privilegierten (vgl. 14,12f). Die Vorliebe des Lukas für die Mahlgemeinschaft Jesu mit den Sündern unterstreicht diesen Gedanken mit Nachdruck (vgl. Lk 5,29–32; 7,36–50; 11,37; 15,23; 19,5f)[49]. Was in der modernen Gesellschaft zu Brauchtum und Gewohnheit abgeflacht oder zur Institution erstarrt ist (Eucharistie – Sonntagsfeier – Kollekte – organisierte Caritas – gestaltete Gemeindefeste), sollte im Rückblick auf die Anfänge neu aktiviert werden.

[49] Auf die inneren Zusammenhänge von Diakonie, Festfreude und Mahlgemeinschaft hat *B. Reicke,* Diakonie 164, hingewiesen. „Die christliche Caritas oder Diakonie in der Form einer feierlichen Speisung, zunächst beim Herrenmahl aber auch bei entsprechenden Feierlichkeiten, ist im Grunde von *der* ‚Diakonie' abhängig, die *bei den israelitischen Jahresfesten* und Bundesmahlzeiten *ein Ausdruck der Festfreude* war".
Hier wäre freilich zu ergänzen, daß das Gedenken an die Todesdiakonie Jesu, das in der Feier des Herrenmahles seinen Platz hatte, der entscheidende Grund zur Freude gewesen ist. Vgl. auch *H. Schürmann,* Gemeinde 70f.

b) Mahlanweisungen Jesu

aa) Die Gastregel: erste und letzte Plätze (14,7–11)

Die Einführung des „Gleichnisses"[50] greift auf die V. 1 angedeutete Situation zurück. Lukas hat das Bild des Gemeindemahls vor Augen, zu dem die apostolische Mahnrede gehört. So denkt er sich auch Jesus, der hier in Wirklichkeit nur Gast ist, als den Tischherrn. Sein Wort ist Weisung für die Gemeinde auf dem Wege. Das Erzählte ist aus sich heraus verständlich, weil es um Allgemein-Menschliches geht. Nach der jüdischen Mahlordnung bestanden die Tischgemeinschaften aus Dreiergruppen. „Der Ehrenplatz war am Kopfende oder in der Mitte des mittleren Polsters. In der älteren Zeit war für den Ehrenplatz das Ansehen ausschlaggebend, in der späteren Zeit (um 300) – infolge entstandener Mißhelligkeiten? – das Alter"[51]. An welche Kriterien Lukas gedacht hat, geht aus der Rede nicht hervor[52]. Jesus konnte auf Beobachtungen in seiner unmittelbaren Umgebung zurückgreifen und einen Fehler anprangern, der besonders für die Gesetzeslehrer typisch gewesen zu sein scheint (Mk 12,39; Lk 11,43; Joh 5,44). Die mit „wenn du geladen wirst"[53] eingeleitete Erzählung entwickelt aus der aktuellen Situation eine allgemeine Regel, die über den vorethischen Bereich des profan-bürgerlichen guten Tones nicht hinauszugehen scheint. Der Geladene wird gemahnt, das Protokoll des jüdischen Festmahls zu beachten, um nicht in eine peinliche Situation zu geraten. R. Bultmann[54] spricht von „Lebensbeobachtungen, Regeln der Klugheit und Volksmoral" ohne spezifisch christliche Motivation. In der jüdischen Literatur gibt es eine

[50] *R. Bultmann,* Geschichte 85, spricht von „durch Schilderung erweiterte(n) Mahnworte(n)"; *A. Jülicher,* Gleichnisreden II 253: „... eine Art Synekdoche, die in Sprichwörtern und bei Sirach mit Vorliebe bei Formulierung sittlicher Regeln gewählt wird". *E. Klostermann,* Lukas aaO., denkt an einen „bildliche(n) Lehrspruch". Möglicherweise hat sich der Terminus im Vorgriff auf 14,16–24 aufgedrängt. Es ist auch denkbar, daß eine tatsächliche Parabel durch die Einfügung in eine wirkliche Gastmahlerzählung um ihren eigentlichen Charakter gebracht worden ist (vgl. *B. Weiß, O. Holtzmann*). Die Deutung im Sinne von „Tischregel" (*J. Jeremias,* Gleichnisse 191) ist nicht belegt. Der Begriff darf auf keinen Fall zu eng verstanden werden.

[51] *F. Hauck,* Lukas 189. Näheres *Billerbeck* IV 618; I 914f; 1 QS VI 3–6.8–13.

[52] *T. W. Manson,* Sayings 278: „The precise disposition of the places in a Jewish feast can hardly be determined with certainty".

[53] Die alttestamentliche Weisheit hat das sprachliche und semantische Paradigma vorgegeben. Sir 31,12: „Wenn du an eines reichen Mannes Tisch sitzt..."; Spr 23,1: „Wenn du zu Tisch sitzt mit einem hohen Herrn". Die allgemeine Tischregel konnte je nach Situation durch entsprechende Anweisungen aufgefüllt werden.

[54] *R. Bultmann,* Geschichte 108; *M. Dibelius,* Formgeschichte 249, nimmt eine paränetische „Verwässerung" eines ursprünglich eschatologischen Gleichnisses an – wohl kaum zu Recht. Jesus übernimmt profane, in der Hauptsache jüdische Spruchweisheiten und gibt diesen durch die Einordnung in seine eigene eschatologische Verkündigung völlig neue Qualitäten. Daß die lukanische Gemeinde in einem späteren Stadium das Logion auf ihre aktuellen Probleme bezog und für die Gottesdienstversammlungen Regeln aufstellte, steht auf einem anderen Blatt.

Reihe von Beispielen, die ähnliche Maximen für den Alltag aufstellen: „Rühme dich nicht vor dem König und stelle dich nicht an den Platz der Großen. Denn besser, man sagt zu dir: rück hier herauf als daß man dich nach unten setzt wegen eines Vornehmen“ (Spr 25,6); „Mein Sohn, bei all deinem Tun bleibe demütig, und du wirst mehr geliebt werden, als einer, der Gaben verteilt. Je größer du bist, um so mehr bescheide dich, dann wirst du Gnade finden bei Gott“ (Sir 3,17)[55]. Der Skopus der Geschichte liegt freilich nicht in der Blamage, hier wird nicht Moral gepredigt nach der Devise: „Hochmut kommt vor dem Fall“, es geht auch nicht um die einfache Umkehrung der Verhältnisse nach dem jüdischen Vergeltungsmuster, sondern um das neue Verhalten im Reiche Gottes, das nach dem ersten und letzten Platz gar nicht mehr fragen läßt. Vom Schlußwort her gesehen bekommt die auf den ersten Blick banal wirkende Mahnung zur Demut eine neue, durch das eschatologische Handeln Gottes bestimmte Qualität: „So wird also in Lk 14,11 die Tischregel zum Auftakt für eine ‚eschatologische Warnung‘, die auf das himmlische Festmahl schaut und die zum Verzicht auf selbstgerechte Ansprüche vor Gott und zu demütiger Selbsteinschätzung aufruft“[56]. Der „Hörer des Wortes“ wird in der Nachfolge Jesu aufgerufen, selbst ein „Dienender“ zu sein (Lk 22,27), wie Jesus es gewesen ist. Unter Umständen hat das „Erhöhen-Erniedrigen“ des Mahnwortes vor dem Hintergrund des Phil 2,6–11 beschriebenen Christusweges eine ganz einzigartige Sinndeutung erhalten. Die Tischgespräche Jesu beim letzten Abendmahl (Lk 22,24–27), die das „Klein-Sein“ als christliche Lebenshaltung deutlicher hervorheben, müssen in der Mahnung V. 11 mitgehört werden. „Wieder spannt sich ein Bogen vom Gastmahl zum endzeitlichen Mahl, und zwischen beiden steht das heilige Mahl der Gemeinde. Der Bogen, der die drei verbindet, ist die Haltung des Klein-Seins, der Herr, der zum Diener geworden ist, Jesus auf dem Weg nach Jerusalem, wo er dienend sein Leben als Löse-

[55] R. Schimson b. Azzai (um 110) sagte: Halte dich fern von (dem dir gebührenden) Platz zwei oder drei Sitze und warte, bis man zu dir sagt: „Komm herauf!“ Aber nicht gehe (vorher) hinauf; man möchte zu dir sagen: „Steige hinab!“ Es ist besser, daß man zu dir sage: „Komm herauf, komm herauf!“ als daß man zu dir sage: „Steige hinab, steige hinab!“ vgl. die Parallele Aboth RN 25. Ex R 45 (100[a]): R. Tanchuna b. Abba (um 380) eröffnete seinen Vortrag mit Spr 25,7: Denn besser ist es, daß man zu dir sage: „Rücke herauf hierher!“ als daß man dich erniedrige. Hillel sagte: Meine (Selbst-)Erniedrigung, das ist meine Erhöhung und meine (Selbst-)Erhöhung ist meine Erniedrigung. Es ist besser für einen Menschen, daß man sage: „Steige empor nach oben“, als daß man zu ihm sage: „Steige hinab nach unten“ (*Billerbeck* II 204). *Theophrast,* Charaktere 21,2: ὁ δὲ μικροφιλότιμος ... σπουδάσαι ἐπὶ δεῖπνον κληθεὶς παρ' αὐτὸν τὸν καλέσαντα κατακείμενος δειπνῆσαι. *Lukian,* Symposion 9, erörtert die Frage, ob der bessere Platz dem Stoiker Zenothemis oder dem Epikuräer Hermon zukommt. Zenothemis stellt kurzerhand seine Teilnahme in Frage und erzwingt für sich den Vortritt.

[56] *J. Jeremias,* Gleichnisse 191f.

preis für die vielen hingibt, die Erhöhung erwartend“[57]. Wie lebendig die Gemeinde sich mit diesem Motiv beschäftigt hat, zeigt die „Nachgeschichte“ an Stellen wie Jak 4,6; 1 Petr 5,5; 1 Clem 30,2; Ignatius, Ad Eph. 5,3.

bb) Die Gastgeberregel: Einladung ohne Ansehen der Person (14,12–14)

Jesus wendet sich in einem zweiten, nach dem gleichen Stilgesetz gebauten Mahnwort an den Gastgeber. In der jüdischen Gesellschaft waren Einladungen zu Tisch etwas ganz Normales. Lukas spricht zwar vom Frühstück und vom Abendessen, aber ihn interessiert das Mahl als solches, nicht aber die jüdischen Essens- und Tischgewohnheiten[58]. Nach altem Verständnis ist Mahlgemeinschaft Ausdruck enger Vertrautheit und Sympathie; für die christliche Gemeinde in besonderer Weise Symbol der Liebe[59]. Die Kritik Jesu gibt zu erkennen, daß dieser hohe Anspruch von einer herkömmlichen Konvention weitgehend zugedeckt worden ist. Man verkehrt nur mit seinesgleichen bzw. mit Leuten, von denen man Nutzen hat. Die Gesichtspunkte des Interessenausgleichs spielen eine gewichtige Rolle, wer von vornherein auf Gegeneinladung spekuliert, will nicht geben, sondern nur nehmen und profitieren.

Nicht erst Jesus, sondern schon jüdische und heidnische Denker haben aus einem Gefühl säkularer Menschlichkeit die Tischgemeinschaft mit den Deklassierten gefordert. Jose ben Jochanan (um 140 v. Chr.) pflegte zu sagen: „Dein Haus sei weithin geöffnet. Arme seien deine Hausgenossen“[60]. Daß man sich auch in der Antike um die Leidenden kümmerte, zeigt Plato[61], der formelhaft von den Lahmen und Blinden und anderen Krüppeln spricht. Xenophon[62] kritisiert die Einladungen auf Gegenseitigkeit. Das alles kommt freilich über

[57] *A. Stöger,* Lukas II 37f.

[58] Im Judentum waren an gewöhnlichen Tagen zwei Mahlzeiten üblich, das Frühstück – nicht identisch mit dem Frühmahl (ἄριστον), prandium der Römer und die Hauptmahlzeit (δεῖπνον, cena) in den späten Nachmittagsstunden. Für den Sabbat waren drei Pflichtmahlzeiten vorgesehen, die Hauptmahlzeit, zu der gewöhnlich Gäste eingeladen wurden, fand nach Beendigung des Gottesdienstes statt.
Das Frühstück wurde durch die Verschiebung auf die späten Vormittagsstunden (12 Uhr) im Laufe der Zeit zum Frühmahl, dem ein einfaches Morgenbrot vorausging. „Es ist unmöglich, daß sie (die Gelehrten) den ganzen Morgen und Vormittag unter anstrengendsten Studien im Lehrhaus mit nüchternem Magen zugebracht haben. So hören wir denn auch tatsächlich von einem Imbiß, den man des Morgens vor Besuch des Studienhauses einnahm“ (*Billerbeck* II 205).

[59] Vgl. Jud 12; Ignatius, Smyrn. 8,2; 7,1, hier werden auch die Beziehungen zur Eucharistie erkennbar; vgl. auch Epistola Apostolorum Kap. 15; Didache, Kap. 9.10. Zur Geschichte der Agape als Liebesmahl vgl. *J. A. Jungmann,* in: LThK-²I Sp. 180f.

[60] *Billerbeck* II 206.

[61] Vgl. *Plato,* Kriton 53a: οἱ χωλοί τε καὶ τυφλοὶ καὶ οἱ ἄλλοι ἀνάπηροι.

[62] *Xenophon,* Symposion I 15: νῦν δὲ τίνος ἕνεκα καὶ καλεῖ μέ τις; οὔτε γὰρ ἔγωγε σπουδάσαι ἂν δυναίμην μᾶλλον ἤπερ ἀθάνατος γενέσθαι, οὔτε μὴν ὡς ἀντικληθησόμενος καλεῖ μέ τις, ἐπεὶ πάντες ἴσασιν ὅτι ἀρχὴν οὐδὲ νομίζεται εἰς τὴν ἐμὴν οἰκίαν δεῖπνον προσφέρεσθαι.

Andeutungen und zaghafte Versuche nicht hinaus. Gewichtiger ist die allgemein geübte entgegenstehende Praxis und eine zum Teil gesetzlich geregelte oder gewohnheitsmäßig geübte Geringschätzung bestimmter gesellschaftlicher Gruppen. Nach 2 Sam 5,8 LXX haben Blinde und Lahme keinen Zutritt zum Tempel. In der Gemeinde von Qumran waren Lahme, Hinkende, Blinde, Stumme und andere Kranke aus der Versammlung ausgeschlossen[63]. Immerhin verdient Beachtung, daß das Judentum die Tischgemeinschaft Jesu mit Zöllnern und Sündern[64], nicht aber die mit den Armen und Elenden kritisiert. Offenbar hat es hier eine unterschiedliche Bewertung gegeben. Während das eine als direkter Verstoß gegen das Gesetz gewertet wurde, belächelte man das andere lediglich als Torheit eines Phantasten. Die theologische Deutung der Forderungen Jesu muß an diesem Punkt ansetzen.

Wenn in der Mahlgemeinschaft die Liebe auf besondere Weise erfahren werden soll, dann sind jene die Ehrengäste, die wegen ihrer Hilflosigkeit und Unfähigkeit von sich aus zurückzuerstatten nur Empfangende sein können. Es zeigt sich hier die bekannte Tendenz der lukanischen Verkündigung, das Heil vorrangig den Armen und Ausgestoßenen zuzusprechen (Lk 6,20). Der Zuspruch des Makarismus in Verbindung mit einer Vergeltung bei der Auferstehung der Gerechten (14,14)[65] gibt den Blick in die eschatologische Zukunft frei, die in ihrer ganzen Breite der angemessene Lohn für die in dieser Zeit Entrechteten ist. Die allgemeine Verheißung „und du wirst selig sein" knüpft an der ersten Preisung der Feldrede an und ordnet sie in einen die Zeit umspannenden Heilszusammenhang ein. Jesus sieht in den Armen, Krüppeln, Lahmen und Blinden[66] die Tischgenossen des eschatologischen Mahles, zu denen, wie das nachfolgende Gleichnis zeigt, die verachteten Heiden hinzugezogen werden (vgl. Lk 13,29). Der Ausblick auf die endzeitliche Rückerstattung – die sprachliche Verwandtschaft der griechischen Worte ἀνταπόδομα V. 12 und ἀνταποδοθήσεται V. 14 sollte beachtet werden – zeigt klar den Unterschied zu den rabbinischen Anstandsregeln[67]. Jesus geht es um die Verwirklichung der

[63] Vgl. *W. Grundmann,* Lukas 295.

[64] Lk 15,2 u. ö.

[65] An die doppelte Auferstehung – zuerst die Gerechten, dann alle Verstorbenen vgl. 20,35; Apg 17,32; 24,15 – ist nicht gedacht.

[66] Es handelt sich wohl um eine summarische Zusammenstellung von typischen Gebrechen, vgl. Lev 19,14; Jes 29,18; 43,8; Lev 21,18; 2 Sam 5,6.8; Ijob 29,15; Ex 4,11 u.ö. Häufiger begegnet die Gruppe „Blinde, Taube und Lahme", vgl. *R. Herzog,* Die Wunderheilungen von Epidauros, Philologus Supp. 22,3 (1931).

[67] Vgl. *J. Jeremias,* Gleichnisse 191f: „So wird also in Lk 14,11 die Tischregel zum Auftakt für eine ‚eschatologische Warnung', die auf das himmlische Festmahl schaut und die zum Verzicht auf selbstgerechte Ansprüche vor Gott und zu demütiger Selbsteinschätzung aufruft".

radikalen Liebe, die alle herkömmlichen Schranken überwindet. Das Wort gehört formal, wie W. Grundmann[68] richtig feststellt, zu den „verblüffenden Paradoxa, die sich wie in anderen Aussagen aus dem antiken vorderen Orient auch bei Jesus finden", aber der tiefere Ursprung liegt in dem hohen Anspruch Jesu, der in dem Jubelruf „ich preise dich, Vater, Herr des Himmels und der Erde, weil du all das den Weisen und Klugen verborgen, aber den Unmündigen offenbart hast" (Lk 10,21) zum Ausdruck kommt.

Die von Lukas entworfene Szene spielt auf mehreren Ebenen. Was immer in jenem Haus des „Obersten der Pharisäer" geschieht und gesprochen wird, ist auch für die zum Herrenmahl versammelte Gemeinde konkret erfahrene Wirklichkeit. Jesus ist als der Lehrer gegenwärtig, wenn sein Wort verlesen oder gepredigt wird. So muß man die Weisung an den Gastgeber auch auf den (oder die) für das eucharistische Mahl verantwortlichen Gemeindeleiter beziehen. Die Auswahl der Gäste bzw. die Zulassung der gesellschaftlich Geächteten ist ihnen aufgetragen. Hier werden über die primäre Kritik an den jüdischen Mahlgewohnheiten hinaus Mißstände innerhalb der christlichen Gemeinde angeprangert (vgl. 1 Kor 11,17–22).

Ohne Zweifel wird die Kirche auch heute zu bedenken haben, wen sie zu Tisch bittet. Die Armen, Krüppel, Lahmen und Blinden stehen vor der Tür! Eine Gemeinde, die „unter sich" bleiben möchte, wird sich vergeblich auf das Essen und Trinken mit dem Herrn berufen (Lk 13,26) und mit dem Spruch „ich weiß nicht, woher ihr seid" (Lk 13,25.27) zu rechnen haben. Lukas entnimmt die Mahnung vielleicht einer aktuellen Gemeindeparänese. Die Rahmung und das Thema zeigen den „Ort" der Verkündigung deutlich an. Das Mahl der Gemeinde offenbarte menschliches Fehlverhalten; es setzte aber auch aus der Mitte des Evangeliums die Motive zur Korrektur frei.

c) Die Parabel vom großen Gastmahl: 14,15–24

Lukas schließt die Gastmahlgespräche mit einem Gleichnis ab, das den Gedanken der Einladung weiterführt. Es ist bezeichnend, daß das Bild auf die vorgegebene Mahlsituation zurückgreift und diese in den verschiedenen Schichtungen beleuchtet. Das Mahl, zu dem Jesus geladen ist, erhält archetypische Bedeutung. Es ist in diesem Zusammenhang nicht erforderlich, die bekannten traditionsgeschichtlichen und literarkritischen Analysen zu wiederholen[69]. Es mag genügen, die Komplexität des Mahlbildes aufzuzeigen. Offenbar hat es in

[68] Vgl. *W. Grundmann,* Lukas 294.
[69] *J. Jeremias,* Gleichnisse 61–63.65–67.175–177; *W. Grundmann,* Lukas 296–298.

der lukanischen Sondervorlage eine einfache Form des Gleichnisses gegeben, die von dem Undank der Erstgeladenen und der Berufung der Verachteten handelte. Die sparsam gezeichneten Einzelheiten sind noch nicht auf allegorische Deutung angelegt. Der Name des Gastgebers wird gar nicht genannt, er ist nur „ein Mensch". Der Knecht gehört wie der Herr zum Bild; die Frage nach der Identität der Geladenen hat sich trotz der auffälligen Wiederholung in V. 21 gar nicht gestellt. Das Gleichnis wollte vielmehr in ganz allgemeiner Form von der Nichtbefolgung der Einladung und den sich daraus ergebenden Kosequenzen erzählen. Wer jetzt nein sagt, hat demnächst keine Chance mehr. Gegenüber V. 13 haben die Armen, Krüppel, Blinden und Lahmen jetzt keine religiös-ethische Eigenbedeutung, sie sind lediglich „Lückenbüßer". Ihre Berufung deutet bereits hintergründig Strafe an, die V. 24 offen ausgesprochen wird. Der Umfang dieser einfachen Erzählung ist umstritten; die Aufteilung der Nachgeladenen in zwei Gruppen dürfte lukanische Redaktion sein, so daß die Erzählung mit V. 21 geendet haben kann[70]. Unter Umständen hat der Abschluß V. 24 zur ursprünglichen Erzählung gehört[71]. „Wir haben eines der zahlreichen Gleichnisse vor uns, die sich... an die Kritiker und Gegner Jesu wenden und ihnen gegenüber die Frohbotschaft rechtfertigen: Ihr gleicht den Gästen, die die Einladung mißachten! Ihr habt nicht gewollt! Darum ruft Gott die Zöllner und Sünder und bietet ihnen das Heil an, das Ihr verscherzt habt"[72]. Wenn man V. 22f noch zum ursprünglichen Gleichnis rechnen könnte und V. 20 entfernen dürfte, erhielte das Gleichnis den Charakter eines „Schelmenstückes". Die Geladenen, die sich Zeit lassen, weil sie meinen, sie kämen immer noch rechtzeitig, sind am Ende die „Geprellten"[73]. Die Aufteilung der Nachgeladenen (VV. 21.23) läßt jedoch auf die allegorische Ausdeutung des Bildes schließen. Der Redaktor, der die VV. 22ff angefügt hat, gab der Erzählung eine auf die Belange der Missionskirche abgestellte Vertiefung. Lukas verdeutlicht aufgrund seiner kirchengeschichtlichen Erfahrungen einen Gedanken, der mehr oder weniger klar schon in der Jesusverkündigung angeklungen ist. Gewöhnlich führt man den Ausdruck „nötigen" (ἀναγκάζειν) auf die orientalische Mentalität zurück, die ein sofortiges Eingehen auf eine

[70] Die Parabel umfaßte ursprünglich die VV. 16–21; der eine Knecht (V. 17) darf kaum allegorisch auf Jesus bezogen werden. Die Einteilung der Ablehnenden in verschiedene Gruppen (VV. 18–20) gehört zum Bildbestand. Eine aktualisierende Ausdeutung war ursprünglich nicht intendiert, aber die Gemeinde hatte sicher das Recht, ihre Erfahrungen in das Gleichnis hineinzulesen.

[71] „Ursprünglich wird jedoch V. 24 Rede des Hausherrn sein", *J. Jeremias,* Gleichnisse 177. In diesem Fall fehlt allerdings der drohende Beiklang, der nur aus dem Ausschluß vom Mahl der Endzeit abzuleiten ist. *E. Linnemann,* Gleichnisse 95, hat diese Schwierigkeit durch die Umdeutung der Absage von VV. 18–20 in einen zeitlichen „Aufschub" beseitigt.

[72] *J. Jeremias,* Gleichnisse 61.

[73] *E. Linnemann,* Überlegungen 246–255.

Einladung für unschicklich hält. Es darf jedoch gefragt werden, ob eine Motivverwandtschaft mit dem heilsgeschichtlichen „Muß“ (δεῖ) nicht näherliegt. Den überraschten „Zaungästen“ blieb trotz anfänglichen Sträubens überhaupt keine andere Wahl, weil die Teilnahme am Festmahl im göttlichen Plan von Anfang an vorgesehen ist. Die eigentliche Ursache für das „compelle intrare“ ist also nicht zurückhaltende Bescheidenheit, sondern der Heilswille Gottes. Die missionarische „Umbiegung“ eines ursprünglich streng eschatologischen Gleichnisses hat zur Folge, daß die Freuden des Mahles bereits in der Gegenwart erfahren werden können (vgl. V. 17: „Denn es ist schon bereitet“). Die an sich richtige Feststellung von H. Conzelmann[74], daß nicht mehr die Nähe des Gottesreiches, sondern die Möglichkeit, heute Zugang zum künftigen Mahl zu finden, für die Redaktion ausschlaggebend ist, bedarf der Ergänzung: die gegenwärtige Mahlgemeinschaft ist Ausdruck der schon jetzt erfahrenen Rettung (Lk 19,9; 15,24). Es ist vorstellbar, daß das Gleichnis durch die kirchlichen Mahlfeiern einen weiteren aktuellen Bezug erhalten hat. Ist der Hausherr, der im zweiten Teil des Gleichnisses hoheitlich entscheidet, nur jener „Mann“, der zum Gastmahl eingeladen hat, oder drängt sich nicht der Gedanke an den erhöhten Kyrios auf, der sein Mahl immer bereitet hat[75]? Unter dieser Rücksicht ist der Schlußvers, der vom endgültigen Ausschluß spricht, eine ernste Warnung. In jedem Fall werden praktische Fragen des Gemeindelebens „Ausgangspunkt erzählerischer Veränderungen“[76]. Hier dürften auch die verschiedenen Entschuldigungen der zunächst Geladenen eine Aktualisierung erfahren haben. Es gibt Leute, die die Arbeit, das Geschäft, oder den an sich wichtigen Bereich von Ehe und Familie höher einschätzen als das Mahl des Herrn. So verständlich ihr Verhalten auch sein mag – sie alle sind ohne Zweifel ehrenwerte Leute – am Ende, wenn es um das eschatologische Mahl geht, sind die Plätze besetzt[77]. Das jetzt gefeierte Herrenmahl nimmt zeichenhaft das endgültige Mahl vorweg, hier und jetzt wird über das Heil Gottes entschieden. Es ist kaum anzunehmen, daß der Übergang zum eschatologischen Mahlverständnis zufällig geschieht. „Apg 20,11 verrät durch den Gebrauch von γεύεσθαι, daß die Gemeinde beim Nachvollzug der eucharistischen Doppelhandlung dieser Verheißung gedachte und auch der Drohung Lk 14,24, die eben dieses Essen (γεύσεται) beim Mahl des Kyrios verweigert“[78].

[74] *H. Conzelmann,* Mitte 102.

[75] *J. Wanke,* Eucharistieverständnis 58.

[76] *J. Wanke,* aaO. 58. Der auffällige Ausdruck „mein Mahl“ liegt auf der Linie der Verkirchlichung eines eschatologischen Begriffs. Daß Lukas nicht einfach „enteschatologisiert“, zeigt der redaktionelle Einleitungssatz: „Selig, die am Mahle im Reiche Gottes teilnehmen“.

[77] Vgl. auch die radikalen Nachfolgebedingungen, die den Verzicht auf familiäre Bindungen Lk 9,59–61; 14,25f; auf die Ehe Mt 19,10–12; auf Besitz Lk 18,22par fordern.

[78] *J. Wanke,* Eucharistieverständnis 58.

Das Gleichnis ist in der jetzt vorliegenden Form vielschichtig: aus der prophetischen Verheißung und Warnung ist gedeutete Geschichte geworden. Die eschatologische Spannung wird auf eine kirchliche und missionstheologische Ebene transponiert. Das Mahl der Gemeinde ist der Kristallisationspunkt, in welchem sich die verschiedenen Linien schneiden.

3. Die Verarbeitung des literarischen Modells durch Lukas

a) Das literarische Modell des Symposion ist an der redaktionellen Gestaltung der Redesammlung (VV. 1.7.12.15) und an der Semiotik des Mahles deutlich zu erkennen. Es gibt einen Gastgeber, der sein Haus zur Verfügung stellt und einen Symposiarchen, der das Mahl leitet. Von der Einladung und Auswahl der Gäste ist die Rede; die Frage der Platzordnung wird diskutiert und über diejenigen, die der Einladung nicht gefolgt sind, werden Strafen verhängt. Das alles gehört zur Topik der Symposienliteratur.

Lukas hat aber auch auf jüdisch-hellenistische Vorlagen zurückgreifen können: die Frage „wenn du geladen bist“ (V. 8) ist paradigmatisches Relief, das in der alttestamentlichen Weisheitsliteratur verwendet wird[79]. Die Platzfrage und die Armeneinladung greifen auf ethische Gemeinplätze zurück, wie sie in den Symposien abgehandelt wurden[80]. Auch das Gleichnis von der Nichtbefolgung der Einladung hat außerbiblische Parallelen, die Lukas möglicherweise gelesen hat[81].

b) Lukas „übernimmt“ das literarische Modell des Symposion, weil es für seine Verkündigung in mehrfacher Hinsicht durchsichtig ist.

Die Einordnung der Lehre in das Mahlgeschehen ist ein wesentliches Merkmal des Symposion. Das „Trinkgelage“ war in vielen Fällen, wie der geschichtliche Überblick gezeigt hat, äußerer Anlaß für das gepflegte Gespräch, den gebildeten Vortrag oder den akademischen Disput. Organisatorisch schloß das Symposion zwar an das vorausgehende Mahl an, aber sowohl in der hellenistisch-jüdischen als auch in der christlichen Praxis sind die beiden Veran-

[79] Sir 31,12; Spr 23,1.

[80] *Lukian,* Symposion 9.

[81] Vgl. *J. Jeremias,* Gleichnisse 178. Hier der Verweis auf die im palästinischen Talmud berichtete Geschichte vom reichen Zöllner Bar Ma'jan und vom armen Schriftgelehrten. Der reiche Zöllner wird durch ein glänzendes Begräbnis belohnt für eine gute Tat anläßlich eines Festmahles, das er für Ratsherren gegeben hatte. Als diese nicht kamen, lud er Arme ein, damit die Speisen nicht verdürben. – Sollte es Berührungen gegeben haben, dann müßten diese allerdings vorlukanisch angesetzt werden.

staltungen doch ineinandergeschoben worden[82]. Die Rahmung der Redekomposition 14,1–24 durch das Mahl darf als faktische Ortsbestimmung der Gemeindepredigt verstanden werden. Die tragende Grundstimmung des Symposions, die Freude und Fröhlichkeit, lebt fort in der Frohbotschaft. Lukas verwendet den Begriff Evangelium nicht, aber es wird doch deutlich, daß in den „Lehren" des Tischgespräches etwas von der „Freude und Einfalt des Herzens" mitschwingt, die für die Tischgemeinschaft in den urchristlichen Gemeinden kennzeichnend war (Apg 2,46f). Die gewöhnliche Fröhlichkeit des Symposions, die unter anderem in den Unterhaltungen und Gesprächen ihren Ausdruck gefunden hat, lebt weiter in „eine(r) Art Wortgottesdienst mit Unterweisung und Hymnen"[83]. Möglicherweise muß man den Ruf „kommt, es ist schon bereitet" (V. 17) in diesem Sinne verstehen.

Die thematischen Berührungen mit Regeln und Weisungen, mit Bildern und Gleichnissen aus der Profanethik und Literatur sind nur die eine Seite; die andere, weitaus wichtigere ist die Neuinterpretation im Sinne der christlichen Verkündigung.

Die eschatologische Komponente steht ohne Zweifel am Anfang. Die Tischregeln werden auf das endzeitliche Mahl bezogen (VV. 11.14). Der Zwischenruf V. 15 „selig, die im Reiche Gottes am Mahl teilnehmen" macht darauf aufmerksam, und die an das Gleichnis angehängte Warnung (V. 24) deutet in die gleiche Richtung.

Der heilsgeschichtliche Hintergrund ist für die Interpretation des Lukas unverkennbar. Im Bilde der Mahleinladung wird über das Sichversagen der Berufenen und über die Berufung der Außenstehenden nachgedacht. Das Mahl ist in diesem Sinne ein Realsymbol für Gottes Erwählung und menschliche Verstockung. „Es ist die Kirche in der Missionssituation, die das Gleichnis als Missionsbefehl deutet"[84].

Zur Kirche als Faktor der Heilsgeschichte gehört aber auch das Mahl der Gemeinde, auf das die ungewöhnliche Wendung „mein Mahl" (= Mahl Jesu) (V. 24) und die Umschreibung des Pharisäermahles als „Brot-Essen" (V. 1) hindeuten. Die Verankerung des eschatologischen Mahles in dem gegenwärtigen Mahle Jesu durch die Seligpreisung, die auf V. 1 zurückblickt und VV. 16–24 umgreift, die auffällige Formulierung der Einladung „kommt,

[82] Zur Wachstumsgeschichte des Herrenmahles vgl. *H. Schürmann,* Gestalt 77–107, bes. 89: „In der apostolischen Zeit war die Eucharistie dem Mahlgeschehen in ähnlicher Weise angefügt wie das antike Trinkgelage, das den Gesamtvorgang des Mahles zu einem ‚Symposion', zu einem Festmahl überformte. Aus zwei Elementen – dem abendlichen Gemeinschaftsmahl und der angefügten Eucharistiefeier – wurde so eine neue Ganzheit: ein festliches Mahl".

[83] *H. Schürmann,* aaO. 87 Anm. 59.

[84] *J. Jeremias,* Gleichnisse 62.

es ist *schon* bereitet“ (V. 17) und vielleicht auch der Hinweis auf die „Stunde des Mahles“ (V. 17) können als weitere, die These stützende Indizien verstanden werden[85]. Die Regelung der Platzfrage nach dem Prinzip „wer bei euch der erste sein will, soll der Sklave aller sein“ (Mk 10,44), die gezielte Auswahl der „Ehrengäste“ und die Überlegungen zur Ablösung des Sabbat – noch unausgesprochen zwar, aber im Hinweis auf die Liebestat doch angedeutet – durch den christlichen Sonntag runden das Bild ab.

4. Das Mahl als Ort der Verkündigung

Die christliche Verkündigung befindet sich heute in einer tiefgreifenden Form- und Strukturkrise: Eine Besinnung auf die Anfangszeiten der Kirche kann hier hilfreich sein. Für Lukas ist das Mahl der eigentliche „Ort“ der christlichen Lehre im weitesten Sinne des Wortes. Das Modell des Symposion deutet darauf hin, daß die Verkündigung als wesentliches Element „dazugehört“[86]. Offenbar hat man von Anfang an gewußt, daß die memoria Domini sich auch aussprechen muß. Möglicherweise hat auch die Haggada, die der jüdische Hausvater beim Paschamahl zu halten hatte, den Anstoß zu einer christlichen Rede über die Heilstat Gottes in Jesus Christus gegeben. Aber über die theologische Begründung dieses wichtigen Sachverhaltes soll an dieser Stelle nicht gehandelt werden. Es interessiert vielmehr nur, daß für die frühchristliche Verkündigung die Eucharistiefeier der „Sitz im Leben“ gewesen ist. Die Liturgiereform hat diesen Gesichtspunkt deutlich herausgestellt und Anregungen für den Vollzug gegeben[87].

Die Gestalt des Symposion gibt zu erkennen, daß Lukas das Element der Freude, der Festfeier und des Zusammenseins in brüderlicher Gemeinschaft besonders betonen wollte. Unsere Gemeinden können solche Grunderfahrungen

[85] *J. Wanke,* Eucharistieverständnis 57–59, bes. 59: „Die Mahlzeiten des irdischen Jesus werden im Lichte des nachösterlichen Mahlverständnisses erzählerisch neu gestaltet. Sie geben uns so Zeugnis vom Glauben der Gemeinden, die diesen Jesus als ihren Kyrios und Sōtēr in der Feier ihrer ‚Herrenmahle‘ gegenwärtig wissen“.

[86] Für die zeitliche und organisatorische Einheit könnte man die thematische Abfolge von 1 Kor 11,7–34 und 12,1–14,40 bes. 26 anführen. Das Summarium Apg 2,42 (Lehre der Apostel, Gemeinschaft des Brotbrechens, Gebet) spiegelt die Grundvollzüge des Gottesdienstes. In dem Bericht über die Predigt des Paulus in Troas (Apg 20,7f) ist der sachliche Zusammenhang von Lehre und Feier des Brotbrechens unverkennbar. Eph 5,15–21 bedient sich lediglich der gehobenen Sprache, ohne jedoch auf den aktuellen Gemeindegottesdienst mit seinen verschiedenen liturgischen Funktionen einzugehen. Zur Widerlegung der weitverbreiteten Auffassung, der frühchristliche Wortgottesdienst sei auf den jüdischen Synagogengottesdienst zurückzuführen, vgl. *O. Cullmann,* Urchristentum 29–34.

[87] Vgl. *H. Schürmann,* Heilige Schrift 163f. 182–187; *ders.,* Wort Gottes 197f.

nur noch ungenügend vermitteln, kleinere Gruppen sind am ehesten in der Lage, die familiaritas der urchristlichen Hausgemeinden zu verlebendigen. In einem derartigen „engeren" Rahmen könnte das Verkündigungswort einen neuen Klang bekommen. Natürlich hat das Hören immer einen sachlichen Vorrang, aber das lukanische Modell deutet auch an, daß das Glaubensgespräch, die engagierte Diskussion, die Bibelstunde mit der ihr eigenen Methodik[88] und auch die pneumatischen Erfahrungen dazugehören. Von solchen Kerngruppen könnten Impulse der Erneuerung ausgehen. Die Geschichte hat gezeigt, daß es immer klein angefangen hat. Vielleicht erhält das Wort der Apostelgeschichte „und der Herr fügte täglich ihrem Kreis die hinzu, die gerettet werden sollten" (2,47) einen gegenwartsnahen Bezug, wenn sich Christen auf die Feier des Herrenmahles mit ihrem ganzen Reichtum und ihrer ursprünglichen Vitalität besinnen[89].

[88] *H. Schürmann,* Heilige Schrift 178–182.

[89] *W. Bousset,* Kyrios Christos 89: „Denn hier in den Versammlungen der Gemeinschaft, in Gottesdienst und Kult erwuchs den Christgläubigen das Bewußtsein ihrer Einheit und einzigartigen soziologischen Geschlossenheit. Tags über zerstreut, im Beruf des alltäglichen Lebens, in der Vereinzelung, innerhalb einer fremden Welt dem Spott und der Verachtung anheimgegeben, sammelten sie sich des Abends, wohl so oft wie möglich, zur gemeinsamen heiligen Weihemahlzeit. Da erlebten sie die Wunder der Gemeinschaft, die Glut der Begeisterung eines gemeinsamen Glaubens und einer gemeinsamen Hoffnung; da flammte der Geist auf, und umgab sie eine Welt voller Wunder; Propheten und Zungenredner, Visionäre und Ekstatiker beginnen zu reden, Psalmen, Hymnen und vom Geist eingegebene Lieder durchtönen den Raum, die Kräfte brüderlicher Mildtätigkeit werden in ungeahnter Weise wach; ein unerhört neues Leben durchpulst die Schar der Christen. Und über diesem ganzen Gewoge der Begeisterung thront der Herr Jesus als das Haupt seiner Gemeinde, mit seiner Kraft in einer den Atem raubenden Greifbarkeit und Gewißheit unmittelbar gegenwärtig".

Literatur

Bardenhewer, O., Geschichte der altkirchlichen Literatur, Bd. I–V, Freiburg 1902–1932.

Billerbeck, P., Kommentar zum Neuen Testament aus Talmud und Midrasch, Bd. I–IV, München 1922–1928 (Nachdr. 1969).

Bousset, W., Kyrios Christos. Geschichte des Christusglaubens von den Anfängen des Christentums bis Irenaeus, Göttingen [5]1965.

Bultmann, R., Die Geschichte der synoptischen Tradition (FRLANT NF 12), Göttingen [6]1964 (Nachdr. d. 4. Aufl. Berlin 1961).

Conzelmann, H., Die Mitte der Zeit. Studien zur Theologie des Lukas (BHTh 17), Tübingen [5]1964.

Cullmann, O., Urchristentum und Gottesdienst (AThANT 3), Zürich [3]1956.

Dalman, G., Jesus-Jeschua. Die drei Sprachen Jesu. Jesus in der Synagoge, auf dem Berge, beim Passahmahl, am Kreuz, Leipzig 1922 (Nachdr. Darmstadt 1967).

Dibelius, M., Die Formgeschichte des Evangeliums, Tübingen [3]1959 (Nachdr. d. 5. Aufl. Berlin 1966).

Grundmann, W., Das Evangelium nach Lukas (ThHK 3), Berlin [4]1966.

Hauck, F., Das Evangelium des Lukas (ThHK 3), Leipzig 1934.

Jeremias, J., Die Gleichnisse Jesu, Göttingen [6]1962 (Nachdr. d. 7. Aufl. Berlin 1966).

Jülicher, A., Die Gleichnisreden Jesu, Tübingen [2]1910 (Nachdr. Darmstadt 1963).

Klostermann, E., Das Lukasevangelium (HNT 5), Tübingen [2]1929.

Linnemann, E., Gleichnisse Jesu, Göttingen 1961.

Dies., Überlegungen zur Parabel vom großen Abendmahl. Lk 14,15–24/Mt 22,1–14: ZNW 51 (1960) 246–255.

Magaß, W., Semiotik einer Tischordnung (Lk 14,7–14): LingBibl H. 25/26 (1973) 2–8.

Manson, T. W., The Sayings of Jesus, London [5]1964 (1937).

Paulys Real-Encyclopädie der classischen Altertumswissenschaft, neue Bearbeitung begonnen von *G. Wissowa,* Stuttgart 1894ff.

Reicke, Bo, Diakonie, Festfreude und Zelos in Verbindung mit der altchristlichen Agapenfeier (UUA 1951:5), Uppsala 1951.

Schlatter, A., Das Evangelium des Lukas, Stuttgart [2]1960.

Schürmann, H., Die Gestalt der urchristlichen Eucharistiefeier, in: Ursprung und Gestalt. Erörterungen und Besinnungen zum Neuen Testament (KBANT), Düsseldorf 1970 (1955).

Ders., Gemeinde als Bruderschaft, in: Ursprung und Gestalt. Erörterungen und Besinnungen zum Neuen Testament (KBANT), Düsseldorf 1970 (1958).

Ders., Protolukanische Spracheigentümlichkeiten?, in: Traditionsgeschichtliche Untersuchungen zu den synoptischen Evangelien (KBANT), Düsseldorf 1968 (1961).

Ders., Die Heilige Schrift im Gemeindeleben, in: Bibel und Seelsorge. Grundlage, Möglichkeiten und Formen biblisch bestimmter Seelsorge (Werkhefte zur Bibelarbeit 1), hrsg. von O. Knoch/H. Schürmann, Stuttgart 1964.

Ders., Das Wort Gottes, in: Bibel und Seelsorge. Grundlage, Möglichkeiten und Formen biblisch bestimmter Seelsorge (Werkhefte zur Bibelarbeit 1), hrsg. von O. Knoch/H. Schürmann, Stuttgart 1964.

Stöger, A., Das Evangelium nach Lukas (Geistliche Schriftlesung 3), Düsseldorf [2]1964 (Nachdr. Leipzig 1964/1967).

Wanke, J., Beobachtungen zum Eucharistieverständnis des Lukas auf Grund der lukanischen Mahlberichte (EThSchr 8), Leipzig 1973.

DAS GLEICHNIS VOM RICHTER UND DER WITWE (LK 18,1–8)

Von Heinrich Zimmermann

Da der verehrte Jubilar einen bedeutenden Teil seiner Lebensarbeit dem Lukasevangelium gewidmet hat, wird der folgende Beitrag zur Lukas-Exegese ihm vielleicht eine Freude bereiten. Die Wahl des Abschnitts Lk 18,1–8 wurde von der Thematik der Festschrift her bestimmt; denn die Auslegung des Gleichnisses vom Richter und der Witwe in der Verkündigung der Urkirche läßt deutlich die Stimme der „Kirche des Anfangs“ vernehmen.

Literarkritische Analyse

Der literarkritischen Analyse kommt die Aufgabe zu, den Weg von der dritten Phase der Überlieferung (= Lukasevangelium) zu der zweiten Phase (= Verkündigung der Urkirche) zurückzulegen, um so zu dem ursprünglichen Gleichnis in der Verkündigung Jesu zu gelangen.

Die lukanische Redaktion zeigt sich in dem Einleitungssatz (V. 1), in der Komposition und in dem ausleitenden Fragesatz (V. 8b). Mit dem Einleitungssatz stellt Lukas das Gleichnis unter das Stichwort „Beten“, wie auch das nachfolgende Gleichnis vom Pharisäer und Zöllner im Tempel (V. 9–14) nach der lukanischen Aussageabsicht vom Beten sprechen soll. Will das erste Gleichnis sagen, daß man unablässig beten und nicht nachlassen soll, so das zweite, wie man beten soll, nämlich nicht wie der Pharisäer, sondern wie der Zöllner (vgl. V. 14b). In der lukanischen Komposition sind die beiden Gleichnisse durch das gleiche Thema eng miteinander verbunden, wie dies auch durch die sprachliche Verknüpfung in V. 9 angezeigt wird. Sowohl der Einleitungssatz (V. 1) als auch die Verbindung der beiden Gleichnisse durch das Thema „Beten“ sind somit als das Werk der lukanischen Redaktion anzusehen. Ebenso wie das ursprüngliche Gleichnis vom Pharisäer und Zöllner handelt auch das dem Evangelisten vorgegebene Gleichnis vom Richter und der Witwe nicht vom Beten[1]. Ebenfalls kann der ausleitende Fragesatz (V. 8b) der lukanischen Redaktion zugerechnet werden; denn er schlägt die Brücke zu dem vorher-

[1] Vgl. *H. Zimmermann,* Jesus 105–110.

gehenden Abschnitt Lk 17,22–37. Man wird daher dem Urteil J. Schmids zustimmen: „Der V. 8b kann kein ursprünglicher Bestandteil der Parabel sein, sondern blickt über diese hinweg auf 17,22–37 zurück. Er nimmt mit keinem Wort auf die Geschichte vom Richter und der Witwe Bezug. Im Stimmungsgehalt sticht er stark von der Zuversicht ab, welche V. 7–8a atmen, und an die Stelle Gottes tritt hier plötzlich der Menschensohn. Er ist darum für sich allein zu deuten, und erst dann erlaubt er auch eine ungezwungene Deutung der Parabel selbst, zu deren Grundgedanken er durchaus nicht paßt"[2]. G. Schneider hat durch treffende Argumente den V. 8b „als von Lukas selbst gebildet" erwiesen[3].

Anders als es bei dem Gleichnis vom Pharisäer und Zöllner der Fall ist[4], gelangt man hier nicht schon durch das Abheben der lukanischen Redaktion, also des Einleitungs- und des Ausleitungssatzes, zu dem ursprünglichen Gleichnis; denn auch in der zweiten Phase der Überlieferung hat das Gleichnis eine redaktionelle Veränderung und damit eine Sinnverschiebung erfahren. Das kann durch die Beobachtung einsichtig gemacht werden, daß im Anschluß an das Gleichnis selbst (V. 2–5) zwei Anwendungen gegeben werden: Die erste wird mit dem betont herausgestellten εἶπεν δὲ ὁ κύριος und der Aufforderung ἀκούσατε κτλ. eingeleitet, die an die Aufforderung ἀκούετε zu Beginn des Gleichnisses vom Sämann (Mk 4,3) und an den „eschatologischen Weckruf" an dessen Ende erinnert (Mk 4,9; vgl. Lk 8,8); die zweite wird mit dem auch sonst anzutreffenden λέγω ὑμῖν eingeführt (Lk 11,8; 12,37.59; 14,24; 15,7.10; 18,14a; 19,26; vgl. Mt 18,13; 21,31.43; 24,47; 25,12.40.45). Erkennt man an, daß die Einleitung in Lk 18,14a zum ursprünglichen Gleichnis vom Pharisäer und Zöllner gehört[5], dann wird man die gleiche Einleitung auch als zum ursprünglichen Gleichnis vom Richter und der Witwe gehörig ansehen, so daß also in V. 8a die Anwendung des Gleichnisses durch Jesus zu finden sein muß. Beobachtungen zu V. 6f erweisen zudem die erste Anwendung als sekundär: 1. Nirgendwo sonst ist die Anwendung so stark von dem Gleichnis selbst abgesetzt[6]. Lk 16,8 kann als Parallele nicht herangezogen werden, wie es häufig geschieht[7], da mit dem κύριος in 16,8 der Herr des Verwalters gemeint ist. 2. Die ἐκλεκτοί als Bezeichnung der Jünger Jesu finden sich in keinem ursprünglichen Herrenwort, dagegen werden sie in einer

[2] *J. Schmid,* Lukas 280; vgl. *W. Grundmann,* Lukas 348, der bemerkt, daß kein anderes Gleichnis mit einer Frage schließt.

[3] Parusiegleichnisse 75f.

[4] Vgl. *H. Zimmermann,* Jesus 106f.

[5] Vgl. *H. Zimmermann,* Jesus 106f.

[6] Vgl. *R. Bultmann,* Geschichte 189; *E. Linnemann,* Gleichnisse 185 Anm. 14.

[7] Vgl. etwa *J. Schmid,* Lukas 279; *W. Grundmann,* Lukas 347.

bestimmten Schicht der urchristlichen Überlieferung des öfteren genannt[8]. Somit dürften zu dem ursprünglichen Gleichnis die VV. 2–5. (8a) zu rechnen sein.

Die bisherige exegetische Forschung ist freilich zu anderen Ergebnissen gelangt. Während E. Linnemann das Gleichnis zusammen mit seinen beiden Anwendungen dem „historischen Jesus" überhaupt abspricht und den ganzen Abschnitt als ein „Prophetenwort" erklärt, „das im Namen und im Geiste Jesu zur Gemeinde der Glaubenden gesprochen wurde"[9], hält R. Bultmann die Anwendung VV. 6–8 mit dem Hinweis auf A. Jülicher für „sicher sekundär". Er begründet dies so: „Sie ist durch εἶπεν δὲ ὁ κύριος abgesetzt und fehlt in der Parallele 11,5–8. Sie ist V. 8b noch durch einen sekundären Nachtrag vermehrt"[10]. A. Jülicher freilich argumentiert psychologisch, wenn er ausführt, „daß die Stimmung von 6–8 bei Jesus so unwahrscheinlich wie in der Urgemeinde herrschend ist; dort fühlte man sich wie eine arme Witwe, von den Ungläubigen roh mißhandelt, allein auf Gottes Gnade angewiesen, deren baldige Offenbarung man sich nicht oft genug zur Stärkung zusichern konnte"[11]. G. Schneider sieht die VV. 6–8a ebenfalls als sekundär an. Nach ihm sind jedoch zwei nachträgliche Deutungen zu unterscheiden: Die erste liegt in V. 6.7a vor, die zweite in V. 7b.8a[12]. Er meint, das Gleichnis selbst (VV. 2–5) habe „in den VV. 6–7 eine frühe Deutung gefunden"[13], die später in den VV. 7b.8a um eine „interpretierende Zufügung" erweitert worden sei[14]. Die weitaus meisten Exegeten halten die VV. 6–8 zusammen mit dem Gleichnis für ursprünglich. Wenn J. Jeremias feststellt, „daß sich V. 6–8 (einschließlich V. 8b) vom Sprachlichen her als vorlukanisch und palästinisch zu erkennen geben"[15], so muß diese Feststellung nicht besagen, daß die VV. 6f.8b zum ursprünglichen Bestand des Gleichnisses gehören[16]. Auch für G. Delling ist der Zusammenhang der VV. 6–8 mit dem Gleichnis ursprünglich: „Die Trennung der Deutung vom Gleichnis (und die Ausschaltung von V. 8b) kann –

[8] Vgl. *E. Linnemann,* Gleichnisse 185, Anm. 14: „Überdies, wer sollte mit den ‚Auserwählten' gemeint sein? Das jüdische Volk, dem damit eine baldige Befreiung von seinen Unterdrückern geweissagt würde? Von solcher nationalen Zukunftserwartung fehlt in der Verkündigung Jesu jede Spur. Jesu Jünger? Gegen die Annahme einer Sammlung von Auserwählten als Gemeinde der Endzeit durch Jesus erheben sich schwerwiegende Bedenken."

[9] Gleichnisse 128.

[10] Geschichte 159.

[11] Gleichnisreden II, 286.

[12] Parusiegleichnisse 71–78.

[13] Parusiegleichnisse 71, Anm. 2.

[14] Parusiegleichnisse 74.

[15] Gleichnisse 155.

[16] Vgl. *E. Linnemann,* Gleichnisse 186, Anm. 14: Es „ist zu bedenken, daß mit dem Alter und palästinensischen Ursprung eines Überlieferungsstückes noch nicht seine Ursprünglichkeit erwiesen ist."

sofern sie nicht auf der Meinung beruht, daß alle synoptischen Gleichnisse ursprünglich ohne ausgeführte Anwendung waren – auf das Empfinden einer bestimmten Spannung innerhalb der VV. 2–8 zurückgehen. Wir meinen, daß diese Spannung im Ganzen der Perikope von vornherein enthalten ist, daß es daraufhin angelegt ist. Diese korrigiert die innere Haltung einer bestimmten palästinischen (sei es jüdischen, sei es christlichen) Enderwartung und lenkt den Blick der betreffenden Gemeinde von sich auf Gott bzw. den Menschensohn"[17]. Wenn auch das Ergebnis der literarkritischen Analyse, soweit ich es feststellen konnte, sonst nirgendwo anzutreffen ist, so scheint es vom Text her doch gut begründet zu sein.

Einzelerklärung: VV. 2–5.8a

V. 2.3a: Die beiden Hauptpersonen des Gleichnisses werden vorgestellt. In der gleichen Stadt leben ein Richter und eine Witwe. Ähnlich wie in dem Gleichnis vom reichen Mann und armen Lazarus der Reiche charakterisiert wird (Lk 16,19), so hier der Richter: Er fürchtet Gott nicht und scheut nicht den Menschen. „Der Ausdruck ‚ohne Gottesfurcht' kennzeichnet ihn nicht als Menschen, der nicht an Gott oder auch nicht an den Gott Israels glaubt oder doch zumindest kein frommer Mensch ist, sondern als solchen, der Gott nicht als Richter ernst nimmt"[18]. Die Bezeichnung τὸν θεὸν μὴ φοβούμενος, die für den lukanischen Sprachgebrauch ganz ungewöhnlich ist[19], dürfte vom Alten Testament her zu verstehen sein, „wo die Wendung ‚Gott fürchten' ja häufig den Richter Gott meint"[20]. Demgemäß ist die Begründung von Verboten zu verstehen: Du sollst das und das nicht tun, sondern dich fürchten vor deinem Gott (vgl. Lev 19,14; 25,17). Ebenso wie der Richter Gott nicht fürchtet, scheut er sich auch nicht vor dem Urteil der Menschen[21]. Die Witwe dagegen braucht nicht des näheren charakterisiert zu werden; denn schon durch diese Bezeichnung wird sie für den ursprünglichen Hörer des Gleichnisses als eine Frau gekennzeichnet, „die sich nicht allein durchzusetzen vermag und

[17] Gleichnis 13, Anm. 50; ebenso auch *C. Spicq,* parabole.

[18] *G. Delling,* Gleichnis 7; anders *C. Spicq,* parabole 73: „Nous dirions aujourd'hui: un homme sans foi ni loi. Les anciens désignaient cette monstruosité, faite d'athéisme et d'amoralité, par une locution quasi proverbiale: ne craignant ni Dieu ni les hommes."

[19] Der φοβούμενος τὸν θεόν ist für Lukas der Halbproselyt (vgl. Apg 10,2.22.35; 13,16.26). „Von Ag 13,26 ab ersetzt der Verf φοβούμενοι konsequent durch σεβόμενοι" (*H. Balz,* ThWNT IX, 209 A. 128).

[20] *G. Delling,* Gleichnis 7, Anm. 26.

[21] *W. Bauer,* Wörterbuch 534, gibt die Wendung so wieder: „der sich an keinen Menschen kehrt"; vgl. *C. Spicq,* parabole 73, Anm. 1.

deshalb sehr schnell in die Lage kommen kann, fremden Beistand zu suchen gegen Menschen, die ihr Unrecht zuzufügen im Begriff sind oder es ihr bereits zugefügt haben"[22]. J. Jeremias macht noch auf folgendes aufmerksam: „Die Witwe ist nicht notwendig als alte Frau vorzustellen. Das frühe Heiratsalter (für Mädchen lag es normalerweise zwischen 13 und 14 Jahren) hatte zur Folge, daß es auch ganz junge Witwen gab"[23]. Für das Verständnis des Gleichnisses ist das jedoch nicht von Bedeutung, wohl aber, daß schon im Alten Testament Witwen und Waisen „Typ der Hilf- und Wehrlosigkeit" sind[24].

V. 3b: Immer wieder – das iterative Imperfekt ἤρχετο zeigt das an – kommt die Witwe zu dem Richter mit der gleichen Bitte: „Schaffe mir Recht gegenüber meinem Widersacher." In dieser Bitte wird der ἀντίδικος als Nebenperson in das Gleichnis eingeführt. Es wird weder gesagt, wer dieser Widersacher ist, noch auf welche Weise er der Witwe Unrecht zufügt oder bereits zugefügt hat. Darauf kommt es der erzählten Geschichte offenbar nicht an[25]. Nicht unbedeutend für das Verständnis des Gleichnisses ist dagegen der Inhalt der Bitte, da der gleiche Ausdruck auch in der Anwendung vorkommt (V. 8a). ἐκδικεῖν heißt allgemein: „jemandem zu seinem Recht verhelfen". Im Neuen Testament ist mit ἐκδίκησις entsprechend dem alttestamentlichen Sprachgebrauch die „Vergeltung", die „Rache", meist jedoch die „Strafe" gemeint (vgl. 2 Kor 7,11; Röm 12,19; Hebr 10,30 [= Dtn 32,35]; Apg 7,24). Lk 21,22 sind die ἡμέραι ἐκδικήσεως die Tage der Strafvergeltung Gottes. 1 Petr 2,14 wird von den Statthaltern gesagt, sie seien zur Bestrafung der Übeltäter gesandt. 2 Thess 1,8 ist die Wendung ἐκδίκησιν διδόναι mit „Rache üben" zu übersetzen[26]. Wenn G. Schrenk den Ausdruck in V. 3 (ἐκδικεῖν) von V. 7 (ἐκδίκησιν ποιεῖν) her erklärt und ihn mit „Recht schaffen im Sinne der Genugtuung" wiedergibt[27], so ist dazu zu sagen, daß die (nachträgliche) Anwendung des Gleichnisses durchaus anders nuanciert sein kann, wie später zu zeigen sein wird. J. D. M. Derrett hat darauf aufmerksam gemacht, daß die Bitte der Witwe den Richter bewegen will, ihren Fall aufzugreifen und ihr Rechtshilfe und Rechtsbeistand gegenüber ihrem Widersacher zu leisten; denn als Witwe ist sie ja auf solche Hilfe und auf solchen Beistand unbedingt angewiesen[28]. Das scheint die genau zutreffende Erklärung der Wendung zu

[22] *G. Delling,* Gleichnis 8; vgl. *C. Spicq,* parabole 73: „Le type de l'être faible et sans appui, qui socialement n'existe pas."

[23] Gleichnisse 153.

[24] AaO.

[25] *J. Jeremias,* Gleichnisse 153: „Da die Witwe ihre Klage beim Einzelrichter (nicht bei einem Gerichtshof) anbringt, handelt es sich um eine Geldsache: eine Schuldsumme, ein Pfand, ein Teil des Erbes wird ihr vorenthalten."

[26] *G. Schrenk,* ThWNT II, 443f.

[27] AaO. 444.

[28] *J. D. M. Derrett,* Law 187f.

sein, die innerhalb des Alten Testamentes ihren Rückhalt findet (vgl. Ps 7,9; 26,1; 35,24; 43,1)[29]. An Hilfe und Beistand ist also bei dem ἐκδικεῖν vornehmlich gedacht, weniger an Genugtuung oder gar Vergeltung.
V. 4: C. Spicq hat zu Recht bemerkt, daß die Weigerung des Richters in einem direkten Gegensatz zu der Hartnäckigkeit der Witwe steht: „Action et réaction sont simultanées et d'égale intensité: chaque fois que la plaingnante venait vers lui, le juge refusait de lui faire justice" [30]. Ein Grund für die konstante Weigerung des Richters wird nicht angegeben; offenbar kommt es der erzählten Geschichte darauf nicht an. Auch in dem Gleichnis vom barmherzigen Samariter wird ein Grund nicht genannt, weshalb der Priester und der Levit dem unter die Räuber Gefallenen nicht helfen (vgl. Lk 10,30–37a). Der Richter weigert sich „eine Zeitlang", „ἐπὶ χρόνον selbst muß nicht mehr als das besagen, kann aber im Zusammenhang eine längere Zeit meinen"[31]. Die Zeitangabe ist für den weiteren Ablauf der Erzählung wichtig; denn so wird das unablässige Kommen der Witwe motiviert, von dem V. 5 spricht. Vor allem aber ist sie von Bedeutung als Gegensatz zu dem ἐν τάχει in der Anwendung des Gleichnisses (V. 8a). Auch μετὰ ταῦτα ist eine unbestimmte Zeitangabe: Nach geraumer Zeit ändert der Richter sein Verhalten der Witwe gegenüber. Er begründet diese Änderung in einem Selbstgespräch. Wie in anderen Gleichnissen auch (vgl. Lk 12,16–21; 16,1–8a; 18,10–14a) spricht in solchen Monologen der Mensch sich selbst aus. „Im Monolog dieses Richters entsteht ein Selbstporträt, das an Deutlichkeit nichts zu wünschen übrigläßt. Hier kommt alles an den Tag, was an diesem Richter bedenklich ist"[32]. Der Richter sagt von sich das gleiche, was auch schon zu Beginn der Erzählung von ihm berichtet worden war: Er ist ein Mann, der Gott als Richter nicht fürchtet und sich vor keinem Menschen scheut. Dadurch soll die erste Charakterisierung als richtig erwiesen und sogar noch verstärkt werden; denn so wird er als „bewußt skrupellos" gekennzeichnet[33]. Nur weil die Witwe ihm lästig wird, will er ihr zu ihrem Recht verhelfen. „L'ironie du trait est patente: lui qui ne craignait ni Dieu ni les hommes, il craint pour lui-même" [34].
V. 5: Der ἵνα-Satz bereitet dem Verständnis große Schwierigkeiten, die man in folgende Fragen auflösen kann: 1. Ist die Wendung εἰς τέλος temporal oder im Sinne der Totalität zu verstehen? Gehört sie zu dem Partizip ἐρχομένη

[29] Vgl. *H. J. Kraus,* Psalmen I, 59: „Das Verbum šāfat tendiert fraglos zunächst auf einen richterlichen Entscheid. Aber *L. Köhler* hat recht, wenn er in den Begriff das Moment der Rechtshilfe einbezieht (Der hebräische Mensch, 1953, 152)."
[30] *C. Spicq,* parabole 74.
[31] *G. Delling,* Gleichnis 11; vgl. *C. Spicq,* parabole 74f, Anm. 2.
[32] *G. Eichholz,* Gleichnisse 26.
[33] *G. Delling,* Gleichnis 12.
[34] *C. Spicq,* parabole 75.

oder zu der Verbform ὑπωπιάζῃ? 2. Welche Bedeutung hat das Verbum ὑπωπιάζειν an dieser Stelle? Daß die beiden Fragen und ihre Beantwortung eng zusammenhängen, zeigt ein Blick auf die Übersetzungen und Auslegungen des ἵνα-Satzes. Die Luther-Übersetzung hat: „auf daß sie nicht zuletzt kommt und tue mir etwas an", die Zürcher Bibel: „damit sie nicht schließlich kommt und mir ins Gesicht schlägt", die Tillmann-Übersetzung: „sonst kommt sie am Ende noch und prügelt mich" und die Einheitsübersetzung: „schließlich kommt sie noch und schlägt mich ins Gesicht". Auch W. Bauer übersetzt εἰς τέλος mit „schließlich"[35] und gibt die Wendung wieder: „damit sie mir nicht ins Gesicht fährt"[36]. Ähnlich A. Jülicher: „sonst kommt sie schließlich noch und fällt über mich her"[37], und G. Delling, der so paraphrasiert: „schließlich möchte sie ihn noch so sehr bedrängen, daß sie handgreiflich wird und ihm ins Gesicht schlägt"[38], wie entsprechend auch C. Spicq: „Cette femme, à la fin, pourrait bien arriver à me porter des coups"[39]. Hier wird εἰς τέλος als „am Ende", „schließlich" gefaßt (was es heißen kann) und ὑπωπιάζειν als „ins Gesicht schlagen" o. ä. (was es heißen kann).

Andere bevorzugen eine übertragene Bedeutung. So Blaß-Debrunner: „damit sie mich nicht durch ihr ständiges Kommen (Präsens!) allmählich (Präs. ὑπωπιάζῃ!) völlig kaputt macht"[40], J. Schmid: „damit sie mich nicht durch ihr ewiges Kommen aufreibt"[41], W. Grundmann: „damit sie nicht ewig gelaufen kommt und mich belästigt"[42], J. Jeremias: „damit sie mich nicht durch ihre Quengelei (ἐρχομένη) total (εἰς τέλος) fertig macht (ὑπωπιάζῃ με)"[43], E. Linnemann: „damit sie nicht ewig quengeln komme"[44]. Hier wird εἰς τέλος als „beständig", „unablässig", „ewig" bzw. „total" gefaßt (was es heißen kann) und ὑπωπιάζειν im übertragenen Sinne als „belästigen", „aufreiben" o. ä. (was es heißen kann). K. Weiß stellt die beiden möglichen Auffassungen nebeneinander, ohne sich direkt für eine der beiden zu entscheiden[45].

[35] Wörterbuch 1606.
[36] AaO. 1678.
[37] Gleichnisreden II, 282.
[38] Gleichnis 12.
[39] Parabole 75.
[40] Grammatik § 207,3.
[41] Lukas 278.
[42] Lukas 345.
[43] Gleichnisse 153.
[44] Gleichnisse 127.
[45] ThWNT VIII, 589: „Daß damit die Befürchtung ausgesprochen sein soll, sie werde ihm in ihrer Verzweiflung eines Tages ins Gesicht fahren, ist doch nicht ganz auszuschließen. Entscheidet man sich jedoch für die übertragene Bedeutung, so hängt der Sinn des Satzes davon ab, ob man εἰς τέλος temporal *am Ende, schließlich* oder als Bezeichnung des Maßes *gänzlich, völlig* versteht. Er besagt dann entweder: ‚damit sie mich schließlich noch in einem öffentlichen Auftritt bloßstellt' oder: ‚damit sie mich nicht durch ihr beharrliches Auftreten völlig aufreibt'."

Folgende Beobachtungen können zu einer Entscheidung verhelfen: 1. Zu εἰς τέλος ist zu sagen, daß die Wendung offenbar zu ἐρχομένη gehört und das ἔρχεσθαι der Witwe als ein beständiges, unablässiges Kommen charakterisieren will. Das ist ja ihre einzige Waffe, die sie hat, während der Wutausbruch einer orientalischen (!) Witwe, bei dem sie einem Richter (!) ins Gesicht schlägt oder ihn gar verprügelt, wohl kaum realistisch und deshalb trotz der gegenteiligen Behauptung C. Spicqs nicht gut vorstellbar ist[46]. 2. Das Verbum ὑπωπιάζειν kommt von ὑπώπιον. Gemeint ist damit die Stelle unter dem Auge. ὑπωπιάζειν heißt wörtlich „unter das Auge schlagen" oder „ein blaues Auge schlagen", dann allgemein „ins Gesicht schlagen" oder „verprügeln". Nach den Untersuchungen J. D. M. Derretts kann das Verbum auch die übertragene Bedeutung haben „das Gesicht schwarz machen" – eine, wie Derrett nachweist, im ganzen Orient geläufige Wendung, die besagt „jemanden in Mißkredit" oder „jemanden in Verruf bringen". Dabei braucht nicht einmal vorausgesetzt zu werden, daß die Witwe überall davon erzählt, der Richter wolle ihren Fall deshalb nicht aufgreifen, weil er etwa ihrem Gegner gegenüber verpflichtet sei. Es genügt die Annahme, daß sie durch ihr ständiges Kommen seinem Prestige als Richter Schaden zufügt. Und gerade ein Mann wie dieser Richter, der keinen Menschen scheut, achtet nichts höher als sein Prestige[47]. Man wird also den ἵνα-Satz übersetzen können: „damit sie mich nicht durch ihr unablässiges Kommen in Verruf bringt". Diese Aussage paßt ausgezeichnet in das Selbstgespräch des Richters und motiviert sein schließliches Nachgeben. A. Jülicher hat richtig bemerkt: „Die Parabel wäre eine der einfachsten, wenn sie hier schlösse. Ganz wie 11,5–8 würde der Erfolg unermüdlichen Bittens an einem Fall aus dem täglichen Leben demonstriert, wo die Umstände für den Bittenden ganz besonders ungünstig liegen und er anfangs die schlechtesten Aussichten auf Erhörung hat. Wenn ein so armes Wesen wie eine Witwe bei einem gegen religiöse und ethische Beweggründe abgestumpften Richter schließlich die Bestrafung ihres Peinigers durchsetzt, dadurch, daß sie nicht abläßt zu bitten und zu drängen, wie viel sicherer werden Fromme bei ihrem Gott für unermüdliches Gebet Gehör finden!"[48] In der Tat schließt das Gleichnis hier; aber es legt nicht die Anwendung nahe, die Jülicher annimmt; denn die Anwendung wird in V. 8a gegeben.

V. 8a: Wie die literarkritische Analyse gezeigt hat, wird die Anwendung wie Lk 18,14a mit λέγω ὑμῖν eingeleitet. Der sich anschließende ὅτι-Satz scheint jedoch von V. 7 her beeinflußt zu sein. In dem Gleichnis selbst ist ja von

[46] Parabole 75f, Anm. 6.
[47] *J. D. M. Derrett,* Law 189ff.
[48] Gleichnisreden II, 283.

ποιεῖν τήν ἐκδίκησιν nicht die Rede, sondern von ἐκδικεῖν, und αὐτῶν verweist zudem auf die ἐκλεκτοί. Für den ὅτι-Satz dürfte demnach folgender Wortlaut als ursprünglich anzunehmen sein: ὅτι ἐκδικήσει αὐτὴν ἐν τάχει. Ähnlich wie es 18,14a der Fall ist, bleibt so die Anwendung ganz auf das Gleichnis bezogen: Subjekt von ἐκδικήσει ist der Richter, und mit αὐτήν ist die Witwe gemeint. Der Ton liegt entscheidend auf dem ἐν τάχει; denn das entspricht dem Ergebnis des Selbstgesprächs, das der Richter geführt hat: Schnell wird er jetzt eingreifen und der Witwe zu ihrem Recht verhelfen.

Form und Sinn des Gleichnisses

Bei dem Gleichnis handelt es sich um eine Parabel, deren ‚tertium comparationis' man finden muß, um ihren Sinn erschließen zu können. Ähnlich wie es in Lk 18,14a der Fall ist, wird das ‚tertium comparationis' auch hier in dem mit λέγω ὑμῖν eingeleiteten Satz anzutreffen sein. In diesem Satz ist es die Wendung ἐκδικήσει αὐτὴν ἐν τάχει, die von der Bildhälfte auf die Sachhälfte verweist: So wie der Richter der Witwe schnell Hilfe und Beistand gewähren wird, so wird es auch Gott tun. Er wird ἐν τάχει sein Recht durchsetzen – allen Widerständen und allen Widersachern zum Trotz.
Fragt man, was damit in der Verkündigung Jesu gemeint ist, dann kann die Antwort eigentlich nur lauten: Rasch, in kurzer Frist wird Gott seine Königsherrschaft aufrichten und sein Heil bringen. So gesehen wird die Aussage des Gleichnisses von einer großen Zuversicht und dem Vertrauen auf Gottes Hilfe und Beistand getragen. Die gleiche Zuversicht lassen auch die Wachstumsgleichnisse erkennen: Mag der Anfang auch klein und unbedeutend sein wie ein Senfkorn, das Senfkorn reift heran zur großen Staude (Mk 4,30–32; vgl. Lk 13,18f; Mt 13,31f). Mögen die Verhältnisse bei der Aussaat noch so ungünstig sein, zur Zeit der Ernte steht der Acker in voller Frucht da (Mk 4,3–9; vgl. Lk 8,4–8; Mt 13,3–9). Aber es kommt noch etwas anderes hinzu: Ebenso wie in dem Gleichnis vom Pharisäer und Zöllner Jesus es ist, der mit dem λέγω ὑμῖν das Urteil Gottes ausspricht (Lk 18,14a), ist er es auch hier, der mit dem gleichen λέγω ὑμῖν die Aussage über Gott zu seiner eigenen Aussage macht: Weil mit ihm die Gottesherrschaft angebrochen und da ist, kann er diese zuversichtliche Zusage geben. Die entscheidende Wendung ἐν τάχει dürfte also wohl nicht im Sinne einer apokalyptischen Naherwartung zu fassen sein; sie muß vielmehr gleichsam personal verstanden werden: Jesus selbst ist es, der diese Aussage mit seiner Person verbürgt.

Von dem ursprünglichen Gleichnis in der Verkündigung Jesu ist jetzt der Weg zu der zweiten Phase der Überlieferung zurückzulegen und die Fragen zu beantworten: Welche Veränderung hat das Gleichnis in der Verkündigung der Urkirche erfahren, und wie ist diese Veränderung zu deuten?
Die literarkritische Analyse war zu dem Ergebnis gekommen, daß die erste Anwendung des Gleichnisses, wie sie in V. 6f enthalten ist, nicht zu dem ursprünglichen Gleichnis gehört, sondern nachträglich hinzugefügt wurde – nicht erst von Lukas, sondern bereits in der ihm vorgegebenen Tradition. Vor allem J. Jeremias hat nachgewiesen, daß der V. 7 in seinem Satzbau und in seinem Sprachgebrauch vom Aramäischen her bestimmt wird[49].

Einzelerklärung: VV. 6.7

V. 6: Es wurde bereits darauf hingewiesen, daß die Einleitung εἶπεν δὲ ὁ κύριος die Anwendung von dem Gleichnis selbst so stark absetzt, wie es sonst nicht der Fall ist. Durch diese besondere Hervorhebung soll wohl zum Ausdruck gebracht werden, daß jetzt der erhöhte Kyrios spricht, der das Gleichnis auf die konkrete Situation seiner Kirche anwendet. Der Einleitungssatz selbst weist in die gleiche Richtung. Die Aufforderung ἀκούσατε erinnert an die Aufforderung ἀκούετε zu Beginn des Gleichnisses vom Sämann (Mk 4,3) und an den „eschatologischen Weckruf" an dessen Ende (Mk 4,9; vgl. Lk 8,8). Dort wie hier wird die Aufforderung der zweiten Phase der Überlieferung angehören. Der Inhalt des Aufrufs lenkt bewußt auf das Selbstgespräch des Richters zurück, der jetzt als κριτὴς τῆς ἀδικίας bezeichnet wird (vgl. Lk 16,8). Diese Bezeichnung des Richters will auf V. 7 hinlenken: Wenn er, der „zur Welt der ἀδικία" gehört[50], Recht schafft, um wieviel mehr Gott, „qui est la justice même"[51]! „Mit dem Imperativ von V. 6 wird die Bedeutung der Worte des gottlosen Richters für die folgende Anwendung des Gleichnisses unterstrichen: So verhilft ein Weltmensch im Richteramt einem anhaltend Bittenden zu seiner Genugtuung – wieviel mehr Gott"[52].
V. 7: Die Verbindung von V. 6 und V. 7 wird also wesentlich durch einen Qalwachomer-Schluß hergestellt. Doch ist auch noch auf eine andere Ver-

[49] Gleichnisse 154.
[50] *G. Delling,* Gleichnis 14.
[51] *C. Spicq,* parabole 76.
[52] *G. Delling,* Gleichnis 14f.

bindung zu achten: Dem Richter ist die Witwe mit ihrem Anliegen gleichgültig, Gott aber wird von „seinen Auserwählten“ gebeten[53].
Der V. 7 steckt voll von schwierigen Wendungen: Was bedeutet jetzt ποιεῖν τὴν ἐκδίκησιν (im Unterschied zu ἐκδικεῖν)? Was ist mit der Bezeichnung οἱ ἐκλεκτοὶ αὐτοῦ gemeint? Wie ist der Satz καὶ μακροθυμεῖ ἐπ' αὐτοῖς zu verstehen, der ja einen Bruch mit der vorhergehenden Satzkonstruktion erkennen läßt?
ποιεῖν τὴν ἐκδίκησιν, eine „palästinensische Formel“[54], geht hier wohl auf die LXX zurück und meint „Vergeltung üben“, „das Gericht vollstrecken“[55]. ποιεῖν τὴν ἐκδίκησιν kann freilich die gleiche Bedeutung haben wie ἐκδικεῖν. Beide Wendungen können mit „Recht schaffen“ wiedergegeben werden. Während in dem Gleichnis selbst „Recht schaffen“ mehr im Sinne von „Rechtshilfe, Rechtsbeistand leisten“ zu verstehen ist, dürfte in der Anwendung „Recht schaffen“ mehr im Sinne von „Vergeltung üben“, „das Gericht vollstrecken“ gemeint sein. A. Jülicher hat zu Recht darauf aufmerksam gemacht, daß der Ausdruck auf die Lage der bedrängten und verfolgten Kirche hinweist, die in ihrer Not „Tag und Nacht“ zu Gott ruft und um die baldige Parusie bittet[56].
Die so unablässig zu Gott Rufenden werden „seine (Gottes) Auserwählten“ genannt. Ähnlich wie in der Apokalyptik und in den Qumrantexten wird so die „Gemeinde der Endzeit“ bezeichnet[57]. Es scheint charakteristisch zu sein, daß hier die gleiche Situation vorausgesetzt wird wie Mk 13,14–27.
Bei dem schwierigen Satz καὶ μακροθυμεῖ ἐπ' αὐτοῖς werden verschiedene Lösungen und damit auch verschiedene Übersetzungen für μακροθυμεῖν angeboten. Während die eine Gruppe von Exegeten das Verbum mit „Langmut üben“ o.ä. wiedergibt (etwa E. Klostermann, K. H. Rengstorf, G. Schrenk, G. Delling, J. Horst, H. Sahlin, J. Jeremias), übersetzt die andere Gruppe μακροθυμεῖν mit „zögern“ o.ä. (etwa A. Jülicher, J. Schmid, W. Grundmann, E. Linnemann, H. Riesenfeld, G. Schneider). Tatsächlich kann das Verbum beide Bedeutungen haben. Für welche Übersetzung man sich auch immer entscheiden mag, die Schwierigkeit der Satzkonstruktion bleibt bestehen.
Soll man καὶ μακροθυμεῖ ἐπ' αὐτοῖς als einen selbständigen Satz auffassen, der von der vorhergehenden Frage getrennt zu halten ist? J. Horst sieht in

[53] Vgl. aaO. 15.
[54] *A. Schlatter,* Lukas 394.
[55] *G. Delling,* Gleichnis 16, Anm. 68; *G. Schrenk,* ThWNT II, 443.
[56] Gleichnisreden II, 289.
[57] Zum Verständnis der „Auserwählten“ in der Apokalyptik vgl. *G. Schrenk,* ThWNT IV, 188f; zum Selbstverständnis der Mitglieder der Qumran-Gemeinde als die „Auserwählten“ vgl. *G. Delling,* Gleichnis 15, Anm. 63.

dem Satz eine selbständige Aussage über die Langmut Gottes, der den Glaubenden „eine ihnen notwendige Gnadenfrist" gewährt. „In dem μακροθυμεῖν Gottes liegt jetzt die Möglichkeit der Existenz der Gläubigen vor Gott, sich ganz abhängig zu wissen von der Entscheidung Gottes und sie doch im Vertrauen auf seine Gerechtigkeit und Gnade erflehen zu dürfen"[58]. Diese Lösung scheitert schon daran, daß die Aussage mit der vorhergehenden Frage fest verknüpft zu sein scheint – wenn man in ihr nicht (wie A. Jülicher) eine spätere Glosse sehen will[59].

Ist die Verbindung zwischen dem Hauptsatz und dem Fragesatz so fest, daß der erste in den zweiten aufzunehmen wäre? Zu dieser Lösung kommt J. Jeremias, das Ergebnis einer Untersuchung H. Sahlins aufnehmend[60]. Nach Jeremias „liegt eine aramäische Konstruktion vor", in der der Hauptsatz „einen Relativsatz" und „die Partizipialkonstruktion (τῶν βοώντων κτλ.)" „die Stelle eines Adverbialsatzes" vertritt. „Also: ‚Und Gott sollte Seinen Auserwählten nicht zu Hilfe eilen, Er, der sie geduldig anhört, wenn sie Tag und Nacht zu Ihm schreien?'"[61]. Diese Lösung bleibt deshalb unbefriedigend, weil „man sich immer noch fragt, wie das geduldige Anhören die Tatsache begründen kann, daß Gott denen, die rufen, zu ihrem Recht verhelfen wird"[62].

Steht der Satz καὶ μακροθυμεῖ ἐπ' αὐτοῖς in einer festen Beziehung zu der Aussage des nachfolgenden V. 8a? Diese Auffassung wird von K. H. Rengstorf vertreten, der das καί „wie 11,8 als kai ei" faßt und V. 7b „als Vordersatz" zu V. 8a zieht[63]. Rengstorf übersetzt dementsprechend: „Ob er auch langmütig über ihnen ist – ich sage euch: Er wird ihnen in Kürze Recht schaffen"[64], und meint, V. 7b wolle zur Geduld mahnen, „aber so, daß er sie in Gottes Treue zu seiner Sache in Jesus und dessen Jüngern begründet"[65]. Diese Lösung kann deshalb nicht in Betracht kommen, weil – abgesehen von der unberechtigten Hinzufügung des εἰ – nicht bemerkt wird, daß V. 8a ursprünglich gar nicht zu V. 7b gehört.

H. Riesenfeld hat in dem bereits zitierten Aufsatz darauf hingewiesen, daß der V. 7 auf dem Hintergrund von Sir 35,11–24 zu verstehen ist[66]. Er hat allerdings nicht beachtet, daß schon A. Jülicher diesen Hinweis gegeben hatte, der den Satz freilich für eine spätere Glosse hielt[67]. Riesenfeld führt aus: „In dem

[58] ThWNT IV, 383f.
[59] Gleichnisreden II, 288.
[60] *H. Sahlin,* Lukas-Stellen.
[61] Gleichnisse 154.
[62] *H. Riesenfeld,* μακροθυμεῖν 215.
[63] Lukas 206.
[64] AaO. 205.
[65] AaO. 206.
[66] Siehe Anm. 62.
[67] Gleichnisreden II, 288.

betreffenden Abschnitt des Buches Sirach wird Gott als der gerechte Richter beschrieben, der sich der in den Augen der Welt Geringen annimmt“[68]. Ist dieses Motiv als solches auch herkömmlich, so liegt hier „jedoch das Gewicht auf dem Flehen und Bitten der Elenden, deren Tränen und Gebetsrufe ihr Anliegen nicht verfehlen werden“[69]. Lk 18,7b ist in Sir 35,19f fast wörtlich enthalten: καὶ ὁ κύριος μὴ βραδύνῃ οὐδὲ μὴ μακροθυμήσῃ ἐπ' αὐτοῖς, ἕως ἄν συντρίψῃ ὀσφὺν ἀνελεημόνων καὶ τοῖς ἔθνεσιν ἀνταποδώσει ἐκδίκησιν. „Der Gedankengang ist ganz deutlich folgender: auch wenn es zuweilen so aussieht, als ob die Bitten der Hilfsbedürftigen nicht erhört würden, so wird Gott, ehe man es ahnt, ein für die Bedrückten befreiendes Urteil fällen und die Ungerechten bestrafen“[70]. Der Sinn des Verbums μακροθυμεῖν liegt hier klar: Es „ist als Synonym zu βραδύνειν verwendet. Demnach hat es nicht die Bedeutung ‚langmütig sein‘, sondern den Sinn ‚saumselig sein‘, ‚auf sich warten lassen‘“[71]. ἐπ' αὐτοῖς „bezieht sich auf die Gerechten, deren Sache sich Gott als Richter annehmen wird, also diejenigen, in bezug auf welche Gott nicht wird auf sich warten lassen“[72]. Mit Recht nimmt Riesenfeld an, daß Lk 18,7 nicht ohne Kenntnis der Sirachstelle formuliert worden ist: „Lk 18,7 stellt gleichsam eine Zusammenfassung der Ausführungen in Sir 35,11ff. dar“[73]. In dem Satz καὶ μακροθυμεῖ ἐπ' αὐτοῖς hat das einleitende καί also „einen adversativen oder auch konzessiven Sinn“[74], den ja auch schon K. H. Rengstorf festgestellt hatte[75]. Riesenfeld gibt den V. 7 so wieder: „Wird nicht Gott Recht (eigentlich: Rache) verschaffen seinen Auserwählten, die Tag und Nacht zu ihm rufen, auch wenn (es so aussieht, als ob) er in bezug auf sie auf sich warten läßt“[76]. G. Schneider, der dem Ergebnis der Untersuchung Riesenfelds zwar zustimmt[77], kommt selbst doch zu einer anderen Lösung. Er nimmt V. 7b und V. 8a im Blick auf Bar 4,25 als „eine gedankliche Einheit“[78] und sieht in den beiden Halbversen eine zweite nachträgliche Deutung des Gleichnisses: „Sagten das Gleichnis und seine erste Deutung die Gewißheit der Erhörung trotz des Eindrucks längeren vergeblichen Bittens zu, so wird durch die Addition ein (weiteres) Zögern Gottes verneint und eine baldige Erhörung versprochen“[79].

[68] AaO. 215.
[69] AaO.
[70] AaO. 216.
[71] AaO.
[72] AaO.
[73] AaO.
[74] AaO. 217.
[75] Vgl. aaO. 206.
[76] AaO.
[77] Parusiegleichnisse 72f; „Der problematische Nachsatz (am Ende von V. 7) hat wohl inzwischen seine zutreffende Erklärung gefunden“ (mit dem Verweis auf *H. Riesenfeld*).
[78] AaO. 74.
[79] AaO. 75.

Wird man demgegenüber die Erklärung H. Riesenfelds für durchaus zutreffend erachten, dann kann man in der Rückbindung von Lk 18,7 an Sir 35,11–24 eine nachträgliche Bestätigung der literarkritischen Analyse sehen; denn jetzt wird noch klarer, daß der Vers aus dem Schriftverständnis der Urkirche geformt ist.

Der Sinn des Gleichnisses

Das Gleichnis hat seine Form nicht geändert; es ist eine Parabel geblieben, deren ‚tertium comparationis' nun in dem mit εἶπεν δὲ ὁ κύριος und der Aufforderung ἀκούσατε κτλ. eingeleiteten Satz, also in V. 7, zu finden ist. Die Bezeichnung des Richters als κριτὴς τῆς ἀδικίας macht deutlich, daß dieser im Gegenüber zu Gott gesehen werden soll. Damit wird dann der Qalwachomer-Schluß nahegelegt: Wenn schon dieser Richter der bedrängten Witwe zu ihrem Recht verhilft, um wieviel mehr wird Gott seinen Auserwählten, die in ihrer Bedrängnis Tag und Nacht zu ihm rufen, durch sein Gericht Genugtuung verschaffen, auch wenn es den Anschein haben könnte, daß er mit seinem Gericht zögert. Wenn diese Aussage auch, wie gezeigt wurde, von Sir 35,11–24 her geformt ist, so wird sie doch nicht von daher bestimmt. Bestimmt wird sie von der Situation der Gemeinde her, die ihre Lage mit den aus dem Sirach-Buch entnommenen Worten geschildert sieht. Es ist die Lage einer bedrängten und verfolgten Kirche, die ihr Vertrauen und ihre Zuversicht auf Gott setzt, die aber auch des Zuspruchs bedarf, daß dieses Vertrauen und diese Zuversicht nicht vergeblich sind. So schließt sich die mit λέγω ὑμῖν eingeleitete ursprüngliche Anwendung des Gleichnisses gut an: Rasch wird Gott seinen Auserwählten zu Hilfe kommen und ihnen Rettung von ihren Widersachern bringen. Die Wendung ποιήσει τὴν ἐκδίκησιν muß sich jetzt ja auf ihn beziehen.

Das Gleichnis in der Verkündigung des Evangelisten Lukas

Vielleicht darf angenommen werden, daß das Gleichnis schon in der vorlukanischen Überlieferung mit der vorhergehenden eschatologischen Rede verbunden war, deren Abschluß es bildete, wie ja auch die Bergpredigt in Q mit einem Gleichnis endet (vgl. Mt 7,24–27; Lk 6,47–49). Der Zusammenhang mit dem Abschnitt Lk 17,22–37, der im wesentlichen Q angehört, ist zu offenkundig. Jedenfalls hat Lukas durch die Hinzufügung von V. 8b die Beziehung deutlich hervorgehoben. Schon A. Jülicher, nach dessen Auffassung die

VV. 6–8a (vielleicht noch ohne V. 7b) in der von Lukas benutzten Quelle zu dem „echten Kern" V. 2–5 hinzugefügt wurden, hat auf die Verbindung der Perikope V. 2–8a mit der voraufgehenden Parusierede aufmerksam gemacht[80]. Er beschreibt die lukanische Redaktion so: „Lc mit seinem Takt fühlte trotzdem heraus, daß die Grundtendenz der Parabel die Empfehlung unermüdlichen Betens sei, gab dem in der von ihm herrührenden Einleitung Ausdruck, griff auch am Schluß darauf zurück, indem die von ihm angefügte Frage die stürmischen Parusieerwartungen von 7 8a etwas dämpfte durch den Hinweis auf die noch bestehenden Mängel auf Erden, unter den Gläubigen. Die Stellung des nur ein wenig abgerundeten Stücks 18,1–8 beliess er so, wie sie in der Quelle gewesen war, aber, dass er die παραβολή vom Pharisäer und Zöllner, die mit der Parusie gar nichts zu tun hat, dagegen zu dem Thema ‚Gebet' einen wertvollen Beitrag liefert, unmittelbar folgen lässt, beweist, dass er unsern Abschnitt lieber unter ‚Gebet' als unter ‚Parusie' einordnen möchte, dass nicht etwa er erst, er vielmehr weniger als seine Vorlage, den Gegenstand des Bittens, die ἐκδίκησις, statt der Beharrlichkeit des Bittens als den Zentralpunkt des Bildwortes angesehen hat"[81]. A. Jülicher hat richtig gesehen, daß Lukas einerseits die Beziehung zu der „Parusierede" eigens betont (V. 8b), daß er andererseits sowohl durch die Einleitung (V. 1) als auch durch die Komposition das Gleichnis unter das Thema „Gebet" stellt. Nicht richtig ist, daß es Lukas in seiner Verkündigungsabsicht allein auf die Beharrlichkeit des Betens ankommt, wie ja auch schon das ursprüngliche Gleichnis nicht lediglich gesprochen ist, „um für unablässiges Gebet die Gewissheit der schließlichen Erhörung zu veranschaulichen"[82]. Wie sind die beiden, scheinbar so verschiedenen Intentionen miteinander in Einklang zu bringen? Um diese Frage beantworten zu können, wird man wohl zuerst sagen müssen, was Lukas zu seinen redaktionellen Aussagen in V. 1 und V. 8b veranlaßt hat. Es genügt ja nicht die Feststellung, daß V. 8b „kein ursprünglicher Bestandteil der Parabel" sei, sondern „über diese hinweg auf 17,22–37" zurückblicke[83], weil gefragt werden muß, warum V. 8b auf den vorhergehenden Abschnitt, die eschatologische Rede also, zurückblickt. Wenn, wie anzunehmen sein dürfte, das dem Evangelisten vorgegebene Gleichnis (VV. 2–8a) mit der eschatologischen Rede verbunden war und deren Abschluß bildete, dann wollte Lukas diese Verbindung, die er durch seinen Einleitungssatz (V. 1) selbst aufgelöst hatte, eigens wieder herstellen. Auf der anderen Seite bot sich die Aussage über die Auserwählten in V. 7 (βοώντων αὐτῷ ἡμέρας καὶ νυκτός) ebenso zum

[80] Gleichnisreden II, 288f.
[81] AaO. 289.
[82] AaO. 288f.
[83] *J. Schmid,* Lukas 280.

Thema „Gebet" an wie die nachfolgende Parabel vom Pharisäer und Zöllner (18,10–14a). Durch die Verbindung dieses Themas mit dem Rückblick auf die eschatologische Rede will der Evangelist zum Ausdruck bringen, daß es ihm gerade nicht um die allgemeine Anweisung zum unablässigen Beten geht, weil es ihm auf das Gebet in der eschatologischen Situation ankommt. Zwar wird in 17,20–37 im Unterschied zu der zweiten eschatologischen Rede des Lukasevangeliums (21,5–36) nicht unmittelbar vom Gebet gesprochen; aber eben deshalb dürfte es „kein Zufall sein, wenn dann im nachfolgenden Kontext (18,1–8) die Notwendigkeit eines unablässigen Gebetes (V. 1: πάντοτε προσεύχεσθαι) eingeschärft wird"[84]. Die Frage: „Wird aber der Menschensohn, wenn er kommt, auf Erden den Glauben finden?" (V. 8b) weist also auf 17,22–37 zurück, wo von dem Kommen des Menschensohnes die Rede war. Sie soll von den Hörern bzw. Lesern des Lukasevangeliums von dem Gleichnis und seinen beiden Anwendungen her beantwortet werden: Wenn das Warten auf die Ankunft des Menschensohnes von dem unablässigen Beten begleitet und getragen wird, dann – und nur dann – wird der Menschensohn, wenn er kommt, den Glauben finden[85]. So gesehen hat die Aussage keineswegs einen „pessimistischen Klang"[86], weil sie das gleiche zum Ausdruck bringen will wie der Schlußvers der zweiten eschatologischen Rede (21,36): Die Bereitung auf das Kommen des Menschensohnes geschieht durch das andauernde Gebet: „Dieses gibt den Christen Schutz, Kraft und Hilfe"[87].

[84] *J. Zmijewski,* Eschatologiereden 539.

[85] Vgl. *G. Schneider,* Parusiegleichnisse 78: „Der Glaube, den der Menschensohn bei seinem Kommen ‚finden' möchte, ist nach dem Zusammenhang wohl nicht der rechte Glaube als fides orthodoxa, sondern der in Wachsamkeit und Ausdauer, Gebet und Dienst am Nächsten gelebte und bewahrte Glaube (vgl. Apg 14,22; 16,5)."

[86] *J. Schmid,* Lukas 280.

[87] *J. Zmijewski,* Eschatologiereden 307.

Literatur

Bauer, W., Griechisch-deutsches Wörterbuch zu den Schriften des Neuen Testaments und der übrigen urchristlichen Literatur, Berlin [5]1958 (Nachdr. 1971).
Blaß-Debrunner, Grammatik des neutestamentlichen Griechisch, Göttingen [12]1965.
Bultmann, R., Die Geschichte der synoptischen Tradition (FRLANT NF 12), Göttingen [8]1970 (Nachdr. der 4. Aufl. Berlin 1961).
G. Delling, Das Gleichnis vom gottlosen Richter: ZNW 53 (1962) 1–25. (wiederabgedr. in: *ders.*, Studien zum Neuen Testament und zum hellenistischen Judentum, Berlin 1970, 203–225).
Derrett, J. D. M., Law in the New Testament: The Parable of the Unjust Judge: NTS 18 (1971/72) 178–191.
Eichholz, G., Gleichnisse der Evangelien. Form, Überlieferung, Auslegung, Neukirchen-Vluyn 1971.
Grundmann, W., Das Evangelium nach Lukas (ThHK 3), Berlin [7]1974.
Jeremias, J., Die Gleichnisse Jesu, Göttingen [8]1970 (Nachdr. der 7. Aufl. Berlin 1966).
Jülicher, E., Die Gleichnisse Jesu II, Tübingen 1910 (Neudr. Darmstadt 1963).
Kraus, H.-J., Psalmen I (BK XV,1), Neukirchen-Vluyn [4]1972 (Nachdr. Berlin 1972).
Linnemann, E., Gleichnisse Jesu. Einführung und Auslegung, Göttingen [6]1975.
Rengstorf, K. H., Das Evangelium nach Lukas (NTD 3), Göttingen [14]1969 (Nachdr. der 8. Aufl. Berlin 1958).
Riesenfeld, H., Zu μακροθυμεῖν (Lk 18,7), in: Neutestamentliche Aufsätze (Festschr. für J. Schmid), Regensburg 1963, 214–217.
Sahlin, H., Zwei Lukas-Stellen. Lk. 6,43–45; 18,7, in: SyBU 4, Uppsala 1945.
Schlatter, A., Das Evangelium des Lukas, Aus seinen Quellen erklärt, Stuttgart [2]1960.
Schmid, J., Das Evangelium nach Lukas (RNT 3), Regensburg [3]1955.
Schneider, G., Parusiegleichnisse im Lukas-Evangelium (SBS 74), Stuttgart 1975.
Spicq, C., La parabole de la veuve obstinée et du juge inerte, aux décisions impromptues (Lc. XVIII,1–8): RB 68 (1961) 68–90.
Zimmermann, H., Jesus Christus – Geschichte und Verkündigung, Stuttgart [2]1975.
Zmijewski, J., Die Eschatologiereden des Lukas-Evangeliums (BBB 40), Bonn 1972.

LA PERSÉCUTION COMME SITUATION MISSIONNAIRE

(Marc 13,9–11)

Par Jacques Dupont

Depuis les origines la mission chrétienne s'est heurtée à la „persécution à cause de la Parole“ (Mc 4,17). Mais on n'a pas tardé à se rendre compte que, loin de constituer nécessairement un obstacle, la persécution peut favoriser la diffusion du message évangélique, et se changer ainsi en une situation missionnaire privilégiée. Paul l'observait déjà en Phil 1,12–14: „Ce qui m'arrive a plutôt contribué au progrès de l'Évangile, de sorte qu'il est devenu notoire, dans tout le prétoire et pour tous les autres, que c'est pour le Christ que je suis dans les liens, et la plupart des frères, à qui mes liens ont donné confiance dans le Seigneur, redoublent d'audace pour annoncer sans crainte la parole de Dieu.“ C'est aussi le point de vue de la déclaration attribuée à Jésus en Mc 13,9–11: traînés devant les tribunaux juifs et païens, les disciples trouveront là l'occasion de témoigner de leur foi et de contribuer à l'expansion de l'Évangile[1]. Nous allons confronter ce texte de Marc avec ses parallèles synoptiques, de manière à en mieux percevoir l'originalité (I); nous nous intéresserons ensuite au processus littéraire qui rend compte de sa formulation (II).

I

1. Mc 13,9–11 fait partie du „discours eschatologique“[2]. A l'occasion d'une annonce de la destruction du Temple (v. 2), quelques disciples posent à Jésus une double question. Ils demandent d'abord: „Dis-nous *quand* ces choses auront lieu“ (v. 4a); ils précisent ensuite: „et quel sera le signe *lorsque* toutes ces choses vont atteindre leur fin“ (v. 4b). La finale du chapitre répond explicitement à ces deux questions: les vv. 28–31 concernent le signe „lorsque“, tandis que les vv. 32–37 se rapportent au moment „quand“. Le corps du discours s'occupe de la seconde question, celle du signe „lorsque“, mais il va au-delà de ce qui a été demandé en ajoutant au signe annonciateur de la Fin

[1] *D. R. A. Hare,* Theme 100, écrit fort bien à propos de ce passage: „For Mark persecution provides an *occasion* for witnessing rather than being the *result* of witnessing“.

[2] Nous donnons une vue d'ensemble sur Mc 13 dans une étude, *La ruine du Temple et la fin des temps dans le discours de Marc 13* (septembre 1975), à paraître dans un volume en collaboration: *Des auteurs apocalyptiques aux théologiens de l'espérance,* Paris 1977.

une description de la Fin elle-même (vv. 24–27). Encadrées par deux mises en garde contre des imposteurs (vv. 5b–6 et 21–23a), les explications sur le signe „lorsque“ excluent d'abord des événements qui n'ont pas de rapport immédiat avec la Fin („Lorsque vous entendrez ...“: vv. 7–8), pour mieux souligner ensuite ce qui doit être considéré comme le signe proprement dit: „Lorsque vous verrez ...“ (vv. 14–20).

Les vv. 9–13 se présentent comme une mise en garde destinée à compléter ce que les vv. 7–8 ont dit des calamités qui n'annoncent pas une Fin prochaine: perspective que rappelle le „d'abord“ du v. 10 et qui donne aussi son vrai sens à l'appel final à tenir bon „jusqu'à la Fin“ (v. 13b). Mais le texte n'en reste pas à ce point de vue négatif: il tient à préciser la portée positive des difficultés rencontrées par les chrétiens. Ces sévices ne leur fourniront pas seulement l'occasion de faire preuve de la constance qui leur vaudra personnellement le salut (vv. 12–13); ils leur permettront d'abord de rendre un témoignage qui contribuera à la diffusion universelle de l'Évangile (vv. 9–11).

Le v. 9 commence par décrire la situation: les chrétiens livrés aux sanhédrins, battus dans les synagogues, cités en justice devant des gouverneurs et des rois. Survenant à cause du Christ, ces comparutions ont un sens: „en témoignage pour eux“. Les détenteurs du pouvoir seront placés devant un témoignage qui les obligera à prendre position, un témoignage qui sera à leur charge ou à leur décharge suivant la position qu'ils auront adoptée[3]. Enchaînant immédiatement, le v. 10 évoque à propos de ce „témoignage“ la proclamation de l'Évangile qui doit se faire à toutes les nations. Le témoignage rendu par les persécutés aux autorités païennes relève précisément de cette nécessaire évangélisation des nations païennes: il est acte d'évangélisation.

Après ces explications sur la signification missionnaire de la comparution des chrétiens devant les hautes autorités du monde païen, le v. 11 revient à la conduite à suivre en cette circonstance: ne pas se préoccuper d'avance de ce qu'il y aura à dire, mais dire ce qui sera donné (par Dieu) au moment même[4].

[3] Le sens de μαρτύριον est bien défini par *L. Hartman,* Testimonium Linguae 64: „The word signifies ‚testimony‘ as recorded fact, an objective quantity, as distinguished from μαρτυρία which refers to the giving of testimony, the actual witnessing.“ Les difficultés commencent quand on demande au terme de préciser par lui-même si le „Beweismittel“ qu'il désigne prend une „belastender Bedeutung“ (*H. Strathmann,* ThWNT IV, 508; *W. Grundmann,* Mk 264), ou si, au contraire, il joue en faveur de la personne à qui il est destiné. En fait, ces nuances „pour“ ou „contre“ ne se trouvent pas dans le mot, et elles varient d'après les contextes où on l'emploie. En Mc 13,9, l'expression εἰς μαρτύριον αὐτοῖς ne peut pas s'entendre indépendamment du commentaire fourni par le v. 10. Voir *W. Marxsen,* Evangelist 118s.; *H. Schürmann,* Trad. Unters. 154; Lk 277; *J. Lambrecht,* Redaktion 124–127.

[4] Noter l'antithèse: „d'avance“ (πρό) – „à cette heure-là“, et l'insistance sur l'objet du discours: „ce que vous direz..., ce qui vous sera donné, dites-le“. Voir *J. Lambrecht,* Redaktion 132s.

Il semble clair que, dans ce contexte et comme souvent chez Marc, le „dire" dont il s'agit ici (λαλέω, trois fois) est la forme concrète de la proclamation évoquée au v. 10 et du témoignage mentionné au v. 9: ce „dire" vise encore l'annonce de l'Évangile[5].

2. Mt 24,9 – 14 se distingue de Mc par toute une série de traits caractéristiques. D'abord par son insistance sur les notations chronologiques: „Alors" (v. 9), „Et alors" (v. 10), „Et alors viendra la Fin" (v. 14). Matthieu s'intéresse au déroulement des événements qui doivent se succéder avant la Fin. On constate en même temps qu'il s'exprime d'un bout à l'autre à l'indicatif futur (il y en a douze); on ne retrouve pas chez lui les trois impératifs de Mc 13,9.13. Matthieu concentre ici son attention sur les révélations apocalyptiques; la parénèse ne viendra qu'ensuite (à partir de 24,42). De plus, sa rédaction élimine complètement l'horizon juif[6]: il n'est plus question de sanhédrins ni de synagogues, les disciples sont poursuivis par la haine de toutes les nations païennes (v. 9), et c'est dans toute l'οἰκουμένη que l'Évangile doit être proclamé, en témoignage pour toutes les nations païennes (v. 14).

De la comparution devant les tribunaux, à laquelle Marc rattachait le témoignage chrétien, il ne reste rien. La persécution païenne (v. 9) cède le pas à une sombre description de la situation de l'Église: beaucoup d'abandons (v. 10), beaucoup de chrétiens égarés par beaucoup de faux prophètes (v. 11), refroidissement de la charité chez beaucoup (v. 12). Il est encore question du „témoignage", mais sans relation avec la persécution ou avec la situation interne de l'Église: le témoignage est exclusivement lié au ministère des prédicateurs de l'Évangile.

3. Lc 21,12–19[7] se distingue d'emblée du passage parallèle de Marc par sa manière d'introduire la section des persécutions: non pas par une recommandation, „Prenez garde à vous-mêmes!", mais par une indication temporelle: „Avant toutes ces choses". Une indication du même genre termine, en finale du v. 24, le développement sur ce qui doit arriver „avant toutes ces choses": „jusqu'à ce que soient accomplis les temps des nations païennes". Ainsi, la description des événements de la Fin, qui avait été commencée dans les vv. 10–11, ne reprend qu'avec le v. 25; elle est interrompue par les vv. 12–24, qui parlent d'événements antérieurs, sans rapport avec la Fin dont les sépare la période indéterminée des „temps des nations". Cet intervalle comprend, d'une part, les persécutions contre les chrétiens et, d'autre part, le châtiment

[5] Cf. *J. Lambrecht,* Redaktion 132; *R. Pesch,* Naherwartungen 132.

[6] Bien vu par *J. Schmid,* Mt 335s. Cf. *J. Lambrecht,* Parousia Discourse 319.

[7] Voir *J. Dupont,* Épreuves 77–86; Béatitudes III, 106s; *F. Schütz,* Christus 14; *J. Zmijewski,* Eschatologiereden 128–179.

de Jérusalem. La volonté d'opérer une dissociation entre les persécutions et les événements de la Fin apparaît encore dans la manière dont le v. 19 évite d'exhorter les persécutés à tenir bon „jusqu'à la Fin" (Mc 1,13b).
Très différente de celle de Marc, la rédaction lucanienne de ce passage révèle en même temps un ensemble impressionnant de points de contact avec les récits des Actes sur les persécutions rencontrées par l'Église naissante, et d'abord celle qui provoqua la mort d'Étienne: les analyses de J. Zmijewski sont éclairantes à cet égard[8]. On a donc l'impression que Luc songe déjà ici aux cas concrets de persécution qu'il rapportera dans la seconde partie de son ouvrage.
Mais la rédaction de ces versets est surtout marquée par le souci d'encourager les chrétiens au milieu de la persécution. Les vv. 12–13 les assurent que leurs épreuves constitueront un témoignage en leur faveur. Les vv. 14–15 leur promettent, non seulement qu'ils recevront les paroles qui leur permettront de se défendre, mais que ces paroles seront invincibles et les feront triompher de leurs adversaires. Il y aura des morts, mais le v. 16 prend soin d'en limiter le nombre: certains d'entre vous, et le v. 18 (emprunté à un autre contexte) ajoute curieusement une promesse rassurante: „Pas un cheveu de votre tête ne périra." Le v. 19 enfin ne promet pas seulement le salut à qui aura tenu bon: il fait de la constance le moyen même de s'assurer le salut[9].
Ce souci de réconforter les chrétiens persécutés entraîne une contrepartie: la persécution est considérée au point de vue des individus qui en souffrent, en dehors de toute perspective missionnaire[10]. Le témoignage qui en résulte n'est plus destiné aux persécuteurs: la persécution endurée devient, devant Dieu, temoignage en faveur des persécutés (v. 13)[11]. Dans ce contexte, il n'y a plus de place pour l'affirmation que l'Evangile sera proclamé à toutes les nations (Mc 13,10): Luc la reporte à plus tard, au jour de Pâques (Lc 24,47)[12]. Dans les vv. 14–15, les paroles que le Christ donnera aux siens traînés devant les tribunaux ne sont pas celles qui leur permettront d'annoncer l'Évangile, mais celles grâce auxquelles ils se défendront victorieusement contre les accusations portées contre eux. La perspective est toujours celle des individus, non celle de l'avantage que la mission pourrait retirer de cette situation de persécution.

[8] Eschatologiereden 130–139, 151–156, 166ss, 171–175, 177ss.
[9] L'influence du logion Lc 17,33 par sur la formulation nouvelle de Lc 21,19 a été reconnue par *G. Dautzenberg,* BZ 1964, 268s; Sein Leben 64s.
[10] Contrairement à *J. Zmijewski,* Eschatologiereden 156 et 174, qui introduit dans le texte de Luc la perspective de celui de Marc.
[11] L'étude de base sur Lc 21,13 reste celle de *L. Hartman,* Testimonium Linguae 57–75. Il ne serait guère utile de discuter l'opinion des exégètes qui ignorent cet ouvrage.
[12] Voir *F. Hahn,* Mission 113s; *J. Dupont,* Portée christologique 131–134.

4. Mt 10,17–20 nous transporte du discours eschatologique dans le discours de mission. C'est aussi le passage qui ressemble le plus à celui de Mc 13,9–11; le parallélisme se poursuit d'ailleurs dans les versets suivants (Mt 10,21–22 = Mc 13,12–13). Le contexte du discours de mission situe naturellement dans une optique missionnaire les avertissements donnés aux disciples en vue d'une situation de persécution.

Mc 13,9 entrait en matière en invitant les disciples à „prendre garde à eux-mêmes"; Mt 10,17 les appelle à „se garder des hommes". Cette formulation est manifestement destinée à assurer un bon enchaînement entre la déclaration du v. 16: „Voici que je vous envoie comme des brebis au milieu des loups ..."[13], et les révélations des versets suivants sur le sort qui attend les disciples. L'identité des „hommes" dont il faut se garder s'éclaire quand le texte ajoute: „ils vous flagelleront dans *leurs* synagogues". Cela fait supposer qu'il s'agit de Juifs. Mais il faut aussi tenir compte du v. 18, qui ajoute: „et vous serez amenés devant des gouverneurs et des rois à cause de moi, en témoignage pour eux et pour les Gentils". „En témoignage *pour eux*": qu'est-ce à dire? Les exégètes sont partagés: les uns pensent qu'il s'agit des gouverneurs et des rois dont il était question juste avant[14]; d'après les autres, il s'agirait encore des „hommes" auxquels on songeait en parlant de „leurs" synagogues, et c'est précisément parce qu'on vise des Juifs que le texte prend soin d'ajouter: „et pour les Gentils"[15]. Cette seconde interprétation nous paraît préférable. Ainsi les chrétiens seront traînés par les Juifs devant des tribunaux païens: ce sera pour eux l'occasion d'un témoignage rendu non seulement devant leurs accusateurs, mais aussi devant les Gentils, en la personne de leurs chefs.

Ce „témoignage", au sens objectif du terme μαρτύριον, les chrétiens ne le fourniront pas indépendamment des paroles qu'ils prononceront: c'est de celles-ci que les vv. 19–20 s'occupent. Comparé à Mc 13,11, le texte de Matthieu paraît plus assuré dans la promesse: „il vous sera donné à cette heure-là"; mais il ne l'oppose pas à des soucis qu'on se ferait „d'avance", et son attention ne se concentre pas uniquement sur „ce qui" devra être dit, le

[13] Chez Luc, la déclaration correspondante se trouve en 10,3, c'est-à-dire en tête du second discours missionnaire. Chez Matthieu, le logion termine les recommandations concernant la mission de Galilée et introduit la section sur les persécutions: il devient ainsi élément de transition (cf. *H. Schürmann,* Trad. Unters. 139; 142, n. 21 et 143, n. 24), et il donne le ton des recommandations qui se rapportent à cette situation de persécution (cf. *R. Thysman,* Communauté 69s).

[14] Ainsi, par exemple, les commentaires de F. V. Filson, W. Grundmann, H. J. Holtzmann, A. Loisy, A. H. McNeile, W. Michaelis, W. Trilling, B. Weiss, et *D. R. A. Hare,* Theme 106ss.

[15] Ainsi les commentaires de E. Klostermann, M.-J. Lagrange, H. A. W. Meyer, P. Schanz, C. H. Turner, J. Wellhausen, Th. Zahn, et aussi *W. Marxsen,* Evangelist 138; *H. Strathmann,* ThWNT IV, 509.

message à publier: il s'intéresse en même temps au „comment" le dire. La finale du v. 20 détourne encore une fois l'attention que Marc porte exclusivement sur l'objet du discours pour se demander qui parlera: „c'est l'Esprit de votre Père qui parlera en vous".

Ces observations invitent à s'interroger sur la signification réelle du verbe λαλέω dans ces vv. 19–20. Nous avons vu qu'en Mc 13,11, ce verbe vise un „dire" qui est l'annonce même de l'Évangile, mentionnée explicitement au verset précédent. Chez Matthieu, le contexte du chapitre 10 reste celui de la prédication missionnaire; mais il faut reconnaître que la perspective missionnaire est moins évidente dans les vv. 19–20, et qu'il est difficile d'exclure entièrement une interprétation qui attribuerait à la promesse de ces versets le sens rassurant qui lui est prêté dans le parallèle de Luc.

Concluons donc que, comme Mc 13,9–11, le texte de Mt 10,17–20 voit dans la comparution des chrétiens devant les tribunaux païens l'occasion d'un témoignage missionnaire. Mais, dans son souci de préciser que ce témoignage concerne tant les Juifs que les Gentils, Matthieu ne lui accorde pas le relief qui caractérise la rédaction de Marc; il n'est pas certain chez lui que les vv. 19–20 développent la pensée amorcée dans la finale du v. 18.

5. Lc 12,11–12 révèle quelques points de contact précis avec Mt 10,19–20. Il s'agit chez Luc d'une sentence qui achève une petite collection de logia dont la majeure partie (Lc 12,2–9) se retrouve, dans le même ordre et dans des termes très semblables, dans le discours de mission de Matthieu (10,26–33). Ce passage constitute chez Matthieu une exhortation aux disciples à proclamer courageusement le message qui leur a été confié, sans se laisser effrayer par les dangers auxquels cette prédication les exposera de la part des persécuteurs. Cette exhortation suppose une situation de persécution, mais elle l'envisage comme le résultat de l'œuvre missionaire plutôt que comme une occasion favorable à la mission. En va-t-il de même chez Luc? La perspective de la péricope n'est-elle pas modifiée par l'évocation finale de la comparution des chrétiens devant les tribunaux? C'est ce que nous avons à examiner.

Après une mise en garde contre l'hypocrisie des Pharisiens (Lc 12,1), les vv. 2–3 se présentent, non comme un appel à proclamer le message reçu (Mt 10,26–27), mais comme un avertissement aux disciples: ce qu'ils auront dit dans le secret sera proclamé publiquement[16]. Ceci n'a évidemment rien à voir avec une prédication missionnaire[17]. Introduit par les mots: „Mais je vous le

[16] Ainsi notamment *A. Jülicher,* Gleichnisreden II, 95s.; *J. Schmid,* Matthäus und Lukas 272s; Lk 214; *E. Percy,* Botschaft 212; *G. Strecker,* Weg 190; *J. Lambrecht,* Redaction and Theology 289.

[17] Il faut ne pas tenir compte du point de vue du texte de Luc pour le lire dans une perspective missionnaire, comme le font par exemple *D. Lührmann,* Redaktion 50; *P. Hoffmann,* Studien 132 et 156; *S. Schulz,* Q 463ss.

dis à vous, mes amis", le v. 4 aborde un nouveau sujet: Jésus invite les siens à ne pas craindre les hommes qui peuvent tuer le corps, à craindre plutôt Celui dont dépend notre sort éternel[18], et à mettre en Lui notre confiance (vv. 4–7). La recommandation s'intéresse aux sentiments de crainte que la persécution peut susciter, sans que rien fasse penser à une activité missionnaire.
La reprise du v. 8: „Mais je vous le dis", fait penser qu'on aborde un nouveau thème[19]. Il s'agit maintenant du devoir de se déclarer pour Jésus devant les hommes, condition pour que le Fils de l'homme se déclare pour vous devant le tribunal de Dieu. Considéré en lui-même, le logion est essentiellement menaçant; mais il est clair que le contexte invite à mettre l'accent sur la promesse. Adressée au disciple qui aura confessé sa foi dans une circonstance qui évoque une comparution judiciaire, cette promesse s'intéresse au sort personnel du croyant plutôt qu'à l'avantage qui peut résulter de sa confession pour la diffusion de l'Évangile. Le point de vue reste celui de Lc 21,13: „Cela tournera en témoignage pour vous", dans ce qui le distingue de celui de Mc 13,9: „en témoignage pour eux".
On s'étonne de trouver à cet endroit le logion sur le blasphème contre le Saint Esprit (v. 10). Des liens étroits le relient cependant au logion précédent: non seulement il mentionne, lui aussi, le „Fils de l'homme", mais surtout sa formulation adopte la structure littéraire des vv. 8–9[20], se séparant en cela de la version de Mc 3,28–29. En même temps, le v. 10 est, avec la sentence des vv. 11–12, le seul endroit où le troisième évangile écrit „le Saint Esprit", au lieu de „l'Esprit Saint"[21], et ces versets jouent manifestement sur un contraste opposant, d'une part, l'attitude de ceux qui blasphèment contre le Saint Esprit et, d'autre part, le privilège de ceux qui jouissent de l'assistance du même Saint Esprit. Pour pouvoir identifier le blasphème contre le Saint Esprit au refus de

[18] Il ne s'agit pas du diable, comme le suppose *D. Lührmann,* Redaktion 50.

[19] Cf. *W. Grundmann,* Lk 252 et 254.

[20] Le parallélisme structurel des vv. 8–9 et 10a–b est bien mis en valeur par *E. Lövestam,* Spiritus blasphemia 69ss. et 80. Cet auteur souligne notamment le fait que Lc 12,8 et 12,10a constituent, dans la tradition synoptique, les deux seuls cas où une sentence commence par πᾶς ὅς. Il eût été interessant, nous semble-t-il, de noter le cas analogue de Ac 2,21 (= Rom 10,13), citant Joël 3,5: πᾶς ὅς ἐάν ἐπικαλέσηται... On peut se demander, en effet, si la formulation de Lc 12,8.10 n'est pas influencée par celle du texte de Joël. La suite des deux versets Lc 12,8 et 10a présente la même anacoluthe, le sujet désigné d'abord au nominatif devenant complément au datif. Le seconde partie des deux sentences (12,9 et 10b) se caractérise par l'emploi du participe conditionnel. Tous ces traits qui lient l'un à l'autre les logia de Lc 12,8–9 et 10 les distinguent en même temps de leurs parallèles synoptiques. On peut donc supposer qu'ils ont été conformés l'un à l'autre et doivent être considérés comme complémentaires.

[21] „Saint" est placé après „Esprit" 11 fois en Lc, 37 fois en Ac. Comme en Lc 12,10.12, l'adjectif est placé avant le substantif en Ac 2,38; 9,31; 13,4; 16,6. C'est aussi la construction de Mt 28,19.

la prédication missionnaire des disciples[22], il faudrait montrer que les sentences entre lesquelles ce verset fait transition concernent cette prédication. Ce n'est pas le cas pour les vv. 8–9, et pas davantage pour la sentence des vv. 11–12. Ces vv. 11–12 promettent aux disciples l'assistance du Saint Esprit lorsqu'ils auront à comparaître devant des tribunaux. Comme en 21,14, Luc précise qu'on ne devra pas se mettre en peine de la manière de „se défendre": le problème est celui du plaidoyer à présenter pour se laver des accusations portées contre les chrétiens. Le Saint Esprit fera d'eux de bons avocats en leur propre cause: Luc s'intéresse encore au sort des accusés plutôt qu'à l'occasion qui leur est donnée de faire œuvre missionnaire.

Concluons. La situation des chrétiens traduits devant les hautes autorités du monde païen est envisagée par Mc 13,9–11 comme l'occasion d'un témoignage qui doit concourir à l'annonce universelle du message évangélique. Ce point de vue n'apparaît pas dans les deux versions parallèles du discours eschatologique, Mt 24,9–14 et Lc 21,12–19. Il n'apparaît pas davantage dans la promesse faite par Lc 12,11–12 aux chrétiens placés dans la même situation. On le retrouve en Mt 10,17–20, dans le cadre du discours de mission, mais sous une forme moins explicite et moins appuyée.

[22] Ainsi *P. Hoffmann,* Studien 70: „Die Ablehnung der Jünger-Verkündigung ist Sünde wider den (in ihnen wirkenden) heiligen Geist und darum unvergebbar (Lk 12,10/Mt 12,32)." Voir aussi *S. Brown,* Apostasy 107s.

II

Les observations que nous venons de faire invitent à s'interroger sur le rapport littéraire à établir entre Mt 10,17–20 et Mc 13,9–11. Il ne serait cependant pas prudent de confronter ces deux textes sans tenir compte en même temps du rapport qui unit Mt 10 à Lc 12,11–12. Nous déboucherons ainsi sur la question de savoir si le texte de Lc 12,11–12 ne peut pas aider à mieux comprendre celui de Mc 13[23].

1. Entre Matthieu et Marc la présence de nombreuses divergences de détail n'empêche pas de reconnaître que les deux textes sont rigoureusement parallèles. Ils commencent tous les deux par une recommandation: celle de Matthieu: „Gardez-vous[24] des hommes", s'accorde mieux avec la première partie du texte (10,17–18)[25]; celle de Marc: „Regardez[26] à vous-mêmes", semble anticiper sur la seconde partie (13,11)[27]. Trois verbes au futur structurent la première partie: d'abord, des deux côtés, un futur actif; Matthieu ajoute un second futur actif, puis un passif, tandis que Marc continue par deux passifs. Quatre instances sont mentionnées: ce sont les mêmes, mais il y a divergence sur la construction grammaticale pour les trois dernières. Alors que Mt 10,18 unit „en témoignage pour eux et pour les nations", Mc 13 fait une coupure, achevant une phrase avec „en témoignage pour eux" (v. 9) et commençant une nouvelle phrase avec „Et à toutes les nations" (v. 10).

Ajoutons que, du point de vue littéraire, le texte de Matthieu est plus élaboré

[23] Nous ne retenons que trois des cinq passages analysés dans notre première partie. On comprendra que nous laissions de côté Mt 24,9–14, où le logion qui nous occupe ne reparaît plus, sinon par un bref écho au début du v. 9 et par la présence, au v. 14, de la prédiction adventice introduite par Marc au v. 10. Mais la recommandation de Mc 13,9–11 se retrouve en Lc 21,12–15, sous une forme notablement différente. *C. K. Barrett,* Holy Spirit 130ss, a même cru pouvoir dire que Lc 21,14–15 (sans mention d'une intervention de l'Esprit) représente la forme la plus ancienne de la sentence, forme par rapport à laquelle il faudrait considérer comme secondaires les formes de Mc 13,11; Mt 10,19–20 et Lc 12,11–12. A cette explication *G. R. Beasley-Murray,* Commentary 47, objectait déjà que le texte de Ac 6,10 „combines the motives of both Mk 13,10 and Lk 21,15, a significant procedure if Luke himself is responsible for the wording of the Lk 21 and Acts 6 passages, for it would indicate that he was consciously adapting the tradition by the use of terms that appealed to him". Cette observation oriente dans le sens de l'explication qui a été développée depuis lors par *J. Zmijewski,* Eschatologiereden 134–137. Il ne semble pas nécessaire de s'y attarder ici.

[24] προσέχετε, construit avec ἀπό, comme en Mt 7,15; 16,6.11.12; Lc 12,1; 20,46; le verbe est construit avec μή en Mt 6,1; Lc 21,34. Marc n'emploie pas ce verbe.

[25] En même temps qu'avec le v. 16a, comme nous l'avons déjà noté.

[26] βλέπετε, employé dans une mise en garde: sept fois chez Marc (4,24; 8,15; 12,38; 13,5.9.23.33), une fois chez Matthieu (24,4 = Mc 13,5), deux fois chez Luc (8,18 = Mc 4,24; Lc 21,8 = Mc 13,5) et une fois dans les Actes (13,40),

[27] Les vv. 9 et 10 prédisent l'avenir; seul le v. 11 est parénétique.

par son emploi des particules: γάρ au v. 17, δέ au v. 18, δέ et γάρ au v. 19 (au lieu de καί et ἀλλά). On y reconnait aussi des traits qui caractérisent la rédaction matthéenne: manière dont le v. 17 parle de „leurs" synagogues[28] et dont le v. 20 précise l'Esprit „de votre Père".

Au total, il semble que le texte de Matthieu s'explique plus facilement à partir de celui de Marc que l'inverse[29].

2. *Entre Matthieu et Luc* la divergence est plus étendue mais n'empêche pas de reconnaître quelques points de contact. Il n'y a probablement rien à conclure du fait qu'ils construisent tous les deux la proposition circonstancielle avec ὅταν δέ (Mc καὶ ὅταν)[30] et qu'ils construisent ἐπί avec l'accusatif (Mc génitif). Leur rencontre est plus significative quand, au lieu d'écrire au présent „ne vous souciez pas d'avance de ce que" (Mc: μὴ προμεριμνᾶτε τί), ils disent, à l'aoriste: „n'allez pas vous soucier de la manière ou de ce que" μὴ μερι-

[28] Marc parle deux fois de „leurs" synagogues (1,23.39). Chez Matthieu, l'expression apparaît en 4,23 (= Mc); 9,35; 10,17; 12,9; 13,54; voir aussi 23,34 („vos"); on trouve aussi „leurs villes" (11,1), „leurs scribes" (7,29). Ce trait, par lequel l'Église matthéenne se distancie du judaïsme, a retenu l'attention des exégètes: voir, par exemple, *G. D. Kilpatrick,* Origins 110; *G. Strecker,* Weg 30; *R. Hummel,* Auseinandersetzung 29; *W. D. Davies,* Setting 296s; *W. Trilling,* Israel 79; *D. R. A. Hare,* Theme 104s; *R. Walker,* Heilsgeschichte 33ss; *A. Sand,* Gesetz 81.

[29] L'occasion d'une intéressante contre-épreuve nous est offerte par *B. C. Butler,* Originality 79–82, qui croit pouvoir expliquer le texte de Mc 13,9–13 comme le résultat d'une combinaison des deux textes de Mt 10,17–22 et 24,9–14. Avant même d'aborder la discussion, il faudrait observer que l'auteur s'appuie sur un texte tronqué, où manque Mt 10,19b, en sorte que le passage correspondant de Mc 13,11b fait figure de supplément propre à Marc; il faudrait regretter aussi un manque d'intérêt pour les particularités linguistiques dont nous venons de parler. Une première considération (p. 80) part de l'observation que l'horizon de Mt 10 reste palestinien, alors que celui de Mt 24 est oecuménique; Mc 13,9 revient à un point de vue palestinien et se trouve n'être plus en situation. Il est facile de répondre à cela que Matthieu lui-même n'est pas fidèle à la distinction qu'il a tenté de faire: Mt 24,15–20 s'adresse à des chrétiens qui se trouvent à Jérusalem ou dans les environs immédiats. La deuxième considération présente le point de vue purement descriptif de Mt 24,5–14 comme premier par rapport à l'orientation parénétique du passage correspondant chez Marc. Affirmation discutable, car elle ne tient pas compte de la tendance systématique du premier évangéliste, qui a divisé son discours eschatologique en deux grandes parties: révélations apocalyptiques (24,1–41), puis leçons à en tirer pour la conduite du chrétien (24,42–25,46). La troisième considération veut tirer parti du fait que l'annonce de l'évangélisation de toutes les nations est fort maladroitement introduite en Mc 13,10, alors qu'elle ne dérange pas à l'endroit où Mt 24,14 la place, en finale du paragraphe. On peut douter que cette considération soit favorable à la priorité de Matthieu. Il reste une quatrième et dernière considération: elle vise plus précisément l'hypothèse qui fait dépendre les deux évangélistes de la même source Q. Nous pensons en effet que les difficultés de tout genre soulevées par l'idée d'une dépendance de Marc à l'égard de Q n'invitent pas à s'aventurer à la légère dans cette direction; sur ce point il peut suffire ici de renvoyer à l'exposé bien informé et nuancé de *M. Devisch,* La relation 59–91. Signalons que la thèse de la priorité de Matthieu reparaît chez *W. R. Farmer,* Synoptic Problem 275s.

[30] Voir *J. Schmid,* Matthäus und Lukas 270.

μνήσετε[31] πῶς ἢ τί. L'expression redondante πῶς ἢ τί[32], en particulier, ne se retrouve pas ailleurs dans le Nouveau Testament. La coïncidence est d'autant plus révélatrice que la suite du texte de Matthieu (10,26–33) reprend une séquence que Luc transmet dans le même contexte (12,2–9).
La version de Matthieu représente donc un texte intermédiaire entre celui de Marc et celui de Luc; on peut penser que, comme dans d'autres cas semblables, elle résulte de la combinaison de deux sources différentes.
3. Entre Luc et Marc il n'y a ici aucun contact littéraire: Lc 12,11–12 s'exprime tout autrement que Mc 13,9–11. Cependant certaines de ces divergences peuvent être attribuées au travail rédactionnel de Luc, en sorte qu'il est possible que la source utilisée par Luc ait éte plus proche de Marc que ne l'est le texte actuel:
(a) Au lieu des gouverneurs et des rois (Mt 10,18; Mc 13,9; Lc 21,12), Lc 12,11 mentionne „les chefs et les autorités". La présence d'une retouche rédactionnelle analogue en Lc 20,20 (diff. Mc 12,13; Mt 22,15) et le fait que ces deux passages de Luc donnent au mot ἀρχή un sens étranger à la tradition synoptique permettent de supposer que l'expression employée en Lc 21,11 est attribuable à l'évangéliste[33]. D'ailleurs, les désignations plus vagues dont use ce verset ont l'avantage de s'appliquer plus facilement à la réalité vécue par les chrétiens[34]. Il est donc possible que la source de Luc ait parlé, elle aussi, de gouverneurs et de rois.
(b) Avant les gouverneurs et les rois, Mt 10,17 et Mc 13,9 évoquent les συνεδρία. En Lc 21,12, ces συνεδρία sont remplacés par des prisons; en 12,11, ils disparaissent parement et simplement. Luc a-t-il craint que ce mot soit mal compris par ses lecteurs helléno-chrétiens[35]? Effectivement, les συνεδρία ne sont pas une institution propre au judaïsme. En tout cas, le fait que le mot manque dans le texte de Luc ne prouve pas qu'il était absent de sa source.
(c) Le verbe ἀπολογέομαι de Lc 12,11 a également été introduit en Lc 21,14. Il revient six fois dans les Actes[36] et deux fois chez Paul[37], pas ailleurs dans le Nouveau Testament; les Actes emploient aussi deux fois le substantif correspondant, ἀπολογία[38]. Luc emploie ces termes dans leur sens juridique précis: il s'agit du plaidoyer qu'un inculpé fait devant le tribunal pour se

[31] La grécité de προμεριμνάω est douteuse, et il semble normal de préférer un (subjonctif) aoriste à un (impératif) présent: J. Schmid.
[32] La leçon est à maintenir dans les deux cas, malgré quelques exemples de lecture abrégée.
[33] Cf. *A. Strobel,* Zum Verständnis 72s; *J. Lambrecht,* Redaktion 117; *S. Schulz,* Q 443, n. 291.
[34] *A. Strobel,* Zum Verständnis 74.
[35] *A. Strobel,* Zum Verständnis 73s.
[36] Ac 19,33; 24,10; 25,8; 26,1.2.24.
[37] Rom 2,15; 2 Co 12,19.
[38] Ac 22,1; 25,16.

défendre des accusations portées contre lui[39]. La présence du verbe en Lc 12,11 (et de ἤ τί, nécessités par son addition) doit être attribuée à la rédaction de Luc.
(d) L'expression „à l'heure même" (12,12) est exclusivement lucanienne[40]. On peut supposer que la source portait „à cette heure-là" (Mt 10,19; Mc 13,11).
Il paraît donc possible de rapprocher sur plusieurs points le texte attribuable à la source de Lc 12,11–12 et celui que nous lisons en Mc 13,9–11. Les différences n'en restent pas moins considérables. L'appui de Mt 10,19 rend particulièrement irréductible celle qui résulte de l'expression πῶς ἤ τί[41]. Mais d'autres points de divergence subsistent:
(a) „Lorsqu'on vous amènera". Luc a introduit ce verbe εἰσφέρω en Lc 5,18.19 (Mc: προσφέρω), et il l'emploie encore en Ac 17,20; mais ces observations ne nous paraissent pas fournir une base suffisante pour affirmer ici son caractère rédactionnel[42].
(b) Pour „dire", en finale du v. 11, Luc écrit εἰπεῖν. On ne voit aucune raison de penser qu'il ait substitué ce verbe à λαλεῖν s'il avait trouvé celui-ci dans sa source[43]. De plus, il semble difficile d'attribuer à Luc le parallélisme qui unit la finale du v. 11 (τί εἴπητε) à la finale du v. 12 (ἅ δεῖ εἰπεῖν): Luc a plutôt tendance à éviter une répétition de ce genre.
(c) Nous avons déjà noté que la construction „le Saint Esprit" (v. 12; cf. v. 10) ne se rencontre qu'ici dans le troisième évangile.

[39] Cf. *J. Dupont,* Études sur les Actes 536ss; *A. A. Trites,* Importance 282.
[40] Lc 2,38; 10,21; 13,21; 20,19; 24,33; Ac 16,18; 22,13. Voir aussi „ce jour même": Lc 23,12; 24,13.
[41] Voir *F. Neirynck,* Urmarcus 119s. Avec la plupart des exégètes, cet auteur estime que Lc 12,11–12 représente une tradition indépendante de Marc, tradition (Q) dont on retrouve la trace en Mt 10,19a, bien que l'ensemble du passage de Mt 10,17–22 ait Mc 13,9–13 comme source principale. Il se trouve ainsi en conflit avec *M.-E. Boismard* (Synopse II, 163, 280 et 362s) qui, tout en rattachant Mt 10,17–18.21–22 à la tradition marcienne (Mc 13,9–10.12–13), fait dépendre de la tradition Q non seulement Mt 10,19–20 et Lc 12,11–12, mais aussi Mc 13,11. Par la même occasion, Neirynck écarte l'hypothèse de *A. Fuchs* (Sprachliche Unters. 171–191), selon qui Mc 13,11 serait la source unique des autres formes du logion (Mt 10,19–20; Lc 12,11–12; 21,14–15), et qui croit pouvoir rendre compte des accords de Matthieu et Luc contre Marc en faisant appel à un *Deuteromarcus:* non pas le texte canonique de Marc, mais une édition retouchée.
[42] Contrairement à *A. Fuchs,* Sprachliche Unters. 174. Cela ne veut pas dire pour autant que le caractère primitif de ce verbe ait été démontré par *W. Bussmann,* Synoptische Studien II, 79s.; *J. Schmid,* Matthäus und Lukas 270, n. 1; *S. Schulz,* Q 442.
[43] Luc emploie volontiers λαλέω: 31 fois dans l'évangile (Mt 26, Mc 21) et 60 fois dans les Actes. Il revient 14 fois dans Lc 1–2. S'il est repris plusieurs fois à Marc (Lc 4,41; 5,21; 8,49; 22,47) ou à Q (Lc 6,45; 11,14), il y a aussi plusieurs cas où son emploi est attribuable à la rédaction (9,11; 11,37; 12,3; 22,60), quoi qu'il en soit de certains passages propres à Lc (5,4; 7,15).

(d) L'idée que le Saint Esprit „enseigne" quelque chose aux disciples n'est pas sans analogie avec la manière dont Luc parle ailleurs des interventions de l'Esprit[44]; il n'en s'agit pas moins d'une formule qui est unique chez lui[45].
(e) S'il est vrai que Luc emploie volontiers δεῖ[46], l'usage qu'il fait de ce verbe est surtout caractéristique de sa manière quand il s'agit de nécessaire accomplissement des desseins divins[47]: ce n'est pas son sens ici.
4. Marc comparé à Luc. S'il est vrai que le texte de Lc 12,11–12 s'explique mal à partir de Mc 13,9–11, on peut se demander si, en sens inverse, il n'y aurait pas quelque lumière à tirer du texte de Luc pour mieux comprendre celui de Marc. N'est-il pas possible que Marc ait rédigé son texte sur la base d'une source plus proche de celle de Luc que ne l'est Mc 13,9–11 dans sa forme actuelle?
(a) Le v. 9 s'ouvre par l'avertissement βλέπετε δὲ ὑμεῖς ἑαυτούς[48], „Regardez à vous-mêmes". Le rapprochement s'impose avec l'entrée en matière de Lc 12,1: προσέχετε ἑαυτοῖς, „Prenez garde pour vous-mêmes"[49]. Mais faut-il faire appel à une source pour rendre compte d'un raccord qui permet d'aligner la section des persécutions sur les exhortations βλέπετε qui scandent le discours eschatologique (Mc 13,5.9.23.33)?
(b) Nous avons vu qu'il faut probablement attribuer à l'intervention rédactionnelle de Luc les divergences dans la désignation des instances devant lesquelles les chrétiens auront à comparaître.
(c) Aucune raison n'est donnée à ces comparutions en Lc 12, alors que Mc 13,9 leur donne deux motifs: „à cause de moi, en témoignage pour eux". Le cas de la motivation christologique „à cause de moi" n'est pas isolé[50]. La tradition évangélique rapporte une promesse faite par Jésus à celui qui „perdra sa vie" (Lc 17,33; cf. Jn 12,25), ou plus précisément à celui qui „perdra sa vie à cause de moi" (Mt 10,39; 16,25; Lc 9,24), „à cause de moi et de l'Évangile" (Mc 8,35). Les formes plus explicites sont probablement secondaires, car l'addition du

[44] Cf. Ac 1,16; 11,2; 13,2, etc.
[45] Cf. Jn 14,26. Voir sur ceci *S. Schulz*, Q 443, n. 293.
[46] Considération invoquée par *S. Schulz* (Q 443, n. 295) en faveur du caractère rédactionnel de l'expression.
[47] δεῖ: Mt 8, Mc 6, Lc 18, Ac 22. Luc le doit 2 fois à Marc (Lc 9,22; 21,9) et 1 fois à Q (11,42). Son intervention rédactionnelle est plus ou moins probable dans 10 cas (2,49; 4,43; 13,33; 17,25; 18,1; 22,7.37; 24,7.26.44). Il s'agit surtout de la nécessité de la Passion selon le plan de Dieu (Lc 9,22; 13,33; 17,25; 22,37; 24,7.26.44). Bon exposé sur la portée de ces textes (auxquels on pourrait ajouter 2,49?) dans *G. Schneider*, Verleugnung 174–181.
[48] Voir les pronoms redoublés de Mc 6,31.37.
[49] Mise en garde contre le levain des Pharisiens dont on trouve l'équivalent en Mc 8,14 (Mt 16,5), dans la grande section omise par Luc (Mc 6,45–8,26).
[50] Voir *J. Dupont*, Béatitudes II, 355–368.

motif christologique se comprend plus facilement que sa suppression. On peut penser également que la déclaration „Vous serez haïs de tous à cause de mon nom" (Mc 13,13a; Mt 10,22; 24,12; Lc 21,17) explicite un texte moins précis (cf. Mt 10,36). Si donc la précision „à cause de moi" résulte vraisemblablement d'une addition secondaire en Mc 13,9, il n'y a pas de difficulté à expliquer la présence de la seconde motivation: „en témoignage pour eux". Elle est conforme au style de Marc, qui écrit ailleurs: „à cause de moi et de l'Évangile" (8,35), „à cause de moi et à cause de l'Évangile" (10,29), et qui parle de rougir „de moi et de mes paroles" (8,38)[51]. En voilà assez pour conclure que les deux compléments qui terminent le v. 9 de Marc représentent un état du texte plus récent que celui dont témoigne Lc 12,11 et qu'ils ne remontent probablement pas plus haut que la rédaction du deuxième évangile[52].

(d) La question ne peut manquer de se poser d'un rapport entre l'addition de ces deux compléments du v. 9 et l'insertion du v. 10: „Et il faut d'abord que l'Évangile soit proclamé à toutes les nations." Luc a bien senti que cette déclaration constituait un anachronisme dans le discours eschatologique: il l'a donc omise en 21,13, pour la réintroduire après la résurrection (24,47). Mais cette omission en 21,13 ne permet pas de conclure à une omission analogue en Lc 12,11: il n'y a pas de place à cet endroit pour une annonce de l'évangélisation des nations païennes. Sur ce point encore, le texte de Marc représente un stade plus récent que celui de Lc 12,11.

(e) L'introduction de ces éléments adventices ayant fait dévier la pensée, il fallait revenir à la situation décrite au v. 9. Le raccord du v. 11 remplit cette fonction: „Et lorsqu'on vous amènera en vous livrant". Le participe παραδιδόντες renoue avec le παραδώσουσιν du début du v. 9, bien que la recommandation du v. 11 se rattache peut-être plus naturellement au dernier verbe du v. 9: „vous comparaîtrez"[53]. Quoi qu'il en soit, le texte de Marc est

[51] Voir *F. Neirynck,* Duality 103ss.

[52] Rappelons brièvement que *W. Marxsen,* Evangelist p. 118, attribue le v. 9 tout entier à la source utilisée par Marc; l'addition rédactionnelle du v. 10 aurait simplement provoqué un glissement de sens pour l'expression εἰς μαρτύριον αὐτοῖς. C'est aussi le v. 9 en son entier que Marc devrait à sa source Q d'après *J. Lambrecht,* Logia-Quellen 322–326 et 328ss.: c'est au niveau de la source Q qu'il faudrait distinguer plusieurs stades, celui d'abord qui ne contenait aucune des deux motivations de Mc 13,9 (cf. Lc 12,11), celui ensuite où aurait été ajoutée la première motivation, ἕνεκεν ἐμοῦ (cf. Mt 10,18.39), celui enfin de l'adjonction de la seconde motivation, καὶ τοῦ εὐαγγελίου, ou (par une nouvelle mutation?) εἰς μαρτύριον αὐτοῖς. Voir aussi, du même auteur, Redaktion 119 et 124–127. *R. Pesch,* Naherwartungen 126–129 opère une dissociation: ἕνεκεν ἐμοῦ remonte à la source, et εἰς μαρτύριον αὐτοῖς est une addition rédactionnelle. Cette explication est reprise par *J. Zmijewski,* Eschatologiereden 143. On en rapprochera les indications fournies par *C. Colpe,* ThW VIII, 446, n. 308.

[53] *J. Lambrecht,* Redaktion 131, observe que le verbe παραδίδωμι ne semble plus avoir au v. 11 le sens qu'il avait au v. 9: au v. 9, il s'agissait de dénonciations aux autorités juives; au v. 11, la situation est celle d'un transfert à la juridiction païenne.

manifestement surchargé[54]; Lc 12,11, qui ne présente pas les mêmes répétitions, témoigne naturellement d'une forme du texte plus ancienne.

(f) Alors que Luc n'a qu'une seule phrase, faite d'une proposition circonstancielle (ὅταν) et de la principale qui indique la conduite à suivre dans la circonstance indiquée, Marc présente deux phrases indépendantes: le v. 9 décrit la situation de persécution, en s'exprimant à l'indicatif futur, le temps de la prédiction; le v. 11 commence par une circonstancielle (ὅταν) qui résume le v. 9, puis il formule à l'impératif la recommandation sur la conduite à tenir. Il n'est pas difficile de se rendre compte de ce qui s'est passé[55]. Si Marc avait commencé le v. 9 par une proposition circonstancielle, les additions de la fin du v. 9 et du v. 10 auraient fait attendre trop longtemps la recommandation principale. Il a donc transformé la proposition circonstancielle en une phrase indépendante (v. 9), pour la résumer brièvement dans la circonstancielle du v. 11 avant de passer à la recommandation principale. Ainsi le logion auquel Lc 12,11–12 a conservé son unite[56] a pris secondairement chez Marc la forme de deux logia distincts[57].

Conclusion. Après avoir souligné dans la première partie de cet article l'originalité du point de vue qui s'exprime en Mc 13,9–11, les observations que nous venons

[54] L'addition d'un complément rédactionnel en forme de participe présent correspondrait au procédé employé en Mc 4,31: voir *J. Dupont,* Le couple parabolique 340. Autres exemples de la même manière de faire: Mc 7,3.19; 11,25. Cette observation d'ordre stylistique est peut-être plus éclairante que celle de *M.-E. Boismard,* Synopse II 363, notant que le verbe ἄγω est employé au sens transitif 3 fois en Mt, 1 fois en Mc, 12 fois en Lc, 25 fois en Ac, et concluant que son insertion en Mc 13,11 doit être attribuée à l'ultime „Rédacteur marco-lucanien" du deuxième évangile.

[55] *H. Schürmann,* Trad. Unters. 154, l'explique fort bien: en reprenant dans le discours apocalyptique la sentence du Seigneur transmise en Lc 12,11–12, „(hat) Markus den ὅταν-Satz V. 9 verselbständigt und von der Hauptaussage V. 11 abgesetzt". Il ajoute: „Außerordentlich störend werden die beiden ursprünglich zusammengehörigen Hälften durch die Beteuerung V. 10 auseinandergerissen, vorerst müsse die Frohbotschaft noch bei allen Völkern verkündet werden (offenbar als Erläuterung zu εἰς μαρτύριον αὐτοῖς V. 9)."

[56] Mc 13,9.11 représente un logion traditionnel unique: outre H. Schürmann, voir *A. Strobel,* Zum Verständnis 73; *J. Lambrecht,* Redaktion 118s.; *J. Dupont,* Béatitudes II, 349–365. Cette unité est bien mise en valeur dans la présentation synoptique de *P. Benoit* et *M.-E. Boismard,* Synopse I, 260s.

[57] Dans leur majorité, les exégètes parlent de Mc 13,9 et 11 comme s'il s'agissait de deux logia différents; ils ajoutent souvent; rapprochés en vertu du mot-crochet παραδίδωμι. L'erreur est sans doute favorisée par la disposition du texte dans les synopses d'usage courant (Huck-Lietzmann ou K. Aland). Voir par exemple les commentaires de Marc par J. Schniewind, E. Lohmeyer, V. Taylor, D. E. Nineham, E. Haenchen; les ouvrages sur le discours eschatologique: *L. Hartman,* Prophecy Interpreted 167, 213s, 228, 238; *R. Pesch,* Naherwartungen 125–128, 131ss, 135, 137s; *L. Gaston,* No Stone 16–22; *J. Zmijewski,* Eschatologiereden 142 et 146. Ajoutons au moins *M.-E. Boismard,* Synopse II, 362s, où (malgré la bonne présentation des textes dans Synopse I) le v. 11 de Marc est considéré comme une addition de l'ultime Rédacteur marcien dans le contexte préexistant de 13,9–10.12–13.

de faire sur la part qui revient à Marc dans la rédaction de ces versets nous autorisent à attribuer à l'évangéliste lui-même[58] cette pensée que la persécution n'est pas seulement, pour les chrétiens, l'occasion de faire preuve de constance et de confiance en Dieu, qui n'abandonne pas les siens: elle prend une signification missionnaire positive, en fournissant l'occasion d'un témoignage qui doit contribuer à la diffusion universelle du message évangélique. N'est-il pas vrai que l'expérience séculaire de l'Église a merveilleusement confirmé le bien-fondé de cette affirmation audacieuse et sereine?

[58] Cette attribution à Marc serait plus assurée si l'on pouvait considérer Mc 13,10 comme la version corrigée par Marc du logion dont Mt 10,23 nous conserverait la forme primitive, suivant l'hypothèse ingénieusement défendue par *H. Schürmann,* Trad. Unters. 150–156, et à laquelle ont fait écho en particulier *A. Feuillet,* Origines 184s; *R. Schnackenburg,* Gottes Herrschaft 141s; *J. Lambrecht,* Logia-Quellen 330s; Redaktion 130. Cette explication met en jeu des présupposés littéraires d'une telle ampleur qu'il ne nous paraît pas possible de nous engager ici sur ce terrain.

Bibliographie

Barrett, C. K., The Holy Spirit and the Gospel Tradition, Londres 1947 (= 1954).

Beasley-Murray, G. R., A Commentary on Mark Thirteen, Londres 1957.

Benoit, P., et *Boismard, M.-E.*, Synopse des quatre évangiles en français, I. Textes, Paris 1965.

Benoit, P., et *Boismard, M.-E.*, Synopse des quatre évangiles en français, II. Commentaire, Paris 1972.

Brown, S., Apostasy and Perseverance in the Theology of Luke (AnBib 36), Rome 1969.

Bussmann, W., Synoptische Studien, II, Halle 1929.

Butler, B. C., The Originality of St Matthew. A Critique of the Two-Documents Hypothesis, Cambridge 1951.

Colpe, C., ὁ υἱὸς τοῦ ἀνθρώπου: ThWNT VIII (1969) 403–481.

Dautzenberg, G., ΣΩΤΗΡΙΑ ΨΥΧΩΝ (1 Petr 1,9): BZ 8 (1964) 262–276.

– Sein Leben bewahren. ΨΥΧΗ in den Herrenworten der Evangelien (StANT XIV), Munich 1966.

Davies, W. D., The Setting of the Sermon on the Mount, Cambridge 1964.

Devisch, M., La relation entre l'évangile de Marc et le document Q, dans (M. Sabbe) L'Evangile selon Marc. Tradition et Rédaction (BEThL XXXIV), Louvain-Gembloux 1974, 59–91.

Dupont, J., Aequitas romana. Notes sur Actes 25,16: RScR 49 (1961) 354–385 = Etudes sur les Actes des Apôtres (LD 45), Paris 1967, 527–552.

– Les Béatitudes (EtB), II. La Bonne Nouvelle; III. Les évangélistes, Paris ²1969 et ²1973.

– Les épreuves des chrétiens avant la fin du monde (Lc 21,5–19), dans Trente-troisième dimanche ordinaire (Assemblées du Seigneur 64), Paris ²1969, 77–86.

– La portée christologique de l'évangélisation des Gentils d'après Luc 24,47, dans (J. Gnilka) Neues Testament und Kirche. Für R. Schnackenburg, Freiburg 1974, 125–143.

– Le couple parabolique du Sénevé et du Levain (Mt 13,31–33; Lc 13,18–21), dans (G. Strecker) Jesus Christus in Historie und Theologie. Neutestamentliche Festschrift für H. Conzelmann, Tubingue 1975, 331–345.

Farmer, W. R., The Synoptic Problem. A Critical Analysis, New York-Londres 1964.

Feuillet, A., Les origines et la signification de Mt 10,23b. Contribution à l'étude du problème eschatologique: CBQ 23 (1961) 182–198.

Fuchs, A., Sprachliche Untersuchungen zu Matthäus und Lukas. Ein Beitrag zur Quellenkritik (AnBib 49), Rome 1971.

Gaston, L., No-Stone on Another. Studies in the Significance of the Fall of Jerusalem in the Synoptic Gospels (Suppl NovT XXIII), Leyde 1970.

Grundmann, W., Das Evangelium nach Markus (ThHK 2), Berlin 1959.

– Das Evangelium nach Lukas (ThHK 3), Berlin 1961.

Hahn, F., Das Verständnis der Mission im Neuen Testament (WMANT 13), 2e éd., Neukirchen-Vluyn 1965.

Hare, D. R. A., The Theme of Jewish Persecution of Christians in the Gospel according to St. Matthew (SNTS Mon Ser 6), Cambridge 1967.

Hartmann, L., Testimonium Linguae. Participial Constructions in the Synoptic Gospels. A Linguistic Examination of Luke 21,13 (CNT XIX), Lund-Copenhague 1963.

– Prophecy Interpreted. The Formation of Some Jewish Apocalyptic Texts and of the Eschatological Discourse Mark 13 Par (CB, NT 1), Lund 1966.

Hoffmann, P., Studien zur Theologie der Logienquelle (NTA, NF 8), Münster 1972.

Hummel, R., Die Auseinandersetzung zwischen Kirche und Judentum im Matthäusevangelium (BEvTh 33), Munich 1963.

Jülicher, A., Die Gleichnisreden Jesu, II, Tubingue ²1910.

Kilpatrick, G. D., The Origins of the Gospel according to St. Matthew, Oxford 1946.

Lambrecht, J., Die Logia-Quellen von Markus 13: Bib 47 (1966) 321–360.
– Die Redaktion der Markus-Apokalypse. Literarische Analyse und Strukturuntersuchung (AnBib 28), Rome 1967.
– The Parousia Discourse. Composition and Content in Mt., XXIV–XXV, dans (M. Didier) L'Evangile selon Matthieu. Rédaction et théologie (BEThL XXIX), Gembloux 1972, 309–342.
– Redaction and Theology in Mk., IV, dans (M. Sabbe) L'Evangile selon Marc. Tradition et rédaction (BEThL XXXIV), Louvain-Gembloux 1974, 269–307.
Lövestam, E., Spiritus blasphemia. Eine Studie zu Mk 3,28f par Mt 12,31f, Lk 12,10 (Scripta minora Reg. Soc. Human. Litt. Lund., 1966–1967: 1), Lund 1968.
Lührmann, D., Die Redaktion der Logienquelle (WMANT 33), Neukirchen-Vluyn 1969.
Marxsen, W., Der Evangelist Markus. Studien zur Redaktionsgeschichte des Evangeliums (FRLANT 67), Goettingue 1956.
Neirynck, F., Duality in Mark. Contributions to the Study of the Markan Redaction (BEThL XXXI), Louvain 1972.
– Urmarcus redivivus? Examen critique de l'hypothèse des insertions matthéennes dans Marc, dans (M. Sabbe) L'Evangile selon Marc. Tradition et rédaction (BEThL XXXIV), Louvain-Gembloux 1974, 103–145.
Percy, E., Die Botschaft Jesu. Eine traditionskritische und exegetische Untersuchung (Lunds Univ. Årskrift, NF, Avd. 1, Bd 49, Nr 5), Lund 1953.
Pesch, R., Naherwartungen. Tradition und Redaktion in Mk 13, Düsseldorf 1968.
Sand, A., Das Gesetz und die Propheten. Untersuchungen zur Theologie des Evangeliums nach Matthäus (BU 11), Ratisbonne 1974.
Schmid, J., Matthäus und Lukas. Eine Untersuchung des Verhältnisses ihrer Evangelien (BSt(F) XXIV, 2–4), Freiburg 1930.
– Das Evangelium nach Matthäus (RNT 1), Ratisbonne [5]1965.
– Das Evangelium nach Markus (RNT 2), Ratisbonne [5]1963.
– Das Evangelium nach Lukas (RNT 3), Ratisbonne [4]1960.
Schnackenburg, R., Gottes Herrschaft und Reich. Eine biblisch-theologische Studie, Freiburg [3]1963.
Schneider, G., Verleugnung, Verspottung und Verhör Jesu nach Lukas 22, 54–71. Studien zur lukanischen Darstellung der Passion (StANT XXII), Munich 1969.
Schulz, S., Q. Die Spruchquelle der Evangelisten, Zürich 1972.
Schürmann, H., Zur Traditions- und Redaktionsgeschichte von Mt 10,23: BZ 3 (1959) 82–88 = Traditionsgeschichtliche Untersuchungen zu den synoptischen Evangelien, Düsseldorf 1968, 150–156.
– Das Lukasevangelium, I (HThK III,1), Freiburg 1969.
Schütz, F., Der leidende Christus. Die angefochtene Gemeinde und das Christuskerygma der lukanischen Schriften (BWANT 89), Stuttgart 1969.
Strathmann, H., *martys*, ThWNT IV (1942) 477–520.
Strecker, G., Der Weg der Gerechtigkeit. Untersuchung zur Theologie des Matthäus (FRLANT 82), Goettingue 1962.
Strobel, A., Zum Verständnis von Röm 13: ZNW 47 (1956) 67–93.
Thysman, R., Communauté et directives éthiques. La catéchèse de Matthieu (Recherches et synthèses. Section d'exégèse, 1), Gembloux 1974.
Trilling, W., Das wahre Israel. Studien zur Theologie des Matthäus-Evangeliums (StANT X), Munich [3]1964.
Trites, A. A., The Importance of Legal Scenes and Language in the Book of Acts: NovT 16 (1974) 278–284.
Walker, R., Die Heilsgeschichte im ersten Evangelium (FRLANT 91), Goettingue 1967.
Zmijewski, J., Die Eschatologiereden des Lukas-Evangeliums. Eine traditions- und redaktionsgeschichtliche Untersuchung zu Lk 21, 5–36 und Lk 17,20–37 (BBB 40), Bonn 1972.

„ANFANG DES EVANGELIUMS"

Zum Problem des Anfangs und des Schlusses des Markusevangeliums[1]

Von Petr Pokorný

1 Der absichtliche Schluß des Markusevangeliums im 8. Vers des 16. Kapitels[2] hängt mit der Theologie des Evangelisten und mit der Funktion seines Werkes innerhalb der Kirche zusammen. Diese Funktion des ältesten Evangeliums möchte ich mindestens in einem ihrer Aspekte untersuchen. Zuerst muß ich jedoch die Ausgangsposition, die ich soeben formuliert habe, durch Erwähnung einiger z. T. schon bekannter Argumente stützen.

1.1 Ich setze die Zweiquellentheorie voraus, die sich in der Forschung bewährt hat. Die anderen Lösungsversuche rufen größere Schwierigkeiten hervor als sie fähig sind zu lösen.[3] Das gilt auch für die neueren Versuche D. L. Dungans, das Markusevangelium als einen Auszug aus Mattäus und Lukas zu begreifen (modifizierte Griesbachsche Hypothese).[4] Die Schwierigkeiten, die die Begründung der Reduktion, die notwendige Spätdatierung und die Erklärung der Unterschiede zwischen Mattäus und Lukas bereiten,[5] erlauben uns nicht, den abrupten Markusschluß als eine Kürzung des Mattäus- und Lukasevangeliums zu erklären, die der Evangelist vorgenommen habe, um die Abweichungen zu vermeiden.

1.2 Öfter hat man die Vermutung geäußert, der ursprüngliche Markusschluß sei verlorengegangen. Der unerwartete Schluß wäre dann für die theologische Einstellung des Evangeliums belanglos. Man müßte versuchen, den ursprünglichen Schluß zu finden oder zu rekonstruieren. Zuletzt hat E. Linnemann Mk 16,15–20 als den ursprünglichen Schluß bezeichnet. Den Verlust erklärt sie durch einen Blattabbruch.[6] Er muß dann jedoch schon das Original

[1] Der vorliegende Beitrag zieht einige Linien meines tschechischen Markuskommentars weiter.

[2] Gegen die Authentizität der späteren Schlüsse spricht ihr Fehlen im Codex Sinaiticus und das Zeugnis des Hieronymus. Eine zusammenfassende Behandlung der Belege bietet *B. M. Metzger,* Commentary 122–126. Zur Kritik des Versuchs von *W. R. Farmer,* die Ursprünglichkeit des längeren Markusschlusses nachzuweisen, vgl. die Besprechung von *W. Schenk.*

[3] Eine Übersicht der Debatte bietet *W. G. Kümmel,* Einleitung 26–53.

[4] Vgl. *D. L. Dungan,* Mark, bes. 90–97; *ders.,* Trends 88–91. Er knüpft an die Arbeiten *W. R. Farmers* an.

[5] *D. L. Dungan,* Mark 90, hat dieses Problem nur angedeutet.

[6] Vgl. *E. Linnemann,* Markusschluß 261.

betreffen,[7] sonst hätte man Belege der verlorenen Form. Und, weshalb hätte man später den wiedergefundenen Schluß mit der Erweiterung (16,9–14) niedergeschrieben?[8]

1.3 Einseitig ist es, über die Schwierigkeiten mit dem abrupten Schluß mit Hilfe der Annahme hinwegzukommen, der Evangelist habe die beabsichtigte Fortsetzung nicht schreiben können, weil sich die Umstände geändert hätten oder weil er gestorben sei.[9] Die Mitchristen und Schüler hätten nicht ein Torso zirkulieren lassen.[10] Entscheidend war für sie die Sache.

1.4 Nach W. Schmithals endet das Markusevangelium zwar absichtlich schon mit 16,8, aber das sei schon eine Umstellung einer älteren Vorlage, die mit der Ostererscheinung und mit der Aussendung zur Mission endete. Markus habe diese Abschnitte in 9,2–8 und 3,13–19 untergebracht,[11] und zwar aus theologischen Gründen. Er wollte das Leben Jesu um Epiphanien bereichern.[12] Man kann nicht ausschließen, daß Markus auch einige ausführlichere Erzählungen über die Ostererscheinungen gekannt hat, aber eine zusammenhängende Quelle mit der Passionsgeschichte und mit breiter erzählten Osterberichten kann man nicht beweisen. Schmithals setzt jedoch sogar voraus, daß Mattäus und Lukas jene Quelle gekannt haben und nach ihr ihre Passions- und Osterberichte gestaltet haben.[13] Weshalb haben sie dann die Erzählung über die Erscheinungen des Auferstandenen nicht aus jener Vorlage exzerpiert? Es ist auch wenig wahrscheinlich, daß der markinische Eingriff in die Vorlage durch die von dem Evangelisten vertretene Theologie der „geheimen Epiphanien" motiviert ist.[14] Die Erforschung der Sammlungen, die Markus übernommen hat, hat übrigens nur kleinere Katenen nachgewiesen.[15] Die Passionsgeschichte hat man dagegen als selbständiges Ganzes überliefert.[16]

1.5 Man muß also in Markus 16,8 den absichtlichen Schluß des Evangeliums sehen.[17] Eine derartige literarische Struktur steht also am Anfang der Evan-

[7] Vgl. *K. Aland,* Markusschluß 9. Seine Argumente gelten gegen jede Hypothese, die mit einem verlorengegangenen Schluß rechnet, auch gegen *R. Bultmann,* Erforschung 45, und *E. Schweizer,* Markus 216.

[8] Zusammenfassend *K. Aland,* Markusschluß; *W. G. Kümmel,* Einleitung 70ff; *R. H. Lightfoot,* Mark 80ff.

[9] Vgl. z.B. *Th. Zahn,* Einleitung 232; *G. Wohlenberg,* Markus 385.

[10] *R. H. Lightfoot,* Mark 80ff; *W. G. Kümmel,* Einleitung 72 u.a.

[11] *W. Schmithals,* Markusschluß 384ff, 398ff.

[12] Ebd. 394f, 410.

[13] Ebd. 401f.

[14] Vgl. *M. Dibelius,* Formgeschichte 219, 232.

[15] Vgl. *P. J. Achtemeier,* Origin. Dort finden sich auch Hinweise auf weitere bekannte Arbeiten dieser Art. Vgl. auch *H.-W. Kuhn,* Sammlungen 214–226.

[16] Vgl. zusammenfassend *J. Gnilka,* Christus 117–136.

[17] So *J. Wellhausen,* Evangelium Marci 136f; *J. Weiß,* Evangelium 345; *R. H. Lightfoot,* Mark 80. 113–116; *W. Grundmann,* Markus 326; *R. Pesch,* Naherwartungen 233; *J. Schreiber,* Markuspassion 31 u.a.

gelienbildung.[18] Den Einwand, daß kein Buch mit γάρ endet, kann man mit van der Horst z.B. mit dem Hinweis auf den Schlußsatz von Plotins Enneaden V,5 entkräften.[19]

2 Unser Problem ist jetzt die Erklärung der theologischen bzw. liturgischen Absicht, die Markus zu solcher Gestaltung seines Werkes geführt hat.

2.1 E. Lohmeyer hat die These geprägt, wonach der „offene" Schluß auf die bald erwartete Parusie hinweist. „Dort (in Galiläa) werdet ihr ihn sehen (ὄψεσθε)" bezieht sich danach auf die apokalyptische Epiphanie des Herrn.[20] W. Marxsen hat diese These unterbaut. Markus habe danach die Christen während des jüdischen Krieges zum Auszug nach Galiläa aufgefordert, wo sie die Parusie erleben sollten.[21] Vor kurzem wurde diese Auffassung auch von N. Perrin vertreten.[22] Das Markusevangelium müsse als apokalyptisches Drama aufgefaßt werden mit Instruktionen für die bevorstehende Parusie.[23] Der Aufruf zum Auszug nach Galiläa werde in diesem Zusammenhang nach dem Modell des alttestamentlichen Exodus interpretiert.[24] So interessant diese Hypothese auch angesichts einiger literarischer Probleme des Markusevangeliums sein mag, so schwer ist es, sie in einen breiteren geschichtlichen Rahmen einzuordnen.

2.1.1 Man kann kaum voraussetzen, daß Markus die kurzen Erscheinungsberichte, die schon vor Paulus einen weitgehenden Einfluß gewonnen haben (vgl. 1 Kor 15,1–7), nicht gekannt hätte. Und falls sie ihm bekannt waren, müßte er ihre Rolle zwischen Passion und Parusie erwähnen, denn sie waren mit dem Namen des Apostels Petrus verbunden, der noch Mk 16,7 erwähnt ist, obwohl er in der Zeit des jüdischen Krieges für die Christen in Palästina keine spezifische persönliche Bedeutung gehabt hat.[25] Wenn Markus die drei Leidens-

[18] Vgl. *W. Schneemelcher*, in: E. Hennecke – W. Schneemelcher I, 47; *J. Gnilka,* Christus 179; *U. Wilckens,* Auferstehung 50. Eine Sonderstellung nimmt *E. Trocmé,* Marc 53, ein, der den Schluß in 16,8 für beabsichtigt hält, aber den ursprünglichen Schluß am Ende des 13. Kapitels sucht (ebd. 51, 188).

[19] Vgl. *P. W. van der Horst,* ΓΑΡ; *ders.,* Musonius Rufus, mit Hinweis auf das Ende des XIII. Traktats des Musonius Rufus. Vgl. auch *J. L. Richardson,* St. Mark 16,8: JThS 49 (1948) 144ff. *R. H. Lightfoot* macht auch darauf aufmerksam, wie Markus das γάρ benutzt, z.B. 11,18 am Ende einer Perikope.

[20] Vgl. *E. Lohmeyer,* Markus 356.

[21] Vgl. *W. Marxsen,* Markus 74ff, 142.

[22] Vgl. *N. Perrin,* Interpretation 39.

[23] Vgl. *N. Perrin,* Introduction 162f; *N. Q. Hamilton,* Tradition 420f.

[24] Vgl. *G. C. Hobbs,* Methodology 85ff. Das Modell des Exodus setzt in seiner eigenwilligen Monographie auch *J. Bowman* voraus (Marc, bes. 310f).

[25] Vgl. *W. Grundmann,* Markus 324.

ankündigungen (8,31; 9,31; 10,33f) unterstreicht, die in den Auferstehungsvoraussagen gipfeln,[26] müßte Marxsen erklären, weshalb derselbe Evangelist die Tradition über die Begegnung mit dem Auferstandenen unterdrückt und die 16,6 bezeugte Auferstehung nachträglich (um das Jahr 70) in die Nähe der Parusie verschiebt.[27]

2.1.2 Es ist auch schwer zu erklären, weshalb die Jünger die Parusie in Galiläa erleben sollten, wenn die Parusie als Äonenwende, als kosmischer Umbruch verstanden wurde.[28] Hält man Galiläa für den Ort der Tätigkeit Jesu (Mk 1,7f), wo sein Werk vollendet werden soll, kann die Vollendung ebensogut die Erscheinung des Auferstandenen sein.[29]

2.1.3 Das ὄψεσθε in Mk 16,7 muß nicht auf eine mit der Äonenwende verbundene Theophanie hinweisen wie Mk 13,26; 14,62 oder zum Beispiel Offb 1,7. Die Aussage über die Auferstehung Jesu in Mk 16,6, die den Namen Gottes durch das Passiv umschreibt (ἠγέρθη), ist von der Osterverkündigung her geprägt (1 Kor 15,4; Röm 6,9), zu der auch das ὤφθη gehört (1 Kor 15,5ff; Lk 24,34). Will man auf das Ereignis des ὤφθη in der Zukunft hinweisen, muß man das Futurum ὄψεσθαι benutzen.[30] Grammatisch ist es also möglich, die Botschaft des Engels (16,6) auf die Erscheinungen des auferstandenen Jesus zu beziehen.

2.1.4 Auch die programmatische Bemerkung über die Mission (13,10) steht der ultraapokalyptischen Deutung des Wortes Markus 16,7 im Wege. Markus hat zwar eine verkürzte eschatologische Perspektive gehabt (13,30) und der jüdische Krieg dürfte die Gestalt seines Werkes mitbeeinflußt haben. Aber gerade der Krieg ist noch „nicht das Ende" (13,7). Die Generation der Leser soll noch das Evangelium verkünden und es wäre einseitig, das sorgfältig konzipierte Markusevangelium mit mehreren Anleitungen zur Mission (3,13f; 5,19f; 6,6b–13; 9,37) nur als einen „last call" vor dem erwarteten Weltende zu begreifen. Das Werk soll erst noch verbreitet werden, denn es gehört zum Evangelium (1,1).

2.1.5 Zuletzt seien noch die transparenten Aufrufe zur Nachfolge erwähnt (1,17; 2,14; 8,34). Daß es sich dabei um die Nachfolge nach Galiläa handelt, ist undenkbar.[31] Der Aufruf aus 16,7 bezieht sich auf die unmittelbare Zukunft,

[26] Markus hat mindestens die dritte Voraussage selbst formuliert, vgl. *G. Strecker,* Voraussagen 29.

[27] Die Bedeutung der Leidensankündigungen für die Interpretation des Markusevangeliums von der Osterbotschaft her hat auch *G. Schille,* Offen 78, betont.

[28] Vgl. *J. Blinzler,* Jesusverkündigung 102.

[29] Gegen *E. Lohmeyer,* Markus 356, und *W. Marxsen,* Markus 70f.

[30] 1 Kor 9,1 sagt Paulus, daß er den Herrn gesehen hat (ἑώρακα), vgl. *E. Best,* Temptation 176.

[31] So richtig *E. Schweizer,* Eschatologie 45–48.

die für Markus offensichtlich noch vor der Flucht in die Berge (13,14) liegt und die vom Standpunkt des Lesers aus zur Vergangenheit gehört.[32]

2.2 Es gibt auch andere Erklärungen des abrupten Schlusses des Markusevangeliums. M. Karnetzki legt das προάγειν in 16,7 als Aufruf zur Mission aus,[33] Maria Horstmann als Aufruf zur Re-Lektüre des Buches im Lichte der Auferstehungsbotschaft (16,6),[34] E. Trocmé als Ausdruck einer Ehrfurcht vor dem Numinosum, die dem Evangelisten nicht erlaube, von den Ostererscheinungen zu sprechen.[35] Direkt oder indirekt verbinden diese Exegeten den Schluß des Markusevangeliums mit der Auferstehungsbotschaft. Sie beschäftigen sich jedoch nicht näher mit der Auslegung des siebten Verses des letzten Kapitels.

2.3 Markus 16,7 bezieht sich offensichtlich auf die Ostererscheinungen. Einige Gründe habe ich schon oben (2.1) erwähnt.

2.3.1 Entscheidend spricht für diese Behauptung der Vergleich mit dem elementaren Abriß der Heilsgeschichte im ersten Korintherbrief 15,3b–5. Es wird dort über das *Kreuz*, die Bestattung[36] und die *Erweckung* von den Toten gesprochen. Dann wird bezeugt, daß *Petrus* und *andere Jünger* (die Zwölf) den auferstandenen Jesus *gesehen haben* (ὤφθη). In Markus 16,6 werden die Ereignisse des 15. Kapitels rekapituliert: „Ihr sucht ... den *Gekreuzigten*". Dann kommt das Neue: „Er wurde *auferweckt* ..., aber sagt seinen *Jüngern* und *Petrus:* Er geht euch voran nach Galiläa; dort werdet ihr ihn *sehen* (ὄψεσθε)".[37] Die Analogien gewinnen an Gewicht, wenn man bedenkt, daß die Formel aus 1 Kor 15,3–5 in 1 Kor 15,1 als Evangelium bezeichnet wird und daß die Worte „Anfang des Evangeliums" am Anfang des markinischen Werkes stehen (1,1). Es ist sehr wahrscheinlich, daß Markus auf den Höhepunkt des Evangeliums zumindest hingewiesen hat.[38]

2.3.2 Die Auslegung, die Mk 16,7 als Hinweis auf das Osterfest begreift, hilft auch andere Schwierigkeiten zu lösen, die mit dem abrupten Schluß verbunden sind. Es handelt sich vor allem um das Schweigemotiv, das im Zusammenhang mit der Priorität der Auferstehungszeugnisse zu erklären ist.[39] Die Aufer-

[32] Das Wort über das baldige Sehen (ἰδεῖν) des Reiches Gottes Mk 9,1 bezieht Markus auf die Verklärung, vgl. 9,2–8!

[33] Vgl. *M. Karnetzki,* Redaktion 249ff; *R. Pesch,* Naherwartungen 233.

[34] Vgl. *M. Horstmann,* Studien 134.

[35] Vgl. *E. Trocmé,* Marc 52f; *H. Balz,* Art. φοβέω 206; vgl. oben Anm. 18.

[36] Vgl. unten unter 3 und 5.1.

[37] Vgl. *R. H. Lightfoot,* Mark 94; *J. Blinzler,* Jesusverkündigung 102ff.

[38] Vgl. *S. Schulz,* Botschaft 141; *J. Blinzler,* Jesusverkündigung 102; *N. R. Petersen,* Composition 184. *Th. Boman,* Jesus-Überlieferung 97f, hat diese Beziehung unterstrichen, er unterschätzt jedoch die theologische Leistung des Markus (ebd. 100).

[39] Vgl. *H. Graß,* Ostergeschehen 22.

stehungszeugnisse haben, wie 1 Kor 15,3b–5 zeigt, in der Kirche grundlegende Bedeutung gewonnen. Sie waren früher als die Erzählung vom leeren Grab verbreitet, die zwar vor Markus existierte, aber keinen breiteren Einfluß gewonnen hatte. Paulus kennt diese Erzählung nicht. Er setzt das leere Grab voraus (1 Kor 15,12.42ff), aber nicht die Grabestradition, obgleich er mit ihr gut argumentieren könnte. Wenn Markus das grundlegende Zeugnis über die Ostererscheinungen mit der Erzählung vom leeren Grab verbinden wollte, mußte er erklären, weshalb sie früher nicht bekannt war. Darum gibt er die Auskunft: Die Frauen haben geschwiegen.[40] Gleichzeitig liegt darin vielleicht eine Warnung gegen die Verehrung des Grabes auf dem Grundstück des Josef von Arimatäa. Dort ist der Auferstandene nicht zu finden.

2.3.3 Auch wenn man die Verlegung der Ostererscheinungen nach Galiläa (Mt 28; Joh 21) für eine sekundäre Entwicklung hält, die von der markinischen Theologie abhängig ist, oder aber, was wahrscheinlicher ist, für ein ursprüngliches Zeugnis, so ist doch eines nicht zu bestreiten: Der Hinweis auf die Ostererscheinungen in Galiläa (Mk 16,7) hat den Christen geholfen, sich mit dem Fall Jerusalems abzufinden. Die Verbindung des Markusschlusses mit dem jüdischen Krieg kann dadurch geklärt werden.

3 Nun haben wir die Funktion des Begriffs εὐαγγέλιον bei Markus zu bestimmen. Bei Paulus ist das εὐαγγέλιον die Bezeichnung für die Auferstehungsbotschaft (siehe unten 5.1).

In Markus 1,1 kann man das Wort Evangelium also nicht auf das Werk als Buch oder als literarische Gattung beziehen. Im Neuen Testament bezeichnet εὐαγγέλιον immer die wörtlich überlieferte Botschaft. Als Bezeichnung für das schriftliche Evangelium setzt sich der Begriff erst bei Irenäus durch.[41] Der markinische Wortgebrauch geht also von der Terminologie aus, der wir auch beim Apostel Paulus begegnen. Gleichzeitig kommt es bei Markus zu einer Akzentverschiebung. Das ergibt sich aus der Untersuchung der Stellen, in denen Markus das Wort εὐαγγέλιον benutzt. Mk 1,14 und 15 ist das εὐαγγέλιον die Botschaft Jesu von dem nahegekommenen Reich Gottes. Diese Bedeutung klingt auch Mk 8,35 und 10,29 mit. Die Verbindung mit dem Zeitwort κηρύσσειν[42] und der Gedanke des Leidens für das Evangelium

[40] Vgl. ebd. 22.289; *G. Bornkamm,* Jesus 167f; *R. Bultmann,* Tradition 308. Diese Folgerung kann man auch dann ziehen, wenn man einen verlorengegangenen Markusschluß mit Ostererscheinungen voraussetzt.

[41] Vgl. die Übersicht bei *J. A. Baird,* Analysis 15.

[42] Vgl. 1,14 mit Gal 2,2 und 1 Tim 3,16.

deuten an, daß Markus[43] gleichzeitig an das Evangelium als Auferstehungsbotschaft gedacht hat. In dieser Bedeutung ist das Wort Evangelium Mk 13,10 gebraucht. Die missionarische Verkündigung der Kirche wird da in der Form einer prophetischen Aussage Jesu bestätigt. Besonders wichtig ist der 9. Vers des 14. Kapitels, in dem die Erzählung über die Salbung in Betanien ihren Höhepunkt findet: „Überall auf der Welt, wo das Evangelium verkündet wird, wird man auch an sie denken und erzählen, was sie getan hat". Die Salbung wird als Salbung zum Begräbnis gedeutet (V. 8). Die Salbungsgeschichte gehört danach zur erzählenden Darstellung des „starb ... und wurde begraben" (1 Kor 15,3.4) als Vorgeschichte des Evangeliums. Markus umgreift also mit seinem Begriff Evangelium auch die Vorgeschichte der Passion.[44] Sein ganzes Buch gehört zum Evangelium. In diesem Zusammenhang versuchen wir den ersten Satz des Buches auszulegen (1,1). Es wird hier erklärt, daß mindestens ein Teil der Tradition über das Leben Jesu in das Evangelium gehört. Und umgekehrt ist es das Evangelium im engeren Sinne, wie es Paulus bezeugt, das diese Ausdehnung legitimiert.
Die zwei Ebenen der Bedeutung des Begriffs εὐαγγέλιον in Markus 1,14f (Reichs- und Osterverkündigung) hält eine Klammer zusammen: Die Überzeugung, daß Jesu mit seiner Geschichte, die in der Kreuzigung gipfelte, in den καιρός des Evangeliums (1,15) gehört und von der Osterverkündigung nicht getrennt werden kann.[45] Auch die Botschaft Jesu (1,14f) gehört zum Evangelium.[46] Und gleichzeitig wird sie in der Osterbotschaft bestätigt.[47] Die Auferstehungsbotschaft steht nach Markus zwischen dem irdischen Jesus und der Parusie.

4 Das umfassende Verständnis des Begriffs Evangelium ist ein wichtiges Element in der theologischen Konzeption des ältesten Evangelisten. Um das näher zu beleuchten, müssen wir uns kurz mit einigen neueren Entwürfen der markinischen Theologie beschäftigen.

[43] Die εὐαγγέλιον-Belege im Markusevangelium sind höchstwahrscheinlich dem Evangelisten als Redaktor zuzuschreiben, vgl. *G. Strecker,* Überlegungen 104; *W. Marxsen,* Markus 82.

[44] Vgl. *R. Schnackenburg,* Evangelium 316ff.

[45] Vgl. ebd. 316.318.

[46] *G. Strecker,* Überlegungen 94.103, betont die Vorläufigkeit der Verkündigung Jesu im Vergleich mit der kirchlichen Osterbotschaft, jedoch gehöre beides zusammen. *R. Schnackenburg,* Evangelium 321, rechnet damit, daß Mk 1,15 aus der Tradition stammt, während *G. Strecker,* aaO. 96ff, nur mit der älteren christlichen Begrifflichkeit rechnet, die Markus redaktionell bearbeitet habe.

[47] Vgl. *R. Schnackenburg,* Evangelium 320f.

4.1 Die Doppeldeutigkeit des Begriffes εὐαγγέλιον bei Markus (vgl. oben 3) und die engagierte Darstellung zeigen, daß der Verfasser die Geschichte Jesu aktualisieren wollte. Einige Forscher haben deshalb betont, daß Jesus hier im Lichte der Auferstehung als ein Gottmensch dargestellt wird, als ein vorbildlicher Weiser und Träger der Wundermacht Gottes.[48] Das irdische Leben Jesu wird bei Markus wirklich an einigen Stellen auf „johanneische" Weise durch absichtlich doppeldeutige Ausdrücke aktuell gedeutet, 8,14–21 ist z.B. das einzige Brot auf dem Boot Jesus.[49] Die Verklärung, die in der Mitte des Markusevangeliums steht, unterstreicht diese Tendenz, die in der Gnosis bedeutenden Einfluß gewonnen hat.[50] H. Köster macht in diesem Zusammenhang auf den griechischen Roman und auf die Aretalogien aufmerksam, weil sie mit dem Markusevangelium den biographischen Rahmen gemeinsam haben. Er vermutet, daß bei Markus, ähnlich wie in den Aretalogien[51], die Tendenz vorhanden ist, ein Ideal zu personifizieren.[52] Es sind begreifliche Ideen, denn Markus will Jesus wirklich aktualisieren.[53] Er polemisiert nicht gegen die Überlieferung, die Jesus als Gottmenschen schildert. Er übernimmt sie und deutet sie nur um. Das εὐαγγέλιον bildet den Rahmen, das Fenster, das den Blick auf die Geschichte Jesu eröffnet.[54] Die älteren Überlieferungen werden von einem bestimmten Winkel her gezeigt. Und dies Evangelium, zu dem auch die Frau aus Betanien gehört (14,9) und das den Völkern verkündigt werden soll (13,10), ist offensichtlich die Osterbotschaft (vgl. 4.3). Von ihr her ist auch die Geschichte Jesu als εὐαγγέλιον zu begreifen, denn das Markusevangelium hat in den Ostererscheinungen seinen Angelpunkt (vgl. 2.3).

[48] So *J. M. Robinson,* Mark 107 (unter Anlehnung an *M. Wrede*).

[49] Vgl. *J. Mánek,* Mark 12ff.

[50] Von den Belegen, die *J. M. Robinson* (aaO. 116f) anführt, ist vor allem das Gespräch aus dem Buch des Tomas (NHC II/7) wichtig: Sp. 139 (bei R. durch Versehen als Sp. 141 bezeichnet), Zeile 30f.

[51] Vgl. *H. Köster,* Romance 136–147. Auch *S. Schulz,* Botschaft 38, betont die Beziehungen zwischen dem Markusevangelium und der antiken Biographie. Er rechnet jedoch mit dem Einfluß des Auferstehungszeugnisses bei der Entstehung des Evangeliums als Buch (ebd. 33). Zur Kritik seiner Thesen vgl. *Ph. Vielhauer,* Geschichte 350f; *E. Schweizer,* Leistung 42.

[52] Zur Definition der Aretalogie vgl. *M. Hadas – M. Smith,* Heroes 5. Man sollte besser von aretalogischen Tendenzen sprechen. M.E. ist es *M. Hadas* und *M. Smith* nicht gelungen, die Existenz der Aretalogie als einer literarischen Gattung nachzuweisen. Und im Roman, der zwar eine religiöse Dimension hat, kann man wieder die Helden nicht als ideale Gestalten ansehen, vgl. *B. E. Perry,* Romances 122f.

[53] Vgl. *G. Schille,* Offen 79, er erkennt die Bedeutung der Osterbotschaft für Markus durchaus an. Er interpretiert jedoch das Markusevangelium gleichzeitig als einen Aufruf zur Glaubensentscheidung (Mk 8,27–30) (vgl. *ders.,* Prolegomena 487), die durch die Konfrontation mit der Gestalt Jesu in ihrer ganzen Komplexität hervorgerufen werden soll (ebd. 484).

[54] Es ist wahrscheinlich, daß schon Jesus von der frohen Botschaft *(b-s-r)* gesprochen hat (vgl. Mt 11,5 par Lk 7,22 = Q). Aber wir haben oben gezeigt, daß Markus vom εὐαγγέλιον-Begriff der Osterverkündigung ausgeht.

Markus will Jesus aktualisieren, aber gerade durch Vermittlung, durch Ostern aktualisieren. Und die Osterverkündigung im vollen Sinne kommt erst nach der Passion.

4.2 Einen bedeutenden Beitrag zur Erforschung der Christologie des Markusevangelium hat Ph. Vielhauer geleistet. Er hat die Bedeutung des Gottessohn-Titels bei Markus erkannt,[55] der im positiven Sinne dreimal auftaucht (1,11; 9,7; 15,39). Er steht am Anfang, in der Mitte und am Schluß des Werkes. Zweimal wird er von der Himmelsstimme verwendet, zuletzt hören wir ihn aus dem Munde eines Menschen – des heidnischen Offiziers. Mit dieser Akklamation gipfelt das Evangelium als Darstellung der Inthronisation Jesu als des Gottessohnes. Was am Anfang nur Jesus und der Leser wußten, kommt in dem Bekenntnis zu Jesus innerhalb der heidenchristlichen Kirche zur Vollendung. Durch den pointierten Gottessohn-Titel wird die übernommene Tradition über Jesus als Gottmensch (vgl. 4.1) „überformt".[56] Diese Beobachtung ist zumindest in ihrem Kern bedeutend. Man kann mit Vielhauer über die Bestimmung der religionsgeschichtlichen Vorbilder streiten, man mag auch die Inthronisation schon in der Taufe sehen, doch wird zutreffend gezeigt, wie Markus die übernommenen Traditionen mit Hilfe der christologischen Titel bearbeitet. Man könnte sogar sagen: Jesus, den die Menschen als Messias bezeichnen (8,29), nimmt die Sendung des Menschensohnes auf (8,31) und gerade als solchen bestätigt ihn Gott als seinen Sohn (9,7).[57] Der Titel Gottessohn ist in den ältesten christlichen Belegen (Röm 1,3f, vgl. Apg 13,33ff) mit der Auferstehung verbunden.[58] Vielhauer meint zwar, daß Markus die Auferstehung in die Mitte seines Werkes versetzt habe (9,2–8).[59] Da aber das ἠγέρθη und das ὄψεσθε (16,7)[60] eine Schlüsselstellung am Ende seines Werkes haben (siehe 2.3.1), will der Gottessohn-Titel eher über den „offenen" Schluß hinaus auf das Ostergeschehen verweisen.

4.3 Wir haben schon festgestellt, daß das Markusevangelium eigentlich eine Erweiterung des ersten Teiles des εὐαγγέλιον als Osterbotschaft ist. Nach 1 Kor 15,3b–5 endet dieser erste Teil mit dem Tode Jesu. Das mit dem Tod beendete Leben Jesu kann man zwar von dem zweiten Teil des Evangeliums nicht trennen, aber man muß die beiden Teile gut unterscheiden. Der erste Teil bezieht sich auf einen Zeitabschnitt, den Markus als Vergangenheit sehen muß.

[55] Vgl. *Ph. Vielhauer,* Erwägungen 208f; *H. Weihnacht,* Menschwerdung 142 u.a. Weihnachts Gedankengang ist mir jedoch nicht immer ganz durchsichtig.

[56] Vgl. *Ph. Vielhauer,* Erwägungen 210f; *ders.,* Geschichte 344.350f; *G. Schille,* Offen 52f.

[57] Vgl. *M. Horstmann,* Studien 102f; *P. Pokorný,* Marka 183.

[58] Vgl. *W. Kramer,* Christos 107.

[59] Vgl. *Ph. Vielhauer,* Erwägungen 208.

[60] Das ὄψεσθε bezieht sich nicht auf die Parusie, siehe oben 2.1.3.

„Diese Intention setzt ein zwischen Vergangenheit, Gegenwart und Zukunft des Heils differenzierendes Denken voraus, zugleich aber ein Wissen um die Relevanz eines bestimmten Zeitraumes der Vergangenheit für die Gegenwart".[61] Dieses vergangene Geschehen ist „in der Verkündigung des Evangeliums aufgenommen und festgehalten. In diesem Sinne ist das Evangelium Erinnerung ..."[62] N. Petersen hat sogar versucht, die markinische Gliederung des Evangeliums in Zeitabschnitte aufgrund verschiedener Anwendung des Zeitwortes ὁρᾶν[63] zu bestimmten: 9,4.8 – Vergangenheit, 16,7 – Gegenwart des Lesers, 13,26 – die eschatologische Zukunft.[64] Die Erzählung endet dort, wo die irdische Gegenwart Jesu aufhört – mit dem Tod und mit dem leeren Grab. Das leere Grab ist zwar schon ein Zeichen des Neuen, aber immer noch ein indirektes, räumlich begrenztes und zweideutiges Zeichen, das erst im Licht der in 16,6 angekündigten Begegnung eindeutig wird. Das leere Grab ist noch kein Beweis der Auferstehung, es dient eher der Identifizierung des erhöhten Gottessohnes mit dem irdischen Jesus, dessen Geschichte das Markusevangelium erzählt. Die Betonung des ersten Teils bedeutet eine gewisse „Erdung" der Auferstehungsbotschaft. Solche „Erdung" sollte in der hellenistischen Umwelt die Auffassung Jesu als eines Heroen oder Übermenschen korrigieren.[65] Die Aufmerksamkeit wird auf den irdischen Jesus gelenkt, der zur Vergangenheit gehört[66] und trotzdem die erwartete endgültige Zukunft hat.[67] Nur auf diese Weise kann der Name Jesus Christus und der Titel Gottessohn zum Trost

[61] *J. Roloff,* Markusevangelium 92.

[62] *R. Schnackenburg,* Evangelium 317; vgl. ebd. 323; *H. Weihnacht,* Menschwerdung 120f.177.

[63] Siehe oben 2.1.3.

[64] Vgl. *N. R. Petersen,* Composition 184f.

[65] *Th. G. Weeden* begreift das ganze Markusevangelium als eine Polemik gegen diese Häresie. Markus hat jedoch diese Strömung noch nicht als Häresie empfunden. Er wollte nur ihre einseitige Auffassung durch die Verbindung mit anderen Traditionen, besonders solchen von der Passion, vermeiden. – *W. Schenk,* Deutung 237; *ders.,* Passionsbericht 37–51, findet auch hinter den Passionsperikopen einen „gnostisch-apokalyptischen" Strang der Erzählung. Seine Ausführungen haben mich bisher nicht ganz überzeugt. Es scheint mir, daß im Kreuzigungsbericht die Wiederholungen eher der bekannten markinischen Neigung zur Verdoppelung zuzuschreiben sind. Beim Verhör, wo man wirklich zwei Fassungen der Anklage greifen kann, scheint mir wieder der gnostische Strang (vgl. Passionsbericht 243) wenig gnostisch zu sein. Für unseren Zusammenhang ist jedoch bedeutend, daß W. Schenk der markinischen Redaktion die Absicht zuschreibt zu historisieren (vgl. Deutung 241ff; Passionsbericht 52–63).

[66] Es ist nicht ausgeschlossen, daß auch das Imperfektum im Gottessohn-Bekenntnis des Hauptmann (Mk 15,39) als Bekenntnis zum Gekreuzigten gedacht ist (vgl. *W. Schenk,* Passionsbericht 61).

[67] *H. C. Kee,* Transfiguration 149f, betont, daß die Verklärung eine proleptische apokalyptische Vision sein soll, die die apokalyptische Naherwartung zwar relativiert, aber als Erwartung bestätigt.

für die konkreten, sterblichen Menschen werden, nur auf diese Weise kann er auch zur Nachfolge aufrufen.[68] Mutatis mutandis gilt auch für die Theologie des Markus, was E. Käsemann im Gespräch mit der neueren Jesus-Forschung gesagt hat: „Der irdische Jesus mußte den gepredigten Christus davor schützen, sich in die Projektion eines ethischen Selbstverständnisses aufzulösen und zum Gegenstand einer religiösen Ideologie zu werden".[69]

5 Die nächste Frage, mit der wir uns beschäftigen wollen, ist die der literarischen Struktur des Markusevangeliums.

5.1 Markus hat das mündliche Evangelium in eine Erzählung umgesetzt (vgl. oben 3). Aber angesichts des „offenen" Schlusses ist diese Ausdehnung einseitig. Im Vergleich mit dem εὐαγγέλιον aus 1 Kor 15,3b–15 wird nur der erste Teil, das „Christus starb für unsere Sünden nach den Schriften und wurde begraben" dargestellt. Der Rest ist nur in den Hinweisen anwesend: „... er wurde auferweckt" (16,6 vgl. 1 Kor 15,4b), „... Am ersten Tag der Woche" (16,2a vgl. 15,4b), „... sagt seinen Jüngern und Petrus: ... dort werdet ihr ihn sehen" (16,7 vgl. 1 Kor 15,5). Die Übereinstimmung ist so auffallend, daß man die quantitative Verschiebung des Nachdrucks nicht durch die Annahme erklären kann, Markus habe da ein „anderes Evangelium" vor Augen gehabt. Wenn man das Markusevangelium mit dem εὐαγγέλιον nach Römer 1,3f vergleicht, das die Form einer Erhöhungsformel hat, stellen wir fest, daß auch in diesem Fall das Markusevangelium die Ausführung des ersten Teils dieser Formel wäre. Der Unterschied zwischen dem Evangelium in Römer 1 und in 1 Kor 15 ist jedoch groß. Man kann sagen, daß für das mündliche εὐαγγέλιον nur die Auferstehungsbotschaft bezeichnend war. Im Römer 1 begegnen wir nicht dem tiefen Bruch zwischen Tod und Auferweckung. Die davidische Herkunft (vgl. Ps Sal 17,4.21) ist hier als die Vorstufe der Thronbesteigung des Gottessohns gemeint, wobei vorausgesetzt wird, daß Jesus die Sendung des Gottessohns von Anfang an gehabt hat.[70]

Welche konkrete Form des mündlichen Evangeliums Markus vor Augen hatte, ist schwer zu entscheiden. Unsere Beobachtungen sprechen mehr für eine Formel wie 1 Kor 15,3b–5. Jedenfalls bearbeitet Markus die auf das irdische Leben bezogene Vorstufe, den Anfang des Evangelium.

5.2 Dadurch sind wir zu unserer These gekommen. Die Verschiebung des Nachdrucks in der „erzählenden" Fassung des Evangeliums bedeutet keine

[68] Vgl. *E. Schweizer,* Leistung 36–42.
[69] *E. Käsemann,* Sackgassen 69.
[70] Vgl. *E. Käsemann,* Römer 7–11.

grundsätzliche Änderung seiner theologischen Struktur. Es handelt sich um eine bewußte Begrenzung des Werkes auf den „Anfang" des Evangeliums. Es ist sehr wahrscheinlich, daß gerade der erste Satz des Buches diese Begrenzung programmatisch ankündigen will: „Anfang des Evangeliums von Jesus Christus". – Diesen Schluß kann man noch durch folgende Beobachtungen und Feststellungen unterstützen.

5.2.1 Zuerst sind es mehr oder weniger selbstverständliche Feststellungen, zum Beispiel, daß hier ἀρχή mit „Anfang" zu übersetzen ist und daß darin neben der zeitlichen Bedeutung des Beginns (vgl. Mk 13,8 – im übernommenen Stoff) wahrscheinlich auch die Bedeutung des Anfangs als Voraussetzung mitklingt, wie Mk 10,6.[71] – Es ist auch klar, daß sich hier das εὐαγγέλιον nicht auf das vorliegende Buch bezieht (vgl. oben 3). Das Werk bezieht sich auf das Evangelium als Osterbotschaft, und zwar als ihr Anfang oder ihre Voraussetzung.

5.2.2 Man muß die Vermutung ablehnen, es handele sich in Mk 1,1 um die spätere Glosse eines Schreibers.[72] In diesem Fall stünde dort wohl eher ἄρχεται oder ἄρχομαι.[73] Es ist auch sehr unwahrscheinlich, daß sich eine solche Glosse in der ganzen Tradition durchsetzen würde.

5.2.3 Ernster zu nehmen ist die Deutung, wonach mit dem Wort „Anfang" nur die ersten Verse (4–8 oder 4–13) oder das Auftreten Johannes des Täufers[74] gekennzeichnet werden sollen. Zwar ist eine solche Überschrift für eine Perikope nicht üblich, aber Johannes der Täufer als Repräsentant des alten Bundes kann innerhalb des Markusevangeliums eine besondere Rolle spielen. Gegen solche Auslegung des ersten Satzes spricht jedoch das Fehlen einer ähnlichen Hervorhebung vor dem entscheidenden Teil, etwa vor dem Beginn des öffentlichen Wirkens Jesu. Mk 1,14f kann diese Rolle nicht spielen. Es handelt sich um keine Überschrift und da der Begriff εὐαγγέλιον hier zum ersten Mal in dem eigentlichen Text auftaucht, ist es wahrscheinlicher, daß Markus die Verkündigung Jesu gerade zu dem Anfang des Evangeliums rechnet.[75]

5.2.4 Mehrere Forscher haben erkannt, daß sich der erste Satz auf das ganze Markusevangelium bezieht.[76] Einige meinen jedoch, daß es sich hier um die Anfangsstufe der Verkündigung handelt (vgl. Phil 4,15; 1 Klem 47,2), d.h. um

[71] Diese Bedeutung überwiegt in Joh 1,1 und 1 Joh 1,1.

[72] Als Möglichkeit hat es zuletzt *G. Friedrich,* Art. εὐαγγελίζομαι 724, Anm. 52, in Betracht gezogen.

[73] Vgl. *G. Wohlenberg,* Markus 14f.

[74] Vgl. *F. Hauck,* Markus 11 mit Hinweis auf Hos 1,2.

[75] Vgl. *M. E. Glasswell,* Beginning 40.

[76] Vgl. den Bericht bei *V. Taylor,* Mark 152.

das katechetisch Leichtere.[77] Was wäre dann angesichts der zusammenfassenden und theologisch komplizierten Arbeit das Anspruchsvollere? Die Auferstehungsbotschaft, auf welche zum Schluß des Markusevangeliums hingewiesen wird, war der missionarische Anfang der Katechese, also das Einfachere. Es handelt sich also um Anfang und Voraussetzung des Ereignisses, das das Zentrum oder die Vollendung des Evangeliums ist. Es ist das Ostergeschehen, das man im Zusammenhang mit den Ostererscheinungen verkündigt hat. Das Zeugnis vom irdischen Jesus wird hier also als der Anfang der Osterbotschaft begriffen.[78] Den zweiten Teil erzählt Markus nicht, weil er eben nur den Anfang erzählen will. So hängt das Problem des Anfangs mit dem Problem des Schlusses des Markusevangeliums zusammen. Sachlich liegt der Nachdruck auf dem Schluß, „pastoral", in die konkrete Situation hinein betont jedoch Markus, daß zur glaubwürdigen Osterbotschaft auch der Anfang, der irdische Jesus, gehört.

6 Wir haben festgestellt, daß Markus an das mündliche Evangelium anknüpft, daß er dessen ersten Teil entfaltet. Wie hat er sich jedoch die Fortsetzung vorgestellt?
6.1 Man kann nicht beweisen, daß Markus einen zweiten Band schreiben wollte. Seine Absicht war offensichtlich, das irdische Leben und Verhalten Jesu für die Leser hervorzuheben, die es wenig gekannt oder unterschätzt haben. Markus führt seinen Leser durch die Zeit der öffentlichen Tätigkeit Jesu, durch die Zeit der Erfolge und des Leidens. Nur in den Epiphanien wird den Jüngern oder zumindest dem Leser (1,11) gesagt: Das ist der Gottessohn, der hier lebt und handelt, der, den Gott auferweckt hat, wenn ihn auch die Menschen nicht begreifen. Markus will die unterschätzten Traditionen rehabilitieren, aber er will die im Leben der damaligen christlichen Gemeinden fest verankerten und gut „funktionierenden" Formen der mündlichen Tradition nicht ersetzen und deshalb nimmt er sie auch nicht auf. Er respektiert sie in ihrer selbständigen Form und Funktion innerhalb der Kirche. Er hat das Vaterunser nicht aufgenommen, das in der Kirche allgemein bekannt war (vgl. Mt 6,9b–13 par mit Gal 4,6; Röm 8,15). Er hat wahrscheinlich auch die von Mattäus und Lukas benutzte Spruchquelle gekannt, aber doch nicht übernommen. Wahrscheinlich, weil solche Worte eine feste Stellung in der ethischen Unterweisung der Kirche hatten. Paulus zitiert die λόγια des Herrn als eine Autorität, die höher ist als seine apostolische Autorität (1 Kor 7,10, vgl. damit 7,25). Sie waren für ihn

[77] Vgl. *G. Wohlenberg,* Markus 18–36; *A. Wikgren,* APXH 16–20.
[78] Vgl. *A. Menzies,* Gospel 57; *C. G. Montefiore,* Gospels 3; *R. Schnackenburg,* Evangelium 322f.

Aussagen, für die der Auferstandene bürgt.[79] – Es ist deshalb begreiflich, daß Markus auch das εὐαγγέλιον nicht im vollen Umfang zitiert und entfaltet. Er erzählt es nur bis zum Begräbnis, nur so weit, wie es zum Nachweis der persönlichen Identität des Auferstandenen mit dem Gekreuzigten notwendig ist. Sonst läßt er das Evangelium als Auferstehungszeugnis gelten, sei es in der Form der sogenannten Pistisformel (Röm 10,9; 1 Kor 15,3b–5 – 2. Teil) oder einer Erhöhungsformel (Röm 1,3; 2 Tim 2,8). Markus vermittelt seinem Leser die Begegnung mit dem irdischen Jesus, und zwar bis zum Ostermorgen. Die Antwort, das eigentliche Evangelium, muß der Leser in der Versammlung der Gemeinde hören, für welche Markus seinen „Anfang des Evangeliums" geschrieben hat. Der irdische Jesus kann nämlich mißverstanden werden, wie Markus – bis zu 16,8 – zu zeigen versucht. Das Osterbekenntnis der Gemeinde und des einzelnen innerhalb der Gemeinde ist ein lebendiges Zeugnis. Es ist ein Ja zum apostolischen Auferstehungszeugnis, dem Fundament und Urdatum aller christlichen Paradosis und Katechese. Und es ist ein Ja zu der Akklamation des Herrn, die für den christlichen Gottesdienst bezeichnend war.

Eine indirekte Analogie kann man in den lukanischen Verkündigungsreden finden, etwa Apg 10,34–43, wo es mit der verkündigten Auferweckung in V. 40 auch zu einem gewissen Umbruch der Form und der Funktion kommt. In den Versen 34–39 ist das Subjekt Jesus. Mit ihm fängt man an (V. 37). Nur ein Nebensatz spricht von Gott, der Jesus gesalbt hat (V. 38). In den Versen 40–42 wird Gott als Subjekt der Handlung verkündigt, der durch seine Zeugen zum Glauben aufruft. – Die Einteilung des lukanischen Doppelwerkes stimmt mit dieser Struktur nicht überein.[80] Der πρῶτος λόγος, das Lukasevangelium (Apg 1,2.22), reicht bis zu der sogenannten Himmelfahrt. Da aber nach Lukas erst Pfingsten die Verkündigung des Auferstandenen eröffnet (Lk 24,49), kann man dem lukanischen Werk zumindest das Bewußtsein des Umbruchs zwischen Jesus als Zeugen und als dem Bezeugten entnehmen. Damit befinden wir uns jedoch in einer späteren Etappe, in welcher man auch die bewährten Traditionsformen in die christliche Literatur aufgenommen hat – in die Werke, die man heute auch Großevangelium nennt.

6.2 Der „offene" Markusschluß ist ein fast modernes literarisches Element. Die ernste und bedeutende Geschichte wird bei Markus im „niedrigen" Stil *(sermo humilis)* erzählt[81] und mit einer abrupten Bemerkung abgeschlossen. In

[79] Zum Problem und zur These dieses Beitrages vgl. auch *P. Pokorný,* Worte 172ff.

[80] Dieser Unterschied kann ein Zeugnis für den vorlukanischen Ursprung des Grundbestandes der Rede in Apg 10,34–43 sein.

[81] Auf diese Beobachtung *E. Auerbachs,* Mimesis 44–46, hat *H. Schürmann,* Überwältigung 209ff.214, aufmerksam gemacht.

der modernen Prosa wird ein solcher Schluß als Ansporn zum Nachdenken konzipiert. Auch Markus hat sein Werk als Aufruf zu einer eigenen Stellungnahme des Lesers gedacht. Der Unterschied besteht darin, daß Markus den Leser mit Blick auf das soziale Milieu der christlichen Gemeinden hin anspricht. Die persönliche Antwort, die er von ihm erwartet, ist mit der Bejahung dieser Gemeinschaft gleichbedeutend, vielleicht sogar mit der Wiederholung der Tradition, die er während der Katechese übernommen hat. Das Markusevangelium als literarisches Zeugnis zeigt als der Anfang über sich hinaus zu dem lebendigen sozialen Milieu der betenden und bekennenden Gemeinde.

Nachtrag:
Nach Abfassung meines Beitrags ist der 1. Band des Markus-Kommentars von R. Pesch erschienen (Das Markusevangelium, [1. Teil = Herders Theologischer Kommentar zum Neuen Testament II/1] Freiburg i. Br. 1976). Die Ausführungen zu Mk 1,1 betreffen unmittelbar die Thesen meines Beitrags, wenn sie auch nicht zu ihnen im Widerspruch stehen.

Literatur

Achtemeier, P. J., The Origin and Function of the Pre-Marcan Miracle Catenae: JBL 91 (1972) 198–221.

Aland, K., Der wiedergefundene Markusschluß?: ZThK 67 (1970) 1–13.

Auerbach, E., Mimesis, Bern ²1959.

Baird, J. A., Genre Analysis, in: *H. Köster* (Hrsg.), The Genre of the Gospels, Missoula 1972, 1–28.

Balz, H., Art. φοβέω etc. (C–E), in: ThWNT IX (1973) 201–216.

Bartsch, H. W., Der Schluß des Markusevangeliums: ThZ 27 (1971) 241–254.

Best, E., The Temptation and the Passion. The Marcan Soteriology, Cambridge 1965.

Betz, H. D. (Hrsg.), Christology and a Modern Pilgrimage. A Discussion with N. Perrin, Claremont ²1971.

Blinzler, J., Jesusverkündigung im Markusevangelium, in: *W. Pesch* (Hrsg.), Jesus in den Evangelien (SBS 45), Stuttgart 1970, 71–104.

Boman, Th., Die Jesus-Überlieferung im Lichte der neueren Volkskunde, Göttingen 1967.

Bornkamm, G., Jesus von Nazareth, Stuttgart ²1957.

Bowman, J., The Gospel of Mark. The New Christian Jewish Passover Haggadah (Studia postbiblica 8), Leiden 1965.

Bultmann, R., Die Erforschung der synoptischen Evangelien, Berlin ⁵1966.

Ders., Die Geschichte der synoptischen Tradition, Göttingen ⁴1958 (Nachdr. Berlin 1961).

Dibelius, M., Die Formgeschichte des Evangeliums, Tübingen ³1959 (Nachdr. Berlin ⁵1966).

Dungan, D. L., Reactionary Trends in the Gospel Producing Activity of the Early Church: Marcion, Tatian, Mark, in: *H. Köster* (Hrsg.), The Genre of the Gospels, Missoula 1972, 65–107.

Ders., On the Gospel of Mark, in: Jesus and Man's Hope, Pittsburgh 1970, 51–98.

Farmer, W. R., The Last Twelve Verses of Mark, Cambridge 1974.

Friedrich, G., Art. εὐαγγελίζομαι etc., in: ThW II (1935) 705–735.

Glasswell, M. E., The Beginning of the Gospel, in: *ders.* und *E. W. Fasholé-Luke,* New Testament Christianity for Africa and for the World (Festschr. f. H. Sawyerr), London 1974, 36–43.

Gnilka, J., Jesus Christus nach den frühen Zeugnissen des Glaubens (Die Botschaft Gottes, Ntl. Reihe H. 29), Leipzig 1972.

Graß, H., Ostergeschehen und Osterberichte, Berlin ²1964.

Grundmann, W., Das Evangelium nach Markus (ThHK 2), Berlin ⁶1973.

Hadas, M. – Smith, M., Heroes and Gods. Spiritual Biographies in Antiquity, New York ²1970.

Hamilton, N. Q., Resurrection Tradition and the Composition of Mark: JBL 84 (1965) 415–421.

Hauck, F., Das Evangelium des Markus (ThHK 2), Leipzig 1931.

Hennecke, E. – Schneemelcher, W., Neutestamentliche Apokryphen. Bd. I: Evangelien, Tübingen 1959 (Nachdr. Berlin 1968).

Hobbs, G. C., N. Perrin on Methodology in the Interpretation of Mark, in: *H. D. Betz* (Hrsg.), Christology and a Modern Pilgrimage. A Discussion with N. Perrin, Claremont ²1971, 79–91.

Horst, P. W. van der, Can a Book End with ΓΑΡ?: JThSt 23 (1972) 121–124.

Ders., Musonius Rufus and the New Testament: NovT 16 (1974) 306–315.

Horstmann, M., Studien zur markinischen Christologie (NTA 6), Münster 1969.

Käsemann, E., Sackgassen im Streit um den historischen Jesus, in: *ders.,* Exegetische Versuche und Besinnungen, Bd. II, Göttingen ²1965, 31–68 (Nachdr. Berlin 1968, 132–169).

Ders., An die Römer (HNT 8a), Tübingen ²1974.

Karnetzki, M., Die galiläische Redaktion im Markusevangelium: ZNW 52 (1961) 238–272.

Kee, H. C., The Transfiguration in Mark: Epiphany or Apocalyptic Vision? in: Understanding the Sacred Text (Festschr. f. M. J. Enslin), Valley Forge 1972, 135–152.

Köster, H., Romance, Biography, Gospel, in: *ders.* (Hrsg.), The Genre of the Gospels, Missoula 1972, 120–147.

Kramer, W., Christos Kyrios Gottessohn (AThANT 44), Zürich 1963 (Nachdr. Berlin 1970).
Kümmel, W. G. (– Feine, P. – Behm, J.), Einleitung in das Neue Testament, Heidelberg [17]1973 (Nachdr. Berlin 1965).
Kuhn, H.-W., Ältere Sammlungen im Markusevangelium (StUNT 8), Göttingen 1971.
Lightfoot, R. H., The Gospel Message of St. Mark, Oxford 1950.
Linnemann, E., Der (wiedergefundene) Markusschluß: ZThK 66 (1969) 255–287.
Lohmeyer, E., Das Evangelium des Markus (Meyer K I/2), Göttingen [15]1959.
Mánek, J., Mark VIII, 14–21: NovT 7 (1964) 10–14.
Marxsen, W., Der Evangelist Markus (FRLANT 67), Göttingen 1956.
Menzies, A., The Earliest Gospel, London 1901.
Metzger, B. M., A Textual Commentary on the Greek New Testament, London-New York 1971.
Montefiore, C. G., The Synoptic Gospels, Bd. I, London [2]1927.
Perrin, N., Towards an Interpretation of the Gospel of Mark, in: *H. D. Betz* (Hrsg.), Christology and a Modern Pilgrimage. A Discussion with N. Perrin, Claremont [2]1971, 1–78.
Ders., The New Testament. An Introduction, New York 1974.
Perry, B. E., The Ancient Romances, Berkeley – Los Angeles 1967.
Pesch, R., Naherwartungen. Tradition und Redaktion in Mk 13, Düsseldorf 1968.
Petersen., N. R., Composition and Genre in Mark's Narrative, in: H. Köster, The Genre of the Gospels, Missoula 1972, 174–200.
Pokorný, P., Die Worte Jesu der Logienquelle im Lichte des zeitgenössischen Judentums: Kairos 11 (1969) 172–180.
Ders., Výklad evangelia podle Marka, Praha 1974.
Robinson, J. M., On the Gattung of Mark (and John), in: Jesus and Man's Hope, Pittsburgh 1970, 99–130.
Roloff, J., Das Markusevangelium als Geschichtsdarstellung: EvTh 27 (1969) 73–93.
Schenk, W., Die gnostisierende Deutung des Todes Jesu und ihre kritische Interpretation durch den Evangelisten Markus, in: *K. W. Tröger* (Hrsg.), Gnosis und Neues Testament, Berlin 1973, 231–243.
Ders., Der Passionsbericht nach Markus, Berlin 1974.
Ders., Besprechung von W. R. Farmer, The Last Twelve Verses: ThLZ 100 (1975) 680–682.
Schille, G., Prolegomena zur Jesusfrage: ThLZ 93 (1968) 481–488.
Ders., Offen für alle Menschen. Redaktionsgeschichtliche Beobachtungen zur Theologie des Markusevangeliums, Berlin 1973.
Schmithals, W., Markusschluß, Verklärungsgeschichte und die Aussendung der Zwölf: ZThK 69 (1972) 379–411.
Schnackenburg, R., „Das Evangelium" im Verständnis des ältesten Evangelisten, in: Orientierung an Jesus (Festschr. f. J. Schmid), Freiburg–Basel–Wien 1973, 309–324.
Schreiber, J., Die Markuspassion, Hamburg 1969.
Schürmann, H., Die Überwältigung der antiken Stilregel durch die Geschichte Jesu Christi (1969), in: *ders.*, Das Geheimnis Jesu (Die Botschaft Gottes, Ntl. Reihe, H. 28), Leipzig 1972, 208–220.
Schulz, S., Die Stunde der Botschaft. Einführung in die Theologie der vier Evangelisten, Berlin 1969.
Schweizer, E., Die theologische Leistung des Markus, in: *ders.*, Beiträge zur Theologie des Neuen Testaments, Zürich 1970, 21–42.
Ders., Das Evangelium nach Markus (NTD 1), Göttingen 1967.
Ders., Eschatologie im Evangelium nach Markus (1969), in: *ders.*, Beiträge (s. o.) 43–48.
Strecker, G., Die Leidens- und Auferstehungsvoraussagen im Markusevangelium: ZThK 64 (1967) 16–39.
Ders., Literarkritische Überlegungen zum εὐαγγέλιον-Begriff im Markusevangelium, in: Neues Testament und Geschichte (Festschr. f. O. Cullmann), Zürich–Tübingen 1972, 91–104.
Taylor, V., The Gospel According to St. Mark, London 1953.
Trocmé, E., La formation de l'Évangile selon Marc, Paris 1967.

Vielhauer, Ph., Erwägungen zur Christologie des Markusevangeliums (1964), in: *ders.*, Aufsätze zum Neuen Testament (ThB 31), München 1965, 199–215.
Ders., Geschichte der urchristlichen Literatur, Berlin–New York 1975.
Weeden, Th. G., The Heresy that Necessitated Mark's Gospel: ZNW 59 (1968) 145–158.
Weihnacht, H., Die Menschwerdung des Sohnes Gottes im Markusevangelium (HUTh 13), Tübingen 1972.
Weiß, J., Das älteste Evangelium, Göttingen 1903.
Wellhausen, J., Das Evangelium Marci, Berlin [2]1909.
Wikgren, A., ΑΡΧΗ ΤΟΥ ΕΥΑΓΓΕΛΙΟΥ: JBL 61 (1942) 11–20.
Wilckens, U., Auferstehung, Stuttgart–Berlin 1970.
Wohlenberg, G., Das Evangelium des Markus (KNT 2), Leipzig [3]1903.
Zahn, Th., Einleitung in das Neue Testament, Bd. II, Leipzig [3]1924.

KYRIOS JESUS

Beobachtungen und Gedanken zum Schluß des Markusevangeliums

Von Hans Lubsczyk

Wenn man das Markusevangelium im Licht des Alten Testamentes betrachtet, gewinnt man den Eindruck, daß der kanonische Markusschluß ursprünglich zum Evangelium gehört. Die Frage nach dem Verfasser des Markusschlusses, dessen Unechtheit ziemlich allgemein als ein sicheres Ergebnis der exegetischen Forschung angesehen wird[1], ist nicht von wesentlicher Bedeutung für seinen bleibenden Wert und für den Glauben der Kirche; im Gegenteil kann eine spätere Ergänzung wertvoll sein für die Erforschung der Entfaltung und für den Erweis der Kontinuität des Glaubensbewußtseins der Kirche. Aber für das Verständnis des Markusevangeliums ist es von erheblicher Bedeutung, ob der kanonische Schluß zum Evangelium gehört oder nicht. Muß man doch damit rechnen, daß der Abschluß einer Schrift den Aussagewillen des Verfassers in besonderer Weise erkennen läßt und den Schlußstein der ganzen Komposition bildet. Man darf sogar vermuten, daß der Schluß, wenn er ursprünglich ist, einen Schlüssel zum Verständnis des ganzen Evangeliums darstellt.

Auffällige Zusammenhänge zwischen dem Markusschluß und dem Evangelium sind mir bei der Beschäftigung mit den alttestamentlichen Grundlagen des Markusevangeliums deutlich geworden. Das ist nicht überraschend, denn es entspricht der Natur der Sache, daß vom Alten Testament her, das die heilige Schrift der Verfasser des Neuen Testamentes war, neutestamentliche Probleme in einem neuen Licht erscheinen können.

Diese Überlegungen sollen meinem Kollegen und Freund Heinz Schürmann zu seinem 65. Geburtstag gewidmet sein. Auch wenn ich nicht weiß, ob die These dieses Aufsatzes seine Zustimmung findet, so hoffe ich doch, mit dieser Festgabe eine Übereinstimmung mit Grundanliegen seines exegetischen Wirkens zum Ausdruck bringen zu können.

Die Argumente, die gegen die Ursprünglichkeit des Markusschlusses vorgebracht werden, sind bekannt und brauchen zunächst nicht im einzelnen aufgeführt zu werden. Ich möchte die der üblichen Auffassung entgegenstehenden Argumente in der Weise vortragen, wie sie mir selbst deutlich geworden sind.

[1] Literatur bei *A. Wikenhauser – J. Schmid,* Einleitung 221f; *K. Aland,* Schluß des Markusevangeliums 435–470.

I. Alttestamentliche Zitate im Markusevangelium

Am Ende des Markusschlusses steht eine Kombination von zwei alttestamentlichen Zitaten, mit denen die Aufnahme des Kyrios Jesus in den Himmel ausgesagt wird. Es scheint, daß damit eine ganze Folge von alttestamentlichen Zitaten zum Abschluß kommt, die nicht nur die Rückbindung der Überlieferung an das Alte Testament widerspiegeln, sondern Hinweise geben können auf die Aussageabsicht des Verfassers. Die Verwendung des Kyriostitels für Jesus ist einer der Gründe, die gegen die Echtheit des Markusschlusses angeführt werden. Doch scheint die Aufnahme des Kyrios-Jesus in den Himmel im Verlaufe des ganzen Evangeliums vorbereitet zu sein. Die Inthronisierung des Kyrios erscheint als die Vollendung seines Prophetenschicksals. Die Verbindung des Kyriostitels mit zwei alttestamentlichen Zitaten im Markusschluß läßt drei Aspekte erkennen, unter denen die anderen Zitate aus dem Alten Testament gesehen werden können: Der Hoheitstitel Kyrios, seine Inthronisierung zur Rechten Gottes und das Verständnis des Kreuzestodes als Prophetenschicksal. Wenn wir die alttestamentlichen Zitate unter diesen Rücksichten betrachten, treten besonders diejenigen hervor, die, wie im Markusschluß, aus mehreren alttestamentlichen Stellen kombiniert sind.

1. Kyrios Jesus

Das den Markusschluß abschließende Zitat scheint schon am Beginn des Evangeliums vorbereitet zu werden. Auch hier finden wir ein aus zwei alttestamentlichen Stellen zusammengesetztes Zitat (Mk 1,2, vgl. Mal 2,1; Jes 40,3), in dem das Verhältnis Jesu zu Johannes dem Täufer klargestellt werden soll. Dabei wird wie in Mattäus und Lukas der Beginn der Verkündigung des Deuterojesaja verwendet.[2] Das Zitat wird ein wenig verändert, so daß nicht wie bei Deuterojesaja der Weg für den Herrn in der Wüste gebaut wird, um die Heimkehr Gottes in der Mitte seines Volkes nach Jerusalem vorzubereiten, sondern die Stimme (Johannes der Täufer) ruft in der Wüste, dem Kyrios den Weg zu bereiten. Zwar könnte man bei Mattäus und Lukas in dieser Wegbereitung eine Vorbereitung des Christusereignisses sehen, so daß mit „Kyrios“ Gott gemeint wäre.[3] Durch die Hinzufügung eines Zitats aus Maleachi bei

[2] Mt 3,3; vgl. Jes 40,3; Lk 3,4; vgl. Jes 40,3–5.

[3] Diese den alttestamentlichen Sinn der Stelle bewahrende Deutung könnte besonders Lukas nahelegen, der durch die Ergänzung der Jesajastelle erkennen läßt, daß in Christus das Heil Gottes für alles Fleisch gekommen ist.

Markus wird jedoch der Kyriostitel eindeutig für Jesus beansprucht.[4] Auch das Maleachizitat wird von Markus verändert.[5] Während bei Maleachi (3,1) Gott verheißt: „Siehe, ich sende meinen Engel, und er wird den Weg vor *meinem* Angesicht bereiten", heißt es bei Markus: „Siehe, ich sende meinen Engel vor *deinem* Angesicht her, daß er *deinen* Weg bereitet" (1,2).
Hier wird also der Weg für den Angeredeten und nicht für Gott bereitet, so daß auch der Kyriostitel in dem Deuterojesajazitat eindeutig für Jesus in Anspruch genommen wird.[6] Der Weg wird ausdrücklich nicht für Gott, der den Boten sendet, vorbereitet, sondern für einen anderen, der angeredet ist.
Die Inanspruchnahme des Kyriostitels für Jesus, die somit das Evangelium eröffnet und schließt, findet sich auch in seinem Zentrum. Am Ende der Jerusalemer Streitgespräche, die die Passionsgeschichte unmittelbar vorbereiten und offenbar einen Grund der Verurteilung Jesu hervorheben wollen, wird Psalm 110 von Jesus selbst in der sog. Messias-Frage (Mk 12,35ff) zitiert. Jesus sagt: „Wie können die Schriftgelehrten sagen, daß der Christus Sohn Davids sei? David selbst sagt doch im Heiligen Geist: ‚Es sprach der Kyrios zu meinem Kyrios: Setze dich zu meiner Rechten, bis ich deine Feinde unter deine Füße lege'. David selbst nennt ihn Kyrios, wie ist er dann sein Sohn?"
Der Kyriostitel wird einmal auf Gott und zweimal auf den Messias bezogen. Sicher geht es dem Evangelisten in diesem Abschnitt nicht um eine Bestreitung der David-Sohnschaft Jesu.[7] Es soll vielmehr gesagt werden, daß Jesus mehr ist als Sohn Davids, da er von David selbst Kyrios genannt wird.
Die Inanspruchnahme des Kyriostitels durch Jesus wird in der Komposition des Evangeliums dadurch verschärft, daß sie unmittelbar auf eine massive Betonung des Hauptgebotes folgt, in der wieder in einer Kombination mehrerer Stellen des Alten Testamentes der Kyriosname für Gott allein beschlagnahmt wird. In diesem Zusammenhang bedeutet die Beziehung des Kyriostitels auf Jesus für das jüdische Empfinden eine Provokation, eine Identifizierung mit Gott. Gerade diese Identifizierung mit Gott aber liegt in einer Linie mit einer Grundtendenz des ganzen Evangeliums, so daß die Messiasfrage eine der Hauptlinien des Evangeliums zusammenfaßt. Sicher kann man im Markus-

[4] *H. Schürmann,* Lukasevangelium I, 161, meint, daß Markus das Maleachi-Zitat Q (=Lk 7,27 par)entnommen habe: „Für die nachträgliche Einfügung des Maleachia-Zitates zwischen die Einführungs-Wendung und das Is-Zitat spricht die irrtümliche Zuweisung an Is."

[5] Diese Veränderung, die auch in Lk 7,27 par vorliegt, scheint auf den Einfluß von Ex 23,20 zurückzugehen.

[6] Nach *E. Klostermann,* Markusevangelium 5, wird erst durch eine weitere Veränderung des Jesaja-Zitates: seine Pfade statt die Pfade unseres Gottes, die messianische Auffassung des Kyrios gesichert.

[7] Vgl. *R. Bultmann,* Geschichte 144ff.

evangelium nicht die Formel von Nizäa, die metaphysische Gottessohnschaft Jesu, ausgesprochen finden, aber auf dem Hintergrund des Alten Testamentes wird im Markusevangelium eine Wirklichkeit erkennbar, die durch die Formel von Nizäa nur teilweise ausgedrückt wird. Jesus ist der Arzt (Mk 2,17), der Hirte seines Volkes (6,34), der Herr über Sturm und Meer (4,41), er hat Macht, Sünden nachzulassen (2,10), Macht über Krankheit und Tod (5,21–43). Das alles sind Aussagen, die letztlich nur von Gott gemacht werden können.
Der Gipfel der Identifizierung Jesu mit Gott ist die Bezeichnung „Bräutigam" (2,19f). Auch im Alten Testament können Menschen im Namen und Auftrag Gottes Funktionen ausüben, die eigentlich nur Gott zukommen. Sie können König, Hirt, Richter sein. Das Wort der Propheten ist wirksam, wie das Wort Gottes.[8] Es kann töten und lebendig machen[9], es kann die Welt neu begründen.[10] Wenn aber der Bund Gottes mit Israel mit einem Ehebund verglichen wird[11], dann ist mit der Bezeichnung „Bräutigam" eine unvertretbare Funktion Gottes in Anspruch genommen. Jesus erscheint nicht nur als Mittler oder Vollstrecker eines neuen Bundes, als ein neuer Mose oder ein neuer David, sondern als der Partner des Bundes selbst, als Gott.
In der Linie der Identifizierung Jesu mit Gott, die im Markusevangelium den Grund seiner Verurteilung zum Tode erkennen läßt, liegt auch die Verwendung des Kyriostitels im übrigen Evangelium. Jesus nennt sich in den galiläischen Streitgesprächen Kyrios über den Sabbat (Mk 2,28). Dieser Ausspruch und seine fast provokatorische Realisierung (Mk 3,1–6) führt direkt zu einer Todesdrohung der führenden Kreise des Volkes. In der Aussendung des geheilten Besessenen (Mk 5) wird der Kyriostitel in einer indirekten Weise auf Jesus bezogen. Jesus sagt: „Kehre in dein Haus zu den Deinigen zurück und berichte ihnen, was *der Kyrios an dir getan* und wie er sich deiner erbarmt hat" (5,19).
Zunächst könnte man hier meinen, daß mit Kyrios Gott gemeint sei. Aber im Zusammenhang des Evangeliums kann diese Kyrios-Aussage nicht von Jesus getrennt werden. Dementsprechend lautet die Vollzugsmeldung für diesen Auftrag: „Da ging er fort und fing an, in der Dekapolis zu verkünden, was alles *Jesus an ihm getan* hatte" (5,20).[12]
Im Kontext ist also die Kyrios-Aussage auf Jesus bezogen. Ausdrücklicher noch geschieht das in der Anrede einer kanaanäischen Frau (ναί, κύριε), die

[8] Jes 55,9ff.
[9] Jer 1,9f.
[10] Jes 51,16.
[11] Hos 1,4–9; 2,4–25; Jes 50,1; Jer 3,6–13 u.ö.
[12] Vgl. *E. Klostermann,* Markusevangelium 58.

um die Heilung ihrer von einem unreinen Geist besessenen Tochter bittet.[13] Die Inanspruchnahme des Kyriostitels für Jesus steht also nicht nur am Anfang, am Ende und im Zentrum des Evangeliums, sie wird auch im übrigen mit grundlegenden Aussagen über Jesus verbunden: mit Wundern, mit dem Auftrag zur Verkündigung, mit der Betonung der Autorität Jesu zur Interpretation des Gesetzes und in einer verdeckten Weise auch mit seiner Wiederkunft (13,35). Sie bildet den Grund für die Todfeindschaft führender Kreise des Volkes.

Zusammenfassend kann man wohl sagen, daß die alttestamentlichen Zitate, die im Markusevangelium mit dem Kyriostitel verbunden sind, die Kurzformel des Glaubens vorbereiten und interpretieren, die Paulus im Römerbrief (10,9) nennt: „Wenn du mit deinem Munde Jesus als den Kyrios bekennst und in deinem Herzen glaubst, daß Gott ihn von den Toten erweckt hat, dann wirst du gerettet werden.“ Dieses Bekenntnis des Kyrios Jesus, das niemand ablegen kann außer im Heiligen Geist (1 Kor 12,3), liegt dem Schluß des Markusevangeliums zugrunde. Es scheint das Ziel des ganzen zu sein: „Der Kyrios Jesus wurde, nachdem er zu ihnen geredet hatte, in den Himmel aufgenommen und ließ sich zur Rechten Gottes nieder.“

2. *Inthronisation des Messias*

Der Kyriostitel ist im Markusschluß wie in der Perikope der Messiasfrage mit einem Zitat aus Psalm 110 verbunden. Dieser Psalm, der allgemein als Inthronisationslied verstanden wird[14], ist auch in der Antwort Jesu auf die Frage des Hohenpriesters in dem Verhör vor dem Hohen Rat enthalten. Damit leuchtet ein Zusammenhang auf zwischen der Inanspruchnahme des Kyriostitels für Jesus und dem Evangelium von dem gekreuzigten und auferstandenen Christus, das den Inhalt des Markusevangeliums darstellt.

Wenn man in Rechnung stellt, daß für die Urkirche vor der Kanonisierung der

[13] Die Perikope ist an die Auseinandersetzung Jesu mit den Pharisäern und Schriftgelehrten über die Reinheit angeschlossen, die, wie die dreimalige Verwendung des Wortes „Taufe“ bzw. „Taufen“ zeigt, auf die Taufe hingeordnet ist. In diesem Zusammenhang ist es von Bedeutung, daß in unserer Perikope das sonst gebrauchte δαιμόνιον (7,26.29.30) am Anfang durch πνεῦμα ἀκάθαρτον (V. 25) ersetzt ist.

[14] Nach *H.-J. Kraus,* Psalmen II, 757, hat man die Aufforderung *scheb limini* als entscheidenden Ruf des Inthronisationsgeschehens zu betrachten: „Jahwe ruft den König an seine rechte Seite.“ Kraus hält es für möglich, daß der göttliche, prophetisch übermittelte Inthronisationsbefehl auf vorisraelitische Melchisedektraditionen zurückgeht. Der Platz zur Rechten des Königs ist ein einzigartiger Ehrenplatz. Der Jerusalemer König darf sich zur Rechten des Gott-Königs niederlassen.

neutestamentlichen Schriften die Heilige Schrift im Alten Testament bestand, dann müssen gerade die Zitate aus dem Alten Testament, die die Messianität Jesu erweisen, gleichsam als das Rückgrat des ersten Evangeliums betrachtet werden. Sie lassen den inneren Aufbau des ganzen erkennen. Die Taufe Jesu (Mk 1,9ff) scheint durch ein aus mehreren alttestamentlichen Stellen kombiniertes Zitat (Ps 2,7; Gen 22,2; Jes 42,1) als Designation des Messias interpretiert zu werden.

Die Kombination der Zitate schafft eine Weiträumigkeit, wie sie Gerhard von Rad in der Darstellung des Jahwisten bemerkt hat. Man kann in Jesus den Nachkommen Abrahams sehen, in dem alle Völker gesegnet werden sollen.[15]

Die Vorstellung des Gottesknechtes durch Jahwe bei Deuterojesaja hat die Form der Promulgation eines Königs durch die Gottheit.[16] Das Zitat aus Psalm 2 enthält einen scharfen Affront gegen die Völker, die sich gegen die Herrschaft des von Gott auf dem Sion eingesetzten Messias widersetzten.[17]

Da die Anspielung auf Gen 22,2 sich auf die Opferung Isaaks bezieht, ist in der markinischen Darstellung der Taufe Jesu schon das Kreuz und seine universale Bedeutung angedeutet. Von dieser Eröffnung des Evangeliums her fällt ein Licht auf den Aufbau des ganzen Evangeliums. Man erkennt die Elemente wieder, die in der alttestamentlichen Exegese in der Darstellung der Ursprünge des israelitischen Königtums gesehen worden sind.[18]

Die Berufung Jesu auf David (Mk 2,25f), der seiner Gefolgschaft die Schaubrote zu essen gibt (1 Sam 21,7), weist nicht nur auf die Vollmacht des Gesalbten hin, sondern ist auch als eine Parallele zwischen dem von dem derzeitigen Machthaber verfolgten David und Jesus erkennbar, der bei den führenden Kreisen des Volkes auf Widerstand stößt.

[15] Die Verheißung, daß in Abraham alle Völker gesegnet werden sollen, eröffnet die jahwistische Abrahamgeschichte (Gen 12,1–3). Sie wird im Anschluß an die Geschichte von der Opferung Isaaks (Gen 22,1–14) redaktionell noch einmal angefügt (Gen 22,15–18), wobei die Einfügung den Gottesnamen Jahwe enthält.

[16] *C. Westermann,* Jesaja 77f, vergleicht die Designation des Knechtes Gottes mit der Designation der charismatischen Führer aus Israels Frühzeit und der Designation des Saul und des David: „Bei der Designation des David (1 Sam 16) kommt die Ausrüstung mit dem Geist dazu. Die Parallele ist so auffällig, daß die Formulierung von 42,1–4 wahrscheinlich an die Designation eines Königs erinnern soll. Sie ist deutlich unterschieden von der Berufung eines Propheten ...". „Der israelitische König nimmt (d.i. also der wesentliche Inhalt des Psalms) die Weltherrschaft in Anspruch" (*H. Gunkel,* Psalmen 8).

[17] Vgl. Ps 2,1ff.

[18] Vgl. *A. Alt,* Schriften II, 23. Von daher scheint es, daß die Bemühung des altägyptischen Zeremoniells der Thronbesteigung durch *Ph. Vielhauer,* Erwägungen 212, in eine falsche Richtung führt. Die von *A. Alt* (Die Staatenbildung der Israeliten in Palästina, in: Schriften II,1–65; Das Großreich Davids, in: Schriften II, 66–75) begründete Sicht der Entstehung des israelitischen Königtums, ist von *Roland de Vaux,* Lebensordnungen I, 163–186, eindrucksvoll zusammengestellt worden. Die Krönung geschieht im Heiligtum durch die Verleihung der Insignien, Salbung, Akklamation des Volkes, Inthronisation und Huldigung.

Das Petrusbekenntnis (Mk 8,27ff), das die Offenbarung der Macht Jesu im ersten Teil des Evangeliums abschließt, bedeutet die Anerkennung Jesu als Messias durch seine Gefolgschaft. Diese Anerkennung wird in der Verklärungsgeschichte (Mk 9,2–10) durch Gott selbst mit einem Zitat aus Psalm 2 bestätigt, das mit einer Anspielung auf Gen 22,2 und Dtn 18,15 verbunden ist. Da bei Markus bei der Taufe nur Jesus selbst durch die Stimme vom Himmel (1,11) angeredet ist, ist hier, wo die drei Apostel diese Stimme vernehmen, eine erste Proklamation des Messias durch Gott selbst gegeben.[19] Ihr folgt nach der dreimaligen Verheißung seines Todes und seiner Auferstehung durch Jesus die Akklamation des Volkes beim Einzug von Jerusalem.[20] Sie verwendet ein Zitat aus Psalm 118, der zur Zeit Jesu als messianischer Psalm galt.[21]
Im Zusammenhang des ganzen ist bemerkenswert, daß das Volk – ähnlich wie bei David – seinen Gesalbten spontan erkennt. Die Widerstände gegen ihn kommen von den Führern des Volkes. Das drückt sich in dem Winzergleichnis aus, in dem die Gerichtsverkündigung des Weinbergliedes des Jesaja so umgestaltet wird, daß nicht mehr bei diesem das Volk getroffen ist, sondern seine Führer. Hier folgt ein zweites Zitat aus Psalm 118, in dem nach dem Siege des Messias die Überwindung des Widerstandes im Innern des Reiches gefeiert wird: „Der Stein, den die Bauleute verworfen haben, ist zum Eckstein geworden" (Mk 12,10; Ps 118,22f).[22] Von diesem Zusammenhang her erscheint nun die Messiasfrage Jesu in einem neuen Licht. Gerade auf dem Hintergrund der Akklamation des Volkes und der Hoffnung, daß mit ihm „das Reich unseres Vaters David kommt", ist es bedeutungsvoll, daß Jesus mehr ist als Sohn Davids, daß er Kyrios, Sohn Gottes ist. Hier wird die Bezeichnung Jesu

[19] Eine Analogie zu dieser zunächst begrenzten Promulgation des Königtums kann in der Salbung Davids inmitten seiner Brüder gesehen werden (1 Sam 16,13).

[20] Die Akklamation des Volkes beim Einzug in Jerusalem steht in einem eigentümlich gebrochenen Zusammenhang. Einerseits folgt sie auf die Leidensweissagungen; von daher weiß der, der das Evangelium liest, was in Jerusalem geschehen wird. Darum wird man die Formulierung der Akklamation: „Gepriesen sei das Reich unseres Vaters David" als eine Akzentuierung verstehen können, die die irdische Erwartung des Volkes hervorhebt. Davon hebt sich der unmittelbar vorausgehende Ruf des Blinden in Jericho ab, der Jesus „Sohn Davids" nennt und ihn um Erbarmen, um die Heilung von seiner Blindheit bittet. Um das, was beim Einzug geschieht, verstehen zu können, wäre der Glaube notwendig (10,52). Den aber verweigert Jerusalem seinem Gesalbten, wie die Verfluchung des Feigenbaumes (11,12–14.15–19) zeigt (vgl. *F. Hahn,* Hoheitstitel 262ff).

[21] Vgl. *A. Weiser,* Psalmen 484.

[22] „Das Gleichnis illustriert den Wandel im Schicksal des Geretteten: Von Menschen war er verworfen, verachtet und verfolgt, aber von Gott wurde er gerettet, anerkannt und mit einer besonders wichtigen Aufgabe betraut. Der spätjüdischen Deutung dieser Worte auf David und den Messias, worauf seine Anwendung auf Christus im Neuen Testament zurückgeht (Mt 21,42; Apg 4,11; 1 Petr 2,7) liegt vermutlich die richtige Erinnerung zugrunde, daß der König im Kult in der Rolle des David auftrat ..." (*A. Weiser,* a. a. O.).

durch Gott selbst als „Sohn Gottes“ bei der Taufe und der Verklärung in ihrer wahren Bedeutung offenbar. „Sohn Gottes“ ist nicht nur ein messianischer Titel, sondern in Jesus eine neue, tiefere Wirklichkeit. So werden auch die beiden Zitate aus Ezechiel und Sacharja (Mk 6,34; 14,27) verständlich, in denen Jesus als der Hirt des Volkes erscheint. In dem Ezechieltext[23], auf den die Perikope von der Brotvermehrung anspielt, werden die Hirten, die Führer Israels, angegriffen, weil sie sich nicht um die Schafe gekümmert haben, und es wird verheißen, daß Gott selbst sich seiner Schafe annehmen und sie suchen werde. Das soll offenbar nichts anderes bedeuten, als daß in Jesus Gott selbst gekommen ist, um seine Schafe zu suchen und zu sammeln.
Bei Sacharja (13,7) beginnt das Gericht über Israel damit, daß der Hirt, „der Mann, der mir am nächsten ist“, geschlagen wird, so daß sich die Herde zerstreut. So zerstreuen sich die Jünger Jesu, die wenigen, die er sammeln konnte, bei seiner Passion, die durch das Zitat als Gericht Gottes über das Volk erscheint, das seinem König zugejubelt hat und ihn im Stich läßt. Es wird überall deutlich, daß die Zitate aus dem Alten Testament nicht einfach Schriftbeweise für ein festgelegtes Dogma sind, sondern daß sie jene Weiträumigkeit der Erkenntnis eröffnen, in der die Gestalt Jesu in den Zusammenhang der gesamten Offenbarung von ihren Anfängen her tritt. Das Selbstbekenntnis Jesu vor dem Hohen Rat stellt im Zusammenhang des ganzen Evangeliums die Inanspruchnahme des messianischen Königtums durch Jesus dar, die zugleich den Grund seiner Verurteilung bildet und in der Tafel über dem Kreuz und in den Schmähreden der Hohenpriester und Schriftgelehrten als solche bezeugt wird. Die mit dem Selbstbekenntnis Jesu verbundenen Zitate aus Psalm 110 und dem Danielbuch sagen die Machtergreifung des Menschensohnes und sein Erscheinen auf den Wolken des Himmels voraus.[24] Diese Verbindung der Zitate, die in der dreimaligen Verheißung des Todes und der Auferstehung Jesu und in der großen Parousierede vorbereitet wird, zeigt, daß die Inthronisation Jesu nicht in einer irdischen Machtergreifung besteht, sondern – wie es

[23] Ez 34,8. Nach *G. Fohrer* liegt in Ez 34,1–16 ein in zehn Strophen gegliedertes Schelt- und Drohwort gegen die Hirten und eine Verheißung für die Herde vor. Auf die Drohung gegen die Hirten, die damit begründet wird, daß die Herde ohne Hirte war, folgt die Verheißung, daß Jahwe selbst für seine Herde sorgen werde. Jahwe, der Herr und Eigentümer der Herde, wird in Zukunft das Hirtenamt selbst ausüben. In dem Sacharjawort 13,7–9 ist eine Gerichtsdrohung gegen einen Hirten mit einer Verheißung für das Volk verbunden. Der Hirt, der Mann „meiner Gemeinschaft“, wird geschlagen, und die Schafe zerstreuen sich, aber ein Rest wird geläutert, so daß am Ende die Erneuerung der Bundesformel stehen kann: „Ich werde sagen: mein Volk ist das, und es wird sagen: der Herr ist mein Gott“ (vgl. Hos 2,25). Wenn dieses Wort als ganzes im Bewußtsein steht, dann wird hier mit dem Leidensschicksal Jesu die Aufrichtung des Neuen Bundes verknüpft.

[24] Ps 110,1; Dan 7,13.

im Markusschluß dargestellt wird – eine Aufnahme Jesu in den Himmel voraussetzt; denn nur so kann er am Ende auf den Wolken des Himmels erscheinen. In diesem Zusammenhang bekommt die mehrmalige Bezeichnung Jesu als „König der Juden“ und im Munde der Hohenpriester und Schriftgelehrten ironisch als „Messias, König Israels“ ihre volle Bedeutung. Sie wird ausgelegt durch das Zeugnis des Hauptmanns: „Wahrhaftig, dieser war Gottes Sohn!“ So ist nicht nur die Leidensgeschichte, sondern das ganze Evangelium auf das Bekenntnis des gekreuzigten Messias hin stilisiert. Das Selbstzeugnis Jesu vor dem Hohen Rat drückt seine Todesursache aus. Er ist als „Messias“ gekreuzigt worden.

Von dem Bekenntnis Jesu vor dem Hohen Rat fällt ein Licht auf die nur im Munde Jesu vorkommenden Menschensohn-Worte, die sich in der Formulierung von der des Danielbuches unterscheiden. Während es in der Vision Daniels heißt: „Es kam einer mit den Wolken des Himmels wie *eines* Menschen Sohn“, heißt es im Evangelium immer „*der* Sohn *des* Menschen“. Es scheint, daß durch den bestimmten Artikel der Menschensohntitel in sich zum Hoheitstitel wird, so daß er dem Titel „Sohn Davids“ entsprechend als der Sohn Adams verstanden werden kann. Von daher bekommen auch die Zitate aus den Psalmen, in denen es um das Schicksal des leidenden Gerechten geht[25], eine Bedeutung. Jesus ist nicht nur der Messias, der Sohn Gottes, der Kyrios, sondern das Urbild des Menschen. In seiner Verherrlichung wird die Hoffnung der Lieder des leidenden Gerechten erfüllt, der Mensch und mit dem Menschen der Kosmos, der auf den Menschen hin geschaffen ist, wird wiederhergestellt.[26]

Nach allem kann das Evangelium nicht mit er Auferstehung enden. Es muß die Inthronisation des Messias und die Promulgation seines Königtums auf der ganzen Welt durch die Apostel folgen.

3. Prophetenschicksal

Der Tod Jesu erscheint durch die Anspielung auf die Himmelfahrt des Elija, die im Markusschluß mit dem Zitat aus Psalm 110 verbunden ist, und die man durch die gleiche Situation der Himmelfahrt und der Beauftragung der Jünger als solche deutlich erkennen kann, noch in einem anderen Licht. Der Verweis auf die Himmelfahrt des Elija ist im Gesamt des Evangeliums nicht nur durch

[25] Vgl. Mk 14,18 und Ps 41,10; V. 33 und Ps 42,6; 15,24 und Ps 22,19; 15,29 und Ps 109,25; 15,34 und Ps 22,2; 15,36 und Ps 69,21.

[26] In Ps 22 steht am Ende ausdrücklich die βασιλεία τοῦ κυρίου (V. 29).

die Erwähnung des Elija an wichtigen Stellen der Geschichte Jesu vorbereitet, sondern auch dadurch, daß Jesus immer wieder in der Linie der Propheten gesehen wird. In der Elijaerzählung (2 Kön 2,11) geht es um die Übertragung des prophetischen Geistes auf die Prophetenjünger, besonders auf Elischa. Daß er den Meister in den Himmel auffahren sieht, ist das Zeichen dafür, daß ihm der Geist des Elija verliehen wird.

Man wird annehmen dürfen, daß der Bericht von der Himmelfahrt des Elija bei der Bedeutung, die dem Propheten in der Überlieferung der Zeit Jesu zukam, klar im Bewußtsein stand, und daß somit durch die Anspielung Elemente der Jesusüberlieferung ins Bewußtsein treten, die hier nicht ausdrücklich genannt werden: die Geistverleihung, die Macht, Wunder zu vollbringen, die Taufe mit Geist und Feuer.[27] Vor allem aber wird man annehmen dürfen, daß durch die Elijagestalt, die im Markusevangelium an mehreren Stellen als Gegenbild Jesu auftaucht, das Todesschicksal Jesu in ein neues Licht tritt.[28] Man kann vielleicht sagen, daß die Rückbeziehung auf Elija zwei Fragen beantwortet, die das Evangelium von dem gekreuzigten Christus aufwirft: die Fragen, wer er sei und warum er gekreuzigt wurde.[29] Die Frage, wer Jesus sei, wird zweimal ausdrücklich mit dem Namen des Elija verbunden: einmal in der Einleitung der Erzählung vom Tode Johannes des Täufers (6,14ff) und dann in der Einleitung des Messiasbekenntnisses des Petrus (8,27ff). Wenn die Wiedergabe der Meinungen der Leute über Jesus in der Einleitung der Erzählung von der Enthauptung des Täufers redaktionell eingefügt wäre, dann würde sich darin gerade das Interesse des Markus an der Gestalt des Elija zeigen, mit dem Jesus hier verwechselt wird.[30]

Die Geschichte von der Enthauptung des Täufers wird in einer Art Rückblende in das Evangelium eingefügt. Die der Volksmeinung gegenübergestellte Auffassung des Herodes: „Johannes, den ich enthaupten ließ, ist auferweckt worden" (Mk 6,16) macht die Geschichte vom Tode des Täufers zu einem Hinweis auf den Tod und die Auferstehung Jesu. Der Tod des Täufers ist also gleichsam ein Vorspiel des Todes Jesu. Dann muß aber durch die Einfügung des Verweises auf Elija und die Propheten auch der Tod Jesu als

[27] Elija wird der Kyrios des Elischa genannt (2 Kön 2,3.5). Er wird, nachdem er Elija im Feuer hat zum Himmel auffahren sehen und das Jordanwunder seines Meisters wiederholt hat (2,11f.14), von den fünfzig Prophetenjüngern als Nachfolger des Elija anerkannt: „Da sprachen sie: ‚Der Geist Elijas ruht auf Elischa' und gingen ihm entgegen und fielen vor ihm nieder zur Erde."

[28] Vgl. Mk 6,15; 9,11ff; 15,35f.

[29] Beide Fragen sind eine notwendige Auslegung des Evangeliums von dem gekreuzigten und auferstandenen Christus. Sie provozieren eine Erklärung des Subjektes und des Prädikates der Kurzformel des Glaubens: Christus ist gekreuzigt worden und auferstanden.

[30] Vgl. *H. Schürmann,* Lukasevangelium I, 508.

Prophetenschicksal erscheinen. Die Wiederholung der Meinungen über Jesus in der Vorbereitung des Messiasbekenntnisses des Petrus zeigt nicht nur, daß es hier um eine Grundfrage geht, die das Evangelium vom Anfang bis zum Ende bewegt, sondern stellt eine Verbindung her zwischen der Enthauptung des Täufers und dem Anspruch Jesu. Im Grunde ist damit schon die auf das Messiasbekenntnis folgende erste Verheißung des Leidens und der Auferstehung vorbereitet.

In der Perikope von der Verklärung Jesu, die in einem engen Zusammenhang mit dem Messiasbekenntnis steht, kommt bei Markus der Name des Elija fünfmal vor.[31] Elija erscheint als erster vor Mose. Es geht also um eine Gegenüberstellung Jesu mit Elija, der wiederum in seiner Abhängigkeit von der Mosetradition gesehen wird.[32] Offenbar soll das Prophetenschicksal des Elija, der auf dem Berge Horeb die Israeliten anklagt, daß sie den Bund Jahwes verlassen haben[33], zur Deutung des Leidens Jesu verwendet werden. Die in der Gottesrede mit dem Zitat aus Psalm 2, in dem Jesus als Sohn Gottes erscheint, verbundene Anspielung auf Dtn 18,15 ist so dem Gesamt der Perikope entsprechend. Es geht nicht nur um eine Promulgation des Messias, sondern auch um die Vorstellung des Propheten, auf den das Volk hören soll. Zuletzt erscheint der Name Elija in der Leidensgeschichte Jesu. Der Ruf: „Eli, Eli, lama sabaktani" wird von den Umstehenden gedeutet: „Seht, er ruft Elija". Der Evangelist will offenbar nicht nur volkstümliche Erwartung der Wiederkunft des Elija aufarbeiten, sondern den Tod Jesu, indem er den Namen des Elija nennt, in eine Beziehung zur Prophetie bringen. Das Kreuzesschicksal ist nicht nur eine Verfügung des Vaters oder aus dem Widerstand gegen die Herrschaft des Messias (Ps 2) zu verstehen, sondern Folge seiner prophetischen Verkündigung. Wie Elija und die Propheten verfolgt wurden, so mußte Jesus sterben, weil seine Botschaft nicht angenommen wurde.

Daß dieses Verständnis des Todes Jesu der Absicht des Markusevangeliums entspricht, erweist eine ganze Reihe anderer alttestamentlicher Zitate, in denen die Verkündigung Jesu in der Linie der prophetischen Verkündigung gesehen wird. Im Winzergleichnis (Mk 12,1–12) stellt Jesus sich ausdrücklich in die Reihe mit den „Knechten", die Gott zu Israel gesandt hat, mit den Propheten. Der Sohn, den der Herr des Weinberges zuletzt sendet, findet dasselbe Schicksal wie die Knechte. „Sie packten ihn, brachten ihn um und warfen ihn aus dem Weinberg hinaus." Diese Sicht des Todes Jesu ist nicht nur eine Nachinter-

[31] Mk 9,4f.11ff.

[32] Die Gotteserscheinung auf dem Berge Horeb läßt eine starke Rückbindung der Elijatradition an die Bundesüberlieferung erkennen.

[33] 1 Kön 19,10.14.

pretation; sie ist in seiner Verkündigung begründet, die Grundthemen prophetischer Verkündigung aufgreift. Jesus wendet sich – wie die Propheten – gegen die Verfälschung des Wortes Gottes durch menschliche Auslegung. Dabei können wir feststellen, daß, wie bei Elija, die Grundelemente des Bundesdenkens hervortreten.[34] Jesus fordert die Erfüllung des Hauptgebotes, die alleinige Verehrung Gottes[35] und die Verwirklichung des Rechtes[36] und greift damit die beiden Hauptthemen der Verkündigung des Elija wieder auf.[36a] Die harte Anklage des Elija: „Warum hinkt ihr nach beiden Seiten?"[37], die sich in den Worten des Hosea fortsetzt: „Ihr Herz ist geteilt"[38], kann uns den Sinn des Hauptgebotes verstehen lassen, das Jesus in den Jerusalemer Streitgesprächen in der Form des Deuteronomiums zitiert: „Höre, Israel, der Herr, unser Gott, ist der Herr allein. Du sollst den Herrn, deinen Gott, lieben aus deinem ganzen (ungeteilten) Herzen, aus deiner ganzen Seele, mit deinem ganzen Denken und all deiner Kraft" (Dtn 6,4ff). Wir werden an Worte Jesu erinnert, die diese Forderung der ungeteilten Entscheidung für Gott unterstreichen: „Ihr könnt nicht Gott dienen und dem Mammon" (Mt 6,24).

Das zweite große Thema der prophetischen Verkündigung ist die Forderung des Rechtes. Sie drückt sich im zweiten Teil des Dekaloges aus und wird von Elija besonders in der Nabot-Geschichte verfochten, in der Elija dem König den durch seine heidnische Frau angezettelten Mord an Nabot vorhält und ihm das Gericht androht.[39] Auch Jesus verteidigt die Geltung der zweiten Tafel des Dekaloges. Er tritt der Aushöhlung des Gesetzes durch die jüdische Auslegung entgegen und betont die Geltung der Gebote Gottes. Er klagt eine falsche Gesetzesauslegung an: „So setzt ihr durch die Überlieferung, die ihr selbst geschaffen habt, Gottes Gebot außer Kraft" (Mk 7,13).

Auch der Kampf der Propheten gegen die Veräußerlichung und Entnervung des Kultes, wie ihn Jesaja, Micha, Jeremia und Deuterojesaja geführt haben[40], wird von Jesus fortgeführt. Dabei wird deutlich, daß sein Kampf nicht dem Kult als solchem gilt, sondern sich gegen eine Entartung des Kultes richtet.

[34] Wenn man den Bund nicht nach modernen Vertragskategorien beurteilt, sondern in ihm die Begründung eines personalen Verhältnisses unter den Partnern sieht, dann ist es die fundamentale Bundesforderung, die ausschließliche Verehrung Jahwas, die Elija verteidigt. Konsequenz dieses Bundes ist die Forderung der Verwirklichung des Rechtes in Israel, die hinter der Nabotgeschichte steht.

[35] Mk 11,28–34.

[36] Mk 7,8ff; 10,2ff.19.

[36a] Vgl. *H.-J. Kraus,* Verkündigung 25. Nach Kraus ist „immer wieder aufgefallen, daß die Überlieferung in den Kap 1 Kön 17–19 den Propheten in eine Parallele zu Mose stellt. Elija soll als ‚neuer Mose' erscheinen".

[37] 1 Kön 18,21.

[38] Hos 10,2.

[39] 1 Kön 21,19ff.

[40] Am 5,21ff; Jes 1,11–17; Mich 6,6; Jer 7,1–15; Jes 43,22ff; 40,16.

wo er als Ersatz für die Erfüllung der grundlegenden Bundesforderungen Gottes, der Liebe und des Rechtes verstanden wird.[41] In dem aus Tritojesaja und Jeremia kombinierten Zitat: „Mein Haus soll ein Bethaus sein für alle Völker; ihr aber habt es zur Räuberhöhle gemacht" (Mk 11,17) wird das Evangelium wieder in den weiten Raum des Alten Bundes gestellt. Viele prophetische Traditionen klingen an: der Universalismus, der von den Ursprüngen her mit Jerusalem und dem Tempel verbunden ist [42], die Forderung des Rechtes, die durch den Dekalog ins Bewußtsein tritt, der in dem zitierten Jeremiatext die Grundlage für die Anklage bildet[43], die bevorstehende Zerstörung Jerusalems, die wie bei Jeremia die Konsequenz der Entheiligung des Tempels ist. Die Bedeutung dieses Doppelzitates im Gesamt des Markusevangeliums wird dadurch unterstrichen, daß die Anklage gegen Jesus vor dem Hohen Rat sich auf ein Gerichtswort gegen den Tempel zurückbezieht (Mk 14,28), das im Evangelium nicht enthalten ist, im Johannesevangelium aber in anderer Form erscheint (Joh 2,19) und das in den Spottreden der Schriftgelehrten und Hohenpriester unter dem Kreuz noch einmal als ein Grund der Anklage gegen Jesus hervortritt (Mk 15,29). Diese Zusammenhänge zeigen, daß das Todesschicksal Jesu nicht nur als Folge der Ablehnung des Messias durch das Volk, sondern auch als Prophetenschicksal verstanden werden soll.

In der Linie der prophetischen Verkündigung liegt auch die große Parusierede Jesu, mag nun Markus darin ein apokalyptisches Flugblatt verwendet haben[44], wie von vielen angenommen wird, oder mag er diese Rede aus der Überlieferung selbst dargeboten haben. Hier werden eine Reihe von Zitaten aus Daniel, Sacharja und den jüngeren Schichten des Jesajabuches geboten[45], die in dem schon zitierten Wort aus dem aramäischen Danielbuch gipfeln.

[41] Bei Jesaja ist der Haß gegen die Opfer Israels darin begründet, daß „ihre Hände voll Blut" sind (Jes 1,10ff). Doch geschieht die Berufung des Propheten im Tempel (Jes 6,1ff). Der Berg Jahwes mit dem Heiligtum ist die Grenze für den assyrischen Vormarsch (Jes 10,32f). Der Prophet hat die Hoffnung, daß die Stadt in einem Läuterungsgericht gereinigt und wieder zur Stadt der Gerechtigkeit wird (1,26f).

[42] Schon vor Israel wird in Jerusalem der El Eljon, der Schöpfer Himmels und der Erde, verehrt (Gen 14,19). Dieser Universalismus ist nicht nur in vielen Psalmen, sondern auch in der Prophetie bewahrt worden. Er prägt besonders das Werk der frühesten Geschichtsschreibung des Jahwisten, der nach der Meinung vieler Forscher in Jerusalem geschrieben hat.

[43] Jer 7,8f.12–15.

[44] *R. Pesch* (Naherwartungen 65) hält Mk 13 für eine Einfügung in das sonst kunstvoll aufgebaute Evangelium. Das 13. Kapitel enthält ein apokalyptisches Flugblatt, das aus der Zeit des Kaisers Caligula stammt (215ff) und in der Gemeinde des Evangelisten mißbraucht wurde, so daß die Korrektur des Evangelisten notwendig wurde.

[45] Vgl. Mk 13,8 und Jes 19,6; V. 14 und Dan 12,11; V. 19 und Dan 12,1; V. 24 und Jes 13,10; 34,4; V. 26 und Dan 7,13; V. 27 und Sach 2,10. Nach *R. Pesch* gehören alle diese alttestamentlichen Zitate und Anspielungen zu dem von ihm eruierten apokalyptischen Flugblatt a. a. O. 212f).

Wenn so die Botschaft Jesu im Markusevangelium in einer besonderen Nähe zur Botschaft der Propheten des Alten Bundes steht, so kann man das auch von dem Verhalten des Volkes ihm gegenüber sagen. Die Deutung des Sämanngleichnisses zitiert die Berufungsgeschichte des Jesaja. Immer wieder erklingt das Wort: „Wer Ohren hat zu hören, der höre!", eine Aufforderung, die der Vorhersage der Verhärtung des Volkes in der Berufungsgeschichte des Jesaja entgegengesetzt ist. Das Jesajazitat will demnach nicht eine Verurteilung zum Fatalismus sein gegenüber der drohenden Verhärtung, sondern ein Ruf zur Bekehrung. Dieser Ruf wird nicht gehört. Das Volk, der erste Adressat der Botschaft Jesu, der nur zu den verlorenen Schafen des Hauses Israel gesandt ist, verlangt seine Verurteilung zum Tode.
Man kann sagen, daß in den alttestamentlichen Zitaten des Jesajabuches die Gestalt Jesu in den Horizont nicht nur der Geschichte Israels, sondern aufgrund des Universalismus des Alten Testamentes in den Horizont der Geschichte der ganzen Menschheit tritt. In ihm erfüllt sich nicht nur die Hoffnung Israels; er ist der Erlöser aller Menschen.

II. Überprüfung der Unechtheitsgewißheit

Die in den alttestamentlichen Zitaten aufleuchtenden Verbindungslinien zwischen dem Markusschluß und dem Evangelium lassen es nun als gerechtfertigt erscheinen, die Gründe, die gegen die Echtheit des Schlusses sprechen, einer erneuten Prüfung zu unterziehen. Josef Schmid hat sie in seinem Markuskommentar (301ff) eindrucksvoll dargestellt. Er kommt zu dem Schluß, daß aufgrund aller dieser Argumente kein Zweifel mehr möglich ist, daß der längere „kanonische" Markusschluß kein ursprünglicher Bestandteil des Markus war. So ist es verständlich, daß manche Arbeiten über das Markusevangelium mit 16,8 schließen und den kanonischen Markusschluß nicht behandeln.[46] „Allerdings gerät", wie Schmid sagt, „die historische Kritik in ein förmliches Dilemma bei der weiteren Frage, ob Markus sein Evangelium mit 16,8 abgeschlossen hat oder ob ursprünglich auf 16,8 noch etwas gefolgt ist, was verloren gegangen ist. Beide Annahmen sind durch große Schwierigkeiten belastet." Einerseits läßt sich nicht erklären, „wie dieser Schlußteil verloren gehen konnte", andererseits erscheint 16,8 „als Schluß des Evangeliums unerträglich. Das Urchristentum konnte von der Passion des Herrn nur in Verbindung mit seiner Auferstehung sprechen, denn durch diese wurde erst für den

[46] Vgl. *J. Schreiber,* Theologie des Vertrauens. Das Stellenregister schließt bei Markus mit 16,8. *G. Schmahl,* Die Zwölf im Markusevangelium, berücksichtigt den Schluß nur in einer Anmerkung und einer Sprachstatistik (27. 77).

Glauben das Ärgernis des Kreuzes beseitigt. Das leere Grab aber war für die Frauen nicht der Beweis, daß der Herr wirklich lebt, sondern stürzte sie umgekehrt in Bestürzung und Ratlosigkeit. Ein Evangelium aber, dessen letztes Wort Verwirrung und Bestürzung ist, hat keinen befriedigenden Schluß... Die spätere Beifügung eines der beiden nicht ursprünglichen Schlüsse beweist, daß man auch in der alten Kirche 16,8 nicht als befriedigenden Abschluß des Markus empfunden hat. So endet das Markusevangelium in der uns überlieferten Gestalt mit einem großen Rätsel, dessen überzeugende Lösung schwerlich je gefunden werden dürfte".[47]

Es ist darum verständlich, daß sich in neuerer Zeit einige Exegeten die Frage gestellt haben, ob nicht doch der überlieferte längere Markusschluß der ursprüngliche Schluß des Evangeliums sei. M. van der Valk hat in einer kleinen Schrift, die in Spanien erschienen ist, die Beziehungen zwischen dem Markusschluß und dem Evangelium dargestellt, ohne auf die textkritischen Gegengründe einzugehen.[48] In neuerer Zeit hat Eta Linnemann versucht, die Echtheit wenigstens eines Teils des Markusschlusses nachzuweisen und ihn, kombiniert mit einem Passus aus dem Mattäusevangelium, als den ursprünglich wiedergefundenen Markusschluß vorzustellen.[49] Sie bringt darin beachtliche Argumente für die Echtheit wenigstens des letzten Teiles des Markusschlusses. Diese Argumente hat W. Schmithals[50] nach der entschiedenen Zurückweisung der These E. Linnemanns durch K. Aland[51] aufgegriffen. Schmithals schlägt eine Kombination von Mk 16,15–20 mit echten Elementen von Mk 3,13–19 und 9,2–8 vor, die allerdings ebenso problematisch ist wie die von Linnemann. Zeichnet sich so schon in der Forschung eine Erschütterung der Unechtheitsgewißheit ab, so ist es geraten, auf die einzelnen Gründe für die Unechtheit des Markusschlusses kurz einzugehen.

1. Textüberlieferung

Der Markusschluß ist in den ältesten uns überlieferten Handschriften des Neuen Testamentes nicht enthalten. Er fehlt im Codex Vaticanus und im Codex Sinaiticus, die als die wichtigsten Textzeugen angesehen werden. Ferner fehlt er auch in der auf dem Sinai gefundenen syrischen Übersetzung und in neun von den zehn ältesten armenischen Handschriften (Schmid). Die ältesten Hand-

[47] *J. Schmid,* Markus 315f; vgl. auch *E. Schweizer,* Das Markusevangelium 217ff.

[48] *M. van der Valk,* Observations.

[49] *E. Linnemann,* Markus-Schluß, versucht zu zeigen, daß der ursprüngliche Markusschluß aus einer Kombination von Mt 28,16f und Mk 16,15–20 bestand.

[50] Markusschluß.

[51] *K. Aland,* Der wiedergefundene Markusschluß?

schriften der sahidischen (oberägyptischen) und der äthiopischen Übersetzung haben ihn nicht, während er in der alten georgischen Evangelienübersetzung als eine Art Anhang zu den vier Evangelien am Schluß des Johannesevangeliums beigefügt ist. In etwa dreißig anderen Handschriften findet man Andeutungen, daß der Schluß ursprünglich fehlte. „Zum Zeugnis der Handschriften kommt noch das mehrerer Kirchenschriftsteller der ältesten Zeit (Clemens Alex., Origenes, Cyprian, Cyrill von Jerusalem), vor allem das eines so gelehrten und am Bibeltext interessierten Schriftstellers wie Eusebius von Cäsarea..., nach welchem in den meisten und zwar gerade den genauen Handschriften seiner Zeit Markus mit 16,8 schloß, ein Zeugnis, das der in Fragen des Bibeltextes nicht weniger sachkundige Hieronymus ... für seine Zeit wiederholt."[52]
Es wird auch darauf hingewiesen, daß die Evangelien des Mattäus und Lukas den Markusschluß nicht gekannt haben, weil sie nach Mk 16,8 offenbar nichts mehr gelesen hätten.[53] Nun ist der Markusschluß aber im Diatessaron des Tatian, bei Irenäus, Tertullian, in den Apostolischen Konstitutionen und bei Didymus vorhanden und vielleicht auch schon bei Justinus vorausgesetzt. Er wird von der „überwältigenden Fülle der Majuskeln und Minuskeln" geboten.[54] 99% aller griechischen Handschriften schließen mit dem längeren Markusschluß. Die wichtigsten Handschriften sind Codex Alexandrinus (A); Codex Ephraemi Syri rescriptus (C) und Codex Bezae Cantabrigiensis (D), die alle drei aus dem fünften Jahrhundert stammen. „Dazu kommen die Übersetzungen in großer Breite, die lateinische wie die syrische (mit Ausnahme des Sinaisyrers) einschließlich des Diatessarons"[55], das aus dem 2. Jahrhundert stammt, ferner koptische, armenische, georgische und äthiopische Handschriften.
K. Aland hat in mehreren Aufsätzen zum Problem des Markusschlusses Stellung genommen.[56] Seine Widerlegung E. Linnemanns wird man als zwingend ansehen dürfen. Sie endet mit der Frage: „Quid nunc?", gilt aber eben nur für die Kombination von E. Linnemann und nicht für den längeren Markusschluß. Aland hat die Bedeutung des kürzeren Markusschlusses, der nur von einer einzigen lateinischen Handschrift (k) als alleiniger Schluß des Evangeliums geboten wird, unterstrichen.[57] Er hat gezeigt, daß er im griechischen, lateinischen, syrischen, koptischen, äthiopischen Sprachbereich anzutreffen ist, daß er dort immer dem längeren Markusschluß vorangestellt

[52] *J. Schmid,* Markus 314.
[53] *K. Aland,* Schluß des Markusevangeliums 459.
[54] Ebd. 446.
[55] Ebd.
[56] Vgl. Lit.-Verz.
[57] Bemerkungen zum Schluß des Markusevangeliums.

wird. Daraus schließt Aland, daß in diesem Bereich der kürzere Markusschluß höher gewertet wird. Diese Schlußfolgerung hat allerdings nur bedingte Gültigkeit. Man muß damit rechnen, daß diese Handschriften nicht nur zu wissenschaftlichen Zwecken angefertigt worden sind, sondern zum Gebrauch in der Gemeinde. Dafür aber war, wenn man beide Schlüsse aufnehmen wollte, die in den Hss vorgefundene Folge die naheliegende. Der kürzere Markusschluß konnte als Überleitung zu dem längeren verwendet werden. Er überbrückt dann den von vielen Exegeten festgestellten Bruch zwischen V. 8 und V. 9. Aland vertritt die Auffassung, daß der kürzere Markusschluß bereits im 2. Jahrhundert vorhanden gewesen sei, so daß das Evangelium in dieser Zeit in drei Formen umlief: ohne Schluß, mit dem kürzeren und mit dem längeren Schluß. Die Annahme allerdings, daß das Evangelium zunächst ohne Schluß mit 16,8 abschloß und so den beiden Ergänzern vorlag, wird nicht bewiesen.[58] Da die Textüberlieferung die Aufnahme des Evangeliums in den Kanon des Neuen Testamentes oder mindestens der vier Evangelien voraussetzt, entsteht die Frage nach der Geschichte des Evangeliums zwischen seiner Abfassung und seiner Kanonisierung. In dieser Zeit lag es den Verfassern des Mattäus und Lukas vor und wurde von ihnen verarbeitet. Wenn man damit rechnen muß, daß der lange Schluß besonders im griechischen Raum Schwierigkeiten bereitete, dann ergäbe sich der Verdacht, daß er zunächst in einer frühen Zeit, in der das Evangelium noch nicht kanonisch war, in einem bestimmten Bereich durch den kürzeren ersetzt wurde und daß dadurch für die Textüberlieferung beide Schlüsse unsicher wurden und in einem Teil der Handschriften ganz fortfielen. Diese Möglichkeit wird nicht erwogen. Vielleicht ist hier die Beobachtung nicht ohne Gewicht, daß die alten Handschriften, in denen der Markusschluß fehlt, auch an anderen Stellen eine besondere Betonung der Apostel aufweisen und die Tendenz verraten, dort, wo mehrere Lesarten vorliegen, den Text durch Weglassung zu entlasten.[59]
Wenn man die Bezeugung des Markusschlusses in der Textausgabe von Aland mit der anderer Stellen vergleicht, dann bemerkt man, daß in einer ganzen Reihe von Fällen Versionen der Vorzug gegeben wird, die schwächer bezeugt sind als der Markusschluß. Man muß also, wenn man die Frage der Echtheit des Markusschlusses nur mit textkritischen Mitteln entscheiden will, einem anderen Prinzip folgen, als es sonst von Aland in seiner Text-

[58] *K. Aland,* Der wiedergefundene Markusschluß? 4f, nimmt an: „Beiden Verfassern (sc. des längeren und des kürzeren Schlusses) lag ein Markusevangelium vor, das mit 16,8 endete". Das scheint mir aber mit textkritischen Mitteln nicht bewiesen zu sein, weil man über die Geschichte des Textes zwischen der Abfassung des Evangeliums und seiner Aufnahme in den Kanon wohl keine sicheren Nachrichten besitzt.

[59] Vgl. 7,7f.16; 9,24.46; 10,46; 12,23; 14,48.

ausgabe zugrunde gelegt wird. Jedenfalls wird man sagen müssen, daß die Meinung Alands, daß sich der längere Markusschluß gegenüber dem kürzeren durchsetzen mußte, wenn er einmal bekannt wurde, nicht ausreichend begründet ist. Der Markusschluß mußte im griechischen Raum starke Schwierigkeiten bereiten. Die harte Rüge der Apostel unmittelbar vor ihrer Aussendung, die im Markusevangelium an mehreren Stellen durch die Betonung des Unverständnisses der Jünger vorbereitet ist, konnte eigentlich nur von einem jüdischen Sendungsverständnis her vertragen werden. Sie hat in vielen Berufungsgeschichten des Alten Testamentes Parallelen. Im griechischen Raum dagegen macht sie, wie etwa die Einfügung des Freer-Logions in den Codex W zeigt, Schwierigkeiten. Das Logion bietet eine Verteidigung der Apostel und macht so den Schluß für den griechischen Raum erträglicher. Man wird also Alands Feststellung, daß in seinem kritischen Aufsatz nur von der Textkritik aus zu reden war, das übrige aber dem Exegeten überlassen sei, mit Schmithals eine Aufforderung zu einer positiven weiterführenden Beschäftigung mit dem Problem des Markusschlusses sehen können und sich die Frage stellen dürfen, wie es mit den anderen Argumenten gegen die Echtheit des Markusschlusses bestellt ist.

2. *Stil und Wortschatz*

Eine beachtliche Anzahl von Worten des Markusschlusses kommt sonst nicht bei Markus vor.[60] Es fehlen bestimmte Worte, die das Markusevangelium sonst häufig gebraucht.[61] Der Stil unterscheidet sich vom übrigen Markusevangelium beträchtlich.[62] Es fehlt die bei Markus meist vorherrschende Nebenordnung der Sätze und ihre Verbindung miteinander mit „und". Dagegen werden partizipielle und konjunktionale Verbindungen gebraucht.

Nun ist aber das Vorkommen einer Reihe von Hapaxlegomena im Markusschluß kein Argument gegen seine Echtheit. Es gibt andere Abschnitte des Markusevangeliums, in denen verhältnismäßig mehr Worte vorkommen, die sonst im Markusevangelium nicht zu finden sind.[63] Auf der anderen Seite enthält der Markusschluß eine ganze Anzahl von Worten, die als Vorzugsworte, ja man kann sagen, als Leitworte des Evangeliums bezeichnet werden können.[64] Darauf ist im nächsten Abschnitt noch näher einzugehen.

60 Vgl. *E. Klostermann,* Markusevangelium 192.

61 *E. Linnemann,* Markus-Schluß 262.

62 *R. Morgenthaler,* Statistik 57–60.

63 Vgl. etwa 7,17–23.

64 ἀναστάς, πιστεύειν, σώζειν, εὐαγγέλιον (absolut gebraucht), κηρύσσειν.

Was den Stil angeht, so muß man berücksichtigen, daß der Stil des ganzen Evangeliums nicht einheitlich ist. Die Forschung unterscheidet in der Analyse einzelner Markustexte zunehmend zwischen dem Stil des Verfassers und dem seiner Vorlagen.[65] Vielleicht kommt man in dieser Frage einen Schritt weiter, wenn man feststellt, daß es größere und kleinere Abschnitte und Passagen gibt, die stilistisch im Markusschluß mehr oder weniger verwandt sind.

Schon am Beginn des Evangeliums treffen wir auf Formulierungen, die stilistisch dem Schluß nahestehen[66], und im Gesamtzusammenhang des Evangeliums sind es besonders Teile, die sich auf die Taufe beziehen, die diesen Stil aufweisen.[67] Man kann sich die Frage stellen, ob nicht der Stil des Markusschlusses der Stil des Verfassers sei, so daß die Abschnitte, die die dem Hebräischen eigene Nebenordnung der Sätze aufweisen, die mündliche oder schon schriftlich formulierte Tradition darstellen, die Markus verwendet hat.[68] Besonders auffällig ist die stilistische Verwandtschaft mit dem Schluß in Kap. 7, in dem es um eine Gegenüberstellung der Reinheitsvorschriften der Juden, für die dreimal das Wort „Taufe“ oder „Taufen“ verwendet wird, mit der von Jesus geforderten Reinheit vorliegt, also ein Thema, das für die Taufkatechese von Bedeutung war. Ebenso kehrt im 10. Kapitel der Stil des Markusschlusses wieder. Hier geht es um eine Katechese über die Ehescheidung, die Gefahren des Reichtums und schließlich in der Perikope vom sogenannten Ergeiz der Zebedäussöhne um die Taufe und Eucharistie.[69]

In den Jerusalemer Streitgesprächen sind ebenso wie in der großen Parusierede von Kap. 13[70] stilistische Züge des Markusschlusses gegeben. Dasselbe gilt von dem Bericht über die Salbung Jesu in Bethanien sowie von dem Verhör Jesu vor dem Hohen Rat und vor Pilatus und der eigentlichen Kreuzigungsszene.[71] Auch die zweite und dritte Leidensweissagung sind stilistisch dem Markusschluß ähnlich. Da sie den Rahmen der Lehrstücke im zweiten Teil des Markusevangeliums bilden und diese auf den Tod Jesu hin

[65] Vgl. beispielsweise *R. Pesch,* Naherwartungen; *G. Schmahl,* Die Zwölf; *W. M. A. Hendriks,* Kollektionsgeschichte passim.

[66] Ähnlichkeiten zwischen Mk 1,1–4 und 16,9–20: Doppelzitat Mk 1,2f: Fehlen von καί, Häufung der Partizipien, Vorkommen von εὐαγγέλιον, κηρύσσειν, βαπτίζειν.

[67] Geringes Vorkommen von καί und die Häufung von δέ ist besonders in Mk 7,1–22 und Mk 10,35–40 auffällig.

[68] Diese Beobachtung schließt mehrere Redaktionen nicht aus. Vor allem müßte die von *W. M. A. Hendriks* beobachtete Bedeutung des Gebrauches des Präsens historicum im Markusevangelium berücksichtigt werden.

[69] Fehlen der Satzverbindungen mit καί, Häufung von δέ und anderen Partikeln in Mk 10,3–7.17–23.24–31.32–34.35–40.

[70] Vgl. Mk 12,6b–8.9–11.15f.19f.23–27.36f; 13,4–19.14f.17ff.22–24.28–37.

[71] Vgl. 14,1f.4–9.11.55f.58.61ff; 15,3–7.9–15.

ordnen, kann sich durch die stilistische Verwandtschaft mit dem Markusschluß die Hand des Verfassers verraten. Es kann hier auf Einzelheiten nicht eingegangen werden. Jedenfalls wird man sagen können, daß der Stil und der Wortschatz kein zwingendes Argument gegen die Echtheit des Markusschlusses sind.

3. Mangelnder Zusammenhang

Der Zusammenhang zwischen dem Markusschluß und der vorausgehenden Erzählung vom leeren Grab ist nicht glatt. In V. 7 werden die Frauen zu den Jüngern und zu Petrus gesandt mit der Verheißung, daß Jesus ihnen in Galiläa erscheinen werde. Dann aber folgt ein Sammelbericht von Erscheinungen ohne Angabe des Erscheinungsortes. Eine Reihe dieser Erscheinungen sind – nach den anderen Evangelien – in Jerusalem oder in Judäa geschehen. Von einer Reise der Jünger nach Galiläa wird nichts berichtet. Eine solche Widersprüchlichkeit des geographischen Verlaufs der Erzählung wird von vielen Exegeten als unvereinbar mit der Zugehörigkeit des Schlusses zum Evangelium angesehen. Auch schließt sich stilistisch V. 9 hart an den vorhergehenden an. Die schon in V. 1f enthaltene Zeitangabe wird anders formuliert wiederholt. Maria Magdalena, von der in V. 1 die Rede war, wird mit den Worten: „... aus der er sieben böse Geister ausgetrieben hatte“, wie eine Fremde neu vorgestellt.
Die Spannungen zwischen dem Markusschluß und dem vorausgehenden Abschnitt des Evangeliums würde aber nur dann die spätere Hinzufügung des Markusschlusses beweisen, wenn man feststellen könnte, daß der Verfasser im übrigen Evangelium auf die geographischen und chronologischen Zusammenhänge sorgfältig achtet. Das ist nicht der Fall. Die Komposition des Markusevangeliums nimmt auf zeitliche und örtliche Zusammenhänge wenig Rücksicht. Der Leser findet sich manchmal plötzlich in anderen Verhältnissen, ohne daß davon etwas gesagt worden ist.[72] J. Schreiber meint, daß Markus mit Absicht eine unmögliche Reiseroute geschaffen habe, um anzudeuten, daß die Ortsangaben allegorisch zu deuten sind.[73] Wenn man auch dieser neuen Form von Allegorie kaum zustimmen wird, so bleibt doch der von Schreiber festgestellte literarische Befund bestehen. Das Markusevangelium besitzt keinen geographisch möglichen Rahmen. Dieser weist an vielen Stellen Brüche auf, die vielfach darin begründet sein können, daß die Ortsangaben

[72] Vgl. *H. A. Guy,* Origin 20ff.
[73] A. a. O. 189.

mit der Überlieferung fest verknüpft waren[74], daß aber der Überlieferungsstoff von Markus nach sachlichen Gesichtspunkten geordnet wurde, ohne Rücksicht auf die Reiseroute, die so entsteht und die geographisch nicht realisierbar ist.

So erscheint es verständlich, daß Markus das in der Tradition vorgeformte Stück vom leeren Grab, das in allen Evangelien am Anfang der Auferstehungsberichte steht und den Abschluß der von ihm vorgefundenen Passionsgeschichte gebildet haben mag, darbietet, und, ohne sich um die dadurch aufgeworfene geographische Frage zu kümmern, mit einer Zusammenfassung der Erscheinungen fortfährt, die formal der ältesten Gestalt der Auferstehungsberichte entspricht, die uns in 1 Kor 15 erhalten ist und offenbar eine eigene Form der Auferstehungsberichte darstellt. Wenn Markus, was anzunehmen ist, auch in diesem Auferstehungsbericht Tradition bietet, dann können auch die anderen Spannungen zum vorausgehenden damit erklärt werden.

4. Überlieferungsgeschichtliche Gründe

Der Markusschluß scheint die jüngeren Evangelien – einschließlich Johannes – schon vorauszusetzen. Die Erscheinung vor Maria Magdalena (Mk 16,9ff) ist im Johannesevangelium enthalten (Joh 20,11–18). Die Begegnung mit den beiden Jüngern auf dem Wege (Mk 16,12f) entspricht der Überlieferung von den Emmausjüngern im Lukasevangelium (Lk 24,13–35). Die Erscheinung vor den elf Jüngern (Mk 16,14ff) geschieht nach Mattäus in Galiäa und ist auch dort mit der Aussendung verbunden (Mt 28,16–20). Die Aufnahme Jesu in den Himmel (Mk 16,19) wird von Lukas (Lk 24,50ff) und der Apostelgeschichte (Apg 1,4–11) berichtet. Das Wirken der Apostel (Mk 16,20) kann als ein Hinweis auf die Apostelgeschichte als ganze gedeutet werden.

Der Markusschluß scheint also nichts anderes zu sein als ein Auszug, eine Zusammenstellung der bekanntesten Auferstehungs- und Himmelfahrtsberichte der anderen Evangelien.[75] Man kann aber aus der Tatsache, daß die im Markusschluß berichteten Erscheinungen in den jüngeren Evangelien in ausführlicherer Form enthalten sind, nicht schließen, daß der Markusschluß diese Evangelien notwendig voraussetzt. Im Gegenteil ist die Entstehung des Markusschlusses aus ausführlicheren, selbständigen, mündlichen Überlieferungen eine bessere Erklärung als die Annahme der Abhängigkeit von

[74] Vgl. *R. Bultmann,* Geschichte 363.

[75] *E. Schweizer,* Markus 217, schreibt: „Vor allem liegt hier schon eine Evangelienharmonie aller Osterberichte ... vor, die vielleicht für Unterrichtszwecke geschaffen wurde."

der schon literarisch fixierten und theologisch weiterentwickelten Überlieferungsform, die die anderen Evangelien bilden. Man muß auch damit rechnen, daß der Sammelbericht des Paulus, der aus verschiedenen Überlieferungselementen zu bestehen scheint, ausführlichere Überlieferungen voraussetzt, die von Paulus oder einer ihm schon vorgegebenen Tradition summarisch zusammengefaßt werden. So scheint es auch hier bei Markus zu sein. Mit Schmithals ist festzustellen, daß die Erscheinung Jesu vor den Elfen und die Aussendungsszene keinesfalls von der Fassung im Mattäusevangelium abhängig sein können. Schmithals schreibt: „... daß der Verfasser des sekundären Markusschlusses aber bei einer allfälligen Bearbeitung von Mt 28,18–20 ausgerechnet die mattäische Redaktionsarbeit präzise hat beseitigen können und wollen, wird niemand ernstlich erwägen dürfen. Umgekehrt dagegen erklärt sich Mt 28,18–20 vorzüglich als eine redaktionelle Bearbeitung des in Mk 16,15–20 überlieferten Textes durch Mattäus. Das hat Linnemann in – von Einzelheiten abgesehen – durchaus überzeugender Weise gezeigt, so daß hier der Verweis auf ihre Ausführung genügen kann".[76] Damit fällt auch das Argument, daß Mattäus und Lukas hinter Mk 16,8 nichts gelesen hätten. Es setzt vielmehr die Unechtheit des Schlusses voraus.

5. Betonung des Wunderhaften

Im Markusschluß scheint sich schon eine in der späteren Kirche ausbreitende Betonung des Wunderhaften auszuwirken. Die Verheißung, daß die Jünger Jesu Schlangen aufheben werden, ohne Schaden zu nehmen (Mk 16,18), erinnert an eine Begebenheit, die in der Apostelgeschichte (Apg 28,3) erzählt wird. Die Betonung der Wunderzeichen, die der Verkündigung folgen, scheint der Ablehnung der Zeichenforderung der Pharisäer (Mk 8,11ff) und dem Geist des ganzen Evangeliums zu widersprechen (Mk 15,32). Man hat gemeint, daß die Betonung des Unglaubens der Jünger (Mk 16,9–14), die Mattäus nur andeutet (Mt 28,17), bei Lukas und Johannes stärker ausgeprägt sei (Lk 24,25.37–41; Joh 20,21–29), so daß sich im Markusschluß eine Entwicklung vollenden könnte, die sich in den jüngeren Evangelien abzeichnet und dieser somit jünger sein müßte als sie.
Man wird aber in der Betonung des Mirakulösen nicht die eigentliche Tendenz des Markusschlusses sehen dürfen. Die Taten und Wunder Jesu spielen im ganzen Markusevangelium eine größere Rolle als bei den anderen Synoptikern.

[76] Markusschluß 406.

Im Zusammenhang mit den Aussendungsberichten wird immer die Verleihung von Macht über die Krankheit und Dämonen erwähnt. Auch sind die Zeichen im Markusschluß keine den Glauben erzwingenden Beweisgründe, sondern seine Folge. Daß aber dem Glaubenden alles möglich sei, wird auch im Evangelium selbst betont (Mk 11,23). Die Verheißung der Zeichen kann darum nicht als ein Element angesehen werden, das dem Geist des ganzen Evangeliums widerspricht.
Zusammenfassend kann gesagt werden, daß die Gründe, die gegen die Echtheit des Markusschlusses angeführt werden, nicht zwingend sind. Deshalb ist es gerechtfertigt, die Konsequenzen, die sich aus der Annahme der Echtheit ergeben, weiter durchzuspielen. Ist der Markusschluß echt, dann ist er der Schlußstein des Evangeliums. Dann ist zu vermuten, daß sich von ihm her für die Beurteilung des ersten Evangeliums als ganzem und damit der Evangelien überhaupt Folgerungen ergeben können, die allerdings im Rahmen dieses Artikels nur skizziert werden können.

III. Leitwortverbindungen zwischen dem Markusevangelium und seinem Schluß

Im Markusschluß kommen eine ganze Reihe von Leitmotiven des Markusevangeliums zu ihrem Ziel. Diese sind auch durch Leitworte markiert, wie wir sie im Alten Testament vielfach finden. Diese Eigenart des semitischen Redens und Denkens, die im Markusevangelium an vielen Stellen erkennbar ist, kann bei der Auffindung der Grundgedanken, die das Evangelium wie große Linien durchziehen, sich gegenseitig durchdringen und erklären, hilfreich sein.

1. Die Dynamik des semitischen Redestils

Semitische Stilelemente im Markusevangelium werden von vielen gesehen, von anderen bestritten. Ich möchte mich, ohne auf diese Diskussion näher einzugehen, auf Beobachtungen beschränken, die auch bestehen bleiben, wenn man sie nicht auf den semitischen Redestil zurückführt. An einigen Stellen finden sich bei Markus die für das Alte Testament typischen Wortwiederholungen, die in einer Perikope das eigentlich Gemeinte hervorheben und vielfach auch einen emotionalen Akzent setzen. Dieser Wiederholungsstil ist etwa in der Perikope vom sogenannten Ehrgeiz der Zebedäussöhne (Mk 10,35–45) auffallend, wo sechsmal hintereinander das Wort „Taufen“ (bzw. „Taufe“) und viermal das Wort „den Kelch trinken“ erscheint, so daß die Verbindung von Taufe und Eucharistie offenbar als Anliegen der Perikope zutage tritt.[77]

Ein anderes Beispiel ist die vielmalige Wiederholung des Wortes „Glauben“ bzw. „Unglauben“ im Markusschluß. Die ganze Perikope zielt auf die Entscheidung über Heil und Unheil hin (V. 16).[78] Am Beginn des Markusevangeliums begegnen uns mehrfach die Worte „verkünden“, „taufen“, „Geist“, „nachfolgen“[79]. Die Worte „Taufe“, „taufen“[80] und das Zitat: „Wer Ohren hat zu hören, der höre!“ im 7. Kapitel gehören in denselben Zusammenhang der Erlösung des Menschen. Dabei ist zu berücksichtigen, daß – wie im Alten Testament – die wiederholten Worte oft nicht in demselben Sinn gebraucht werden. Eine gewisse Unschärfe der Begriffe, die den semitischen Reden eigen ist, findet sich auch hier.[81] So bekommt das Wort seinen klaren Sinn vielfach erst durch den Zusammenhang. Das Wort „Taufe“ beispielsweise wird für die Taufe des Johannes, die Waschungen der Pharisäer, die Taufe des Kreuzes und schließlich die Taufe der Christen gebraucht[82], das Wort „Geist“ für den Heiligen Geist und für den unreinen Geist. Dabei ist auffällig, daß Markus gelegentlich das in der Tradition vorgefundene Wort „Dämon“ durch „unreiner Geist“ ersetzt[83], um so den Gegensatz zwischen dem Heiligen Geist und dem unreinen Geist herauszustellen.

Von den Wortwiederholungen innerhalb einer Perikope sind im Alten Testament Leitworte zu unterscheiden, die sich nicht auf eine einzelne Perikope beschränken, sondern größere Zusammenhänge der Redaktion sichtbar machen

[77] Nach *W. Grundmann,* Markus 218, sind diese Bilder „für das Martyrium von Jüngern einmalig. Für die Gemeinde tragen sie in der Zusammenstellung Kelch und Taufe sakramentalen Charakter.“ Man kann fragen, ob die Zusammenstellung, die bei Mattäus nicht gegeben ist, auf Markus zurückgeht.

[78] Die Botschaft ist keine bloße Information; sie stellt ihre Adressaten vor eine letzte Entscheidung.

[79] κηρύσσειν 1,4.7.14.38.39.45
πνεῦμα 1,8.10.12.23.26.27
ὀπίσω 1,7.17.20
ἀκάθαρτος 1,23.26.27 βαπτίζω 1,4.5.8.9

[80] βαπτίζειν: 7,4; βαπτισμός: 7,4.8.

[81] Vgl. *M. Buber,* Glaube 21; *H. Lubsczyk,* Auszug 14ff.

[82] Taufe des Johannes: 1,4f.8
Geisttaufe des Messias: 1,8
Taufe Jesu: 1,9
Waschungen der Pharisäer: 7,4
Kreuz: 10,38f
Taufe der Christen: 16,16.

[83] Die Wundererzählung Mk 7,24–30 verwendet dreimal δαιμόνιον (V. 26.29f); am Anfang (V. 25) ist das δαιμόνιον durch πνεῦμα ἀκάθαρτον ersetzt. In Mk 1,21–28 findet sich dreimal πνεῦμα ἀκάθαρτον; in Lk 4,31–36 steht dafür zweimal δαιμόνιον (V. 33 πνευμα δαιμονίου ἀκαθάρτον; V. 35 δαιμονίον).

können. Durch diesen Leitwortstil kann die hebräische Darstellungsweise gedankliche Zusammenhänge aufzeigen, ohne sie ausdrücklich aussprechen zu müssen. Es ist keine „Moral der Geschichte" notwendig.
Im Folgenden sollen einige Schlüsselworte und -begriffe des Markusevangeliums vom Markusschluß her durch das Evangelium verfolgt werden, und zwar in der Weise, daß inhaltlich zusammengehörende Worte zusammen behandelt werden.

2. *Die Auferstehung*

Das Wort ἀναστάς, mit dem der Markusschluß beginnt (Mk 16,9), verweist auf einen das Evangelium durchziehenden Zusammenhang. In allen Leidensvorhersagen steht am Schluß die Verheißung der Auferstehung mit dem Wort ἀνίστημι (Mk 8,31; 9,31; 10,34).[84] Dasselbe Wort kommt bei der Auferweckung der Tochter des Jairus (4,42), in dem Gespräch mit den Jüngern nach der Verklärung (9,9f) und in dem Streitgespräch mit den Sadduzäern (12,23.25) für die Auferstehung vor. Im alltäglichen Sprachgebrauch findet sich auch die Form ἀναστάς im Evangelium an verschiedenen Stellen (1,35; 2,14; 7,24; 10,1; 14,60). Stilistisch liegt eine Analogie zum Winzergleichnis vor. Hier wie dort kehrt κἀκεῖνος zweimal wieder. Hier wie dort ergibt sich ein Dreierschritt. Die Boten werden zu den Winzern und hier zu den Aposteln gesandt und nicht aufgenommen. Am Schluß kommt der Sohn bzw. Christus selbst.[85] Wir haben hier eine formale Doppelung, wie sie uns auch sonst im Markusevangelium mehrfach begegnet.[86]
Das zweite Wort für „auferstehen" (ἐγείρω) in dem Bericht der beiden Jünger, die ihn als Auferstandenen gesehen haben (16,14), kommt im Markusevangelium verschiedentlich vor. Es wird vor allem für die Aufrichtung der

[84] In der ersten Leidensankündigung haben Mattäus und Lukas ἐγερθῆναι, in der zweiten hat Mattäus ἐγερθήσεται, während bei Lukas die Auferstehung nicht erwähnt wird. In der dritten hat Mattäus ἐγερθήσεται, Lukas wie Markus ἀναστήσεται; ἀναστάς entspricht also dem durchgehenden Sprachgebrauch des Markus.

[85] Der Aufbau der Darstellung entspricht nicht nur dem Winzergleichnis, sondern dem doppelten Dreischritt des ältesten Auferstehungszeugnisses bei Paulus (1 Kor 15,3ff): Kephas, die Zwölf, mehr als 500 Brüdern auf einmal, Jakobus, allen Aposteln, Paulus. Jedesmal gelangt die Reihe im dritten Glied zu ihrem Ziel.

[86] Bei dem Verhör Jesu vor dem Hohen Rat bereitet ein doppeltes Falschzeugnis, das jeweils mit der Feststellung der Nichtübereinstimmung der Aussagen schließt (14,56.59), das Zeugnis Jesu vor. Man kann auch auf die drei Leidensvorhersagen verweisen. Die erste steht vor der Verklärung und verweist auf den Glauben; die zweite vor der Katechese über die Konsequenzen der Bekehrung; die dritte verweist auf die Taufe und das darin eingeschlossene Sterben mit Jesus.

Kranken bei Heilungen gebraucht (1,31; 9,27) sowie für das Aufstehen der Kranken auf den Befehl Jesu hin (2,9.11.12; 5,41). Man kann an die Schmähung der Feinde Jesu unter dem Kreuz denken: „Andern hat er geholfen, sich selbst kann er nicht helfen". Jetzt ist dieses Wort hinfällig geworden. Die Erscheinungen selbst können im Evangelium nicht vorbereitet sein, weil sie erst hier eintreten. Darum ist es auch nicht zu verwundern, daß φανερόω außerhalb des Schlusses nur einmal im Markusevangelium vorkommt (Mk 4,22). Es erscheint im übrigen bei den Synoptikern nicht, bei Johannes neunmal.

Das Wort „leben" wird im Markusevangelium zweimal in Verbindung mit der Auferweckung genannt: in der Geschichte von der Auferweckung der Tochter des Jairus (Mk 5,23) und im Streitgespräch über die Auferstehung mit den Sadduzäern in dem entscheidenden Argument Jesu (12,27). Wieder begegnen wir der Weiträumigkeit des markinischen Denkens und Sprechens. In der Darstellung der Auferstehung im Markusschluß kommen verschiedene Linien, die das ganze Evangelium durchziehen, zu ihrem Ziel.

3. Der Jüngerkreis

Maria Magdalena wird von dem Auferstandenen zu denen gesandt, „die mit ihm gewesen waren und die weinten und klagten". Dieses Wort οἱ μετ' αὐτοῦ γενόμενοι entspricht genau der Vorstellung des Markusevangeliums vom Jüngerkreis. In dem Bericht über die Apostelwahl ist – anders als bei Mattäus und Lukas – als erster Grund für die Bestellung der Zwölf genannt, „daß sie mit ihm seien". Erst an zweiter Stelle steht, „daß er sie aussende zur Verkündigung" (Mk 3,14). Es ist auffällig, daß diese Formulierung von Mattäus und Lukas nicht aufgenommen wird. Sie kehrt aber bei Markus im anderen Zusammenhang mehrfach wieder, so für die Begleitung Davids in 2,26, wo sie sich auch bei Mattäus und Lukas findet. Dagegen steht sie in der Bitte des geheilten Besessenen, in die Gemeinschaft mit Jesus aufgenommen zu werden (Mk 5,18), ohne daß sie von Mattäus und Lukas aufgenommen wird. Eine verwandte Formulierung begegnet uns noch bei Mk 14,67 in der Verleugnung des Petrus: „Auch du warst mit Jesus, dem Nazarener!" Diese wird von Mattäus übernommen.

Man kann sagen, daß hier für Markus eine charakteristische grundlegende Vorstellung von dem Jüngerkreis im Markusschluß begegnet, die nicht immer von den von Markus abhängigen Evangelien aufgegriffen wird, so daß sich hier ein starkes Argument für die markinische Abfassung des Markusschlusses ergibt. Der alttestamentliche Hintergrund dieses „Mitseins" mit

Jesus kann auf die eigentliche Bedeutung der Zwölf hinweisen. Das Leben mit Jesus ist der Seinsgrund des neutestamentlichen Gottesvolkes, wie das Mitsein Gottes die Existenz Israels begründet.[87]

Die Bezeichnung der Jünger als „Elf" entspricht ebenfalls dem Markusevangelium, das den engsten Jüngerkreis durchweg als „die Zwölf" bezeichnet. Nur einmal kommt die Benennung „Apostel" vor (Mk 6,30).[88] Die Veränderung der Zahl ist im Markusevangelium belegt. In Mk 10,41 wird gegenüber Johannes und Jakobus der Jüngerkreis als die „Zehn" bezeichnet. Ein Charakteristikum des Markusevangeliums ist die starke Betonung des „Jüngerunverständnisses"[89].

Der harte Tadel des Unglaubens der Zwölf durch den Auferstandenen unmittelbar vor ihrer Aussendung ist eigentlich nur dem Markusevangelium entsprechend. σκληροκαρδία wird Mk 10,5 (Mt 19,8) für die Hartherzigkeit der Juden gebraucht, wegen der Mose die Ehescheidung erlaubt. Das Wort ist also bei Markus belegt und von Mattäus übernommen. Die Sache ist an einer Reihe von Stellen zu finden; am stärksten Mk 8,17: „Begreift und versteht ihr immer noch nicht; ist euer Herz verblendet, habt ihr Augen und seht nicht und Ohren und hört nicht? Erinnert ihr euch nicht? ... Versteht ihr immer noch nicht?" (V. 21). Mattäus (16,5–12) hat diese Stelle abgeschwächt: von der Verblendung des Herzens ist bei ihm nicht die Rede. Das Urteil des Markus nach dem Wandeln Jesu über den See (Mk 6,52): „Denn als das mit den Broten geschah, kamen sie noch nicht zur Einsicht. Ihr Herz war verblendet", ersetzt Mattäus durch die Worte: „Die Jünger im Boot aber fielen vor Jesus nieder und sagten: Wahrhaftig, du bist Gottes Sohn" (Mt 14,33). Hier ist ganz deutlich, daß die Überlieferung von der Schwerfälligkeit und Herzenshärte der Jünger, die im Markusevangelium stark ausgeprägt ist, nicht den Vorstellungen der anderen Evangelien entspricht. Im Markusschluß kommt auch diese Linie des Evangeliums zu ihrem Ziel. Die Dynamik des ersten Teiles des Mk-Schlusses ist – wie wir gesehen haben – auf die Erscheinung des Auferstandenen und den Tadel der Jünger ausgerichtet: „... sie glaubten nicht ... sie glaubten nicht ... er verwies ihnen ihren Unglauben und ihre Herzenshärte, weil sie denen, die ihn als Auferstandenen gesehen hatten, nicht geglaubt hatten" (Mk 16,9–14). Stärker kann nicht betont werden, daß die Verkündigung des Evangeliums nicht auf menschlicher Tugend und Befähigung beruht.

[87] Vgl. Ex 33,3.5; 34,9; Num 14,11.42.44.

[88] Die Erwähnung der Apostel in Mk 3,14 ist eine Ergänzung, die die Hochschätzung der Apostel in den alten Kodizes zeigt.

[89] Vgl. *G. Schmahl,* Die Zwölf 122ff.

4. Die Verkündigung des Evangeliums

Der harte Übergang von dem scharfen Tadel Jesu zu der Aussendung der Apostel ist wohl nur für das hebräische Denken erträglich. Im Alten Testament wird meistens bei einer Berufung oder Sendung betont, daß der Berufene ungeeignet ist und seine Eignung allein in dem Mitsein Gottes begründet ist.[90] Im griechischen Raum mußte dagegen eine solche Gegenüberstellung auf Unverständnis stoßen. Wahrscheinlich werden wir hier einen Grund dafür haben, daß der Markusschluß in einem Teil der Überlieferung fehlt.

Charakteristisch für das Markusevangelium ist der absolute Gebrauch des Wortes εὐαγγέλιον wie in Mk 16,15. Das Wort kommt bei Markus außerhalb des Schlusses achtmal vor und davon sechsmal absolut. Dagegen kommt es bei Mattäus viermal vor[91], aber immer verbunden mit dem Attribut „des Reiches", einmal „dieses Evangelium" (26,13). Die anderen Evangelien kennen das Wort εὐαγγέλιον nicht. Das ist überraschend, wenn man das häufige Vorkommen des Wortes bei Paulus bedenkt.[92] Auch der absolute Gebrauch „das Wort" für die Botschaft (Mk 16,20) ist für Markus charakteristisch[93], wenn auch nicht so ausschließlich wie εὐαγγέλίον.

Das Wort „verkünden" (κηρύσσειν) hat im Markusevangelium eine der hebräischen Redeweise entsprechende Elastizität. Während es bei Mattäus nur die Verkündigung des Evangeliums meint, und zwar im Auftrag Gottes oder Christi, kann es im Markusevangelium auch die Verbreitung von Nachrichten über Jesus gegen den Willen Jesu bedeuten (Mk 1,45; 7,36). Es geht um Stellen, die mit dem sogenannten Messiasgeheimnis Jesu zusammenhängen. Doch scheint die Tatsache, daß trotz des Verbotes Jesu die Nachricht weiter getragen wird, dem Sinn des „Messiasgeheimnisses" zu widersprechen, daß nämlich das, was erst die Gemeinde erkannt hat, in das Leben Jesu zurückprojiziert wird als ein Geheimnis, das damals noch nicht bekanntgemacht wurde. Wenn man die durch das Wort κηρύσσειν verbundenen Stellen zusammenschaut, gewinnt man den Eindruck, daß diese Verkündigung gegen das Verbot Jesu besser erklärt werden kann, wenn man

90 Vgl. Ex 3,9ff; Jer 1,5ff; Ri 6,13f; 1 Sam 9,21 u.ö.

91 εὐαγγέλιον τῆς βασιλείας: Mt 4,23; 9,35; 24,14
εὐαγγέλιον τοῦτο: Mt 26,13
εὐαγγέλιον Ἰησοῦ χριστοῦ: Mk 1,1
εὐαγγέλιον τοῦ θεοῦ: 1,14
εὐαγγέλιον: 1,14; 8,35; 10,29; 13,10; 14,9; 16,15.

92 Röm 9mal; 1 Kor 7mal; 2 Kor 8mal; Gal 7mal; 1 Thess 6mal.

93 ὁ λόγος: Mk 1,45 (Verkündigung ohne Auftrag!)
Mk 2,2; 4,14.15.16.17.18.19.20.33; 8,32; 16,20.

sie als Zurückweisung einer Verkündigung ohne Auftrag in den von Markus angesprochenen Gemeinden betrachtet und als Warnung, aus einer Gotteserfahrung eine Sensation zu machen. Auf diesem Hintergrund steht die Verkündigung in Auftrag und Vollmacht: die Verkündigung des Täufers (1,4.7), Jesu (1.14.38f), der Zwölf (3,14; 6,12), die Verkündigung des Evangeliums in der ganzen Welt (13,10; 14,9). Man hat den Eindruck, daß hier ein ganz klarer Aufbau durch die Beauftragung der Elf (16,15) und den Vollzug dieses Auftrags (16,20) im Markusschluß vollendet wird.

5. Glauben und Gerettetwerden

Das Wort „Wer glaubt, wird gerettet werden“ ist im Markusevangelium vielfältig vorbereitet. Immer wieder wird den Geheilten gesagt: „Dein Glaube hat dich gerettet!“ Es ist dem Geist der Schrift entsprechend, zwischen den Krankenheilungen und der endgültigen Rettung im Gericht keine Kluft aufzureißen. Die Wunderzeichen Jesu sind im Markusevangelium transparent. So wird mit der Austreibung der unreinen Geister Raum geschaffen für den Heiligen Geist, den der im Heiligen Geiste taufende Messias den Menschen bringen soll. Die Heilung der Taubstummen und Blinden steht im Zusammenhang mit der im Markusevangelium sich öfters wiederholenden Aufforderung: „Wer Ohren hat zu hören, der höre!“ Wie es vom Alten Testament her zu erwarten ist, geschieht die Rettung durch den Glauben an Christus. Die rettende Funktion des Christus gehört von den ersten Ursprüngen des israelitischen Königtums her zur Gestalt des Gesalbten Gottes. In ihm wirkt der eigentliche König Israels, der eigentliche Retter, sein Werk. So entspricht dem Leitwortcharakter der Wurzel „jaschha“ (retten) in der Geschichte der Ursprünge des israelitischen Königtums die Häufigkeit des Wortes σώζειν (retten) im Markusevangelium. Markus scheint die Theologie des Messias von ihren alttestamentlichen Wurzeln her zu verstehen, wo die rettende Funktion des Messias an Tatsachen sichtbar wird. Das zeigt sich nicht nur in der Königsgeschichte Sauls und in der Struktur der messianischen Hoffnung Israels, sondern auch im Verlauf des ganzen Markusevangeliums. Das Vertrauen auf die rettende Macht des Messias ist nicht in das Belieben des Menschen gestellt. Schon im Alten Bund werden die, die die rettende Macht Sauls anzweifeln, „Söhne Belials“ genannt. So entspricht der Zusammenhang zwischen Glauben und Gerettetwerden der Theologie des Alten Bundes. Zum erstenmal wird die Glaubensforderung von Jesus selbst erhoben: „Glaubt an das Evangelium Gottes“ (Mk 1,15). Was das bedeutet, zeigt sich im Verlauf des Evangeliums immer mehr. Der Glaube der Träger des Gelähmten ist der Grund für seine Heilung. Es ist der Glaube an die rettende Macht Jesu. Der Tadel der Jünger: „Wo ist euer Glaube?" (4,40) geht dahin, daß sie nicht an die rettende Macht des gegenwärtigen Gesalbten glauben. Besonders deutlich wird der Zusammenhang von Glauben und Gerettetwerden in der Perikope von der Auferweckung der Tochter des Jairus (5,21–43). Dieser Zusammenhang wird durch die Einfügung der Heilung der blutflüssigen Frau von Markus redaktionell hergestellt. Dabei kann er an die Bitte des Synagogenvorstehers anknüpfen: „Meine Tochter liegt im Sterben, komm und lege ihr die Hände auf, damit sie gesund wird (σωθῇ) und lebt." Das Motiv der Rettung wird in den Gedanken der blutflüssigen Frau aufgegriffen: „Wenn ich nur sein Gewand berühre, werde ich geheilt" (σωθήσομαι, V. 28). Die Rettung wird beidemale durch den Kontakt mit Jesus erhofft, und diese Hoffnung wird von Jesus bestätigt und als Glaube interpretiert: „Dein Glaube hat dich geheilt" (σέσωκεν). Diesen Glauben stärkt Jesus in dem Synagogenvorsteher bei der Nachricht, daß seine Tochter schon gestorben sei. Er sagt: „Fürchte dich nicht, glaube nur." Man kann in der Einfügung der Szene von der bluflüssigen Frau deutlich die Hand des Markus spüren (hier ist auch der Stil dem Stil des Schlusses ähnlich), der den Glauben an die rettende Macht des Christus betont. Im Gegensatz dazu verhindert der Unglaube der Nazarener (6,6) die Wundertaten Jesu, die außerhalb seiner Vaterstadt in ganz Galiläa geschehen sind (6,56). Die Macht des Glaubens kommt besonders in der Umdeutung des Zeichens vom Feigenbaum zum Ausdruck. In der Verfluchung des Feigenbaumes geht es ursprünglich um einen Aufweis der Schuld Jerusalems und um das Ende des Alten Bundes, das in der Folge in verschiedenen Symptomen erkennbar wird: in der Verurteilung des Messias durch den Hohenpriester und im Zerreißen des Tempelvorhangs. Markus sieht in diesem Zeichen einen Erweis der Macht des Glaubens. Dem, der glaubt, ist alles möglich (Mk 11,23f). Offenbar wird hier Jesus selbst als ein Glaubender dargestellt. Er ist in allem uns gleich geworden außer der Sünde. Der Zusammenhang von Glaube und Rettung wird von den Schriftgelehrten unter dem Kreuz umgekehrt (15,32). Die messianische Funktion Jesu wird anerkannt: „Andere hat er gerettet." Trotzdem stellt man die Forderung, daß er – entgegen dem Sinn der messianischen Sendung – sich selbst retten soll. Der Messias, der Israel rettet, wird von Gott gerettet.[94] Die unmessianische Selbstrettung wird zur Bedingung des Glaubens an den Messias Israels gemacht. Man wird sagen dürfen, daß die Worte des Schlusses: „Wer glaubt, wird gerettet wer-

[94] Vgl. 2 Sam 8,6.14; 12,7. Jahwe ist der, der durch den Gesalbten rettet. Dieser Gedanke steht auch hinter der Glaubensforderung des Jesaja an Ahas (Jes 7,9f).

den", einen Gedankengang vollenden und abschließen, der im ganzen Evangelium vorbereitet ist und der in besonderer Weise als ein Anliegen der markinischen Redaktion zu erkennen ist.
Auch die harte Alternative, die in den Worten des sendenden Kyrios gegeben ist: „Wer glaubt und getauft wird, wird gerettet werden; wer nicht glaubt, wird verdammt werden", entspricht dem gesamten Evangelium und dem Charakter der Botschaft als Berufung zu einem neuen Bund (vgl. Mk 14,24). Im Alten Testament ist der Entscheidungscharakter des Bundes in vielen Bundestexten bezeugt.[95] In den Bundeserneuerungsfeiern wird der einzelne Israelit gefragt, ob er sich für den Bund mit Jahwe mit allen seinen Konsequenzen entscheiden will.[96] Die in dem Bundesformular enthaltene Ankündigung von Segen für Bundestreue und Fluch für Bundesbruch prägt das ganze Gottesverhältnis des Alten Bundes.[97] In dem Bundesverhältnis Israels ist es begründet, daß das durch die Propheten verkündete Gericht Gottes fast immer diesen Entscheidungscharakter besitzt und sich kaum je in der Ankündigung eines unabwendbaren Verhängnisses erschöpft.[98]
So entspricht es dem Charakter der ganzen Schrift, daß auch die Botschaft des Evangeliums die Adressaten vor eine Entscheidung stellt, eine Entscheidung, in der es um Heil oder Unheil, um Leben oder Tod geht. Diese durch das Erscheinen des Kyrios bewirkte Krisis prägt das ganze Evangelium des Markus von Anfang an. Die Verkündigung Jesu stößt besonders dort, wo sie Bezeugung seines Auftrags, seiner Berufung ist, auf den Widerstand der führenden Männer des Volkes. Die dadurch bewirkte Scheidung zwischen denen, die mit Jesus sind, und seinen Gegnern führt zu seinem Unter-

[95] Dieser Charakter des Bundes wird heute weithin bestritten, besonders was die alte Zeit angeht. Man weist auf das Bundesschweigen der Propheten hin. Doch wird man zumindest mit *L. Perlitt* für die deuteronomistische Zeit zugeben müssen, daß der Bundesgedanke das theologische Feld beherrscht und als Entscheidung verstanden wurde (vgl. Dtn 28,1ff.15ff; 30,15ff).

[96] Besonders klar wird die Entscheidungsfrage in Jos 24 gestellt, das von vielen als Formular eines Bundeserneuerungsfestes angesehen wird, was besonders durch seine Beziehung zu Jos 23 naheliegt (vgl. *H. Lubsczyk*, Auszug 138ff).

[97] Interessant ist die Form des Rechtsstreites in der Prophetie, in der in juristischen Kategorien ein personales Verhältnis verteidigt bzw. urgiert wird. Das ist eigentlich nur verständlich, wenn der Bund wie auch die Verträge im zwischenmenschlichen Bereich im Alten Testament nicht zuerst auf Sachleistungen zielt, sondern auf ein Verhältnis des Friedens und der Gemeinschaft. Die mit dem Bund verknüpften Forderungen sind Konsequenzen dieses personalen Verhältnisses. Das Buch Ijob zeigt einerseits, in welcher Tiefe das im Bund begründete Vergeltungsdogma das Gottesverhältnis Israels prägt und anderseits, daß es hier gerade nicht um Leistungen geht. Die Grundfrage: „Ist Ijob umsonst gerecht?" macht gerade das uninteressierte personale Verhältnis zu Gott zum Thema.

[98] Zur theologischen Lehre wird dieses Gerichtsverständnis im Buche Jona, in dem die Bekehrung sogar der heidnischen Stadt Ninive das Eintreffen des Gotteswortes vereiteln kann, zum Ärger des Propheten!

liegen. Der Triumph seiner Feinde, der sich gerade in der Ablehnung seiner Selbstbezeugung als Christus und Menschensohn ausdrückt, zeigt die endgültige Entscheidung des Unglaubens. „Christus, der König Israels, steige herab vom Kreuz, damit wir sehen und glauben."
Nun, nach seiner Auferstehung, wird die gleiche Entscheidung noch einmal, und nun für die ganze Welt, zur Entscheidung über Heil und Unheil. Wer glaubt, wird gerettet, wer nicht glaubt, wird gerichtet. Es entspricht der Würde des Neuen Bundes, daß auch in ihm der Mensch nicht nur Objekt des Heilshandelns Gottes ist, sondern durch Christus und seinen Geist befähigt wird, Partner Gottes zu sein, d.h. im Glauben sich ganz dem in Christus offenbaren Gott zu überantworten.

6. Die dem Glauben folgenden Zeichen

Die Verheißung von Wunderzeichen für die Glaubenden scheint zunächst im Gegensatz zu stehen zu der Ablehnung der Zeichenforderung der Pharisäer. Jesus sagt: „Diesem Geschlecht wird niemals ein Zeichen gegeben werden" (8,12). Da geht es um eine Zeichenforderung, die zur Bedingung für den Glauben gemacht wird, ganz entsprechend der höhnischen Aufforderung der Hohenpriester und Schriftgelehrten unter dem Kreuz: „... damit wir sehen und glauben".
Hier im Markusschluß dagegen sind die Zeichen die Folge des Glaubens. Das entspricht dem ganzen Evangelium, in dem die Sendung der Apostel immer mit der Vollmacht, Kranke zu heilen und böse Geister auszutreiben, verbunden ist.[99] Dabei werden ähnliche Formulierungen verwendet wie im Markusschluß: im Namen Jesu Dämonen austreiben[100], Kranken die Hände auflegen.[101] Auch das Wort: „Sie werden sich wohlbefinden"[102] hat die Analogie in dem immer wiederkehrenden Ausdruck „Sich-schlecht-befinden" für die Kranken im Markusevangelium.
Die mit der Verkündigung des Evangeliums verbundenen Machtzeichen werden aber nun im Schluß ausgeweitet. Hier wird die Vollmacht nicht nur den Aposteln gegeben, sondern die Zeichen folgen *allen* denen, die glauben. Ferner werden die Machttaten ausgeweitet durch die Verheißungen des Schutzes. Den Glaubenden wird nichts schaden können, weder Schlangen

[99] Mk 3,15; 6,7.12.30.
[100] ἐκβάλλειν τὰ δαιμόνια: 1,34.39; 3,15.22; 7,26; 9,38; 16,17.19.
[101] ἐπιτίθημι τὰς χεῖρας: 5,23; 6,5; 7,32; 8,23.25; 16,18; ἄρρωστος: Mk 6,5.13; 16,18; sonst nur Mt 14,14 und 1 Kor 11,30.
[102] κακῶς ἔχοντες: Mk 1,32.34; 2,17; 6,55; καλῶς ἕξουσιν: 16,18.

noch Gift. Diese Ausweitung der Vollmacht ist im Evangelium vorbereitet durch die Antwort Jesu auf die Frage des Johannes bezüglich eines Außenstehenden, der im Namen Jesu Dämonen austreibt (9,38). Die Antwort Jesu: „Hindert ihn nicht; keiner, der in meinem Namen Wunder tut, kann so leicht schlecht von mir reden", zeigt, daß hier auch für die Wunderzeichen nicht die Zugehörigkeit zum Jüngerkreis verlangt ist, sondern nur der Glaube an die Macht des Namens Jesu. Diese dem Glauben folgenden Zeichen sind eine Bestätigung des Wortes und eine Wirkung des mit der Verkündigung der Apostel mitwirkenden Herrn. Auch hier wird man sagen müssen, daß die bei der Aussendung der Jünger verheißenenen Zeichen dem ganzen Evangelium entsprechen. Von Anfang an ist die verkündete Lehre eine Lehre voll Macht. Doch wirkt Jesus Machttaten nur dort, wo er Glauben findet. In Nazaret kann er keine Wunder tun wegen des Unglaubens seiner Bürger (Mk 6,1–6a).
Sprachlich entsprechen die Formulierungen: „in meinem Namen Dämonen austreiben" und „Kranken die Hände auflegen und sie gesund machen" dem ganzen Evangelium. Die darüber hinausgehenden Aussagen vom Reden in neuen Sprachen und der Bewahrung vor Schlangen und Gift sind aus der neuen Situation nach Ostern erklärlich. Das Reden in neuen Sprachen ist vorbereitet durch die Verheißung in der großen Parusierede: „Wenn man euch vor Gericht stellt, macht euch keine Sorgen, was ihr sagen sollt, sondern was euch in jener Stunde eingegeben wird, das sagt. Denn nicht ihr werdet reden, sondern der Heilige Geist" (13,11). Das Reden in neuen Sprachen entspricht der neuen Lehre in Vollmacht, die Jesus verkündet (1,27) und dürfte aufgrund von 1 Kor 14 (15mal γλῶσσα) für Markus keine unbekannte Vorstellung sein. Das Aufheben der Schlangen und das Trinken des Giftbechers zeigt die Bewahrung der Boten des Evangeliums und der ihnen Glaubenden vor feindlichen Angriffen, die der von ihnen geforderten Sorglosigkeit (6,6b–12) und Geduld (13,13) entspricht.
Diese Erweise der δύναμις, die Jesus auch seinen Aposteln schon bei ihrer Aussendung vor seiner Kreuzigung aufträgt, sind dieselben, die nun das Evangelium in die Welt begleiten sollen. Sie sind Folgen des Glaubens und nicht Bedingungen, wie in der Zeichenforderung der Pharisäer und der Rede der Hohenpriester und Schriftgelehrten unter dem Kreuz. Sie begegnen uns auch in den Briefen des Apostels Paulus: Macht über die Dämonen, Krankenheilungen und ein besonderer Schutz Gottes für die Boten des Evangeliums. Diese Erweise der Macht, der δύναμις, sind als Zeichen der Gegenwart des erhöhten Kyrios bei seinen Boten und seiner Mitwirkung mit ihnen zu verstehen. Solche Zeichen erweisen auch im Alten Bund das Mitsein Gottes mit den erwählten Werkzeugen seines Wirkens an Israel, das die unerläßliche

Vorbedingung ihrer Wirksamkeit und ihres Erfolges ist. Sie brauchen keine andere Stütze als den Herrn, der mit ihnen wirkt. So werden hier den Zeichen und Wundern der falschen Propheten (Mk 13,22) die wahren Zeichen entgegengesetzt, die hier nicht nur in Vollmacht gewirkt werden, sondern die dem Glauben folgen.

7. Die Taufe

Der Taufbefehl (Mk 16,16) ist im ganzen Evangelium vorbereitet und schließt ein Thema ab, das als eines der grundlegenden Anliegen der markinischen Redaktion betrachtet werden kann. Die Verkündigung des Evangeliums in der ganzen Welt verlangt nicht nur den Glauben: „Wer glaubt und getauft wird, wird gerettet werden; wer nicht glaubt, wird verdammt werden." Der Schluß des Markusevangeliums geht über die Erstverkündigung Jesu in Galiläa hinaus, die mit der Aufforderung endete: „Bekehrt euch und glaubt an das Evangelium" (Mk 1,14). Er verlangt nicht nur den Glauben, sondern auch die Taufe. Das wäre verständlich, wenn das Evangelium – wie manche angenommen haben – eine Tauflehre wäre, die die Katechumenen nicht nur zum Glauben führen, sondern zur Taufe vorbereiten will.

Tatsächlich ist das Markusevangelium von der ersten Seite an auf die Taufe ausgerichtet. Deutlich wird die Taufe des Johannes von der christlichen Taufe abgehoben. Auch bei jener geht es um Bekehrung und Vergebung der Sünden. Johannes der Täufer verkündete in der Wüste die Taufe der Bekehrung zur Vergebung der Sünden (1,4). Die umfassende Wirkung der Bußpredigt des Täufers auf das Volk, die dazu führt, daß „das ganze Land Judäa und alle Bewohner von Jerusalem" zu ihm hinausgehen und von ihm im Jordan getauft werden, „indem sie ihre Sünden bekennen" (1,5), bildet den Hintergrund für die Verkündigung der christlichen Taufe. Johannes, dessen aszetisches Leben mit kräftigen Strichen geschildert wird, verkündet einen Größeren: „Es kommt ein Stärkerer als ich nach mir. Ich bin nicht würdig, kniend seine Schuhriemen aufzubinden. Ich habe euch mit Wasser getauft, er wird euch im Heiligen Geist taufen" (1,7f).

Am Anfang des Evangeliums steht also schon die Verheißung der Geisttaufe, die durch Jesus gespendet werden wird. Daß dabei Elemente der Johannestaufe auch für die Katechumenen in Geltung bleiben, ist sicher anzunehmen. Die Bekehrung und das Bekenntnis der Sünden werden auch von Jesus verlangt.

Der sich anschließende Bericht von der Taufe Jesu führt die Gegenüberstellung von Johannes und Jesus schon zu einem Gipfel. Zugleich hat dieser

Bericht eine ähnliche Funktion wie die Berufungsgeschichten der Propheten. Diese bestehen aus einer Gotteserscheinung und einer Offenbarungsrede. Öfters wird der Berufene in einem zeichenhaften Geschehen für seine Sendung vorbereitet, etwa indem seine Lippen gereinigt werden[103], oder indem er eine Buchrolle verschlingen muß[104] zum Zeichen dafür, daß er ganz von Gottes Wort erfüllt ist. Jesus „sieht den Himmel offen und den Geist auf sich herniedersteigen" (1,10). So wird er als der bezeichnet, der die Menschen im Heiligen Geiste taufen wird. Von hieraus muß auch die erste Wirkung des Auftretens Jesu verstanden werden. Die Austreibung des unreinen Geistes (1,23) ist eine Vorbereitung, ein Raum-Schaffen für den Heiligen Geist, den er zu bringen berufen ist.

Die Vorbereitung der Taufe geschieht auch im Verlauf des Evangeliums in einer wiederholten Gegenüberstellung der Verkündigung Jesu zu der Bewegung des Täufers. Es war offenbar tief im Bewußtsein der jungen Kirche eingegraben, daß das Wirken Jesu mit der Taufe des Johannes begonnen hatte (Apg 10,37). Wenn das ganze Evangelium Taufvorbereitung ist, ist es auch zu verstehen, daß dort, wo die Jünger Jesu von den Johannesjüngern abgehoben werden, der Blick schon über Ostern hinaus bis in die Zeit der Kirche geht.[105] So werden in der Fastenfrage (Mk 2,18–22) die Jünger des Johannes und die Pharisäer gemeinsam den Jüngern Jesu gegenübergestellt: Sie können nicht fasten, weil sie den Bräutigam bei sich haben – eine ungeheuerliche Aussage, von der wir schon gesprochen haben, die aber im Zusammenhang mit der Taufe eine neue Bedeutung bekommt. Durch die Voraussage: „Es werden aber Tage kommen, da der Bräutigam von ihnen genommen ist, dann, an jenem Tage, werden sie fasten", werden die Jünger Jesu als eine Einheit verstanden, die von der vorösterlichen Zeit hinüberreicht bis in die Zeit der Kirche. Die Katechumenen sind also von dem hier berichteten Geschehen unmittelbar betroffen. Sie bilden dieselbe Jüngerschaft Jesu, die nun in einer anderen Situation ist und sich darum anders verhält. Bedeutungsvoll ist, daß sie durch diese Identifizierung auch als Hochzeitsgäste gesehen werden und damit in den Neuen Bund einbezogen werden.[106]

Wie kunstvoll Markus sein Evangelium aufbaut, läßt sich an der Einfügung des Berichtes vom Tode des Täufers erkennen.[107] Nachdem klar geworden

[103] Jes 6,6f.
[104] Ez 3,1ff.
[105] Vgl. *H. Schürmann,* Lukasevangelium I, 297f; ferner *J. Schreiber,* Theologie des Vertrauens 124f.
[106] *W. Grundmann,* Markus 65, verweist auf Hosea, der „das Bundesverhältnis zwischen Jahwe und Israel als Verlöbnis darstellt... Damit hängt die Beschreibung der Zeit des Heiles als Hochzeit zwischen dem Bundesgott und dem Bundesvolk zusammen..."
[107] Vgl. *W. Grundmann,* Markus 127ff.

ist, daß die machtvolle Offenbarung Jesu in Worten und Zeichen auf Ablehnung und Feindschaft stößt, sendet Jesus die Zwölf aus, die er erwählt hat (6,6b–13). Zwischen ihre Aussendung und ihre Rückkehr fügt Markus den Bericht vom Tode des Täufers ein (6,17–28), der durch das Urteil des Herodes über Jesus (6,14–16) und die Notiz über die Rückkehr der Jünger (6,30f) gerahmt ist. Dabei knüpft er an die Wirkung der Predigt der Apostel an. Herodes, der von Jesus hört, glaubt, „daß der Täufer Johannes von den Toten auferstanden sei, und daß darum in ihm die Wunderkräfte wirken" (6,14). Markus erreicht mit der Einfügung des Martyriums des Täufers eine vielfältige Wirkung. Einmal ist der Tod des Täufers ein Vorbild des Todes Jesu: In der Ermordung des Vorläufers wirft das Kreuz seine Schatten voraus. Zugleich wird aber mit der Vermutung des Herodes, an die Markus andere Meinungen über Jesus anschließt: er sei Elija, er sei einer von den Propheten, das Petrusbekenntnis vorbereitet, das auch auf dem Hintergrund dieser Meinungen steht (8,28). Man wird aber sicher nicht fehlgehen, wenn man annimmt, daß der Gedanke einer Auferstehung des Täufers schon auf die Auferstehung Jesu hinweisen soll. In Jesus ist nach der Meinung des Herodes der Täufer Johannes von den Toten auferstanden, und darum wirken in ihm die Wunderkräfte (6,14).

Die plastische Schilderung des Martyriums des Täufers kann als eine Vorbereitung der Katechumenen auf die Taufe und auf das Martyrium betrachtet werden. Auch sie sollen mit Christus vom Tode auferstehen (Kol 3,1), und auch durch sie sollen Zeichen und Wunder geschehen (Mk 16,17f.20).

Wenn man das Evangelium des Markus als Tauflehre versteht, wird auch klar, warum es im 7. Kapitel eine ausführliche Auseinandersetzung mit den jüdischen Reinheitsvorschriften enthält. Das Markusevangelium, das sonst die Lehrüberlieferung Jesu, die uns in den beiden anderen Synoptikern ausführlich dargeboten wird, nur sparsam verwendet, gibt den Auseinandersetzungen mit den Reinheitsvorschriften der Juden deshalb einen breiten Raum, weil dadurch die in der Taufe gewirkte Reinheit von der kultischen Reinheit des Pharisäismus (7,1) abgehoben werden soll. Das kommt auch in der Sprache deutlich zum Ausdruck. Dreimal kommt das Wort „Taufe" oder „taufen" in diesem Zusammenhang vor.[108] „Auch wenn sie vom Markte zurückkommen, essen sie nicht, ohne vorher ‚getauft' zu sein. Noch vieles andere haben sie hier zur Beachtung überkommen, ‚Taufen' von Bechern und Krügen, von

[108] Das Wort βαπτίσωνται wird in Mk 7,4 vom Vatic. und Sinait. durch ῥαντίσωνται ersetzt. In V. 8b ist die Tradition uneinheitlich. Die zweite Vershälfte fehlt in wichtigen alten Handschriften. Doch wird man vermuten dürfen, daß der Wiederholungsstil und der Gebrauch des Wortes „Taufe" für die jüdischen Waschungen in späterer Zeit unbequem waren.

Kesseln und Sitzbetten ... Dieses Volk ehrt mich mit den Lippen, aber ihr Herz ist weit von mir. Sie ehren mich vergeblich, indem sie Lehren aufstellen, die Menschensatzungen sind. Denn ihr laßt das Gebot Gottes fahren und haltet euch an Menschenüberlieferungen, an ‚Taufen' von Gefäßen und Bechern. Dergleichen Dinge tut ihr viele" (7,4–8).

Es ist zu verstehen, daß in einem Teil der Textüberlieferungen zweimal das Wort „Taufe" getilgt ist; einmal ist es durch ein anderes ersetzt worden, und am Ende ist der ganze Satz weggelassen. In einer späteren Zeit konnte man nicht mehr verstehen, warum die Waschungen der Juden „Taufe" genannt werden. Für Markus, der dem hebräischen Denken noch nahe ist, ist der Begriff „Taufe" noch biegsam. Der Taufe des Johannes und den Waschungen der Pharisäer wird die Taufe Jesu gegenübergestellt: in ihr geht es nicht um eine äußere Reinigung, sondern um die Reinigung des Herzens. Das, was den Menschen verunreinigt, zählt Markus in einem Lasterkatalog auf, der mit ähnlichen Aufzählungen bei Paulus zu vergleichen ist: „Aus dem Herzen des Menschen kommen die schlechten Gedanken, Unzucht, Diebstahl, Mord, Ehebruch, Habgier, Bosheit, Arglist, Schwelgerei, Neid, Lästerung, Überhebung, Unverstand" (Mk 6,21). Das Herz des Menschen, das Innere, soll durch die Taufe umgewandelt werden.

Durch das neue Verständnis von Reinheit, das Jesus verkündet, wird eine Scheidung bewirkt. Jesus schließt seine Rede an das Volk (7,14–16) mit den Worten: „Wer Ohren hat zu hören, der höre" (7,16).[109] Den Jüngern, die sich ihm schon angeschlossen haben, wird die Lehre verdeutlicht (7,17–23). Auch die beiden Wundererzählungen, die auf diese Reinheitslehre folgen, sind auf sie bezogen.

Ein heidnisches Mädchen wird von einem unreinen Geist befreit, weil ihre Mutter an Jesus als den Kyrios glaubt (7,24–30).[110] Die Reinigung geschieht nur durch ihn, den eigentlichen Taufenden. Die Heilung des Taubstummen (7,31–37) zeigt, daß nur durch Jesus die Ohren des Menschen aufgetan werden, so daß er richtig hören und richtig sprechen kann. Es ist bezeichnend, daß das Wort, mit dem Jesus den Taubstummen anredet: „Ephetha = tue dich auf", ebenso in die Taufliturgie eingegangen ist wie die Beschwörung des bösen Geistes.

In dem zweiten Teil des Markusevangeliums, der durch die drei Ankündigungen des Leidens und der Auferstehung gegliedert ist, wird auch von der Taufe in einer neuen Weise gesprochen. Die drei Leidensankündigungen

[109] V. 16 fehlt in einem Teil der Textüberlieferung. Vgl. Anm. 108.

[110] Nach *E. Klostermann,* Markusevangelium 81, stellt die Komposition möglicherweise eine Beziehung zur Heidenmission her.

sind kurze Zusammenfassungen des Evangeliums von dem gekreuzigten und auferstandenen Christus im Munde Jesu selbst. An diese Leidensankündigungen schließen sich Unterweisungen über die Nachfolge Jesu an, die durch das Kreuz einen eigenen Charakter bekommen. Es wird jetzt klar, daß der Glaube allein nicht genügt, sondern die Bereitschaft verlangt wird, das Schicksal Jesu zu teilen. Wer Jesus „nachfolgen will, muß sich selbst verleugnen und sein Kreuz auf sich nehmen" (8,34), er muß alles verlassen und Jesus „auf dem Wege des Kreuzes folgen" (10,21). In diesem Zusammenhang wird der Sinn der Taufe in einer neuen Dimension erkennbar. Es scheint, daß hier die eigentliche Aussage der Perikope liegt, die man nicht gerade zutreffend mit „Ehrgeiz der Zebedäussöhne" überschrieben hat (Mk 10,35–40). Es geht in ihr nicht um eine Unterweisung in der Tugend der Demut, sondern um ein letztes Verständnis der Jüngerschaft, der Taufe und der Eucharistie. Jesus verurteilt den sogenannten „Ehrgeiz" der Zebedäussöhne nicht, denn er gesteht auch den über die beiden Brüder aufgebrachten zehn Jüngern zu, daß unter ihnen solche sind, die groß werden wollen. Die Frage, die Jesus den Zebedäussöhnen stellt, gibt das Maß an, an dem die Größe der Jünger Jesu gemessen wird. Jesus fragt: „Könnt ihr den Kelch trinken, den ich trinke, oder mit der Taufe getauft werden, mit der ich getauft werde?" Die Jünger antworten: „Wir können es." Und Jesus erwidert ihnen: „Den Kelch, den ich trinke, werdet ihr trinken, und mit der Taufe, mit der ich getauft werde, werdet ihr getauft werden."

Wenn das Markusevangelium Taufunterweisung ist, dann müssen die Katechumenen die Frage Jesu als an sich gerichtet verstehen. Und es wird von ihnen erwartet, daß sie sie wie die Zebedäussöhne beantworten: „Wir können es", und daß sie mit Freuden die Zusage Jesu hören, daß sie sein Schicksal teilen dürfen: „Mit der Taufe, mit der ich getauft werde, werdet auch ihr getauft werden". So wird klar, warum am Ende des Markusevangeliums als Antwort auf die Verkündigung der frohen Botschaft nicht nur der Glaube, sondern auch die Taufe verlangt wird. Die Taufe ist das Signum der Kreuzesnachfolge, die in dem gesamten zweiten Teil des Evangeliums als Wesensmerkmal des Jüngers Jesu erkennbar wird. Daß das Kreuz nicht das Endziel ist, wird dadurch deutlich, daß die Worte über den Kelch und die Taufe gerahmt sind von dem Verlangen, in der Herrlichkeit Jesu zu seiner Rechten und zu seiner Linken sitzen zu dürfen (10,37.40). Es scheint, daß Taufe und Eucharistie hier fast die gleiche Bedeutung haben: Anteil am Leiden Christi. Man wird daher vermuten dürfen, daß der Bund, der im Blute Jesu geschlossen wird (Mk 14,24), nicht nur eine Gnadenverfügung Gottes ist, sondern die personale Beanspruchung bis zum Tode genauso mitenthält, wie sie im Alten Bunde gegeben war, wenn der Bund durch das Hindurch-

schreiten zwischen den in zwei Teile geteilten Opfertieren als Entscheidung über Leben und Tod anschaubar wurde.[111]
Die letzte Erwähnung der Taufe des Johannes (11,30) im Markusevangelium setzt voraus, daß Johannes Jesus vor dem Volke legitimiert hat. Markus hält damit die Verkündigung der Geisttaufe durch Johannes den Täufer aufrecht und ebenso die Verkündigung dessen, der stärker ist als Johannes. Die allgemeine Anerkennung des Täufers als Prophet müßte also eigentlich zum Glauben an Jesus führen. Die Tempelreinigung, die redaktionell im Zusammenhang mit der Perikope der Vollmachtsfrage steht, zeigt, daß es Jesus nicht nicht nur um die Erlösung des einzelnen Menschen geht, sondern um die Reinigung des Hauses Gottes und damit um die Fortführung des Wirkens Gottes im Alten Bund. Damit tritt ein neues Motiv in Zusammenhang mit der Taufe: das Schicksal des Tempels, das Jesus in seiner großen Gerichtsrede voraussagt, und die Anklage vor dem Hohen Rat und unter dem Kreuz, er habe gesagt, er wolle den Tempel zerstören und in drei Tagen aufbauen. Man kann in der Komposition des ganzen Evangeliums sehr wohl den altchristlichen Gedanken ausgedrückt sehen, daß die Kirche, der neue Tempel Gottes (1 Kor 3,16), im Sterben und Auferstehen Jesu gegründet wird (Joh 2,21). Diese Horizonte werden den Katechumenen jedoch noch in einer verdeckten Form mitgeteilt.
Wenn man aber das Markusevangelium von Paulus her liest, kann darum der Taufbefehl in seinem Schluß sehr wohl die Aufnahme der Glaubenden in die Gemeinschaft der Jünger Jesu umgreifen, die zugleich Teilhabe an ihrer Geschichte von den Anfängen her und an ihrer Sendung in die ganze Welt bedeutet.

8. Die Verkündigung in der ganzen Welt

Die am Beginn der Aussendungsrede stehende universale Sendung: „Geht in die ganze Welt und verkündet das Evangelium der ganzen Schöpfung", wird am Schluß in der Bemerkung aufgegriffen: „Sie aber zogen aus und verkündeten überall, und der Kyrios wirkte mit ihnen und bekräftigte ihr Wort durch die daraus folgenden Zeichen."
Auch der Auftrag, das Evangelium in der ganzen Welt zu verkünden, ist sprachlich nur dem Markusevangelium entsprechend und sachlich in diesem nach zwei Richtungen hin vorbereitet: in bezug auf den Raum, in dem das Evangelium verkündet werden soll und in bezug auf die Adressaten.

[111] Vgl. Jer 34,17ff; die Zeremonie ist ursprünglich eine Art Selbstverfluchung, bei der das Tier stellvertretend das Schicksal dessen darstellt, der den Vertrag bricht (A. Weiser).

Schon am Beginn des Evangeliums wird berichtet, daß sich die Kunde von der in Vollmacht verkündeten Lehre Jesu sofort überall (πανταχοῦ) im ganzen Umkreis von Galiläa verbreitet habe (1,28). Jesus sagt zu den Aposteln, die ihn nach den Wundern des ersten Tages suchen: „Laßt uns anderswohin gehen (ἀλλαχοῦ), und er verkündet in den Synagogen von ganz Galiläa, und er treibt Dämonen aus" (1,38f). Der geheilte Aussätzige redet gegen den Befehl Jesu das Wort weiter, so daß die Leute von überall (πάντοθεν) zu ihm kommen (1,45). Ein geheilter Besessener verkündet in der ganzen Dekapolis, wie ihm Jesus geholfen hat (5,20). Jesus selbst wird im Gebiet von Tyrus durch den Glauben einer Griechin veranlaßt, die Schranken seiner Sendung zu durchbrechen (7,27f; vgl. Mt 15,21–28), und die Heilung des Taubstummen, die, wie wir gesehen haben, für die Befähigung zum Glauben transparent ist[112], wird trotz des Verbots Jesu um so mehr bekanntgemacht (Mk 7,36). Am Beginn der Leidensgeschichte wird auf die Verkündigung des Evangeliums in der ganzen Welt angespielt: „Wahrlich, ich sage euch, auf der ganzen Welt (εἰς ὅλον τὸν κόσμον), wo das Evangelium verkündet wird, wird man auch an sie denken und erzählen, was sie getan hat" (Mk 14,9). Die Salbung Jesu gehört mit zum Evangelium. Langsam weitet sich der Raum, in den die Kunde von Jesus dringt. Worte wie πανταχοῦ, ἀλλαχοῦ, πάντοθεν, ὅλον, πᾶς, ἅπας, κόσμος, κτίσις prägen den Lauf der Darstellung. So liegt die Sendung der Elf in die ganze Welt in der Linie des Evangeliums.

Aber auch in bezug auf die Adressaten der Botschaft finden wir eine immer größere Ausweitung. Schon nach der Verkündigung des geheilten Aussätzigen, die ohne Auftrag geschieht, kommen die Leute von überall her (Mk 1,45: „Und es versammeln sich so viele Leute, daß vor der Türe kein Platz mehr ist", 2,2). Scharen von Menschen kommen zu ihm (2,13). Die vielen Menschen sind wie eine Herde ohne Hirten (6,34). Die Leute kommen aus der ganzen Gegend und bringen die Kranken auf Bahren zu ihm (6,55). Immer wieder richtet sich das Wort Jesu nicht nur an seine Jünger, sondern auch an das Volk (8,34; 9,14; 10,1). So wird die Messiasproklamation in Mk 11,1–11 vorbereitet. Eine große Menschenmenge im Tempel hört ihm zu und wird vor den Schriftgelehrten gewarnt (12,37). Die wachsende Ablehnung der Botschaft durch die führenden Männer des Volkes wird von Jesus mit der Verheißung beantwortet, daß vor dem Ende der Welt das Evangelium bei allen Völkern verkündet werden wird (13,10). So liegt die Ausweitung des Markusschlusses: „Verkündet das Evangelium der ganzen Schöpfung" in der

[112] Man muß wohl die Beziehung zu 7,16 (4,9.23) sehen, um die Worte ὦτα, ἀκούειν (7,33.35.37) richtig zu verstehen.

Linie des Evangeliums. Daß so die ganze Schöpfung Adressat der Botschaft wird, ist nur im Markusevangelium verständlich. Nur hier kommt das Wort κτίσις vor, in allen anderen Evangelien fehlt es. Der Gedanke, daß durch Jesus die Schöpfung wiederhergestellt wird (10,6) und daß die Welt einer Bedrängnis entgegengeht, wie sie seit Anfang der Schöpfung nicht war (13,19), wird vollendet in der Verkündigung des Evangeliums an die ganze Schöpfung. Eine Analogie für diesen Gedanken und seine Formulierung finden wir bei Paulus (Röm 8,19–22). Die ganze Schöpfung (πᾶσα ἡ κτίσις) seufzt und liegt in Geburtswehen (V. 22). Ihre Erwartung ist die Offenbarung der Herrlichkeit der Söhne Gottes (V. 19).

So scheint auch die Formulierung für Markus zu sprechen. Das Wort πανταχοῦ, das im lukanischen Bereich mehrfach vorkommt und einmal im 1. Korintherbrief für Paulus belegt ist, ist auch bei Markus vorbereitet in 1,28. Es steht am Beginn und am Ende des Markusevangeliums.

Literatur

Aland, K., Bemerkungen zum Schluß des Markusevangeliums, in: Neotestamentica et Semitica (Studies in Honour of Matthew Black), Edinburgh 1969, 157–180.

Ders., Der wiedergefundene Markusschluß? Eine methodologische Bemerkung zur textkritischen Arbeit: ZThK 67 (1970) 3–13.

Ders., Der Schluß des Markusevangeliums, in: L'Évangile selon Marc, hrsg. von M. Sabbe (BEphThLov 34), Gembloux 1974, 435–470.

Alt, A., Kleine Schriften zur Geschichte des Volkes Israel, Bd. II, München [3]1964.

Buber, M., Der Glaube der Propheten, Zürich 1950.

Bultmann, R., Die Geschichte der synoptischen Tradition (FRLANT 29), Göttingen [8]1970 (mit Erg.-Heft), (Nachdr. der 4. Aufl. Berlin 1961).

Fohrer, G. – Galling, K., Ezechiel (HAT 13), Tübingen [2]1955.

Grundmann, W., Das Evangelium nach Markus (ThHK 2), Berlin [6]1973.

Gunkel, H., Die Psalmen, Göttingen [4]1926.

Guy, H. A., The Origin of the Gospel of Mark, London 1954.

Hahn, F., Christologische Hoheitstitel. Ihre Geschichte im frühen Christentum (FRLANT 83), Göttingen [2]1964 (Nachdr. Berlin 1965).

Hendriks, W. M. A., Zur Kollektionsgeschichte des Markusevangeliums, in: L'Évangile selon Marc, hrsg. von M. Sabbe (BEphThLov 34), Gembloux 1974, 36–57.

Klostermann, E., Das Markusevangelium (HNT 3), Tübingen [2]1926.

Kraus, H.-J., Psalmen, Bd. II, Neukirchen–Vluyn [4]1972 (Nachdr. Berlin 1972).

Ders., Die prophetische Verkündigung des Rechts in Israel (Theologische Studien 51), Zürich 1957.

Linnemann, E., Der wiedergefundene Markus-Schluß: ZThK 66 (1969) 255–287.

Lubsczyk, H., Der Auszug Israels aus Ägypten (EThSt 11), Leipzig 1963.

Morgenthaler, R., Statistik des neutestamentlichen Wortschatzes, Zürich–Frankfurt a. M., 1958.

Pesch, R., Naherwartungen. Tradition und Redaktion in Markus 13, Düsseldorf 1968.

Schmahl, G., Die Zwölf im Markusevangelium. Eine redaktionsgeschichtliche Untersuchung, Trier 1974.

Schmid, J., Das Evangelium nach Markus (RNT 2), Regensburg 1958 (Nachdr. Leipzig 1966).

Schmithals, W., Der Markusschluß, die Verklärungsgeschichte und die Aussendung der Zwölf: ZThK 69 (1972) 379–411.

Schreiber, J., Theologie des Vertrauens. Eine redaktionsgeschichtliche Untersuchung des Markusevangeliums, Hamburg 1967.

Schürmann, H., Das Lukasevangelium, Bd. I (HThK III/1), Freiburg i. Br.–Basel–Wien 1969 (Nachdr. der 2. Aufl. Leipzig 1971).

Schweizer, E., Das Evangelium nach Markus (NTD 1), Göttingen 1968.

Valk, M. van der, Observations on Mark 16,9–20 in Relation to St. Marks Gospel, Coimbra 1958.

Vaux, R. de, Das Alte Testament und seine Lebensordnungen, Bd. I, Freiburg i. Br. 1962.

Vielhauer, Ph., Erwägungen zur Christologie des Markusevangeliums (1964), in: ders., Aufsätze zum Neuen Testament, München 1965, 199–214.

Weiser, A., Die Psalmen (ATD 14/15), Göttingen 1963 (Nachdr. Berlin 1955).

Westermann, C., Das Buch Jesaja, Kap. 40–66, (ATD 19), Göttingen 1968 (Nachdr. Berlin 1968).

Wikenhauser, A.–Schmid, J., Einleitung in das Neue Testament, Freiburg i. Br.–Basel–Wien [6]1973 (Nachdr. Leipzig 1974).

WEISHEIT IM HORIZONT DES REICHES GOTTES

Eine Studie zur Verkündigung Jesu nach der Spruchüberlieferung Q

Von Walter Grundmann †

Darin herrscht in der Forschung eine weitgehende Übereinstimmung, daß Jesus das Nahegekommensein des Reiches oder der Herrschaft Gottes proklamiert hat. Der Begriff, der sich vom altisraelitischen Bekenntnis zu Jahwes Königtum herleitet, ist in der Zeit und in der Umwelt Jesu sehr selten gebraucht. Im Bewußtsein des Volkes und seiner Lehrer ist Gottes Königtum fern gerückt,[1] und die Gegenwart steht für sie unter der Herrschaft der Mächte, die zugleich politischer und kosmischer Art sind, wie die apokalyptische Vorstellung der Völkerengel zeigt. Die Ferne des Königtums Gottes und die gegenwärtige Lage der Menschen ist mit Hilfe apokalyptischer Äonenlehre ausgedrückt worden. Ihr entsprechend wird unterschieden der gegenwärtige bestehende Äon und der zukünftige kommende Äon. Jesus benutzt nach dem einhelligen Zeugnis der Evangelien-Überlieferungen nicht die Sprache der apokalyptischen Äonenlehre, sondern stellt das nahegekommene Reich der Himmel (oder Gottes) in die Mitte seiner Verkündigung. Die Umschreibung „Reich der Himmel", die den Gottesnamen vermeidet, ist im Munde Jesu wahrscheinlicher[2] als die Bezeichnung „Reich Gottes", die im hellenistischen Bereich das dort mißverständliche „Reich der Himmel" verdeutlicht.

Auch darin besteht in der Forschung eine weitgehende Übereinstimmung, daß die Ankündigung der genahten Himmelsherrschaft prophetische Art hat; darum erscheint Jesus den Leuten als Prophet und wird von ihnen als solcher beurteilt. Er gilt als der endzeitliche Prophet (nach Dtn 18,15.18f). Aber die Eigenart dieses Jesus besteht darin, daß er zugleich wie ein Lehrer spricht, als solcher angeredet und von Freunden und Gegnern so betrachtet wird.[3] Der Inhalt der Lehre dieses Lehrers ist Weisheit; die Leute seiner Heimatstadt fragen nach ihrem Woher (Mk 6,2). Er ist also prophetischer Weisheitslehrer und vertritt einen Typus, zu dem sich in der späteren nachexilischen Zeit, etwa vom dritten vorchristlichen Jahrhundert ab die Durchdringung von

[1] Auf diesen Zusammenhang machen *W. Bousset – H. Greßmann,* Die Religion des Judentums im späthellenistischen Zeitalter, Tübingen ³1926, aufmerksam.

[2] Jesus vermeidet auch sonst den Namen und vielleicht auch die Bezeichnung Gott, vgl. *J. Jeremias,* Theologie I, 20–24.99–101.

[3] Vgl. *E. Fascher,* Jesus der Lehrer, in: *ders.,* Sokrates und Christus, Leipzig 1959, 134–174.

Prophetie und Weisheit entwickelt hat. In der Hiobdichtung tritt zu den drei Freunden des Hiob, die ihn in der Art der altisraelitischen Weisheitslehrer im Hinblick auf sein Geschick belehren, Elihu; er bekommt in seiner ununterbrochenen Rede an Hiob die Züge des prophetischen Weisheitslehrers. Daniel und die Apokalyptiker bis hin zum Verfasser des vierten Esrabuches tragen sie in weiterentwickelter Gestalt. Ähnlich steht es bei der qumranischen Erscheinung des „Lehres der Gerechtigkeit" und bei dem Verfasser der Weisheit Salomo.

Wenn *Jesus* die *Nähe der Gottesherrschaft* als *prophetisch-eschatologischer Weisheitslehrer* verkündet, dann wäre es wohl möglich, einen wesentlichen Zug seiner Verkündigung und seiner Lehre als *Weisheit im Horizont des Reiches Gottes* zu bezeichnen. Unter bewußter Beschränkung auf die Traditionen der Jesusverkündigung, wie sie in der sogenannten Spruchquelle (= Q) zusammengefaßt sind, soll an dieser Stelle dieser eben gestellten Frage nachgegangen werden. Sie ist Heinz Schürmann gewidmet, der sich mit der Spruchüberlieferung eingehend beschäftigt und seine Ergebnisse in einer Reihe von Aufsätzen[4] und in seinem großen Lukas-Kommentar eingebracht hat. Diese Studie muß ergänzt werden durch eine Untersuchung des lukanischen Sondergutes, der Gestaltung der Bergpredigt bei Matthäus und des Jakobusbriefes, was jedoch hier nicht durchgeführt werden kann.[5]

1.

„Weisheit" ist eine allen Kulturnationen der alten Welt gemeinsame Sache. Sie ist eine menschheitsgeschichtliche Größe geworden. Sie ist einerseits Sammlung dessen, was die Menschen aus Erfahrung und Beobachtung wissen können und bildet damit die Grundlage der sich entwickelnden Wissenschaft. Man spricht in diesem Zusammenhang von enzyklopädischer Weisheit. Ihre Erfahrungsgrundlage aber hat noch eine andere Seite. Sie gewinnt Erkenntnis des Lebens der Menschen, fragt nach seinem Lebensweg und gibt ihm in Erfahrung begründete Wegweisung für sein Leben, um mit den Fragen fertig zu werden, die an ihn herantreten. Sie kommen aus den Gemeinschaftsverhältnissen, in denen er lebt, also aus dem Verhältnis von Mann und Frau, von Eltern und Kindern, aus den sozialen Verhältnissen, aus der Frage nach Besitz

[4] Vgl. *H. Schürmann,* Untersuchungen 109–156: Auf der Suche nach der Logienquelle.

[5] Zur Frage der Weisheit wird vom Verfasser dieses Beitrags eine umfassende Studie vorbereitet; für den Jakobusbrief sei hingewiesen auf die theol. Dissertation von *R. Hoppe*, Der theologische Hintergrund des Jakobusbriefes, Freiburg i. Br. 1975.

und Macht, Reichtum und Armut, Glück und Unglück, Fleiß und Faulheit. Dadurch wird die Weisheit eine praktische, lebensverbundene und lebensbestimmende Größe. Solche Erfahrungsweisheit spricht sich in Sprichwörtern, Gleichnissen und Bildern und in Einzelsprüchen und Spruchreihen aus.
Im alten Israel[6] ist die Weisheit in der Zeit des Königs Salomo, dem Prototyp der Weisheit in Israel, aufgenommen worden, sowohl nach ihrer enzyklopädischen Seite wie nach ihrer wegweisenden Lebensweisheit hin (1 Kön 3,5–15; 5,9–14). Die Weisheit im alten Israel rückt unter das Vorzeichen des Waltens des Gottes, der sich als „Gott der Väter" Israel im ersten Gebot offenbart hat, und bezeichnet „die Furcht des Herrn" als den „Anfang aller Weisheit". Furcht darf freilich in diesem Zusammenhang nicht als Angst mißverstanden werden, sondern meint das ehrfürchtig-ernste Rechnen mit dem Walten Gottes, dem sich anzuvertrauen der Mensch eingeladen wird.[7] Darum begegnet in verschiedenen Wendungen gerade weisheitlicher Literatur der wiederkehrende Ruf zum Vertrauen. Das Walten Gottes aber umschreibt einen unentrinnbaren Tun-Ergehens-Zusammenhang, der freilich sehr bald zum mechanischen Vergeltungssystem erstarrt ist.[8] Der Tun-Ergehens-Zusammenhang besagt, daß das Gute ebenso wie das Böse, das ein Mensch tut, in mannigfacher Gestalt als Gutes und Böses auf ihn zurückkommt. Er erweist sich in einer waltenden Ordnung begründet, die durch Gegensätze und auch ernste Krisen hindurch, regelnd und neue Möglichkeiten eröffnend, sich durchsetzt.
An der Frage, ob dem, der Gutes tut, Gutes widerfahre, und ob der, der Böses tut, Böses zu erwarten hat, ist die große Krise der Erfahrungsweisheit entstanden. Sie steht in der Mitte einiger Psalmen (Ps 37, 49, 73), die der widersprechenden Erfahrung Ausdruck geben, daß der Gerechte viel leiden muß und daß dem Unrecht leichter und schneller Erfolg beschieden erscheint. In der großen Hiobdichtung erscheint diese Krise in der Auseinandersetzung zwischen Hiob und seinen Freunden um sein Schicksal als Ringen mit dem nicht zu verstehenden Gott, der Hiobs Feind geworden ist und an den allein er sich doch wegen seiner Rechtfertigung wenden kann, weil die strittige Frage um Hiobs Schuld oder Unschuld an seinem Geschick geht. In der Hiobdichtung erscheint zum ersten Male Satanas als Gegenspieler Gottes, der vor ihm den Menschen verleumdet und verdächtigt und zugleich Gott den Men-

[6] Vgl. dazu *U. Wilckens – G. Fohrer,* in: ThWNT VII, 469–529, bes. 476–496. 497–510, ferner das Literaturverzeichnis 466 B C; *G. v. Rad,* Theologie I, 415–457; II, 314–328; *ders.,* Weisheit; *P. v. d. Osten-Sacken,* Apokalyptik.

[7] Vgl. *G. Wanke,* in: ThWNT IX, 192f; „aller Weisheit Anfang" vgl. Spr 1,7; 8,13; 9,10; Ps 111,10; Ijob 28,28; Sir 1,16.

[8] Vgl. *K. Koch,* Gibt es ein Vergeltungsdogma im AT?: ZThK 52 (1955) 1–42; *G. v. Rad,* Weisheit 170–174; *G. Fohrer* in: ThWNT VII, 495f mit Anm. 194.

schen fragwürdig macht. Sie stellt in mythischer Form die relevante Frage, in welchem Maße das Böse in Gott hineingenommen oder als Gegenmacht von ihm unterscheiden und doch von ihm umfangen und überholt wird – Satanas als Verkläger im himmlischen Gefolge Gottes. Im Prediger des Salomo meldet sich die Skepsis gegenüber weisheitlicher Erfahrung zu Wort. In der apokalyptischen Weisheit wird die grundsätzliche Frage aufgeworfen, ob innerhalb der Geschichte der Menschheit, apokalyptisch gesprochen: innerhalb des gegenwärtigen bestehenden Äons (= Weltzeitalter), die großen Menschheitsfragen, Schuld und Vergänglichkeit, Unerfülltheit des Lebens durch den Tod und Sinnfrage des Lebens, überhaupt endgültig lösbar sind oder über ihn hinausweisen und in einem kommenden Äon ihre Antwort finden.

Die Erfahrungsweisheit der älteren Weisheitslehrer spaltet sich in Israel, ohne ihre Bedeutung und Wirkung zu verlieren, in „die verborgene Weisheit" der Lehrer, die sie im Aufspüren der göttlichen Geheimnisse suchen, und in „die entschwundene Weisheit" der Apokylyptiker, für die sie im Himmel ihre Wohnung hat, von wo aus sie im kommenden Äon erwartet wird, und in „die nahe Weisheit", die im Gesetz Israels offenbar und anwesend ist.[9] Ihrer nehmen sich die Gesetzeslehrer Israels an und bringen sie in ihrer Gesetzesauslegung zur Darstellung. Eine neue Dimension gewinnt das Weisheitsdenken durch die Berührung der Judenschaft mit der hellenistischen Welt, vor allem in Alexandria; ihr bedeutsamer Vertreter ist Philo von Alexandria. In den eben aufgezeigten Zusammenhängen wird die Weisheit zu einer göttlichen Hypostase,[10] Gottes erstes Geschöpf und Mithelferin bei der Schöpfung und Erhaltung der Welt und Weggeleiterin des Menschen. Philo verbindet die Weisheit mit der Logosvorstellung, wie sie im griechischen Denken seit Heraklit lebendig ist. Hier haben sich Vorgänge vollzogen, die auf die Bildung der frühchristlichen Christologie erheblichen Einfluß gewonnen haben.

In die geschichtliche Entwicklung der Weisheitsliteratur und Weisheitstheologie gehört die sogenannte „Spruchquelle" (Q), die James M. Robinson gattungsgeschichtlich der Gattung der Logoi Sophōn zugeordnet hat.[11] Sie, die Sammlung der Sprüche der Weisen, reichen von den Proverbien des Salomo über den Ekklesiastes, die Hiobdichtung und die Qumran-Hodajoth, Weisheit des Salomo und Pirqe Aboth bis in weisheitlich-paränetische Stücke

[9] Zu den Begriffen vgl. *H. Conzelmann,* Paulus und die Weisheit: NTS 12 (1965/66) 236, auch Anm. 5.

[10] Vgl. dazu *G. Pfeifer,* Ursprung und Wesen der Hypostasenvorstellung im Judentum (Arb. z. Theol., Reihe I, Bd. 31), Stuttgart 1966.

[11] Vgl. *J. M. Robinson,* Logoi Sophon.

der Apokalypsen und der Qumranliteratur und über die Spruchquelle (Q) und vorjohanneische Redesammlung bis zu frühgnostischen Schriften wie das Thomas-Evangelium und die Didaskalia Silvani hinein. Die „Sprüche Jesu" sind erschließbar aus dem Sprachgut, das dem Mattäus- und Lukas-Evangelium gemeinsam ist und Spruchquelle genannt wird.[12] Sie ist eine wachsende Größe, die möglicherweise dem Mattäus und Lukas in verschiedener Gestalt vorgelegen hat und von einem gemeinsamen Kern aus wächst, dessen Mitte das Spruchgut um die Bergpredigt einerseits, und um die Boteninstruktionen andererseits war.[13] Darum ist ihr Inhalt nur in fließender Begrenzung zu bestimmen. Wir müssen mit Ergänzungen und Zufügungen, aber auch mit Austausch einzelner Überlieferungen durch eine Doppelüberlieferung rechnen, die ursprünglich in anderen Zusammenhängen sich vorfand. Lukas hat wahrscheinlich seinem Evangelium Spruchquelle und Sonderüberlieferung zugrunde gelegt und den Markus blockweise in seine Grundkonzeption eingearbeitet.[14] Daraus läßt sich schließen, daß die Reihenfolge der in Q bereits zu Spruchgruppen zusammengewachsenen Sprüche aus Lukas zu erheben ist, der mit seiner Q-Vorlage ähnlich verfahren ist wie mit seiner Markus-Vorlage. Mattäus hingegen dürfte in der Wiedergabe des Wortlautes zuverlässiger sein; seine Zweisprachigkeit und der Vergleich mit anderer Überlieferung, die ihm zur Verfügung stand, ermöglichte ihm sprachliche Präzisierung der zu einem großen Teil aramäischen Überlieferung im griechischen Sprachbereich und den Austausch einzelner Partien.

Die Spruchquelle selbst aber gehörte nicht nur gattungsgeschichtlich den „Sprüchen der Weisen" zu, sondern sie enthält darüber hinaus deutliche Bezüge auf die „Weisheit" selbst. Als einzige evangelische Traditionsschicht hat sie an zwei Stellen einen namentlichen Hinweis auf Salomo als Weisheitslehrer. An der einen Stelle (Lk 11,31f par Mt 12,41f) wird von der Königin von Saba gesprochen, die von den „Enden der Erde" nach Jerusalem kommt, um die Weisheit des Salomo zu hören. Sie wird wie die Niniviten, zu denen der Prophet Jona als Umkehrprediger gesandt wurde, dem gegenwärtigen zeitgenössischen Geschlecht Jesu im Gericht konfrontiert, und sie beschuldigen

[12] Vgl. zur Logienquelle an Literatur zur neuesten Diskussion: *D. Lührmann,* Redaktion; *H. E. Tödt,* Menschensohn 212–249; *F. Christ,* Jesus Sophia; *P. Hoffmann,* Studien; *S. Schulz,* Q; dazu die Arbeiten von *A. Polag,* Der Umfang der Logienquelle; Die Christologie der Logienquelle, beide in Maschinenschrift, Trier 1966 und 1968; ferner *ders.,* Zu den Stufen der Christologie in Q, in: StEv IV, Berlin 1968, 72–74.

[13] Vgl. *H. Schürmann,* Anfänge.

[14] Vgl. dazu *J. Jeremias,* Perikopen-Umstellungen; der Lukas-Kommentar von *H. Schürmann* geht auch von der durch *B. H. Streeter,* The Four Gospels, London [5]1936, vertretenen These aus, die ich in meinem Lukas-Kommentar ebenfalls aufgenommen habe.

und verurteilen es, weil sie im Unterschied zu ihnen nicht auf den gehört haben, bei dem mehr ist als Salomos Weisheit und Jonas Prophetie. Die Zusammenstellung von Salomo und Jona – in dieser Reihenfolge bei Lukas, bei Mattäus jedoch umgekehrt – läßt die Konzeption des prophetischen Weisheitslehrers erkennen, der mehr ist als Salomo und Jona. Die zweite Erwähnung Salomos steht im Lehrgedicht vom Sorgen und spricht von Salomo „in seiner ganzen Herrlichkeit", die nach 1 Kön 3,11 – 14 Lohn für sein Verlangen nach Weisheit gewesen ist. Schon diese singuläre doppelte Erwähnung des Salomo läßt den Bezug der prophetischen Weisheit Jesu auf die Weisheit erkennen, wie sie von Salomo ausgegangen ist.

Die Spruchquelle enthält zwei Worte, von Lukas an verschiedenen Stellen überliefert, von Mattäus zusammengefaßt überliefert (Lk 11,49–51; 13,34f; Mt 23,34–39);[15] das erste von beiden wird bei Lukas als Wort der Weisheit eingeführt, die ihre Propheten und Boten entsendet, die abgewiesen, verfolgt und getötet werden. Lukas verdient an dieser Stelle den Vorzug, denn eine Tilgung der Weisheit als Sprecherin ist im Zusammenhang des Mattäus leichter verständlich als eine Zufügung durch Lukas. Das Bild der Henne, die ihre Küken unter ihre Flügel schützend versammelt, im zweiten der beiden Worte weist mehr auf die „Tochter Gottes", die Weisheit hin, zumal sie möglicherweise mit einem Vogel verglichen worden ist, als auf Jesus, „den Sohn". Aber die Übertragung des Weisheitswortes auf Jesus beschreitet den Weg zur christologischen Aussage, Jesus sei „die Weisheit in Person", mehr als „der Bote der Weisheit". Die beiden Worte, in denen die Weisheit als Sprecherin durch ihren Boten Jesus auftritt, sind durch die deuteronomistische Geschichtsschau und Anklage des Gottesvolkes bestimmt, die von der Verachtung und Verfolgung der Propheten in Gottes Volk spricht.[16] Das weisheitliche Wissen um den leidenden Gerechten und die deuteronomistische Klage um die Prophetenverfolgung sind miteinander verbunden, und in dieser Verbindung fällt der Schatten des Täufertodes, der Passion Jesu und der Apostelmartyrien über die Sammlung der Lehre und Worte Jesu in Q.

Dem Bildwort, in dem Jesus sein zeitgenössisches Geschlecht den spielenden Kindern vergleicht, die sich nicht darüber einigen können, ob sie Hochzeit oder Begräbnis spielen sollen, folgt ein direkter Bezug auf die Weisheit (Lk 7,31–35 par Mt 11,16–19). Die Spruchquelle bezieht das Bildwort auf die unterschiedliche Beurteilung des Täufers Johannes als eines verrückten Asketen und Jesu als eines Schlemmers und Trinkers in schlechter Gesellschaft, „der Zöllner und

[15] Vgl. dazu *F. Christ,* Jesus Sophia.

[16] Vgl. *O. H. Steck,* Israel und das gewaltsame Geschick der Propheten. Untersuchungen zur Überlieferung des deuteronomistischen Geschichtsbildes im Alten Testament, Spätjudentum und Urchristentum, Neukirchen 1967.

Sünder Freund". Das aber besagt: Er ist ein mißratener Sohn, dem für sein anstößiges Leben, das er dazu in schlechter Gesellschaft führt, die Todesstrafe droht (Dtn 21,18–21, dazu b. Sanh. 70 b: strafbar, wenn er seine Gelage in zügelloser Gesellschaft begeht; vgl. auch Spr 23,19–21). Auffälligerweise erscheint in diesem Zusammenhang die Bezeichnung „des Menschen Sohn"; nach den Bilderreden des äthiopischen Henochbuches ist der von Weisheit erfüllte, in ihrem Bereich lebende und aus ihr erscheinende Bote der Weisheit Henoch selbst, der zum Menschensohn erhöht und mit ihm identifiziert wird (aethHen 48,7; 49,1–5; 46,1–3 und der ganze Zusammenhang von 37,1–64,2 und 70,1–71,17). Jesus, den Sohn des Menschen, heißen seine Zeitgenossen einen mißratenen Sohn, der vom gewaltsamen Tode bedroht wird. Am Schluß von Bildwort und Bezug auf Johannes und Jesus heißt es: „Und gerechtfertigt wird die Weisheit von all ihren Kindern" (Lk 7,35 par Mt 11,19, „... aus ihren Werken"). Der im griechischen Text stehende Aorist ist wahrscheinlich ein gnomischer oder futurischer Aorist; futurisch verstanden würde er besagen: Der Endsieg der Weisheit im künftigen Gericht wird ihre Rechtfertigung, die von ihren Kindern her erfolgt, denn sie werden gerechtfertigt, weil sie ihr gefolgt sind. Versteht man den Aorist präsentisch-gnomisch, dann würde gesagt: Die Weisheit findet ihre Bestätigung von denen her, die ihr folgen, indem sie erkennen und bekennen, daß ihr zu folgen sich lohnt. Zu ihren Kindern gehören Zöllner und Sünder. In jedem Fall ist die Weisheit eine verborgene Größe, die sich als Weisheit im Vollzug denen enthüllt, die sich auf sie einlassen, die aber nicht in stringenter Weise beweisbar ist. Die Kinder, die sie schafft, werden ihre Zeugen, die für ihr Recht und ihre Wahrheit eintreten; die Werke, die sie wirkt, weisen auf sie als auf ihren Grund hin. In unmittelbarer Nähe stehen „Weisheit" und „Sohn des Menschen" beieinander. Daß anstelle des Namens Jesu nach der Benennung des Johannes von Jesus als „des Menschen Sohn" geredet wird, läßt erkennen: Diese Überlieferung sieht Jesus einerseits in der Reihe der Boten der Weisheit, in deren Dienst durch ihn auch seine Jünger genommen werden; durch „des Menschen Sohn" aber wird er in dieser Reihe als einzigartig und einmalig von ihnen unterschieden. Als „Bote der Weisheit" ist er „Weisheit in Person".

In weisheitlichen Zusammenhang führt noch ein anderes Menschensohn-Wort (Lk 9,58 par Mt 8,20), das von der Weisheit spricht, die ihre Bleibe sucht und keine Grube findet, wie sie die Füchse haben, und kein Nest wie die Vögel. Hinter diesem Wort steht „die entschwundene Weisheit", die auf Erden keine Bleibe findet und in den Himmel zurückkehrt (aethHen 42,1–3). Der Bleibe suchenden und nicht findenden Weisheit gleicht des Menschen Sohn, Jesus in seinem Erdendasein, in dem sie als „verborgene Weisheit" gegenwärtig ist.

Der Mythos von der verborgenen und entschwundenen Weisheit ist den jüdischen Gesetzeslehrern bekannt, die ihrerseits behaupten: Die Wohnung suchende Weisheit hat in Israel ihre Bleibe gefunden; Israel hat sie in seiner Tora, und die Gesetzeslehrer bewahren sie und machen sie bekannt durch ihr Studium und ihre Auslegung (Sir 24). Darum sind die Gesetzeslehrer die „Weisen" in Israel. Eben mit diesen Gesetzeslehrern setzt sich Jesus auseinander im christologisch zentralen Passus der Spruchquelle (Lk 10,21f par Mt 11,25–27). Er dankt dem Gott, den er als Vater (= abba) anredet, für die ihm zuteil gewordene Offenbarung, die er den „Unmündigen" weitergibt, vor der sich die „Weisen und Verständigen" verschließen. „Weiser und Verständiger" ist, wie aus syrBar 46,5 hervorgeht, eine Selbstbezeichnung der Gesetzeslehrer, die Jesus aufgreift und im Gegensatz zu den „Unmündigen", den amme-ha-arez setzt, dem von den Gesetzeslehrern verfluchten und verachteten Volk, das das Gesetz nicht kennt (Joh 7,49). Den „Weisen und Verständigen" ist Jesu Lehre „verborgene Weisheit", während sie den Unmündigen offenbar wird und sie dadurch „Kinder der Weisheit" werden. Mit diesem Dankgebet wird die kritische Haltung Jesu zu der als Gesetzeslehre dargebotenen Weisheit der Gesetzeslehrer deutlich ausgesprochen. Jesus ist „Bote der Weisheit" nicht auf der Grundlage des Gesetzes, sondern „im Horizont des Reiches Gottes".[17] Er spricht es den Armen in der ersten Seligpreisung der Bergpredigt zu (Lk 6,20 par Mt 5,3); sie sind mit den „Unmündigen" identisch.

An das Dankgebet mit dem ihm verbundenen Offenbarungswort, auf das sofort zurückzukommen sein wird, schließt sich nur bei Mattäus das Einladungswort an (Mt 11,28–30). In diesem Wort spricht der Rufer der Menschen – „Her zu mir alle..." – in der Weise der Weisheit und ihrer Boten, wie das Einladungswort am Schluß der Sirach-Schrift zeigt (Sir 51,31–35). Sollte das Einladungswort in der dem Mattäus vorliegenden Q-Fassung gestanden haben, wofür

[17] Zu der Erwählung der „Unmündigen" vgl. Ps 116,5; 119,130; ferner 1 Q H 2,8ff: „Ich wurde zur Klugheit für die Einfältigen und zum festen Sinn für alle, die bestürzten Herzens sind." Darum sehen sich die Leute von Qumran vor die Aufgabe gestellt: „... kundzutun die Hoheit Jahwes ist die Weisheit verliehen worden, und zu erzählen die Menge seiner Taten ist sie dem Menschen kundgetan worden, kundzutun den Einfältigen seine Macht, zu lehren die Unverständigen seine Großtaten..." 11 Q Ps[a] 18. Der Qumran-Psalm sieht in der Gemeinde von Qumran die Gemeinde der Armen, der Erwählten, der Vollkommenen; ihnen stehen die Übermütigen, die Sünder, die Übeltäter gegenüber; dazwischen aber sind die Unverständigen, die Einfältigen, die Unmündigen; um sie geht das Bemühen der Weisheit durch ihre Boten. Weish 10,21 wird von der Weisheit gesagt, sie mache die Sprache der Unmündigen verständlich. Wenn die Spruchquelle Jesus in der Reihe der Boten der Weisheit sieht und ihm zugleich durch die Menschensohn-Bezeichnung Einzigartigkeit verleiht, so bringt sie zum Ausdruck, daß durch Jesus eine ganze Bewegung endgültig zur Sprache kommt, – ein wesentliches geschichtliches Urteil.

der formgeschichtliche Zusammengang Dankgebet–Offenbarungswort–Einladungswort sprechen könnte,[18] dann würde in ihm Jesus als Rufer der Weisheit sprechen. Er ruft die sich Abmühenden und Belasteten aus dem Joch des Gesetzesdienstes heraus unter das Joch der Himmelsherrschaft; er gibt Ruhe und Erquickung für des Menschen Seele; dieses Joch ist als Jesu Joch leicht und gütig. An ihm kann man lernen, nicht hart und stolz wie die Gesetzeslehrer, sondern gut den Menschen und Gott ergeben zu sein. Der Zusammenhang mit Jesu Gegensatz zu den Gesetzeslehrern im Dankgebet, der im Einladungsruf durch den Gegensatz zu ihrer Gesetzeslehre gegeben ist, spricht für die Zugehörigkeit dieses Weisheitswortes zur Spruchquelle. Hat es Lukas weggelassen, weil er den Bezug auf das Gesetz für nicht mehr aktuell oder nicht klar genug hielt, oder hat er es in seiner Vorlage nicht gelesen? Hat es in der Vorlage des Mattäus gestanden oder ist es aus anderer Überlieferung dem Mattäus zugeflossen? Wir wissen es nicht. Im letzteren Fall würde freilich deutlich, daß weisheitliche Überlieferungen, auf Jesus bezogen, weit über die Spruchquelle hinausgehen.

2.

Die unübersehbaren direkten Bezüge auf die Weisheit und die Weisen lösen die Frage aus, worin die von Jesus verkündigte „Weisheit im Horizont des Reiches Gottes" bestehe. Es gehört zur Eigenart der Weisheit in Israel im Unterschied zur altorientalischen Weisheit, daß sie verbunden ist mit dem Vertrauen auf das Walten Gottes, wie es dem Volke im Bunde angeboten ist. In den Sprüchen des Salomo steht ein sehr alter Zusammenhang, der aus ägyptischer Weisheit übernommen und mit einer Einleitung versehen ist (Spr 22,22–23,14; Einleitung 22,17–21). Sie hat in dem Wort ihre Mitte: „Damit du auf Jahwe dein Vertrauen setzest, tue ich dir seinen Weg kund" (V.19).[19] Der weisheitliche Psalm gibt dem, der über das Unglück der Gerechten und das Glück der Ungerechten beunruhigt ist, die Weisung: „Setze dein Vertrauen auf den Herrn und tue Gutes..." (Ps 37,3). Das ist jene „Furcht des Herrn", die „aller Weisheit Anfang" ist.
In dem eben erwähnten Dankgebet (Mt 11,25f par Lk 10,21), einem Vierzeiler, redet Jesus Gott, den er „Herr des Himmels und der Erde" nennt, mit

[18] Vgl. zum ganzen Komplex *E. Norden,* Agnostos Theos, Berlin ²1923; *T. Arvedson,* Das Mysterium Christi. Eine Studie zu Mt 11,25–30, Uppsala 1937; *F. Christ,* Jesus Sophia 100–119; *W. Grundmann,* Matthäus 314–319.
[19] Übersetzung nach *H. Ringgren,* Sprüche (ATD 16/1), der dem LXX-Text folgt.

Abba an, ein Ausdruck des Vertrauens zu Gott, der vor Jesus in Gebeten nicht vorkommt und erst durch ihn in sie eingeführt wurde.[20] In dieser Vater-Anrede spricht sich seine Gotteserkenntnis aus. In sie nimmt er im Unser-Vater-Gebet seine Jünger hinein. Im Unterschied zur Fülle der Gottesanreden in Gebeten in der religionsgeschichtlichen Umwelt kennt das Unser-Vater-Gebet nur die eine Anrede: Vater (= abba).[21] In ihr ist Gottes Für-uns-sein ausgesagt, das zum Vertrauen ruft. Sie setzt Jesus in die Lage, die Verschlossenheit der Gesetzeslehrer gegenüber seiner Botschaft und seinem Wirken hinzunehmen und für seinen Weg zu denen zu danken, die durch jene als Unwissende, Erkenntnislose, Unmündige von ihrer Gesetzeslehre ausgeschlossen sind. Durch Jesus werden sie „weise" und „verständig". Sollte mit Irenäus die letzte Zeile des Vierzeilers in der Fassung zu lesen sein: „Hab Dank, Vater, daß mir von dir das Wohlgefallen zufiel", würde er sagen: Jesus selbst komme aus dem Kreis der Unmündigen, und ihn habe Gottes erwählende Huld getroffen, die ihn zum Lehrer der Unmündigen gemacht habe, daß sie durch ihn weise und verständig würden. Dann wäre an dieser Stelle ein Initialvorgang enthalten, der eine Bewegung ausgelöst hat, in der die alte Weisheit zur „Weisheit im Horizont des Reiches Gottes" geworden ist. Dieser Vorgang bedeutet: Das geschichtlich nur im Stand der Lehrer greifbare Phänomen der Weisheit wie die anonym bleibenden Erwartungen, die sich auf einen „wie eines Menschen Sohn" richteten, auf einen Messias oder Gottessohn, werden im Kommen und Ereignis des Jesus von Nazaret geschichtlich fixiert, aus ihrer Anonymität herausgeholt und erhalten seinen Namen. Das Dankgebet nennt dieses Ereignis Offenbarung und Verhüllung. Die in ihr offenbar werdende Weisheit ist verborgene Weisheit und darum Weisheit in Verhüllung; und sie ist zugleich endgültige Weisheit und darum Weisheit in endgültiger Offenbarung. Sie ist Weisheit, mit deren Annahme oder Ablehnung sich eines Menschen Leben entscheidet. Es ist also nicht zufällig mit dem Dankgebet ein Offenbarungswort verbunden.

Für seine wahrscheinlich älteste Textform gehen wir von der Beobachtung aus, daß in den drei der Gebetsanrede folgenden Zeilen des Dankgebetes die verbalen Aussagen in Aoristformen stehen, also von einem Ereignis sprechen.

[20] Vgl. zu Abba und dem ganzen Zusammenhang *W. Grundmann,* Lukas 213–220.229–231; *ders.,* Matthäus 236–242. 314–319; *J. Jeremias,* Abba 15–67.

[21] Der Unser-Vater-Text des Lukas ist in jüngeren Handschriften an Mattäus angeglichen worden; dazu gehört auch die liturgisch bestimmte Erweiterung der knappen Anrede Vater (= Abba) in Lk 11,2 zu „Unser Vater in den Himmeln". Mattäus hebt durch den ihm eigenen Zusammenhang 6,7–9 die Besonderheit der einen Anrede Vater deutlich hervor, denn sowohl das Abba sagen wie die Vielrednerei beziehen sich auf die Fülle der Anreden in außerjüdischen Gebeten – wie die Völker „... gleicht euch ihnen nicht an ..." mit der Begründung: „Denn euer Vater weiß, was ihr nötig habt, ehe ihr ihn bittet."

Auch das Offenbarungswort beginnt mit einer Verbalform im Aorist, so daß in den folgenden beiden Zeilen ebenfalls die Aoristformen vor den häufigeren Präsensformen den Vorzug verdienen. In ihnen wird im Parallelismus membrorum von dem Geschehen einer wechselseitigen Erkenntnis gesprochen, mit der das im Aramäischen fehlende reziproke Pronomen – einander – umschrieben wird. Das wechselseitige Erkennen vollzieht sich in Erwählen und Sich-anvertrauen. Dann würde das Offenbarungswort, auch ein Vierzeiler, lauten:

„Alles wurde mir übergeben vom Vater,[22]
und keiner erkannte, wer der Sohn ist, außer der Vater
(d. h. ... hat den Sohn erwählt...)
und keiner erkannte, wer der Vater ist, außer der Sohn
(... hat sich dem Vater anvertraut...)
und wem es der Sohn offenbaren will.“[23]

In diesem Offenbarungswort wird Gott Vater, Jesus Sohn genannt, wobei „Sohn“ nicht Titel, sondern Relationsbezeichnung ist.[24] Joachim Jeremias hat erwogen, die beiden Zeilen vom wechselseitigen Erkennen bildhaft zu verstehen.[25] Nun ist es ein hinreichend gesicherter Tatbestand, daß der Weisheitslehrer von seinen Schülern mit Vater, die Schüler von ihm mit Sohn bzw. Söhne angeredet wurden. Das hat seinen Ursprung in der alten Weisheitslehre; da war häufig der leibliche Vater der Lehrer seiner Söhne (Spr 4,1–9).[26]

[22] Das „mein“ bei Vater in Mt 11,27a fehlt in der Grundschrift des Sinaiticus und bei Justin, bei Lk 10,22a noch in einer Reihe anderer Handschriften.

[23] Die offenbar wörtliche Wiedergabe des Wortlautes aus Q durch Lukas ändert Mattäus sinngemäß, wie in der Übersetzung im Text angedeutet wird.

[24] Vgl. dazu *W. Grundmann,* Matth. XI 27 und die johanneischen „Der Vater – der Sohn“ – Stellen: NTS 12 (1965/66) 42–49.

[25] Vgl. Abba 53.

[26] *J. Jeremias* sprach vom Vater, „der seinem Sohn die Buchstaben der Tora beibringt, wie er ihn in das gehütete Geheimnis seines Handwerkes einweist“; der wesentliche Bezug auf die Weisheitsübermittlung dürfte aber gerade bei der Vater-Sohn-Relation im Vordergrund stehen, vgl. außer Spr 4,1ff noch Spr 23,26: „Gib mir, mein Sohn, dein Herz und laß deine Augen meine Wege bewahren!“ Ferner: Spr 19,27; 31,2; Sir 31,22; Tob 4,2.21f; 5,1; 14,10–13; weiterhin Sir 2,1; 3,1.12.19; 4,1.23; 6,18.23f.32; 10,28; 11,10; 14,11; 16,24; 18,15; 21,2; 23,7; 37,27; 38,9.16; 41,28; 41,14; Weish 2, 13.16.18; 5,5. Die jeweilige Anrede geht von der Weisheit aus, wobei gesagt wird: „Die Weisheit erhöht ihre Kinder“ (Sir 4,12, Kind und Sohn kann promiscue gebraucht werden) oder vom Vater als dem Lehrer der Weisheit. Die Tobiasbeispiele sind vom Stilmittel der testamentarischen Überlieferung der Weisheit durch den sterbenden Vater bestimmt. Es kehrt wieder in der Testamentsliteratur, z. B. in den Testamenten der zwölf Patriarchen, in denen sich die Anrede „Sohn“ oder „Kind“ häufig findet, durchgängig vorbereitet in den Einleitungen zum jeweiligen Testament und oft wiederkehrend in den Ausführungen, vor allem in der Einleitung neuer Abschnitte innerhalb eines Testaments, z. B. Test XII Levi 13,1f. Auch die Apokalypsen des Adam und des Henoch bieten derartiges Material. Dazu auch *J. M. Robinson,* Logoi Sophon 99, Anm. 99 und *J. Jeremias,* Abba 52f. Eine besondere Studie zu dieser Frage ist m. E. dringend erforderlich.

Dann aber wäre zu fragen, ob die Vater-Sohn-Relation bei Jesus aus der weisheitlichen Bewegung kommt und das vom Vater seinem Sohne Übergebene eben die offenbare endgültige Gottesweisheit ist. Das Wort „übergeben“ oder „überliefern“ hat in der schriftgelehrten Tradition seinen festen Platz. In diesem Bezug würde es besagen: Jesus steht nicht wie die „Weisen und Verständigen“ in der Überlieferung der Väter, sondern er steht in der Überlieferung des Vaters. Ein rabbinisches Wort besagt: Gott übergab dem Abraham die Welt; wie es heißt Gen 18,17: Jahwe sprach: Sollte ich dem Abraham etwas verheimlichen, was ich tun will?“ Exod. rabba zu 15,9.[27] Die Übergabe des „alles“ ist also Übergabe der Vollmacht zum prophetisch-endzeitlichen Weisheitslehrer. In diese Vollmacht ist sein helfendes und heilendes Tun einbeschlossen Das wird in der Spruchquelle ausdrücklich gesagt: Jesus geht nicht wie Johannes den Weg der Gerichtspredigt und der Umkehrtaufe, sondern der heilenden Hilfe und der Frohbotschaft an die Armen (Lk 7,15–23 par Mt 11,4–6); er antwortet mit dem Hinweis auf sein Tun auf die Frage des Täufers, ob er der Kommende sei, und warnt: „Selig ist, wer nicht an mir zu Fall kommt.“ Seine Antwort auf die Frage nach dem Kommenden gewinnt dadurch an Gewicht, daß in ihr prophetische Verheißungsworte aufgenommen sind, ohne als direkte Zitate kenntlich gemacht zu sein (Jes 29,18f; 35,5f; 61,1).[28] Der Unterschied zwischen Jesus und Johannes, der sich auch in ihrer Erscheinung ausdrückt, läßt die Zeitgenossen unschlüssig werden, wem sie den Vorzug geben sollen (Mt 11,16–19 par Lk 7,31–35). Die in ihnen verborgene Weisheit muß durch ihre Kinder oder aus ihren Werken gerechtfertigt werden. Weisheit ist lehrende und helfend-heilende Vollmacht. Das wird auch in Jesu Exorzismen sichtbar (Mt 12,27f par Lk 11,20).

Die Mitte seiner Weisheit ist der Vater, der sich Jesus als Sohn erwählt hat; dieser hat sich ihm anvertraut. Jesus bezeugt also ein einmaliges ihm eigenes Gottesverhältnis, in dem ihm der Vater ganz nahe ist. In diesem Nahesein ereignet sich das Nahekommen der Herrschaft Gottes dadurch, daß sie ihn erfüllt und zu ihrem Bevollmächtigten macht, daß er aus der in seinem Gottesverhältnis begründeten Vollmacht Armen frohe Botschaft verkündet, Kranken, die im Vergeltungsdenken als von Gott Gestrafte angesehen werden, hilft und sie heilt und Jünger beruft, die er in sein Gottesverhältnis hineinnimmt, indem er sie beten lehrt: Vater! Damit verwirklicht er, was er ansagt: „Und wem es der Sohn offenbaren will,“ – das sind die Unmündigen, die Armen, die Kranken, die Geächteten. Mattäus stellt mit dem Einladungswort

[27] Vgl. *E. Percy,* Botschaft 263f.

[28] Damit wird aber im Unterschied zwischen Jesus und Johannes ein unterschiedliches Schriftverständnis sichtbar.

diesen Bezug eindeutig her und ruft die Unmündigen und mit Mühsal Beladenen ausdrücklich auf, an Jesus zu lernen. Lukas, der dem Dankgebet und Offenbarungswort die Seligpreisung der Jünger anschließt (Lk 10,22f par Mt 13,16f), läßt erkennen: Was Jesus anbietet in seinem Verhalten und in seiner Botschaft, ist „mehr als Salomo und Jona". Worauf Propheten und Könige gespannt waren und gewartet haben, geschieht vor ihren Ohren und Augen.

Das neue eschatologische Vertrauen auf den Vater ist die neue Grundlage der eschatologischen Weisheit und erscheint in dem Zusammenhang einer Gebetsdidache in einer sehr charakteristischen und erhellenden Weise (Lk 11,9–11 par Mt 7,7–11). Jesus spricht vom Bitten, das empfängt, vom Suchen, das findet, vom Anklopfen an die Tür, worauf geöffnet wird. Der Ton liegt auf der Erweckung der Zuversicht: Bitte ist nicht vergeblich, Suchen nicht umsonst, Anklopfen nicht wirkungslos. Hinter dem Mittelbild des Suchens und Findens steht das gewichtige weisheitliche Bild vom Weg,[29] hinter dem Anklopfen die Tür, die hineinführt in die als Haus vorgestellte Gottesherrschaft (vgl. Lk 13,28f par Mt 7,11f). Der Weg führt zur Tür, die dem Anklopfenden geöffnet wird. Das Bitten aber könnte sich in diesem Bildzusammenhang konzentrieren auf die weisheitliche Bitte: „Weise mir, Herr, deinen Weg" (Ps 86,11). Die Zuversicht wird zusätzlich durch das Bildwort verstärkt, das von Vater und Sohn in irdischen Lebensverhältnissen spricht und in einem Schlußverfahren vom Leichteren auf das Schwerere sagt: Wenn schon irdische Väter ihren Söhnen gute Gaben geben können, obwohl sie „böse" sind, „wie viel mehr wird euer Vater im Himmel Gutes geben denen, die ihn bitten." Die beiden Begründungen der Zuversicht deuten vielleicht hin auf die im Lehrgedicht vom Sorgen ausgesprochene eschatologische Weisheitsregel, der auch der Aufbau des Unser-Vater folgt: „Sucht zuerst das Reich Gottes, und alles andere wird euch dazugegeben werden" (Lk 12,31 par Mt 6,33).[30] Im ganzen Zusammenhang war zunächst von Gott verhüllt im Passivum divinum gesprochen worden: „Es wird euch gegeben werden", „es wird euch geöffnet werden", dazwischen die andere Umschreibung: „Ihr werdet finden", in der offen bleibt, wer finden hilft. Gott wird nicht genannt. Dann aber wird für einen

[29] Vgl. die Interpretation bei Mattäus, der im Bildwort von den beiden Wegen und Türen das „finden" (7,14) ausdrücklich aufnimmt.

[30] In Mt 6,33 par Lk 12,31 wie in Mt 7,7f par Lk 11,9f steht das gleiche Verbum suchen = ζητεῖν. Was das „Gutes geben – gute Gaben" betrifft, das hier vom Bildwort und von dem Lehrgedicht vom Sorgen her verstanden wird, deutet Lukas auf den heiligen Geist und nicht auf Lebensmittel. Ihm gibt *J. Jeremias* den Vorzug mit der Bemerkung: „. . . nicht die Subsistenzmittel, . . . sondern eingebürgertem eschatologischen Sprachgebrauch gemäß die Gaben der Heilszeit" (Abba 41).

kurzen Augenblick der „verborgene“ Gott sichtbar: Euer Vater – er wird Gutes geben denen, die ihn bitten. Der verborgene Grund alles Seins und Geschehens wird euer Vater, den ihr zuversichtlich Abba nennen dürft. Der zwiespältige Mensch aber wird in seiner Väterlichkeit als Gottes Ebenbild offenbar: Obwohl ihr arg seid, könnt ihr euren Kindern gute Gaben geben; gute Gaben gibt euch Gott, der ohne Arg ist, aus seiner Fülle. In seiner Person verwirklicht Jesus, was er von Gott sagt: Er ist den Menschen gut und tut ihnen Gutes. Darauf können sie sich verlassen; dafür bürgt er.

3.

Mit Jesu Offenbarung aus seinem Gottesverhältnis heraus ist der alte weisheitliche Tun-Ergehens-Zusammenhang[31] neu in Kraft gesetzt. Im 37. Psalm steht nebeneinander: „Setze dein Vertrauen auf den Herrn und tue Gutes!“ Der neu in Kraft gesetzte Tun-Ergehens-Zusammenhang löst das mechanisch-wirksame Vergeltungsdenken aus der eben besprochenen Mitte heraus ab. Im Vergeltungsdenken steht der Mensch mit seinem Tun in der Mitte, auf das Gott vergeltend reagiert. Des Menschen Verhalten wird vergolten nach gut und böse, nach Recht und Unrecht. Im neuen eschatologischen Tun-Ergehens-Zusammenhang steht Gott in der Mitte; er setzt ihn in Kraft und nicht der Mensch, dessen Tun vielmehr zum Nachvollzug dessen wird, was Gott an ihm tut. In der Spruchquelle ist das in jenem Zusammenhang enthalten, der in Lk 6,20–49 als „Predigt am Berg“[32] erscheint und den Grundstock für die große Bergpredigt des Mattäusevangeliums bildet.
Die „Predigt am Berge“ beginnt mit der Seligpreisung der Armen, bestätigt durch Lk 7,22 par Mt 11,5.[33] Die Form der Seligpreisung entstammt der Weisheitsliteratur und gilt den Menschen, die sich an die Lehre der Weisheit halten und ihrer Weisung folgen (so z. B. Ps 1). Jesus preist Menschen selig, die den Zeitgenossen nicht nur als bedauernswert, sondern aus dem herrschenden Vergeltungsdenken heraus als Menschen gelten, die um ihrer Sünden willen Gestrafte Gottes sind. Er spricht von Armen und bezeichnet sie näher als in sozialer Hinsicht Arme, die Hungernden, – dazu gehören auch die Kranken, denen Jesus hilft, – und als seelisch Bekümmerte, Weinende, die durch Leid und Krankheit und Tod und Verlust in Trauer versetzt sind. Zu

[31] Zum alten weisheitlichen Tun-Ergehens-Zusammenhang vgl. Spr 3,32–35; 5,21–23; 10,16f. 24f.28–30; 11,17.24f; 26,27.
[32] So *H. Schürmann,* Lukasevangelium I, 323.
[33] Bei Lukas ist sie bereits durch 4,18 vorbereitet, dessen Q-Zugehörigkeit *H. Schürmann* in seinem Kommentarwerk erwägt.

ihnen kommen die Verfolgten.[34] Diese Seligpreisungen sind ein überraschender und außergewöhnlicher Vorgang, der eine besondere Vollmacht verrät. Wer würde derartige Leute selig preisen? Das Außergewöhnliche verrät sich auch in der Form der Seligpreisungen Jesu. Sie haben ursprünglich nicht die übliche Form der Feststellung, sondern die sehr seltene Anrede, und sie bekommen eine Begründung, durch die den Armen das Reich Gottes, den Hungernden Sättigung, den Weinenden Freude, die sich im Lachen äußert, und den Verfolgten Lohn zugesprochen wird. Diese Begründung bewirkt, daß die Menschen, die im Vergeltungsdenken als Gestrafte gelten, durch die Seligpreisung und ihre Begründung als Erwählte Gottes angeredet werden, denen die Zusage des Reiches Gottes zuteil wird. Sie werden dadurch Menschen, die erfahren, daß sich Gott ihrer annimmt und sie sich erwählt. Ihr Leben bekommt eine neue Würde und die neue Dimension des Ewigkeitsbezuges. Ihr Leben erschöpft sich nicht in der Zeit zwischen Geburt und Tod auf der Erde, sondern darüber hinaus ist ihnen Gottes Reich offen geworden.
Wie Gott an ihnen handelt, so sollen sie an ihren Mitmenschen handeln. Übt er nicht Vergeltung, so darf sie auch für sie nicht gültig bleiben. Mit dem Wort von der Feindesliebe, das einen Spruchzusammenhang zu Vergeltung und Vergebung eröffnet und beschließt (Lk 6,27–35), wird das gesagt.[35] Im Tun Gottes an den Seliggepriesenen, – in V. 27 als „euch den Hörenden" bezeichnet, – das ihnen ein neues Ergehen schafft, ist für sie ein neuer Tun-Ergehens-Zusammenhang gesetzt. Sie sollen für ihre Feinde da sein, wie Gott für die Menschen, auch für die Undankbaren und Bösen (6,35) da ist. Denn „für-den-anderen-da-sein" ist mit „lieben" gemeint. Es geht nicht um ein Gefühl, sondern um Verhaltensweisen. Das „Lieben" wird daher in dem Vierzeiler 6,27f entfaltet als Wohltat gegen den Haß, Segen gegen Fluch, Fürbitte gegen Bedrängung, Beispiele,[36] die durch ihre schockierende Art zum Aufmerken veranlassen sollen, die dazu führen wollen, Böses mit Gutem zu überwinden, wie Paulus das Gebot der Feindesliebe zutreffend auslegt (Röm 12,17–21).

[34] Ich erwäge auf Grund von Mt 5,10–12 eine Grundform der Verfolgten-Seligpreisung mit dem Wortlaut: „Selig ihr um des Rechttuns willen Verfolgte, denn euer Lohn wird groß sein in den Himmeln." Mattäus und Lukas haben sie aus konkreter Gemeindesituation heraus erweitert, wobei bei Lukas die Handhabung des kleinen und großen Synygogenbannes gegen Christen sich bemerkbar macht. Mattäus hat in 5,10 neben der auch bei ihm erweiterten Form im Anschluß an Lukas eine einfachere Form überliefert.

[35] Ob die Weherufe ebenfalls Q angehört haben oder lukanische Bildung sind, läßt sich schwer entscheiden.

[36] Die Beispiele in V. 29f. wechseln von der Ihr-Anrede in V. 20–28, die in V. 31 wieder aufgenommen wird (V. 31–38), in die Du-Anrede, die erneut in dem ebenfalls schockierenden Bildwort V. 41f vorkommt. Man könnte daran denken, daß diese verwandten Beispiele in einen in der Ihr-Form vorgegebenen Zusammenhang eingefügt worden sind. Die Du-Form entspricht jedoch den Beispielen von der Sache her.

Dabei greift Paulus auf ein Weisheitswort aus Spr 25,21f zurück, in dem zu überlegenem Verhalten in der Art der Beispiele aufgefordert wird (vgl. noch Spr 3,27–30; 15,18; 16,32; 19,17; 24,28f). Lukas aber verwendet die goldene Regel, die aus der Weisheit griechischer Sophisten stammt,[37] um den Leuten zu sagen: Ihr wollt selbst, daß eure Mitmenschen euch nicht vergeltend, sondern vergebend begegnen, wenn ihr an ihnen schuldig geworden seid; handelt also am anderen wie ihr es von ihm begehrt. Die goldene Regel (6,31) leitet zu der Feststellung über: Wenn Leute, die einander Freunde sind, miteinander helfend und freundlich umgehen, dann ist das allgemeine Menschenart und nichts Besonderes. Erst in der Freundlichkeit und Hilfsbereitschaft auch dem Feind gegenüber wird das vergeltende Denken und Verhalten überwunden. Als Beispiel dafür erzählt Jesus die Geschichte vom barmherzigen Samaritaner (Lk 10,30–35). Das bleibt zu beachten: Sehr bedeutsame Anstrengungen zur Überwindung vergeltenden Handelns und zur Herstellung zerbrochener Gemeinschaft sind im Bereich der menschlichen Humanität vorhanden. Bei Jesus geht es um einen Tun-Ergehens-Zusammenhang, dessen Ziel der Abschluß der ganzen Wortfolge ausspricht: „... und euer Lohn wird groß sein und ihr werdet Söhne des Höchsten genannt werden, denn Er ist gütig gegen Undankbare und Böse" (6,35).[38] Gott ist also kein Vergelter (vgl. auch Mk 10,18) – anders Paulus in Röm 12,19 –, sondern umfaßt auch den Undankbaren und Bösen. Das ist Maßstab des neu gesetzten Zusammenhangs von Tun und Ergehen. Der Mensch soll in seinem Denken und Tun Gottes Art vor den Menschen sichtbar machen, Gottes Söhne nach des Vaters Art.
In Lk 6,36 (vgl. Mt 5,48) wird das Gesagte zusammengefaßt und die Grundlage für eine noch weiterführende Wortfolge gelegt: „Werdet barmherzig, wie euer Vater barmherzig ist." Sie schließt ab mit dem Satz: „Denn mit welchem Maß ihr meßt, wird euch wiederum gemessen werden." (6,38c). Jesus knüpft an die rabbinische Lehrformel vom zweierlei Maß in Gottes Hand an, das Maß des Richtens und das Maß der Barmherzigkeit. Jesus verwirft das Richten und

[37] Vgl. *A. Dihle,* Die goldene Regel. Eine Einführung in die Geschichte der antiken und frühchristlichen Vulgärethik, Göttingen 1962.

[38] Mattäus hat die dichterisch schöne, aus der Naturbeobachtung des Weisheitsdenkens stammende Formulierung: „... damit ihr Söhne eures Vaters im Himmel werdet, der seine Sonne aufgehen läßt über Böse und Gute und regnen läßt über Gerechte und Ungerechte." Die Lukasfassung hat, wie die Gottesbezeichnung „der Höchste" verrät, hellenistische Prägung. Mattäus könnte also eine ältere Überlieferungsstufe darstellen. Die Grundaussage der Lukasfassung „Er ist gut Undankbaren und Bösen" ist in der Neufassung des Schma Jisrael durch Jesus enthalten: „Keiner ist gut außer der eine Gott" (Mk 10,18). Sie nimmt weisheitliche und liturgische Formulierungen auf; Ps 73,1: „Jahwe ist doch Israel gut, denen, die reinen Herzens sind" (d. h. allein die, die aufrichtigen Herzens sind, dürfen Israel genannt werden, vgl. Joh 1,47); Ps 106,1 u. ö.: „Dankt Jahwe, denn er ist gut, und sein Gutsein währt von Geschlecht zu Geschlecht". Vgl. auch Ps 25,8.

ruft zum Tun des Barmherzigen (6,37.38a). Und dann folgt vor dem abschließenden Wort eine auffallende Durchbrechung des Verszusammenhanges: an das „Gebt, und euch wird gegeben werden" schließt an: „Ein rechtes (also kein falsches) Maß, gedrückt, geschüttelt, überfließend, wird man euch in euren Schoß schütten." Das Bild eines Bettlers wird sichtbar, der auf dem Boden hockt und sein Obergewand wie eine Schale vor sich hingestellt hat, um Geldstücke zu empfangen, und durch ein großes volles Maß überrascht wird. Das ist eine wesentliche Kommentierung des neuen Tun-Ergehens-Zusammenhanges.[39] Er spielt sich zwischen Gott und dem Menschen und seinen Mitmenschen ab. Gott eröffnet ihn, indem er sich den Menschen zuwendet und sich ihnen als Vater öffnet. Er will sie als seine Söhne, die wie er werden sollen: gut und barmherzig; sie sollen sich einander zuwenden und öffnen, auch ihren Feinden. Lassen sie sich barmherzig machen, wie ihnen Gott barmherzig ist, so empfangen sie aus Gottes unerschöpflicher Barmherzigkeit die ganze Fülle seines Heils. Sie werden seine Söhne.[40] Lassen sie sich aber nicht barmherzig machen, dann setzen sie aufs Spiel, was Gott ihnen anbietet und schenkt. Jesus erzählt im Gleichnis vom Schalksknecht diese Kehrseite seiner Botschaft (Mt 18,21–35). Die „Weisheit im Horizont des Reiches Gottes" wird in diesem Tun-Ergehens-Zusammenhang sichtbar.

Die „Predigt am Berge" setzt in V. 39 noch einmal neu ein. In V. 46–49 dürfte ihr ursprünglicher Schluß vorliegen. Endet in V. 38c die Entfaltung des neuen eschatologischen Tun-Ergehens-Zusammenhanges in der vorherrschenden Ihr-Form mit dem Hinweis auf die zwei Maße des Richtens und Erbarmens, so fordert der Schluß nachdrücklich zu seiner Verwirklichung auf. Wenn die Gemeinde Jesus mit „Herr! Herr!" anredet und darin zum Ausdruck bringt, daß sie in seiner Nachfolge steht, weil Gott durch ihn in ihr Leben heilvoll eingegriffen hat, so muß sie dementsprechend ihr Leben führen (V. 46). Daran entscheidet sich alles, ob einer zu Jesus kommt, auf seine Worte hört und danach sein Leben führt oder nicht. Solche Lebensführung gleicht dem Bau des Lebenshauses; seine Zukunft und sein Bestand in kommenden Krisen hängt von seiner Grundlegung ab; sie erfolgt im Kommen, Hören und Tun, und ohne das Tun bleibt Kommen und Hören umsonst. Das Schlußbild verrät weisheitliche Herkunft; in Spr 10,25 heißt es: „So wie ein Sturm vorüberbraust und nicht mehr ist, so ist der Frevler; der Gerechte aber steht auf ewig festem

[39] In V. 37.38a und c ist für das Gotteshandeln das Passivum divinum bestimmend, während der eingelegte Satz in der 3. Person des Plurals davon spricht. So auch Lk 12,20.

[40] Die ganze Fülle des Erbarmens, vgl. Mt 5,7–10 – die Begründungen der Makarismen –, besteht in der „Sohnschaft eures Vaters im Himmel", die Teilhabe am Reich Gottes ist, so daß sich bei Lukas V. 38c und V. 35 gegenseitig auslegen.

Grund" (vgl. auch Ps 1);[41] und in Spr 24,3 steht: „Durch Weisheit wird ein Haus gebaut und durch Einsicht wird es befestigt." Das Schlußbild führt es aus und läßt erkennen: Jesu Worte geben dem menschlichen Leben Wegweisung und einen über den irdischen Bereich hinausgehenden Bestand und Sinn, denn sie sind Worte der „Weisheit im Horizont des Reiches Gottes".

Im Zwischenstück zwischen dem Neueinsatz und dem Schluß kommt Wesentliches für das der eschatologischen Weisheit zugrunde liegende Menschenbild zur Sprache. Die Spruchüberlieferung weiß um die Zwiespältigkeit des Menschen. Er kann, wie es Lk 11,13 par Mt 7,11 heißt, Gutes tun und böse sein. Die alte Weisheit rühmt im Unterschied zur Zwiespältigkeit des Menschen die „Einfältigkeit", die Ganzheit, Aufrichtigkeit, Identität mit sich selbst ist. Von einem solchen Menschen heißt es: „Er wandelt nämlich in Aufrichtigkeit des Lebens und sieht alles in Einfalt" (Test. XII Iss. 4). C. Edlund definiert auf Grund des Materials vor allem aus dem Bereich der Patriarchentestamente den „Menschen der Einfalt" als „ganzherzig in seinem Verhältnis zu Gott und weitherzig im Verhältnis zu seinen Mitmenschen."[42] Jesus nimmt diese weisheitlichen Gedanken in seinem Bildwort vom Auge als des Leibes Licht auf (Lk 11,34–36 par Mt 6,22f.). Seinen pharisäischen und schriftgelehrten Gegnern deckt Jesus die Zwiespältigkeit zwischen Denken und Lehre einerseits und ihrem Verhalten und den Wirkungen ihres Tuns andererseits auf (Lk 11,37–12,1). Er nennt diese Zwiespältigkeit „Heuchelei".

Als ihn ein Gesetzeslehrer um das Tun fragt, das für die Erlangung ewigen Lebens notwendig sei (Lk 10,25–29), veranlaßt ihn Jesus in einem Schlußgespräch durch seine Gegenfrage zu der Antwort mit dem Doppelgebot der Liebe, die auch in den Patriarchen-Testamenten bekannt ist (Test. XII Dan. 5,2; Iss. 5,2; 7,6).[43] Jesus antwortet bejahend: „Du hast trefflich geantwortet: Tue das und du wirst leben!" Das Doppelgebot der Liebe führt hinein in das Gewinnen der Ganzheit und Einheit des Lebens, denn es will, daß der Mensch mit seinem Leben für Gott und für die Menschen da ist; weil Gott für ihn da

[41] Ps 1 beginnt mit der Seligpreisung des Gerechten, bezeugt seine Fruchtbarkeit und seinen Bestand und betont den Unterschied zum Vergehen des Ungerechten.

[42] Vgl. *C. Edlund,* Auge 79. Eine monographische Bearbeitung der Patriarchentestamente im Hinblick auf ihre Ethik und deren Begründung ist für die Erfassung der nichtrabbinischen und nichtpharisäischen Väterfrömmigkeit, wie sie offenbar z. B. in Jesu Familie gepflegt worden ist, was aus den Namen der Söhne hervorgeht, und für ihren Einfluß auf die Ethik der frühen Christenheit dringend notwendig.

[43] Die Überlieferung des Doppelgebotes bei Markus einerseits und Lukas andererseits divergiert. Mattäus zeigt eine Form, die lukanische Elemente enthält – die bei Mattäus nur hier begegnende Formulierung „Gesetzeslehrer" im Unterschied zu dem sonst bei ihm stehenden „Schriftgelehrter" und die Betonung der versucherischen Art der Frage, die bei Markus fehlt. In Lk 10,25–29 liegt die Q-Überlieferung im Unterschied zu der des Markus (12,28–34) vor, die auf Mattäus Einfluß gewinnt, so daß er sie mit dem ersten Teil der Markusüberlieferung kombiniert.

ist, darum kann der Mensch für die anderen da sein, gelöst von seinem eigenen Ich. Das eine ist die Frucht des anderen, insofern das neue Sein im Vater zum Tun unter den Mitmenschen wird. Darum kann Jesus seine eschatologische Weisheit in diesem Doppelgebot enthalten sehen und ihm entsprechend die Überlieferung seines Volkes auslegen und verstehen.

Das Bildwort vom Splitter und Balken im Auge (Lk 6,41f par Mt 7,3–5) bildet in der „Predigt am Berge" den Hintergrund für die entscheidende Aussage zum Menschenbild. Am Beispiel dessen, der einen anderen zurechtweist, wird gezeigt, daß er wohl den „Splitter im Auge seines Bruders" sieht, aber nicht „den Balken im eigenen Auge" bemerkt. Darum wird er wie die Pharisäer Heuchler genannt, obwohl er Jesu Jünger in seiner Gemeinde ist. Auf diesem Hintergrund wird ausgesprochen: Am Baum, der seine Frucht seiner Art entsprechend bringt, wird deutlich: So muß der Mensch in seiner Art und in seiner Äußerung einheitlich sein, wie beim Baum Art und Frucht es sind (Lk 6,43–45 par Mt 7,16–20; 12,33–35).[44] In diesem in seiner Umwelt analogielosen Bildwort von Baum und Frucht ist das Werdeziel für den Menschen ausgesprochen, das ihm Jesus aus seiner „Weisheit im Horizont des Reiches Gottes" heraus setzt. Lukas läßt durch die rahmenden Sprüche, daß jeder zugerüstet sein soll wie sein Lehrer (Lk 6,39f par Mt 10,24f und 15,14) und daß das Herr-Herr-Sagen ins Tun führen muß, erkennen: Das Ganz- und Einswerden des Menschen bekommt aus der Begegnung mit Jesus wesenhaft-wirksame Hilfe, denn er lebt die Einheit von Sein und Sagen, von Sagen und Tun.

4.

Der neue Tun-Ergehens-Zusammenhang in der „Predigt am Berge" ist Jesu Wegweisung, die der ihm zuteil gewordenen Gottesoffenbarung entspringt. Er geht den Weg, den er weist. In der Einleitung zur Spruchquelle ist Jesu Taufe[45] und Versuchung als Beginn seines Weges dargestellt, die Taufe in Form einer „Deute-Vision",[46] die seine Berufung durch Gottes Offenbarung an ihn enthält und ihn seiner Sohnschaft vergewissert. Die Versuchung ist ein weisheitliches Streitgespräch in apokalyptisch-mythischer Einkleidung; der Sohn

[44] Lukas legt in seiner „Predigt am Berge" den Nachdruck auf des Menschen Rede, Mattäus in seiner Bergpredigt auf des Menschen Tun und in der zweiten Verwendung des Bildes in 12,33–35 auf seine Reden.

[45] Zur Frage der Taufe in Q vgl. *W. Grundmann,* Lukas 106f.

[46] Vgl. die wichtige Studie von *F. Lentzen-Deis,* Die Taufe Jesu nach den Synoptikern. Literarkritische und gattungsgeschichtliche Untersuchungen. (FThSt 4), Frankfurt 1970, dazu *W. Grundmann:* ThLZ 98 (1973) 523–526.

Gottes, Repräsentant des Reiches Gottes, und Satanas, der Widersacher Gottes treffen aufeinander (Lk 4,1–13 par Mt 4,1–11). In ihm geht es um den Weg, den Jesus gehen wird. Er verwirft die Versuchung, seine Vollmacht zauberhaft für seine eigene Erhaltung zu benutzen, sondern vertraut sein Leben dem Gott an, der ihn gerufen hat und ihn zu versorgen weiß. Er verwirft die Versuchung, durch mirakulöse Sensationen die Aufmerksamkeit der Menschen auf sich zu ziehen und Menschen an sich zu locken, sondern er wendet sich den Menschen zu und sucht ihre freie Entscheidung zum Glauben. Er verwirft die Versuchung, dem Bösen zu huldigen und dadurch Macht und Besitz zu gewinnen, sondern er geht den Weg des Dienens und Helfens und dient darin Gott, dem er sein Leben anvertraut hat. Dieser Weg führt ihn wie andere Boten der Weisheit in Leiden und Verwerfung „durch dieses Geschlecht".[47]
Für die Erfüllung dieses Auftrages sucht sich Jesus Menschen, die bereit sind, ihn zu begleiten, von ihm zu lernen, vor allem seine Mitarbeiter zu werden, die sein Wirken und Lehren, Heilen und Helfen vervielfältigen und fortsetzen. Sein Weg für sie ist Nachfolge. Darin nimmt er das wichtige weisheitliche Motiv des Weges auf. Nicht jeder, der auf ihn hört und seinem Wort folgt, wird auch in die Nachfolge gerufen, nicht jeder war dazu geeignet. Bindungen an Familie und Besitz mußten hinter der Nachfolge zurücktreten (Lk 9,57–62; 14,26f; 12,33f par Mt 8,19–22; 10,37f; 6,19–21).[48] War die Nachfolge zunächst das Mitgehen der Wege Jesu und das Mittun seines Wirkens, als er unter seinen Jüngern weilte, so wurde sie nach Ostern die Weitergabe der Lehre, die Fortsetzung seines Tuns und die Befolgung seiner Wegweisung. Nachfolge heißt nach Ostern Jünger Jesu sein, Christ sein, für ihn und seine Botschaft einstehen. Jesus hat seine Jünger als seine Boten entsandt, und nach Ostern haben sie die Sendung als ihre Lebensaufgabe übernommen (Lk 10,2–11).
Die ausgesendeten Jünger wurden als Erntearbeiter, also als eschatologische Boten und Mitarbeiter, ihre Sendung als die von Schafen unter Wölfen bezeichnet, und diese Bilder wurden konkretisiert: Sie setzten Jesu verkündendes und heilendes und exorzistisches Wirken fort und werden Friedensboten, die seinen Frieden den Menschen anbieten. Diese Tendenz wird in der nachösterlichen Situation verstärkt durch den Gegensatz zu den antirömisch-gewalttätigen Bewegungen der Zeloten und Sikarier, die Israel in den folgenschweren jüdischen Krieg geführt haben.[49] Die Weisung für die Ausrüstung der Jünger läßt erkennen: Friedensboten und Friedensbringer sind sie als die Armen, die

[47] Lk 17,25 ist formal älter als Mk 8,31; es steht in einem Q-Zusammenhang, aber seine Zugehörigkeit zu Q ist umstritten. Es bleibt auch eine offene Frage, ob Lk 13,31–33 bzw. ein Teil daraus in Q gestanden hat, da es wie Lk 17,25 durch Mattäus nicht bestätigt wird.
[48] Vgl. *J. Jeremias,* Theologie I, 211–218.
[49] Vgl. *P. Hoffmann,* Studien 308–311.

ihre Wege bedürfnislos gehen und ihre Botschaft selbstlos und wehrlos ausrichten. An dieser Stelle wird die Kontinuität zwischen dem Weg Jesu und dem seiner Boten sichtbar.
Die Sorgen um das eigene Leben, dessen Gefährdung am Bild von den Schafen unter den Wölfen ablesbar ist, werden durch die Forderung der bedürfnislosen Armut vermehrt. In sie hinein gibt ihnen Jesus aus seiner „Weisheit im Horizont des Reiches Gottes" die Kraft des Vertrauens. Er erklärt ihnen, wovor sie sich fürchten müssen und worauf sie sich verlassen dürfen. Fürchten müssen sie sich nicht vor Menschen, deren letzte Möglichkeit das Töten ist, sondern vor dem, der das Leben, wie es in mythischer Bildersprache heißt, in der Gehenna zerstört.[50] Vertrauen aber dürfen sie auf den setzen, der sogar die Sperlinge in seiner Hand hält und die Haare auf ihrem Haupt gezählt hat. Diese grotesken und schockierenden Bilder wollen ihnen, den kleinen und machtlosen Boten, die große Weisheit künden: In minimis deus maximus (Augustin). Es liegt Gott an ihnen, und er kümmert sich um sie; darauf dürfen sie, die mehr als viele Sperlinge sind, ihr ganzes Vertrauen setzen (Lk 12,4–7 par Mt 10,28–31).
Im weisheitlich gestalteten und aufgebauten Lehrgedicht vom Sorgen (Lk 12,28–32 par Mt 6,25–33) aber erfahren sie im Blick auf ihre Sorgen: Ihr Leben und ihren Leib, die sie sich nicht beschaffen konnten, sind mehr als die Nahrung, die ihr Leben erhält, und Kleidung, die ihren Leib schützt. Der Blick in die Schöpfung Gottes aber[51] lehrt sie erkennen: Der die Vögel unter dem Himmel versorgt und die Anemonen auf dem Felde in ihrer Schönheit ausstattet, weiß auch sie zu versorgen. Sie werden dessen gewiß gemacht: „Euer Vater weiß, was ihr nötig habt" (auch Mt 6,8). Sie sind bei Gott bekannt und unvergessen, wie schon die Seligpreisung der Armen aussprach, und ihre Sorgen erweisen sich angesichts dieses Wissens als Kleinglauben, der den Vater nicht so ernst nimmt wie er genommen sein will. Nur auf der Grundlage dieses Vertrauens kann das eigene Leben der Ordnung eingeordnet werden, die das Lehrgedicht vom Sorgen an seinem Ende ausspricht und nach der das Jüngergebet des Unser-Vater gebildet ist: „Sucht zuerst das Reich Gottes

[50] Die Frage, wer das ist, wird meist mit dem Hinweis auf Gott beantwortet; der Unterschied aber zwischen der Furcht und dem Vertrauen, zwischen dem Zerstören und dem Bewahren, läßt die Erwägung anstellen, ob nicht zuerst von Satanas gesprochen ist, der in der Gehenna zerstört, und alsdann von Gott, der vor dem Zerstörtwerden bewahrt. Im Wortlaut bestehen Unterschiede zwischen Lukas und Mattäus.

[51] Dem Aufruf, sich keine Sorgen zu machen, folgt die zum Nachdenken rufende Frage, die mit der Aufforderung, in Gottes Schöpfung zu schauen, fortgesetzt wird. Aus Aufruf, Frage und Blick in die Schöpfung werden dann die Folgerungen gezogen, die in den beiden Schlußversen (Lk 12,30f par Mt 6,32f) gipfeln. Mt 6,27 par Lk 12,25–27a ist Einlage in das Gedicht.

und dann wird euch alles andere dazu gegeben werden" (Lk 12,31[52] par Mt 6,32).[53] Das Reich Gottes setzt Jesu Wirken in Bewegung;[54] in ihm kommt es nahe, darum ist es „mitten unter euch" (Lk 17,21), es kann aber nicht auf einen Bereich hier oder dort fixiert werden. Es ist zugleich das Ziel, das am Ende des Weges steht, den Jesus zu gehen beginnt, es ist aber in seinem Kommen nicht berechenbar und beobachtbar.[55] Es wird unter dem Bild der festlichen Mahlgemeinschaft vorgestellt, wie die Mahlgemeinschaft Jesu mit seinen Jüngern und Gästen es vorabbildet (Lk 17,20f; 13,18–21. 26–29). Möglicherweise hat eine Grundform des Gleichnisses der Einladung zum Gastmahl (Lk 14,16–24; Mt 22,1–14, Thomas-Evangelium 64) zu Q gehört. Es hat seinen Grund in der Einladung der Weisheit zum Gastmahl (Spr 9,1–6). Zu dieser Grundform gehörten die Entsendung des Boten, die Absage der Geladenen durch Entschuldigungen, die Einladung der auf den Wegen Befindlichen, das abschließende Ausschließungswort der zuerst Geladenen. Das Gleichnisbild zeigt, worauf es Q im Verständnis der Lehre Jesu ankommt: die Herstellung der Kommunikation; von Gott, der der Vater ist, geht sie aus, macht Menschen zu seinen Gästen und Söhnen und Hausfreunden und schließt sie an seinem Tisch zu gemeinschaftlichem Verhalten füreinander zusammen, Pro-Existenz, die Kommunikation schafft.[56]

Die Überlieferung der Spruchquelle spricht von den Mahlzeiten Jesu, zu denen auch Zöllner und Sünder gehören, als Mahlzeiten des Menschensohnes (Lk 7,34 par Mt 11,18), und sie redet von der Zukunft des Reiches Gottes mit dem Ausdruck von den „Tagen des Menschensohnes". Ist Jesus für die Überlieferung der Spruchquelle des Menschen Sohn, weil er der eschatologisch-prophetische Lehrer der „Weisheit im Horizont des Reiches Gottes" ist, der das Geschick der Weisheit teilt (Lk 9,58 par Mt 8,20), so ist er als der kommende Menschensohn der Garant ihrer eschatologischen Zukunft.

[52] Lukas führt noch einen Spruch an, der die Zusage des Reiches Gottes befestigt (Lk 12,32), während Mattäus mit einem weisheitlichen Sprichwort abschließt (Mt 6,34).

[53] Das mit Mt 6,25–33 verbundene Entscheidungswort „Gott oder Mammon" – bei Lk 16,13 – faßt den ganzen Zusammenhang bei Mt 6,19–34 zusammen und rückt ihn unter eben diese für Jesus besonders wichtige Frage der Entscheidung, die bei ihm nicht lautet: gut oder böse, gerecht oder ungerecht, sondern an der Frage zur Stellung zum Besitz entscheidet sich erst gut oder böse in Denken und Handeln.

[54] Vgl. *R. Otto,* Reich Gottes 80: „Nicht Jesus bringt das Reich – eine Vorstellung, die Jesus selbst ganz fremd ist – sondern das Reich bringt ihn mit." Ohne Bezug auf *R. Otto* auch *P. Hoffmann,* Studien 204: „... diese Machttaten sind nur möglich, weil das Auftreten dessen, der sie vollbringt, selbst Bestandteil dieses umfassenden, auch ihn tragenden Geschehens ist. Nicht der Bote schafft die Basileia, sondern die Basileia schafft ihn."

[55] Die Zugehörigkeit zu Q ist für Lk 17,20f nicht sicher, wenn auch wahrscheinlich.

[56] Vgl. dazu *H. Schürmann,* Tod 66–96 und 120–155.

Die Spruchquelle beginnt mit der drohenden Gerichtsankündigung Johannes des Täufers gegenüber Israel (Lk 3,7–9.16f par Mt 3,7–12), die durch das Geschick, das es Johannes, Jesus und dessen Boten bereitet, akut geworden ist. Sie schließt mit der apokalyptischen Rede (Lk 17,20–37, in Mt 24 aufgenommen) und wahrscheinlich mit dem Grundstock des Gleichnisses von den anvertrauten Talenten (Mt 25,14–30 par Lk 19,11–27). Die Ausrichtung auf die „Tage des Menschensohnes" und damit des Reiches Gottes enthält das Ziel der Wegweisung Jesu und bringt in das Leben des Menschen als große Erwartung das Warten auf das Kommen des Menschensohnes hinein und damit die Notwendigkeit eines verantwortungsbewußten Verhaltens vor allem im mitmenschlichen Bezug (Lk 12,39–46 par Mt 24,43–51). So bilden für die Spruchüberlieferung „Jesus und der Menschensohn, die einstige Vergangenheit mit ihm und die erhoffte Zukunft ... einen Spannungsbogen", innerhalb dessen sich das Leben der Jünger vollzieht.[57]

Was über die „Tage des Menschensohnes" gesagt wird, ist Neuauslegung apokalyptischer Vorstellungen, vor allem der Gerichtsaussage, mit der die Spruchquelle begann. Verneint wird jede Beobachtung und Berechnung der „Tage des Menschensohnes"; sie kommen unübersehbar und plötzlich wie ein Blitz und überraschen eine in ihren Alltäglichkeiten und ihren Geschäften lebende Menschheit (Lk 17,22–30). Das erwartete Gericht aber wird von der Drohung des Feuergerichtes durch Johannes den Täufer auf die Scheidung hin ausgelegt, die in der Aufnahme der einen durch Entrückung und im Zurückbleiben der anderen am Tage des Menschensohnes sich vollzieht (Lk 17,31–35 par Mt 24,40f). Aus dem forensisch-apokalyptischen Gerichtsbild wird Scheidung durch Entrückung und Zurückgelassenwerden. Der entscheidende Maßstab aber dafür ist nach den erwähnten Gleichnissen das verantwortliche Handeln mit dem anvertrauten Gut und der verantwortliche Umgang mit den anvertrauten Menschen (Lk 12,42–46; Mt 25,12–30). „Gericht" ist die Verantwortung des Menschen für sein Leben und Heilsvollendung die volle, im Mahlbild ausgedrückte Gemeinschaft und neue größere Verantwortung (Lk 19,17–19.22–25 par Mt 25,21.23.26–28). Durch das Gerichtsbild wird das Leben als verantwortliches Leben verstanden, und die verantwortliche Lebensführung wird durch die Weisung der Weisheit gestaltet.

Jesus verkündet das Nahegekommensein des Reiches Gottes als der heilvollen Zukunft für die Geschichte der Menschen. Das Verständnis des Reiches Gottes ist entscheidend bestimmt durch die Berufung Jesu als des Sohnes, der die Botschaft vom Reich Gottes ausrichtet. Das ist ein prophetisch-eschatologischer Vorgang. Die Berufung durch den Vater, im Taufgeschehen fixiert,

[57] Vgl. *P. Hoffmann,* Studien 306.

ist zugleich Ursprung im Empfang der „Weisheit im Horizont des Reiches Gottes", deren prophetischer Lehrer Jesus wird. Die Weisheit hat also ihren bestimmten funktionalen Stellenwert im Bereich der Verkündigung des Reiches Gottes. Zwischen seinem Beginn in der Ansage durch Jesus und seiner Vollendung in den „Tagen des Menschensohnes" läuft ein Weg, der in der Versuchung Jesu in seinen grundlegenden Entscheidungen dargestellt wird. Auf ihn ruft Jesus seine Jünger, wenn er sie in seine Nachfolge ruft. Für diesen Weg wird die Weisheit zur Wegweisung, die in das neue Vertrauen zum Vater einweist und den neuen Tun-Ergehens-Zusammenhang im Tun Gottes am Menschen begründet und entfaltet. Diese Weisheit steht einerseits in der Überlieferung der alten Weisheit in Israel, gerät in einen kritischen Gegensatz zu ihrer Handhabung als Tora durch die Rabbinen, führt für Jesus und Johannes und die Boten Jesu zum Schicksal des leidenden Gerechten und wird eschatologisch neu begründet und ausgesagt „im Horizont des Reiches Gottes".

Literatur

Christ, F., Jesus Sophia. Die Sophia-Christologie bei den Synoptikern, Zürich 1970.
Edlund, C., Das Auge der Einfalt. Eine Untersuchung zu Matth. 6,22–23 und Luk. 11,34–35, Kopenhagen–Lund 1952.
Grundmann, W., Das Evangelium nach Matthäus (ThHK 1), Berlin [4]1975.
Ders., Das Evangelium nach Lukas (ThHK 3), Berlin [7]1974.
Jeremias, J., Neutestamentliche Theologie I. Die Verkündigung Jesu, Gütersloh 1971 (Nachdr. Berlin 1973).
Ders., Abba, in: *ders.,* Abba. Studien zur neutestamentlichen Theologie und Zeitgeschichte, Göttingen 1966, 15–67.
Ders., Perikopen-Umstellungen bei Lukas? in: ebd. 93–97.
Hoffmann, P., Studien zur Theologie der Logienquelle (NTA NF 8), Münster [2]1972.
Lührmann, D., Die Redaktion der Logienquelle, Neukirchen 1969.
Osten-Sacken, P. v. d., Die Apokalyptik in ihrem Verhältnis zu der Prophetie und Weisheit, München 1969.
Otto, R., Reich Gottes und Menschensohn, München [3]1954.
Percy, E., Die Botschaft Jesu. Eine traditionskritische und exegetische Untersuchung, Lund 1953.
Rad, G. v., Theologie des Alten Testaments, Bd. I, München [4]1962; Bd. II, [4]1965 (Nachdr. Berlin 1963/1968).
Ders., Weisheit in Israel, Neukirchen 1970.
Robinson, J. M., LOGOI SOPHON – Zur Gattung der Spruchquelle Q, in: *H. Köster – J. M. Robinson,* Entwicklungslinien durch die Welt des frühen Christentums, Tübingen 1971.
Schulz, S., Q. Die Spruchquelle der Evangelisten, Zürich 1972.
Schürmann, H., Das Lukasevangelium, Bd. I (HThK III/1), Freiburg–Basel–Wien 1969 (Nachdr. Leipzig [2]1971).
Ders., Die vorösterlichen Anfänge der Logientradition. Versuch eines formgeschichtlichen Zugangs zum Leben Jesu, in: Der historische Jesus und der kerygmatische Christus, Berlin 1961, 342–370 (= Traditionsgeschichtliche Untersuchungen zu den synoptischen Evangelien, Düsseldorf 1968, 39–65).
Ders., Jesu ureigener Tod. Exegetische Besinnungen und Ausblick, Freiburg–Basel–Wien 1975.
Tödt, H. E., Der Menschensohn in der synoptischen Überlieferung, Gütersloh [3]1969.

ZUR ENTSTEHUNG DES ZWÖLFERKREISES.

Eine geschichtskritische Überlegung

Von Wolfgang Trilling

An den Anfang dieser Überlegungen seien zwei Zitate gestellt. „Daß die Zwölf als Institution nicht in das Leben Jesu gehören, läßt sich mit an Sicherheit grenzender Wahrscheinlichkeit nachweisen", urteilt Günter Klein.[1] Und Walter Schmithals, der dieselbe kritische Position wie Klein vertritt, rekonstruiert die Entstehung der Zwölf in folgender Weise: „Es wird sich also unter dem Eindruck der Erscheinung Jesu vor Petrus (1 Kor 15,5) ein Kreis von Menschen zusammengefunden haben, der mit der baldigen Parusie und dem damit verbundenen Anbruch des Gottesreiches rechnete. Den Kern dieses Kreises bildeten die Zwölf, die unter der Königsherrschaft Christi auf 12 Thronen sitzen sollten oder wollten, die 12 Stämme Israels zu richten (Mt 19,28; Lk 22,29f). Ihnen wurde eine Auferstehungsvision zuteil. Dieser Kreis muß dann – wohl mit dem Erlahmen der eschatologischen Naherwartung, von der er lebte – sehr bald auseinandergefallen sein; spätestens nach dem Tod des Zebedaiden Jakobus, vielleicht schon nach dem ‚Verrat' des Judas, war er gesprengt."[2]

Zur „Kirche des Anfangs" gehören in hervorstechender Weise die „Zwölf", bzw. die „zwölf Jünger" oder auch die „zwölf Apostel". Wie verschieden jedoch das Verständnis davon sein kann, *in welchem Sinn* diese Zwölf einen „Anfang" markieren, wird schlagartig deutlich, wenn man die beiden Zitate einigen Aussagen konfrontiert, die in den Texten des 2. Vatikanischen Konzils enthalten sind. Im 3. Kapitel der Dogmatischen Konstitution über die Kirche steht: „Der Herr Jesus rief, nachdem er sich betend an den Vater gewandt hatte, die zu sich, die er selbst wollte, und bestimmte zwölf, daß sie mit ihm seien und er sie sende, das Reich Gottes zu verkündigen (vgl. Mk 1,13–19; Mt 10,1–42). Diese Apostel (vgl. Lk 6,13) setzte er nach Art eines Kollegiums oder eines festen Kreises ein, an dessen Spitze er den aus ihrer Mitte erwählten Petrus stellte (vgl. Jo 21,15–17)."[3] Im Dekret über den Öku-

[1] *G. Klein,* Die zwölf Apostel 37.

[2] *W. Schmithals,* Apostelamt 60.

[3] Übersetzung nach: LThK Erg.-Bd. 1, Freiburg 1966, 213, Art. 19 mit dem Kommentar von *Karl Rahner,* in dem ausdrücklich darauf verwiesen wird, daß der Text „natürlich die genaueren geschichtlichen Fragen nach Art und Zeitpunkt der Gründung des Zwölferkreises nicht präjudizieren" wolle.

menismus lesen wir im 1. Kapitel: „Um nun diese seine heilige Kirche überall auf Erden bis zum Ende der Zeiten fest zu begründen, hat Christus das Amt der Lehre, der Leitung und der Heiligung dem Kollegium der Zwölf anvertraut. Unter ihnen hat er den Petrus ausgewählt, auf dem er nach dem Bekenntnis des Glaubens seine Kirche zu bauen beschlossen hat ..."[4] Und schließlich eine Passage aus dem Dekret über die Missionstätigkeit der Kirche, in der nochmals andere Akzente gesetzt werden, bei gleichbleibender Grundintention der Auslegung: „Der Herr Jesus rief von Anfang an ‚die zu sich, die er wollte ..., und bestellte Zwölf, damit sie bei ihm seien und er sie sende, zu verkündigen' (Mk 3,13). So bildeten die Apostel die Keime des neuen Israel und zugleich den Ursprung der heiligen Hierarchie."[5]

Heinz Schürmann, dem dieser Beitrag als Zeichen des Dankes für langjährige Freundschaft gewidmet sei, hat sich vielfältig und von mehreren ekklesiologischen Anläufen her in beharrlicher Intensität mit den Fragen um die „Zwölf", um Jüngerschaft und um den „Jünger*kreis*" Jesu (wie er dieses Phänomen fast regelmäßig nennt) befaßt.[6] In diesen Arbeiten eines Exegeten wird erkennbar, daß das Suchen nach Antworten stark von neu aufgebrochenen Frageimpulsen geleitet ist, die fundamental-ekklesiologisch an der Grundgestalt der Kirche und spirituell an dem Maßbild eines Jüngers Jesu interessiert sind. Was ist die Ekklesia? Was ist ein Jünger? Welche Orientierung erhalten wir aus der grundlegenden Urkunde des Glaubens auf diese Fragen? Beide Fragebereiche Kirche/Jünger sind bei Schürmann eng ineinander verschränkt.[7] Das ist der Theologie durch die Schriften des Neuen Testaments selbst vorgegeben, wie sich charakteristisch in der Debatte um den Apostolat und um „das Apostolische" erweist.[8]

[4] LThK Erg.-Bd. 2, Freiburg 1967, 47, Art. 2,3.

[5] LThK Erg.-Bd. 3, Freiburg 1968, 31, Art. 5.

[6] Besonders in den zahlreichen Arbeiten zu der Abendmahlsüberlieferung; in dem Aufsatz: Der Jüngerkreis Jesu als Zeichen für Israel (1963), in: Ursprung und Gestalt 45–60 = Das Geheimnis Jesu 126–154 (danach im folgenden zitiert); vgl. auch die Register in den beiden Sammelbänden (Untersuchungen, Ursprung und Gestalt) unter „Jünger", „Jünger Jesu" und „Zwölf" und zu den im folgenden besonders reflektierten neutestamentlichen Stellen.

[7] In dieser Verschränkung mag der Grund dafür liegen, daß *Schürmann* – vor allem in dem Aufsatz „Der Jüngerkreis Jesu als Zeichen für Israel" – die Zwölf und die Jünger so eng aneinanderrückt, ja letztlich identifiziert, und daß er in der Zwölfzahl sowohl etwas über die „amtliche" Funktion des Jüngerkreises als auch über das „existentielle" Wesen des Jüngerseins erkennt: vgl. 126f.130.151 u.ö.

[8] Vgl. besonders die Nachzeichnung des Bildes in den ersten beiden Jahrhunderten von *J. Wagenmann,* Die Stellung des Apostels Paulus, und in dem Aufsatz von *H. v. Campenhausen,* Der urchristliche Apostelbegriff: Studia Theologica 1 (1947) 96–130; *E. M. Kredel,* Der Apostelbegriff in der neueren Exegese: ZKTh 78 (1956) 169–193.257–305; ferner die kritische Stellungnahme von *Lucien Cerfaux* in: RSR 48 (1960) 76–92. Dazu das reiche Material in den Büchern von *Schmithals* und *Klein,* die forschungsgeschichtlichen Übersichten bei *G. Schille,* Kollegialmission 111ff, bei *J. Roloff,* Apostolat 9–37 und *G. Schmahl,* Die Zwölf 1–15.

Hier wollen wir aus der verzweigten Problematik einen schmalen Ausschnitt beleuchten, nämlich die Frage nach der Entstehung des Zwölferkreises. Das Interesse ist auf die historische Problematik der vor- oder nachösterlichen Bildung des Kreises gesammelt. Sind die Zwölf als eine Institution der frühen Gemeinde anzusehen, ergeben sich daraus Rückschlüsse auf deren Mentalität wie auf den Traditionsprozeß der Jesusüberlieferung. Reichen die Zwölf dagegen in die Zeit Jesu zurück und sind sie von Jesus selbst „eingesetzt" („gemacht", vgl. Mk 3,14a), hat das weitreichende Konsequenzen für die Einschätzung Jesu und seines Werkes und natürlich auch für die Frage der Eingründung einer Ekklesia in eben diesem Werk.[9] Schließt man sich der einen oder der anderen Auffassung an: in beiden Fällen haben die Zwölf eine Art Schlüsselposition inne, auch wenn man von der späteren, besonders im lukanischen Doppelwerk ausgearbeiteten, klassisch gewordenen völligen Identifikation der „Zwölf" mit den „Aposteln" als den „zwölf Aposteln" absieht. Es scheint sich zu zeigen, daß sich auf diesem kreuz und quer durchfurchten und oft abgeernteten Acker doch noch einiges sammeln läßt.
Diese Überlegungen sollen das Gespräch vor allem im Anschluß an einige neuere Arbeiten weiterführen. In dessen Verlauf zeichnen sich bereits einige Konturen deutlicher ab, als dies noch vor wenigen Jahren der Fall war. Nach einem Aufsatz von Karl Kertelge über „Die Funktion der ‚Zwölf' im Markusevangelium"[10] hat Günter Schmahl, ein Schüler Kertelges, eine sorgfältige Untersuchung über „Die Zwölf im Markusevangelium" vorgelegt.[11] Beide Arbeiten legen ein sicheres Fundament für die Beurteilung des redaktionellen markinischen Anteils und zeigen bereits einige Linien auf, die für die Intention der markinischen Redaktion erwogen werden können. Ferner ist nach den Untersuchungen von Jaques Dupont[12] und Heinz Schürmann[13] zu Mt 19,28 par nun erneut die Diskussion um einen Beitrag von Ingo Broer zu diesem Logion bereichert worden.[14] Schmahl konzentriert sich auf die redaktionsgeschichtliche Fragestellung für Markus und zieht auch zur Aufhellung vor- und nebenmarkinischer Traditionen über die Dodeka außer 1 Kor 15,5 das Logion Mt 19,28 par heran.[15] Da Schmahl primär die „Traditionen" über die

[9] Vgl. zu der Frage nach Jesus und der Kirche *W. Trilling,* „Implizite Ekklesiologie".
[10] Siehe Literaturverzeichnis.
[11] Siehe Literaturverzeichnis.
[12] *J. Dupont*, Le logion des douze trônes.
[13] *H. Schürmann,* Abschiedsrede 36–54; Schürmanns Interesse gilt vorrangig der Abhebung lukanischer Redaktion von vermuteten vorlukanischen Traditionen in der lukanischen „Abschiedsrede", enthält aber eine Fülle literarkritischer und traditionskritischer Beobachtungen.
[14] *I. Broer,* Das Ringen der Gemeinde um Israel. – Broer hat die Arbeit von Schmahl noch nicht berücksichtigt.
[15] *G. Schmahl,* Die Zwölf 29–36.

Zwölf interessieren, wird die historische Frage nach der Entstehung des Zwölferkreises nicht ausdrücklich gestellt. Broer bemüht sich vor allem um den Bedeutungsgehalt des Spruchs Mt 19,28 par und streift ebenfalls die Herkunftsfrage der Zwölf nur am Rande.[16]

Es legt sich gerade aufgrund der jüngeren Arbeiten nahe, die historische Frage nochmals aufzunehmen. Dabei soll keineswegs die verzweigte Debatte mit ihrem pro und contra zu den einzelnen Daten und mit ihren Argumentationsgängen vorgeführt werden. Die Absicht ist enger darauf gerichtet, eine Übersicht über den *status quaestionis* zu gewinnen und die Tragfähigkeit der Hauptargumente abzuwägen.

Wir setzen bei Markus ein (I.), wenden uns dann einigen Aspekten der Fragen, die 1 Kor 15,5 aufgibt, zu (II.), und betrachten zum Schluß das Logion Mt 19,28 par (III.). Die Auswahl der Stellen ist durch ihr Alter und durch ihr sachliches Gewicht begründet.

I.

Bereits Béda Rigaux hatte festgestellt, daß bei Markus „die Erwähnung οἱ δώδεκα überall in redaktionellen Passagen" vorkomme[17], daß aber „die theologische Redaktion des Markus ... die Zahl Zwölf nicht geschaffen" habe.[18] Markus habe die Formel „die Zwölf" vorgefunden. Kertelge sagt nur summarisch, daß „die meisten" Stellen bei Markus redaktionell seien.[19] Bei Siegfried Schulz liest man erstaunt, daß „die *vormarkinische* Gemeindetradition ... den Begriff der Dodeka" zwar nicht kenne, „wohl aber die Sache (vgl. den Namenskatalog Mk 3,16ff)."[20]

1. Hier tritt nun die Arbeit von Schmahl mit detaillierter Befragung der Dodeka-Stellen und mit differenzierten Urteilen ein. Zunächst bestätigt Schmahl die redaktionelle Einfügung an den meisten Stellen.[21] Es verbleiben 3,(14a)16a und die Passionsstellen mit der Wendung εἷς τῶν δώδεκα („einer der Zwölf").

[16] *I. Broer,* Das Ringen 163, Anm. 79. Das „Gefälle" der Ausführungen von Broer scheint eher die Auffassung von der „Bildung des Wortes in der Urgemeinde" (ebd.) nahezulegen.

[17] *B. Rigaux,* Die „Zwölf" 472.

[18] *B. Rigaux,* ebd. 475.

[19] *K. Kertelge,* Die Zwölf 197.

[20] *S. Schulz,* Spruchquelle 335; denn „in den Mk-Stoffen (vgl. Mk 3,16; 4,10; 6,7; 9,35; 10,32; 11,11; 14,10.17.20.43)" werde „οἱ δώδεκα zur Bezeichnung der Jünger stets redaktionell gebraucht" (ebd. Anm. 92).

[21] Mk 4,10; 6,7; 9,35a; 10,32: nicht ausdrücklich festgestellt, aber intendiert; 11,11; 14,17; dazu tritt οἱ δέκα in 10,41: der Vers sei ganz redaktionell, οἱ δέκα sei eine „logische" Bildung des Evangelisten (ebd. 94); zu 14,10.20.43 siehe gleich.

Zu 3,14a zeigt Schmahl einleuchtend, daß die Wendung καὶ ἐποίησεν (τοὺς) δώδεκα Markus „wahrscheinlich" als Einleitung für den Namenskatalog vorgegeben war.[22] Für die Verbindung von ἐποίησεν mit δώδεκα dürfte dies nach den angeführten Indizien, besonders der auffälligen Doppelung in V. 14a.16a, überzeugen.[23]
Eine geringfügige Unsicherheit verbleibt bei Schmahl hinsichtlich des bestimmten Artikels, der in V. 14a fehlt, in V. 16a gesetzt ist. Die Frage, ob er ebenfalls mit der Wendung καὶ ἐποίησεν ... δώδεκα tradiert war, ist kaum mit Sicherheit zu entscheiden. Ist V. 14f in der Hauptsache von Markus zur „Vorstellung" dieser Zwölf in seinem Evangelium verfaßt[24], kann er mit Rücksicht auf die Absicht, zunächst ein „Bild" von Sinn und Aufgabe dieser Einrichtung zu geben, darauf verzichtet haben. Anderseits wäre es von der Sache her naheliegend anzunehmen, daß der Katalog eben *die* folgenden, namentlich aufgezählten Personen bezeichnen sollte, die „Einleitung" also den Artikel geführt haben könnte. Träfe dies zu, dann würde es allerdings fraglich, ob V. 16a den Artikel *deshalb* – also, wenn ich richtig verstehe, redaktionell – gebrauchte, weil die Zwölf nach der „Vorstellung" in V. 14f „als nunmehr schon bekannte Größe hier, wie im gesamten weiteren Verlauf des Evangeliums" gekennzeichnet werden sollten.[25] Das bedeutet aber, daß sich an der einzigen Stelle, an der sich mit hoher Wahrscheinlichkeit vormarkinisches Traditionsgut mit den „Dodeka" absolut findet, die charakteristische Wendung „*die* Zwölf" nicht sichern läßt. Wir können daher den Gebrauch von οἱ δώδεκα nicht mit Sicherheit, sondern nur mit einer

[22] *G. Schmahl,* ebd. 50.54 mit anderen, 49, Anm. 30 angegebenen Autoren; vgl. zu 3,13–19 im ganzen 44–61.

[23] Bedenken habe ich allerdings hinsichtlich der – m.E. überzogenen – Deutung des ποιεῖν, ohne dies hier ausführlich begründen zu können. Schmahl nimmt auf alttestamentliche Aussagen von Jahwe als dem Schöpfer seines Volkes Bezug (der ungewöhnliche Sprachgebrauch von ποιεῖν mit personalem Objekt sei auch in den LXX bezeugt; so schon *B. Rigaux,* Die „Zwölf" 474f); und parallelisiert damit Jesu Tun: „Wie Jahwe sein Volk ‚gemacht' hat, so erweist sich Jesus durch die zeichenhafte Handlung der Berufung des Zwölferkreises als der Schöpfer des neuen Gottesvolkes". Die Zwölf erscheinen „als der Kern der eschatologischen Jüngergemeinde", ja sie könnten „das neutestamentliche Gottesvolk repräsentieren" (*G. Schmahl,* ebd. 55 und ähnlich öfter). Weder für 1 Kor 15,5 (so schon *K. Kertelge,* Die Funktion 196; vgl. *G. Schmahl,* Die Zwölf 26f) noch für Mk 3,14–16 vermag ich *diese Bestimmung* der Beziehung zum Gottesvolkgedanken in den *Texten* zu erkennen. Hinzu kommt, daß Schmahl *selbst* – m.E. mit Recht – für Mk auf 1,17 und auf die Einzelberufungen als Modell für die Einsetzung der Zwölf verweist (ebd. 61; vgl. 54). Gottesvolkgedanke und „Einsetzung" (ποιήσω) zum „Menschenfischer" weisen doch in ganz verschiedene Richtungen.

[24] *G. Schmahl,* Die Zwölf 54ff.

[25] So *G. Schmahl,* ebd. 61.

gewissen Wahrscheinlichkeit als dem Evangelisten vorgegeben bezeichnen, jedenfalls, soweit der Markus-Stoff in Betracht gezogen wird.[26]

2. Anders steht es jedoch mit der Wendung „einer der Zwölf" in der Passionstradition, die für Judas in 14,10.20.43 gebraucht wird. Literarkritische und traditionsgeschichtliche Beobachtungen führen Schmahl zur Auffassung, daß der Ausdruck „einer der Zwölf" (1) in 14,43 *primär* verankert und (2) bereits *formelhaft* vorgeprägt war, also nicht von Markus ad hoc gebildet worden sei.[27]

„Einer der Zwölf" habe „aller Wahrscheinlichkeit nach" bereits vormarkinisch in der Verratsszene (14,43) gestanden. Markus habe die Wendung noch zweimal redaktionell in 14,10.20 eingesetzt.[28]

Die Auffassung, daß die Wendung in einem vormarkinischen Erzählzusammenhang gestanden habe, erhält nun durch die These, daß es sich um eine geprägte, *formelhafte* Wendung handle, erst entscheidende Bedeutung. Dabei hat die Beobachtung, daß Markus von sich aus überhaupt die Formel in 14,10.20 einfügt – die eben genannte Auffassung vorausgesetzt – geringeres Gewicht als die Setzung des bestimmten Artikels in 14,10. Dadurch dürfte in der Tat die Wendung „einer der Zwölf" als vorgegeben und bereits traditionell mit dem Verräter verbunden ausgewiesen werden.[29] Markus bedient sich einer in seinem Traditionsgut verankerten Angabe in einer Weise, die deutlich erkennen läßt, daß er sich des formelhaften Charakters bewußt war. Dafür bietet 14,20 den 2. Beleg: Das „einer aus euch" in 14,18 wird nochmals durch „einer der Zwölf" akzentuiert, aber so, daß es in der Anrede künstlich und distanziert wirkt.[30]

Daß es sich um eine Art „Formel" handelt, kann also m.E. nicht bestritten werden[31], eher schon die ausschließliche Verwendung für den Verräter

[26] In 1 Kor 15,5 wird die Wendung als alt und ebenfalls formelhaft bezeugt. Eine Bekanntschaft des Markus mit diesem *Text* ist aber nicht mit Sicherheit vorauszusetzen und daher auch methodisch nicht in Anschlag zu bringen. Mt 19,28 par enthält zwar die Zwölfzahl, aber nicht die Formel „die Zwölf".

[27] *G. Schmahl,* Die Zwölf 98–106.

[28] *G. Schmahl,* ebd. 103; übereinstimmend mit *G. Schneider,* Die Verhaftung Jesu 196f, mit Verweisen auf *L. Schenke,* Studien zur markinischen Passionsgeschichte. Tradition und Redaktion in Mk 14,1–42, Diss. Mainz 1970 und ältere wie *K. L. Schmidt;* abgewiesen wird die umgekehrte Beurteilung von *E. Linnemann,* Studien zur Passionsgeschichte (FRLANT 102), Göttingen 1970, 46–49, nach der die Wendung an 14,10 hafte und 14,43 redaktionell sei.

[29] *G. Schmahl,* Die Zwölf 99.

[30] Vgl. *G. Schmahl,* ebd. 101f mit Bezug auf *E. Lohmeyer,* Markus 301.

[31] Vgl. auch die Autoren bei *G. Schmahl,* ebd. 99, Anm. 339 und die Argumentation gegen *W. Burgers,* der die Wendung dem Evangelisten zuschreibt, in: De Twaalf in de Redactie van het oudste Evangelie, Diss. Louvain 1959.

Judas.[32] Für diese Frage ist nun allerdings die Verankerung der Formel gerade in der Verratsszene wichtig. Es ist eben Judas, und nur er allein, der so bezeichnet wird! Ausgerechnet einer aus dem – festen – Kreis der Zwölf, der zum Verräter wurde! Das Unbegreifliche wird durch die Spannung zwischen der Bezeichnung als „einer der Zwölf" und dem schändlichen „Verrat" dieses einen angedeutet.

Zusammenfassung

1. Den sichersten Zugang für die Fragen nach der Existenz des Zwölferkeises innerhalb der Evangelien-Tradition eröffnet das Markusevangelium.
2. Die meisten Vorkommen der Wendung „die Zwölf" in Markus-Texten sind mit hoher Wahrscheinlichkeit, teilweise mit Sicherheit, als redaktionell anzusehen (4,10; 6,7; 9,35a; 10,32; 11,11; 14,17).
3. An einer Stelle (3,14a.16a) läßt sich mit Wahrscheinlichkeit, aber nicht mit Sicherheit, auf eine vormarkinische Wendung „die Zwölf" (mit bestimmtem Artikel) schließen.
4. Eine weitere Stelle (14,43) weist die Wendung „einer der Zwölf" für den „Verräter" Judas vormarkinisch auf, von der zwei weitere (14,10.20) redaktionell abhängig sein dürften.
5. Die zu 4. in Verbindung mit den zu 3. gemachten Beobachtungen lassen mit hoher Wahrscheinlichkeit auf eine vormarkinische formelhafte Wendung schließen.
6. Die Formel „einer der Zwölf" und ihre Verankerung in einer vormarkinischen Verratsszene lassen ein relativ hohes Alter dieses Ausdrucks annehmen.

[32] *G. Schille,* Kollegialmission, hält die Formel für ein „gängiges Würdeprädikat für einzelne Männer": Wie bei Judas werde auch bei Tomas (Joh 20,24) der „Kontrast zwischen Würde und Verhalten" herausgestellt. Die formelhafte Wendung weise nicht eindeutig auf die Existenz eines geschlossenen Zwölferkreises, sondern diene dazu, einzelne Glieder, die offenbar „sehr verstreut auftreten" (!), aus den anderen Aposteln herauszuheben (118f). Interessant ist dennoch das Urteil von *Schille* (ebd. 122), daß das „Würdeprädikat" „einer der Zwölf" mit 1 Kor 15,5 als „die einzigen wirklich alten Formeln" gewertet wird. – Insgesamt ist die Basis wohl zu schmal für eine so weittragende Behauptung bei *Schille;* vgl. auch *G. Schmahl,* Die Zwölf 104f. – Zur Tradition über die Zwölf und Judas vgl. auch Joh 6,67.70.71; vgl. *H. Schürmann,* Ursprung und Gestalt 16f.

II.

Damit stehen wir vor den vielverhandelten Problemen nach der Person des Judas Iskariot, ihrer „Historizität", geschichtlichen Einordnung (vor- oder nachösterlich?) und den jeweiligen Folgerungen, die sich aus den Antworten für den geschichtlichen Ort des Zwölferkreises ergeben. Nach dem, was sich insgesamt literarkritisch und traditionsgeschichtlich aus dem Markusevangelium erheben läßt, scheint hier der sicherste Ansatzpunkt vorzuliegen, von dem aus die Existenz der Zwölfer-Gruppe für die Zeit des irdischen Jesus in den Blick kommt. Oder anders ausgedrückt: Die Überlieferung vom Verrat des Judas als „einem der Zwölf" stellt – immer nach dem Markus-Stoff geurteilt – den sichersten Einstieg und das eigentlich signifikante Indiz für die Vermutung einer vorösterlichen Existenz des Kreises dar.

1. Der traditionsgeschichtliche Befund bei Markus reicht allerdings nur dafür aus, die vormarkinische Prägung der Formel „einer der Zwölf" und ihren überlieferungsgeschichtlichen Ort in der Verratsszene zu erweisen. Doch gerade diese Feststellung provoziert die historische Frage nach der Beurteilung des Judas und seiner Tat. Gehört er in den Jesus-Kreis von zwölf Männern und verriet er Jesus tatsächlich, wie die Tradition es darstellt? Beim Abwägen der vielen Gesichtspunkte, die sich hier natürlich vielfältig überschneiden, da das (Vor-)Urteil über den Zwölferkreis die Judasfrage stets tangiert, scheint es im ganzen doch weitaus schwieriger zu sein, Judas in einer nach- als in einer vorösterlichen Gruppe unterzubringen. Oder anders und negativ gefragt: Kann wirklich einleuchtend gemacht werden, wie Judas in einen nachösterlich entstandenen Kreis hineingekommen sein könnte? Gelänge dies in einer einigermaßen überzeugenden Weise, dann müßte zugestanden werden, daß die in den Texten tradierte Auffassung von der Rolle des Judas historisch mindestens als recht zweifelhaft zu betrachten wäre.

Nun scheint es bisher, wenn ich recht sehe, noch nicht gelungen zu sein, für diese Frage eine angemessene Lösung anzubieten. Dies erweisen gerade jüngere Arbeiten, aus denen nur wenige Beispiele genannt seien.[33]

Nach Philipp Vielhauer etwa sei die Einbeziehung des Judas in den Kreis im Zuge des „Schriftbeweises" nach Ps 41,10 (vgl. Mk 14,18; Joh 13,18) geschehen, also als ein „theologisches

[33] Am einfachsten wurde das Judas-Problem dadurch „gelöst", daß man „die Judas-Gestalt" überhaupt als „ungeschichtlich" erklärte. Gelingt dies noch durch eine literarkritische Quellenscheidung, dann in der Tat „entfällt das unerhört störende Judas-Problem des Lebens und der Menschenkenntnis Jesu" (!): *E. Barnikol,* Leben Jesu 330; dort S. 330–333 ältere Vertreter dieser These.

Postulat" aufzufassen.[34] In ähnlicher Weise äußert sich Heinrich Kasting[35], der eine ganze Kette von Hypothesen für die nachösterliche Entstehung des Kreises in Verbindung mit der Judasfrage aufreiht. Zunächst schreibt Kasting, daß die „schwierige und kaum mit Sicherheit zu entscheidende Frage, ob der Zwölferkreis schon während der Wirksamkeit Jesu oder erst durch die Osterereignisse entstanden ist", noch offen gelassen werde. „Im ersten Fall hätte Petrus den Zwölferkreis alsbald wieder zusammengeholt. Im anderen Fall muß man annehmen, daß durch die Wirksamkeit des Petrus sich schnell eine Gemeinde gebildet hat, die sich als das neue Gottesvolk verstehen lernte und ihrem Selbstverständnis durch die Einsetzung eines Zwölferkreises sichtbaren Ausdruck verlieh. Die Zwölfzahl jedenfalls verrät heilsgeschichtliche Reflexion und ergab sich kaum durch das zufällige Beieinander von zwölf Personen zum Zeitpunkt der zweiten Christophanie. Dann aber erklärt sich die Identifizierung dieses Kreises mit den Jüngern Jesu in der synoptischen Tradition am einfachsten, wenn ‚die Zwölf' wirklich ehemalige Jesusjünger gewesen sind."[36] Bleibt an dieser Stelle die Frage vor-/nachösterlich offen, legt sich Kasting später stärker mit Berufung auf 1 Kor 15,5 auf eine nachösterliche Entstehung fest und erklärt mit Bezug auf den eben zitierten Abschnitt (!), daß „sich die Entstehung eines Zwölferkreises nach Ostern leicht erklären" ließe.[37] Zur Judasfrage wird nun vorgeschlagen: „Da Judas als ehemaliger Jesusjünger in Erinnerung geblieben war, mußte er schließlich in der Theorie in den Zwölfjüngerkreis aufgenommen werden."[38] Dies könne aber erst später geschehen sein, als „sich niemand mehr so recht an seine genaue Zusammensetzung erinnerte". Und schließlich mußte daraufhin (!) ein Mann aus der tradierten Zwölferliste gestrichen werden, Judas Jacobi bei Markus, und Taddäus bei Lukas![39] Nach Walter Schmithals schließlich handle es sich bei Judas um einen Apostaten der Urgemeinde, dessen „Verrat" „in die Zeit der frühen Kirche" gehöre.[40]

Eine Auseinandersetzung mit diesen Lösungsvorschlägen müßte sehr ins einzelne gehen, was hier nicht geleistet werden kann. Dafür bleibt nur die Möglichkeit, das eigene Urteil über die historische Wahrscheinlichkeit und Plausibilität mitzuteilen. M.E. konnte das Desiderat, Judas in einem nachösterlichen Zwölfergremium zu verankern, noch nicht befriedigend erfüllt werden. Trifft dies aber zu, dann bleibt die tradierte und traditionelle Angabe nach den Regeln vernünftiger historischer Kritik in possessione, nach der Judas in einen vorösterlichen Kreis von zwölf Männern hineingehörte. Dies wiederum impliziert, daß es einen solchen Kreis von Zwölfen vorösterlich

[34] *Ph. Vielhauer,* Gottesreich 70f; *Vielhauer* bestreitet nicht die Historizität des Verrates Jesu, sondern die Zugehörigkeit des Verräters zu einem Kreis der Zwölf: „Es besteht m.E. kein Zweifel daran, daß einer der Jünger Jesus verraten hat; es besteht aber auch kein Zweifel daran, daß die älteste Gemeinde mit dieser anstößigen Tatsache fertiggeworden ist" (ebd. 70). Und: „*Wenn* einmal der Zwölferkreis in das Leben Jesu zurückdatiert war, mußte der Jünger, der ihn verraten hatte, auch zu diesem Kreis gehören" (ebd. 71). Die Nötigung zu diesem „mußte" sollte aber erst einsichtig gemacht werden! – In der Argumentation *Vielhauers* spielt die Unsicherheit in der Beurteilung der markinischen Passionsstellen zu den Dodeka eine wichtige Rolle.

[35] *H. Kasting,* Mission 89.124.

[36] *H. Kasting,* ebd. 89.

[37] *H. Kasting,* ebd. 124.

[38] *H. Kasting,* ebd. 124.

[39] *H. Kasting,* ebd. 125.

[40] *W. Schmithals,* Apostelamt 58f; die Auffassung, daß Judas eine Symbolfigur für das Judenvolk gewesen sei (so noch *E. Barnikol,* Leben Jesu 330f), dürfte wohl als erledigt gelten; vgl. *G. Schneider,* Die Verhaftung Jesu 196, Anm. 49.

gab.[41] Ja, ich möchte zu erwägen geben, ob man entsprechend der Anlage der hier skizzierten Argumentation nicht schon mit der Person des Judas allein auskommen könnte, um die Existenz des Zwölferkreises zu Jesu Lebzeiten als historisch ausreichend begründet anzunehmen.

2. Diese Sicht müßte allerdings nach einer Seite hin verteidigt werden, von der her ein hartes Argument vorgebracht wird: die Zwölfzahl in 1 Kor 15,5 anstelle der nach dem Ausscheiden des Judas erforderlichen Elfzahl.

Zwei Auffassungen stehen einander gegenüber, zwischen denen zu wählen eine Frage des Ermessens und des Augenmaßes im historischen Urteilen zu sein scheint. Dennoch sind auch hier die schon genannten Folgerungen einzusetzen, die stärker zugunsten der einen von beiden Positionen sprechen.

Einerseits wird 1 Kor 15,5 als eine eindeutige Gegeninstanz gegen die vorösterliche Existenz der Gruppe gewertet. Eine „nachlässige Ausdrucksweise – zwölf statt elf – ließe sich anderswo vielleicht annehmen, nicht aber in einem offiziellen Bekenntnis der Urgemeinde, das die Kronzeugen der Auferstehung enthält", urteilt Schmithals.[42] Kasting hält die „falsche" Zahl für das Hauptargument gegen ein vorösterliches Entstehen des Kreises.[43]

Anderseits wird die Meinung vertreten, daß 1 Kor 15,5 keineswegs als unbequem empfunden werden müsse, sondern gerade umgekehrt als ein Indiz für einen schon vorausgesetzten Zwölferkreis gewertet werden könne. Die Unbefangenheit, mit der die numerisch „falsche" Zahl eingesetzt werde, weise gerade auf eine feste Größe hin, deren Bedeutung sich nicht in der korrekten An-Zahl der Mitglieder erschöpfe, sondern die ihren zeichenhaften Sinngehalt – in welcher Weise er auch immer bestimmt werde – auch nach Ostern festhalte und bestätige.[44]

[41] Vgl. neben vielen *K. H. Rengstorf,* in: ThWNT II, 326; *H. E. Tödt,* Menschensohn 58f, Anm. 77.

[42] *W. Schmithals,* Apostelamt 59, Anm. 52 (im Text steht „erhält" statt wohl richtig „enthält").

[43] *H. Kasting,* Mission 89ff; vgl. auch 91.124f; *Ph. Vielhauer,* Gottesreich 69, hält eine Christophanie vor elf, statt entsprechend der Formel vor zwölf, „für ausgeschlossen, da der Terminus ‚die Zwölf' einen einmaligen geschichtlichen Personenkreis, nicht aber eine dauernde Institution bezeichnet, deren Bezeichnung auch ohne Rücksicht auf die Vollzähligkeit ihrer Glieder, also rein formelhaft, gebraucht werden könnte." Ob man so *sicher* urteilen darf, das ist eben zu fragen! *G. Klein,* Die zwölf Apostel 35f, übernimmt *Vielhauers* Position – offenbar als das letzte Wort zur Sache (dort weitere Literatur).

[44] Vgl. etwa *J. Jeremias,* Theologie I, 224 (bes. Auseinandersetzung mit *J. Wellhausen*); *E. Haenchen,* Der Weg Jesu, Berlin 1966, 138; *U. Wilckens,* Auferstehung. Das biblische Auferstehungszeugnis historisch untersucht und erklärt, Stuttgart 1970, 28; *K. Kertelge,* Funktion 196: Die Zwölfzahl in 1 Kor 15,5 und Mt 19,28 sei in einem theologischen Interpretationszusammenhang zu beurteilen; sie meine nicht abgezählte 12 Männer, sondern „die Stiftung des neuen Gottesvolkes, das in den Zwölfen seine eschatologisch begründete Repräsentation erblickt." Ganz ähnlich, z.T. mit denselben Formulierungen *G. Schmahl,*

3. Nun begegnet im Neuen Testament mehrfach in Erscheinungszusammenhängen die „korrekte“ Zahl elf.[45] Grundsätzlich wäre die Elfzahl wiederum in zweifacher Richtung deutbar: entweder als Reflex einer gegenüber 1 Kor 15,5 genaueren historischen Kenntnis, oder auch als Analogiebildung zu „den Zwölf“, die der Reflexion entstammt. Die zweite Auffassung hat allerdings die größere Wahrscheinlichkeit für sich, da sich die Wendung „die Elf“ ausschließlich in späten Texten findet, und da vor allem der formelhafte Charakter[46] insofern imitiert erscheint, als mit „den Elfen“ gerade ein zeichenhafter Sinngehalt dieser Größe nicht mehr ausgedrückt werden kann.[47]
Für die historische Frage nach der Entstehung der Dodeka gibt jedoch auch diese Überlegung kein eindeutiges Argument her, denn man erreicht mit ihr nur die Überlieferungsstufe, die 1 Kor 15,5 repräsentiert. Hält man die Wendung „die Elf“ für traditionsgeschichtlich primär gegenüber der Korintherstelle, dann würde diese vollends zum Rätsel. Müßte doch erklärt werden, auf welche Weise sich die Zwölf-Zahl in früher Zeit der (Jerusalemer) Gemeinde gebildet haben könnte, da der Ausdruck „die Elf“ wegen des „Fehlens“ eines Mitgliedes unzweifelhaft auf einen vorösterlich existenten Kreis bezogen werden müßte. Sieht man anderseits „die Elf“ als abgeleitete Bildung an, dann wäre diese Ableitung sowohl von einem vor- wie von einem nachösterlich entstandenen Kreis möglich.

Die Zwölf 26f: Da die Zwölf als eine „vorwiegend *theologische* Größe“ zu sehen seien, brauche sich in der „‚Kurzformel‘ urchristlichen Glaubens“ ... „das *historische* Wissen um den Abfall des Verräters, der eigentlich in Abzug gebracht werden müßte, nicht niederzuschlagen“ (27). – Kritisch zur Verbindung mit dem Gottesvolkgedanken vgl. diese Arbeit Anm. 23; auch habe ich Bedenken, eine „theologische“ und eine „historische“ Sicht so auseinanderzureißen, wie es hier geschieht. Darauf, daß es sich auch historisch um 12 Personen gehandelt hat – in jeder angenommenen Situation – kann man nicht verzichten, bzw. man darf die „Zahl“ nicht bagatellisieren. *Beide* Momente – die Zahl und ihre zeichenhafte Bedeutung – gehören zusammen.

[45] Mt 28,16; Lk 24,9.33; im Mk-Schluß 16,14; vgl. Apg 1,26; 2,14; nach dem Nestle-Apparat in 1 Kor 15,5 bei D*G lat sy^{hmg}: von *H. Lietzmann,* An die Korinther I/II, Tübingen ^{4}1949, 77 als „pedantische Korrektur“ bezeichnet. – *J. Weiß,* Das Urchristentum, Göttingen 1917, hielt sogar – auch aufgrund der Schwankungen in der Textüberlieferung – die ganze Wendung „dann den Zwölfen“ für einen späteren Zusatz (17; vgl. 33 „der textkritisch sehr zweifelhaften Stelle“)!

[46] Vgl. den bestimmten Artikel bei absolutem Gebrauch in Mk 16,14; Lk 24,9.33; anders, aber spezifisch mattäisch bzw. lukanisch in Mt 28,16 οἱ δὲ ἕνδεκα μαθηταί, in Apg 1,26 μετὰ τῶν ἕνδεκα ἀποστόλων; vgl. aber Apg 2,14 πέτρος σὺν τοῖς ἕνδεκα.

[47] *B. Rigaux,* Die Zwölf“ 480 bemerkt treffend, daß sich „unter Bezugnahme auf diese Zahl zwölf ... der Ausdruck ἕνδεκα gebildet“ habe; *K. Kertelge,* Funktion 198: Die Elfzahl beweise „nur das genauere Nachrechnen der an den österlichen und nachösterlichen Ereignissen interessierten späteren Autoren“; *G. Schmahl,* Die Zwölf 27, Anm. 40: „Erst spätere, mehr historisierende Berichte sprechen korrigierend von *elf* Erscheinungsempfängern.“

4. Kontrovers ist nun weiterhin die Frage, ob die Formulierung in 1 Kor 15,5 die Existenz eines Zwölferkreises voraussetze, oder ob die Bildung des Kreises *durch* jene Erscheinung geschehen sei. Auch hier zeigt sich in der Diskussion eine Ambivalenz, die anscheinend keine genügend sichere Stellungnahme erlaubt.

So finden wir neben der verbreiteten „konservativen" Anschauung auch die andere, daß die Gruppe „eben durch diese Erscheinung als geschlossener Kreis ‚der Zwölf' konstituiert" wurde.[48] Ohne die Kontroverse auch nur ausschnittweise wiedergeben zu können, sei ein Urteil von Schmahl mitgeteilt, in dem dieses „Patt" wie folgt ausgedrückt wird: „*Historisch* betrachtet, bezeugt die Bekenntnisformel die *nachösterliche* Existenz des Zwölferkreises. Sie sieht aber vor allem in den Zwölfen eine *theologische* Größe, so daß von diesem Zeugnis her weder die vorösterliche Existenz des Zwölferkreises geleugnet, noch auch auf diese geschlossen werden kann."[49]

Es ist bemerkenswert, daß die historische Stellungnahme nicht entschiedener ausfällt. Gleichwohl scheint mir beim Abwägen der verschiedenen Gesichtspunkte die größere Wahrscheinlichkeit dafür zu sprechen, daß der Zwölferkreis schon bestand, als ihm die „Erscheinung" des Auferstandenen zuteil wurde – in Analogie zu der Ersterscheinung vor Kephas. Doch müßte dazu näher erörtert werden, was mit den Auferstehungserscheinungen für Sachverhalte zum Ausdruck gebracht werden sollen, eine Aufgabe, die in diesem Rahmen anzugehen nicht möglich ist.[50]

Angesichts der gegenwärtigen Diskussionslage muß m. E. auch zur Lösung dieser von 1 Kor 15,5 provozierten Frage das Gewicht des bisher gefundenen, aber auch ausreichend zu sichernden Arguments für den Überstieg von der urgemeindlichen in die vorösterliche Situation zur Geltung kommen: die Person und die Tat des *Judas*. An dieser Stelle sei nochmals auf die Schwierigkeit verwiesen, die jene Autoren befriedigend lösen müßten, die auf der „unhistorischen" Zwölfzahl in 1 Kor 15,5 als Argument gegen ein vorösterliches Entstehen der Gruppe insistieren: Wie kommt der Verräter Judas in einen nachösterlich entstehenden Kreis hinein?[51]

[48] *Ph. Vielhauer,* Gottesreich 69; vgl. die Diskussion bei *G. Klein,* Die zwölf Apostel 35f, Anm. 138.139.

[49] *G. Schmahl,* Die Zwölf 27; zur Kritik vgl. diese Arbeit Anm. 23 und Anm. 44.

[50] Vgl. dazu *A. Vögtle/R. Pesch,* Wie kam es zum Osterglauben?, Düsseldorf 1975; vgl. *A. Vögtle,* in: Theologisches Jahrbuch, Leipzig 1976, 47–144.

[51] Vgl. dazu oben S. 208ff.

Zusammenfassung

1. Der Verrat des Judas mit der Bezeichnung dieses Mannes als „einer der Zwölf" bilden – nach der Markus-Tradition – den sichersten historischen Anhaltspunkt für die Zugehörigkeit des Judas zu einem Kreis um den irdischen Jesus.
2. Die Person und der Verrat des Judas werden damit zu dem innerhalb der Evangelien-Tradition wahrscheinlich sichersten Argument für eine vorösterliche Existenz des Zwölferkreises.
3. Die Erwähnung der „Zwölf" in 1 Kor 15,5 stellt keine eindeutige Gegeninstanz gegen ein vorösterliches Bestehen des Zwölferkreises dar, wie auch umgekehrt daraus nicht mit Sicherheit auf ein nachösterliches Entstehen geschlossen werden kann.
4. Die Bezeichnung „die Elf" in späteren Texten des Neuen Testaments ist mit hoher Wahrscheinlichkeit von der traditionellen Formel „die Zwölf" abgeleitet worden und kann daher nicht als primär gegenüber 1 Kor 15,5 angesehen werden.
5. Hält man die vom Markus-Stoff ausgehende Argumentation für genügend begründet, muß für 1 Kor 15,5 angenommen werden, daß die Erscheinung des Auferstandenen den „Zwölf" als einer schon vorher bestehenden Gruppe zuteil wurde.

III.

An dritter Stelle soll die Diskussion um das Logion Mt 19,28/Lk 22,28–30 unter der angezeigten historischen Fragestellung aufgenommen werden. Mit der methodischen Beschränkung auf den historischen Aspekt des Entstehens der Zwölfergruppe ist gegeben, daß eine Fülle anderer Gesichtspunkte nicht oder nur am Rande einbezogen zu werden braucht. Diese Beschränkung ist insofern legitim, als das Logion auch in der historischen Frage nach den Dodeka einen traditionell festen Platz einnimmt.[52]

[52] Vgl. *B. Rigaux,* Die „Zwölf" 476; *W. G. Kümmel,* Kirchenbegriff und Geschichtsbewußtsein in der Urgemeinde und bei Jesus, Zürich/Uppsala 1943, 31, hält den Spruch für „entscheidend beweisend" für den vorösterlichen Zwölferkreis; anderseits *G. Klein,* Die zwölf Apostel 34f, der zur Hypothese von der Historizität des Zwölferkollegiums als des „engsten Kreises" um Jesus sagt: „Die den Beweis tragenden Argumente sind stereotyp: der Wortlaut von 1 Kor 15,5; die Figur des Verräters als eines Mitgliedes des Kollegiums; die nur einmalige Erwähnung der Institution in der Apg; der Bericht von der Nachwahl des Matthias; Mt 19,28 par."

Dem Logion kommt insofern eine besondere Bedeutung zu, als es innerhalb des synoptischen Überlieferungsstoffes allein eine bestimmte profilierte Anschauung von den Zwölf vertritt, und da es das einzige Logion der außermarkinischen (Q)Tradition ist, das überhaupt die Zwölfzahl aufweist.

1. Ausgangspunkt unserer Überlegung ist die Frage, ob der Spruch zur Redenquelle (Q) zu rechnen ist oder nicht. Das Meinungsspektrum ergibt kein einheitliches Bild, wenn sich auch für die Zuweisung zu Q ein größerer Konsens als für die Auffassung, es handle sich um unabhängige Überlieferungsvarianten, herausgebildet hat.[53] Schürmann urteilte noch, daß es eine „fast allgemein anerkannte Tatsache" sei, die „keines eingehenden Beweises mehr" bedürfe, „daß Lk 22,28–30 nicht luk(anische) Mt-R(edaktion) ist, sondern eine von Mt 19,28b literarisch unabhängige Überlieferungsvariante des gleichen Herrenwortes".[54] Demgegenüber hat sich die Diskussionslage verschoben.[55] Allerdings muß für dieses Traditionsstück insbesondere der – prinzipiell geltende – hypothetische Charakter der Logienquelle im Auge behalten werden. Das Ringen um *eine vor* den beiden jetzigen Fassungen liegende Textform und die vielen Unsicherheitsfaktoren machen gerade in diesem Fall die Grenzen deutlich, die einer allzu selbstverständlich gehandhabten Quellenkritik gezogen sind.[56]

Auch unabhängig von einem Urteil über die Zugehörigkeit zu Q drängt sich ein literarkritischer Vergleich Mattäus/Lukas durch die weitgehende, teilweise wörtliche Übereinstimmung im zweiten Teil des Spruchs (Mt V. 28d/ Lk V. 30b) auf. Dieser stellt den sicheren Grundbestand dar, von dem z.B. Ernst Lohmeyer als alter Überlieferung ausgeht:

„Ihr werdet sitzen auf zwölf Thronen,
zu richten die zwölf Stämme Israels."[57]

Die Aussage ist zudem so charakteristisch und in der synoptischen Überlieferung singulär, daß sich der Vergleich als notwendig erweist. Das gilt vor

[53] Vgl. die z.T. recht differenzierten Urteile der Autoren bei *S. Schulz,* Spruchquelle 330, Anm. 46; *G. Schmahl,* Die Zwölf 29, Anm. 43; vgl. *I. Broer,* Das Ringen 150f; dazu den Vorschlag von *E. Bammel,* Das Ende von Q, Mt 19,28 par als Schlußlogion von Q verständlich zu machen. *D. Lührmann,* Logienquelle (75.90.)109f zählt den Spruch zu Q; *P. Hoffmann,* Theologie, befaßt sich nicht ausführlich mit dem Spruch, weist aber sporadische Bemerkungen auf: S. 5 wird der Text unter „nicht mehr lokalisierbare Einzelsprüche" eingereiht, S. 42 als nur unsicher rekonstruierbar bezeichnet, S. 304 (doch) für die Q-Gruppe reklamiert, die erwarte, am Gericht des Menschensohnes teilzuhaben.

[54] *H. Schürmann,* Abschiedsrede 36, mit älteren Autoren.

[55] Vgl. oben Anm. 53.

[56] Vgl. die Bemerkungen von *P. Hoffmann,* Theologie 1–5; *I. Broer,* Das Ringen 150f.

[57] *E. Lohmeyer/W. Schmauch,* Matthäus 289; ebenso *A. Vögtle,* Kosmos 160.

allem auch für das stilistische Merkmal einer strengen Parallelität der Glieder.[58]
2. Dieser zweite Teil des Spruchs enthält nun auch den Diskussionsgegenstand unter unserer Fragestellung: die Zwölfzahl. Sie steht übereinstimmend bei den „zwölf Stämmen Israels", womit in der Sache das ideale Zwölf-Stämme-Volk der Vergangenheit bezeichnet wird, aber nach dem näheren Kontext (in beiden Fassungen: Mt V. 28c/Lk V. 29.30a) und entsprechend dem apokalyptischen Anschauungsgehalt auf das eschatologisch restituierte Israel der Zukunft geblickt wird. Nur Mattäus spricht auch von „zwölf" Thronen.[59] Die Differenz wird überwiegend, aber mit verschiedener Motivation als Auslassung des Lukas verstanden, so daß der Mattäus-Text in diesem Fall die ältere Form bezeuge.[60] Damit ist zwar literarisch eine „geringfügige" Differenz[61] gegeben. Unter der historischen Fragestellung ist sie jedoch eigens zu bedenken, die Priorität der Mattäus-Fassung vorausgesetzt.[62]
Zu den „Stämmen Israels" gehört die Zwölfzahl selbstverständlich[63], nicht jedoch zu den Thronen. Es muß wenigstens gefragt werden, ob die Zwölfzahl bei den Thronen durch die „Zwölf Stämme Israels" allein veranlaßt worden ist, so daß sich mit der einen Konzeption wie von selbst auch die andere einstellte: Auf jeden Stamm käme ein Richter-Thron, oder auch: auf das Stämmevolk insgesamt käme ein Richter-Kollegium auf Thronsitzen, deren Zahl der Zahl der Stämme entspräche.[64] Anderseits ist damit zu

[58] Zweimalige Voranstellung des Prädikats, Entsprechung von δώδεκα θρόνοι / δώδεκα φυλαί. Zu den Abweichungen vgl. *H. Schürmann,* Abschiedsrede 51–54. Die Inversion ist lukanisch; „Trennung des Objektes von seinem abhängigen Genitiv ist rhetorisch stilisierte Rede und sekundär": *H. Schürmann,* ebd. 53; *Blaß/Debr.,* Grammatik § 473; vgl. *J. Dupont,* Le logion 370; das im Parallelismus überschießende τοῦ Ἰσραήλ gehört zur Vollständigkeit der stehenden Wendung: vgl. Offb 21,12; vgl. 7,4; *K. H. Rengstorf,* in: ThWNT II, 323; vgl. die reichlichen Verweise bei *I. Broer,* Das Ringen 158f.

[59] Zur religionsgeschichtlichen Verankerung der Vorstellung von den Thronen vgl. bes. *J. Dupont,* Le logion 381–386, der von Dan 7,9f ausgeht; jetzt *I. Broer,* Das Ringen 154.157f.

[60] So *H. Schürmann,* Abschiedsrede 52: „vermutlich luk(anische) R(edaktion)"; ähnlich *ders.,* in: Untersuchungen 175f mit mehreren möglichen Motiven; *S. Schulz,* Spruchquelle 332; *G. Schmahl,* Die Zwölf 32; zurückhaltender *I. Broer,* Das Ringen 154; zugunsten der Mattäus-Fassung ist noch das stilistische Merkmal der Parallelität der Glieder zu bedenken.

[61] So *G. Schmahl,* Die Zwölf 32.

[62] Sähe man die Lukas-Fassung für primär an, brauchte die folgende Überlegung gar nicht angestellt zu werden. Die Konsequenz davon wäre allerdings, daß sich nach dieser Textform noch weniger für die hier interessierende Frage gewinnen ließe.

[63] Vgl. auch Barn. 8,3.

[64] Für die Beurteilung des κρίνειν und entsprechend für die Rolle der „Thronenden" als Richter oder/und Regenten verweise ich hier auf die ausführliche Diskussion, bes.: *J. Dupont,* Le logion 370ff.389; zum „Gericht der Gerechten" im Alten Testament, in den Apokryphen, in den Qumran-Texten, im rabbinischen Schrifttum vgl. zuletzt *I. Broer,* Das Ringen 155–163.

rechnen, daß die Zwölfzahl durch die Dodeka veranlaßt sein könnte: jedem von ihnen werde ein solcher Thron zukommen.[65] Die Entscheidung zwischen diesen Möglichkeiten könnte wohl nur gelingen, wenn für die eine oder für die andere Deutung zusätzliche und stützende Gesichtspunkte ausfindig zu machen wären.

3. Hinsichtlich der 1. Auslegung scheint im Rahmen der Anschauungen um das „Gericht" und die „Throne" in dem breiten Material aus der alttestamentlichen, zwischentestamentarischen und rabbinischen Literatur, soweit ich das feststellen konnte, die Rede von „Zwölf Thronen" nicht bezeugt zu sein. Wenn sich dies bestätigen sollte, dann fehlte eine ausdrückliche Stütze für diese Anschauung und man könnte sie nur allgemein als möglich oder naheliegend begreifen. Allerdings müßte auch die Frage gestellt werden, *wer* denn innerhalb einer alttestamentlich-jüdischen Tradition und Theologie auf diesen Thronen als (Mit-)Richter, (Gerichts-)Beisitzer oder (Mit-)Regenten zu denken seien.[66]

4. Nun zur zweiten Möglichkeit, daß die Zwölf-Zahl der Throne durch die Dodeka bedingt sei. Stützende Argumente für diese Auffassung wären aus einer parallelen Aussage und aus dem Kontext zu gewinnen. Der erste Weg ist versperrt, da sich eine auch nur vergleichbare Aussage über eine solche „Erhöhung" und eschatologische Funktion der Zwölf im ganzen Neuen Testament, vor allem auch nicht in den älteren Traditionsschichten findet. Das Logion ist völlig singulär.

Die Frage nach dem Kontext könnte schnell beantwortet werden, da sich der Spruch in beiden Fällen (Mattäus/Lukas) als an die Dodeka gerichtet verstehen läßt. Für Lukas ergibt sich das zwingend aus der Mahlsituation[67]; bei

[65] Vgl. den Text (Rez. A) aus dem (christlich überarbeiteten) Testament des Abraham, auf den *P. Batiffol* aufmerksam gemacht hatte (RB 9 [1912] 541f) bei *J. Dupont,* Le logion 376, Anm. 1.2 und die dort 375f mitgeteilte Diskussion um die Textvarianten.

[66] Zu den „Thronsesseln" und dem Richterkollegium in Dan 7,9f vgl. *O. Plöger,* Das Buch Daniel, Gütersloh 1965 = Berlin 1969, 104, zu V. 9. S. 110f; zur rabbinischen Auslegung der Daniel-Stelle vgl. das Material bei *Billerbeck* IV, 1103f und dazu *J. Dupont,* Le logion 384ff. – Den Plural θρόνοι kennt im NT außer unserer Stelle nur noch Offb 20,4 (ohne Artikel und Zahl, als Gerichtsthrone, in Anlehnung an Dan 7,9) und Offb 4,4: Die Ältesten sitzen auf 24 Thronen. Die Auffassung, die Zahl 24 weise als Verdoppelung auf die 12 Stämme Israels, wird kaum mehr vertreten. Vgl. *W. Bousset,* Die Offenbarung Johannis, Göttingen [6]1906, 245ff; *E. Lohmeyer,* Die Offenbarung des Johannes, Tübingen [2]1953, 46f; *G. Bornkamm,* in: ThWNT VI, 668f; und besonders *J. Michl,* Die 24 Ältesten in der Apokalypse des Johannes, München 1938, 6ff.41–53; zur Zahlensymbolik ebd. 52f, Anm. 2. – Auch bei den Apostolischen Vätern gibt es den Ausdruck „12 Throne" nicht.

[67] Vgl. Lk 22,14 „und die Apostel mit ihm" (!) anstelle Mk 14,17 „mit den Zwölfen"; Mt 26,20 „mit den zwölf Jüngern".

Mattäus sind seit 19,23 „die Jünger" die Angeredeten, für die Petrus die Frage V. 27 stellt. Daß Mattäus dabei die Zwölf meint, ist nicht zu bezweifeln. Es entspricht einer bei ihm durchgehenden Intention, die „Zwölf" unter dem Aspekt eines „Jüngers", dem des „Jüngerseins" zu betrachten und darzustellen.[68] Nun besteht eine fast vollständige Übereinstimmung darüber, daß das Logion in beiden Fällen sekundär in den jeweiligen Kontext eingepaßt worden ist, so daß sich die Belege dafür erübrigen. Aus dem Kontext ist also keine helfende Auskunft für unsere Frage zu gewinnen.

Wie steht es aber mit der ersten Hälfte des Spruchs (Mt 19,28abc), bzw. den bei Lukas vorausgehenden Logien (Lk 22,28.29.30a)? Ein genauer Einblick in die Untersuchungen zu diesen stark divergierenden Teilen der Sprucheinheit zeigt in geradezu entmutigender Weise, daß die Meinungen über die Priorität und über die redaktionellen Anteile[69] im einzelnen so weit auseinanderklaffen, daß *nicht in einem einzigen Fall* ein zureichender Konsens erreicht werden konnte.[70] Die Diskussion um die Einzelheiten kann hier nicht aufgenommen werden.[71] Auch besagt das genannte negative Ergebnis keineswegs, daß alle Stimmen gleiches Gewicht hätten, und daß sich nicht doch noch Möglichkeiten zu größerer Übereinstimmung auftun könnten. Wir können nur vom gegenwärtigen Fragestand her urteilen. Und danach ist es bisher

[68] Auch der Neueinsatz V. 29 mit καὶ πᾶς ὅστις bestätigt diese Tendenz; ansonsten vgl. schon die Tabellen bei *B. Rigaux*, Die „Zwölf" 471, und bei *G. Schmahl*, Die Zwölf 16f. – Auf die Kontroverse zwischen *G. Strecker* und *R. Pesch* (Levi-Matthäus. Mc 2,14/Mt 9,9; 10,3: ZNW 59 [1968] 40–5) einerseits, *U. Luz* (Die Jünger im Matthäusevangelium: ZNW 62 [1971] 141–171) anderseits, brauchen wir nicht näher einzugehen. Das Richtige dürfte *U. Luz* vertreten; vgl. auch so *I. Broer*, Das Ringen 154.

[69] *Daß* sowohl Lukas wie Mattäus stark in den Text eingegriffen haben, ist allgemeine Überzeugung.

[70] Eine gewisse Ausnahme ist die weitgehende Anerkennung der sekundären (lukanischen) Herkunft von Lk V. 30a; vgl. *A. Schulz*, Nachfolgen 120; *S. Schulz*, Spruchquelle 331f: „überwiegend wahrscheinlich"; *I. Broer*, Das Ringen 149; einige Autoren *(J. Theißing, J. Schmid, W. Pesch)* halten jedoch V. 29.30a für ein ursprünglich selbständiges Wort, so daß sich die eigentliche Parallele zu Mt 19,28 auf Lk V. 28.30b begrenzte. Vgl. *A. Schulz*, Nachfolgen 120f, der dem zustimmt; differenzierter allerdings noch *H. Schürmann*, Abschiedsrede 45–50, der V. 30b zwar nicht für ursprünglich zur Einheit gehörig, aber als vorlukanisch eingefügt ansieht (50).

[71] Sie stellt sich noch dadurch besonders kompliziert, als weithin drei Traditionsstufen unterschieden werden müssen, in denen das Logion Einwirkungen erfahren haben kann: der Einzelspruch vor der Redenquelle, die Einbeziehung in Q, die Aufnahme in Mattäus/Lukas. – Zur Analyse und den Rekonstruktionsversuchen vgl. bes. *H. Schürmann*, Abschiedsrede 36–54, *H. E. Tödt*, Menschensohn 57–60; *A. Schulz*, Nachfolgen 119–125; *C. Colpe*, in: ThWNT VIII, 450f; *A. Vögtle*, Kosmos 160–166; *S. Schulz*, Spruchquelle 330ff; *G. Schmahl*, Die Zwölf 29–33; die Aufsätze von *Dupont* und *Broer* (Lit.).

nicht gelungen, für diese Teile der Traditionseinheit eine einigermaßen überzeugende Rekonstruktion zu gewinnen.[72] Daher kann von eben diesen Teilen her auch keine Antwort auf die Frage erwartet werden, ob sich der Spruch an die Zwölf im engeren Sinne oder an „Nachfolgende"[73] allgemein richtete – unabhängig von der Frage, ob man das Logion vor- oder nachösterlich situiert.[74]

5. In diesem Zusammenhang ist bemerkenswert, daß sich in neueren Arbeiten die Anschauung wieder findet, das Logion sei ursprünglich nicht an die Zwölf, sondern an „Nachfolgende" überhaupt gerichtet gewesen. Man empfindet offenbar keine Nötigung, aus der Zwölfzahl der Throne auf den Zwölferkreis zu rekurrieren, noch erscheint diese Sicht *allein* durch die Bevorzugung der mattäischen Einleitung „die ihr mir nachgefolgt seid" präjudiziert.[75] Schmahl vertritt die Auffassung, „daß das ursprüngliche Logion sich wohl nicht ausschließlich an die Zwölf" richtet[76]; direkt angesprochen seien vielmehr jene, „die Jesus nachgefolgt" seien.[77] Und abschließend: „Unter den ἀκολουθήσαντές μοι versteht das Q-Logion zunächst wohl noch keine zahlenmäßig feststehende Gruppe; jeder ist mitangesprochen, der die von Jesus gestellten neuen Bedingungen der Nachfolge erfüllt. Die beiden Evangelisten engen den Bedeutungsumfang auf die Zwölf ein, so daß der Zwölfzahl der Throne bei Mattäus nun ausdrücklich die Zwölfzahl der Jesusjünger korrespondiert."[78] Broer meint, daß man für Mattäus wohl nicht um die Konsequenz herumkomme, daß Mattäus „im Grunde das Sitzen auf den

[72] Vgl. die Einleitungssätze bei *I. Broer,* Das Ringen 148f, bes. Anm. 2.

[73] Mt V. 28b; vgl. anders, aber analog Lk V. 28.

[74] Ungenau ist z.B. *S. Schulz,* Spruchquelle 335, mit Bezug auf „die Zwölf": „Die δώδεκα tauchen nur an dieser Stelle in Q auf." Es „tauchen" eben nur 12 Stämme und (12) Throne „auf". – Auch *C. Colpe* (ThWNT VIII, 451, 8ff) äußert, daß eine Verbindung des Logions mit der Frage nach dem Zwölferkreis nur die Mt-Fassung betreffe, „da Lk lediglich ἐπὶ θρόνων sagt und aus der Anführung der zwölf Stämme nicht folgt, daß jeder von einem besonderen Thron aus gerichtet wird".

[75] Vgl. *I. Broer,* Das Ringen 153, Anm. 16, der beide Deutungen für das οἱ ἀκολουθήσαντες – Tradition oder mattäische Redaktion? – für „prinzipiell möglich" hält, dann aber doch der zweiten mehr zuneigt.

[76] *G. Schmahl,* Die Zwölf 33.

[77] *G. Schmahl,* ebd. 36.

[78] *G. Schmahl,* ebd. 36. Es sei bemerkt, daß Schmahl nur von der Traditionsstufe „Q" ausgeht; es ist aber prinzipiell nicht auszuschließen, daß das Logion *vor* einer Einfügung in Q bereits die Zwölfergruppe meinte. Eine „Verallgemeinerungstendenz", von der *Schürmann* öfter spricht, kann schon sehr früh wirksam gewesen sein; vgl. *ders.,* Abschiedsrede 37ff; Untersuchungen 175f.

zwölf Thronen und das Richten der zwölf Stämme Israels der Gemeinde der Vollkommenen zuspricht, sich also darin durchaus wieder mit seiner Vorlage (!) trifft".[79]

Ob man den beiden Auffassungen zustimmt oder nicht: In jedem Fall wird die Offenheit der Diskussionslage dadurch erneut demonstriert, und zugleich wird auf jene Grenze literarkritischer Rekonstruktion schmerzlich hingewiesen, von der schon die Rede war.[80]

Der Kreis der vorgesehenen Überlegungen hat sich geschlossen, so daß das Ergebnis formuliert werden kann: Aus dem Traditionsstück Mt 19,28/Lk 22,28–30 lassen sich keine positiven Indizien für die historische Frage nach einer vorösterlichen Existenz des Zwölferkreises gewinnen. Diese Feststellung kann bereits aufgrund des äußerst komplizierten und literarkritisch kaum mehr befriedigend aufzuhellenden traditionsgeschichtlichen Befundes getroffen werden, ohne die Frage nach der Authentizität des Spruchs ausdrücklich behandeln zu müssen. Der historischen Argumentation sind in diesem Falle m. E. Grenzen gesetzt, die es geraten sein lassen, das Logion vorerst nicht in die historische Debatte um einen vorösterlichen Zwölferkreis einzubeziehen.

Zusammenfassung

1. In der Debatte um die Entstehung des Zwölferkreises spielt das Logion Mt 19,28 par/Lk 22,28–30 eine traditionell wichtige Rolle.
2. Überwiegend wird das Überlieferungsstück der Redenquelle Q zugewiesen. Das ist jedoch in diesem Fall wegen der kompositorischen und literarkritischen Probleme nur mit starken Einschränkungen möglich.
3. Aus dem zwischen Mattäus und Lukas weitgehend übereinstimmenden Schlußteil der Einheit (von „ihr werdet sitzen ..." ab: Mt V. 28d/Lk V. 30b) kann nicht mit genügender Sicherheit geschlossen werden, daß er sich ausdrücklich an die „Zwölf" richtet.

[79] *I. Broer,* Das Ringen 164; der Satz wird nur im Rahmen der Konzeption von Broer voll verständlich: Broer geht, wenn ich ihn richtig verstehe, von einer nachösterlichen Entstehung des Logions aus (vgl. vorsichtig 163, Anm. 79) und faßt es inhaltlich und tendenziell als eine aufs äußerste zugespitzte Drohung an Israel mit dem (Vernichtungs-)Gericht, am nächsten vergleichbar mit Mt 8,11f/Lk 13,28f, auf. – Die erste ist mir auch die wahrscheinlichere Annahme (nachösterliche Entstehung), während mir die Auslegung des Logions in der angedeuteten Richtung nicht geglückt zu sein scheint. Darauf kann ich aber in diesem Rahmen nicht näher eingehen. – Noch scheint mir *Manson,* Sayings 217, Recht zu haben, wenn er abschließend urteilt: „But the saying is obscure and certainty is probably unattainable."

[80] Vgl. S. 214.

4. Auch der Kontext in den beiden Evangelien und die anderen Teile der Einheit lassen kein eindeutiges Urteil darüber zu, ob der Spruch in seiner originalen Fassung an die Gruppe der Zwölf oder allgemein an Nachfolgende adressiert gewesen ist.
5. Diese Beobachtungen lassen es geraten sein, das Traditionsstück überhaupt nicht in die Diskussion um die Entstehung des Zwölferkreises einzubeziehen.
6. Zu dieser Folgerung kann man auch dann gelangen, wenn man die Entscheidung über eine vor- oder nachösterliche Entstehung der Einheit offen läßt, wie es hier geschehen ist.

Literatur

Bammel, E., Das Ende von Q, in: Verborum Veritas (Festschr. für G. Stählin), Wuppertal 1970, 39–50.
Barnikol, E., Das Leben Jesu der Heilsgeschichte, Halle 1958.
Broer, I., Das Ringen der Gemeinde um Israel. Exegetischer Versuch über Mt 19,28, in: Jesus und der Menschensohn (Für Anton Vögtle), Freiburg 1976, 148–165.
Cerfaux, L., Pour l'histoire du titre Apostolos dans le Nouveau Testament: RSR 48 (1960) 76–92.
Dupont, J., Le logion des douze trônes (Mt 19,28; Lc 22,28–30): Bibl 45 (1964) 355–392.
Hoffmann, P., Studien zur Theologie der Logienquelle (NTA NF 8), Münster 1972.
Jeremias, J., Neutestamentliche Theologie. I. Teil: Die Verkündigung Jesu, Gütersloh 1971 = Berlin 1973.
Kasting, H., Die Anfänge der urchristlichen Mission. Eine historische Untersuchung (BEvTh 55), München 1969.
Kertelge, K., Die Funktion der „Zwölf" im Markusevangelium. Eine redaktionsgeschichtliche Auslegung, zugleich ein Beitrag zur Frage nach dem neutestamentlichen Amtsverständnis: TThZ 78 (1969) 193–206.
Klein, G., Die zwölf Apostel. Ursprung und Gehalt einer Idee (FRLANT 77), Göttingen 1961.
Lohmeyer, E./Schmauch W., Das Evangelium des Matthäus (Meyer K, Sonderband), Göttingen (1956) ³1962.
Lohmeyer, E., Das Evangelium des Markus (Meyer K I/2), Göttingen (1937) ¹⁷1967.
Lührmann, D., Die Redaktion der Logienquelle (WMANT 33), Neukirchen-Vluyn 1969.
Manson, T. W., The Sayings of Jesus, London (1937) ³1954.
Rigaux, B., Die „Zwölf" in Geschichte und Kerygma, in: Der historische Jesus und der kerygmatische Christus (hrsg. v. *H. Ristow* und *K. Matthiae*), Berlin ²1961, 468–486.
Roloff, J., Apostolat – Verkündigung – Kirche. Ursprung, Inhalt und Funktion des kirchlichen Apostelamtes nach Paulus, Lukas und den Pastoralbriefen, Gütersloh 1965.
Schille, G., Die urchristliche Kollegialmission (AThANT 48), Zürich 1967.
Schmahl, G., Die Zwölf im Markusevangelium. Eine redaktionsgeschichtliche Untersuchung (TThSt 30), Trier 1974.
Schmithals, W., Das kirchliche Apostelamt. Eine historische Untersuchung (FRLANT 81), Göttingen 1961.
Schneider, G., Die Verhaftung Jesu: ZNW 63 (1972) 188–209.
Schürmann, H., Jesu Abschiedsrede Lk 22,21–38. III. Teil einer quellenkritischen Untersuchung des lukanischen Abendmahlsberichtes Lk 22,7–38 (NTA 20/5), Münster 1957.
Schürmann, H., Traditionsgeschichtliche Untersuchungen zu den synoptischen Evangelien, Düsseldorf 1968. (= Untersuchungen).
Schürmann, H., Ursprung und Gestalt. Erörterungen und Besinnungen zum Neuen Testament, Düsseldorf 1970. (= Ursprung und Gestalt).
Schürmann, H., Der Jüngerkreis Jesu als Zeichen für Israel, in: *ders.*, Das Geheimnis Jesu. Versuche zur Jesusfrage (Die Botschaft Gottes, Ntl. Reihe 28), Leipzig 1972, 126–154.
Schürmann, H., Beobachtungen zum Menschensohn-Titel in der Redenquelle. Sein Vorkommen in Abschluß- und Einleitungswendungen, in: Jesus und der Menschensohn (Für Anton Vögtle), Freiburg 1975, 124–147.
Schulz, A., Nachfolgen und Nachahmen. Studien über das Verhältnis der neutestamentlichen Jüngerschaft zur urchristlichen Vorbildethik (StANT 6), München 1962.
Schulz, S., Q. Die Spruchquelle der Evangelisten, Zürich 1972.
Strecker, G., Der Weg der Gerechtigkeit. Untersuchungen zur Theologie des Matthäus (FRLANT 82), Göttingen (1962) ³1971.
Tödt, H. E., Der Menschensohn in der synoptischen Überlieferung, Gütersloh (1959) ²1963.
Trilling, W., „Implizite Ekklesiologie". Ein Vorschlag zum Thema „Jesus und die Kirche", in: Dienst der Vermittlung, Leipzig 1977, 149–164.

Vielhauer, Ph., Gottesreich und Menschensohn in der Verkündigung Jesu (1957), in: Aufsätze zum Neuen Testament, München 1965, 55–91.
Vielhauer, Ph., Jesus und der Menschensohn. Zur Diskussion mit Heinz Eduard Tödt und Eduard Schweizer (1963), in: Aufsätze zum Neuen Testament, München 1965, 92–140.
Vögtle, A., „Zwölf“: LThK², Bd. 10, Sp. 1443ff.
Vögtle, A., Das Neue Testament und die Zukunft des Kosmos, Düsseldorf 1970.
Wagenmann, J., Die Stellung des Apostels Paulus neben den Zwölf (BZNW 3), Gießen 1926.

MARTYRIUMSPARÄNESE UND SÜHNETOD IN SYNOPTISCHEN UND JÜDISCHEN TRADITIONEN

Von Joachim Gnilka

Die Kirche des Anfangs war eine bedrängte und verfolgte Kirche. Symptomatisch dürfte sein, daß die Aufnahme des Wortes der Verkündigung, die unter Verfolgung geschieht, in so verschiedenen Zusammenhängen wie in Mk 4,17 parr; 1 Thess 1,6; 2 Tim 1,8; 2,9 in Erinnerung gerufen wird. Auch in dieser Hinsicht, daß die Kirche eine verfolgte ist, wurde sie die Nachfolgerin der jüdischen Gemeinde. W. Bousset schon stellte völlig zu Recht fest: „Die jüdische Religion ist eine Religion des *Martyriums*. Sie ist aus dem Martyrium und den Leiden der Frommen der Makkabäerzeit heraus geboren".[1] Und im gleichen Kontext bedauert er die finstere und herbe Abgeschlossenheit dieses Geistes der Märtyrerfreudigkeit, der ein „Geist der Unliebenswürdigkeit und des Fanatismus" gewesen sei. Die einseitige Gottesliebe habe die besten Kräfte dieser Frommen fast völlig verzehrt. Die Anfechtung mag verschiedene Ursachen haben. Die Intoleranz auf der einen, meist der mächtigeren Seite mag gelegentlich den Fanatismus auf der anderen Seite auslösen. Jedenfalls konnte die Kirche des Anfangs zur Bewältigung der Anfechtungssituation auf die entsprechenden Erfahrungen des Judentums, von dem sie herkam, zurückgreifen. Und sie hat es offenkundig getan. Diese Erfahrungen hatten sich in zahlreichen Schriften niedergeschlagen, und über diese haben wir heute noch Zugang zu jenen, wenn auch oft nur in ihren idealisierenden und vergröbernden literarischen Ausgestaltungen.

In der alttestamentlich-jüdischen Literatur haben wir vor allem den Martyriumsbericht. Diese erzählerische Art war die beliebteste, um die Helden des Glaubens nicht in Vergessenheit geraten zu lassen und durch ihr Beispiel zu Standhaftigkeit und Ausdauer zu ermuntern. Martyriumsparänese ist im Vergleich hierzu nach den Zusammenstellungen von H. Braun nur spärlich anzutreffen. Er entdeckt diese insbesondere in der Qumranliteratur.[2] Martyriums-

[1] *W. Bousset – H. Gressmann,* Religion 374.

[2] *H. Braun,* Radikalismus I 39 und Anm. 3, führt Stellen aus 1 QS an; 61 aus 1 QpHab mit dem Bemerken, daß sich Märtyrerethik nicht als Paränese fände, sondern „als Schilderung der Widerfahrnisse der Sektenleute". Vgl. II 100–108. In II 102 Anm. 1 stellt *Braun* fest, daß es typisch sei, wie wenig Material zur Verfolgungssituation Billerbeck IV 982 biete. *Braun* führt als Mahnungen zur Furchtlosigkeit aus dem offiziellen Judentum, Qumran also ausgeschlossen, nur 2 Makk 7,29 und Pesiq Rabba 36 (162a) an. Die Pesiqta-Stelle enthält eine Mahnung Gottes an die Israeliten zur Furchtlosigkeit in der Zeit der endzeitlichen Wehen und Kriege.

paränese, das heißt, die Aufforderung, bereit zu sein, Leiden und Tod auf sich zu nehmen, finden wir auch in den synoptischen Evangelien vor. In den folgenden Ausführungen geht es um einen Vergleich der jüdischen mit der synoptischen einschlägigen Paränese und dabei darum, bei aller zutage tretenden Verwandtschaft das eventuell Spezifische im synoptischen Bereich zu entdecken. Weil die Martyriumsparänese in der jüdischen Literatur in den Martyriumsbericht eingebettet sein kann, ist dieser in die Untersuchung miteinzubeziehen, wenigstens in bezug auf die entscheidenden paränetischen Motive, die hier vorkommen. Der stellvertretende Sühnetod des Märtyrers wird dabei eigens berücksichtigt werden, weil er als Motiv, wenn auch nicht in der synoptischen Martyriumsparänese, so doch in der Deutung des Todes Jesu Verwendung gefunden hat. Seine Ableitung ist neuerdings wieder heftig umstritten. Weil Herr Kollege Heinz Schürmann sich in so ausgezeichneter Form um die ipsissima mors Jesu und damit um das ureigene christliche Todesverständnis bemüht hat, mag dieser Beitrag an dieser Stelle nicht unpassend erscheinen.

1. *Martyriumsparänese*

1.1. Die Makkabäerbücher

Es ist nicht von ungefähr, daß eine positive Reflexion des Martyriums im Alten Testament und Judentum erst sehr spät in Erscheinung tritt. Das Aufkommen des Glaubens an die Auferstehung der Toten hatte diese ermöglicht. Dies hängt nicht mit einer menschlich zu begründenden Todesfurcht zusammen, sondern mit einer theologischen Interpretation. Der Tod galt als Feind des Menschen, weil er diesen in die Gottesferne stieß. Auch nach dem Aufkommen des Auferstehungsglaubens bleibt der Tod in ein theologisches Koordinatensystem eingeordnet. Dies gilt es bei der Betrachtung biblisch-jüdischer Texte im Unterschied zu griechischen zu beachten.[3] Wenn man vom gewaltsamen Tod in den Makkabäerbüchern spricht, denkt man zunächst an die Vorstellung vom stellvertretenden und Sühnetod, der für 2 und 4 Makk charakteristisch ist. Daneben aber gibt es eine Menge anderer Motive für das Erdulden des gewaltsamen Sterbens, die zunächst unsere Aufmerksamkeit verdienen, während wir den stellvertretenden und Sühnetod später erörtern werden.

[3] Aufschlußreich ist der Vergleich, den *O. Cullmann,* Unsterblichkeit 130–137, zwischen der Schilderung des Todes des Sokrates in Platos Phaidon und der Schilderung des Todes Jesu in der markinischen Passionsgeschichte anstellt.

In 1 Makk 2,50f ermahnt Matthias vor seinem Tod seine Söhne: „Eifert für das Gesetz und gebt euer Leben für den Bund der Väter (ὑπὲρ διαθήκης πατέρων ἡμῶν) und seid eingedenk der Taten unser Väter, die sie in ihren Zeiten vollbrachten! Und ihr werdet großen Ruhm und einen ewigen Namen erhalten". Hier wird bereits das zentrale Anliegen der jüdischen Martyriumsparänese erkennbar, das Eintreten für das Gesetz. Dies wird in der unmittelbaren Aufforderung zur Hingabe des Lebens mit einer ὑπέρ-Wendung ausgedrückt. Diese hat natürlich mit einem Stellvertretungsgedanken gar nichts zu tun, sondern bezeichnet das Sterben für das Gesetz, zu seinem Besten, seiner Verteidigung und Bekräftigung.[4] Der mit dem Sterben verbundene Ruhm bei der Nachwelt entspricht mehr griechischem Empfinden.

Im 2. Makkabäerbuch treffen wir die Berichte über das Martyrium des greisen Eleazar und der sieben Brüder an (6,18–7,42). In letzterem ermahnt die Mutter nach der Hinrichtung der älteren sechs Söhne den jüngsten mit den Worten: „Fürchte nicht diesen Henker, sondern sei deiner Brüder würdig und nimm den Tod an, damit ich dich zur Zeit des Erbarmens mit deinen Brüdern wiedererhalte" (7,29). Dieses paränetische Wort nimmt darauf Rücksicht, daß das Martyrium für den Dulder die Stunde der Bewährung ist, in der er auch versagen könnte. Die Sorge der Mutter richtet sich auf die Bewährung des Sohnes, denn dieser könnte ihr im Fall des Versagens endgültig verlorengehen. Dieser Verlust im göttlichen Gericht wiegt für sie schwerer als der grausame Tod, durch den der Sohn zeitweilig von ihr getrennt wird. Die Hoffnung auf das ewige Leben (7,9.36), die Auferweckung vom Tod (7,14), die dem Frevler nicht zuteil wird (7,14.36), belebt die Brüder in ihren Qualen. Die Bewährung richtet sich nach dem Gesetz entsprechend dem Motto: „Wir sind eher bereit zu sterben als die väterlichen Gesetze zu übertreten" (7,2). Ihr Tod erfolgt „für seine Gesetze" (7,9), „um seiner Gesetze willen" (7,11). Der gewaltsame Tod ereilt sie aber auch „um ihrer eigenen Sünden willen" (7,32) und wird darum als vom lebendigen Herrn verfügte ἐπίπληξις καὶ παιδεία (7,33) angesehen. Der Tod des greisen Eleazar wird ein μετ᾽ εὐκλείας θάνατος (6,19) genannt, würdig seines Alters und seines mustergültigen Lebenswandels (6,23). Freilich könnte auch der Greis den Händen des Allherrschers nicht entfliehen (6,26). Sein Sterben für die erhabenen und heiligen Gesetze

[4] *K. Wengst*, Formeln 68 Anm. 58, möchte den Gedanken des Sterbens für das Gesetz in 1 Makk 2,50f als Interpolation ansehen. 1 Makk sei nach Auskunft der Fachgelehrten ursprünglich hebräisch verfaßt. Der erwähnte Gedanke aber sei für den palästinischen Bereich so selten, daß sich die Annahme eines Eintrags durch einen jüdisch-hellenistischen Redaktor als unausweichlich ergäbe. Man wird aber zwischen Jüdischem und Hellenistischem nicht mehr so lupenrein differenzieren dürfen, da mit einer engen Verquickung beider Bereiche schon für Palästina zu rechnen ist.

hinterläßt der Jugend ein ὑπόδειγμα γενναῖον (6,28). Die Erzählfolge deutet an, daß das Beispiel des Alten die Jungen entzündete. Belangvoll ist, daß der König Antiochus Zeuge des Martyriums ist und der Gegenspieler. Zwischen ihm und dem Allherrscher haben sich die Märtyrer zu entscheiden.[5]
Der Bericht des zweiten ist im vierten Makkabäerbuch weiter ausgestaltet worden. Die Ausführungen sind unter die Frage gestellt, ob die gottgeleitete Vernunft volle Herrschaft über die Triebe erlangen könne (1,1). Drei paränetische Passagen ermuntern zum Martyrium, wirken aber, weil in den Bericht eingestreut, distanziert. Der Eindruck wird durch die philosophisch-theoretische Eingangserörterung verstärkt. Die Paränesen stimmen in ihrem Tenor überein. Eleazar fordert die Kinder Abrahams auf, für die Frömmigkeit zu sterben (ὑπὲρ τῆς εὐσεβείας); das gleiche tut der älteste der makkabäischen Brüder (6,22; 9,23). Die ausführlichste Ermahnung ist von der Mutter zu hören (16,16–23). Sie ermutigt zum Kampf „für das väterliche Gesetz" und verweist sowohl auf das Beispiel des Eleazar als auch auf biblische Vorbilder (Isaak, Daniel und die drei Jünglinge im Feuerofen). Sie schließt mit den Worten: „Denn es wäre unvernünftig, die Frömmigkeit zu kennen und die Qualen nicht gering zu achten". Sind die Motive auch hellenistisch, so bleibt die Verbindung zur biblischen Tradition gleichfalls gewahrt. Ansonsten kehren gleiche Motive wieder, die aus 2 Makk bekannt sind, wenn auch gewandelt: Hoffnung auf Leben (17,18), auf Unsterblichkeit (14,5): Im Mittelpunkt bleibt das Gesetz (6,27; 7,8; 9,1f; 13,9). Zwar leiden die Brüder „um der Zucht und Tugend Gottes willen" (10,10), ihre eigene Sünde wird nicht mehr erwähnt und damit ihre Größe gesteigert. Dennoch bleibt auch für sie das Martyrium die Stunde der Bewährung: „Wir wollen nicht den fürchten, der meint, töten zu können. Denn groß ist für die Seele der Kampf und die Gefahr, die in der ewigen Qual für die Übertreter des Gebotes Gottes besteht" (13,14f)[6].

1.2. Die Apokalyptik

Die leidvolle, durch die Religionsverfolgung unter Antiochus Epiphanes inaugurierte Epoche ist in den apokalyptischen Schriften wiederholt Gegenstand

[5] Nach *H. W. Surkau,* Martyrien 76, erfolgt das jüdische Martyrium mit Vorzug vor den Herren dieser Welt, deren Kampf gegen den Glauben als Kampf gegen Gottes Werk und Wort aufgefaßt wird. Vgl. Mk 6,17–19 par. und *J. Gnilka,* Martyrium 86.

[6] An ὑπέρ-Wendungen findet sich in 4 Makk noch der Tod „für die Tugend" (1,8) „für die Rechtschaffenheit" (1,10). – Die Verfolgungssituation ist auch in Weish 3,1–9; 16,13–15 angesprochen. Dazu vgl. *G. Dautzenberg,* Leben 139–141. Das Martyrium wird als Prüfung des Menschen durch Gott aufgefaßt (3,5f), die letztliche Überlegenheit der Märtyrer über ihre Verfolger, die sie lästerten und verspotteten, wird betont. Ihre Überlegenheit zeigt sich im jenseitigen Schicksal. Gott, dem sie vertrauten, vermag sie zu retten. Ihm kann keiner entrinnen (16,15).

des theologischen Nachdenkens. Sie wird rückblickend als Weissagung geboten, in apokalyptische Bilder und Visionen umgesetzt oder ihre Erfahrungen werden motivisch für echte Zukunftsausblicke verwendet. In einer knappen Paränese fordert ApkBarsyr 52,6f die Bereitschaft zum Leiden: „Bereitet euch auf das euch Zugedachte vor und macht euch wert des Lohnes, der für euch hinterlegt worden ist".[7] Damit sind bereits zwei Aspekte angeklungen, die für die Beurteilung der Drangsal in dieser Literatur kennzeichnend sind: der Lohngedanke und die Erwartung des nahen Endes. Die Spanne Zeit, in der noch Mühsal zu erdulden ist, ist kurz, und sie steht in keinem Vergleich zur lichtvollen, nicht endenden kommenden Welt (48,50). Der Ausblick auf die erwartete Belohnung und die Befreiung aus Verfolgung und Marter kann sich mit der ersehnten Bestrafung der Gottesfeinde und dem Gebet um Rache verbinden (ÄHen 47; 90,20–27). Es stellt sich der Eindruck ein, daß die Märtyrer ihre Qualen fast nur ertragen können, weil das Ende mit dem göttlichen Gericht nicht mehr lange auf sich warten lassen wird. Das Gebet um Rache ist auch in die neutestamentliche Apokalypse eingegangen, nach der die Seelen der um des Wortes Gottes und des Zeugnisses willen Hingeschlachteten unter dem Altar im Himmel – wahrscheinlich dem bevorzugten Ort der Gottesnähe – rufen: „Wie lange, Herr, du Heiliger und Wahrhaftiger, richtest und rächst du nicht unser Blut an denen, die auf der Erde wohnen?" (Offb 6,10).[8] Die Sonderstellung, die die Märtyrer in der kommenden Welt genießen, kann in einer Tiervision so geschildert werden, daß die Schafe, deren Gebeine verbrannt worden waren, dann zum Mittelpunkt der Verehrung und Bewunderung werden (ÄHen 90,27–30; vgl. 108,8–10; 47,1; 4 Esr 7,89ff). Was aber diese Texte wiederum zusammenbindet, ist die ausdrücklich genannte oder unausgesprochene Treue zum Gesetz, in der man leidet und stirbt: „Sie dienten dem Herrn unter Mühsalen und litten stündlich Gefahren, um das Gesetz des Gesetzgebers vollkommen zu befolgen" (4 Esr 7,89; vgl. AssMos 9,6). Die kleine Schrift, die dem Martyrium des Jesaja gewidmet ist, betrachtet den gewaltsamen Tod als Werk Satans (AscJs 2,2f). In der Sterbestunde jedoch, als der Prophet zersägt wird, tröstet Gott den Gemarterten. Dieser redet, indem er sein Leben aushaucht, mit dem heiligen Geist (5,14).[9]

[7] Über die Diskussion um den ursprünglichen Platz dieser Verse in ApkBarsyr vgl. *P. Bogaert,* Apocalypse II 98.

[8] Nach *E. Lohmeyer,* Offenbarung 63, kennt die neutestamentliche Apokalypse Leiden und Tod um des Glaubens willen nicht als eschatologische Plage, sondern nur als Verherrlichung.

[9] Das Sprechen des Propheten mit dem heiligen Geist in der Sterbestunde bedeutet nach *N. Brox*, Zeuge 161, daß Jesaja schon von Gott angenommen ist und seine Treue und Standhaftigkeit anerkannt wird.

1.3. Qumran

In den Qumranschriften tritt uns Martyriumsparänese in der Sektenregel entgegen, freilich in einer dieser Schrift entsprechenden Form. Am Beginn der Regel, wo die Bestimmung der Gemeinde in einem grundsätzlichen Sinn beschrieben wird, wird über die Männer, die in den Bund eingetreten sind, gesagt, daß „sie handeln gemäß allem, was er befohlen hat, und nicht von ihm weichen, durch keinerlei Schrecken, Furcht und Not [...] unter Belials Herrschaft" (1 QS 1,17). Die Bedrängnis der Gemeinde sieht man also als eine durch die Macht des Bösen ausgelöste an, was in der großen Katechese 3,13ff bestätigt wird: „Alle ihre Plagen und die Zeiten ihrer Bedrängnisse kommen durch die Herrschaft seiner (= des Engels der Finsternis) Anfeindung" (3,23). In der Naherwartung, nach der der Herrschaft des Bösen bald ein Ende gesetzt sein wird, kommt die Regel mit der Apokalyptik überein. In den Lobliedern und in 1 QS 10f wird wiederholt von den Leiden eines einzelnen gesprochen (1 QS 10,17; 11,13; 1 QH 2,11–13.32f; 4,8f usw.). Ungeachtet der Frage, welche dieser im Ich-Stil gehaltenen Aussagen sich auf den Lehrer der Gerechtigkeit zurückführen lassen,[10] soll hier nur das Motiv der durch die Anfeindung ausgelösten Trennung von Freunden und Verwandten interessieren. Es findet sich in 1 QH 4,8f, wo von der Vertreibung des Psalmisten aus seinem Land die Rede ist: „Alle meine Freunde und meine Verwandten haben sich von mir abbringen lassen und halten mich für ein zerbrochenes Gerät".[11] Das Motiv des Familienzwistes ist uns bereits aus den Propheten und der Apokalyptik bekannt (Jes 3,5; 19,2; Mich 7,6; ÄHen 100,2), wird aber dort als Ausdruck für das Überhandnehmen der Bosheit verwendet und bis zum Bruderkampf gesteigert und steht also nicht im Kontext des Martyriums. In 1 QH 4,9 dagegen hat es mit der Verfolgungssituation zu tun, es wird aber nur von einem Abstandnehmen der Verwandten, nicht vom Bruderkampf geredet.
Im Habakuk-Pescher werden die Leiden der Gemeinde und die Leiden des Lehrers der Gerechtigkeit zusammengeschaut. Der Frevelpriester wurde schuldig „am Lehrer der Gerechtigkeit und den Männern seiner Gemeinschaft" (1 QpHab 9,9f; vgl. 12,2f). Nach 10,13 hat die Gemeinde des Lügenpredigers die Erwählten Gottes gelästert und geschmäht. Diese aber können damit rechnen, daß Gott sie erretten wird „aus dem Haus des Gerichtes um ihrer Mühsal und ihrer Treue willen zum Lehrer der Gerechtigkeit" (8,2f). Der

[10] Dazu vgl. *G. Jeremias,* Lehrer 168–264.

[11] Um die gleiche Sache geht es wahrscheinlich auch in 4 Q Test 15–17. Dort wird der Segen des Mose über Levi zitiert (Dtn 33,8–11): „Der zu seinem Vater sprach und zu seiner Mutter: Ich kenne dich nicht; und der seine Brüder nicht ansah und seine Söhne nicht kannte. Denn er hielt dein Wort und bewahrte deinen Bund usw.".

persönliche Anschluß an den autoritativen Lehrer erinnert an den Nachfolgegedanken in den synoptischen Evangelien. Letztlich aber ist die Treue zum Lehrer nichts anderes als Treue zum Gesetz.[12] Die „Täter des Gesetzes im Haus Juda" (8,1), die Gottes Gebote hielten, als sie in Bedrängnis waren (5,5f), verdanken dem Lehrer nur die zuverlässige Auslegung des Gesetzes (Dam 1,10–12; vgl. 1 QpHab 7,4f). In der Grundausrichtung am Gesetz fügt sich Qumran völlig in das übrige Judentum ein.

1.4. Die rabbinische Literatur

Obwohl man im Rabbinismus wiederholt mit der Möglichkeit des Martyriums konfrontiert wurde, hat die rabbinische Literatur keine eigentliche Martyriumsparänese entwickelt. Vielmehr haben die maßgeblichen Männer, veranlaßt durch die Verfolgungsedikte des Kaisers Hadrian, die das Torastudium und die Praktizierung der religionsgesetzlichen Bestimmungen verboten, kasuistische Regeln aufgestellt. Diese suchten die Grenze zwischen dem zu Tolerierendem und dem nicht mehr zu Tolerierendem festzusetzen. So beschloß man durch Abstimmung im Söller des Nithza zu Lydda: „Von allen Übertretungen in der Tora gilt, daß, wenn man zu einem Menschen sagt: Übertritt, damit du nicht getötet wirst! er sie übertreten darf, um nicht getötet zu werden, mit Ausnahme des Götzendienstes, der Blutschande (Unzucht) und des Mordes".[13] Die Weisung ist eine durchaus praktische. In der kontroversen Fragestellung, ob auch der Rabbi das Torastudium einstellen solle, vertrat Aqiba entgegen dem laxen Tarphon die strenge Auffassung, daß das Torastudium wichtiger sei als die Bedrohung.[14] Diese Meinung, die er konsequent praktizierte, bezahlte er mit dem Leben. Neben der kasuistischen Martyriumshalacha besitzen wir zahlreiche rabbinische Martyriumsberichte, für die bereits Surkau feststellte, daß der tragende Gedanke in ihnen das Gesetz sei. Dabei weigert sich der Märtyrer nicht bloß, das Gesetz zu übertreten, sondern er steht auch selber wie ein Wächter vor dem Gesetz. So wird er zum Vorbild und kann mit reichem himmlischen Lohn rechnen.[15]

Die theologische Problematik des Martyriums lag für die rabbinische Betrachtung auf dem Gebiet der Vergeltungslehre. Wie ließen sich der Gehorsam

[12] *A. S. van der Woude,* Vorstellungen 159, betont zu Recht, daß die Treue zum Lehrer bedeute, daß sie die Wege Gottes nicht verließen und die Tora hielten. Diese Aussage würde um so verständlicher, wenn man bedenkt, daß viele Angehörige der Gemeinde des Lehrers abtrünnig wurden. Vgl. *F. F. Bruce,* The Teacher of Righteousness in the Qumran Texts, London 1957, 29.

[13] Bei *Bill.* I 221.

[14] Vgl. *Bill.* I 222.

[15] *H. W. Surkau,* Martyrien 76f.

des Märtyrers gegenüber dem Gesetz und sein unheilvolles persönliches Schicksal miteinander ausgleichen? Die Vergeltungsdogmatik machte es erforderlich, daß das Martyrium auch als Strafe für eigenes Verschulden angesehen wurde. Der Märtyrer selbst kann seine Schuld vor seinem Richter bekennen. Das Martyrium als Strafe ist eine Sicht, die dem gewaltsamen Tod den Eindruck des Heroischen raubt. Auf eindrückliche Weise ist dieses persönliche Verhältnis zum Martyrium im Bericht über die Brüder Julian und Papos geschildert, die Trajan in Laodizea töten läßt.[16] Der Kaiser lästert, daß Gott die beiden Brüder erretten möge, wie er Hananja, Misael und Azarja aus dem Feuerofen errettete. Die Antwort der Brüder lautet: „Hananja, Misael und Azarja waren vollkommen fromme Männer. Sie waren würdig, daß ihnen ein Wunder geschehe... Wenn wir uns vor Gott zum Tod verschuldet haben, so gibt es für Gott, wenn auch du uns nicht töten würdest, viele Henker und viele Bären und Löwen, die uns überfallen und töten können". So wird die Stunde des Martyriums für den Angefochtenen zur Bewährung. Die Verherrlichung des Gesetzes, die durch die Aufopferung des Lebens geschieht, ist im Martyrium des Rabbi Aqiba besonders wirksam herausgestellt.[17] Er, der „wegen der Worte der Gesetzeslehre" festgenommen worden war, wird zur Zeit des Sch^{e}malesens gefoltert. Er nimmt „das Joch der himmlischen Herrschaft", wie die Sch^{e}marezitation genannt wurde, zum letzten Mal in seinem gewaltsamen Tod auf sich. Die Hingabe an das Gesetz ist Ausdruck der Gottesliebe.

1.5. Die synoptischen Evangelien

1.5.1. Wir betrachten die synoptische Martyriumsparänese unter dem Aspekt des Vergleichs mit den erörterten jüdischen Texten. In der synoptischen Apokalypse des Markus und Lukas bzw. der Jüngeraussendungsrede des Mattäus wird der Jüngerschaft Leiden und Verfolgung vorausgesagt (Mk 13,9–13 parr). Das Ausgeliefertwerden an die Synhedrien (Lk 21,12add: und in die Gefängnisse) und das Gezüchtigtwerden in den Synagogen (Mk 13,9) bzw. Ausgepeitschtwerden in ihren Synagogen (Mt 10,17) steht ihr bevor. Diese Erfahrung der frühen palästinischen Gemeinden schuf im Vergleich mit der jüdischen Martyriumsparänese (mit Ausnahme von Qumran) eine veränderte Situation. Die Anfechtung wurde durch solche Landsleute ausgelöst, die die Christen als Abtrünnige betrachteten, und kam nicht bloß von außen. Die

[16] b Taan 18b (*Goldschmidt* III 469). Die rabbinischen Martyriumsberichte sind in den Talmudtext recht unvermittelt eingebracht. Doch besteht Stichwortassoziation.

[17] b Ber 63b (*Goldschmidt* I 229). Eine übersichtliche Zusammenstellung der rabbinischen Martyriumsberichte findet man bei *Bill.* I 581f.

christliche Gemeinde war isoliert und eine soziologische Minorität. Der Prozeß vor Statthaltern und Königen (Mk 13,9 parr) gibt der Martyriumssituation den Rahmen der Weltöffentlichkeit. Dieser Rahmen ist schon im jüdischen Martyriumsbericht beliebt, und wir haben es hier wahrscheinlich mehr mit einem formgemäßen Topos als einer historischen Reminiszenz zu tun. Es mag vereinzelt in der frühen Zeit zu Verhandlungen vor römischen Tribunalen gekommen sein, alltäglicher war sicher die Auseinandersetzung mit der Synagoge.

Übereinstimmend weisen alle Synoptiker in diesem Zusammenhang auf den Familienzwist hin, der zur Verfolgung der Christen und ihrer Tötung führt. Noch nicht so weit geht die Mahnung im Anschluß an das Schwertwort (Mt 10,34–36/Lk 12,51–53).[18] Lukas spricht hier von der Spaltung in der Familie, von Vater und Sohn, Mutter und Tochter, Schwiegermutter und Schwiegertochter. Mattäus geht einen Schritt weiter, wenn er die eigenen Hausgenossen die Feinde des Menschen nennt. Die Spaltung in der Familie erfolgt deshalb, weil ein Teil sich Christus anschließt und der andere Teil dies offenkundig für töricht ansieht. Zur Martyriumsaussage wird die Familienspaltung in Mk 13,12/Mt 10,21/Lk 21,16. Während Markus und Mattäus von dem bis zur Tötung reichenden Zwist von Brüdern, von Vater und Sohn, von Kindern und Eltern reden, bezieht Lukas noch die Verwandten und Freunde mit ein. Für die Beurteilung dieser wohl schärfsten Form der Anfechtung ist in Erinnerung zu rufen, daß das Motiv uns zwar schon aus der jüdischen Literatur vertraut ist, daß es sich aber entscheidend im christlichen Bereich gewandelt hat. In jüdischen Texten entstand der Familienhader nicht aus ungleichen Auffassungen über die Religion, sondern er wurde als Ausbruch höchster Verwilderung der Sitten für die letzte böse Zeit voraus angekündigt. Da gibt es keinen in der Familie, der in der Betrachtung Sympathie verdient.[19] Im Martyriumsbericht fanden wir im Gegensatz dazu vollen Einklang in der Familie, etwa zwischen den sieben makkabäischen Brüdern und den Söhnen und ihrer Mutter. Die Veränderung im christlichen Bereich ist in Verbindung mit der Herauslösung der christlichen Gemeinde aus dem jüdischen Ursprung zu sehen. Die Ansage des tödlichen Familienzwists steht somit im Zusammenhang mit der oben angezeigten neuen Situation, die für die Gemeinde dadurch entstanden war, daß die Synagoge gegen sie vorging.

[18] Vgl. *R. Bultmann,* Geschichte 166; *S. Schulz,* Q 258–260.

[19] Man darf also nicht übersehen, daß das Motiv in der Apokalyptik außerhalb der Martyriumsparänese steht. Die Meinung *R. Bultmanns,* Geschichte 166, zu Mt 10,34–36 par, die Weissagung sei die bekannte eschatologische Weissagung von den Wirren der Endzeit, gilt darum nur mit der Beachtung des bei den Synoptikern erfolgten Umbruchs zur Martyriumsparänese.

1.5.2. Die Märtyrersituation ist angesprochen im Logion von der doppelten Furcht Mt 10,28/Lk 12,4f. Die beiden recht unterschiedlichen Fassungen des Logions, von denen die mattäische als die ursprünglichere zu gelten hat,[20] kommen darin überein, daß sie dazu ermuntern, nicht die zu fürchten, die den Leib töten können, und gleichzeitig dazu ermahnen, den zu fürchten, der den Menschen in der Gehenna verderben kann. Die Unterschiede erstrecken sich auf das anthropologische Konzept. Dem braucht hier nicht näher nachgegangen zu werden.[21] Entscheidend ist, daß im Martyrium das Gericht Gottes bedacht werden soll, das jedes menschliche Gericht überragt. Mit dem, der Seele und Leib in der Gehenna verderben kann (Mt) bzw. die Vollmacht hat, in die Gehenna zu stoßen (Lk), ist Gott – nicht Satan – gemeint. Allein Gott kann das Urteil zur Gehenna aussprechen.[22] Sein Name wird, wie es jüdischem Empfinden entspricht, umschrieben. Ganz jüdisch ist auch die Beurteilung des Martyriums, das als Stunde der Bewährung gesehen ist. Weil der angefochtene Jünger versagen und somit dem göttlichen Strafgericht verfallen kann, muß er an dieses erinnert werden. Genau so fiel die Beurteilung des Martyriums in den Makkabäerbüchern aus. Auch die imperativische Form, den Henker nicht zu fürchten, ist dort bekannt (2 Makk 7,29).

1.5.3. Von besonderem Interesse in der synoptischen Martyriumsparänese sind Mt 10,37 par und Mt 10,38 parr. Dabei gilt es zunächst, die Form der Aussage zu beachten. Bultmann ordnete beide Sprüche den Ich-Worten zu.[23] Der Spruch von der Absage an die Verwandten ist in Mt 10,37 als Doppelzeiler konstruiert. Der Vordersatz ist partizipial gehalten: ὁ φιλῶν πατέρα ... καὶ ὁ φιλῶν υἱόν κτλ. Der Nachsatz ist gleichlautend: οὐκ ἔστιν μου ἄξιος. Lk 14,26 formuliert den Vordersatz konditional: εἴ τις ἔρχεται πρός με καὶ οὐ μισεῖ τὸν πατέρα αὐτοῦ κτλ. Der Nachsatz spricht von der Jüngerschaft: οὐ δύναται εἶναί μου μαθητής.

Bemüht man sich darum, die ursprüngliche Form zu rekonstruieren, ist der Gedanke von der Jüngerschaft als älter anzusehen. οὐκ ἔστιν μου ἄξιος hebt stärker auf die Würde Christi ab und hat als Umgestaltung zu gelten. Aber auch die negative Formulierung des Vordersatzes „wer seinen Vater usw. *nicht* haßt" ist gegenüber dem „wer Vater usw. mehr liebt als mich" ursprüng-

[20] Vgl. *G. Dautzenberg,* Leben 138f; *S. Schulz,* Q 157–161. Mattäus bietet einen parallel gebauten zweigliedrigen Maschal, während Lukas den Parallelismus zerstört hat.

[21] Dazu vgl. *G. Dautzenberg,* Leben 146–153.

[22] An sich könnte auch von einer satanischen Macht gesagt werden, daß sie Seele und Leib zu verderben vermag. Aber der grundsätzliche Verweis auf die Gehenna macht die Beziehung auf Gott notwendig. Im Rabbinischen kann nur Gott das Urteil zur Gehenna aussprechen. Vgl. *Bill.* I 580f.

[23] Geschichte 172–174. Diese Charakterisierung ist noch zu allgemein.

licher.[24] Lukas aber dürfte einen Relativ- in einen Konditionalsatz umgeformt haben, wie der parallel strukturierte Vers Lk 14,27 nahelegt.[25] Man kann auch vermuten, daß er die Verwandtennamen aufgefüllt hat.[26] Daß auch ἔτι τε καὶ τὴν ψυχὴν ἑαυτοῦ Zusatz ist,[27] legte sich besonders dann nahe, wenn man annehmen darf, daß Lk 14,26 und 27 von Anfang an zusammengehören. Der Gedanke der Leidens- und Todesbereitschaft wird als Steigerung des Familienmotivs in Vers 28 vorgetragen, so daß ἔτι τε καὶ τὴν ψυχὴν ἑαυτοῦ jetzt die Steigerung raubt. Die Rekonstruktion ergibt somit den Satz: ὅστις οὐ μισεῖ τὸν πατέρα αὐτοῦ καὶ τὴν μητέρα, οὐ δύναταί εἶναί μου μαθητής.
Der Spruch von der Kreuzesnachfolge schließt sich an. Dessen markinische Version (Mk 8,34) kann nach einhelliger Auffassung als sekundär betrachtet werden. Bei Markus ist der Spruch um zahlreiche Nuancen erweitert worden und auch positiv gefaßt: „Wenn einer mir nachfolgen will, verleugne er sich selbst und nehme sein Kreuz auf usw."[28] Die Differenzen zwischen Lk 14,27 und Mt 10,38 lassen sich unschwer erklären. Wiederum ist οὐκ ἔστιν μου ἄξιος mattäische Änderung. λαμβάνει ist gegenüber βαστάζει τὸν σταυρόν älter, da letzteres sich an den griechischen Sprachgebrauch anlehnt.[29] Ob ἀκολουθεῖ oder ἔρχεται ursprünglicher ist, ist schwer zu entscheiden und auch nicht erheblich. Wir erhalten somit den Satz: καὶ ὅστις οὐ λαμβάνει τὸν σταυρὸν αὐτοῦ καὶ ἔρχεται (ἀκολουθεῖ) ὀπίσω μου, οὐ δύναται εἶναί μου μαθητής.[30]
Strukturell stimmen beide Sprüche, der von der Absage an die Familie und der von der Kreuzesnachfolge überein. Im entfernteren lassen sie sich mit Mk 3,35 parr vergleichen, wo gleichfalls eine Voraussetzung im relativischen Vordersatz genannt wird, die für ein zu gewinnendes Verhältnis zu Jesus, das der Nachsatz benennt, zu erfüllen ist. Der Unterschied aber besteht darin, daß in der Martyriumsparänese die Jüngerschaft auf dem Spiel steht und Vorder- und Nachsatz negativ gefaßt sind. Dies verschärft die Paränese. Wer die ge-

[24] Mit *R. Bultmann,* Geschichte 172; *J. Schmid,* Matthäus und Lukas 277; *E. Percy,* Botschaft 169; *O. H. Steck,* Geschick 22 Anm. 4; *S. Schulz,* Q 446. Anders noch *A. v. Harnack,* Sprüche 62.

[25] Gegen *D. Lührmann,* Redaktion 111 Anm. 5; *S. Schulz,* Q 447.

[26] Lukas ist hier vielleicht von Mk 10,29 beeinflußt.

[27] Anders *W. Grundmann,* Lukas 302, der mit der Möglichkeit rechnet, daß das Hassen des eigenen Lebens das Ursprüngliche sein könnte.

[28] In Mk 8,34 ist die Nachfolge nicht mehr nur Bedingung, sondern besitzt schon den Glanz des Eigenwertes. Vgl. *R. Bultmann,* Geschichte 173.

[29] Vgl. *H. Braun,* Radikalismus II 104 Anm. 4. *J. Schmid,* Matthäus und Lukas 277 Anm. 3, läßt die Frage offen.

[30] ἑαυτοῦ ist als besseres Griechisch lk Änderung. Vgl. *J. Schmid,* a. a. O. Ob der Satz mit ὅς oder ὅστις begann, ist unsicher. Jedoch wird man für beide Sprüche, Mt 10,37 und 38 par, ursprüngliche Übereinstimmung in diesem Punkt anzunehmen haben.

nannte Voraussetzung nicht erfüllt, fällt aus der Jüngerschaft heraus. In Lk 14,26f par haben wir den Kern der synoptischen Martyriumsparänesen vor uns. *Diese Form der Martyriumsparänese besitzt nichts Vergleichbares in der Umwelt.* Sie muß als christliche Eigenleistung angesehen werden. Ob sie auf Jesus zurückgeht, kann hier nicht mehr erörtert, darf aber vermutet werden.

Inhaltlich wird die Radikalität der Jesus-Nachfolge herausgestellt. Das schon erwähnte Motiv vom Familienzwist ist – gemäß der oben gebotenen Rekonstruktion – nicht bis zum tödlichen Familienhader gesteigert. Im Zusatz ἔτι τε καὶ τὴν ψυχὴν ἑαυτοῦ könnte dieser sich andeuten. μισεῖν bedeutet nicht hassen, sondern gering achten und ist komparativisch zu sehen. Falls Familienbande die Jüngerexistenz gefährden, ist letztere vorzuziehen.[31] Der Spruch von der Kreuzesnachfolge hat zahlreiche Interpretationen gefunden. Er wurde von Mt 11,29a her verstanden und das Kreuztragen wurde als eschatologische Versiegelung aufgefaßt.[32] Nachösterlich wurde der Spruch sicherlich vom Kreuz Christi aus gedeutet. Als Jesuswort ist er auf die Bereitschaft zu beziehen, um der Nachfolge willen zum eigenen Ich und zum eigenen Leben Nein zu sagen bis zur Hingabe des Lebens im Martyrium.[33]

1.5.4. Die übrigen zur synoptischen Überlieferung gehörenden Logoi der Martyriumsparänese sollen nur unter einem gemeinsamen Gesichtspunkt erörtert werden. Es ist die im wesentlichen gleichbleibende Begründung. Die letzte Seligpreisung der Jüngerunterweisungsrede sagt Haß, Verfolgung, Schmähung an (Mt 5,11f/Lk 6,22f). Zu den hier bemerkenswerten Unterschieden gehört, daß Lukas mit dem Ausschließen höchstwahrscheinlich den Synagogenausschluß und damit die jüdische Gegnerschaft in der Erinnerung aufbewahrt hat.[34] Die Drangsal erfolgt „um meinetwillen" (Mt), „um des Menschensohnes willen" (Lk). Letzteres entspricht vermutlich der Vorlage in der Logienquelle, für die die Menschensohn-Christologie von Belang ist.

[31] Es verdient Beachtung, daß der historische Hintergrund für diesen Spruch sich mit 1 QH 4,8f; vgl. 4 Qtest 15–17 berührt. Weiter ist in Erinnerung zu rufen, daß die Evangelien von einem Zwist Jesu mit seiner Verwandtschaft berichten. Aufschlußreich ist insbesondere Mk 3,20f. 31–35. Es wird historisch zutreffen, daß Jesus – wahrscheinlich vorübergehend – mit seinen Verwandten gebrochen hat. Wir sehen ihn dann in einer ähnlichen Lage wie den Lehrer der Gerechtigkeit. Dies träfe unter der Voraussetzung zu, daß 1 QH 4,5–5,4 vom Lehrer verfaßt ist. Dazu vgl. *G. Jeremias,* Lehrer 204–217.

[32] Vgl. *T. Arvedson,* Mysterium. Vorwort IV, verweist auf Mt 11,29a. *E. Dinkler,* Kreuztragen 110–129, entwickelt die in einen apokalyptischen Rahmen gestellte These von der Versiegelung der Jüngerschaft.

[33] Eine Zusammenstellung der unterschiedlichen Interpretationen des Spruches bietet *J. Schneider:* ThWNT VII 578f. Zu rabbinischen Parallelen vgl. *Bill.* I 587, *R. Bultmann,* Geschichte 173 Anm. 2; *A. Schulz,* Nachfolgen 85 Anm. 65.

[34] Vgl. *H. Schürmann,* Lukasevangelium 333.

Gegenüber dem οὐ δύναται εἶναί μου μαθητής bedeutet die Wendung eine Steigerung der personalen Komponente im Nachfolgegedanken. Der abschließende Verweis auf das Prophetenschicksal ordnet die Leiden der Jünger ein in das kontinuierliche Verwerfungsgeschick der alttestamentlichen Gottesboten.[35] Damit ist ihr Leiden in der theologischen Wertung nicht unerheblich gesteigert (vgl. Mt 23,34–39 par).

Das Logion vom Retten oder Finden und Verlieren des Lebens, in dem wortspielartig die eigentliche Existenz des Menschen der uneigentlichen gegenübergestellt wird, kann auf Analogien im jüdischen Bereich blicken (Mk 8,35/ Mt 16,25/Lk 9,24; Mt 10,39/Lk 17,33).[36] In der synoptischen Tradition wird es durch die Begründungen „um meinetwillen", die allein in Lk 17,33 fehlt, und „um des Evangeliums willen", die allein Markus bringt, in die Martyriumsparänese hineingenommen. Die personale Bindung an Jesus wird durch die markinische Begründung ausgeweitet auf das Wort, das Jesus gesagt hat und in dem er präsent bleibt.[37] Damit ist auf eine theologisch höchst bedeutsame Weise die nachösterliche Situation reflektiert. Die vorösterliche Schicksalsgemeinschaft mit Jesus ist dagegen in Mt 10,25b in einem eindrücklichen Bildwort, das eine Erfahrung des Jüngerkreises wiedergeben dürfte, eingefangen.[38]

Vergleicht man zusammenfassend die synoptische mit der jüdischen Martyriumsanweisung, so ergibt sich, daß die einzelnen Motive hier und dort im wesentlichen die gleichen sind. Der divergierende Unterschied besteht darin, daß man im Judentum um des Gesetzes willen, in der Christenheit um der Nachfolge, um Jesu, um des Evangeliums willen leidet. Im christlichen Bereich steht der personale Anschluß an Jesus im Mittelpunkt. Es ist die Bindung an den, der den Weg zum Kreuz gegangen ist. Darum bemißt sich vom Kreuz her der Wert des christlichen Martyriums, das als gewaltsamer Tod an sich noch kein Wert zu sein braucht. Der Fanatismus, den Bousset für das Martyrium im jüdischen Bereich feststellen zu müssen glaubte, kann im christlichen nur durch die Liebe, die sich im Kreuz offenbarte, ausgeschlossen bleiben.

[35] Vgl. *O. H. Steck*, Geschick 20–27.257–260.

[36] Vgl. *G. Dautzenberg*, Leben 51–67.

[37] Auf die markinische Redaktionstätigkeit im Zusatz „um des Evangeliums willen" hat *W. Marxsen*, Evangelist 82–85, aufmerksam gemacht, wenn man auch seine einseitig kerygmatische Interpretation nicht wird teilen wollen.

[38] *H. Braun*, Radikalismus II 106 Anm. 1, vermutet in Mt 10,25b ältestes Material.

2. *Der stellvertretende und Sühnetod*

Den Höhepunkt der Deutung des Martyriums im jüdischen Bereich bildet die Idee vom stellvertretenden und Sühnetod. Wenn diese Idee hier nochmals erörtert werden soll, geschieht dies mit der Absicht, ihre herkommensmäßige Einordnung zu prüfen.

2.1. Die Makkabäerbücher

Die Rede des letzten der makkabäischen Brüder schließt nach 2 Makk 7,37f mit folgenden Worten ab: „Ich aber gebe wie die Brüder Leib und Seele hin für die väterlichen Gesetze (καὶ σῶμα καὶ ψυχὴν προδίδωμι περὶ τῶν πατριῶν νόμων) und rufe Gott an, er möge dem Volk bald wieder gnädig sein... So möge an mir und meinen Brüdern der Zorn des Allherrschers stehen bleiben, der zu Recht über unser ganzes Geschlecht gekommen ist". Klar sind in diesem Text der Sühne- und der Stellvertretungsgedanke enthalten.[39] Die Brüder sterben sühnend für die Sünden des Volkes, deretwegen dieses gegenwärtig von Gott gezüchtigt wird. Ihr Tod soll die Gnade Gottes erneut erwirken. Diese Interpretation ist scharf vom Tod für die väterlichen Gesetze zu unterscheiden, der zwar hier auch genannt wird, aber mit Sühne überhaupt nichts zu tun hat. Die stellvertretende Sühne steht vielmehr in einem theologischen Zusammenhang mit dem Geständnis, daß „wir um der eigenen Sünden willen leiden" (7,32: διὰ τὰς ἑαυτῶν ἁμαρτίας πάσχομεν). Sie tragen die Schuld ihrer eigenen Sünden und die der anderen.
Ganz ähnliche Worte spricht in einem Gebet Eleazar nach 4 Makk 6,28f: „Sei gnädig deinem Volk! Laß dir unsere Strafe für sie (ὑπὲρ αὐτῶν) genügen. Mache mein Blut zu einem Mittel ihrer Reinigung und nimm mein Leben als Ersatz für ihr Leben" (ἀντίψυχον αὐτῶν λαβὲ τὴν ἐμὴν ψυχήν).[40] Die Formulierung ist gegenüber 2 Makk noch präziser. Der Tod des Märtyrers

[39] *E. Lohse,* Märtyrer 68, bestreitet zu Unrecht, daß in 2 Makk der Tod der Märtyrer als Sühne aufgefaßt sei. Er sieht nur den Stellvertretungsgedanken gegeben. Zur Sache vgl. *N. Brox,* Zeuge 155–157.

[40] Weil dieses Gebet das Gebet des Märtyrers vor seinem Tod ist, ist es dem Sühnevotum vergleichbar, das vor der Hinrichtung gesprochen wird. Nach *E. Lohse,* Märtyrer 39f, mußte entsprechend der jüdischen Vorschrift über den Vollzug der Steinigung der Verurteilte vor der Hinrichtung ein Sündenbekenntnis ablegen. Eleazar spricht dieses dann gleichsam für die anderen, die den Tod verdient haben. Das einleitende ἵλεως γενοῦ erscheint formelhaft. Vgl. Mt 16,22 und *A. Schlatter,* Matthäus 516f. *N. Brox,* Zeuge 159, hebt darauf ab, daß abgesehen von der Sühnekraft des Todes des Märtyrers auch für fremde Sünden das Martyrium noch nicht als ein über sich hinausweisendes Zeugnis angesehen ist. Der Märtyrer vollendet seinen Gehorsam gegen Gottes Gesetz.

ist Ersatzleistung für das verwirkte Leben der anderen, denen Gott jetzt wieder seine Gnade zuwenden soll. Sühne und Stellvertretung erscheinen in einem noch klareren Licht als in 2 Makk, da von irgendwelchen eigenen Sünden oder Vergehen der Märtyrer, für die sie auch zu leiden hätten, nicht mehr gesprochen wird. Es verdient Beachtung, daß Eleazar, der das große Beispiel setzt, die anderen Märtyrer, deren Schicksal an dieser Stelle noch offen ist, in sein Gebet miteinbezieht, indem er in der Wir-Form redet: „Laß dir unsere Strafe genügen...". Die Märtyrer bieten gemeinsam ihr Leben als ἀντίψυχον an.[41]

In einem Rückblick auf den Foltertod des Greises und der Brüderschar faßt der Verfasser in 4 Makk 17,20–22, nachdem er ihre besondere Belohnung im Himmel („sie stehen dem göttlichen Thron ganz nahe") erwähnt hat, nochmals den Sinn dieses Sterbens zusammen: „...ihretwegen herrschen die Feinde nicht mehr über unser Volk, wurde der Tyrann bestraft und das Vaterland gereinigt. Sie waren wie ein Ersatz für die Sünde des Volkes (ὥσπερ ἀντίψυχον γεγονότας τῆς τοῦ ἔθνους ἁμαρτίας). Durch das Blut jener Frommen und durch das Sühnemittel ihres Todes (τοῦ ἱλαστηρίου τοῦ θανάτου αὐτῶν)[42] rettete die göttliche Vorsehung das zuvor schlimm bedrängte Israel". Wichtig sind die beiden letzten Sätze. Blut und Tod der Märtyrer erwirkten sühnend die Rettung des Volkes, das durch seine Sünde schuldig geworden war. Der Begriff ἱλαστήριον läßt den Einfluß kultischer Vorstellungen erkennen.[43]

Für die Erschließung des Hintergrundes für diese Sinngebung des Todes der Märtyrer macht K. Wengst eine Anleihe des hellenistischen Judentums beim Griechentum verantwortlich. Im Griechentum besitze der Gedanke vom Sterben für etwas oder jemanden eine breite Tradition, während er dem Alten Testament fremd sei. Dieser griechische Gedanke sei in den Makkabäerbüchern mit der alttestamentlich-jüdischen Sühneauffassung, daß der vor Gott sündigende Mensch einer Sühne bedarf, eine Verbindung eingegangen und so habe sich die Idee vom stellvertretenden und Sühnetod ergeben.[44]

[41] ἀντίψυχον begegnet auch Ign Eph 21,1; Smyr 10,2; Polyk 2,3; 6,1 im Kontext des Martyriums. Das seltene Wort καθάρσιον, das sonst in LXX nicht vorkommt, ist ein substantiviertes Adjektiv wie ἱλαστήριον.

[42] Der Text ist umstritten. Wir bevorzugen mit *Rahlfs* die Lesart von ἱλαστήριον als substantiviertem Adjektiv. *E. Lohse,* Märtyrer 71 Anm. 2, möchte für diesen Fall zu ἱλαστήριον sachlich θῦμα ergänzt wissen. *A. Deißmann,* Das vierte Makkabäerbuch, in: *E. Kautzsch,* Apokryphen II 174, bevorzugt die adjektivische Lesart, wenn er übersetzt: „Durch das Blut jener Frommen und ihren zur Sühne dienenden Tod".

[43] Das gleiche gilt für καθάρσιον in 4 Makk 6,29. Vgl. *E. Lohse,* Märtyrer 70 Anm. 7.

[44] *K. Wengst,* Formeln 67–69. Hier sind auch die zitierten griechischen Texte angegeben.

Die alttestamentlich-jüdische Tradition kennt die Vorstellung, daß der eigene Tod Sühne für persönliche Schuld schafft. Ist für die Ausweitung dieser Idee zur stellvertretenden Sühne eine Anleihe im Griechentum erforderlich und gerechtfertigt?
Die griechischen Texte sind folgende: Nach Plato, Symposion 179b, sterben Liebende füreinander: καὶ μὴν ὑπεραποθνήσκειν γε μόνοι ἐθέλουσιν οἱ ἐρῶντες, οὐ μόνον ὅτι ἄνδρες ἀλλὰ καὶ αἱ γυναῖκες. Als Beispiel werden Alkestis und Achilles genannt. Thukydides 2,43 erwähnt, daß die Gefallenen ihre Leiber für das Gemeinwohl gaben (κοινῇ γὰρ τὰ σώματα διδόντες ἰδίᾳ). Epictet II 7,3 spricht von einem Sterben für den Freund, der in Gefahr ist (ἀποθανεῖν ὑπὲρ αὐτοῦ). Philostrat, Vit.Apoll. VII 12, rühmt das Sterben, das der Befreiung der Stadt dient „bei Verteidigung der Eltern, Kinder, Geschwister usw.". In VII 13 heißt es: „Ich bestreite nicht, daß man für die Philosophie (ὑπὲρ φιλοσοφίας) sterben können muß wie für Tempel, Burg und Grab, und viele edle Männer wählten auch den Tod, um solche Güter zu retten". Das in diesen griechischen Texten ins Auge gefaßte Sterben ist ein heroisches und edelmütiges und kommt irgendwelchen Personen, Ideen oder Institutionen zugute. Der Freund rettet durch den Einsatz seines Lebens den Freund aus gefährlicher Lage, der Soldat stirbt für das Wohl seines Volkes und Vaterlandes. Den Tod des Helden haben auch die Römer gerühmt.[45] Es mag erhebend sein, das Sterben ἐξ ἔρωτος (Vit.Apoll.VII 12) bzw. διὰ τὸν ἔρωτα (Plato, Symp. 179c) – übrigens nicht διὰ τὴν ἀγάπην – gepriesen zu sehen. Der Tod des Philosophen für seine Sache sei würdiger als ein „kalter Sklaventod" (Philostrat, Vit. Apoll. VII 12). Was allen diesen Texten gemeinsam ist, ist dies, daß der Tod die anderen, für die man stirbt, ausschließlich aus physischer und materieller Not errettet, oder daß der Glanz und das Ansehen der verfochtenen Sache oder Institution im irdischen und öffentlichen Rahmen gemehrt werden sollen. Mit anderen Worten heißt das, daß diese Texte jegliche theologische Sinngebung vermissen lassen.
Hier ist in Erinnerung zu rufen, daß die Makkabäerbücher dieses einer Sache oder Institution zugute kommende Sterben durchaus kennen, das Sterben „für seine Gesetze" (2 Makk 7,9; vgl. 4 Makk 13,9), „für die Frömmigkeit" (4 Makk 9,24; 6,22). Wenn es sich dabei auch um das Gesetz bzw. die Sache Gottes und der Religion handelt, empfängt die Interpretation damit noch keinen theologischen Sinn. Die Interpretation bleibt wie in den griechischen Texten auf ein irdisches Forum ausgerichtet. Gesetz Gottes und Religion sollen in der Welt gestärkt werden. Der Stellvertretungs- und Sühnetod hebt sich als

[45] Dafür mag das in unseliger Zeit oft zitierte Wort Ovids: Dulce et decorum est *pro patria* mori stehen.

etwas gänzlich anderes von dieser Sinngebung ab und ist aus anderen Quellen gespeist. Es ist nun noch zu fragen, wo diese Quellen des näheren zu suchen sind.

2.2. Das Alte Testament

Es ist völlig unbestritten, daß der Stellvertretungs- und Sühnetod Jes 52,13–53,12 seinen klassischen Ausdruck gefunden hat. Hier können nur die wichtigsten Daten dieser Zeilen in das Gedächtnis zurückgerufen werden.[46] Der Ebed-Jahwe wird, obwohl unschuldig, gepeinigt, vor Gericht gestellt, getötet und wie ein Übeltäter begraben. Jahwe selbst erklärt, daß dies „wegen der Sünde meines Volkes" geschehen sei. So unsicher der Vers 53,10b im einzelnen ist, so geht doch sicher daraus hervor, daß das Leiden des Ebed als Schuldopfer zum Heil der anderen angesehen ist. Er hat durch seine Leiden „den Vielen Rechtfertigung verschafft" (53,11), Jahwe hat ihn die Schuld „von uns allen" treffen lassen (6), er schleppte die Vergehen der Vielen fort (11), hob die Sünden der Vielen auf und tritt für die Frevler ein (12). Letzteres bedeutet möglicherweise, daß sein Sühneleiden immer noch fortwirkt.[47] Unter den Frevlern wird man die Israeliten, unter den Vielen die Völker zu verstehen haben. Die Sprache ist durch kultisches Milieu beeinflußt, wie der Begriff Schuldopfer (10) oder das Bild vom Lamm, das man zum Schlachten führt, nahelegen.
Miteinzubeziehen in die Überlegungen ist Sach 12,9–14, wo von einem Durchbohrten die Rede ist. Mit ihm ist auf eine nicht mehr identifizierbare Persönlichkeit angespielt, die Jahwes Vertrauen besitzt und unschuldig getötet wird. Jahwe gießt den Geist des Mitgefühls und Flehens über das Haus David und die Bewohner Jerusalems aus, der bewirkt, daß diese sich reumütig zum Durchbohrten bekennen und leidenschaftliche Totenklage um ihn halten. Die Totenklage bewirkt die Rettung Jerusalems und seiner Einwohner angesichts des bevorstehenden eschatologischen Völkergerichts. Man kann mit J. Scharbert sagen, daß der Durchbohrte „den Martertod im Dienste der Heilspläne Gottes gestorben ist" und eine ähnliche Funktion erfüllt wie der Ebed nach Jes 53.[48] Im Unterschied zu diesem ist der Durchbohrte eine zukünftige Gestalt und hat sein Sterben nur Heilsbedeutung für Jerusalem, nicht für die Völker.

[46] Vgl. aus der Fülle der einschlägigen Literatur die Forschungsberichte von *G. Fohrer* in: ThR 28 (1962) 234–239 und *H. Haag,* Die Ebed-Jahve-Forschung 1948–1958: BZ 3 (1959) 174–204. Ferner *H. W. Hertzberg,* Die „Abtrünnigen" und die „Vielen". Ein Beitrag zu Jesaja 53: Verbannung und Heimkehr (Festschr. für W. Rudolph), Tübingen 1961, 97–108; *W. Zimmerli:* ThWNT V 655–676; *J. Scharbert,* Heilsmittler 205–212.

[47] *J. Scharbert,* Heilsmittler 209.

[48] Heilsmittler 222. Zum Zusammenhang von Sach 12,10–14 mit Jes 53 vgl. *P. Lamarche,* Zacharie IX–XIV, Paris 1961.

Ob die Verständigen von Dan 12,3, die „die Vielen gerecht machen",Persönlichkeiten sind, die durch ihr Leiden stellvertretend für andere eintreten oder die einfach nur durch ihre Belehrungen und das Beispiel ihres Lebens die anderen von der Sünde abbringen, muß wegen der Knappheit der Aussage offen bleiben. Beachtung aber verdient das Gebet des Asarja (Dan 3,26–45), ein in Wir-Form gehaltenes Volksklagelied. An dessen Beginn wird das von Gott über Jerusalem ergangene Strafgericht als gerecht anerkannt, denn die Menschen haben sich vergangen und sind vom Gesetz abgewichen: „Denn wir haben gesündigt [in allem] und Unrecht daran getan, dich zu verlassen. Wir haben gefehlt in allem und gehorchten nicht deinen Geboten usw." (3,29ff). Dann wird um Erbarmen gebeten um der Väter und der an sie ergangenen Verheißungen willen (35ff). Schließlich bieten die im Feuerofen leidenden Märtyrer ihr Leben als Opfer an, damit – wie der Kontext anzeigt – Gott seinen Zorn besänftigen und die gnaden-, herrscher- und prophetenlose Zeit beenden möge: „Wie Brandopfer von Widdern und Stieren, wie Zehntausende fetter Lämmer, so soll heute vor dir unser Opfer gelten und dich versöhnen" (37–40). Der Abschluß dieses Satzes entspricht der Septuaginta-Version: καὶ ἐξιλάσαι ὄπισθέν σου. Der Theodotion-Text liest: καὶ ἐκτελέσαι ὄπισθέν σου. Welche Version auch zu bevorzugen sei, so gibt der Text deutlich zu verstehen, daß das Sterben der Märtyrer als Schuldopfer aufgefaßt ist, das auch Jerusalem und dem Volk zugute kommt, und daß auch hier die Vorstellungen von Stellvertretung und Sühne durch die Sprache des Kultes beeinflußt sind.[49] Dem Gebet des Asarja kommt nicht zuletzt auch insofern Bedeutung zu, als seine griechische Fassung wahrscheinlich als die Übersetzung eines hebräischen Originals aufzufassen ist.[50] Im übrigen ist daran zu erinnern, daß die drei Jünglinge im Feuerofen an verschiedenen Stellen der jüdischen Martyriumsdeutung in Erscheinung traten, in der Paränese der makkabäischen Mutter (4 Makk 16,21) und im Bericht vom Martyrium der Brüder Julian und Papos (b Taan 18b). Ihr Beispiel lebt also in dieser Tradition fort.[51]

[49] Vgl. *J. Scharbert,* Heilsmittler 156.296.

[50] *O. Eissfeldt,* Einleitung 730.

[51] *J. J. Stamm,* Leiden 70f, zieht noch folgende Schriftstellen, in denen der stellvertretende und Sühnetod zum Ausdruck gebracht sein könnte, in seine Überlegungen mit ein. In 1 Sam 14,45 werde Jonathan ausgelöst, das heißt, ein anderer sei freiwillig den Tod gestorben, den Jonathan verdient hat. Dieser freiwillige Tod eines anderen, der im Text nicht erzählt wird, wird aus dem Verb *pada* erschlossen. Doch bricht Saul den Kriegszug gegen die Philister ab. Darum steht zu vermuten, daß keine Sühnung erfolgte und Saul darum unsicher war, ob Gott das Unternehmen fördern werde. Vgl. *H. W. Hertzberg,* Die Samuelbücher, Göttingen 1956, 90. In Ex 32,30 bittet Mose um Vergebung der Sünden des Volkes und bietet dabei sein Leben an. Nach *Stamm* handelt es sich jedoch wahrscheinlich nicht um Sühne, sondern um einen Ausdruck der Solidarität mit dem Volk. Dies ist zutreffend.

Diese Übersicht vermag zu verdeutlichen, daß die Vorstellung vom stellvertretenden und Sühnetod im vorneutestamentlichen Judentum nicht auf Jes 53 beschränkt blieb. Sie taucht an verschiedenen Stellen auf und wird unterschiedlich angewendet. Der Ebed litt bereitwillig und geduldig im Dienst Jahwes für die Vielen. Ob er sich des Sinnes seines Leidens bewußt war oder ob es Gott denen, die in Jes 53 in der Wir-Form sprechen, erst später erschloß, muß offen bleiben. Der Durchbohrte nimmt eine Mittlerfunktion wahr, die erst nachträglich erkannt wird und auf Jerusalem beschränkt bleibt. Die Jünglinge im Feuerofen, die ja nicht um ihre Rettung wissen, nehmen den Tod bewußt als Sündopfer auf sich. Sie schließen sich – wie die makkabäischen Brüder in 2 Makk 7 – in das Sündenbekenntnis mit ein. Im 4. Makkabäerbuch geben die Märtyrer ihr Leben als Ersatzleistung für die Sünden des Volkes. Es ist nicht erforderlich und sogar abwegig, für das Zustandekommen der Vorstellung vom stellvertretenden Sühnetod eine Anleihe im Griechentum zu sehen. Die Vorstellung besitzt im alttestamentlich-jüdischen Bereich eine gute Tradition. Für die Makkabäerbücher ist sogar eine gewisse Anlehnung an Jes 53 festzustellen. Das Sterben für die Sünde des Volkes erinnert an Jes 53,4f.12. Die Makkabäerbücher sind dem hellenistischen Diasporajudentum zuzusprechen. Das aber bedeutet nicht – wie die Übersicht ergibt –, daß die Idee vom stellvertretenden und Sühnetod nur in diesem Judentum denkbar und möglich ist und das palästinische Judentum zu ihr keinen Zugang hätte finden können.[52]

2.3. Die synoptische Tradition

In der synoptischen Tradition ist der Gedanke vom stellvertretenden und Sühnetod im Kontext der Martyriumsparänese nicht anzutreffen, dafür aber als Deutung des Todes Jesu in Mk 10,45 par. Die in letzter Zeit wiederholt

[52] In den Qumranschriften taucht wiederholt der Sühnegedanke auf. In Dam 6,5; 8,16 werden die Sektenmitglieder „Israels Büßer" genannt. Als Büßer haben sie sich aus dem Land Juda zurückgezogen und sind von den bösen Wegen des Volkes abgewichen. Von Leiden oder Drangsal ist keine Rede. Von der Entsühnung des Landes bzw. der „Verschuldung des Abfalls und der Missetat Sünde zum Wohlgefallen für das Land mehr als Brandopferfleisch und mehr als des Schlachtopfers Fett" wird in 1 QS 8,6.10; 9,4f gesprochen. Die Entsühnung aber kommt nicht durch freiwilliges Leiden zustande, sondern dadurch, daß man an den Frevlern Vergeltung übt bzw. das Gericht für den Frevel festsetzt (1 QS 8,6 und 10). *P. Wernberg-Møller,* Manual 125 Anm. 18, zieht Num 35,33; Spr 21,18 („Ein Lösegeld für die Frommen ist der Frevler; an die Stelle der Rechtschaffenen tritt der Verbrecher") heran. Das Land (= Israel) verlangt als Jahwes Eigentum und als Raum, wo das Gesetz zu erfüllen ist, Sühne. Vgl. *M. Ottosson:* ThWAT I 432–436. Die Entsühnung des Landes inmitten des Frevels erwähnt wahrscheinlich auch 1 QSa 1,3, wenn man den unsicheren Text entsprechend ergänzt.

verhandelte Traditionsgeschichte dieses Logions soll hier nicht noch einmal aufgegriffen werden.[53] Der hier interessierende Teilvers 45b καὶ δοῦναι τὴν ψυχὴν αὐτοῦ λύτρον ἀντὶ πολλῶν wird in der Regel als Erweiterung des Dienstes des Menschensohnes, von dem 45a spricht, aufgefaßt. Dabei kann die Hingabe des Lebens als letzte Konsequenz des Dienstes, den der Menschensohn in seinem gesamten Leben vollzog, aufgefaßt werden und damit als etwas, was sich aus der Betrachtung dieses Lebensdienstes gleichsam von selbst ergab.[54] Die Hingabe des Lebens kann aber auch als selbständiger Gedanke und Satz genommen werden.[55] Beide Gedanken, Dienst und Hingabe des Lebens, sind dann sekundär im Menschensohn-Logion zusammengekommen.[56] Dies wurde ermöglicht dadurch, daß beide Aspekte nicht bloß geeignet waren, rückschauend das gesamte Wirken Jesu zutreffend zu beschreiben, sondern auch weil der Dienst seines Lebens und sein Tod für die Menschen in der Mahlgemeinschaft Jesu mit seinen Jüngern bzw. in der Abendmahlstradition verwurzelt sind. Die ideelle und satzhafte Selbständigkeit von 45b ist aufrechtzuerhalten. Dies wird durch die Einsicht gefordert, daß ein irgendwem geleisteter Dienst – mag er noch so groß und edelmütig sein – keinesfalls notwendigerweise bis zur Konsequenz der Lebenshingabe gehen muß. Aber auch die in 45b vorhandenen Motive bestätigen die Selbständigkeit des Teilverses. Sie bewegen sich im Rahmen der erörterten alttestamentlich-jüdischen Texte. Das Leben als Lösepreis für andere einsetzen, berührt sich mit der Martyriumsinterpretation des 4. Makkabäerbuches, insbesondere mit 4 Makk 6,29; 17,22 (ἀντίψυχον Mk 10,45b: λύτρον ἀντί). Die verwendeten Wörter sind allerdings nicht identisch, mögen sie sich auch sehr nahe kommen. ἀντίψυχον...τὴν ἐμὴν ψυχήν (4 Makk 6,29) betont das verwirkte Leben der anderen, für das das eigene Leben als Ersatz angeboten wird. λύτρον ἀντί akzentuiert den Akt der Hingabe des Lebens, das als Lösepreis für die anderen geopfert wird. Das Hervortreten der Freiwilligkeit im Jesus-Logion ist auch damit gegeben, daß es in einer Situation gesprochen wird – das gleiche gilt auch noch für das Abendmahl –, in der die Todesgefahr noch nicht so unmittelbar

[53] Ausführliche Stellungnahmen liegen vor von: *K. Kertelge; E. Lohse,* Märtyrer 117–122; *G. Dautzenberg,* Leben 103–106; *H. Thyen,* Sündenvergebung 155–163; *J. Roloff; H. W. Kuhn,* Sammlungen 151–160. *H. Schürmann,* Abschiedsrede 63f. 72–92, hat das Verhältnis von Mk 10,45 zu Lk 22,27 zutreffend so bestimmt, daß beiden Stellen eine identische Überlieferung zugrunde liegt, Lukas von einer vorlukanischen Nicht-Markus-Tradition abhängig ist und in Mk 10,45 die beiden Vershälften erst sekundär zusammentrafen.

[54] Dies dürfte die Auffassung von *K. Kertelge,* Menschensohn 233–237, sein.

[55] Dies ist die Auffassung, die *H. Patsch,* Abendmahl 170–225, besonders stringent herausgearbeitet hat. Dabei rechnet er mit einem ipsissimum verbum Jesu.

[56] *H. W. Kuhn,* Sammlungen 155, hält dagegen die Einheit des Verses 45 besonders von seinem semitischen Hintergrund aus für möglich.

gegeben ist wie bei den makkabäischen Brüdern. Daneben kann man im Verständnis von Mk 10,45b nicht auskommen, wenn man nicht eine Einflußnahme von Jes 53 miteinbezieht. Zwar kann λύτρον nicht als Äquivalent für *ʾāšm* in Anspruch genommen werden (Jes 53,10), aber für die Vorstellung von der Lebenshingabe für die Vielen, die mit den Völkern identisch sind, hat Jes 53,10–12 als Vorbild zu gelten. Die Beziehung von Mk 10,45b zu Jesaja kann nicht als Zitat des Propheten-Textes, sondern muß als freie Anlehnung an ihn gedeutet werden.[57] Damit wird nicht das gesamte Schicksal des Ebed auf Jesus übertragen, sondern die besondere Interpretation des gewaltsamen Todes ist das Verbindende. Im christlichen Bereich erfolgt also der Durchbruch zum universalen Stellvertretungsgedanken, den das Verständnis des Todes Jesu möglich gemacht hatte. Wenn dieser Gedanke durch Jahrhunderte verschüttet war, heißt das nicht, daß Stellvertretung und Sühne, die mit dem gewaltsamen Tod eines Menschen sich verbanden, ganz in Vergessenheit geraten wären. An markanten Punkten des Schicksalsweges des alttestamentlichen Judentums lebte dieser biblische Gedanke auf.
Der biblische Horizont des Stellvertretungs- und Sühnetodes in den erörterten Texten erweist sich in einem weiteren Punkt, auf den jetzt noch die Aufmerksamkeit zu richten ist. Es ist die Anlehnung an kultische Terminologie, die die Texte bestimmt. In Jes 53 zeigte sich dieser Einfluß in der Rede vom Schuldopfer, das der Ebed bringt, sowie im Vergleich mit dem Lamm, das man zum Schlachten führt. In 4 Makk 17,22 wird der Tod der Märtyrer ein ἱλαστήριον genannt. Dieses Wort, das konkret das Sühnemittel oder das Sühnegeschenk bezeichnet, wird in der Septuaginta und bei Philo von Alexandrien für das auf der Bundeslade liegende Gerät gebraucht, das am Versöhnungstag mit dem Blut des Sühnopfers bespritzt wurde.[58] Daß die Assoziation zu diesem kultischen Ritus vorliegen dürfte, läßt die Erwähnung des Blutes der Märtyrer im gleichen Zusammenhang vermuten. Opfersprache liegt gleichfalls vor, wenn Eleazar in 4 Makk 6,29 sein Blut καθάρσιον αὐτῶν nennt. Die Jünglinge im Feuerofen erflehen von Gott, daß er das Versöhnungsopfer ihres Lebens wie ein Brandopfer von Widdern und Stieren annehmen möge. Dieser kultische Horizont erweist nochmals die Annahme, daß der stellvertretende und Sühnetod des Märtyrers einer Anleihe im griechischen

[57] Ähnlich *H. Patsch,* Abendmahl 178; *H. Schürmann,* Abschiedsrede 90f; *H. E. Tödt,* Menschensohn 191; *H. W. Wolff,* Jesaja 53, 62–64, der Mk 10,45 als „scharfe Zusammenfassung der Aussagen von Jes 53,10–12" versteht. Dagegen hält *H. Thyen,* Sündenvergebung 159f, eine Anlehnung an Jes 53 für unwahrscheinlich. *W. Popkes,* Christus traditus 221f, vermutet eine Angleichung an das Jesajatargum. LXX-Einfluß scheide sicher aus.

[58] Ex 25,16–21 (7 mal); 31,7; 35,12 u. ö.; Philo, cher. 25; fuga 100; Mos. 2,95.

Bereich bedurft hätte, als überflüssig. Es könnte vermutet werden, daß die Verwendung von Kultterminologie in einem übertragenen Sinn ein Milieu voraussetzt, in dem der Tempel weit weg war und entbehrt wurde, das heißt das Milieu des hellenistischen Diasporajudentums. Für die Makkabäerbücher trifft das de facto zu. Das aber bedeutet keinesfalls, daß diese Gedanken nur in diesem Milieu und nicht auch in Palästina hätten formuliert werden können. Die Ableitung von Mk 10,45b aus dem hellenistischen Judenchristentum wird gelegentlich zu voreilig gemacht.[59] Die Übernahme kultischer Sprache in einem übertragenen Sinn war auch in Palästina möglich, wie die Qumran-Handschriften beweisen.[60] Freilich steht Qumran in einem kritischen Verhältnis zum Tempel. Diese Kritik dem Tempel gegenüber gilt auch für weite Teile der synoptischen Tradition und ist auch als Hintergrund für Mk 10,45b anzusehen. Wenn sich in Mk 10,45b Spuren der alttestamentlich-jüdischen Martyriumsinterpretation und der deutero-jesajanischen Ebed-Jahwe-Theologie vereinigen, so bleibt unbedingt der andere Akzent zu beachten, mit dem Bekanntes in eine neue Form gegossen wird. Es ist die freiwillige Selbsthingabe des Lebens, das der dienende Menschensohn als Lösepreis für die Vielen darbringt. Dieses von Gott bestätigte Heilsangebot des Todes Jesu hebt sein Sterben über jedes andere Martyrium hinaus.

[59] Die Ableitung aus dem hellenistischen Judentum verficht neuerdings wieder *K. Kertelge*, Menschensohn 234. Für Ableitung aus dem palästinischen Judenchristentum treten ein *E. Lohse*, Märtyrer 118f; *J. Jeremias*, Lösegeld; *F. Hahn*, Hoheitstitel 58f.

[60] Vgl. *G. Klinzing*, Die Umdeutung des Kultus in der Qumrangemeinde und im NT, Göttingen 1971; *B. Gärtner*, The Temple and the Community in Qumran and the New Testament, Cambridge 1965.

Literatur

Arvedson, T., Das Mysterium Christi. Eine Studie zu Mt 11,25–30 (AMNSU 7), Uppsala 1937.

Bogaert, P., Apocalypse de Baruch. I–II (SC 144/5), Paris 1969.

Bousset, W. – Gressmann, H., Die Religion des Judentums im späthellenistischen Zeitalter (HNT 21), Tübingen [3]1926.

Braun, H., Spätjüdisch-häretischer und frühchristlicher Radikalismus. Jesus von Nazareth und die essenische Qumransekte. I. Das Spätjudentum. II. Die Synoptiker (BHTh 24), Tübingen 1957.

Brox, N., Zeuge und Märtyrer. Untersuchungen zur frühchristlichen Zeugnis-Terminologie (StANT 5), München 1961.

Bultmann, R., Die Geschichte der synoptischen Tradition (FRLANT 29), Göttingen [6]1964 (Nachdr. der 4. Aufl. Berlin 1961).

Cullmann, O., Unsterblichkeit der Seele und Auferstehung der Toten. Das Zeugnis des Neuen Testaments: ThZ 12 (1956) 126–156.

Dautzenberg, G., Sein Leben bewahren. Ψυχή in den Herrenworten der Evangeliten (StANT 14), München 1966.

Dinkler, E., Jesu Wort vom Kreuztragen, in: Neutestamentliche Studien für Rudolf Bultmann (BZNW 21), Berlin 1954, 110–129.

Eissfeldt, O., Einleitung in das Alte Testament, Tübingen [2]1956.

Gnilka, J., Das Martyrium Johannes' des Täufers (Mk 6,17–29), in: Orientierung an Jesus. Zur Theologie der Synoptiker (Festschr. für J. Schmid), Freiburg 1973, 78–92.

Grundmann, W., Das Evangelium nach Lukas (ThHK 3), Berlin [7]1974.

Hahn, F., Christologische Hoheitstitel. Ihre Geschichte im frühen Christentum (FRLANT 83), Göttingen [3]1966 (Nachdr. der 2. Aufl. Berlin 1965).

Harnack, A., Beiträge zur Einleitung in das Neue Testament. II. Sprüche und Reden Jesu. Die zweite Quelle des Matthäus und Lukas, Leipzig 1907.

Harnisch, W., Verhängnis und Verheißung der Geschichte. Untersuchungen zum Zeit- und Geschichtsverständnis im 4. Buch Esra und in der syr. Baruchapokalypse (FRLANT 97), Göttingen 1969.

Jeremias, G., Der Lehrer der Gerechtigkeit (StUNT 2), Göttingen 1963.

Jeremias, J., Das Lösegeld für Viele (Mk 10,45): Jud 3 (1947) 249–264.

Kautzsch, E., Die Apokryphen und Pseudepigraphen des Alten Testaments. I–II, Tübingen 1900.

Kertelge, K., Der dienende Menschensohn (Mk 10,45), in: Jesus und der Menschensohn (Festschr. für A. Vögtle), Freiburg 1975, 225–239.

Kuhn, H. W., Ältere Sammlungen im Markusevangelium (StUNT 8), Göttingen 1971.

Lohmeyer, E., Die Offenbarung des Johannes (HNT 16), Tübingen [2]1953.

Lohse, E., Märtyrer und Gottesknecht. Untersuchungen zur urchristlichen Verkündigung vom Sühnetod Jesu Christi (FRLANT 64), Göttingen 1955.

Lührmann, D., Die Redaktion der Logienquelle (WMANT 33), Neukirchen 1969.

Marxsen, W., Der Evangelist Markus. Studien zur Redaktionsgeschichte des Evangeliums (FRLANT 67), Göttingen [2]1959.

Patsch, H., Abendmahl und historischer Jesus (CThM 1), Stuttgart 1972.

Percy, E., Die Botschaft Jesu. Eine traditionskritische und exegetische Untersuchung, Lund 1953.

Popkes, W., Christus traditus. Eine Untersuchung zum Begriff der Dahingabe im Neuen Testament (AThANT 49), Zürich 1967.

Roloff, J., Anfänge der soteriologischen Deutung des Todes Jesu (Mk X 45 und Lk XXII 27): NTS 19 (1972/73) 38–64.

Scharbert, J., Heilsmittler im Alten Testament und im Alten Orient (QD 23/24), Freiburg 1964.

Schlatter, A., Der Evangelist Matthäus. Seine Sprache, sein Ziel, seine Selbständigkeit, Stuttgart 1929.

Schmid, J., Matthäus und Lukas. Eine Untersuchung des Verhältnisses ihrer Evangelien (BStF 23,2–4), Freiburg 1930.
Schürmann, H., Jesu Abschiedsrede Lk 22,21–38 (NTA 20,5), Münster 1957.
Schürmann, H., Das Lukasevangelium. I (HThK 3,1), Freiburg 1969 (Nachdr. Leipzig ²1971).
Schulz, A., Nachfolgen und Nachahmen. Studien über das Verhältnis der neutestamentlichen Jüngerschaft zur urchristlichen Vorbildethik (StANT 6), München 1962.
Schulz, S., Q – Die Spruchquelle der Evangelisten, Zürich 1972.
Stamm, J. J., Das Leiden des Unschuldigen in Babylon und Israel (AThANT 10), Zürich 1946.
Steck, O. H., Israel und das gewaltsame Geschick der Propheten. Untersuchungen zur Überlieferung des deuteronomistischen Geschichtsbildes im Alten Testament, Spätjudentum und Urchristentum (WMANT 23), Neukirchen 1967.
Surkau, H. W., Martyrien in jüdischer und frühchristlicher Zeit (FRLANT 54), Göttingen 1935.
Thyen, H., Studien zur Sündenvergebung im Neuen Testament und seinen alttestamentlichen und jüdischen Voraussetzungen (FRLANT 96), Göttingen 1970.
Tödt, H. E., Der Menschensohn in der synoptischen Überlieferung, Gütersloh 1959.
Wengst, K., Christologische Formeln und Lieder des Urchristentums (StNT 7), Gütersloh 1972.
Wernberg-Møller, P., The Manual of Discipline (STDJ 1), Leiden 1957.
Wolff, H. W., Jesaja 53 im Urchristentum, Berlin ³1952.
Woude, van der, A. S., Die messianischen Vorstellungen der Gemeinde von Qumran (SSN 3), Assen 1957.

JESU VERHEISSUNG DES GEISTES

Zur Verankerung der Aussage von Joh 16,13 im Leben Jesu

Von Jacob Kremer

Um die nachösterliche Neuinterpretation von Jesu Worten und Taten, wie sie im Neuen Testament überliefert sind, zu rechtfertigen, wird oft auf den heiligen Geist verwiesen, von dem Jesus nach Joh 16,13 sagte: „Wenn aber jener kommt, der Geist der Warheit, wird er euch in die ganze Wahrheit einführen".[1] Sicherlich ist dieser Parakletspruch nicht der einzige Beleg für das Bewußtsein der Urkirche, den Geist Gottes zu besitzen und durch ihn zur authentischen Verkündigung legitimiert zu sein (vgl. z.B. Lk 24,49; Apg 1,5ff; 2,1ff; 15,28; 1 Kor 2,10.16; 14,37). Er wird aber mit Vorliebe zitiert, weil ihm wie dem verwandten Parakletspruch Joh 14,26 offensichtlich eine besondere Beweiskraft zukommt; denn nach diesem Wort hat Jesus selbst den heiligen Geist, der das volle Verständnis der Wahrheit ermöglichen soll, verheißen.

Nun stellt sich jedoch bei dem prophetischen Wort Joh 16,13 für den heutigen Leser die Frage: Hat Jesus tatsächlich den heiligen Geist verheißen? Nach verbreiteter Auffassung in der neueren Forschung ist nämlich der Text Joh 16,13 nicht als ipsissima vox, sondern als ein nachösterlich geprägtes Herrenwort zu bestimmen.[2] Für namhafte Forscher gilt es sogar als sicher, daß Jesus selbst nicht den heiligen Geist verheißen hat.[3] Ist aber dann die Argumentation mit Joh 16,13 zur Rechtfertigung der nachösterlichen Interpretation nicht ein circulus vitiosus? Man führt als Beweis an, daß Jesus den heiligen Geist verheißen habe (der in die ganze Wahrheit einführe), was dem kritischen Fragesteller erst noch zu beweisen ist. Soll die beliebte

[1] Z.B. Vat. II, Dei Verbum 5,1 (vgl. dazu *Kothgasser,* Dogmenentwicklung 417ff); Instructio De veritate VII; *F. Mußner,* Parakletsprüche 154f; vgl. *E. Bammel,* Jesus 214f; *F. Porsch,* Pneuma 396 (Lit.); zu der Nachwirkung von Joh 16,13 in der Geistesgeschichte des 18. Jahrhunderts vgl. *G. Bornkamm,* Zeit 94ff. Daß die Begründung und Berechtigung der österlichen Neuinterpretation innerhalb des Neuen Testaments für die heutige Theologie eine noch keineswegs zufriedenstellend gelöste Aufgabe ist, darauf hat unlängst *O. Dilschneider,* Notwendigkeit 156f, hingewiesen.

[2] Vgl. z.B. *F. Mußner,* Parakletsprüche 148; *R. Schnackenburg* III (1975) 169: „Die vorliegenden Sprüche im Ev. sind nach Gestalt und Gehalt, nach Ausdruck und Bedeutung letztlich nur als Bildung des Evangelisten bzw. seiner Schule zu begreifen".

[3] Vgl. z.B. *B. C. K. Barrett,* Spirit 130–132 und *W. G. Kümmel,* Anfänge 301, Anm. 54.

Argumentation überzeugen, so ist vorher zu klären, ob und inwieweit die Joh 16,13 gemachte Aussage über Jesu Verheißung des heiligen Geistes auf Jesus zurückgeführt werden kann.

Um diese Klärung zu ermöglichen, wird im folgenden nach einigen hermeneutischen Vorüberlegungen (1) zunächst der Text von Joh 16,13 untersucht (2), dann die Beziehung zwischen diesem und den verwandten Aussagen bei den Synoptikern erhellt (3) und schließlich die Verheißung des Geistes in Verbindung mit der ganzen Verkündigung Jesu aufgezeigt (4).

1. Hermeneutische Vorüberlegungen

In letzter Zeit mehren sich die Stimmen, die die Methoden der historisch-kritischen Exegese einer Kritik unterziehen.[4] Selbst auf die Gefahr hin, Bekanntes zu wiederholen, scheint es angebracht, vor der Untersuchung von Joh 16,13 einige hermeneutische Überlegungen anzustellen.

1.1. Wer heute bei der Auslegung von Joh 16,13 fragt: Hat Jesus tatsächlich den heiligen Geist verheißen?, zieht – zumindest methodisch – die Aussage des Evangelisten, so wie sie auf den ersten Blick hin verstanden wird, in Zweifel und rechnet damit, daß die Angabe des Verfassers möglicherweise nicht ganz mit der Wirklichkeit[5] übereinstimmt. Er nimmt also dem Evangelisten gegenüber eine kritische, richterliche Position ein und meint sogar, den wirklichen Sachverhalt besser zu kennen als dieser selbst.[6] Dies geschieht keineswegs aus willkürlicher oder überheblicher Besserwisserei.[7] Vielmehr geben stichhaltige Gründe dazu Anlaß: 1. die mangelnde Übereinstimmung

[4] Vgl. *K. Lehmann,* Horizont; *F. Hahn,* Probleme; *ders.,* Überlegungen; *H. Schlier,* Wer; *F. Beissner,* Irrwege; *P. Stuhlmacher,* Hermeneutik; *ders.,* Schriftauslegung (Lit.). – *H. Schürmann,* dem sich der Verfasser besonders wegen der hermeneutischen Prinzipien verpflichtet weiß, fordert mehrfach auf, „kritisch (zu) sein gegenüber der immanenten Beschränktheit der Methode" (z.B. Tod 22) und spricht von einer „‚Apparatur', die zu eng eingestellt ist" (ebd. 64).

[5] Der Begriff „Wirklichkeit" wird in diesem Beitrag nicht im Unterschied zu Realität aufgefaßt, sondern in dem allgemeinen Sinn als Inbegriff dessen, was wir aufgrund äußerlicher oder innerer Wahrnehmung nach deren kritischer Läuterung von subjektiven Zutaten und aufgrund von Schlüssen aus der Wahrnehmung als objektiv seiend anerkennen.

[6] Vgl. *H. Schlier,* Wer 361.

[7] Es ist hier nicht der Ort, grundsätzlich auf die Berechtigung einer kritischen Exegese einzugehen; vgl. dazu *H. Schürmann,* Tod 20ff; *F. Beissner,* Irrwege; *K. Lehmann,* Horizont; und besonders *Stuhlmacher,* der einerseits den Einwand von *Maier* (Ende 20), Kritik sei einer möglichen göttlichen Offenbarung gegenüber die unzutreffende und falsche Entsprechung, mit guten Gründen zurückweist (Schriftauslegung 103, Anm. 48), und andererseits für eine „Hermeneutik" des Einverständnisses" eintritt (ebd. 120–127), was heute besonders angesichts der Forderungen der kritschen Theorie gilt; vgl. *A. Stock,* Umgang 50–53 (Lit.)

des Textes Joh 16,13 mit den synoptischen Evangelien, wo eine solche Verheißung fehlt und wo zum Teil ein Verhalten Jesu vorausgesetzt ist, mit dem sich eine solche nicht gut vereinbaren läßt;[8] 2. die wenigstens generell nicht zu bestreitende Unterscheidung zwischen ipsissima vox und Herrenworten und 3. der auch sonst (vor allem im Johannesevangelium) zu beobachtende Einfluß nachösterlicher Einsichten auf die Wiedergabe der Botschaft Jesu. Allerdings darf dabei folgendes nicht übersehen werden: Die heute unvermeidbare kritische Einstellung gegenüber Joh 16,13 hat letztlich in der Anwendung der Prinzipien neuzeitlicher Geschichtsforschung (Kritik, Analogie und Korrelation) auf die Auslegung der aus früherer Zeit stammenden biblischen Texte ihren Grund.[9] Soll die heutige Auslegung dem Text Joh 16,13 gerecht werden, so ist vorher zu prüfen, inwieweit die Kriterien der neuzeitlichen Geschichtswissenschaft allgemein und besonders für die Auslegung biblischer Texte anwendbar sind.

1.2. Wie sehr die historisch-kritische Methode an das neuzeitliche Wirklichkeitsverständnis gebunden ist, verrät bereits die Formulierung der Frage: Hat Jesus *tatsächlich* den Geist verheißen? Gefragt wird also nach einer „Tatsache" und als solche wird ein verbales Handeln Jesu (die von ihm geäußerte Verheißung) betrachtet. Der Terminus „Tatsache" sollte uns schon aufhorchen lassen. Dieser hat sich erst im 18. Jahrhundert eingebürgert und verrät seine Bindung (als Übersetzung des englischen „matter of fact") an eine ganz bestimmte Einstellung zur Wirklichkeit.[10] Er verleitet dazu, eine „Tat" wie eine Sache zu betrachten, sie wie eine „Sache" zu beobachten, zu prüfen und zu beschreiben.[11] Wer in der Geschichtsforschung nach „Tatsachen" fragt, legt damit den Maßstab naturwissenschaftlicher Forschung an,

[8] Vgl. die auch von katholischen Autoren vertretene Ansicht, daß Jesus während seines Erdenlebens sich zunächst ganz auf die Bekehrung Israels konzentrierte, eine Naherwartung hegte und kaum an eine Kirche dachte. Vgl. dazu *H. Geist,* Ruf (Lit.) und *J. Kremer,* Kirche.

[9] Vgl. *E. Troeltsch,* Methode 107f. *P. Stuhlmacher,* Hermeneutik 15, bemerkt treffend, bei Troeltsch werde deutlich, „daß mit der historisch-kritischen Methode der cartesische Wissenschaftsstandpunkt nunmehr auch in die Historie eingedrungen ist".

[10] Vgl. *R. Staats,* Tatsache 318–325. Als 1756 der damalige pommerische Landpfarrer Joachim Spalding diesen Ausdruck zur Übersetzung des englischen „matter of fact" schuf, hatte er noch die allgemeine Bedeutung „etwas, was durch Erfahrung wahrnehmbar" ist (ebd. 325). Wenig später engte Lessing den Sinn ein auf „geschehene Dinge, Begebenheiten, Taten, Ereignisse, Vorfälle, deren historische Gewißheit so groß ist, als historische Gewißheit nur sein kann" (ebd. 328).

[11] „Eine offene Frage richtet sich an die Geistesgeschichte des 19. Jahrhunderts. Könnte die in jener kirchlichen Apologetik zu beobachtende rationalistische Engfassung des Begriffs den späteren Tatsachenpositivismus gerade der Geschichtswissenschaft mit beeinflußt haben? Es kann ja nicht ausgeschlossen werden, daß jene „sondersprachliche" Fassung des Begriffs im Lager der von Lessing aufgeschreckten Pfarrer und Schulleute seine gewisse Ausstrahlung besaß". *R. Staats,* Tatsache 343.

in der es um meßbare „Sachen“ bzw. „Gegenstände“ oder Vorgänge geht.[12] Menschliche Taten unterscheiden sich aber von Objekten naturwissenschaftlicher Forschung; denn menschliches Handeln ist niemals nur ein „Gegenstand“, niemals eine feststehende Größe und folgt niemals bis ins letzte determinierten Gesetzmäßigkeiten. Menschliches Handeln ist vielmehr – im Unterschied zu außermenschlichen Vorgängen – ein motiviertes, bewußtes Handeln. Als solches kann es daher in seiner ganzen Tiefendimension von außen her nicht auf die gleiche Weise untersucht und beurteilt werden wie andere Sachen oder Fakten (z.B. Reaktion einer chemischen Mischung, Ausbruch eines Erdbebens, Flug der Zugvögel).

Weil menschliches Handeln zudem auf Geschichte und Zukunft angelegt ist und sich in einem Prozeß vollzieht, kann es bei einer Betrachtung nach Art anderer Gegenstände immer bloß perspektivisch und oberflächlich beurteilt werden. Um es „objektiv“ beschreiben zu können, wie dies die neuere Geschichtswissenschaft versucht, muß man von dem unmittelbaren Geschehensvollzug abstrahieren. Der Berichterstatter nimmt notwendigerweise eine distanzierte Stellung ein und verliert dadurch den unmittelbaren Kontakt mit dem Geschehen selbst. Was er „berichtet“, ist also nicht das Geschehen selbst, sondern ein von ihm, aus seiner Distanz und Perspektive „in entfremdeter Abstraktion“ fixiertes Bild, in dem das für menschliches Handeln gerade Eigentümliche fehlt[13] (daß nämlich jedes Tun in das Ganze des im Augenblick der Beobachtung noch nicht durchschaubaren Vollzugs einbezogen ist).

Dasselbe gilt auch für die Worte, die niemals unabhängig von der Geschichte des Sprechenden und Hörenden verstanden werden können; denn sie sind als Texte nicht Selbstzweck, sondern dienen der Mitteilung. Was sie im einzelnen bedeuten, muß aus dem ganzen „Kontext“ – auch dem nonverbalen – erschlossen werden. Wer also ein von Jesus gesprochenes Wort aus dem Zusammenhang seines Lebens löst und schriftlich fixiert, hat damit diesem Wort schon etwas von seiner ursprünglichen Bedeutung genommen. (Eine ipsissima vox im strengen Sinn des Wortes gibt es darum nicht.) Und wer ein mündlich überliefertes oder niedergeschriebenes Wort Jesu aus dem Kontext löst, in dem es überliefert ist, entfernt sich damit einmal von der Bedeutung, die das Wort für den Tradenten hatte, und zum anderen noch weiter von dem vollen Sinn der Aussage im Munde Jesu. Der Historiker kann natürlich u.U. feststellen, daß ein bestimmter Text zu diesem

[12] Charakteristisch dafür ist das Nebeneinander der Worte „geschehene Dinge“ und „Taten“ in dem oben (Anm. 10) zitierten Text.

[13] Vgl. *F. Hahn,* Überlegungen 57f; *H. Schlier,* Wer 362f.365.

und jenem Zeitpunkt gesprochen bzw. niedergeschrieben wurde oder nicht. Er kann auch versuchen, dessen Sinn annähernd exakt zu bestimmen. Doch muß er sich der Grenzen solcher Untersuchung bewußt bleiben. Aus dem Vorhandensein oder dem Fehlen eines Textes können darum immer nur begrenzte Folgerungen abgeleitet werden.

Menschliche Taten und Worte haben schließlich immer einen Bezug zur Geschichte des Handelnden und Sprechenden. Deshalb ist es durchaus möglich, daß der Handelnde selbst (und noch mehr ein anderer) erst später den vollen Sinn dessen, was er in der Vergangenheit tat oder sprach, erfassen kann. Als Beispiel dafür kann auf die Eintragung in ein Tagebuch verwiesen werden: ein dort aufgezeichnetes Ereignis ist für den Leser, der später seine Eintragung liest, nicht mehr einfach dasselbe wie früher. Dies hängt damit zusammen, daß sich jeder Mensch im Augenblick seines Handelns oder Sprechens keineswegs immer voll dessen bewußt ist, was er mit seinem Tun letztlich beabsichtigt bzw. mit einem Satz im Grunde alles ausdrücken will oder mit dem Gesagten meint. Der Zuwachs an Erfahrung und die dadurch ermöglichte Zusammenschau des Ganzen öffnen dafür erst den Blick und machen es bewußt. Was also „eigentlich" gewesen ist oder gesagt wurde, kann sich einem jeden durchaus erst später erschließen.

1.3 Bei der heutigen Auslegung der Evangelien ist zusätzlich zu beachten, daß sie in einer vergangenen Epoche geschrieben wurden. Damals beurteilte man die Vorgänge in der Natur und Geschichte anders als heute. Zwischen Diesseits und Jenseits bestand nicht die Grenze, die wir heute empfinden. Mehr als früher sehen sich deshalb die Theologen heute gezwungen, auf die metaphorische und analoge Bedeutung biblischer Aussagen, die eine unsere alltägliche Erfahrung übersteigende Wirklichkeit betreffen, hinzuweisen.[14] Bei der Exegese der Worte Jesu darf nicht übersehen werden, daß die Zeitgenossen der biblischen Schriftsteller die Distanz zwischen Vergangenheit und Gegenwart nicht so stark empfanden wie wir heute.[15] Deshalb konnte die für die damalige Gemeinde gegenwärtige Auseinandersetzung (z. B. die Kontroverse mit den Pharisäern [z. B. Mt 23]) und die liturgische Ordnung (z. B. die Zeitangabe Joh 20,25) in den Rahmen des Lebens Jesu hineingestellt werden. Diese der heutigen Geisteshaltung fremde Einstellung hängt eng damit zusammen, daß

[14] Vgl. *J. Kremers,* Osterevangelien 16.

[15] Jedem Leser des Alten Testaments ist dies bekannt (vgl. z. B. die späteren Ergänzungen zum Buch des Propheten Jesaja unter dem Namen des Propheten). – Als Indiz für die seit der Aufklärung geänderte Einstellung zur Geschichte sei auf die ganz verschiedenartige Darstellung biblischer Szenen vor dem 18. Jahrhundert (man stellte z.B. die Geburt Jesu ganz in die eigene Geschichte hinein) und nachher (besonders gegen Ende des 19. Jahrhunderts) hingewiesen.

die Evangelisten bekanntlich weniger an einer historischen Berichterstattung interessiert waren, als an der Bezeugung dessen, was Jesu Leben und Lehren für sie und ihre Leser gegenwärtig bedeuteten.

1.4. Für die Auslegung von Joh 16,13 folgt daraus: (1.) Wer diesen Text primär oder einzig unter dem Aspekt untersucht: Hat Jesus wirklich den heiligen Geist verheißen?, nimmt eine Position ein, die dem Text als solchem nicht entspricht. Wer zudem bei der Beantwortung dieser Frage die dem neuen Wirklichkeitsverständnis verpflichteten Kriterien anwendet, legt einen falschen Maßstab an. Der Leser, der Joh 16,13 richtig verstehen will, muß sich – so weit dies möglich ist – auf die Gedankenwelt, den Verstehenshorizont und die Sprache des Evangelisten einlassen. Ohne ein solches „sympathisierendes Einverständnis", das eine prüfende Haltung nicht ausschließt, vermag niemand das mit diesem Wort Gemeinte in seinem vollen Sinn zu vernehmen.[16] Nach dem Selbstverständnis des Neuen Testaments gehört zu einem solchen Verstehen sogar eine besondere „geistliche" Begabung (1 Kor 2,11–16).[17] (2.) Als Menschen unserer Zeit, für die unsere Art Geschichtsverständnis dasjenige der Historie ist,[18] vermögen wir aber beim Hören von Joh 16, 13 von der Frage nach der Historizität nicht ganz abzusehen. Wir müssen uns ihr stellen, auch wenn sie nicht die wichtigste durch den Text aufgegebene Frage ist und sie den Text sozusagen nur unter einem verengten Blickwinkel betrachtet. Sie gehört zu den Problemen, die sich jedem stellen, der sich und anderen Rechenschaft über seinen Glauben geben will (1 Petr 3,15). Um sie zu beantworten – darauf konzentriert sich unsere Untersuchung –, ist zunächst zu untersuchen, ob und inwieweit aus dem Text selber eine Auskunft darauf zu ermitteln ist.

2. *Zur Aussage von Joh 16,13*

2.1. Die Problematik der fünf Parakletsprüche (Joh 14,16f.25; 15,26f; 16,7–11.12–15), besonders ihre Stellung innerhalb der Abschiedsreden sowie die Bedeutung und Herkunft des Terminus „Paraklet" ist in letzter Zeit oft behandelt worden.[19] Bei der vorliegenden Untersuchung darf mit den meisten

[16] Vgl. *P. Stuhlmacher,* Schriftauslegung 120ff.

[17] Vgl. *J. Kremer,* Entstehung 13f. *H. Riedlinger,* Aufstieg 80f, gibt zu bedenken, daß Jahrhunderte hindurch die „geistliche" Auslegung der Bibel die wichtigste Aufgabe der Theologie war.

[18] Vgl. *P. Stuhlmacher,* Schriftauslegung 18f.

[19] Einen Überblick über die frühere Diskussion bietet *O. Betz,* Paraklet 4–35; zum neuesten Stand vgl. *G. Johnston,* Spirit-Paraclete; *R. Schnackenburg* III 156–173; *F. Porsch,* Pneuma 305–324; *U. B. Müller,* Parakletenvorstellung.

Autoren davon ausgegangen werden, daß alle Parakletsprüche zumindest innerhalb der vorliegenden Abschiedsreden (Endredaktion) ihren festen Platz haben und der ursprünglich wohl forensische Begriff „Paraklet“, woher er auch immer übernommen wurde, dort eine eigene Bedeutung hat, die sich gut in die Konzeption des Johannesevangeliums einfügt.[20] Während 15,26f und 16,7–11 der Paraklet als „Zeuge“ bzw. „Ankläger“ verheißen wird, seine Tätigkeit also einen forensischen Aspekt aufweist, wird seine Funktion in den beiden verwandten Sprüchen 14,26 und 16,13ff mit den Worten „lehren“, „erinnern“, „in die ganze Wahrheit einführen“ und „offenbaren“ bezeichnet.

Wie 14,25 in Hinordnung auf den zweiten Parakletspruch steht, so bereitet 16,12 den letzten Parakletspruch vor: *„Noch vieles habe ich euch zu sagen, ihr könnt es aber jetzt nicht ertragen“*. Die angesprochenen Jünger sind nach diesem Vers „jetzt“ in einer Situation, die durch eine spätere abgelöst werden wird (vgl. 14,20; 16,2.25). Der Satz: „Noch vieles habe ich euch zu sagen“ gibt an (anders als 14,25), daß Jesu Worte zu den Jüngern einer Ergänzung bedürfen. Worauf sich „noch vieles“ im einzelnen bezieht, wird nicht angeführt und muß aus dem Kontext erschlossen werden.[21] Warum Jesus das, was er – und nicht ein anderer – ihnen noch zu sagen hat, jetzt nicht sagt, begründet er mit dem Nachsatz „ihr könnt es aber jetzt nicht ertragen“. Das hier im übertragenen Sinn verwendete Verbum βαστάζειν (vgl. Röm 15,1; Offb 2,2.3; anders Joh 10,31; 19,17; 20,15) drückt aus, daß die Jünger in der augenblicklichen Situation nicht fähig sind, das ihnen Mitzuteilende nach Art einer Last zu tragen. Es übersteigt offenbar ihre Fähigkeit, es zu hören, ohne daran Anstoß zu nehmen oder davon erdrückt zu werden (vgl. 6,60). Der Grund dafür wird nicht genannt. Er kann dem Zusammenhang nach in der Verfassung der Jünger (ihrem mangelnden, schwachen Glauben) oder in dem Inhalt des „Vielen“ liegen. Von der Situation der Abschiedsreden her liegt es nahe, an die Haltung der Jünger bei der Passion Jesu (vgl. 13,36–38; 16,31f)[22] und an das ihnen vor dem Geistempfang fehlende „Fassungsvermögen“[23] zu denken. Doch dürfte der Evangelist vor allem die Situation seiner Gemeinde vor Augen haben. Sie ist jetzt in einer Lage – mehr-

[20] Vgl. *R. Schnackenburg* III 156–173 (Lit.), *A. M. Kothgasser,* Einführungsfunktion 567ff und neuerdings bes. *F. Porsch,* Pneuma 318ff.

[21] S.w.u. Wenn man den Kontext und die johanneische Ausdrucksweise betrachtet, besteht zwischen 16,12 und 15,15 kein Widerspruch. Vgl. dazu außer den Kommentaren bes. *A. M. Kothgasser,* Einführungsfunktion 16 und *F. Porsch,* Pneuma 290f.

[22] Vgl. *F. Porsch,* Pneuma 292.

[23] *Y. Ibuki,* Wahrheit 296. Allerdings darf nicht außer acht gelassen werden, daß dem heiligen Geist im vierten Evangelium niemals – vor allem nicht 16,13f – so wie in der Apostelgeschichte eine stärkende und festigende Funktion zukommt.

fach ist in den Abschiedsreden von der Feindschaft der Welt und der Trauer der Jünger die Rede –, die für die Jünger damals ganz unverständlich gewesen wäre und die nur, wie V. 13f lehrt, dank der Hilfe des Parakleten bewältigt werden kann.[24]

Die Einleitung von V. 13 *„wenn aber jener kommt"*, zeigt an, daß nunmehr eine Aussage über die dem „Jetzt" (V. 12) gegenübergestellte Zeit gemacht wird. Die Partikel „aber" unterstreicht im Unterschied zu der gleichlautenden Einleitung von 15,26 die Gegenüberstellung. Als Wendepunkt wird das Kommen des Parakleten genannt, wenn auch der Titel Paraklet nicht fällt. „Jener" bezieht sich hier wie V. 14 auf dasselbe Pronomen in V. 8, wo es eindeutig durch den V. 7 genannten Parakleten bestimmt ist.[25] Der für die Zukunft angekündigte Paraklet wird (wie auch schon 14,17 und 15,26) mit dem in der johanneischen Gemeinde (vgl. 1 Joh 4,6) offenbar bekannten Begriff *„der Geist der Wahrheit"* näher bestimmt.[26] Für die Leser besteht damit kein Zweifel, daß der verheißene Paraklet der in der Gemeinde erfahrene (14,17) und ihnen aus der kirchlichen Verkündigung bekannte „heilige Geist" (vgl. 14,26; 1 Joh 3,28; 4,2ff; 5,6) ist.[27] Seine Herkunft vom Vater als Paraklet wird 14,15.26 und 15,26 und seine Sendung durch den Sohn 15,26 und 16,7 ausgesprochen. Sein Kommen ist nach 16,7 von dem „Weggehen" des Sohnes abhängig. Auch wenn nach 14,18–25 und 16,23.25b das Wiederkommen Jesu in einer dem Kommen des Parakleten parallelen Weise angekündigt wird, so ist der Paraklet keineswegs mit Jesus identisch.[28] Über eine Verleihung des heiligen Geistes an die Jünger berichtet der Evangelist im Rahmen der Erscheinung des Auferstandenen am Osterabend[29]

[24] Vgl. *R. Schnackenburg* III z.St.; *A. M. Kothgasser,* Einführungsfunktion 18, will in der Auseinandersetzung mit Bultmann (1963) z.St., der jede psychologische Erinnerung ablehnt und statt dessen eine existentiale Interpretation fordert, beide Erklärungen miteinander verbinden.

[25] Wenn hier der Ausdruck Paraklet fehlt, ist dies gewiß ebenso auffallend wie das absolute Maskulinum „jener" (*Morris,* z. St.), das als Anzeichen dafür gewertet wird, daß der Verfasser den Parakleten personal auffaßte. Nach *C. H. Dodd,* Interpretation 415 wurde der Ausdruck „Paraklet" deshalb vermieden, weil die angegebene Funktion nicht die eines Advokaten ist. Das Fehlen des Titels rechtfertigt keineswegs das Vorgehen *M. Miguens,* Paráclito 206–212, Joh 16,12–15 nicht als Parakletspruch, sondern lediglich in einem Scholion zu behandeln. Dagegen *F. Porsch,* Pneuma 290, Anm. 368.

[26] Zur Herleitung und näheren Bestimmung dieser in Qumran als Gegensatz zu „Geist des Frevels" belegten Wendung (vgl. 1 Joh 4,6) *F. Porsch,* Pneuma 228–236 (Lit.).

[27] Vgl. *R. Schnackenburg* III 160 (bes. unter Hinweis auf 1 Joh 2,27). Zu den Versuchen, den „Parakleten" ganz mit dem Evangelisten zu identifizieren. S. unten Anm. 53.

[28] Vgl. dazu *R. Schnackenburg* III 87ff (Lit.).

[29] Vgl. dazu *J. Kremer,* Pfingstbericht, 224–228. Ob auch Joh 19,30 im Sinne einer Übergabe des Geistes an die Kirche gedeutet werden darf, ist umstritten. Sicher aber dürfte 19,34 in Verbindung mit 7,38f auf die Geistmitteilung hinweisen. Zu der wohl in der Redaktion vorgegebenen Traditionen begründeten Spannung zwischen Joh 20,22 und den Parakletsprüchen vgl. *E. Schweizer,* ThWNT VI 440f und bes. *F. Porsch,* Pneuma 341–378.

und auf eine erst nach Ostern erfahrene Wirkung des Geistes deutet Joh 7,39 hin.[30] Die Kennzeichnung des verheißenen Parakleten als „der Geist der Wahrheit" läßt erkennen, daß nach Auffassung des Verfassers der Paraklet als solcher in einer besonderen Beziehung zur „Wahrheit" steht, die nach Johannes wieder engstens mit der Person und dem Werk Christi verbunden ist.[31]

Der auf den Bedingungssatz folgende Hauptsatz gibt die in Relation zur Wahrheit stehende Tätigkeit des Parakleten an: *„wird er euch in die ganze Wahrheit einführen"*. Von V. 12 her erwartet man, die eigentlich Jesus zustehende (nach 14,18–20 und 16,25 dem zukünftigen Kommen Jesu zugeschriebene) und nun dem Parakleten zugedachte Aufgabe würde lauten: er wird „noch vieles ... sagen". Statt dessen wird das dem Leser der Bibel vertraute Bild von Gott als Wegführer seines Volkes oder des einzelnen aufgegriffen, für das in der Septuaginta oft das Verbum ὁδηγεῖν verwendet wird.[32] Dort geht es um eine Anleitung zum rechten Verhalten. Hingegen wird bei Philon und in gnostischen Texten mit diesem Bildwort mehr eine offenbarende Tätigkeit der Weisheit oder des Pneumas ausgesprochen.[33] In den Abschiedsreden taucht dieses Motiv schon Joh 14,4.6 auf: „Ihr wißt den Weg, wohin ich gehe...ich bin der Weg, die Wahrheit und das Leben".

Die Joh 16,13 dem Parakleten zugeschriebene Funktion des ὁδηγεῖν wird durch die Wendung ἐν τῇ ἀληθείᾳ πάσῃ oder εἰς τήν ἀλήθειαν πᾶσαν[34]

[30] Nach *F. Porsch,* Pneuma 65ff, schließt die Wendung „noch gab es keinen Geist" nicht jede vorösterliche Mitteilung des Geistes aus.

[31] Vgl. *Y. Ibuki,* Wahrheit 273–310, bes. 298; *F. Porsch,* Pneuma 303.

[32] Z.B. Ex 13,17; Num 24,8; Dtn 1,33; Jes 63,14 und auffallend häufig in den Psalmen. Nach Weish 9,11; 10,10.17 ist es die vom Himmel gesandte Weisheit (9,10), die die sonst Gott zugeschriebene Funktion des ὁδηγεῖν ausübt; nach Ps 138/139,10 weist die „Hand" Gottes und nach Ps 142/143 sein „Geist" den Weg (Ps 85/86,11: „seinen Weg"). Ps 24/25,5 erläutert das Zeigen des Weges (Ps 24/25,4) mit der Wendung ὁδήγησόν με ἐπὶ τὴν ἀλήθειαν σου. (Im hebräischen Text steht dafür „in deiner Wahrheit = Treue").

[33] Z.B. Philon, Moys II 265: „Ich brauche nicht erst zu erwähnen, daß auch solche verstandesmässige Schlüsse der Prophetie verwandt sind; denn der Verstand würde nicht mit solcher Sicherheit das Richtige treffen, wenn es nicht auch ein göttlicher Hauch wäre, der ihm den Weg zur Wahrheit selbst zeigte". Vgl. dazu *R. Schnackenburg* III z.St., der auch auf gnostische Parallelen verweist, aber die durch Bultmann vorgeschlagene Abhängigkeit der Formulierung in Joh 16,13 von gnostischen Vorlagen ablehnt.

[34] Es ist schwer, aufgrund äußerer oder innerer Kriterien die Wahl zwischen diesen beiden Lesarten zu treffen (vgl. Textausgaben und Kommentare sowie neuerdings ausführlich *A. M. Kothgasser,* Einführungsfunktion 22–24 und *E. Bammel,* Jesus 205f.). Selbst wenn man die Lesart ἐν τῇ ἀληθείᾳ πάσῃ als die lectio difficilior (nach *Mußner,* Parakletsprüche 151, Anm. 16 aber auch als sekundäre Angleichung an die LXX erklärbar) bevorzugt, ist damit, wie die Auslegung zeigt, der in der anderen Lesart ausgesprochene und durch den Kontext („noch vieles" – „ganze") geforderte Gedanke des Hineinführens in das tiefere Verständnis der Wahrheit nicht ausgeschlossen. Die sicherlich jüngere und sekundäre Lesart διηγήσεται

näher bestimmt. Je nach der bevorzugten Lesart gibt sie mehr den Weg oder das Ziel der Leitung durch den „Geist der Wahrheit" an: „die ganze Wahrheit". Das nachgestellte πάσῃ bzw. πᾶσαν betont das Ganze (die Gesamtheit) und muß in Relation zu „noch vieles" (V. 12) interpretiert werden. Die Wortwahl weckt die Erinnerung an den zweiten Parakletspruch: „Jener wird euch *alles* lehren und euch an *alles* erinnern, was ich euch gesagt habe" (14,26). Die Parallelität der beiden Sprüche[35] (die noch deutlicher in 16,13b hervortritt) zeigt, daß – wenigstens für den Endredaktor der Abschiedsreden – „die ganze Wahrheit" nicht die volle Wahrheit gegenüber einer bisher von Jesus verschwiegenen meint.

Die zwischen „noch vieles" (V. 12) und „die ganze Wahrheit" (V. 13a) liegende Beziehung muß einmal vor dem Hintergrund der Polemik gegen die Irrlehrer, die am Ende des ersten Jahrhunderts auftraten, betrachtet werden (vgl. 1 Joh 2,18; 2,26f; 4,1ff; 2 Joh 7; 3 Joh 9–11; Apg 20,20; Lk 1,3);[36] denn „die ganze Wahrheit" heißt es hier offensichtlich, um Sonderoffenbarungen abzuweisen. Zum anderen ist die Bedeutung von „Wahrheit" im Johannesevangelium zu berücksichtigen.[37] Jesus selbst bezeichnet sich als „die Wahrheit" (14,6) und sieht sein Lebensziel darin, für die Wahrheit Zeugnis abzulegen (18,37), d.h. die in seiner Person als Logos und Sohn gegebene Wahrheit zu bezeugen (vgl. 1,18; 3,21; 5,33 u.ö.). „In der ganzen Wahrheit führen" heißt demnach: Jesus Christus, sein Wort, Leben und Werk – und zwar als Ganzes – als den Weg aufzeigen, der auch für die Situation nach dem Weggang Jesu der einzige Weg zum Leben ist. Denselben Gedanken bringt die m.E. bessere Lesart „in die ganze Wahrheit einführen" klarer zum Ausdruck: die Führung durch den Parakleten befähigt dazu, nicht nur einen Teil der Worte und Wirklichkeit Jesu (etwa die irdische Sicht) wahrzunehmen, sondern die ganze Fülle seiner Offenbarung (dies schließt die Verherrlichung ein) zu erfassen. Es geht demnach nicht um die Mitteilung neuer Wahrheiten, sondern um die nachösterliche Erschließung der Wahrheit, die Jesus Christus selbst ist. Nur insofern diese Erschließung neue Aspekte sichtbar macht und eine tiefere Erkenntnis ermöglicht (vgl. 8,31f), ergänzt sie die durch Jesus selbst während seines Lebens

ὑμῖν τὴν ἀλήθειαν πᾶσαν (vgl. Vulgata: docebit vos omnem veritatem) läßt als Kontrast gerade das Eigentümliche der ursprünglichen Textaussage von Joh 16,13 gut erkennen: Der Paraklet ist nicht selbständiger Offenbarer oder Lehrer der Wahrheit, sondern führt in der schon gegebenen Wahrheit bzw. tiefer in sie hinein.

[35] Vgl. *A. M. Kothgasser,* Einführungsfunktion 29; *R. Schnackenburg* III 163 betrachtet 16,13 als „relecture" von 14,26.

[36] Aufschlußreich sind dafür auch die Ausführungen von *H. Schürmann,* Testament 313ff, und Evangelienschrift 252.254.

[37] Vgl. dazu die ganze Arbeit von *Y. Ibuki,* Wahrheit (Lit.).

geschenkte Offenbarung.[38] Die Aussage „noch vieles habe ich euch zu sagen" (V. 12) bezieht sich demnach offensichtlich auf das, was Jesus aus der Sicht des Evangelisten voraussah: die durch seinen Weggang bedingte Situation der Jünger und ihre Angewiesenheit auf sein wegweisendes, auf diese neue Lage hin auszulegendes Wort.
Die Funktion des V. 13a verheißenen Parakleten wird in dem Kausalsatz (γάρ) V. 13b auf eine doppelte Weise begründet und zugleich erläutert: *„denn er wird nicht von sich aus reden, sondern was er hören wird, wird er reden und euch das Kommende enthüllen"*. Die erste Begründung greift die Aussage des zweiten Parakletspruches auf („Jener wird euch alles lehren und euch an alles erinnern, was ich zu euch gesprochen habe", 14,26), gibt sie aber mit anderen Worten wieder. Dabei wehrt sie zunächst das Mißverständnis ab,[39] als könne das Einführen in die ganze Wahrheit auch unabhängig von Jesus geschehen; demgegenüber betont sie, daß der Paraklet nur das wiedergibt, was er hören wird.[40] Durch sein Hören auf Jesus (vgl. 16,14.15) und die Wiedergabe des Gehörten ist er legitimiert, als Stellvertreter Jesu das zu sagen, was dieser im Grunde selbst zu sagen hätte (V. 12).[41]
Die zweite Begründung („und euch das Kommende enthüllen") ergänzt und expliziert in etwa die erste, indem sie das, was der Paraklet „reden" wird (λαλήσει) näher bestimmt: τὰ ἐρχόμενα ἀναγγελεῖ ὑμῖν. Das Verbum ἀναγγελλεῖν kehrt 16,14.15 noch zweimal wieder und ist für den Verfasser des Textes offensichtlich sehr geeignet, die Tätigkeit des Parakleten zu benennen.[42] Wörtlich heißt ἀναγγέλλω „wieder-geben", „eine Botschaft weitersagen". In der Septuaginta dient es als Offenbarungsterminus („enthüllen") und steht Jes 41,23; 44,7 in Verbindung mit „das Kommende", um auf diese Weise Gott von den Götzen zu unterscheiden.[43] Dieser Sprach-

[38] Vgl. die ausführliche Erörterung (in Anlehnung an *W. Thüsing,* Erhöhung 149ff) bei *A. M. Kothgasser,* Einführungsfunktion 27–36. *U. B. Müller,* Parakletenvorstellung 72, tritt neuerdings unter Berufung auf *J. Becker,* Abschiedsreden 239 hingegen dafür ein, daß es sich um die Summe mehrerer Aussagen handelt, wie Becker aus dem Plural τὰ ἐρχόμενα und πολλά ableiten möchte.

[39] *H. Windisch,* Parakletsprüche 121, meint hingegen darin eine Berichtigung des kühnen Gedankens von V. 13a, der den Geist über Jesus stellte, zu erkennen.

[40] Das besser bezeugte Futur ἀκούσει deutet an, daß es sich um ein ständig neues Hören handelt. Vgl. *F. Porsch,* Pneuma 299. *A. M. Kothgasser,* Einführungsfunktion 38 zieht die Lesart ἀκούει als lectio difficilior vor. Nach *R. Schnackenburg* III z. St. besteht zwischen beiden Lesarten kein sachlicher Unterschied.

[41] *B. Lindars* (1972) z. St. bemerkt, daß in ähnlicher Weise Jesus von sich gesprochen habe: 8,26–28.40–42; 12,40; 14,10. Nach Joh 16,25 und 29 ist es Jesus selbst, der einmal ἐν παροιμίαις und später παρρησίᾳ redet.

[42] Vgl. die ausführlichen Erklärungen und Literaturangaben bei *A. M. Kothgasser,* Einführungsfunktion 39–42 und *F. Porsch,* Pneuma 295.

[43] Vgl. *F. W. Young,* Study 224–227.

gebrauch liegt auch Joh 4,25 vor, wo ἀναγγελεῖ ἡμῖν ἅπαντα die vom Messias erwartete Offenbarungstätigkeit beschreibt. In den Abschiedsreden bezeichnet in einem verwandten Kontext ἀπαγγελῶ die zukünftige Offenbarung Jesu (16,25).

Den Inhalt der Ankündigung gibt der Ausdruck τὰ ἐρχόμενα an, der als solcher „das Kommende" im Sinn apokalyptischer Offenbarung bedeuten kann[44] und oft auf die früher dem Evangelisten zugeschriebene Apokalypse bezogen wurde, in der der „Geist" mehrfach als der Offenbarende genannt[45] wird. Da diese Thematik aber im Johannesevangelium völlig fehlt, ist (vom Standpunkt Jesu in den Abschiedsreden aus betrachtet) eher an die „Stunde" der Passion und Erhöhung zu denken; es wäre aber sicher falsch, „das Kommende" darauf einzuschränken. Aus der Sicht des Evangelisten (vom Standpunkt des Erzählers aus) meinte nämlich Jesus mit der Zukunft vor allem die Zeit der Leser.[46] Mit Recht dürfen vom Kontext her (16,2.4; 15,27) die Verfolgungen darin besonders einbezogen werden.[47] Ob τὰ ἐρχόμενα in enger Verbindung mit dem Messiastitel ὁ ἐρχόμενος (6,14; 12,13; vgl. Mk 11,9; Mt 11,3; Lk 7,19f) gesehen werden darf,[48] ist nicht sicher. Doch kann kaum bestritten werden, daß aus der Sicht des vierten Evangelisten „das Kommende" engstens mit dem „Kommenden" zusammengehört. Die Zukunft, die der Paraklet enthüllt und zu verstehen hilft, ist demnach die Zukunft des Gekommenen und Kommenden, die das Leben der Jünger bestimmt und letztlich ihre Zukunft ist.[49] Der Paraklet kann also deshalb in die ganze Wahrheit einführen, weil und insofern er den Jüngern – sie alle sind angeredet, wie das am Ende des Satzes stehende ὑμῖν zeigt – ihre Situation aus der Sicht und im Namen des Abschiednehmenden deutet.

Wie sehr das „Enthüllen" des „Kommenden" auf Jesus bezogen ist, geht auch aus dem folgenden V. 14 hervor: *„Jener wird mich verherrlichen, weil er von dem Meinigen nehmen und euch enthüllen wird"*. Die angekündigte Tätigkeit

44 Vgl. *O. Betz*, Paraklet 192.

45 So noch in neuerer Zeit *M. Miguens,* Paráclito 208ff unter Hinweis auf Offb 1,1; 22,6; 4,1. *F. Tillmann, J. H. Bernard, B. Lindars* u.a. sehen darin einen Hinweis auf die urkirchliche Prophetie.

46 Vgl. bes. *B. C. K. Barrett* (1962) z.St.; *R. Schnackenburg* III z.St. meint allerdings, daß es kaum möglich sei, die beiden von Barrett genannten Inhalte („Stunde" und Zukunft der Jünger) miteinander zu verbinden.

47 *W. Thüsing,* Erhöhung 152.

48 *J. H. Bernard* II (1963) z.St.; *Y. Ibuki,* Wahrheit 305.

49 Der Vergleich mit den eschatologischen Aussagen in den übrigen Schriften des Neuen Testaments läßt diese Aussagen als eine eigenständige Neuinterpretation der urkirchlichen Tradition erkennen. Vgl. *Y. Ibuki,* Wahrheit 305; *J. L. Martyn,* History 140.

des Parakleten steht somit in enger Beziehung zur „Verherrlichung" Jesu in der Stunde seiner Passion und Erhöhung, die sonst als das Werk des Vaters bezeichnet wird (8,54; 12,28; 13,31f; 17,5.10). Der Paraklet nimmt demnach an dem Werk des Vaters teil und führt dieses fort, indem er das von Jesus Geoffenbarte – die von ihm bezeugte Wahrheit – den Jüngern erschließt und sie dadurch seine Einheit mit dem Vater und mit ihnen lernen.[50] Letztlich geht es um diese im Sinne des vierten Evangelisten lebensspendende Einheit und Gemeinschaft (vgl. Joh 17,3). Dies unterstreicht V. 15 in Form einer „Anmerkung"[51]: *„Alles, was der Vater hat, ist mein; deshalb sagte ich, daß er von dem Meinigen nimmt und es euch enthüllt"*.

Nach der Darstellung des Evangelisten verheißt also Jesus innerhalb der Abschiedsreden den heiligen Geist und charakterisiert ihn als Geist der Wahrheit und Paraklet, der sein Werk fortsetzt.[52] Das Besondere des fünften Parakletspruches liegt darin, daß der heilige Geist die Jünger nicht nur – wie es 14,26 heißt – alles lehrt und an alles erinnert, was Jesus gesagt hat, sondern darüber hinaus ihnen kündet, was Jesus ihnen noch nicht sagen konnte. Die an Jesu Stelle tretende Tätigkeit des Parakleten wird näher bestimmt als „Wegweisung" in die volle Wahrheit; sie ist dies einerseits als ein Wiedergeben des von Jesus Gehörten und andererseits als eine Enthüllung des Kommenden. Die eigentümliche Formulierung dieser Verheißung muß in Verbindung mit der johanneischen Auffassung von Jesus und seinem Werk betrachtet werden: Jesus ist selbst „die Wahrheit" und „der Weg"; er hat sein Werk zwar auf Erden vollendet (17,4; 19,30), doch bedarf dieses noch in der Zeit der Jünger und des Evangelisten einer Weiterführung, damit die Jünger und alle, die durch sie zum Glauben kommen, mit ihm und dem Vater eins werden (17,11ff); um dies in der Jesus und den Seinen feindlich gegenüberstehenden Welt zu verwirklichen, wird ihnen der Beistand versprochen.

Innerhalb des vierten Evangeliums gibt der Verfasser damit zu erkennen: Seine deutende Schilderung des Werkes Jesu – die Jünger verstanden vieles erst später (z.B. 2,17) – und die von ihm dargebotene Wiedergabe der Botschaft Jesu im Blick auf die Gemeinde entstammt nicht eigener Willkür, sondern von dem in seiner Gemeinde anwesenden (vgl. 14,16–17) und wir-

[50] Vgl. *F. Porsch,* Pneuma 300.

[51] *R. Bultmann,* z. St.

[52] Im Zusammenhang aller neutestamentlichen Aussagen über den heiligen Geist ist dies nur ein Aspekt seines Wirkens, der allerdings bei Berücksichtigung der johanneischen Theologie nicht zu sehr auf ein kognitives Erkennen eingeengt werden darf. Vgl. *Schweizer,* ThWNT VI 440f. Innerhalb des Johannesevangeliums finden sich noch Angaben über andere Wirkungen des heiligen Geistes (z.B. 3,3f; 20,22f); *R. E. Brown* II (1970) 1140.

kenden Parakleten, den Jesus verheißen hat.[53] Was der Evangelist schreibt, kann deshalb im Unterschied zu den Behauptungen der Irrlehrer den Anspruch erheben, „die ganze Wahrheit“ zu sein; sein Evangelium enthält zwar gegenüber dem, was Jesus gelehrt hat, nichts grundsätzlich Neues; es ist zugleich aber „neu“, da es in dieser Weise unter Berücksichtigung der gegenwärtigen Lage (der Zukunft aus der Sicht der Abschiednehmenden) von Jesus vor seinem Tod nicht gesagt wurde. Mit Recht kann sich die Kirche auf dieses Selbstverständnis des vierten Evangelisten berufen, wenn es darum geht, die nachösterliche Neuinterpretation von Jesu Leben und Lehre in den Evangelien zu rechtfertigen.

2.2. Kann sich die Kirche zur Rechtfertigung ihrer österlichen Neuinterpretation der Botschaft Jesu aber auch auf Jesus selbst berufen? Der Text selbst ist ganz in der theologischen Terminologie des vierten Evangeliums formuliert und deshalb – wie heute allgemein anerkannt wird – mit Sicherheit nicht als ipsissima vox zu werten. Es gibt aber keinen Grund, daran zu zweifeln, daß der Verfasser von Joh 16,13 – ähnliches gilt auch für die übrigen Parakletsprüche – davon überzeugt war, mit seinen Worten eine Verheißung Jesu wiederzugeben. Der Evangelist hat sie aufgeschrieben und in der vorliegenden Weise dargeboten, weil sie ihm für seine Leser, nicht zuletzt in der Auseinandersetzung mit den Gegnern, bedeutsam schien. Deswegen betont er, daß der in der Gemeinde erfahrene heilige Geist der von Jesus verheißene Geist ist und – so schildert er es – Jesus die nachösterliche Situation der Gemeinde nicht unbekannt war. Bei seiner Darlegung geht es ihm allerdings nicht um eine protokollarische Berichterstattung – dies verraten schon die Mannigfaltigkeit und der Stil der Aussagen – sondern um eine das Wesentliche betreffende Bezeugung, die er in Form einer Erzählung darbietet.

Das heutige Problem, ob Jesus „tatsächlich“ den heiligen Geist verheißen habe, quälte den Evangelisten offensichtlich nicht. Im Text ist jedenfalls keine Spur einer Reflexion darüber zu entdecken. Unsere Frage, so darf man sagen, war für den Verfasser von Joh 16,13 überhaupt keine Frage. Als

[53] Vgl. *R. Schnackenburg* III 182: „Joh(annes) und seine Schüler (dürften) in diesem Spruch ihr Selbstverständnis als geisterleuchtete Lehrer verankert sehen“. Schnackenburg lehnt mit Recht die von *F. Mußner,* Parakletsprüche 155f, vertretene Ansicht ab, diese Verheißung nur auf die Amtsnachfolger der Apostel einzuschränken; denn es wird „die ganze Kirche durch den Parakleten in die Offenbarung Jesu Christi und darüber hinaus geführt, sofern nämlich die geschichtlichen Situationen neue Einsichten und Entscheidungen verlangen“ (ebd. 156). Die von *H. Sasse,* Paraklet 275, u.a. vertretene Auffassung, mit „Paraklet“ sei ursprünglich einzig „der unbekannte Christusprophet, auf den das Johannesevangelium zurückgeht“, bezeichnet worden, ist mehr als fraglich. Vgl. dazu *F. Mußner,* Parakletsprüche 154.

Erklärung dafür bieten sich folgende Gründe an: Der Verfasser war erstens fest davon überzeugt, daß der in der Gemeinde erfahrene Geist der Geist Jesu Christi ist.[54] Für ihn war es zweitens selbstverständlich, daß Jesus während seines Erdenlebens um diese Gabe des Geistes gewußt hat (vgl. 7,39). Dies ergab sich ihm und seinen Zeitgenossen – auch unabhängig von diesbezüglichen Traditionen (s. w. u. 3.1.) – aus dem in der Gemeinde verkündeten und gelebten Glauben, gemäß dem Jesus von Nazaret der erwartete Prophet (4,19; 6,14; 7,40; 9,17) und Messias (11,27; 17,3; 20,31), der menschgewordene Logos (1,1–18) und Sohn des Vaters (1,49; 3,16ff.35f; 5,19ff; 10,36; 11,27; 14,13; 17,1; 20,31) ist, der selbst als Kyrios und Gott angeredet werden kann (20,28); ihn haben schon Abraham (8,56) und Jesaja (12,41) geschaut; seine Präexistenz und zukünftige Geistvermittlung waren schon dem Täufer bekannt (1,15.33); nach seinem Wirken auf Erden ist er wieder beim Vater (13,1.3; 17,5). Wer auf diese Weise Jesu irdisches Leben und sein die Dimensionen unserer Zeit sprengendes Leben beim Vater als eine Einheit sieht, für den stellt sich die Frage nach der Möglichkeit oder Tatsächlichkeit einer während des irdischen Wirkens gegebenen Verheißung des Geistes nicht.

So sehen wir uns heute einer Situation gegenüber, in der stärker als früher zwischen dem irdischen Leben Jesu und dem des Auferstandenen und Präexistenten unterschieden wird[55], denn nur das irdische Leben Jesu unterliegt den Gesetzmäßigkeiten dessen, was im Alltag als „wirklich" erfahren und bezeichnet wird; nur dieses ist darum für den Geschichtsforscher „historisch" und an dieses legt er kritisch den Maßstab der Analogie zu allen sonstigen Tatsachen an. Das Leben des Präexistenten und Auferstandenen entzieht sich dem direkten Zugriff des Historikers und ist darum für ihn nur in einem anderen Sinn „wirklich". Was für den Evangelisten eine einzige Wirklichkeit ist (das Leben des irdischen und das des erhöhten und präexistenten Jesus Christus) und was er in der Bezeugung deshalb nicht trennt, gehört für den kritischen Leser unserer Zeit zwei verschiedenen Ebenen von „Wirklichkeit" an. Deshalb fühlt er sich bei der Auslegung gezwungen, zwi-

[54] Vgl. *R. Bultmann,* Theologie 440–443. Ein ausdrucksvoller und kaum beachteter Beleg dafür ist auch Joh 19,34. Was der Jünger, den Jesus liebt, der nicht mit dem Apostel Johannes identisch ist, hier bezeugt, ist mehr als ein wunderbarer anatomischer Vorgang. Wie es die Kirche von frühester Zeit an gedeutet hat – ein Indiz dafür ist die verbreitete Darstellung der Wunde auf der rechten Seite, die in der Verbindung von 19,34 mit 7,38f; 2,19–21 und Ez 47,2 (LXX) gründet –, sah und bezeugte der Jünger das Hervorquellen des heiligen Geistes, d.h. er schaute (gemeint ist das gläubig deutende Schauen) und bezeugte die aus dem Tod Jesu entstandene und als Geistwirkung gedeutete Bildung der Kirche. Vgl. *J. Kremer,* Osterevangelien 162f.

[55] Das schließt nicht aus, daß dieser Unterschied auch früher schon empfunden wurde, besonders von denen, die den Glauben der Kirche nicht teilten.

schen der deutenden Darstellung (gemäß dem Wirklichkeitsverständnis des Evangelisten) und der Historie (gemäß dem heutigen Wirklichkeitsverständnis) zu differenzieren. Das ist der tiefste Grund, warum sich dem heutigen Forscher die Frage aufdrängt, ob die in den Abschiedsreden in der Ebene der deutenden Erzählung von Jesus geäußerte Geistverheißung „tatsächlich" – in der Ebene der Historie – auf Jesus zurückgeht. Die Frage wird vor allem dann akut, wenn andere Texte zumindest den Eindruck erwecken, das vom Evangelisten Geschilderte stehe in Widerspruch zu sonstigen Angaben darüber, wie es „tatsächlich" war. Aus dem dargelegten Wirklichkeitsverständnis des Evangelisten und dem dadurch bedingten Fehlen der modernen Problemstellung ergibt sich jedoch, daß aus dem Text Joh 16,13 allein die heutige Frage nicht beantwortet werden kann.

3. Zu den verwandten Logien bei den Synoptikern

3.1. In den synoptischen Evangelien, die nur verhältnismäßig wenige Worte Jesu über den heiligen Geist enthalten,[56] findet sich eine Verheißung des Geistes – abgesehen von den Worten des Auferstandenen Lk 24,47 (vgl. Apg 1,5.8) – nur in Verbindung mit der Voraussage von Verfolgungen, und zwar an den vier folgenden Stellen:

Mk 13,11:	*Mt 10,19–20:*	*Lk 12,11–12:*
11 Und wenn sie euch wegführen und ausliefern,	19 Wenn sie euch aber ausliefern,	11 Wenn sie euch aber hinführen vor die Synagogen, die Fürsten und Gewalten,
sorgt euch nicht im voraus darum,	sorgt euch nicht,	sorgt euch nicht (im voraus)
was ihr sagen sollt,	wie oder was ihr sagen sollt;	wie oder was ihr zur Verteidigung antworten oder sprechen sollt;
sondern was euch in jener Stunde gegeben wird, dieses sagt; denn nicht ihr seid es, die reden, sondern der heilige Geist.	denn es wird euch in jener Stunde gegeben werden, was ihr sagen sollt; 20 denn nicht ihr seid es, die reden, sondern der Geist eures Vaters, der in euch redet.	12 denn der heilige Geist wird euch in derselben Stunde lehren, was ihr sagen sollt.

Lk 21,14–15:
14 Nehmt euch nun in eurem Herzen vor,
euch nicht im voraus um die Verteidigung zu kümmern;
15 denn ich werde euch Mund und Weisheit geben,
der alle eure Gegner nicht widerstehen oder entgegnen können.

[56] Vgl. die Zusammenstellung in *J. Kremer*, Pfingstbericht 54.

Mk 13,11 steht im Rahmen der Eschatologierede, ebenso die bekannte Zusicherung (ohne den Geist zu nennen) Lk 21,14f; Mt 10,19f befindet sich hingegen innerhalb der Aussendungsrede und Lk 12,11f folgt in einem wiederum ganz anderen Kontext auf die Aufforderung zum mutigen Bekenntnis zum Menschensohn und auf das Logion von der Lästerung wider den heiligen Geist. Bei näherer Betrachtung weichen Mk 13,11; Mt 10,19f und Lk 12,11f nur wenig, aber doch nicht unbedeutend voneinander ab, während Lk 21,14 eine ganz eigene Prägung besitzt.

Mk 13,11 enthält einen doppelten Imperativ: „Sorgt euch nicht im voraus“ und „dieses sagt“. Im Falle ihres Verhörs sollen die Jünger nicht darum besorgt sein, was sie dort reden; vielmehr sollen sie das sagen, was ihnen in jener Stunde eingegeben wird. Diese doppelte Weisung, vor allem die letzte, wird begründet mit der Feststellung, daß nicht sie ja dann reden werden, sondern der heilige Geist, der bei dieser Gelegenheit sozusagen an ihrer Stelle sprechen wird.

Mt 10,19f und *Lk 12,11f* enthalten nur einen Imperativ: „Sorgt euch nicht im voraus“ und geben als Objekt der Sorge nicht bloß den Inhalt der Verteidigung („was“), sondern auch die Weise („wie“) an, wobei Lukas anstelle eines einfachen „sagen“ das zunächst speziellere Verbum „zur Verteidigung antworten“ schreibt und noch beifügt „oder was ihr sprechen sollt“. Der Imperativ („sorgt euch nicht“) wird Lk 12,12 mit der Versicherung begründet, der heilige Geist werde sie in derselben Stunde belehren, was sie zu sagen hätten. Mt 10,19b–20 führt für die gleiche Ermutigung (in engerer Verwandtschaft mit Mk 13,11) eine doppelte Begründung an: (1.) in jener Stunde werde ihnen eingegeben, was sie sagen sollen; (2.) nicht sie würden dann sprechen, sondern der Geist ihres Vaters in ihnen. Sowohl Mt 10,20 wie Lk 12,12 wird auf das Wirken des Geistes in den Jüngern hingewiesen – der offensichtlich ständig in ihnen ist[57] – und nicht nur wie Mk 13,11 gesagt, daß der heilige Geist an ihrer Stelle reden werde. Gemeinsam aber ist allen drei Formulierungen, daß den Jüngern für ihre Verteidigung gegenüber den Verfolgern die Gabe oder Belehrung des Geistes in Aussicht gestellt wird.

Lk 21,14 stimmt sachlich weithin mit den übrigen Fassungen überein, wenn auch die Mahnung, sich um die Verteidigung nicht im voraus zu kümmern mit ganz anderen Worten ausgedrückt wird (lediglich ἀπολογηθῆναι zeigt eine kaum zufällige Verwandtschaft mit ἀπολογήσησθε in Lk 12,11), hingegen scheint *Lk 21,15* auch inhaltlich von den anderen Trostworten abzuweichen; denn hier verheißt Jesus nicht die Gabe (theol. Passiv: „gegeben“)

[57] Vgl. *H. Windisch,* Jesus 122.

oder die Belehrung des heiligen Geistes, sondern kündet er an, er selbst werde ihnen „Mund und Weisheit" geben, der niemand widersprechen könne. Es dürfte für den Verfasser des Lukasevangeliums kein Zweifel bestehen, daß damit sachlich dieselbe Gabe des heiligen Geistes verheißen ist (vgl. Apg 6,10; 7,55; ferner Lk 11,20 „im Finger Gottes" par Mt 12,28 „im Geiste Gottes"). Das Nebeneinander von Lk 12,12 und Lk 21,15 ist allerdings um so beachtlicher, als auch in der Apostelgeschichte gleiche Funktionen einmal dem „Geist" (8,29), zum andern einem „Engel" (8,26; 27,23) und zum dritten dem „Herrn" selbst (z.B. 9,10; 18,9; 23,11) zugeschrieben werden. Nach Lk 24,25–27.32.45f ist es der Auferstandene selbst, der den Jüngern den Sinn der Schrift erschließt, so wie es Apg 8,30ff Philippus tut.
Die Übereinstimmung und Abweichungen der Logien Mk 13,11 par werfen die Frage auf, ob die einzelnen Fassungen alle auf eine oder mehrere Quellen zurückgehen und sich u.U. noch die älteste Fassung ausfindig machen läßt. Da Lukas sonst für die Aussagen über den heiligen Geist eine besondere Vorliebe zeigt, fällt es auf, daß Lk 21,15 die Erwähnung des Geistes im Unterschied zu der ihm bekannten Vorlage Mk 13,11 fehlt und durch eine andere semitisierende Formulierung ersetzt ist. Dies wird mitunter als Indiz dafür gewertet, daß Lukas außer Mk 13,11 noch eine andere Fassung der Verheißung eines Beistandes bekannt war und er hier darauf zurückgriff oder unter ihrem Einfluß die markinische Vorlage änderte.[58] Allerdings ist es nicht ganz ausgeschlossen, daß Lukas die Vorlage Mk 13,11 in Lk 21,15 lediglich aus stilistischen Gründen (Vermeiden von Dubletten) und aus der urkirchlichen Missionserfahrung heraus (vgl. Apg 4,13ff; 6,10), also ohne Beeinflussung durch eine andere Vorlage, geändert hat.[59] Einige von Mk 13,11 abweichende Übereinstimmungen zwischen Mt 10,19 und Lk 12,11 können zwar als Beweis für eine alte Bezeugung des Logions in Q angeführt werden;[60] doch fehlt diese Übereinstimmung gerade bei der Verheißung des Geistes, so daß für diese selbst keine Bezeugung in Q (zusätzlich zu Mk 13,11) angegeben werden kann. Da aber die Fassung von Mk 13,11 kaum eine eigene Formulierung des Evangelisten ist, gehört das Logion jedenfalls mit allergrößter Wahrscheinlichkeit schon der vormarki-

[58] Vgl. *T. Schramm,* Markusstoff 177. Nach *B. C. K. Barrett* 132 ist Lk 21,14 die älteste Fassung und als solche eben ein Hinweis darauf, daß die Verheißung des Geistes auf die kirchliche Erfahrung zurückgeht.

[59] Vgl. *H. Schürmann,* Dubletten 275; *F. J. Schierse,* Trinitätsoffenbarung 99.

[60] *H. Schürmann,* Traditionsgeschichte 154f; *J. Lambrecht,* Redaktion 135; *S. Schulz,* Spruchquelle 442–444 (Schulz möchte allerdings dieses Logion wegen der Geistvorstellung den jüngeren Schichten von Q zuordnen.). Anders *W. G. Kümmel,* Anfänge 301, Anm. 54; *R. Pesch,* Naherwartungen 132.

nischen Überlieferung an.[61] Dabei ist nicht ausgeschlossen, daß es durch die Einfügung in den Kontext der eschatologischen Rede bei Markus einen neuen Sinn erhielt: Galt die Verheißung des Geistes ursprünglich wohl nur für die eigene Verteidigung vor Gericht (nur darauf bezieht sich der Wortlaut von V. 11), so dient sie im Kontext von Mk 13,9c–10 der Verkündigung des Evangeliums: „...ihnen zum Zeugnis. Und bei allen Völkern muß zuerst das Evangelium verkündet werden" (vgl. Mt 10,18c: „...ihnen zum Zeugnis und den Völkern").

3.2. Die einzige bei den Synoptikern überlieferte und offensichtlich auf alter Tradition beruhende Geistverheißung Jesu weist nun mehrere Gemeinsamkeiten mit den Parakletsprüchen auf. Zunächst ist schon oft beobachtet worden, daß die Parakletsprüche in einem verwandten Kontext stehen,[62] in einer Abschiedsrede (Mk 13 und Lk 21 können in einem weiteren Sinn als eine solche gelten) und vor allem in unmittelbarer Nähe zu Aussagen über Verfolgungen (Joh 15,20; 16,2),[63] ferner weckt nicht nur der Titel „Paraklet", sondern auch dessen forensische Funktion (besonders „bezeugen" und „überführen") die Erinnerung an die synoptische Tradition. Als eine auffallende Parallele ist schließlich zu nennen, daß die gleiche Funktion einmal dem Geist (Mk 13,11; Mt 10,20; Lk 12,12) bzw. Parakleten und zum anderen Jesus selbst (Lk 21,15; vgl. 24,25ff und Joh 14,18ff; 16,16f; 16,25) zugesprochen wird.

Läßt aber ein Vergleich des Textes von Mk 13,11 mit dessen Kontext (Verkündigung bei den Heiden) schon innerhalb der synoptischen Tradition eine Sinnerweiterung des ursprünglich nur auf die Gerichtssituation bezogenen Logions vermuten, so ist mit einer solchen Sinnverschiebung vor allem dann zu rechnen, wenn die Parakletsprüche als die johanneische Wiedergabe der alten urkirchlichen Tradition aufgefaßt werden. Denn in ihnen geht es ja nicht mehr bloß um die Verheißung des Geistes zur mutigen Verteidigung und Bezeugung des Evangeliums, ob vor Gericht oder auch sonst. Vielmehr hat der Paraklet darüber hinaus die Funktion, die Jünger an alle Worte Jesu zu erinnern und in die ganze Wahrheit einzuführen. Sicherlich steht diese Funktion gemäß der theologischen Konzeption des Johannesevangeliums in enger Verbindung mit dem forensischen Aspekt

[61] Vgl. *R. Pesch,* Naherwartungen 132; *J. Giblet,* Promesses.

[62] Vgl. z.B. *J. Giblet,* Promesses 21f; *M. Miguens,* Paráclito 70ff; *R. E. Brown* II 699; *G. Johnston,* Paraclete 36; *Y. Ibuki,* Wahrheit 281.291; *F. Porsch,* Pneuma 251f; *C. H. Dodd,* Tradition 411f.

[63] Dabei ist allerdings die Verfolgungssituation nicht ganz die gleiche; denn die Aussagen der Abschiedsreden beziehen sich lediglich auf die Anfeindungen jüdischer Kreise; vgl. *C. H. Dodd,* Tradition 412.

des Werkes Jesu und der Jünger.[64] Aber die Aufgabe des Parakleten geht weit über die bei Mk 13,11 gezeichnete, auch über die ganz im Dienst der Verteidigung stehende Belehrung nach Lk 12,12 hinaus. Das wird vor allem dann deutlich, wenn man berücksichtigt, daß nach dem Johannesevangelium die durch den Geist vermittelte Erkenntnis eine lebenspendende und gemeinschaftsstiftende Wirkung besitzt (Joh 17,3). Jesu Verheißung des Geistes nach Joh 16,13 darf darum zwar in Kontinuität mit der Mk 13,11par erhaltenen Tradition betrachtet werden, aber die Diskontinuität ist nicht zu übersehen.

3.3. Läßt sich nun aus der Verwandtschaft von Joh 16,13 mit der gewiß älteren Tradition bei den Synoptikern folgern, Jesus habe – im Sinn unserer Fragestellung – vor seinem Tod wenigstens für bestimmte Fälle und wenigstens als Hilfe bei der Verteidigung den heiligen Geist verheißen? Eine solche Schlußfolgerung wird dadurch erschwert, daß sich die Überlieferung von Mk 13,11par nicht mit Sicherheit als ipsissima vox Jesu bestimmen läßt. Zwar wird dieses Logion heute noch mehrfach als direkte Wiedergabe der Worte Jesu bezeichnet,[65] doch wird dem sehr häufig und nicht ohne stichhaltige Argumente widersprochen und die Voraussage zu den vaticinia ex eventu gezählt.[66] Die Mk 13,11par vorausgesetzte Situation der Verfolgung (vgl. Mk 13,9; „vor Fürsten und Könige gestellt um meinetwillen") spiegelt nämlich unverkennbar eher die Lage der ersten Christen wider als die Jesu. Es ist ferner sehr fraglich, ob Jesus in Verbindung mit der vorösterlichen, auf Palästina beschränkten Aussendung der Jünger solche Verfolgungen vorausgesagt hat. Wenn Jesus außerdem, wie heute auch von katholischen Exegeten vertreten wird, mit einem unmittelbar bevorstehenden Anbruch der Gottesherrschaft gerechnet hat[67], dürfte ihm der Gedanke an Verfolgungen der Jünger nach seinem Tod und außerhalb Palästinas kaum vertraut gewesen sein. Allerdings kann letzteres höchstens vermutet, nicht aber mit Sicherheit behauptet werden; denn es gibt immerhin eine Andeutung dafür, daß Jesus beim letzten Mahl zwar mit seinem Tod, nicht aber mit einem sofortigen Ende des Jüngerkreises rechnete (Mk 14,25). Doch selbst dann, wenn sich die Prophetie der Jüngerverfolgungen auf Jesus selbst zurückführen ließe, bleibt es offen, ob er in Verbindung damit speziell den heiligen Geist oder nur

[64] Vgl. *F. Porsch,* Pneuma 322–324.

[65] Z.B. *H. Windisch,* Jesus 229; *D. Bosch,* Heidenmission 155f; *G. R. Beasley-Murray,* Commentary 43–75; *L. Hartmann,* Prophecy 238; *E. Schweizer,* ThWNT VI 400; *R. Schnackenburg* III 136; *J. G. D. Dunn,* Jesus 86. Nach *J. Giblet,* Promesses 8ff ist Mt 10,20 die älteste Fassung der ohne Zweifel auf Jesus zurückgehenden Verfolgungslogien.

[66] *E. F. Scott,* Spirit 73; *B. C. K. Barrett,* Spirit 130f; *R. Bultmann,* Geschichte 129; *D. W. Riddle,* Verfolgungslogien 287f.

[67] Vgl. z.B. *G. Greshake/G. Lohfink,* Naherwartung 41–50.

allgemein seine Hilfe mit Worten, wie sie aus dem Alten Testament und der jüdischen Literatur bekannt sind,[68] verheißen hat.
Für die Überzeugung der Synoptiker und der urkirchlichen Kreise, die die Mk 13,11par aufgeschriebene Geistverheißung überlieferten, gilt nun dasselbe, was oben über die Auffassung des Verfassers von Joh 16,13 dargelegt wurde: Weil ihr Verständnis von „Wirklichkeit" nicht in positivistischer Weise auf historisch beweisbare „Tatsachen" eingeengt war und sie Jesus Christus als den gekreuzigten und auferstandenen Sohn Gottes bekannten (dessen Leben in der Erhöhung ebenso „wirklich" ist wie das des Irdischen), war es für sie eine Selbstverständlichkeit, daß Jesus Christus seinen in ihrer Gemeinde erfahrenen Geist auch gekannt und vorausgesagt hatte. Ebensowenig wie für den vierten Evangelisten war also für sie das heutige Problem überhaupt vorhanden. Deshalb geben die besprochenen synoptischen Texte ebenso wie Joh 16,13 auf unsere Frage nach der Historizität der Geistverheißung Jesu keine sichere Antwort.

4. Die Verheißung des heiligen Geistes im Kontext der Basileiapredigt Jesu

4.1. Die Auslegung von Joh 16,13 und der als synoptische Parallelen in Frage kommenden Stellen zeigt, daß zwischen der johanneischen Aussage und den synoptischen Texten zwar eine gewisse Kontinuität, aber doch auch eine unverkennbare Diskontinuität besteht. Hinsichtlich unserer Fragestellung führte die bisherige Untersuchung aber zu keinem positiven Ergebnis. Wer jedoch gemäß den zu Beginn des Beitrags dargelegten hermeneutischen Vorüberlegungen (1.2.) den begrenzten Stellenwert dieses Resultats beachtet, erkennt unschwer: Die Wahrheit der Aussage von Joh 16,13 über Jesu Verheißung des heiligen Geistes hängt nicht davon ab, ob dieses oder ein ähnliches Wort als „tatsächlich" so gesprochen nachgewiesen werden kann. Ein solcher Nachweis könnte allenfalls über die von Jesus verwendeten Wörter und Sätze informieren, nicht aber über das, was Jesus letztlich selbst meinte und damit im Grunde sagen wollte, ja sagte. Den Evangelisten kam es aber auf letzteres an. Wenn es schon im alltäglichen Leben gilt, daß eine Äußerung erst unter Berücksichtigung der Wirkungsgeschichte und des ganzen Zusammenhangs voll verstanden wird, um wieviel mehr gilt das für die Reden

[68] Vgl. z.B. die mit Lk 21,15 verwandten Formulierungen Ex 4,12 „ich werde mit deinem Mund sein", LXX: „Ich werde deinen Mund öffnen" und Tg Jon Onk Ex 4,12: „Mein Wort wird mit deinem Mund sein".

dessen, den die Apostel nach seiner Kreuzigung als den auferstandenen Herrn bezeugten. Von Ostern her begriffen sie erst recht – wie der vierte Evangelist mehrfach betont (2,22; 12,16) –, was Jesus gesprochen und getan hatte. Es besteht kein Grund, dies nicht auch für die Geistverheißung Jesu anzunehmen.

4.2. Nun sind wir für dieses volle Verständnis und die damit gegebene Interpretation der Verkündigung Jesu nicht allein auf eine subjektive Behauptung der Jünger angewiesen. Die biblischen Schriften sowie außerbiblische Texte enthalten einige nicht unwichtige Angaben, die es gestatten, die Entstehung und Zuverlässigkeit der deutenden Wiedergabe von Joh 16,13 in einer dem heutigen Stand der Wissenschaft entsprechenden Weise aufzuzeigen.

Als erstes sind hier die Osterereignisse und die urkirchliche Geisterfahrung zu nennen. Außer dem Leben Jesu verdankt ja bekanntlich das Christentum seine Existenz den glaubwürdig bezeugten Erscheinungen des Auferstandenen (1 Kor 15,5–8; Lk 24,34; Gal 1,16)[69] und den außergewöhnlichen, mit den Osterereignissen zwar eng verbundenen, aber davon unterschiedenen Phänomenen, die auf den Geist Jesu zurückgeführt wurden:[70] frohes, jubelndes Bekenntnis zu dem gekreuzigten Jesus als dem auferstandenen Christus, Retter, Kyrios und Sohn Gottes (1 Kor 12,3; Apg 2,36), gemeinsame Akklamation Gottes mit dem von Jesus verwendeten Ruf „Abba" (Gal 4,6; Röm 8,15f), außergewöhnliche Vorkommnisse (Heilungen) und Taten in Verbindung mit der Predigt der Apostel (1 Thess 1,5; 2,13; Gal 3,5; 2 Kor 12,12; Röm 15,19; Apg 5,12–16 u.ö.), Erfahrung der Freiheit von Schuld und Todesangst (Gal 4,3ff; Röm 7,24) und von menschlichen Zwängen, Leidenschaften und Lastern, freudiges Erleben der Zusammengehörigkeit und Gemeinschaft aller, ob Jude oder Heide, Herr oder Sklave, Mann oder Frau (Gal 3,28f), Befähigung zu Diensten in der Gemeinde (Charismen – 1 Kor 12–14; Röm 12,3–8), Bereitschaft zu selbstloser und hochherziger Hingabe (Gal 5,22f; 1 Kor 13; Apg 2,42–47; 4,32–35). Ohne diese bleibt es auch historisch kaum erklärbar, daß nach dem schmachvollen Tod Jesu sein Leben und seine Botschaft, von der die Historiker damals keine Notiz nahmen, eine weltweite Bewegung hervorriefen, und das durch die Männer, die – von Paulus abgesehen – alles andere als von Haus aus dazu geeignet waren, und trotz größter Widerstände seitens ihrer jüdischen Glaubensgenossen und der hellenistischen Gebildeten („den Juden ein Ärgernis, den Heiden eine Torheit";

[69] Zur neuesten Diskussion darüber vgl. *J. Kremer,* Entstehung 1ff; *ders.,* Osterevangelien.

[70] Vgl. *F. J. Schierse,* Trinitätsoffenbarung 113–116; *J. Kremer,* Pfingstbericht 28–62.

1 Kor 1,23). Wer diese Wirkungsgeschichte Jesu miterlebte, lernte dadurch unwillkürlich seine Worte und Taten in einem ganz neuen Licht verstehen.
Als zweites ist hier anzuführen, daß die durch die Verkündigung der Auferstehung des Gekreuzigten ausgelösten Erfahrungen nicht ganz unvorbereitet und ohne Vorgeschichte auftraten. Sie trugen sich in einer Umwelt zu, die durch die heiligen Schriften Israels und die darin ausgesprochenen Zukunftserwartungen geprägt war.[71] Zusammen mit verschiedenartigen messianischen Hoffnungen war dort auch die Erwartung einer einzigartigen Verleihung des Gottesgeistes verbreitet,[72] durch die das dem Untergang und Tod preisgegebene Volk zu einem neuen Volk und Träger eines neuen, ewigen Bundes umgeschaffen werden sollte (Ez 36,25–27; 37,1–14; Joel 3,1–5). Es waren nicht zuletzt die in den Schriften des Alten Bundes und des Judentums ausgesprochenen Verheißungen des heiligen Geistes, die in den Tagen nach der Kreuzigung Jesu die Zeugen der Erscheinungen des Auferstandenen dazu veranlaßten, in den pfingstlichen Phänomenen die Erfüllung der alten Verheißungen zu sehen (vgl. Apg 2,33.38f). In der urkirchlichen Verkündigung wurde die Gabe des Geistes aber nicht nur mit den alttestamentlichen Prophetien in Verbindung gebracht, sondern sogar selbst als die ἐπαγγελία bezeichnet (Gal 3,14; Eph 1,13; Lk 24,49; Apg 1,4),[73] wobei Gal 3,14 die Gabe des Geistes sogar mit dem Abraham verheißenen „Segen" (Gen 12,2) gleichgesetzt wird (vgl. Jes 44,3; Ri 13,24).
Zu dieser Einsicht – das ist als drittes besonders zu beachten – trug vor allem die Erinnerung an die Predigt und das Auftreten Jesu bei. In ihrem Mittelpunkt stand die Ankündigung der Gottesherrschaft, die Botschaft von dem Herrschen und Kommen Jahwes.[74] Jesus selbst erhob den Anspruch, daß mit seinem Auftreten die Gottesherrschaft schon nahegekommen, ja angebrochen sei (vgl. Mk 1,15; Lk 17,21). Seine Machttaten mußten es nahelegen – auch wenn er es vielleicht nicht selbst aussprach –, in seinem Wirken schon die für die Endzeit erwartete Kraft des heiligen Geistes zu spüren (Mk 3,28–

[71] *P. Stuhlmacher,* Hermeneutik 43–47 fordert mit Recht eine stärkere Beachtung des Alten Testaments für die neutestamentliche Theologie.

[72] Vgl. *M. A. Chevalier,* L'Esprit 53–98; *F. J. Schierse,* Trinitätsoffenbarung 113; *J. Kremer,* Pfingstbericht 63–86 (Lit.).

[73] Vgl. *J. Kremer,* Voraussagen 150–152.

[74] Vgl. *R. Bultmann,* Theologie 2–10; *R. Schnackenburg,* Herrschaft 49ff; *N. Perrin,* Was lehrte 53–59; *J. Jeremias,* Theologie I 40–43; 99–105; *L. Goppelt,* Theologie 94–101ff; das „zentrierte Miteinander der eschato-logischen und theo-logischen Aussage in der Verkündigung Jesu" betont mit Recht *H. Schürmann,* Hauptproblem 597ff, trotz der scharfsinnigen Kritik von *A. Vögtle,* „Theo-logie".

30par; Mt 12,28; vgl. Lk 11,20).[75] So sehr aber Jesus einerseits die Nähe und Anwesenheit der Gottesherrschaft proklamierte, mehr noch sprach er über sie als eine zukünftige Größe (z.B. Mk 9,1; 13,30; Mt 6,10par). Wie sich Jesus selbst die Vollendung der Basileia gedacht hat, bleibt uns verborgen. Vermutlich war er stärker in den Vorstellungen seiner Zeit (Sammlung Israels, Schaffung eines geläuterten und neuen Volkes durch den Geist Gottes) behaftet, als meist aufgrund der nachösterlichen, apologetisch bedingten Darstellung im Neuen Testament angenommen wird.[76] Nach seiner Kreuzigung, die für Außenstehende einem Scheitern seines Werkes gleichkam, haben aber dann die Apostel nicht lange gezögert, in seiner Auferstehung einen wesentlichen Schritt zur Vollendung der Gottesherrschaft zu sehen, ja den Anfang der Kirche und die Erfahrung des Geistempfangs damit in Verbindung zu bringen.[77] Konnte, ja mußte aus dieser Sicht nicht die Ankündigung der Gottesherrschaft, des Kommens Gottes, auch als Verheißung des Geistes aufgefaßt werden? Dafür spricht, daß bei Paulus nicht nur an die Stelle der Predigt Jesu von der Gottesherrschaft das Evangelium von dem Christus und Sohn tritt (z.B. 1 Kor 1,2; Röm 1,3f; Gal 1,16), sondern auch die Abraham gegebene Verheißung ebenso wie auf Christus (Gal 3,16ff) auf den heiligen Geist (Gal 3,14) bezogen wird. Für Lukas ist schließlich der Geistempfang der Inbegriff der Heilsgüter (Lk 11,13), weshalb auch die gewiß sekundäre Textvariante zu Lk 11,2 („dein Reich komme") „dein heiliger Geist komme und reinige uns" auf der Linie des lukanischen Denkens liegt.[78] In Jesu Ankündigung der Gottesherrschaft darf darum wenigstens grundsätzlich die Verankerung seiner von den Evangelisten bezeugten Geistverheißung gesehen werden.

Noch ein viertes und letztes ist hier zu berücksichtigen: Jesus hat nicht allein die Gottesherrschaft gepredigt, sondern die Jünger an seinem Werk zur Bekehrung und Sammlung Israels (vgl. Mt 15,24; 23,37 // Lk 13,34) beteiligt und sie dazu ausgerüstet (Mk 6,7ff; Mt 10,1.5ff.28; Lk 9,1ff; 10,1ff).[79] Indem er sie zur machtvollen und überzeugenden Verkündigung bevollmächtigte,

[75] Vielfach wird das Logion Mk 3,28–30 als das einzige Wort Jesu über den heiligen Geist aufgefaßt, das (vielleicht) Anspruch auf Authentizität erheben kann. Vgl. *F. J. Schierse*, Trinitätsoffenbarung 98; weitere Lit. bei *J. Kremer*, Pfingstbericht 54, Anm. 51. – Zu den verschiedenartigen Erklärungen, warum Jesus den Begriff „heiliger Geist" kaum oder überhaupt nicht verwendet hat, vgl. ebd. 55, Anm. 54.

[76] Vgl. *J. Jeremias*, Theologie I 164–175; 235ff; *H. Geist*, Ruf 31–63; *L. Goppelt*, Theologie I 254ff; *J. Kremer*, Kirche.

[77] Vgl. *R. Schnackenburg*, Herrschaft 186f; *H. Conzelmann* (z. Apg 1,8) vertritt sogar die These, nach Lukas sei der Geist „nicht mehr Potenz der Endzeit, sondern Ersatz für sie".

[78] Vgl. außer den Kommentaren bes. *R. Leaney*, Text 103–111.

[79] Vgl. *H. Schürmann*, Vorgeschichte 137–149; Tod 38.55; *J. Kremer*, Heilt Kranke (Lit.).

sagte er ihnen gleichzeitig seinen Beistand zu und gab er ihnen, ohne dies ausdrücklich zu betonen, Anteil an seinem Geist.[80] Allerdings blieb die vorösterliche Predigt der Apostel wie auch die Jesu ohne den gewünschten Erfolg (vgl. Mt 23,37 // Lk 13,34). Wenn nun Jesus trotzdem mit den Jüngern angesichts des Todes ein Festmahl hielt, konnte er dies nur in der Zuversicht tun, daß er nicht mit einem völligen Scheitern seines Werkes rechnete,[81] sondern die Erfüllung seiner Predigt gläubig ganz dem Vater überließ (vgl. „Nicht, was ich will, sondern was du willst", Mk 14,36). Dieses „Verhalten" Jesu bestimmte gewiß die bei diesem letzten Mahl gesprochenen Worte, mit denen er, wenn sie sich auch heute nicht mehr im einzelnen rekonstruieren lassen,[82] gegenüber den Jüngern seiner Hoffnung Ausdruck gab (vgl. Mk 14,25).[83] Was Jesus damals den Jüngern als seinen Mitarbeitern versicherte, konnten diese allerdings vorerst noch nicht voll erfassen. Es erschloß sich ihnen aber bald; durch die Erscheinungen des Auferstandenen und die damit eng verbundene Ermutigung und Begeisterung erfuhren sie, daß die von Jesus proklamierte Gottesherrschaft, d.h.: Gottes Kommen zu den Menschen, nunmehr – ähnlich wie bei dem ersten Auftreten Jesu – in ein neues und entscheidendes Stadium getreten war;[84] denn in Jesus Christus, dem Sohn

[80] Vgl. *J. Jeremias,* Theologie I 83f; zu der damit konkurrierenden Aussage Joh 7,39 ebd. und bes. *F. Porsch,* Pneuma 60ff. Anders *B. C. K. Barrett,* Spirit 129 und *F. Hahn,* Verständnis 135–137, die für die vorösterliche Zeit den Besitz des Geistes auf Jesus beschränken. – Hier ist zu beachten, daß einerseits nicht alle Schriftsteller des Neuen Testaments in der gleichen Weise über den heiligen Geist sprechen – andererseits nach der Auffassung des ganzen Neuen Testaments dem nachösterlichen Geistempfang eine ganz eigene Bedeutung zukommt. Paulus sieht in dem Besitz des Geistes das Proprium des neutestamentlichen Dienstes (vgl. 2 Kor 3). Das schließt aber keineswegs aus, daß von diesem Geist Gottes vorher nicht nur Jesus, sondern wie selbst das Neue Testament andeutet, auch alttestamentliche Propheten (vgl. z.B. Mk 12,36par), die Frommen Israels (vgl. Lk 1,67; 2,25.87) und Johannes der Täufer (1,80) erfüllt wurden. Das eigentümliche Verhältnis zwischen dem schon vor Ostern durch Jesus gegebenen und erst nach Ostern in seiner Fülle erfahrenen Geist spiegelt im Grunde die Spannung zwischen der schon im Leben Jesu gegenwärtigen Gottesherrschaft und ihrer noch ausstehenden Vollendung. Wenn die neutestamentlichen Schriftsteller nicht näher auf die vorösterliche Geistvermittlung eingehen, hängt dies offensichtlich damit zusammen, daß sie von der Neuheit des Geistempfangs – der Geistbesitz im Neuen Bund ist nicht einfach derselbe wie vor dem Tod Jesu – so fasziniert waren, daß sie den Begriff „Geist" dafür reservierten. (Ähnliches liegt ja auch bei der Vermeidung des Ausdrucks „Glaube" für die Haltung Jesu vor, weil der Glaube an Jesus Christus das Proprium des Neuen Bundes ist). Vgl. zu dieser Problematik die Ausführungen von *K. Rahner,* Theologie 370–383, über das Wirken Christi in den nichtchristlichen Religionen.

[81] Vgl. *H. Schürmann,* Tod 40f.

[82] Vgl. *H. Schürmann,* Tod 40; Weiterleben 82–85.

[83] Vgl. *H. Schürmann,* Tod 55f. Daraus folgt noch nicht, daß Jesus damals Einzelanweisungen für ihr Verhalten nach seinem Tod gegeben oder beim Abendmahl, wie seit Kattenbusch mehrfach behauptet wurde, die Kirche gestiftet habe. Vgl. *J. Kremer,* Kirche.

[84] *R. Schnackenburg,* Herrschaft 186; vgl. *J. Kremer,* Kirche.

und Abbild, übt seither Gott in der Kirche seine Herrschaft aus, und zwar mittels seines Geistes. Die Apostel erkannten ferner, daß es ihre Aufgabe war, wie in den Tagen des öffentlichen Lebens Jesu – wenn auch in neuartiger Weise – an der Verwirklichung der Gottesherrschaft in dem Werk Christi (vgl. 1 Kor 15,28) mitzuarbeiten. Das mit Sehnsucht für seine endgültige Offenbarung (die Parusie) erwartete Kommen des Kyrios – die konkrete Erfüllung der alttestamentlichen Hoffnung auf das Kommen Jahwes – wurde im Wirken (Kommen) seines Geistes in der Gemeinde als Vorwegnahme (ἀπαρχή Röm 8,23) sowie Angeld (ἀρραβών 2 Kor 1,22; 5,5) der ewigen Gemeinschaft mit Gott (der Vollendung der Basileia: Gott alles in allen; vgl. 1 Kor 15,28) gedeutet. Aus dieser Sicht heraus konnten die Jünger die ihnen bis zuletzt von Jesus versicherte Gemeinschaft mit ihm und ihre besondere Teilhabe an der Gottesherrschaft als die Verheißung seines Geistes auffassen,[85] durch den im Grunde er selbst ihnen beisteht (Joh 14,16–21; 16,25; Lk 21,15; vgl. 28,20)[86] und der als von ihm und dem Vater gesandte Paraklet sie auch in die ganze Wahrheit einführt.

4.3. Obwohl also Joh 16,13 nicht als ipsissima vox verifiziert werden kann – dies ist nicht einmal mit Sicherheit für Mk 13,11 zu leisten –, darf sich die Kirche heute noch darauf als eine von Jesus gegebene Verheißung zur Legitimation ihrer nachösterlichen Neuinterpretation der Botschaft Jesu berufen. Sie kann dies allerdings nur, wenn sie die durch unser heutiges Wirklichkeitsverständnis bedingte Fragestellung berücksichtigt und vor allem die gesamte Basileiaverkündigung Jesu beachtet, die auf der Linie der alttestamentlichen Erwartung lag, an der Jesus seine Jünger beteiligte und auf die von dem Abschiedsmahl und besonders von Ostern her ein neues

[85] *A. Oepke,* Herrenspruch 125f möchte die Geistverheißung Jesu darin impliziert sehen, daß Jesus bei der Abendmahlsstiftung wirklich auf den Neuen Bund hingewiesen und damit an Jer 31,31ff (vgl. Ez 36,25ff; Joel 3,1f) erinnert habe. *W. G. Kümmel,* Anfänge 301, Anm. 54 hält das unter Berufung auf Barrett für eine unerlaubte Folgerung, da sie in Widerspruch zu der Tatsache stehe, „daß wir für die Verheißung der Gabe des Geistes an die Jüngerschaft keine haltbaren Belege haben". Die Kritik von Kümmel ist insofern berechtigt, als sich Oepke einzig auf die Abendmahlsworte beruft. Sie trifft aber dann nicht zu, wenn nicht nur die Abendmahlsworte als Grundlage der Argumentation herangezogen, diese vielmehr im Kontext der ganzen Verkündigung Jesu und der besonderen Beziehung zwischen Jesus und seinen Jüngern betrachtet werden.

[86] Wer die enge Verbindung zwischen dem im Alten Bund verheißenen Kommen Gottes und dem in der Auferstehung Christi bezeugten machtvollen Kommen des Sohnes und dem damit verknüpften Kommen des Geistes, der das Werk des Sohnes weiterführt, bedenkt, wundert sich nicht, daß die Kirche später weiter darüber reflektierte und ihre vertiefte Einsicht in den dogmatischen Erklärungen über die Trinität vor einem Mißverständnis zu schützen suchte. Vgl. *F. Hahn,* Verständnis 145–147; *J. Kremer,* Pfingstbericht 272f.

Licht fiel.[87] Wenn Jesus die Verheißung des Geistes nur implizit und nicht explizit – um eine heutige Unterscheidung zu benutzen – aussprach, ist dies nicht zuletzt ein Hinweis darauf, daß der Gekreuzigte und Auferstandene als der menschgewordene Sohn und Spender des Geistes ganz in den Prozeß der Geschichte Gottes mit den Menschen hineingestellt ist.

[87] Der zu Beginn der Untersuchung erwähnte Vorwurf des circulus vitiosus kann hier nicht wiederum erhoben werden; denn ein Zirkelschluß liegt nur dann vor, wenn man sich zur Rechtfertigung der nachösterlichen Interpretation einzig auf ein nachösterlich formuliertes Logion (wie es oft den Anschein hat), nicht aber, wenn man sich auf den Zusammenhang des Logions mit der Predigt Jesu und ihrer Wirkungsgeschichte, zu der die auch unabhängig von Joh 16,13 bezeugte Geisterfahrung gehört, beruft.

Literatur

(ausgenommen die Kommentare, die innerhalb der Anmerkungen jeweils nur mit Autorennamen [u. U. auch Band] und bei der ersten Zitation mit dem Erscheinungsjahr angeführt werden)

Bammel, E., Jesus und der Paraklet in Johannes 16: B. Lindars (Hrsg.) Christ and Spirit in the New Tesrament (Festschr. für C. F. D. Moule), Cambridge 1973, 199–217.

Barrett, B. C. K., The Holy Spirit and the Gospel Tradition, London ²1966.

Becker, J., Die Abschiedsreden Jesu im Johannesevangelium: ZNW 61 (1970) 215–246.

Beissner, F., Irrwege und Wege der historisch-kritischen Bibelwissenschaft: NZSTh 15 (1973) 192–214.

Betz, O., Der Paraklet. Fürsprecher im häretischen Spätjudentum, im Johannesevangelium und in neugefundenen gnostischen Schriften (Arbeiten zur Geschichte des Spätjudentums und Urchristentums 2), Leiden–Köln 1963.

Bornkamm, G., Die Zeit des Geistes. Ein johanneisches Wort und seine Geschichte, in: *ders.,* Geschichte und Glaube I, München 1962, 90–103.

Bosch, D., Die Heidenmission in der Zukunftsschau Jesu (AThANT 36), Zürich 1959.

Bultmann, R., Die Geschichte der synoptischen Tradition (FRLANT NF 12), Göttingen 1931 (Nachdr. der 4. Aufl. Berlin 1961).

– Theologie des Neuen Testaments, Tübingen ⁵1965 (Nachdr. der 6. Aufl. Berlin 1970).

Chevalier, M. A., L'Esprit et le Messie dans le Bas-Judaisme et le N. T. (ÉHPhR 49), Paris 1958.

Delling, G., Josephus und das Wunderbare: NovT 2 (1958) 290–309.

Dilschneider, O. A., Die Notwendigkeit neuerer Antworten auf neue Fragen, in: C. Heitmann/ H. Mühlen (Hrsg.), Erfahrung und Theologie des heiligen Geistes, Hamburg–München 1974, 151–161.

Dodd, C. H., Historical Tradition in the Fourth Gospel, Cambridge 1963.

– The Interpretation of the Fourth Gospel, Cambridge 1965.

Dunn, J. D. G., Jesus and the Spirit, London 1975.

Geist, H., Jesus vor Israel und der Ruf zur Sammlung, in: K. H. Müller (Hrsg.), Die Aktion Jesu und die Re-Aktion der Kirche, Würzburg–Gütersloh–Innsbruck 1972, 31–64.

Giblet, J., Les Promesses de l'Esprit et le Mission des Apôtres dans les Évangiles: Irénikon 30 (1957) 17–43.

Goppelt, L., Theologie des Neuen Testaments I, Göttingen 1975.

Gräßer, E., Zum Verständnis der Gottesherrschaft: ZNW 65 (1974) 1–26.

Greshake, G./Lohfink, G., Naherwartung – Auferstehung – Unsterblichkeit (QD 71), Freiburg – Basel–Wien 1975.

Güttgemanns, E., Offene Fragen zur Formgeschichte des Evangeliums. Eine methodologische Skizze der Grundlagenproblematik der Form- und Redaktionsgeschichte, München 1970.

Hahn, F., Probleme historischer Kritik: ZNW 63 (1972) 1–17.

– Methodologische Überlegungen zur Rückfrage nach Jesus: K. Kertelge (Hrsg.), Rückfrage nach Jesus (QD 63), Freiburg 1974, 11–77.

– Das biblische Verständnis des Heiligen Geistes: C. Heitmann / H. Mühlen (Hrsg.), München 1974, 131–147.

Hartman, L., Prophecy Interpreted. The Formation of some Jewish Apocalyptic Texts and of the Eschatological Discourse Mark 13 Par (Coniectana Biblica-New Testament Series 1), Lund 1966.

Ibuki, Y., Die Wahrheit im Johannesevangelium (BBB 39), Bonn 1972.

Jeremias, J., Neutestamentliche Theologie I. Die Verkündigung Jesu, Gütersloh 1971 (Nachdr. Berlin 1973).

Johnston, G., The Spirit-Paraclet in the Gospel of John, New York 1970.

Kothgasser, A. M., Dogmenentwicklung und die Funktion des Geist-Parakleten nach den Aussagen des zweiten vatikanischen Konzils: Salesianum 31 (1969) 379–460.

– Die Lehr-, Erinnerungs-, Bezeugungs- und Einführungsfunktion des johanneischen Geist-Parakleten gegenüber der Christusoffenbarung: Salesianum 33 (1971) 557–598; Salesianum 34 (1972) 3–51.
Kremer, J., Entstehung und Inhalt des Osterglaubens. Zur neuesten Diskussion: ThRv 72 (1976) 1–14.
– „Heilt Kranke ... treibt Dämonen aus! (Mt 10,8)". Zur Bedeutung von Jesu Auftrag an die Jünger für die heutige Pastoral, in: J. Wiener / H. Erharter (Hrsg.), Zeichen des Heils, Wien 1975, 33–52.
– Jesus und die Kirche, in: *E. J. Korherr* u.a., Religionsunterricht. Katechumenat von heute? (Botschaft und Lehre 12), Graz 1976, 11–31.
– Die Osterevangelien – Geschichten um Geschichte, Stuttgart 1977.
– Pfingstbericht und Pfingstgeschehen. Eine exegetische Untersuchung zu Apg 2,1–13 (SBS 63/64), Stuttgart 1973.
Kümmel, W. G., Jesus und die Anfänge der Kirche, in: *ders.*, Heilsgeschehen und Geschichte (Gesammelte Aufsätze), Marburg 1965, 289–309.
– Die Naherwartung in der Verkündigung Jesu: aaO., 457–470.
Lambrecht, J., Die Redaktion der Markus-Apokalypse. Literarische Analyse und Strukturuntersuchung (Analecta Biblica 28), Rom 1967.
Leaney, R., The Lucan Text of the Lord's Prayer: NovT 1 (1956) 103–111.
Lehmann, K., Der hermeneutische Horizont der historisch-kritischen Exegese, in: Gegenwart des Glaubens, Mainz 1974, 54–93.
Maier, G., Das Ende der historisch-kritischen Methode, Wuppertal 1974.
Marrou, H. J., Über die historische Erkenntnis, Freiburg–München 1973.
Martyn, J. L., History and Theology in the Fourth Gospel, New York 1968.
Miguens, M., El Paráclito (Studi Biblici Francescani Analecta 2), Jerusalem 1963.
Müller, U. B., Die Parakletenvorstellung im Johannesevangelium: ZThK 71 (1974) 31–77.
Mußner, F., Die johanneischen Parakletsprüche und die apostolische Tradition, in: *ders.*, Praesentia Salutis. Gesammelte Studien zu Fragen und Themen des NT, Düsseldorf 1967, 146–158.
Oepke, A., Der Herrenspruch über die Kirche Mt 16,17–19 in der neuesten Forschung, in: Studia theologica II,2, 1948 (Lund 1950), 110–165.
Pesch, R., Naherwartungen. Tradition und Redaktion in Mk 13, Düsseldorf 1968.
Perrin, N., Was lehrte Jesus wirklich?, Göttingen 1972.
Porsch, F., Pneuma und Wort. Ein exegetischer Beitrag zur Pneumatologie des Johannesevangeliums (Frankfurter theologische Studien 16), Frankfurt/Main 1974.
Rahner, K., Jesus Christus in den nichtchristlichen Religionen, in: *ders.*, Theologie aus Erfahrung des Geistes, Schriften zur Theologie 12, Einsiedeln 1975.
Riddle, D. W., Die Verfolgungslogien in formgeschichtlicher und soziologischer Beleuchtung: ZNW 33 (1934) 271–289.
Riedlinger, H., Aufstieg und Niedergang der geistlichen Schriftauslegung, in: J. Sauer (Hrsg.), Glaubenserfahrung und Meditation. Wege einer neuen Spiritualität, Freiburg–Basel–Wien 1975, 67–83.
Sasse, H., Der Paraklet im Johannesevangelium: ZNW 24 (1925) 260–277.
Schierse, F. J., Die neutestamentliche Trinitätsoffenbarung, in: J. Feiner/M. Löhrer (Hrsg.), Mysterium Salutis II, Einsiedeln–Zürich–Köln 1967, 85–131.
Schlier, H., Zur Frage: Wer ist Jesus?, in: J. Gnilka (Hrsg.), Neues Testament und Kirche (Festschr. für R. Schnackenburg), Freiburg–Basel–Wien 1974, 359–370.
Schnackenburg, R., Gottes Herrschaft und Reich. Eine biblisch-theologische Studie, Freiburg 1959.
Schramm, T., Der Markus-Stoff bei Lukas. Eine literarkritische und redaktionsgeschichtliche Untersuchung (SNTSM 14), Cambridge 1971.
Schulz, S., Q. Die Spruchquelle der Evangelisten, Zürich 1972.
Schürmann, H., Die Dubletten im Lukasevangelium. Ein Beitrag zur Verdeutlichung des lukanischen Redaktionsverfahrens (1953), in: *ders.*, Traditionsgeschichtliche Untersuchungen zu den synoptischen Evangelien, Düsseldorf 1968, 272–278.

– Evangelienschrift und kirchliche Unterweisung (1962), in: *ders.*, Traditionsgeschichtliche Untersuchungen zu den synoptischen Evangelien, Düsseldorf 1968, 251–271.
– Das hermeneutische Hauptproblem der Verkündigung Jesu, in: J. B. Metz/W. Kern/A. Darlapp/H. Vorgrimmler (Hrsg.), Gott in Welt 1 (Festschr. für K. Rahner), Freiburg–Basel–Wien 1964, 579–607.
– Das Testament des Paulus für die Kirche. Apg 20,18–35 (1962), in: *ders.*, Traditionsgeschichtliche Untersuchungen zu den synoptischen Evangelien, Düsseldorf 1968, 310–340.
– Wie hat Jesus seinen Tod bestanden und verstanden? Eine methodenkritische Besinnung, in: *ders.*, Jesu ureigener Tod. Exegetische Besinnungen und Ausblick (1973), Freiburg–Basel–Wien 1975, 16–65.
– Mt 10,5b–6 und die Vorgeschichte des synoptischen Aussendungsberichtes (1963), in: *ders.*, Traditionsgeschichtliche Untersuchungen zu den synoptischen Evangelien, Düsseldorf 1968. 137–149.
– Das Weiterleben der Sache Jesu im nachösterlichen Herrenmahl. Die Kontinuität der Zeichen in der Diskontinuität der Zeiten (1970), in: *ders.*, Jesu ureigener Tod, Freiburg–Basel–Wien. 1975, 66–96.
Schweizer, E., Art. Pneuma: ThWNT VI, 1959, 387–453.
Scott, E. F., The Spirit in the New Testament, London 1923.
Staats, R., Der theologiegeschichtliche Hintergrund des Begriffes „Tatsache“: ZThK 70 (1973) 316–345.
Stock, A., Umgang mit theologischen Texten. Methoden, Analysen, Vorschläge, Zürich–Einsiedeln–Köln 1974.
Stuhlmacher, P., Historische Kritik und theologische Schriftauslegung (1971), in: *ders.*, Schriftauslegung auf dem Wege zur biblischen Theologie, Göttingen 1975, 59–127.
– Neues Testament und Hermeneutik – Versuch einer Bestandsaufnahme (1971), in: *ders.*, Schriftauslegung auf dem Wege zur biblischen Theologie, Göttingen 1975, 9–49.
Thüsing, W., Die Erhöhung und Verherrlichung Jesu im Johannesevangelium (XXI, 1–2), Münster 1960.
Troeltsch, E., Über historische und dogmatische Methode in der Theologie (1898), in: G. Sauter (Hrsg.), Theologie als Wissenschaft (ThB 43), München 1971, 105–127.
Vögtle, A., „Theo-logie“ und „Eschato-logie“ in der Verkündigung Jesu?, in: J. Gnilka (Hrsg.), Neues Testament und Kirche (Festschr. für R. Schnackenburg), Freiburg–Basel–Wien 1974, 371–398.
Windisch, H., Jesus und der Geist nach synoptischer Überlieferung, in: S. J. Case (Hrsg.), Studies in early Christianity, New York 1928, 209–236.
– Die fünf johanneischen Parakletsprüche: R. Bultmann/H. v. Soden (Hrsg.), Festgabe für Adolf Jülicher, Tübingen 1927, 110–137.
Young, F. W., A Study of the Relation of Isaiah to the Fourth Gospel: ZNW 46 (1955) 215–233.

DIE JOHANNEISCHE GEMEINDE UND IHRE GEISTERFAHRUNG

Von Rudolf Schnackenburg

Die Frage nach der Gemeinde oder den Gemeinden, in deren Schoß die johanneischen Schriften – Evangelium und Briefe – entstanden und für die sie geschrieben sind, bewegt die Forschung in zunehmendem Maße. Das Interesse daran entspringt verschiedenen Motiven. Da die Verfasserfrage für die vier Schriften, die nach Sprache und Theologie eng zusammengehören und doch untereinander unübersehbare Unterschiede aufweisen, kaum lösbar erscheint,[1] möchte man den literarischen Werdeprozeß durch die Reflexion über die angesprochenen Gemeinden etwas mehr aufhellen. Mit dem literarischen Interesse verbindet sich das historische: zugleich mit den Umständen der Abfassung treten die historischen Verhältnisse, in denen sich jene Gemeinden befanden, deutlicher hervor. Zu solcher Bemühung ermutigt auch die Tatsache, daß die Darstellung des Evangelisten eine bestimmte zeitgeschichtliche und örtliche Situation voraussetzt und für einen bestimmten Leserkreis transparent gemacht ist, namentlich im Verhältnis zum Judentum, vielleicht sogar zu einer benachbarten jüdischen Gemeinde.[2] Stärker theologisch motiviert ist die Frage nach dem Selbstverständnis der „johanneischen Gemeinde": ist es eine exklusiv-elitäre Gemeinde mit ausgeprägtem Erwählungsbewußtsein, die sich von der „Welt" abgrenzt und auf ihr inneres Leben zurückzieht, eine am Rande des Urchristentums siedelnde, im Grunde „gnostische" Gemeinde?[3] Kann man vielleicht sogar eine äußere und innere Entwicklung der Gemeinde erkennen, in etwa ihre „Geschichte" nachzeichnen, wenn man gewisse (zeitlich aufeinander folgende) Schichten im Evangelium unterscheidet und den großen Brief mit seinen deutlicheren Anspielungen hinzunimmt?[4] Auf diese Weise müßte

[1] Vgl. *W. G. Kümmel,* Einleitung 200–211; *Wikenhauser-Schmid* 305–314. Zu den Versuchen, an der Autorenschaft des Zebedäiden und Apostels Johannes festzuhalten, vgl. *R. Schnackenburg,* Johannesevangelium III, 458–460.

[2] So *J. L. Martyn,* History and Theology, passim.

[3] Vgl. *E. Käsemann,* Jesu letzter Wille, bes. 117–130; *L. Schottroff,* Der Glaubende und die feindliche Welt 289–296. Auch *M. Lattke,* Einheit im Wort, tendiert in diese Richtung, vgl. bes. 84f; *ders.,* Sammlung durchs Wort: Bibel und Kirche 30 (1975) 118–122.

[4] Vgl. *G. Richter,* Fleischwerdung des Logos; *ders.,* Taufetext; *ders.,* Zum gemeindebildenden Element; *W. Langbrandtner,* Weltferner Gott; *J. Becker,* Dualismus; wieder anders *U. B. Müller,* Geschichte der Christologie.

es gelingen, eine „johanneische Entwicklungslinie" innerhalb des vielgestaltigen und vielbewegten Urchristentums zu gewinnen, die als *eine* profilierte Richtung Beachtung verdiente.[5] Ein solches „johanneisches Christentum" hätte als konkret verwirklichte Gestalt, sei es als Modell oder als fragwürdiges Exempel, jedenfalls als kritische Anfrage, als Denkanstoß und Reflexionshilfe eine nicht geringe Bedeutung auch für die heutige Christenheit.

Nun ist das zuletzt genannte Forschungsziel allerdings mit so vielen Unsicherheitsfaktoren und komplexen Problemen belastet – man denke nur an die Schwierigkeit einer Schichtenanalyse im Evangelium oder einer genauen Bestimmung des Verhältnisses der johanneischen Schriften zueinander –, daß die Ergebnisse fast notwendig hypothetisch bleiben. Für die Erforschung des Urchristentums sind solche Hypothesen nützlich, für die Lebensfragen der heutigen Kirche aber kaum unmittelbar dienlich. Dafür empfiehlt es sich eher, gezielte Fragen an die „johanneische Gemeinde" zu richten und von ihrem Leben und Selbstverständnis zu lernen. Eine solche Frage, die sich aus dem heutigen Horizont, näherhin aus dem Suchen nach „charismatischer Erneuerung", nach einem neuen Zugang zur Wirklichkeit des heiligen Geistes nahelegt,[6] ist die nach der Geisterfahrung und dem Geistverständnis der johanneischen Gemeinde. Wer diese Gemeinde nicht völlig außerhalb des sonstigen Urchristentums ansiedeln, sie nicht als bedenkliche Randerscheinung beiseite schieben will,[7] wird dieser Frage ein erhebliches Gewicht beimessen. Zugleich kann man ihr die Chance einer Antwort geben, da genügend Texte aus dem johanneischen Schrifttum, freilich mit unterschiedlichen Tönen und Klang-

[5] Vgl. *J. M. Robinson,* Die johanneische Entwicklungslinie.

[6] Mit den Charismen hat sich *H. Schürmann* zeitig beschäftigt: Die geistlichen Gnadengaben in den paulinischen Gemeinden, Leipzig 1965, auch in: Ursprung und Gestalt, Düsseldorf 1970, 236–267 (mit weiterer Literatur). Zur neu entfachten „Pfingstbewegung" oder „Charismatischen Erneuerung" (in der katholischen Kirche) s. aus der anschwellenden Literatur: *S. Großmann* (Hrsg.), Der Aufbruch. Charismatische Erneuerung in der katholischen Kirche, Kassel o. J. (1973); Wiederentdeckung des heiligen Geistes. Der heilige Geist in der charismatischen Erfahrung und theologischen Reflexion (verschiedene Beiträge): Ökumenische Perspektiven VI, Frankfurt a. M. 1974; *Card. L. Suenens,* Une nouvelle Pentecôte?, Paris 1974; *R. Laurentin,* Pentecôtisme chez les catholiques, Paris 1974; *W. Smet,* Ich mache alles neu. Kirchliche Erneuerung im heiligen Geist, Regensburg 1975; Heft 4 von Bibel und Kirche 30 (1975); Heft 125 von Lumière et Vie: Le mouvement charismatique (1975). Vgl. auch *K. Rahner,* Theologie aus Erfahrung des Geistes (Schriften zur Theologie 12), Einsiedeln–Köln 1975; *O. Knoch,* Der Geist Gottes und der neue Mensch, Stuttgart 1975; *C. Heitmann – H. Mühlen* (Hrsg.), Erfahrung und Theologie des Heiligen Geistes, Hamburg–München 1974.

[7] Vgl. *J.-L. D'Aragon,* Le caractère distinctif; *E. Schweizer,* Der Kirchenbegriff; *H. van den Bussche,* Die Kirche im vierten Ev.; *K. Haacker,* Jesus und die Kirche; *R. Schnackenburg,* Johannesevangelium III, 231–245; *E. Ruckstuhl,* Zur Aussage und Botschaft von Johannes 21, in dieser Festschrift.

farben, zur Verfügung stehen. Unsere Aufgabe besteht darin, diese Texte zu erheben, zu sondieren, miteinander zu vergleichen sowie mit dem Leben und Denken der Gemeinde in Verbindung zu bringen. Zunächst jedoch müssen noch zwei Vorfragen geklärt werden, um jene Texte unbedenklich heranziehen zu können.

1. *Vorfragen*

a) Eine Gemeinde oder mehrere Gemeinden?

Wenn wir nur das Johannesevangelium und den ersten Johannesbrief besäßen, kämen wir vielleicht mit der Annahme einer einzigen Gemeinde aus, die man sich etwa in einer größeren hellenistischen Stadt, wo es auch eine starke jüdische Gemeinde gab, vorstellen könnte.[8] Der große „Brief" hat freilich keinen brieflichen Charakter und scheint an einen größeren Empfängerkreis gerichtet zu sein.[8a] Er spricht von der Trennung einer (gnostisch infizierten) Gruppe, von Leuten, die „von uns" weggegangen sind (2,19). Diese Abtrünnigen scheinen vorher zu einer bestimmten Gemeinde gehört zu haben. Zieht man die beiden kleinen Johannesbriefe mit heran, treten zwei konkrete Gemeinden in den Blickkreis. Merkwürdigerweise wird in der einschlägigen Literatur diese Frage wenig erörtert. H. H. Wendt versuchte nachzuweisen, daß alle drei Johannesbriefe an eine und dieselbe Gemeinde gerichtet sind, und zwar in der Reihenfolge 2–3–1 Joh.[9] Aber seine Ansicht, die sich unter anderem auf einen Rückbezug von 3 Joh 9 und 1 Joh 2,14 auf 2 Joh stützt, hat mit Recht

[8] *J. L. Martyn,* History and Theology 58, denkt (im Anschluß an Joh 4,44) an eine Stadt, wo die Juden einen eigenen Stadtteil bewohnten, und neigt in Anm. 94 zu Alexandria. Aber wenn man nicht seiner Hypothese folgt, daß an zahlreichen Stellen des Evangeliums ein konkretes Milieu durchschimmert, ist das unnötig; vgl. dagegen *W. G. Kümmel,* Einleitung 212. Jüdische Gemeinden gab es in vielen großen Städten des römischen Reiches.

[8a] Vgl. *R. Schnackenburg,* Johannesbriefe 3, und die dort Genannten. *W. G. Kümmel,* Einleitung 385f, hält den großen Brief mit anderen Forschern für ein „Manifest", einen für die ganze Christenheit bestimmten Traktat. Das scheint mir zu weit gegriffen. Der Verfasser hat den Wirkungsbereich bestimmter Irrlehrer im Auge.

[9] *H. H. Wendt,* Die Beziehung unseres ersten Johannesbriefes auf den zweiten: ZNW 21 (1922) 140–146; *ders.,* Zum zweiten und dritten Johannesbrief: ebd. 23 (1924) 18–27; *ders.,* Die Johannesbriefe 3ff.

keine Zustimmung erfahren.[10] Auch die Meinung R. Bultmanns, daß der zweite Johannesbrief ein fiktives Schreiben ist, dessen Verfasser sowohl 1 Joh als auch 3 Joh benutzte, erscheint mir verfehlt.[11] Immerhin nimmt auch Bultmann mehrere Gemeinden an; nach ihm sollte jener fiktive Brief allen in Frage kommenden Gemeinden zugestellt werden. In der Tat dürften die Adressaten von 2 Joh, eine festgeschlossene Gemeinde, die mit „Herrin" angesprochen wird, nicht mit dem Personenkreis des ersten Briefes identisch sein. Das Schreiben verfolgt die Intention, sie vor dem Eindringen von Irrlehrern zu warnen, offenbar den gleichen, die sich nach 1 Joh 2,19 „von uns" abgesondert haben, aber weiter eine gefährliche Propaganda betreiben (vgl. 2 Joh 7–11). Daß die Irrlehrer von 1 Joh auch auf benachbarte Gemeinden Einfluß zu gewinnen suchten, läßt sich aus 1 Joh 4,1 („viele Pseudopropheten sind in die Welt ausgezogen") und 4,5 („die Welt hört auf sie") entnehmen. Weil die im großen Brief vorausgesetzte Gemeinde bisher diesen Geistern widerstanden hat (vgl. 4,4), versuchen Irrlehrer offenbar, in anderen Gemeinden Fuß zu fassen.

Der dritte Johannesbrief, durch den gleichen Autor (den πρεσβύτερος) geschrieben, wendet sich wahrscheinlich wieder an eine andere Gemeinde. Das Anliegen dieses Schreibens ist von dem des zweiten Briefes verschieden; es ist sogar ein mehrfaches: Mahnung, die Wandermissionare zu unterstützen (VV. 2–8), Warnung an den engstirnigen und herrschsüchtigen Diotrephes, der die Gemeinde (wenigstens nach seinem ehrgeizigen Bemühen) leitet (V. 9–10), und Empfehlung für Demetrios (VV. 11–12). Von den Irrlehrern ist keine Rede. Innerhalb dieser Gemeinde gehört der Briefempfänger Gaius zu einem Freundeskreis, der mit dem Verfasser (jenem „Alten") verbunden ist (V. 15). So urteilt W. G. Kümmel richtig: „Die Gemeinde ist sicher eine

[10] Der jüngste Kommentar zu den Johannesbriefen von *J. L. Houlden* (London 1973) bespricht ausführlich die „Situation" (1–22). Für den zweiten Brief sieht er keine Notwendigkeit, an eine andere Gemeinde als die im ersten Brief zu denken (4), rechnet dann aber doch mit dieser Möglichkeit (11). Für den dritten Brief spricht er sich entschieden für eine andere Gemeinde als die des ersten Briefes aus (8 und 11). Zum „Presbyter" sagt er, daß er für eine Anzahl von Gemeinden verantwortlich war; es gab einen Umkreis von Gemeinden, die er zu besuchen hatte (18). *M. de Jonge,* De brieven van Johannes 236f, meint, 1 Joh gebe eine allgemeine Anschauung von den Gefahren der Irrlehre, und 2 Joh sei ein Mahnschreiben an eine konkrete Gemeinde; eine Anzahl von Kopien dieses Briefes könnten an andere Gemeinden gerichtet sein, die in derselben Situation standen.

[11] Vgl. *R. Bultmann,* Johannesbriefe 10; *E. Haenchen* in ThR 26 (1960) 281f. Haenchen selbst wahrt jedem der beiden kleinen Johannesbriefe seine Eigenart und sein besonderes Anliegen (282–288). Vgl. auch *R. W. Funk,* The Form and Structure of II and III John: JBL 86 (1967) 424–430.

andere als die von 2 Joh, in deren harmonisches Bild die Gestalt des Diotrephes nicht passen würde".[12]

Was kann man daraus für die Gemeinden folgern, die hinter den johanneischen Schriften stehen? Folgende Vorstellung legt sich nahe: Es gab eine größere christliche Gemeinde, in der der „johanneische Kreis" beheimatet war, jene Gruppe von Schülern und Freunden des „geliebten Jüngers", dessen Tradition und Unterweisung sie hüteten (vgl. Joh 21,24) und der wahrscheinlich selbst dort gelebt hatte (vgl. Joh 21,22f). Es gab aber auch in der Nachbarschaft mehrere Gemeinden, die im Einflußbereich jener „johanneischen Gemeinde" (im engeren Sinn) lagen und die man auch noch (im weiteren Sinn) zum johanneischen Christentum rechnen kann. Beweis dafür sind die Schreiben des „Alten" an diese Gemeinden (2 und 3 Joh). Wer immer dieser πρεσβύτερος war, auf jeden Fall darf man ihn nach der Verwandtschaft der beiden kleinen Briefe mit dem großen für einen maßgeblichen Mann der „Stammgemeinde" halten, aus der das Evangelium und der erste Johannesbrief geschrieben sind. Dann erklärt sich auch, warum er nicht den gleichen unmittelbaren Einfluß auf diese Gemeinden besitzt wie auf seine Stammgemeinde, warum er sich bewußt mit der Respekt heischenden Selbstbezeichnung „der Alte" einführt und sie mehr durch seine innere Autorität als durch äußere Vollmacht (die in 3 Joh jener Diotrephes innehat oder an sich gerissen hat) zu lenken versucht.

Eine gewisse Analogie oder wenigstens ein aufschlußreiches Bild bieten die Sendschreiben der Johannesapokalypse (Kap. 2–3). Bekanntlich richten sie sich an einen geographisch fest umschriebenen Kreis von sieben christlichen Gemeinden im westlichen Kleinasien, die je für sich relativ selbständig lebten und doch in engerer Beziehung zueinander standen. H. Kraft hat durch einen Vergleich mit den Ignatiusbriefen, von denen drei dieselben Gemeinden wie in der Apokalypse betreffen (Ephesus, Smyrna und Philadelphia), nachgewiesen, daß der Verfasser der Sendschreiben nicht imaginäre Vorstellungen von den Gemeinden hat, sondern konkrete Verhältnisse ins Auge faßt, ferner, daß die Situation in den Gemeinden (auch in den übrigen von Ignatius angeschriebenen) recht unterschiedlich war.[13] Dann versteht man noch besser, daß der große Johannesbrief (von der „Stammgemeinde") andere Verhältnisse

[12] Einleitung 394. Ähnlich *Wikenhauser-Schmid,* Einleitung 629: „Die beiden Briefe... setzen ganz verschiedene Situationen bei den zwei Gemeinden voraus... Sind sie aber an verschiedene Gemeinden gerichtet, so beweisen sie miteinander, daß die Sorge und die Autorität des Presbyters sich auf einen größeren Kreis von Gemeinden erstreckt".

[13] *H. Kraft,* Die Offenbarung des Johannes 87–94.

voraussetzt als der zweite Brief, der an eine von den Irrlehrern noch unberührte, aber vielleicht bald bedrohte Gemeinde gerichtet ist, und daß wieder andere Probleme in der Gemeinde des dritten Briefes anstehen. Es wäre reizvoll, in dieser Perspektive eine nähere Lokalisation der hinter dem Johannesevangelium stehenden Gemeinde zu versuchen, zumal eine solche bis heute umstritten ist (Syrien? Kleinasien-Ephesus? Alexandrien?); aber das müssen wir uns hier versagen.[14] Für unser Thema genügt es, die beliebte Chiffre „johanneische Gemeinde(n)" durch die präzisere Vorstellung zu ersetzen: eine lokale Hauptgemeinde („johanneische Gemeinde" im engeren Sinn) und mehrere in ihrem Radius lebende, von ihr geistig beeinflußte Lokalgemeinden, die man im weiteren Sinn zum „johanneischen Christentum" rechnen kann. Im Folgenden ist mit „johanneischer Gemeinde" vornehmlich die Haupt- und Stammgemeinde gemeint, doch jener weitere Kreis von Gemeinden, sofern er von demselben Leben und Denken durchdrungen ist, einbezogen.

b) Verhältnis des großen Briefes zum Evangelium

Die Heranziehung des großen Briefes mit seinen πνεῦμα-Aussagen, zu denen – nicht unbestritten – auch die Stellen über (τὸ) χρῖσμα (2,20.27) und σπέρμα (3,9) gehören dürften, für unser Thema hängt nicht nur davon ab, ob es sich um dieselbe Gemeinde wie im Evangelium handelt, sondern auch davon, ob wir im wesentlichen die gleiche Theologie voraussetzen können. Es gibt nicht wenige neuere Autoren, die zwischen dem Evangelisten und dem Autor des Briefes bzw. der Redaktion des Evangeliums erhebliche theologische Unterschiede annehmen. Für die Eschatologie („präsentische" beim Evangelisten, zukunftsgerichtete bei der Redaktion und 1 Joh) wird sich das nicht bestreiten

[14] Nur soviel sei hier gesagt: Antiochien – Syrien, wo heute viele Forscher die Heimat des Johannesevangeliums suchen, vor allem wegen der Nähe zur syrischen Gnosis (vgl. Oden Salomos) und der Verwandtschaft mit den Ignatiusbriefen, bereitet auch Schwierigkeiten, weil wir über weitere Gemeinden im Umkreis der Hauptstadt nichts wissen. Auch für das Mattäusevangelium sucht man dort die Herkunft; aber trotz gewisser Ähnlichkeiten zwischen der mattäischen und johanneischen Gemeinde (Brudergemeinde, Gruppe von Lehrern, Petrustradition) sind die Unterschiede doch so groß, daß es problematisch ist, sie in räumliche Nähe zu bringen. *O. Cullmann,* Der johanneische Kreis 102f, nennt als andere Möglichkeit Transjordanien, vor allem wegen der täuferischen Bewegungen, die dort gediehen. Hier konnte sich sicherlich ein eigenständiges und etwas „abseitiges" Christentum entwickeln; aber man sucht vergeblich nach einem Zentrum, nach größeren Gemeinden oder wenigstens einer größeren, die mit einer einflußreichen jüdischen Gemeinde Berührung hatte. So scheint mir Kleinasien noch immer erwähnenswert zu sein, man braucht nicht nur an Ephesus zu denken. Dringend erforderlich wäre eine genauere soziographische Erforschung der genannten Regionen.

lassen. Für die Anschauung vom Sühnewert des Todes Jesu ist das schon nicht so klar. Für die Auffassung vom heiligen Geist hat, soviel ich sehe, bisher nur C. H. Dodd eine stärkere Divergenz zwischen dem Evangelium und dem großen Brief behauptet. Nach ihm bleibt die Konzeption vom heiligen Geist im Brief innerhalb der Grenzen eines „primitiven oder volkstümlichen Glaubens".[15] Diese Auffassung hängt mit seiner Interpretation bestimmter Stellen im Brief zusammen, die man nicht zu teilen braucht; aber sie mahnt zur Vorsicht.

Muß man etwa zwischen der „Gemeinde-Anschauung" vom Geist, wie sie sich im großen Brief kundtut, und der „höheren" Geistlehre des Evangelisten unterscheiden? Das werden wir für das Evangelium noch zu prüfen haben. Schon jetzt sei aber auf folgendes hingewiesen: Wenn die „sekundäre Abschiedsrede" in Kap. 15–16 auf die Redaktion zurückgeht, wofür gewichtige Gründe sprechen,[16] und wenn die Redaktion dem großen Brief nahesteht, wie nicht wenige neuere Autoren annehmen, dann hat auch sie einige Parakletsprüche aufgenommen. Diese Gemeinsamkeit mit dem Evangelisten bedarf allerdings einer Nachprüfung, da der Paraklet-Titel nur an einer Stelle des Briefes auftaucht (2,1) und an dieser auf den himmlischen Christus, nicht den heiligen Geist, bezogen ist. Der Geist als Paraklet mit seinen verschiedenen Funktionen gehört sicher zentral zum Geistverständnis des johanneischen Christentums und muß uns darum bei unserem Thema beschäftigen (s. u. 4). Auf der anderen Seite bringt der Brief durch seine Aussagen über die Pseudopropheten (4,1–3.6) einen Aspekt ein, der im Evangelium nicht hervortritt, doch von manchen Forschern im Hintergrund vermutet wird: die Frage nach Prophetie und Propheten (vgl. unter 7). Auch dafür ist das Verhältnis von Evangelium und Brief bedeutsam. Wir können also auf die Heranziehung des großen Briefes nicht verzichten, wollen es aber mit der gebotenen Vorsicht tun. Vielleicht kann diese Untersuchung dann auch ihrerseits etwas zur Kontroverse um das Verhältnis beider Schriften beisteuern.

2. *Geistempfang, bleibender Geistbesitz, Geisterfahrung*

Zunächst fallen einige Aussagen auf, die vom *Geistempfang* sprechen:

Joh 7,39: „Das sagte er (Jesus) über den Geist, den
die an ihn Glaubenden empfangen sollten"

[15] *C. H. Dodd,* Johannine Epistles LIV.

[16] Vgl. *R. Schnackenburg,* Johannesevangelium III, 101–106.

20,22: „Er sagte zu ihnen (den Jüngern): Empfangt heiligen Geist!“

vgl. auch 14,17: Die Welt kann den Geist der Wahrheit nicht empfangen, die Jünger aber erkennen ihn.

Dem „Empfangen“ (λαμβάνειν) des Geistes seitens der Menschen entspricht das „Geben“ des Geistes durch Gott, und dafür stehen im Evangelium der erste Parakletspruch (14,16: δώσει) und im Brief zwei Stellen zur Verfügung:

1 Joh 3,24: „Und daran erkennen wir, daß er (Gott) in uns bleibt: aus dem Geist, den er uns gegeben hat“

4,13: „Daran erkennen wir, daß wir in ihm (Gott) bleiben und er in uns (bleibt): daß er uns von seinem Geist gegeben hat“.

Die beiden Briefstellen verraten durch ihre gleichartige Formulierung, ferner durch die formelhafte Einfügung in den jeweiligen Kontext, daß es um geprägte (katechismusartige) Wendungen geht. Eine unmittelbare Aufnahme der Aussagen im Evangelium liegt nicht vor; denn Joh 7,39 und 20,22 ordnen sich stärker in die Evangeliumsdarstellung ein: im irdischen Wirken Jesu ist der Geist noch nicht entbunden; nach der Auferstehung teilt Jesus den Jüngern den Geist mit.[17] Wiederum ist es beachtlich, daß der Kommentar des Evangelisten in 7,39 ganz allgemein alle Glaubenden nennt. Die Aussagen in 1 Joh 3,24 und 4,13 sind nicht im Rückblick auf das irdische Wirken Jesu, sondern ohne weiteres für die nachösterliche Situation der Gemeinde formuliert. Ihr Geistempfang und Geistbesitz wird als etwas „Gegebenes“ festgestellt. Aber die Aussagen im Evangelium und im Brief vertragen sich nicht nur miteinander, sondern sind auch durch die korrespondierenden Verben λαμβάνειν – διδόναι einander zugeordnet. Mit Joh 14,17 verbindet außerdem das „Erkennen“, das zwar etwas verschieden angewendet wird, aber jeweils in einer diakritischen Funktion (gegenüber denen, die nicht den Geist besitzen) steht.

Wichtig ist eine weitere Beobachtung: Das Sprechen vom „Empfangen“ bzw. „Geben“ des Geistes findet sich auch in der übrigen neutestamentlichen Literatur: zu λαμβάνειν vgl. Apg 1,8; 2,38; 8,15.17.19; 10,47; 19,2; Gal 3,2.14;

[17] Auf das Verhältnis des bei der Auferstehung „wiederkommenden“ Jesus zum Parakleten (vgl. 14,18f mit 14,16f), sowie auf die Frage, wie sich der verheißene Paraklet zu dem in 20,22 mitgeteilten „Geist“ verhält, kann ich hier nicht eingehen, sondern muß auf die Ausführungen in meinem Kommentar zu diesen Stellen verweisen (s. besonders S. 386f). Vgl. jetzt auch *J. Veenhof*, De Parakleet 14ff; *J. T. Forestell*, Jesus and the Paraclete.

1 Kor 2,12; 2 Kor 11,4; Röm 8,15; zu διδόναι vgl. Apg 5,32; 8,18; 11,17; 15,8; 1 Thess 4,8; 1 Kor 12,7f; 2 Kor 1,22; 5,5; Röm 5,5; 12,6; Eph 1,17; 2 Tim 1,7. Diese im einzelnen unterschiedlichen Stellen verraten einen gemeinsamen urchristlichen Sprachgebrauch, hinter dem eine grundlegende theologische Anschauung steht: Heiliger Geist ist eine göttliche „Gabe", die man nicht aus eigener Kraft erwerben, sondern nur „empfangen" kann. Das ganze Urchristentum war davon überzeugt, daß der göttliche Geist den an Jesus Christus Glaubenden mitgeteilt wird, wie immer und wodurch immer das geschehen mag. Diese Überzeugung von der Erfüllung aller Glaubenden mit heiligem Geist oder, wie wir auch sagen können, von der Gegenwart des Geistes in der Gemeinde und ihren Gliedern, hängt zutiefst mit dem Christusglauben zusammen: durch den auferstandenen und erhöhten Christus ist diese Verheißung für die Endzeit erfüllt und verwirklicht worden („eschatologische Geistausgießung", vgl. Apg 2). Paulus beschreibt es als Weitergabe des Geistes durch den Auferweckten an alle mit ihm Verbundenen (vgl. 1 Kor 15,45b), so daß diese *seinen* Geist empfangen, der kein anderer als der Geist Gottes ist (vgl. 2 Kor 3,18; Röm 8,9–11). Mag die Artikulation der durch den auferweckten Christus vermittelten Gabe des Geistes bei den einzelnen urchristlichen Theologen verschieden sein, in der Grundüberzeugung treffen sie sich, und in sie fügt sich auch die johanneische Anschauung. „Es gab noch nicht Geist, weil Jesus noch nicht verherrlicht war" (Joh 7,39b) – dieser Satz, der sich auf alle Glaubenden bezieht (V. 39a) und für Jesus nicht mißdeutet werden darf, weil Jesus selbst schon in seiner irdischen Wirksamkeit als Geistträger gilt (vgl. 1,32), bildet zusammen mit der Geistmitteilung durch den Auferstandenen an die Jünger (20,22) die Brücke zur allgemeinen urchristlichen Auffassung. Im großen Brief belegen 3,24 und 4,13 die gleiche Anschauung: die Gabe des Geistes führt in die Gemeinschaft mit Christus und Gott.

Stärker als in anderen neutestamentlichen Schriften unterstreichen die johanneischen Texte den *dauernden Geistbesitz*. Im Evangelium heißt es vom Parakleten: „Er bleibt bei euch und wird in euch sein" (14,17), bei diesem ersten Parakletspruch die grundlegende Aussage, noch ohne Rücksicht auf die speziellen Funktionen dieses „Geistes der Wahrheit".[18] Noch stärker be-

[18] Gegenüber der früheren Annahme, daß die Parakletsprüche erst nachträglich eingefügte literarische Einheiten (aus einer bestimmten Tradition) seien, vgl. jetzt *G. Johnston,* The Spirit-Paraclete 61–79; *U. B. Müller,* Parakletenvorstellung 66f; *R. Schnackenburg,* Johannesevangelium III, 160–163; auch *F. Porsch,* Pneuma und Wort, zu den einzelnen Sprüchen (ab S. 240).

herrscht das typisch johanneische μένειν das Feld im großen Brief. Das Bleiben in Christus und in Gott wird durch den Geist gewährleistet und bezeugt, der den Gläubigen geschenkt ist. Selbst wenn sich das „Salböl" (χρῖσμα) in 2,27 und der „Same" (σπέρμα) in 3,9 nicht unmittelbar auf den Geist, sondern auf das Wort Christi bezögen, wäre der Geist der entscheidende Faktor, da das Wort vom Geist erfüllt und durch ihn wirksam ist (vgl. Joh 6,63.68).[19] Der Geist in seiner den Glauben erhellenden, die Sünde bannenden, das göttliche Leben erhaltenden Kraft „bleibt" in den Adressaten, und an ihm erkennen sie, daß sie in der Gottesgemeinschaft stehen.

Die Aussagen, in denen der Geistbesitz zu einem Erkenntnismittel wird (1 Joh 3,24; 4,13), lassen aber auch keinen Zweifel daran, daß der Geist für die johanneische Gemeinde eine *erfahrbare Wirklichkeit* ist. Dabei handelt es sich nicht um besondere Manifestationen des Geistes (Charismen, vgl. 1 Kor 12,7–11); denn von außergewöhnlichen Begabungen und Phänomenen, die sich nach außen kundtun, ist in den johanneischen Schriften nicht die Rede (zur Prophetie vgl. unter 7). Vielmehr dürfte an die „reguläre" innere Geisterfahrung der Christen gedacht sein, an das Innewerden seiner Präsenz, wie es in anderer Weise Paulus in Gal 4,6; Röm 8,14–16 bezeugt. Die moderne kritische Reserve gegen eine solche Erfahrung des Geistes darf nicht den Blick dafür trüben, daß man im Urchristentum tatsächlich davon überzeugt war. Das Zeugnis des Paulus wie des johanneischen Christentums wird da eher umgekehrt zu einer Anfrage an uns, ob wir in dieser Hinsicht nicht blind und arm geworden sind. Jedenfalls stehen die beiden Sätze im ersten Johannesbrief im Anschluß an Aussagen über unsere Gottesgemeinschaft, die besonders unter dem Aspekt empfangener und erwiderter Liebe gesehen wird. In 3,24 wird demjenigen, der die Gebote Gottes (vgl. V. 23: Christusglaube und Bruderliebe) erfüllt, gesagt: Er bleibt in Gott, und Gott bleibt in ihm. Wenn sich daran der Satz fügt, daß wir Gottes Bleiben in uns aus dem Geist erkennen, den er uns gegeben hat, dann wird man dies so interpretieren müssen: Die Gemeinschaft mit Gott ist nicht nur eine Verheißung für den, der Gottes Gebote erfüllt, sondern auch eine durch den Geist erfahrbare Wirklichkeit. In ihm bezeugt sich Gott als Liebender, und zwar als Liebe Schenkender (vgl. 3,1) wie als Liebe Heischender, der die Liebe zum Bruder als Liebe zu ihm selbst annimmt (vgl. 3,11.14). Noch deutlicher ist dieser Zusammenhang in 4,13. Da heißt es im voran-

[19] Das betont auch *I. de la Potterie,* der für die Beziehung von τὸ χρῖσμα auf das Wort Gottes eintritt: L'onction 44 (= La vie 141). Ferner vgl. *F. Porsch,* Pneuma und Wort 191–204.

gehenden V. 12: „Wenn wir einander lieben, bleibt Gott in uns, und seine Liebe ist vollkommen in uns". Diese Zusicherung der Gemeinschaft Gottes mit uns, der Einsenkung seiner Liebe in uns wird in V. 13 durch den Hinweis auf die Gabe des Geistes als erkennbare Wirklichkeit unterstrichen. Nimmt man das Folgende hinzu, so trägt die Gottesgemeinschaft ihre Frucht in freudiger Zuversicht (παρρησία), in der Befreiung von Furcht (vgl. V. 17–18) und drängt wiederum zur Bruderliebe (V. 19–21). Eben dies: Freude, Furchtlosigkeit, Wille zur Bruderliebe sind erfahrbare Äußerungen des Geistes, der, von Gott kommend, zu Gott und seiner Liebe hinführt und damit das Umfangensein von Gott und das Bleiben in ihm bezeugt und bestätigt. Das ist eine Geisterfahrung, die an die „Frucht des Geistes" erinnert, wie sie Paulus in Gal 5,22 beschreibt: „Liebe, Freude, Frieden...". Auch die Gebetserfahrungen, an die Paulus in Gal 4,6; Röm 8,14. vgl. 26 zu denken scheint, sind den johanneischen Christen wohl nicht fremd geblieben (vgl. 1 Joh 5,14f).
Auch die Parakletsprüche setzen eine Erfahrbarkeit des Geistes voraus. Die Jünger, in denen er sein und bleiben wird, „erkennen" ihn, wissen nicht nur gläubig um seine Präsenz, sondern erfahren sie auch (Joh 14,17). Wenn er sie an alles „erinnert", was ihnen Jesus gesagt hat (14,26), werden sie dessen gewiß auch inne werden. Wenn er sie „alles lehrt" (14,26), in die ganze Wahrheit einführt (16,13a) und ihnen das Zukünftige kündet (16,13c), dann ist das kaum vorstellbar, ohne daß die Jünger wenigstens davon überzeugt werden, daß der Geist am Werk ist. Auch das „Belehren" des „Salböls" in 1 Joh 2,27 läßt sich nicht anders als eine innere bestärkende Erfahrung der angesprochenen Leser verstehen, daß ihr Christusglaube wahr ist, also als eine Glaubensgewißheit, als ein sensus fidelium für die Wahrheit.[20] Der Briefautor will den Lesern die Wahrheit ihres Christusglaubens nicht nur suggerieren, sondern er appelliert auch an ihre „geistliche" Glaubenserkenntnis, damit sie in Christus bleiben. Diese kognitiven Elemente der Geisterfahrung darf man freilich nicht vom Glauben lösen, als vermittle der Geist zusätzliche Erkenntnisse zum verkündeten und angenommenen Glauben, sondern muß sie als größere Gewißheit, tieferes Verstehen, zum rechten Verhalten befähigendes Anleiten deuten, sofern man dem „Erinnern" an die Worte Jesu, dem „Nehmen" aus dem Besitz Jesu (Joh 16,15) gerecht werden will. Doch verlangen die Funktionen des Geistes noch eine eigene Betrachtung; hier kam es nur darauf an, auf die Erfahrbarkeit des Geistes aufmerksam zu machen.

[20] Vgl. *J. Michl,* Der Geist als Garant.

3. Funktionen des Geistes

Sowohl im Evangelium als auch im großen Brief werden dem Geist recht unterschiedliche Funktionen zugesprochen. Nach biblischer Tradition erscheint er zunächst als Lebensgeist, Lebensprinzip, πνεῦμα ζωοποιοῦν (Joh 6,63a). Deswegen erfüllt sich die Zusage an den Glaubenden, daß er das Leben besitzt, im Johannesevangelium unaufhörlich vom irdischen Jesus ausgesprochen, doch erst wirklich mit der Geistsendung (vgl. 7,38 mit 39). In der nachösterlichen Sehweise des Evangelisten kann der irdische Jesus schon im Präsens sprechen, weil der ins Auge gefaßte Glaubende jeder ist, den das Wort Christi erreicht, also vorzüglich die späteren Hörer des Evangeliums. Für sie hat das Präsens, das ihnen unmittelbar und gegenwärtig das Leben zuspricht, hohe Bedeutung: sie erlangen es jetzt schon, vom lebendigen, erhöhten Herrn – durch den Geist. Die im großen Brief vorherrschende Redeweise von der „Zeugung aus Gott" (2,29; 3,9; 4,7; 5,1.4.18) wird man nicht anders verstehen dürfen als die „Zeugung von oben" oder „Zeugung aus dem Geist" im Nikodemusgespräch (Joh 3,3.5–8), so daß auch im Brief der Geist als der entscheidende Faktor beteiligt ist. Die umstrittene Frage, ob dabei direkt an die Taufe zu denken ist, hat nicht ein solches Gewicht, wie man öfters meint; denn schwerlich geht es bei der Zeugung aus Gott um ewige Erwählung, Prädestination zu Gotteskindern, sondern um eine dem Glaubenden gewährte Neuschaffung, eine Befähigung und Ermächtigung, Kinder Gottes zu werden (vgl. Joh 1,12).[21] Die Frage nach der Taufe ist noch einmal bei der Erörterung des „Sitzes im Leben" jener Aussagen zu stellen (s. u. 6).

[21] Für das Nikodemusgespräch nimmt *I. de la Potterie* an, daß mit der „Zeugung von oben" zunächst der durch den heiligen Geist ermöglichte *Glaube* gemeint sei, erst auf einer weiteren Stufe die Taufe: Naître de l'eau 435–442 (= La vie selon l'Esprit 53–61). Dagegen jetzt *G. Gaeta,* Il dialogo 66f mit Anm. 54 auf S. 120f; doch wieder im Sinn *de la Potteries: F. Porsch,* Pneuma und Wort 110–130. – Zu ganz anderer Auffassung kommt *G. Richter,* Taufetext 115–121: anders als in der angeblichen judenchristlichen Grundschrift, welche die christliche Taufe gegenüber der Johannestaufe verteidigte, sei die Zeugung von oben für den Evangelisten nicht mehr „ein Geschehen, das sich während der irdischen Existenz des Menschen und auf Grund seiner freien Entscheidung vollzieht, sondern ein von Gott in absoluter Freiheit gesetzter Akt, unabhängig von jedem menschlichen Tun und zeitlich vorausliegend (präexistent) vor jeder menschlichen Betätigung" (117). Nach ihm ist also das Gezeugtsein aus Gott gleichbedeutend mit einem prädestinatorischen Sein aus Gott. Im Zuge dieser Auslegung ist es für ihn fraglich, ob der Evangelist und sein Kreis überhaupt getauft haben (124). Vgl. *derselbe,* Zum gemeindebildenden Element 258–271. – Aber warum bemüht sich Jesus dann überhaupt um Nikodemus, und warum durchzieht die Glaubensforderung seine ganze Offenbarungstätigkeit vor der Welt? Auch die Aoriste in 1,13d; 3,3.5 sprechen gegen jene Deutung. Zur Frage der Prädestination vgl. meinen Kommentar II, 329–335. Entwicklungsgeschichtlich versucht die unverkennbaren Spannungen *J. Becker,* Dualismus, zu lösen.

Stärker als die lebensschaffende Kraft des Geistes treten im johanneischen Schrifttum jene Funktionen hervor, die mit dem Offenbarungsgeschehen zusammenhängen. Der Geist hat die Aufgabe, die Christusoffenbarung zu erschließen und zu vertiefen, zu sichern und rein zu erhalten. Im Evangelium wird der Paraklet, der Geist der Wahrheit, den Jüngern deswegen verheißen, weil sie beim Weggang Jesu noch nicht das volle Verständnis seiner Worte und Taten gewonnen haben und noch nicht alles „tragen" können, was ihnen Jesus zu sagen hat (16,12). Darin spricht sich die Überzeugung aus, daß erst nachösterlich, in der Verkündigung der dazu Berufenen (vgl. 1 Joh 1,1–4), ein zureichendes Verständnis von Person und Werk Jesu möglich wird, aber nicht aus menschlicher Reflexion, sondern aus der Kraft des von Gott bzw. Christus gesandten Geistes. Im heutigen Horizont ist diese Grundauffassung des johanneischen Christentums höchst bedeutsam für die Frage nach dem „historischen" Jesus. Der johanneische Kreis gibt darauf die klare Antwort, daß die Tradition vom irdischen Auftreten und Wirken Jesu und die vom Geist erleuchtete Verkündigung (das „Kerygma") unzertrennlich zusammengehören. Das Johannesevangelium ist in der Art seiner Darstellung, besonders in der Artikulation der Jesusreden als Selbstoffenbarung des Sohnes Gottes, nichts anderes als die Durchführung dieses Programms, im irdischen Jesus den „Christus des Glaubens" transparent zu machen.[22] Darum hat der Paraklet als „Nachfolger" und „Stellvertreter" Jesu (vgl. 14,16 ἄλλον παράκλητον; 14, 26 ἐν τῷ ὀνόματί μου; 16,7 Jesus geht und sendet den Parakleten) eine unersetzliche Funktion zum Verständnis der von Jesus gebrachten und in ihm verwirklichten endgültigen Heilsoffenbarung. Der Geist ist nicht ein zusätzliches bereicherndes Geschenk, sondern eine notwendige Gabe und Ausstattung für die Jüngergemeinde Jesu,. Wenn er nicht käme, könnte das Heilswerk Jesu, seine universale Sendung für die Menschenwelt nicht durchgeführt werden. So gehören das „Lehren", das „Erinnern an die Worte Jesu" (14,26), das „Einführen in die Wahrheit" (16,13) zu den wesentlichen Aufgaben, die der Geist für Jesus und für die Gemeinde übernimmt. Dazu kommen in den Parakletsprüchen des Evangeliums das „Bezeugen" (15,26), von dem noch eigens zu sprechen ist, und das „Überführen" der (ungläubigen) Welt (16,8–11).

[22] Vgl. zu diesem viel diskutierten Problemkreis zuletzt: *F. Hahn,* Methodologische Überlegungen zur Rückfrage nach Jesus, in: *K. Kertelge* (Hrsg.), Rückfrage nach Jesus, Freiburg i.Br. 1974, 11–77; *F. Mußner,* Ursprung und Entfaltung der neutestamentlichen Sohneschristologie, in: *L. Scheffczyk* (Hrsg.), Grundfragen der Christologie, Freiburg i.Br. 1975, 77–113, besonders 108–112. Doch bedürfte diese hermeneutische Grundfrage der johanneischen Evangeliumsdarstellung noch einer ausführlichen Behandlung.

Im großen Brief werden die der Offenbarung zugeordneten Funktionen des Geistes auf eine besondere Situation der Gemeinde angewendet: die Auseinandersetzung mit Irrlehrern, die am wahren Christusglauben nicht festhalten. Das „Belehren" des Geistes (2,27) gibt die Gewähr dafür, daß die Gemeinde in der Wahrheit bleibt. Die Adressaten kennen die Wahrheit (2,21) und brauchen nur auf diesen inneren Lehrer der Wahrheit zu hören: wie er sie belehrt, so ist es wahr (2,27c). Zugleich mit dieser Belehrung mahnt er sie, in der Christusgemeinschaft zu verharren (vgl. 2,27d).
Das „Bezeugen" des Geistes, in dem sich seine Art wohl am deutlichsten ausspricht, hat verschiedene Dimensionen. Zunächst bezieht es sich zurück auf Jesus, sein Wort und Werk. Der Paraklet legt „über Jesus" Zeugnis ab (Joh 15,26); darin zeigt sich seine Gebundenheit an Jesus und seine nur der Christusoffenbarung dienende Funktion. Auch im großen Brief dürfte die allgemein und grundsätzlich klingende Aussage „der Geist ist der Bezeugende" (5,6c) diesen Sinn haben; denn sie ist an den christologisch wichtigen Satz angeschlossen, daß Jesus Christus „nicht nur im Wasser, sondern auch im Blut" gekommen ist. Worauf dieses Zeugnis des Geistes näherhin auch zu beziehen ist, auf jeden Fall dient es der Befestigung des wahren Christusglaubens.[23] Der Geist setzt das Gotteszeugnis während des irdischen Wirkens Jesu (vgl. 5,9c) im Raum der Gemeinde fort. Als rein „inneres Zeugnis" ist es schwerlich gedacht; auch in der Verkündigung und in den Sakramenten (vgl. 5,8) wird das Zeugnis des Geistes vernehmbar.
So hat der Geist eine Zeugnisfunktion gegenüber der Gemeinde: indem er an Jesu Worte „erinnert", bezeugt er sie als wahr für die Glaubenden, und zwar jeweils neu für ihre geschichtliche Lage und ihren Verstehenshorizont. Dabei bedient er sich der Verkündiger, die aus ihrer Augen- und Ohrenzeugenschaft bzw. aus ihrer Verbundenheit mit den Traditionsträgern den wahren Christusglauben der Gemeinde verkünden (vgl. 1 Joh 1,1–4). Im Evangelium ist dafür der Parakletspruch 15,26f aufschlußreich: der Paraklet und die Jünger, die mit Jesus „von Anfang an" zusammen sind, legen Zeugnis ab, das heißt der Paraklet und diese ersten Jünger wirken zusammen, sie sind seine Organe.[24] Hier ist zwar nach dem Kontext (Verfolgung V. 20–25) und dem folgenden

[23] Vgl. außer den Kommentaren auch *J. Beutler,* Martyria 276ff; *F. Porsch,* Pneuma und Wort 233–236.

[24] Vgl. auch *G. Johnston,* Spirit-Paraclete 123: Der Geist ist am Werk in der apostolischen Predigt; 128: für Johannes ist der unsichtbare Geist Christi die Wirklichkeit, die hinter der Erscheinung von inspirierten Lehrern in den christlichen Gemeinden steht. – *F. Mußner,* Die johanneischen Parakletsprüche 156, geht allerdings zu weit, wenn er schreibt: „Der Geist spricht nicht unmittelbar, sondern nur im konkreten apostolischen Zeugnis"; er meint (Anm. 30), daß sich die Parakletsprüche in erster Linie an die Apostel im strengen Sinn richten. Dazu s. u. 5.

Parakletspruch 16,8–11 an das Zeugnis gegenüber der ungläubigen Welt gedacht; aber der Brief mit seiner innergemeindlichen Adresse zeigt, daß die Verkündiger auch eine Zeugnisaufgabe gegenüber der Gemeinde haben (vgl. 1,2 μαρτυροῦμεν ... ὑμῖν; ferner vgl. 4,14; 3 Joh 12). Sie sollen das „von Anfang an" Verkündigte sicherstellen (vgl. 2,7.24; 3,11) und so für die Kontinuität mit dem Ursprung sorgen. Aus dem gleichen Grund wird im Evangelium auf das Zeugnis des geliebten Jüngers solcher Wert gelegt (19,35; 21,24).

Schließlich übt der Paraklet nach Joh 16,8–11, wie schon angedeutet, eine Zeugentätigkeit gegenüber den Außenstehenden, gegenüber der ungläubigen „Welt" aus; denn das ist in dem „Überführen" (ἐλέγχειν) impliziert. Wenn er wie ein Anwalt Jesu vor dem Tribunal Gottes der „Welt" nachweist, was es um Sünde, Gerechtigkeit und Gericht ist, bezeugt er ihr, daß sie mit ihrem Unglauben im Unrecht ist, daß Jesus bei Gott weilt und gerechtfertigt ist und daß sich das Strafgericht an ihr wie an ihrem Anführer, dem „Herrscher der Welt", vollzieht. In anderer Sprache kommt das auch im Brief zum Ausdruck: Gott ist größer als sein Gegenspieler in der Welt (4,4), der Sieg Christi setzt sich in den Christusgläubigen fort (vgl. 5,4). Zwar wird der Sieg nicht unmittelbar der Kraft des Geistes zugeschrieben; aber die scharfe Konfrontation „Geist des Truges" und „Geist der Wahrheit" (4,6) weist in die gleiche Richtung. Fragt man, wie der Geist seine die Welt überführende Tätigkeit ausübt, so wird man interpretieren müssen: durch die glaubende Gemeinde, in der er wirksam ist, durch ihre Existenz, ihre Gottverbundenheit und ihre Verkündigung.[25] Darin spiegelt sich das Bewußtsein der Gemeinde von der Präsenz und dem Wirken des Geistes in ihr; dieses Bewußtsein gibt ihr eine starke Siegesgewißheit (vgl. noch Joh 16,33; 1 Joh 2,13f).

4. Der heilige Geist als Paraklet

Doch hier müssen wir einem möglichen Einwand begegnen: Ist es berechtigt, die Parakletsprüche des Evangeliums in der Weise mit den Aussagen des großen Briefes zu verbinden, wie es im vorigen Abschnitt geschehen ist? Stoßen wir in den Parakletsprüchen nicht doch auf eine andere Tradition, eine stärkere

[25] *M. F. Berrouard,* Le Paraclet, *I. de la Potterie,* Le Paraclet 102ff, vgl. auch *R. E. Brown*, Gospel II, 712 deuten den Spruch vom „Überführen" (Joh 16,8–11) auf ein inneres Überzeugtwerden der Gläubigen durch den Parakleten; ebenso *F. Porsch,* Pneuma und Wort 280–289, und andere. Aber die johanneische Gemeinde hat sicher an einen wirklichen Sieg über die Welt gedacht, vgl. Joh 16,33; 1 Joh 4,4; 5,4. Die „forensische" Perspektive in Joh 16,8–11 lenkt ähnlich wie in 15,26f den Blick auf das Zeugnis nach außen.

„Personalisierung“ des Geistes als im Gemeindebrief? Weiß die im Brief angesprochene Gemeinde überhaupt etwas von dieser Paraklet-Tradition? Nun, sie kennt wenigstens den Ausdruck „Paraklet“, den der Autor des Briefes freilich auf Jesus Christus, den Gerechten, bezieht und für seine Fürsprache beim Vater für die sündigen Gemeindemitglieder verwendet (2,1). Man kann darauf hinweisen, daß dadurch die Rolle des heiligen Geistes als Parakleten, der mit der irdischen Gemeinde verbunden ist, nicht beeinträchtigt wird; durch ἄλλον in Joh 14,16 ist ja angedeutet, daß auch im Evangelium Jesus (freilich während seiner irdischen Anwesenheit) als Paraklet betrachtet werden kann.[26] Aber das genügt noch nicht, um das Fehlen des Paraklet-Titels für den Geist im großen Brief zu erklären.

Für dieses Problem scheint mir eine Beobachtung an den Parakletsprüchen des Evangeliums wichtig zu sein: Der Titel wird nicht isoliert gesetzt, sondern meistens (außer in 16,7) mit dem weiteren Ausdruck „Geist der Wahrheit“ ergänzt und damit gleichsam erläutert. Daraus darf man schließen, daß „der Geist der Wahrheit“ der für die Gemeinde geläufigere, ihr näherliegende Ausdruck war.[27] Der Evangelist hat aus besonderen Gründen den Paraklet-Titel aufgenommen und mit dem „Geist der Wahrheit“ verknüpft. Der Hauptgrund dürfte darin zu suchen sein, daß der wie eine Person erscheinende „Paraklet“ (welche Vorstellungen auch immer dahinter liegen)[28] sich gut dazu eignete, den heiligen Geist als „Nachfolger“ Jesu und Fortsetzer seines Werkes zu zeichnen. Dieser Gedanke war dem Evangelisten für das Scheiden Jesu von seinen Jüngern und für den Ausblick auf die Zukunft der Jüngergemeinde wichtig. Der Evangelist nimmt damit eine bestimmte „Paraklet“-Tradition auf, die wahrscheinlich aus dem Judentum stammt, aber auch in das Urchristentum aufgenommen wurde. Der Sache nach liegt der Gedanke, daß der heilige Geist ein Paraklet ist, auch in dem Jesuslogion Mk 13,11 parr vor, obwohl der Titel nicht fällt.[29] Bei der Verbreitung des Ausdrucks (im rabbinischen Schrifttum als Lehnwort gebräuchlich) darf man annehmen, daß auch der Terminus „Paraklet“ schon vor Johannes in christlichen Kreisen verwendet wurde.

[26] Die bisweilen versuchte prädikative Fassung: „einen anderen als Parakleten“ ist mit den meisten neueren Exegeten abzulehnen, vgl. ThWNT V, 799, Anm. 1.

[27] Im gleichen Sinn *G. Johnston,* Spirit-Paraclete 84. Allerdings scheint es mir nicht nötig zu sein, mit ihm zu übersetzen: „Er wird euch als einen anderen Parakleten den Geist der Wahrheit geben“. Man kann „den Geist der Wahrheit“ auch als Apposition verstehen, vgl. 15,26; 16,13.

[28] Vgl. die Überblicke über die Forschung bei *O. Betz,* Der Paraklet 4–35; *R. E. Brown,* The Paraclete; *G. Johnston,* Spirit-Paraclete 80–118; *R. Schnackenburg,* Johannesevangelium III, 163–169; *F. Porsch,* Pneuma und Wort 306–317.

[29] Vgl. *C. H. Dodd,* Historical Tradition 410–412; *R. E. Brown,* Gospel II, 699f; *B. Lindars,* Gospel of John 496; *R. Schnackenburg,* Johannesevangelium III, 167f; *F. Porsch,* Pneuma und Wort 268f.

Das selbständige Vorkommen (als Funktionsbezeichnung) wird auch durch 1 Joh 2,1 nahegelegt. Leider fehlen uns weitere Belege aus dem Neuen Testament; doch für die „Apostolischen Väter" kann man auf Did 5,2; Barn 20,2; 2 Clem 6,9 verweisen. Man kann auch vermuten, daß es, vielleicht ausgehend von jenem Jesuslogion, schon eine vorjohanneische Paraklet-Tradition für den heiligen Geist gab.[29a] Dann hätte der Evangelist diese aufgegriffen, freilich in eigener Weise benutzt und inhaltlich angereichert, wie die Funktionen des Geistes in den Parakletsprüchen, besonders das sonst nicht hervortretende Lehren und Erinnern, zeigen. Der „forensische" Gebrauch in 15,26f und 16,8–11 stände dann wieder der Tradition näher.

Wenn das richtig gesehen ist, kann man auch die Parakletsprüche in der oder den sekundären Abschiedsrede(n), nämlich in 15,26 und 16,8–11.13–15 sowie das Fehlen der Bezeichnung „Paraklet" für den heiligen Geist im großen Brief ohne Schwierigkeit erklären. Wenn jene Redeteile von der Redaktion komponiert sind, die jedoch die eigentliche, vom Evangelisten stammende Abschiedsrede vor sich hatte, wird verständlich, daß sie die Geist-Paraklet-Tradition aufnahm. Im großen Brief gab es dazu weniger Anlaß. Aber hier stoßen wir wenigstens auf den Ausdruck, den der Evangelist in seinen Parakletsprüchen erläuternd beigefügt hatte, nämlich „Geist der Wahrheit". Bei der Abwehr der Irrlehrer stellt der Briefautor in scharfer Antithese dem „Geist des Truges" den „Geist der Wahrheit" gegenüber (4,6). Es ist kaum zweifelhaft, daß sich in diesem „Geist der Wahrheit" der gleiche, innerlich belehrende göttliche Geist zur Geltung bringt, der in 2,27 mit dem Bildwort „Salböl" angesprochen wird. Aus dem Verhalten derer, die die Christusbotschaft vernehmen, erkennt man, welcher Geist sie ergriffen hat. Der „Geist der Wahrheit" erscheint zwar nicht wie in den Parakletsprüchen des Evangeliums als personale Größe, sondern mehr als innerlich treibende Macht; aber der personale Charakter des Geistes in der Abschiedsrede hängt, wie gesagt, mit der Blickrichtung in der Abschiedsstunde zusammen.

Gewiß bleibt diese Erklärung hypothetisch und erklärt den Tatbestand auch nicht völlig. Aber man kann für den Brief obendrein annehmen, daß er von einem anderen Mitglied des johanneischen Kreises stammt als etwa den Redaktoren des Evangeliums. Vor allem macht die andere Blick- und Zielrichtung des Briefes das Fehlen des Paraklet-Titels für den heiligen Geist leichter verständlich. Was jedoch die Funktionen des Geistes in den beiden johanneischen Schriften betrifft, sahen wir im vorigen Abschnitt, daß sie sich in vielem be-

[29a] Das dürfte der berechtigte Kern der Auffassung von *S. Schulz*, Untersuchungen 142–158, sein, der von einer Paraklet-Thematradition spricht. Aber seine weitergehenden religionsgeschichtlichen Ableitungen sind sehr problematisch.

rühren, besonders im Lehren und Bezeugen. Jedenfalls wird die einheitliche Geistlehre im Evangelium und im großen Brief durch den Gebrauch bzw. das Fehlen des Paraklet-Titels für den Geist nicht in Frage gestellt. Wenn sich die Aussagen sämtlicher fünf Parakletsprüche gut zusammenfügen,[30] dann gilt das auch für die Geistaussagen des Briefes im Verhältnis zu denen des Evangeliums.

5. Träger des Geistes

Gibt es in der johanneischen Gemeinde, die sich als ganze vom Geist erfüllt und geleitet weiß, noch besondere Geistträger? Auf die Verkündiger, die sich in 1 Joh 1,1–4 zu Wort melden, fiel schon wiederholt unser Blick. Hatten sie in der Gemeinde auch eine führende Stellung und betrachteten sie sich als besonders vom Geist ausgerüstete Männer? Dafür gibt es im Brief keinen direkten Anhalt. Im Gegenteil, die Stelle 2,20f.27 scheint dafür zu sprechen, daß alle Gläubigen der unmittelbaren Führung des Geistes unterstellt sind. „Ihr habt nicht nötig, daß euch jemand belehrt" (V. 27b) – dieser Satz wird in der protestantischen Exegese manchmal als Beweis dafür angeführt, daß es in der johanneischen Gemeinde keine Amtsträger gab.[31] Nun ist der Ausdruck „Amtsträger" irreführend, weil man dabei – etwa nach den Pastoralbriefen oder den Briefen des Bischofs Ignatius von Antiochien – an feste Ämter denkt, für die auch schon bestimmte Amtsbezeichnungen verwendet werden. In Wirklichkeit stehen wir noch in einer Zeit, in der sich solche Ämter erst allmählich, von Region zu Region, von Gemeinde zu Gemeinde wechselnd, herausheben und konsolidieren. Sicher gab es unterschiedliche Strukturen, also Gemeinden mit einer kollegialen (presbyterialen) Amtsführung, andere mit einem („monarchianischen") Bischof an der Spitze (vgl. die Ignatiusbriefe), und wieder andere, in denen solche („hierarchische") Ämter überhaupt nicht zu erkennen sind. Aber auch in solchen Gemeinden wirkten allem Anschein nach wenigstens Verkündiger und Lehrer, die allein durch ihre Tätigkeit eine gewisse

[30] Eine Verschiebung der Paraklet-Vorstellung von der Abschiedsrede in Joh 14 zu den Parakletsprüchen in Joh 15 und 16 wollen feststellen *J. Becker,* Abschiedsreden 239f, und *U. B. Müller,* Parakletvorstellung 72. Sie meinen, daß „Wahrheit" in diesen sekundären Partien schon zum Terminus kirchlicher Lehre umgemünzt sei. Das ist schwer einzusehen. Vgl. dagegen *F. Porsch,* Pneuma und Wort 302f.

[31] *E. Schweizer,* Gemeinde und Gemeindeordnung im Neuen Testament, Zürich 1959, 114f. Vgl. dagegen *R. Bultmann,* Johannesbriefe 47, Anm. 1: „Das τίς geht natürlich zunächst auf die Irrlehrer... Aber es könnte auch auf den Verfasser gehen, der dann sagen würde: auch ich brauche euch nicht zu belehren."

Führungsaufgabe erfüllten; das könnte zum Beispiel für die im Mattäusevangelium angesprochene Gemeinde gelten, die sich im übrigen als brüderliche Gemeinschaft verstand.[32] Die Verhältnisse in Korinth nach 1 Kor 12 darf man schon deshalb nicht zu einem Modell (pneumatisch-charismatische Ordnung) machen, weil Charismatiker in dieser Fülle in vielen Gemeinden nicht vorhanden waren und weil der Apostel Paulus in Zweifelsfällen als anerkannte Autorität, Gründer und Vater der Gemeinde, angefragt werden konnte und, wie jenes Schreiben zeigt, auch tatsächlich angefragt wurde. Jedenfalls wäre dieses Modell für die johanneische Gemeinde unbrauchbar, weil wir von Charismatikern nichts hören. Wir können auf die schwierige Amtsfrage im ganzen nicht eingehen,[33] sondern müssen uns auf die johanneische Gemeinde beschränken.

Die Stelle 1 Joh 2,27 läßt an sich verschiedene Deutungen zu. Gelten alle Christen als Pneumatiker, die tatsächlich keinerlei „Belehrung" und Führung nötig haben? Richtet sich die Spitze gegen die Irrlehrer, von denen sich die Adressaten nicht belehren zu lassen brauchen? Oder schließt dieses „nicht nötig" ein Wirken von Verkündigern und Lehrern in der Gemeinde nicht aus? In meinem Kommentar habe ich mich für diese dritte Möglichkeit entschieden und will sie hier noch etwas näher begründen. Bei dem τις ist schwerlich an die Irrlehrer gedacht, weil ihnen nie ein „Lehren" zugestanden wird. „Lehren" ist ein positiver Ausdruck, der auch in 2 Joh 9 als rechtgläubige Lehre (διδαχή) erscheint. Im Evangelium wird häufig vom Lehren Jesu gesprochen (7 mal), dann von der Belehrung durch den heiligen Geist (14,26). An dieser Belehrung durch den heiligen Geist liegt auch dem Briefautor (2,27c); der voranstehende Satz ist die negative Formulierung dazu (οὐ ... ἀλλ' ὡς). So dürfte mit τις in diesem Zusammenhang jeglicher menschliche Lehrer negiert sein, einschlußweise also auch ein rechtgläubiger Lehrer. Aber das ist keine Spitze gegen die Verkündiger und Lehrer in der Gemeinde; tatsächlich ist ja der ganze Brief ein Zeugnis dafür, wie ein bestimmter Kreis von Verkündigern (1,1–4) den rechtgläubigen Gemeindemitgliedern Zuspruch, Mahnung und – Lehre erteilt (vgl. 2,22f; 4,1–3; 5,5f). Man muß nur auf die Intention des Schreibenden in 2,27 achten, und dafür ist die voraufgehende Stelle 2,21 hilfreich. Der Verfasser will die Adressaten in ihrem Christusglauben bestärken, deswegen

[32] Vgl. *W. Trilling,* Hausordnung Gottes. Eine Auslegung von Matthäus 18, Leipzig–Düsseldorf 1960; *W. Pesch,* Die sogenannte Gemeindeordnung Mt 18: BZ 7 (1963) 220–235; *E. Schweizer,* in: *derselbe,* Beiträge zur Theologie des Neuen Testaments, Zürich 1970, 65–69; erweitert und etwas differenziert in *derselbe,* Matthäus und seine Gemeinde, Stuttgart 1974, 138–170, besonders 159–163.

[33] In der immensen Literatur zur Amtsfrage wird die johanneische Gemeinde nur selten mitbehandelt; s. jedoch *X. Léon-Dufour* in dem Sammelband „Le ministère et les ministères selon le Nouveau Testament", Paris 1974, 241–263.

schreibt er ihnen; aber er will den Eindruck vermeiden, daß er sie als Unwissende belehrt. So formuliert er: „Ich schreibe euch nicht, daß ihr die Wahrheit nicht kennt, vielmehr daß ihr sie kennt". Er will sie nur daran erinnern, daß sie das rechte Christusbekenntnis (vgl. V. 22) angenommen haben und durch den Zuspruch des Geistes darin festgehalten werden. Er erinnert sie auch an das „von Anfang an Gehörte" (V. 23), also an die Verkündigung der dazu berufenen Männer. Die gleiche Tendenz ist in der sonst merkwürdigen Stelle 2,12–14 festzustellen. Dreimal schreibt er den Adressaten von ihrer Heilserfahrung, ihrer Christuserkenntnis und ihrem Sieg über den Bösen, dann nochmals variierend das gleiche. Der Sinn solcher Redeweise ist offenbar eine eindringliche Erinnerung an das, was sie in ihrer gläubigen Existenz besitzen. Ohne „Belehren" zu wollen, ist es doch eine Unterweisung über ihren Heilsstand und eine indirekte Mahnung, darin zu verharren, wie auch die anschließende offene Mahnrede (2,15–17) bestätigt.

Das ist eine Art „geistlichen" Zuspruchs, die den Geistbesitz und die Geisterfahrung der Gläubigen achtet und doch aus einer eigenen Autorität erfolgt. Man begreift gut, daß in solcher Weise geisterfüllte Lehrer zur Gemeinde sprechen konnten. Ob man ihre Stellung in der Gemeinde als eine „amtliche" oder „charismatische" bezeichnen will, ist letztlich eine Frage der Sprachregelung; ohne Autorität ist sie nicht, da diese Männer sich als ausgezeichnete Zeugen des Christusgeschehens (1,1–3) und Traditionsträger, die das „von Anfang an Verkündigte" festhalten und weitergeben, verstehen. Von daher fällt vielleicht auch mehr Licht auf die Rolle, die den Jüngern im Abendmahlssaal zufällt, und auf den Sinn der ihnen gegebenen Verheißung des Geistes in den Parakletsprüchen. Man fragt nämlich schon lange, ob den anwesenden Jüngern damit ein persönlicher Vorzug der Lehrautorität gegeben werden soll oder ob sie als Repräsentanten der späteren Gemeinde angesprochen werden und so die Verheißungen der ganzen Gemeinde gelten.[34]

Eine Beschränkung der Geistverheißungen auf die im Abendmahlssaal anwesenden Jünger ist höchst unwahrscheinlich. Sie werden nicht als spätere Verkündiger mit Lehraufgaben, erst recht nicht als „Amtsträger" angesprochen; „Apostel" im spezifischen Sinn werden sie nirgends genannt (die einzige Stelle 13,16 hat nicht diesen Sinn), auch wenn sie an der Sendung Jesu beteiligt werden (vgl. 4,38; 17,18; 20,21). Vielmehr zeigen die Abschiedsreden durchweg, daß sie sowohl die Jesus damals verbliebene Gruppe der Glaubenden als auch die spätere Glaubensgemeinde repräsentieren. Um ihren Glauben

[34] Vgl. *M.-J. Lagrange,* Év. selon S. Jean 425f. Er kommt zu dem Schluß: Es ist wahrscheinlicher, daß die Texte im Sinn einer beständigen Assistenz des heiligen Geistes für die Kirche verstanden werden müssen.

geht es in der ursprünglichen Abschiedsrede (14,8–12), als Glaubenden werden ihnen die Verheißung „größerer Werke" (14,12) und die Zusicherung der Gebetserhörung (14,13f) gegeben. In diesem Zusammenhang erfolgt die Verheißung des Parakleten, der mit ihnen und in ihnen sein wird (14,16f). Der Aufforderung, Jesu Worte zu bewahren (14,24), entspricht die Verheißung im zweiten Parakletspruch, daß sie der Geist alles lehren und an alles erinnern wird, was ihnen Jesus gesagt hat. So ist die Perspektive auf alle Glaubenden gegeben, auch wenn den ersten Jüngern für die späteren Gläubigen besondere Aufgaben in der Übermittlung der Worte Jesu zufallen. Vom Geistempfang ist nur die ungläubige Welt ausgenommen (V. 17a).

Nur einmal, im dritten Parakletspruch, wird die besondere Zeugenfunktion der Jünger genannt, die von Anfang an mit Jesus zusammen waren (15,26). Diese schon angezogene Stelle, die im Zusammenhang der Ankündigung von Verfolgungen steht, ist allerdings wichtig, um die Rolle dieser Erstzeugen auch nicht zu übersehen oder herabzuspielen. Aber für den letzten Parakletspruch, der von der Einführung in die ganze Wahrheit handelt (16,13), werden die damaligen Jünger als Erstzeugen nicht hervorgehoben. Zwar werden sie vorher (V. 12) angesprochen; aber wenn man bedenkt, daß der voranstehende Parakletspruch (16,8–11) das Wirken des Parakleten gegenüber der ungläubigen Welt betrifft, dürfte der letzte Parakletspruch auf sein Wirken in der Gemeinde hin konzipiert sein. Eine Beschränkung auf die anwesenden Jünger würde eine Engführung bedeuten. Wie wirkt denn der Paraklet gegenüber der Welt? Doch nicht nur durch die Verkündiger, sondern auch durch die Existenz und das Zeugnis der Gemeinde (vgl. oben unter 3). So scheint mir in 16,13–15 auch eine Verheißung für die ganze Gemeinde zu liegen, die durch die anwesenden Jünger repräsentiert wird. Das schließt nicht aus, daß diese (und ihre Nachfolger) in der Gemeinde besondere Verkündigungs- und Lehraufgaben haben; aber der Spruch ist umfassender gemeint. Man kann ihn darum nicht speziell für ein Lehrcharisma der „Apostel und ihrer Nachfolger" in Anspruch nehmen, bzw. man muß den ihnen zugesagten Beistand des Geistes auch als Verheißung für die ganze Gemeinde verstehen.[35]

Noch einmal werden die späteren Verkündiger ausdrücklich in 17,20 genannt. Die Stelle unterliegt dem Verdacht einer redaktionellen Zufügung,[36] hat aber, von der Sache her gesehen, keine Bedenken gegen sich. Jesus betet bei seinem Scheiden für seine (anwesenden) Jünger, die sein Wort aufgenommen und

[35] Vgl. oben Anm. 24; ferner *J. Huby,* Le discours 98; *H. van den Bussche,* Jezus' Woorden 120; *E. Schick,* Ev. nach Johannes 136; *H. Schlier,* Zum Begriff des Geistes 269f (mit stärkerer Hervorhebung der Jünger als Geistträger).

[36] Die Gründe sind in meinem Kommentar zur Stelle (III, 215) zusammengestellt.

bewahrt haben (17,8), aber zugleich für alle, die ihm der Vater gegeben hat (17,2), das heißt auch für die künftigen Gläubigen. Kein Zweifel: Die Gemeinde bezieht das Gebet des scheidenden Erlösers nicht nur auf die damaligen Jünger, sondern auch auf sich selbst.

Damit ergibt sich im Evangelium der gleiche Tatbestand wie im großen Brief: Der heilige Geist ist der ganzen Gemeinde zugesprochen, und auf ihrem Geistbesitz liegt gegenüber der gläubigen Welt der Nachdruck. Dennoch zeigt der Brief indirekt und zeigt das Evangelium noch deutlicher, daß in dieser vom Geist erfüllten und geführten Gemeinde den ersten Zeugen und den weiteren, mit ihnen verbundenen und ihr Wirken fortsetzenden Verkündigern eine besondere und unersetzliche Aufgabe zufällt, für die sie ebenfalls der Geist zurüstet. Für den heutigen Horizont heißt das: Man kann die Geisterfüllung der Gemeinde nicht gegen die Geistbegabung (das „Amtscharisma") der Amtsträger ausspielen, aber auch nicht umgekehrt die besondere Geistausrüstung der Amtsträger von der Gemeinde und dem ihr gewährten Zuspruch des Geistes isolieren. Darin scheint mir grundsätzlich die Lösung des Problems „Lehrautorität und mündige Gemeinde" zu liegen, so schwierig die Lösung konkreter Fragen und Konflikte bleiben mag. Der heilige Geist wirkt in allen Gläubigen, in der Gemeinde, in der Gesamtkirche, in den berufenen Verkündigern und Amtsträgern, im Lehramt; er wirkt je auf spezifische Weise, doch immer auf die Einheit hin.

6. Sitz im Leben

Wir kennen nicht unmittelbar die Verhältnisse in der johanneischen Gemeinde, und historische Rückschlüsse aus den spärlichen Spuren in den johanneischen Schriften führen nicht weit. Aber es ist berechtigt und nützlich, aus der Art der Aussagen, aus der Sprache und ihrer Gestalt auf den „Sitz im Leben" zurückzufragen, der zu dieser Artikulation geführt hat. Wo ist der „Ort" im Leben der johanneischen Gemeinde, an dem sich die Ausformung der Aussagen über den Geist vollzog? Wie kam es zum „Aussprechen" jener Geisterfahrung, von der die Schriften Zeugnis geben? Gewiß muß man auch mit Eigenformulierungen der Autoren rechnen, denen wir die literarischen Dokumente verdanken; aber gewisse geprägte Wendungen (vgl. 1 Joh 3,24; 4,13), verfestigte Redeweisen (z. B. vom „Geben" und „Empfangen" des Geistes), bestimmte Ausdrucksmittel („Zeugung aus Gott", „Same Gottes") lassen eine übernommene, im Leben der Gemeinde gereifte Sprache vermuten.

Einen hervorragenden Platz nahm in der Urkirche, wie aus mancherlei Spuren ersichtlich ist, die *Taufparaklese* ein, das heißt die an die Taufe anknüpfende

Glaubensunterweisung und Mahnrede.[37] Für den ersten Johannesbrief hat das namentlich W. Nauck nachzuweisen gesucht.[38] Ohne uns auf seine Scheidung zwischen Vorlage und brieflicher Bearbeitung sowie auf einige besondere Thesen zur Taufe (z. B. über 1 Joh 5,7f) einzulassen, können wir an seine Untersuchungen anknüpfen und einige Beobachtungen hervorheben, die für manche Textpassagen (besonders 2,29–3,10) die Taufe und Taufparaklese als Sitz im Leben der Gemeinde wahrscheinlich machen.

a) Traditionelle Motive und Motivverbindungen für die Taufunterweisung, die in unserem Brief hervortreten, sind Vergebung der Sünden (1,9), Reinigung (1,7), Blut Jesu (1,7) sowie die Motivverbindung Reinigung–Blut Christi –Gemeinschaft, für die Nauck zum Vergleich Hebr 10,19ff und 1 Petr 1,18ff heranzieht.[39]

b) Die Antithesenreihe in 1,6f, die durch die Gegenüberstellung „in der Finsternis wandeln" und „im Licht wandeln" bestimmt ist, erinnert an die Zwei-Wege-Lehre (vgl. Did 1–6), die aus einem jüdischen Proselytenkatechismus in die urchristliche Taufparaklese übernommen sein dürfte.[40]

c) Auch die Gotteszeugung, die nach Nauck am Anfang und Ende der (brieflich überarbeiteten) Antithesenreihe 2,29–3,10 genannt wird, ist ein Motiv urchristlicher Taufunterweisung. Die Vorstellung einer neuen Geburt oder Neuschöpfung findet sich ja auch in 1 Petr 1,3.23; 2,2; Jak 1,18; Tit 3,5. Außerhalb des Neuen Testaments sind noch Barn 6,11; 16,8 und Justin, Dial. 138,2; Apol. 61,3; 66,1 heranzuziehen. Die Stelle 1 Joh 3,1 sieht Nauck als „älteste Deutung und Explikation des γεννᾶσθαι" durch den Verfasser des Briefes an.[41] Auch der „Same Gottes" ist eng an diese Vorstellung gebunden, mag

[37] Man spricht, besonders im Hinblick auf Paulus, besser von „Paraklese" als von „Paränese", weil παρακαλεῖν umfassender ist: nicht nur Mahnung, sondern auch notwendige Folgerung aus dem erlangten Heilsstand und Anwendung auf die gesamte christliche Existenz. Vgl. *H. Schlier,* Die Eigenart der christlichen Mahnung nach dem Apostel Paulus, in: Besinnung auf das Neue Testament, Freiburg i.Br. 1964, 340–357; *C. J. Bjerkelund,* Parakalō. Form, Funktion und Sinn der παρακαλῶ-Sätze in den paulinischen Briefen, Oslo 1967; *A. Grabner-Haider,* Paraklese und Eschatologie bei Paulus, Münster i. W. 1967.

[38] Tradition und Charakter. Die konkreten Thesen *Naucks* zur Taufordnung (nach dem syrischen Ritual: Öl, Wasser und Brot, vgl. 155–165), die sich in 1 Joh 5,7f widerspiegeln soll, haben Kritik, aber auch Zustimmung erfahren, s. *I. de la Potterie,* L'onction (La vie... 150–161, näherhin 153f). Von diesem Problem wird die Frage nach dem „Sitz im Leben" der Aussagen über die Gotteszeugung nicht unmittelbar berührt.

[39] Tradition und Charakter 52ff. Freilich reichen die Einzelmotive, für sich genommen, nicht aus, um eine Taufparaklese zu begründen, vgl. *E. Haenchen* in ThR 26 (1960) 41f; aber zusammengenommen erreichen die Beobachtungen doch eine starke Konvergenz.

[40] Tradition und Charakter 59–62. Besonders beachtlich ist die Paraklese in Eph 5,8–14, wo das Liedfragment in V. 14 deutlich auf die Taufe weist.

[41] Tradition und Charakter 63.

sich das Bildwort auf das Wort oder den Geist beziehen. „Das von Anfang an gehörte Wort und der durch die Salbung verliehene Geist, dem eine Lehrfunktion zugeschrieben wird, bleiben im Gläubigen".[42]

Der letzte Punkt ist für unser Thema der Geisterfahrung besonders wichtig. Wenn die johanneische Gemeinde (wie andere urchristliche Gemeinden) vom Geistempfang in der Taufe überzeugt war, erklären sich die Aussagen über den Geist und seine verschiedenen Funktionen als „reditus ad baptismum" (Nauck) und die Mahnungen, in seiner Belehrung zu bleiben (2,27), aus dem urchristlichen Verständnis der Taufe als eines fortwirkenden Geschehens. Dann wird auch besser verständlich, warum alle Gläubigen als Geistträger gelten, also die ganze Gemeinde vom Geist erfüllt und geleitet ist.

Wenn man auf das Taufgeschehen als „Ort" des Geistempfanges und bleibenden Orientierungspunkt des Geistwirkens zurückgeht, werden aber auch einige Stellen im Evangelium aufgehellt. Der Geist als das dem Täufling mitgeteilte Lebensprinzip, in der Taufe durch das Wort vermittelt (vgl. Eph 5,26; 1 Petr 1,23; Jak 1,18), erklärt Joh 3,3.5 besser als andere Versuche, ohne den „Taufhintergrund" auszukommen,[43] ganz unabhängig von der Frage, ob etwa erst die Redaktion (ἐξ) ὕδατος καί in 3,5 hinzusetzte. Nicht so leicht ist zu sagen, ob auch der Ausdruck ὁ λελουμένος in der Antwort Jesu an Petrus bei der Fußwaschung (13,10) auf die Taufe anspielt. Er läßt sich metaphorisch hinreichend auf den Segensstrom deuten, der vom gekreuzigten Jesus ausgeht; aber da dieser durch die Taufe den Gläubigen vermittelt wird, ist ein Taufbezug auch nicht auszuschließen.[44]

Stärkere Beachtung verdient im Licht der Texte aus dem großen Brief die Vollmacht zur Sündenvergebung in 20,22f. Der Auferweckte, der den Jüngern unter symbolischer Anhauchung den heiligen Geist mitteilt, gibt ihnen damit auch die Kraft, Sünden nachzulassen. Die Stelle, die in einem traditionsgeschichtlichen Zusammenhang mit Mt 28,19; vgl. 18,18 steht, nimmt traditionelles Material in johanneischer Sinndeutung auf. Er bringt den Gedanken

[42] Tradition und Charakter 64. Zum χρῖσμα vgl. auch die Ausführungen auf S. 94ff.

[43] Vgl. oben Anm. 21. *I. de la Potterie* und *F. Porsch* kommen bei ihrer Deutung der Geistzeugung auf den Glauben auch ohne einen direkten Bezug auf die Taufe aus, ohne freilich die Taufe zu bestreiten. Am deutlichsten wird das bei *F. Porsch,* Pneuma und Wort 110–114, der als Ergebnis seiner Untersuchung feststellt, daß der bildhafte Ausdruck des Gezeugtwerdens aus dem Geist den „Anfang des Glaubens, der sich durch die Aufnahme des Wortes Jesu unter Wirkung des Geistes vollzieht" bezeichnet (114). Aber es bleibt mir zweifelhaft, ob das wirklich nur ein bildhafter Ausdruck für das sein soll, was in Joh 6,44 als „Ziehen durch den Vater" ausgesagt wird. Bei dieser Auffassung bleibt auch das Verhältnis von Glauben und Taufe ungeklärt. Fragt man nach dem Sitz im Leben solcher „bildhaften" Ausdrucksweise, wird man doch eher an die Taufe denken müssen.

[44] Vgl. zu der schwierigen Frage meinen Kommentar III, 23ff.

der Sündenvergebung ein, der den Briefautor im Hinblick auf die Gemeinde stark beschäftigt. Es ist beachtlich, daß die alte Exegese in den ersten drei Jahrhunderten dabei an die Taufe dachte und erst später die Frage einer sakramentalen Buße in den Vordergrund trat.[45] Die Alternative ist für die johanneische Gemeinde sicher verfrüht; die Kraft, Sünde zu vermeiden, sündlos zu leben, wird an das im Gottgezeugten bleibende σπέρμα θεοῦ gebunden (1 Joh 3,9). Wenn dahinter der Gedanke an die Taufe steht, kann sich die Vollmacht des Auferstandenen ebenfalls auf die Taufe beziehen, zumal auch in Mt 28,19 der Taufbefehl genannt wird. Joh 20,22 brächte dann den heiligen Geist als die in der Taufe wirkende Kraft zur Reinigung von den Sünden in den Blick. Dann ergäbe sich eine noch deutlichere Verbindung des Evangeliums zu den Gedanken des Briefes, der den in der Taufe geschenkten Geist als bleibende Kraft zu einem sündlosen Leben betrachtet. Freilich weiß die johanneische Gemeinde auch um weitere Möglichkeiten der Sündenvergebung (zum Beispiel durch brüderliche Fürbitte, vgl. 1 Joh 5,16).

Außer der Taufunterweisung und der Paraklese, die daran anknüpft und sie für das Leben der Gemeinde auswertet, vor allem in der *Predigt* (wie der Brief selbst zeigt), kann man noch die *Abwehr der Irrlehrer* als eigenen Sitz im Leben für die Geistaussagen betrachten. Der Nachdruck, der auf die Lehr- und Zeugnisfunktion des Geistes fällt, erklärt sich zum Teil aus dieser Frontstellung. Die Ausführungen zur „Unterscheidung der Geister" in 1 Joh 4,1–3 beleuchten die Dringlichkeit, sich der wahren Lehre zu versichern und sie gegen andere Auffassungen abzuschirmen. Man fragt nach dem „Geist, der aus Gott ist", und erkennt ihn am rechten Christusbekenntnis (V. 2). Doch eben dies ist die Funktion des heiligen Geistes, an Jesus und seine Worte zu erinnern und in die Wahrheit des Christusglaubens tiefer hineinzuführen (Parakletsprüche). In der Abwehr einer falschen Lehre über Jesus Christus wird man sich der Führung durch den heiligen Geist bewußt und artikuliert so bestimmte Aussagen über den Geist, in dessen Besitz man sich weiß. Man kann vermuten, daß dies besonders im Kreis der Verkündiger und Lehrer in der Gemeinde geschah. Gab es etwa auch besondere Zusammenkünfte und Beratungen dieser Lehrer, Versammlungen, in denen man unter Gebet und Betrachtung der Überlieferung von Jesus Christus zu größerer theologischer Klarheit kommen wollte? Das ist jedenfalls nach dem Evangelium, das als ausgereifte Frucht solcher Besinnung, auch in einer Gruppe von Lehrern (vgl. die redaktionelle Überarbeitung), gelten kann, nicht ausgeschlossen.

[45] Siehe ebd. 387–390.

7. Prophetie und Propheten

Noch eine letzte Frage wollen wir zur Geisterfahrung der johanneischen Gemeinde stellen: Gab es in ihr auch „Propheten", die als besondere Geistträger angesehen wurden und auf deren Prophetie man Wert legte? Nun ist die Frage urchristlicher Prophetie, besonders nach ihrer Art und ihren Funktionen, bis heute umstritten und nach den Quellen auch nicht leicht zu klären.[46] Wahrscheinlich muß man mit verschiedenen Phänomenen rechnen, so daß „Prophetie" nicht überall in den urchristlichen Gemeinden das gleiche bedeuten muß. Für die johanneische Gemeinde ist die Frage nicht unwichtig, weil man hinter den johanneischen Schriften einen „Wanderprophetismus" erkennen wollte, der mit dem „Amt" in Konkurrenz steht, im Evangelium durch den „geliebten Jünger" im Verhältnis zu Petrus symbolisiert.[47] Diese These A. Krageruds, daß der „Lieblingsjünger" eine (kollektive) Symbolgestalt für die Wanderpropheten ist, hat freilich keine Zustimmung erfahren; aber davon abgesehen, legt die Eigenart der johanneischen Schriften die Frage nach einem „prophetischen" Element in der Gemeinde nahe, das geisterfüllte Männer verkörpern könnten. Nur diese Frage soll uns noch kurz beschäftigen.

Der einzige Anhalt dafür, daß man in der Gemeinde von „Propheten" wußte und sprach, ist die negative Redeweise von den „Pseudopropheten" in 1 Joh 4,1: „Viele Pseudopropheten sind in die Welt ausgezogen". Aus dieser Abwehrhaltung könnte man schließen, daß man in der johanneischen Gemeinde den Ausdruck „Propheten" absichtlich vermied, weil er in Mißkredit gekommen war. Vergleicht man aber die Didache, der Pseudopropheten ebenfalls zu schaffen machten, so sieht man, daß sie weiter unbefangen von wirklichen Propheten spricht und ihnen hohe Wertschätzung entgegenbringt.[48] Auch an die Johannes-Apokalypse ist hier zu erinnern, die zeitlich und möglicherweise geographisch unseren johanneischen Schriften nahesteht, im übrigen aber gerade durch ihre „Prophetie" von ihnen weit entfernt ist. So legt sich doch eher der Schluß nahe, daß die johanneische Gemeinde von „Propheten" in ihren Reihen nichts wußte und nichts wissen wollte. Offenbar ist „Prophetie"

[46] Vgl. *G. Friedrich* in ThWNT VI (1959) 849–858; *G. Dautzenberg,* Urchristliche Prophetie, Stuttgart 1975; *U. B. Müller,* Prophetie und Predigt im Neuen Testament, Gütersloh 1975.

[47] *A. Kragerud,* Der Lieblingsjünger im Johannesevangelium, Oslo 1959.

[48] Vgl. Didache 11,3.7–12; 13,1–4. Die Sätze in 11,10–12 zeigen, daß diese Propheten auch sittliche und praktische Anweisungen gaben. Weder ihr Danksagen bei der Eucharistie (10,7), noch ihr ekstatisches Reden (vgl. 11,7.9) noch auch ihre Weisungen für das christliche Verhalten finden in den johanneischen Schriften eine Entsprechung. Vgl. weiter *J.-P. Audet,* La Didachè, Paris 1958, 435–453.

(weder in der Art der Apokalypse noch in der Art der in der Didache gekennzeichneten Propheten) nicht die Weise, in der sie das Wirken des Geistes erfuhr.

Nur eine Stelle im Evangelium läßt unmittelbar an ein „prophetisches" Element denken, nämlich die Verheißung im letzten Parakletspruch: „und das Kommende wird er euch verkünden" (16,13c). Aber es ist gewagt, darin eine Zukunftsprophetie zu finden, wie sie etwa in der Johannes-Apokalypse vorliegt, oder sogar einen Hinweis auf dieses Buch zu vermuten.[49] Der Evangelist verlagert die eschatologischen Aussagen in die Gegenwart („präsentische Eschatologie"); aber auch die Redaktion, der man die Rede in Joh 16 zuweisen kann, hat die Sicht des Evangelisten aufgenommen (vgl. die auf die Zeit nach Ostern bezüglichen Aussagen 16,22–24.26). Auf keinen Fall kann es sich um „apokalyptische" Enthüllungen handeln. So wird man richtiger gemäß dem Kontext interpretieren müssen: In der mit dem Kommen des Parakleten anhebenden Zeit werden die Jünger tiefer in die Wahrheit der Christusoffenbarung eindringen und auch das auf sie „Zukommende" verstehen lernen.[50] Sie können getrost in die Zukunft hineinschreiten, deren Geschehen und Sinn ihnen den Geist erschließen wird. Immerhin ist der Satz ein Zeichen dafür, daß die johanneische Gemeinde nicht sorglos-befriedet nur der Gegenwart lebt, sondern auch für die Zukunft geöffnet ist und sich der Fragen und Nöte, die auf sie zukommen, bewußt bleibt.

Wenn nicht alles täuscht, betrachten sich die Verkündiger und Lehrer in der johanneischen Gemeinde nicht als „Propheten", wohl aber als vom heiligen Geist erleuchtete Tradenten und Interpreten der Christusoffenbarung, ganz in der Linie des „geliebten Jüngers", der ihre „bleibende" Autorität ist (vgl. 21,23 und 24). Wir wissen nicht einmal, ob sie sich auch als Wandermissionare betätigten; denn dort, wo solche im johanneischen Schrifttum erwähnt werden, nämlich in 3 Joh 5–8, ist es keineswegs sicher, daß es sich um Angehörige des „johanneischen Kreises", aus der Gruppe der Lehrer in der johanneischen Stammgemeinde, handelt. Wahrscheinlich sind die im dritten Brief erwähnten Männer ähnliche Wandermissionare wie in der Didache, die dort (11,3) als „Apostel" bezeichnet werden. Das Selbstverständnis der Lehrer in der johanneischen Gemeinde deckt sich nicht mit dem der „Propheten" in der Didache

[49] Zur Beziehung auf die Apokalypse vgl. *A. Loisy,* Le quatrième Évangile, Paris 1921, 433; *H. Sasse,* Der Paraklet im Johannesevangelium: ZNW 24 (1925) 260–277, näherhin 273f; *M. Miguéns,* El Paráclito 208–212. Von einer „prophetischen" Tätigkeit bzw. von der Verheißung einer prophetischen Gabe sprechen viele Kommentare.

[50] In ähnlichem Sinn *H. van den Bussche,* Jezus' Woorden 161; *I. de la Potterie,* Le Paraclet 96; *R. Bultmann,* Ev. des Joh. 443; *R. E. Brown,* Gospel II, 716; *F. Porsch,* Pneuma und Wort 298.

(vgl. 11,7–12). Auch sie betrachten sich sicher als „die Wahrheit lehrende" Männer; aber es ist die Wahrheit der Christusoffenbarung, die sie tiefer im Geist erschließen wollen, und von Ekstase hören wir nichts. Ihre Funktionen sind Lehre, Weitergabe und Deutung der Tradition.

*

Das Bild, das wir im ganzen von der johanneischen Gemeinde, ihrer Geisterfahrung und ihrem Geistverständnis, gewonnen haben, behält eigene Züge, wenn wir andere urchristliche Gemeinden und Theologen vergleichen. Auffällig ist die starke Bindung an den Geist und das wache Bewußtsein von seiner Anwesenheit und Wirksamkeit. Die darin liegende Auffassung vom Geist fügt sich aber in den Rahmen des Urchristentums ein und gibt kein Recht, von einer räumlich und theologisch am Rande siedelnden Gemeinde zu sprechen. Die vom Geist und von geisterfüllten Lehrern geführte johanneische Gemeinde ist ein Anschauungsmodell, das auch unseren heutigen Gemeinden und der Gesamtkirche Anregungen und Impulse geben kann, um die „Geistvergessenheit" zu überwinden und eine neue „Geisterfahrung" zu gewinnen.

Literatur

Becker, J., Die Abschiedsreden Jesu im Johannesevangelium: ZNW 61 (1970) 215–246.

Ders., Beobachtungen zum Dualismus im Johannesevangelium: ZNW 65 (1974) 71–87.

Berrouard, M.-F., Le Paraclet, défenseur du Christ devant la conscience du croyant (Jn XVI, 8–11): RSPhTh 33 (1949) 361–389.

Betz, O., Der Paraklet. Fürsprecher im häretischen Spätjudentum, im Johannesevangelium und in neu gefundenen gnostischen Schriften, Leiden–Köln 1963.

Beutler, J., Martyria. Traditionsgeschichtliche Untersuchungen zum Zeugnisthema bei Johannes, Frankfurt/M. 1972.

Brown, R. E., The Gospel According to John XIII–XXI, Garden City/N. Y. 1970.

Bultmann, R., Das Evangelium des Johannes (Meyer K), Göttingen [17]1963 (Nachdr. Berlin 1963).

Ders., Die drei Johannesbiefe (Meyer K), Göttingen [7]1967.

Cullmann, O., Der johanneische Kreis. Sein Platz im Spätjudentum, in der Jüngerschaft Jesu und im Urchristentum, Tübingen 1975.

D'Aragon, J.-L., Le caractère distinctif de l'église johannique, in: L'Église dans la Bible, Brügge 1962, 53–66.

De Jonge, M., De brieven van Johannes, Nijkerk 1968.

De la Potterie, I., L'onction du chrétien par la foi: Bib 40 (1959) 12–69, abgedr. in: *ders.* und *S. Lyonnet*, La vie selon l'Esprit condition du chrétien, Paris 1965, 107–167.

Ders., „Naître de l'eau et naître de l'Esprit" – Le texte baptismal de Jean 3,5, in: La vie selon l'Esprit 31–63.

Ders., Le Paraclet, in: La vie selon l'Esprit 85–105.

Dodd, C. H., The Johannine Epistles, New York–London 1946.

Ders., Historical Tradition in the Fourth Gospel, Cambridge 1963.

Forestell, J. T., Jesus and the Paraclete in the Gospel of John, in: Word and Spirit (Essays in Honor of D. M. Stanley), Willowdale/Canada 1975, 151–197.

Gaeta, G., Il dialogo con Nicodemo, Brescia 1974.

Haacker, K., Jesus und die Kirche nach Johannes: ThZ 29 (1973) 179–201.

Haenchen, E., Neuere Literatur zu den Johannesbriefen: ThR 26 (1960) 1–43; 267–291.

Houlden, J. L., A Commentary on the Johannine Epistles (Black's N. T. Comm.), London 1973.

Huby, J., Le discours de Jésus après la cène, Paris [2]1942.

Johnston, G., The Spirit-Paraclete in the Gospel of John (SNTS Mon. 12), Cambridge 1970.

Käsemann, E., Jesu letzter Wille nach Johannes 17, Tübingen 1966.

Kraft, H., Die Offenbarung des Johannes (HNT 16a), Tübingen 1974.

Kümmel, W. G., Einleitung in das Neue Testament, Heidelberg 1973. (Nachdr. der 13. Aufl. Berlin 1965).

Lagrange, M.-J., Évangile selon S. Jean, Paris [7]1948.

Langbrandtner, W., Weltferner Gott oder Gott der Liebe. Der Ketzerstreit in der johanneischen Kirche (maschinenschriftl. Diss.), Heidelberg 1975.

Lattke, M., Einheit im Wort. Die spezifische Bedeutung von „agape", „agapan" und „filein" im Johannes-Evangelium (StANT 41), München 1975.

Lindars, B., The Gospel of John, London 1972.

Martyn, J. L., History and Theology in the Fourth Gospel, New York 1968.

Michl, J., Der Geist als Garant des rechten Glaubens, in: „Vom Wort des Lebens" (Festschr. für M. Meinertz), Münster i. W. 1951, 142–151.

Miguéns, M., El Paráclito (Jn 14–16), Jerusalem 1963.

Müller, U. B., Die Parakletenvorstellung im Johannesevangelium: ZThK 71 (1974) 31–77.

Ders., Die Geschichte der Christologie in der johanneischen Gemeinde (SBS 77), Stuttgart 1975.

Mußner, F., Die johanneischen Parakletsprüche und die apostolische Tradition: BZ 5 (1961) 56–70.

Nauck, W., Die Tradition und der Charakter des ersten Johannesbriefes, Tübingen 1957.
Porsch, F., Pneuma und Wort. Ein exegetischer Beitrag zur Pneumatologie des Johannesevangeliums, Frankfurt a. M. 1974.
Richter, G., Die Fleischwerdung des Logos im Johannesevangelium: NT 13 (1971) 81–126; 14 (1972) 257–276.
Ders., Zum sogenannten Taufetext Joh 3,5: MüThZ 26 (1975) 101–125.
Ders., Zum gemeindebildenden Element in den johanneischen Schriften, in: J. Hainz (Hrsg.), Kirche im Werden. Studien zum Thema Amt und Gemeinde im Neuen Testament, Paderborn 1976, 253–292.
Robinson, J. M., Die johanneische Entwicklungslinie, in: *H. Köster und J. M. Robinson*, Entwicklungslinien durch die Welt des frühen Christentums, Tübingen 1971, 216–250.
Schick, E., Das Evangelium nach Johannes (in Echter-Bibel Bd. I), Würzburg ²1967.
Schlier, H., Zum Begriff des Geistes nach dem Johannesevangelium, in: *ders.*, Besinnung auf das Neue Testament, Freiburg i. Br. 1964, 264–271.
Schnackenburg, R., Die Johannesbriefe, Freiburg i. Br. ⁵1975 (Nachdr. Leipzig 1963).
Ders., Das Johannesevangelium III. Teil. Kommentar zu Kap. 13–21, Freiburg i. Br. 1975 (Nachdr. Leipzig 1977).
Schottroff, L., Der Glaubende und die feindliche Welt. Beobachtungen zum gnostischen Dualismus und seiner Bedeutung für Paulus und das Johannesevangelium, Neukirchen 1970.
Schürmann, H., Die geistlichen Gnadengaben in den paulinischen Gemeinden, Leipzig 1965; abgedr. in: *ders.*, Ursprung und Gestalt, Düsseldorf 1970, 236–267.
Schulz, S., Untersuchungen zur Menschensohn-Christologie im Johannesevangelium, Göttingen 1957.
Schweizer, E., Der Kirchenbegriff im Evangelium und den Briefen des Johannes, in: *ders.*, Neotestamentica, Zürich-Stuttgart 1963, 254–271.
Van den Bussche, H., Jezus' Woorden bij het Afscheidsmaal, Tielt–Den Haag 1957.
Ders., Die Kirche im vierten Evangelium, in: Vom Christus zur Kirche, Wien 1966, 79–107.
Veenhof, J., De Parakleet, Kampen o. J. (1975).
Wendt, H. H., Die Johannesbriefe und das johanneische Christentum, Halle 1925.
Wikenhauser, A. – Schmid, J., Einleitung in das Neue Testament, Freiburg i. Br. 1973 (Nachdr. Leipzig 1974).

Das Werk *M. de Jonge* (éd.), L'Évangile de Jean. Sources, rédaction, théologie, Gembloux–Löwen 1977 (Beiträge auf den Journées Bibliques in Löwen 1975) konnte nicht mehr berücksichtigt werden.

DIE BITTEN DES JOHANNEISCHEN JESUS IN DEM GEBET JOH 17 UND DIE INTENTIONEN JESU VON NAZARET

Von Wilhelm Thüsing

1. Zur Fragestellung

Stellt man die in Joh 17 erkennbaren Gebetsthemen und die Intentionen Jesu von Nazaret, wie sie aus der synoptischen Tradition zu erheben sind, einander gegenüber, so ergibt sich ein starker Kontrast: auf der einen Seite der bereits vom Glanz der Verklärung berührte Christus von Joh 17, der zunächst um *seine* Verherrlichung betet, dem *seine* Verherrlichung in den Jüngern wichtig ist und dessen Anliegen die Jüngergemeinschaft in ihrer Abgegrenztheit von der „Welt" zu sein scheint – und auf der anderen Seite der lehrende, handelnde und betende prophetische Charismatiker aus Nazaret, der das Reich Gottes verkündigt „und nicht sich", der sich „über Gott und dem heilsbedürftigen Menschen vergißt"[1], der gegen pharisäischen Legalismus kämpft und die Schranken zwischen den Menschen aufsprengt bis zur Feindesliebe.

Das Urteil E. Käsemanns ist verständlich: „Joh 17 bringt sicher nicht die Stimme des irdischen Jesus zu Gehör..."[2] Aber ist unsere Frage dann überhaupt noch sinnvoll?

Das Johannesevangelium steht in der Wirkungsgeschichte Jesu von Nazaret. Das wird auch der anerkennen, der es für eine Verzerrung oder gar Verfälschung der Intentionen Jesu selbst hält. So muß auch die Frage erlaubt sein, in welcher Weise es noch mit Jesus von Nazaret verbunden ist bzw. welche Spuren Jesus von Nazaret selbst in ihm hinterlassen hat. Diese Frage hat sicherlich auch innerneutestamentliches, historisch-kritisches Interesse. Doch könnte eine aus rein fachimmanent-neutestamentlichem Interesse betriebene Arbeit leicht gelähmt werden durch die geringe Aussicht, präzise Ergebnisse zu erhalten, gerade infolge der äußerst großen Verschiedenheit zwischen dem Johannesevangelium und Jesus von Nazaret; die Verschiedenheit der nicht leicht vermittelbaren Denk- und Vorstellungskategorien kann den Eindruck von zwei verschiedenen Welten erwecken. Vielleicht wird die Frage noch nicht eigentlich im Raum historischer Forschung drängend,

[1] *K. Rahner,* Christologie 29.
[2] *E. Käsemann,* Jesu letzter Wille 158.

sondern erst dann, wenn es um die Relevanz des Johannesevangeliums für den heutigen Christusglauben geht.[3] In der katholischen Theologie ist, wenn ich recht sehe, erst im Laufe der letzten zehn bis zwanzig Jahre eine Entwicklung spürbar geworden, die die Relevanz des Johannesevangeliums in Frage stellt. Es ist schwierig geworden, einen Zugang zu einem gewissermaßen auf Goldgrund gemalten Christusbild zu bekommen. Das Gespür für den Abstand zwischen dem Johannesevangelium und Jesus selbst ist geschärft worden. Die Bedeutung der auf der Grundlage der synoptischen Tradition betriebenen Jesusforschung ist immer stärker erkannt worden, Stichworte wie das von der „Sache Jesu" haben ihren Weg gemacht, und es gab und gibt eine Reihe von Versuchen, den christlichen Glauben nicht mehr auf den erhöhten Christus, sondern auf Jesus von Nazaret und das Weitergehen seiner „Sache" zu gründen. Zudem sind auf dem Gebiet der Johannesforschung selbst die Versuche stärker geworden, das Band der Kontinuität zwischen dem Johannesevangelium und Jesus selbst in Frage zu stellen.

In diesem Sinne handelt es sich im Grunde um eine systematisch-theologische Fragestellung. Aber deshalb ist das Thema „Das Johannesevangelium und Jesus von Nazaret" (für das das Thema dieses Beitrags eine Konkretisierung bildet) für den Exegeten noch keineswegs unerlaubt. Die letztlich systematisch-theologische Fragestellung kann heuristisches Prinzip werden; sie kann die Motivation bieten, historisch-kritisch nach einem Weg zur Lösung zu suchen. Die bezüglich Joh 17 notwendige „systematisch-theologische" Frage – die im Grunde ein Teilstück der Frage „kirchlicher Christusglaube und Jesus von Nazaret" darstellt – kann ja nur von den Texten des Neuen Testaments her beantwortet werden.

Es ist wichtig, die Art unserer Fragestellung klar zu erkennen: Es handelt sich nicht um die „Rückfrage nach Jesus"[4], sondern um das, was ich als *Legitimationsfrage* bezeichnen möchte; es geht um die Frage nach der Legitimation

[3] Im Jahre 1960 gab H. Schürmann mir die Anregung, meine gerade erschienene Dissertation „Die Erhöhung und Verherrlichung Jesu im Johannesevangelium" in der von ihm herausgegebenen Reihe „Die Botschaft Gottes" für einen weiteren Leserkreis auszuwerten. Ich folgte dieser Anregung im Rahmen einer Auslegung von Joh 17. Schon damals waren mir Analogien zwischen Joh 17 und dem Beten Jesu selbst aufgefallen (für das letztere orientierte ich mich vor allem an H. Schürmanns Erklärung des Gebets des Herrn), ohne daß ich dieser Frage in dem Bändchen über Joh 17 nachgegangen wäre. Inzwischen bin ich zu der Auffassung gekommen, daß das Gebet Joh 17 in der heutigen theologischen Situation mit den Intentionen Jesu von Nazaret und damit vor allem mit dem synoptischen Herrengebet kontrastiert und zusammengeschaut werden sollte, wenn es darum geht, die Relevanz des johanneischen Textes zu erfassen – bzw. das, was ich mit der Auslegung von Joh 17 beabsichtigte, weiter zu vertreten.

[4] Vgl. *K. Kertelge* (Hrsg.), Rückfrage nach Jesus.

einer nachösterlichen theologischen Konzeption an dem Maßstab, den Jesus von Nazaret selbst darstellt. Dabei müssen natürlich die gesicherten Ergebnisse der Rückfrage (bzw. Ergebnisse, über die mindestens weitgehend Übereinstimmung besteht), eingebracht werden.

Das Ziel dieses Beitrags ist es also nicht, in jedem Punkt ungebrochene Kontinuität aufzuzeigen (und dann der Gefahr der Harmonisierung zu verfallen); das Ziel ist von der Sache her bescheidener anzusetzen. Es besteht in der Beantwortung der Frage: Ist es legitim, den Beter von Joh 17 und Jesus von Nazaret zusammenzudenken, und zwar im vollen Bewußtsein der Verschiedenheit und der Einseitigkeit der johanneischen Darstellung? Oder ist solche Zusammenschau durch den theologischen Befund des vierten Evangeliums (etwa durch einen zu starken gnostischen Charakter) versperrt? Ist das, was wir im Vergleich mit der synoptischen Jesustradition als johanneische Einseitigkeit oder Engführung empfinden mögen, vielleicht Übersteigerung oder Aufgipfelung von etwas, was es grundsätzlich auch in der alten Jesustradition gibt, und dann also nicht ausschließender Gegensatz? Dabei ist die nachösterliche kerygmatische Transformation[5] zu berücksichtigen; es ist zu fragen, ob unter den Bedingungen der nachösterlichen transformierenden Verbindung von Botschaft Jesu und Botschaft über Jesus – und speziell unter den Bedingungen der johanneischen Form dieser Transformation – Akzente der Intention Jesu selbst durchgehalten sind[6].

Es dürfte einsichtig sein, daß es hier nicht darum gehen kann, das Problem als ganzes aufzuarbeiten; es soll versucht werden, den Problemhorizont zu umreißen, und es sollen Hinweise auf mögliche Wege zur Lösung gegeben werden.

[5] Vgl. *F. Mußner,* Johanneische Sehweise 80: „kerygmatischer Transpositionsprozeß". *W. Thüsing,* Erhöhungsvorstellung und Parusieerwartung 30–33; *ders.,* Christologie 128.168f.283f.

[6] Für diese Arbeit müßten *Kriterien* entwickelt werden – eine Aufgabe, für die ich hier allenfalls den einen oder anderen Ansatz versuchen kann. (Als Analogie könnten die Überlegungen *F. Hahns* [Rückfrage 37–40] zur „Notwendigkeit eines Gesamtentwurfs" für die Rückfrage nach Jesus sowie vor allem zur Rückfrage nach Jesus im Rahmen des urchristlichen Rezeptionsprozesses [aaO. 67–70] hilfreich sein.)

Einige Hinweise zu den methodischen Überlegungen, die diesem Beitrag zugrunde liegen: Da, wo wörtliche Anklänge signalisieren könnten, daß eine johanneische Stelle in der Wirkungsbzw. Rezeptionsgeschichte der ursprünglichen Jesustradition steht, muß gefragt werden, welche Grundintentionen hinter diesen Berührungen stehen und ob die johanneische Intention sich als nachösterliche Transposition oder Transformation der jesuanischen bestimmen läßt. Eine solche Frage ist auch bei Sachparallelen möglich, soweit sie auf gleichlaufende oder analoge Intentionen hinweisen. Die grundlegende nachösterliche kerygmatische Transformation ist ebenso zu berücksichtigen wie die je neue nachösterliche Situation des betreffenden Autors bzw. seiner Gemeinden. Für die Beurteilung der jeweiligen nachösterlichen Transformation der Intentionen Jesu von Nazaret ist der Versuch notwendig, die jeweiligen

2. Zum Gebetscharakter von Joh 17

In diesem Abschnitt ist eine Vorfrage zu behandeln. Wenn es um das Verhältnis der johanneischen Christologie zum irdischen Jesus geht, bildet ihr Charakter als Doxa-Christologie – als einer Christologie, die schon dem irdischen Jesus Herrlichkeit zuschreibt[7] – ein besonderes, ja wohl das entscheidende Problem[8]. Für Joh 17 konkretisiert sich dieses allgemein für das

konkreten Intentionen Jesu methodisch – vorübergehend – so abstrakt zu fassen, daß die Hinterfragung einer in historischer Distanz (und darüber hinaus in anderen Denk- und Artikulationsformen) stehenden späteren theologischen Konzeption sinnvoll wird – bzw. daß gefragt werden kann, ob der gemeinsame Nenner zur Legitimation der nachösterlichen Aussage ausreicht. Als Hilfsbegriff könnte auch der Begriff der Konvergenz dienlich sein.
Bei den immer wieder notwendigen Vergleichen darf nicht der Versuchung nachgegeben werden, Unterschiedliches gleichzusetzen; d.h. es darf nicht so verfahren werden, als ob die verglichenen Sachverhalte doch wieder auf dieselbe traditionsgeschichtliche, theologiegeschichtliche oder religionsgeschichtliche Ebene geholt würden. Vielmehr kann es nur darum gehen, die beiden Sachverhalte über einen großen rezeptionsgeschichtlichen Zeitraum hinweg miteinander in Beziehung zu setzen. Wiederum: Die Aufgabe setzt eine beträchtliche Fähigkeit und Bereitschaft zur – methodisch vorläufigen – Abstraktion voraus.
Zum Grundvorgang der nachösterlichen Transformation: Die kerygmatische Transformation führt notwendig eine Christologisierung des Verkündigungsinhaltes mit sich; Jesus Christus wird ja zum Inhalt der Verkündigung. Die Transformation kann aber nur dann voll legitimiert sein, wenn die Christologisierung die Intention Jesu in sich aufnimmt und unverfälscht, ja verstärkt zur Geltung bringt – wenn die auf Orthopraxis gehende Komponente der Intention Jesu von Nazaret in die Orthodoxie, in das nachösterliche Christuskerygma hineingenommen wird. Der Christusglaube darf sich auf keinen Fall an die Stelle der Intention Jesu setzen bzw. sie auch nicht teilweise verdrängen. Die Intention Jesu muß also als Weisung des erhöhten Christus aufgenommen oder mindestens offengehalten sein. Am adäquatesten kann die Transformation gelingen, wenn auch im erhöhten Christus selbst noch „Orthodoxie" und „Orthopraxis" – bzw. Doxa und Agape – als Einheit gesehen werden (vgl. unten Abschnitt 5c).

[7] Vgl. die scharfe (übersteigerte) Herausstellung dieser Doxa-Christologie bei *E. Käsemann,* Jesu letzter Wille (passim) bis hin zur Auffassung des johanneischen Jesus als „über die Erde schreitenden Gottes" (aaO. 26, im Anschluß an die ältere liberale Johannes-Interpretation).

[8] Dieses Problem eingehender zu untersuchen, wäre für die Behandlung unseres Problems von Joh 17 eine wünschenswerte Vorarbeit, die aber den Rahmen dieses Beitrags übersteigen würde. Ich kann meine Position nur kurz andeuten: Zwar ist eine einseitig gnostische Deutung des Johannesevangeliums nicht mehr haltbar – jetzt vor allem infolge der umfassenden und sorgfältig-abwägenden Sichtung des Materials im großen Johanneskommentar von Rudolf Schnackenburg. Aber der Anstoß, den die johanneische Darstellung des irdischen Jesus bietet, bleibt, und zwar vor allem wegen der im Unterschied von den synoptischen Evangelien konsequent auf das irdische Leben Jesu angewendeten Präexistenz-Christologie. Bei Markus weisen die „geheimen Epiphanien" Jesu auf Ostern hin und empfangen ihr Licht von Ostern her; hier bei Johannes scheint Jesus die göttliche Doxa als der Präexistente zu besitzen, und zwar schon unabhängig von der Erhöhung. Trotzdem meine ich die These halten zu können, daß die Darstellung des irdischen Jesus bei Johannes durch eine Zusammenschau – bzw. vielleicht noch schärfer: Ineinanderprojektion – von irdischer Existenzweise und Verherrlichungs-Status zustande gekommen ist bzw. durch eine Zusammenschau des irdischen

Johannesevangelium bestehende Problem[9] in der Frage nach dem Gebetscharakter dieses Kapitels: Wieweit ist Joh 17 noch Gebet im Sinne Jesu von Nazaret?
Vom Beten des irdischen Jesus ist im Johannesevangelium noch an weiteren Stellen die Rede: Joh 11,41f und Joh 12,27f. In Joh 11,42 wird betont, daß das Gebet nicht um Jesu willen, sondern wegen der Umstehenden geschieht. Und für das „johanneische Getsemanigebet" 12,27f weist die Angabe V.30[10] in die gleiche Richtung. Das entspricht sicher nicht der Gebetshaltung Jesu von Nazaret[11] – auch wenn man es vermeidet, dem Evangelisten eine naive Historisierung zu unterstellen[12].
Wie steht es nun mit dem Gebet in Joh 17? Auch dieses Gebet ist „im Blick auf die anwesenden Jünger als Repräsentanten aller Glaubenden konzipiert"; es ist der Gattung nach eher eine Abschiedsrede in Gebetsform, die die Gemeinde zum Nachdenken über ihre Berufung, ihre Situation und ihre Aufgabe anregen will[13]. Aber damit ist die Frage nach dem Gebetscharakter von Joh 17 noch nicht erledigt. Joh 17 ist zwar kein im Gottesdienst der johanneischen Gemeinden verwendetes Gebet[14], ist aber doch auch auf das Beten dieser Gemeinden bezogen. Genauer: Der Autor, dessen theologischer Reflexion wir dieses Gebet verdanken, will kaum unmittelbar zu formulierten

Lebens mit etwas, was erst durch den Erhöhungsglauben erkannt werden kann, nämlich der singulären Einheit Jesu mit Gott. Die johanneische Präexistenzvorstellung (die Auffassung, daß schon der irdische Jesus durch sein Kommen aus der Präexistenz heraus bestimmt sei) hebt dieses Denken von Ostern her letztlich nicht auf; vielmehr sichert sie es, indem sie es theo-logisch vertieft. Der Evangelist sieht die dialogische Einheit von Vater und Sohn, deren Modell er eher von der Verherrlichung als vom irdischen Leben nimmt, als bestimmend an auch für den irdischen Jesus. Er will die Identität des irdischen und des erhöhten Jesus herausarbeiten unter theo-logischem Aspekt, d.h. für ihn: mit Hilfe der Präexistenzvorstellung als der Vorstellung von der präexistenten Einheit Jesu mit Gott. – Vgl. *W. Thüsing,* Erhöhung und Verherrlichung 316–327; Christologie 243–253. – Diese Interpretation der irdischen Doxa des johanneischen Jesus von der Erhöhung und der Theo-logie her würde die im folgenden für Joh 17 gegebene Deutung stützen können, in der der Gebetscharakter von Joh 17 analog nicht primär von der Präexistenz, sondern von der Erhöhung aus angegangen wird.

[9] Das ist der Fall, obschon der Sachverhalt in Joh 17 anders ist als in dem Gebet Joh 11,41f, das einliniger durch den Gedanken der irdischen Doxa bestimmt ist.

[10] „Nicht um meinetwillen ertönt diese Stimme, sondern um euretwillen."

[11] Im Falle von Joh 11,27f kann man Berührungspunkte und Unterschiede gegenüber der synoptischen Tradition vom Beten in Getsemani gut erkennen; vgl. *R. Schnackenburg,* Johannesevangelium II 484ff; *W. Thüsing,* Erhöhung und Verherrlichung 78–88.

[12] Vgl. die zahlreichen Hinweise auf die dialogische Beziehung von Vater und Sohn, z.B. Joh 5,19f. Es kommt dem Evangelisten nicht auf den Wortlaut von Gebeten an, sondern auf die theologisch stilisierende Herausarbeitung der singulären Gottesbeziehung und Wirkeinheit mit Gott.

[13] Vgl. *R. Schnackenburg,* Strukturanalyse 201f.

[14] Vgl. *R. Schnackenburg,* Johannesevangelium III 228–230.

Gebeten anregen, sondern eine Glaubenshaltung wecken, die zugleich Gebetshaltung ist – eine Glaubenshaltung, welche die in Joh 17 als Bitten des jetzt verherrlichten Jesus verkündeten Anliegen zu den eigenen macht. Die Adressaten von Joh 17 bilden nicht einfach eine hörende und zum Nachdenken über ihre Situation aufgerufene Gemeinde, sondern eine Gemeinde, für die Gebet und Gottesdienst zum Glaubensvollzug hinzugehören. Man darf also nicht nur fragen, wieweit Joh 17 in die Situation des Erdenlebens Jesu hineinpaßt, sondern man muß vor allem fragen, wieweit es Gebetsanliegen der johanneischen Gemeinde widerspiegelt, die aus der spezifischen, dieser Gemeinde nahegebrachten johanneischen Verkündigung erwachsen.

Nun gibt es Stellen in den Abschiedsreden, die ausdrücklich vom Gebet der Jünger sprechen bzw. die Jünger zum Gebet auffordern: Joh 14,13f; 15,7.16; 16,23f[15]. Objekt des Betens der Jünger ist an diesen Stellen das Werk der Offenbarung, m.a.W. das von Jesus verheißene Wirken des Parakleten bzw. des erhöhten Jesus selbst durch den Parakleten[16]. Das von Jesus den Jüngern aufgetragene Beten hat also der Sache nach denselben Gegenstand wie das Gebet Jesu in Joh 17; denn auch die Bewahrung und Heiligung der Jünger sowie ihre Einheit müssen als andere Ausdrucksweisen für das Wirken des Parakleten verstanden werden[17]. Dem entspricht die Tatsache, daß das Evangelium ausdrücklich vom Beten des verherrlichten Jesus redet (Joh 14,16: Jesus will den Vater für die Jünger um den Parakleten bitten; vgl. 1 Joh 2,1f: Jesus selbst als Beistand der Jünger).

Kann man Joh 17 also als Gebet des verherrlichten Jesus bezeichnen? Vom literarischen Charakter des Abschiedsgebetes her: nein. Ebenso wäre das inadäquat, wenn man die Intention des Evangelisten berücksichtigt, die Identität des irdischen und des erhöhten Jesus aufzuzeigen; ferner, insofern das Gebet Joh 17 im Sinne des Evangelisten nicht völlig in einem Gebet der Gemeinde aufgehen kann[18]. Wenn man das Gebet jedoch unter dem Aspekt der sachlich-theologischen Intention betrachtet, wird man zu einer anderen, bejahenden Antwort kommen müssen: Hier sind aus dem Munde Jesu die Intentionen zu vernehmen, die der johanneischen Gemeinde aufgegeben sind und um die sie sich nur in der Kraft des Parakleten bzw. des

[15] Methodisch sind zunächst die Stellen aus Joh 15 und 16 zu beachten, vgl. unten Abschnitt 5b.

[16] Vgl. *W. Thüsing,* Erhöhung und Verherrlichung 114–117; *ders.,* Herrlichkeit und Einheit 67ff.

[17] Vgl. *W. Thüsing,* Erhöhung und Verherrlichung 185f.189; Herrlichkeit und Einheit 42–53.72.74ff.81. – Ein deutliches Bindeglied zwischen den Gebetsanliegen von Joh 17 und denen von Joh 15–16 ist das Wort von der „vollendeten Freude" (Joh 17,13 und 16,24; vgl. 15,11).

[18] Die Bitte von Joh 17,5 ist aus der Situation der Gemeinde gesehen bereits (mindestens grundlegend) erfüllt durch das „Aufsteigen" Jesu zum Vater.

durch den Parakleten wirkenden erhöhten Jesus selbst mühen kann. Die Proexistenz des irdischen Jesus ist in der der Gemeinde „beistehenden“ Proexistenz des Verherrlichten bleibend aufgehoben (vgl. 1 Joh 2,1).
Entscheidend ist für unsere Frage nicht, ob Jesus von Nazaret so gebetet hat wie der Jesus von Joh 17, sondern ob der Autor von Joh 17 und die Gemeinde, der er die Bitten von Joh 17 nahebrachte, noch – in nachösterlich-johanneischer Transformation – einen Kern jesuanischer Intentionen durchgehalten haben.

Wenn wir jetzt zu den einzelnen Gebetsgedanken von Joh 17 übergehen, bietet sich im Rahmen unseres Themas zunächst ein Vergleich mit den Gebetsintentionen Jesu an, die uns im Vaterunser an die Hand gegeben sind. (Wir sind uns dabei bewußt, daß ein solcher Vergleich nicht zur Feststellung von Identität führen soll und kann, sondern Vorarbeit für die Legitimationsfrage ist.) Für den Vergleich kommen vor allem zwei Punkte in Frage: das als Verherrlichung des Vaters angegebene Ziel der Verherrlichungsbitte Jesu in Joh 17,1 und die Bitte um die Bewahrung der Jünger „im Namen des Vaters“ bzw. „vor dem Bösen“ Joh 17,11b–16.

3. Die Verherrlichungsbitte in Joh 17,1

a) Die Vater-Anrede

Alle drei Gebete Jesu im Johannesevangelium enthalten die Vater-Anrede in zusatzloser Form[19], wie die lukanische Fassung des Herrengebets sie aufweist und wie sie als Abba-Anrede auch sonst für Jesus gesichert ist[20]. Auch wenn die johanneische Vater-Anrede mit der spezifisch johanneischen Theo-logie gefüllt ist, zeigt ihre Form in den drei Gebeten doch, daß der Evangelist (bzw. für Joh 17: möglicherweise ein von ihm verschiedener Redaktor) die Jesustradition aufnehmen wollte. Auch inhaltlich sind zwar entsprechend der nachösterlichen Transformation, der Christologisierung und überhaupt der spezifisch johanneischen Theologie verschiedene Akzente und sogar Inhalte festzustellen, aber eine Unvereinbarkeit läßt sich in diesem Punkt nicht behaupten. Vielmehr kann durch den Kontext durchaus eine Konver-

[19] Joh 11,41; 12,28; 17,1.[21.] 24.
[20] Vgl. *R. Schnackenburg,* Johannesevangelium II 158f.

genz aufgezeigt werden. Die Legitimität der johanneischen Vater-Anrede und ihres Inhalts läßt sich von der Jesustradition her nicht in Zweifel ziehen[21].

b) Die theozentrische Gedankenführung in Joh 17 und im synoptischen Gebet des Herrn

Will man einzelne Abschnitte von Joh 17 in einer Gruppe zusammenfassen, so ist das für Joh 17,11b–24 möglich, d.h. bei den Bitten für die Jünger: der Bitte um Bewahrung der Jünger 17,11b–16, um ihre Heiligung VV. 17–19 und um ihre Einheit VV. 20–23[22], ferner dem Verlangen Jesu nach der Vollendung der Jünger V. 24. Dieser Gruppe von Bitten für die Jünger steht die einleitende Bitte um die Verherrlichung Jesu mit dem Ziel der Verherrlichung des Vaters (17,1–5) gegenüber. Die Überleitung bilden VV. 6–11a, die eine „Begründung der Bitte" (VV. 1–5) „im Hinblick auf die Jünger" enthalten[23]. Der Abschluß des ganzen Gebets VV. 25f blickt auf VV. 6–11a zurück (VV. 25–26a) und führt dann in V. 26b die Gebetsanliegen von VV. 11b–24 zu einem letzten Höhepunkt[24].

Die Verherrlichungsbitte und die Bitten für die Jünger bilden ohne Zweifel ein einheitliches Ganzes[25]. Eine Verklammerung bildet (außer VV. 6–11a) schon V. 2: Die Verherrlichung des Vaters besteht in der Spendung des Lebens durch Jesus[26]. Sie bedeutet nicht, daß die Menschen das Heilsgut nach

[21] Besondere Bedeutung kommt für unsere Frage dem „Jubelruf" Lk 10,21f par Mt zu (vgl. *R. Schnackenburg,* Johannesevangelium III 228; siehe auch II 159f), dessen teilweise Zugehörigkeit zum jesuarischen Urgestein wahrscheinlich zu machen ist (bezüglich Lk 10,21, kaum für V. 22).

[22] Bzw. VV.22f, falls man den gutbegründeten und plausiblen Vorschlag *Schnackenburgs* annimmt, VV.20f als „frühe Hinzufügung von zweiter Hand" auszuklammern (Johannesevangelium III 214–216).

[23] *R. Schnackenburg,* Johannesevangelium III 198.

[24] Ich schließe mich hiermit der Gliederung von *Schnackenburg* an mit Ausnahme der VV. 24–26, wo ich aus inhaltlichen Gründen eine Differenzierung zwischen V. 24 und VV. 25f für notwendig halte.

[25] Vgl. *R. Schnackenburg,* Strukturanalyse 74.

[26] Jedoch fällt die Verherrlichungsbitte nicht völlig mit der Bitte für die Jünger (bzw. für die durch die Jünger repräsentierte Gemeinde) zusammen. (Anders wohl *R. Schnackenburg,* Strukturanalyse 74.) Die in V. 5 erbetene Verherrlichung Jesu (die in V. 1 *mit*enthalten ist) besteht zunächst in dem Verherrlichungsvorgang, der sich an der Person Jesu selbst ereignet, also in seinem „Aufsteigen zum Vater" (vgl. *W. Thüsing,* Erhöhung und Verherrlichung 206–214). Das zweimalige „bei dir" von V. 5 unterstreicht die Theozentrik auch dieser grundlegenden Verherrlichung der Person Jesu. *Diese* Verherrlichung ist ihrerseits Voraussetzung für die Spendung des Pneumas bzw. des Lebens, durch die der Vater verherrlicht wird (vgl. Joh 7,39). Die Unterscheidung zwischen der Verherrlichung Jesu von V. 5 und der des Vaters von V. 1 (bzw. der Verherrlichung Jesu von 16,14) ist m.E. notwendig, trotz der unbestreitbaren johanneischen Einheit von Person und Werk Jesu, die aber keine Identität ist.

Art eines kostbaren, aber toten Geschenkes erhielten, sondern ist „Leben" in der dialogischen Hinordnung auf den Vater[27]. Die christozentrisch-theozentrische Verherrlichungsbitte ist der Bitte für die Jünger also im Sinne der johanneischen Theologie eindeutig vorgeordnet; Bitte für die Jünger ist das Ganze nur unter dem theozentrischen und christozentrischen Vorzeichen von 17,1–5. Gerade wenn man den Text Joh 17 aus der Situation der nachösterlichen johanneischen Gemeinde verstehen will, legt sich das nahe: Das Gebetsanliegen des Autors von Joh 17 und der johanneischen Christen sind nicht in erster Linie sie selbst, sondern die Verherrlichung Jesu und des Vaters. Das ist auch das Gebetsanliegen, das in den Gebetsaufforderungen von Joh 14–16 vorausgesetzt ist. Man wird sich das Gebet dieser Christen nicht als bloße Bitte für die eigenen Anliegen vorstellen dürfen (die erst gewissermaßen nachträglich als Anliegen der Verherrlichung Jesu erkannt würden); es ist vielmehr umgekehrt: Aus dem Johannesevangelium können wir einen Vorrang der theozentrischen und christozentrischen Anliegen erschließen.

Dieser theozentrische Duktus von Joh 17 entspricht dem des Vaterunsers. Die Bitten um die Heiligung des Namens Gottes und um das Kommen der Basileia Gottes (mit dem mattäischen Zusatz der Bitte um das Geschehen des Heils- und Gerechtigkeitswillens Gottes) sind den drei bzw. vier letzten Bitten eindeutig vorgeordnet[28].

Das Vaterunser steht freilich, was diese theozentrische Linienführung angeht, nicht allein da. Das frühjüdische Achtzehngebet, das in seiner älteren Gestalt sicher schon zur Zeit Jesu vorlag, hat eine vergleichbare Linienführung, wenn auch in der Form der Vorordnung des Lobpreises vor die Bitten für Israel[29]; auch hier wird die Heiligkeit des Namens Gottes gepriesen (in der 3. Benediktion), bevor die Bitten für Israel beginnen (unter denen sich eine Bitte um Vergebung der Sünden befindet). Der Abschluß des Synagogengottesdienstes, das ebenfalls für die Zeit Jesu schon vorauszusetzende Qaddisch, bringt sogar in der Form des Gebetswunsches eine Bitte um Verherrlichung

[27] Vgl. Joh 4,23f; 16,26f und verwandte Stellen zusammen mit 17,3.26.

[28] Vgl. *H. Schürmann,* Gebet des Herrn 37.39f. Die Vorordnung erscheint noch schärfer ausgeprägt als bei Johannes. Dabei ist jedoch zu berücksichtigen, daß die Bitten für die Jünger in Joh 17 anders als die Jüngerbitten des Herrengebets von der nachösterlichen Gabe des Lebens bzw. des Pneumas sprechen, also von dem Geschenk der „offenbarenden" Selbstmitteilung Gottes, und daß es darüber hinaus in Joh 17 um die Einheit von Christologie und Ekklesiologie geht, so daß von daher theologisch eine engere Einheit von Verherrlichungsbitte und Bitte für die Gemeinde bedingt ist.

[29] Vgl. *Billerbeck,* IV/1, 211–215. – Zu den weiteren Unterschieden (bei „Gleichheit der Form ... in Reim und Rhythmus") vgl. *K. G. Kuhn,* Achtzehngebet 40–46, bes. 46.

und Heiligung des Namens Gottes und darum, daß er seine Königsherrschaft antritt, jedoch ohne daß Bitten für Israel folgen.[30]
Wenn ich recht sehe, ist also die Abfolge von *Bitte* um Heiligung des Namens Gottes (statt des an dieser Stelle offenbar häufigeren Lobpreises)[31] und Bitten in den Anliegen der Gemeinde (bzw. der zur Gemeinde gehörigen oder in der Nachfolge stehenden Menschen) ein Proprium (bzw. mindestens ein hervorstechendes Charakteristikum) des Vaterunsers. Und gerade in dieser Abfolge stellt Joh 17 eine Analogie dar!
So ist es keineswegs auszuschließen, daß Joh 17 in dieser Hinsicht in der Wirkungsgeschichte des Vaterunsers steht. Aber wie es sich damit auch traditionsgeschichtlich verhalten mag – der Duktus als solcher entspricht dem jesuanischen Bitten, auch wenn hinter dem theozentrischen Ziel, in das die christozentrische Bitte Joh 17,1 einmündet, die andere, spezifisch johanneische christologisch-theozentrische Theologie steht und die Bitten für die Gemeinde sich nur in einem Punkt mit den jesuanischen Bitten im zweiten Teil des Herrengebets berühren[32].

c) Verherrlichung des Vaters (Joh 17,1) und Heiligung des Namens Gottes (Lk 11,2 par Mt)

Das in dem Finalsatz von Joh 17,1c ausgedrückte Ziel, auf das die Bitte um die Verherrlichung des Sohnes hingeordnet ist – die Verherrlichung des Vaters –, kann im Munde des johanneischen Jesus auch in der Form der unmittelbaren Bitte erscheinen: „Vater, verherrliche deinen Namen!" (Joh 12,28)[33]. Dieser Text ist schon der Form nach vergleichbar mit der das synoptische Herrengebet eröffnenden und (besonders in der lukanischen Fassung) beherrschenden Bitte, daß Gott selbst seinen Namen heiligen möge[34].

[30] Vgl. *J. Jeremias,* Theologie I 192.

[31] Vgl. *H. Schürmann,* Gebet des Herrn 29: „Die Verherrlichung Gottes hat nun die Gestalt des vertrauenden Bittgebetes."

[32] Siehe unten Abschnitt 4. – Im übrigen weist Joh 17 relativ mehr Verbindungen zur Didache auf, deren Text in X,1–6 seinerseits offenbar Übertragung von Gedanken des kurz vorher (VIII,2) zitierten Vaterunsers auf Situation und Anliegen der Eucharistiefeier darstellt. Vgl. in Did X,1–6 die Abfolge von Danksagung für den heiligen Namen des Vaters und Bitten für die Kirche: „sie zu entreißen allem Bösen und sie zu vollenden in deiner Liebe".

[33] Diese Bitte und die Antwort der Himmelsstimme „... ich werde ihn ... verherrlichen" zielen letztlich auf denselben Sachverhalt, der in 17,1 als Verherrlichung des Vaters durch den Sohn ausgesagt wird. Noch deutlicher wird das, wenn man auch die übrigen johanneischen Stellen über die Verherrlichung des Vaters mit heranzieht.

[34] Vgl. *H. Schürmann,* Gebet des Herrn 33ff; *Billerbeck* I 409–411.

In der jesuanischen Bitte um die Heiligung des Namens spricht der Beter den Wunsch aus, daß Gottes Gottheit zur vollen Geltung kommen möge, daß Gott gegeben werde, „was Gottes ist“[35] – nämlich alles; daß Gott gebührend „ernst genommen werde, daß seine heilige Forderung doch ja nicht verkürzt werde“[36]. Hier kommt „das eigentliche Hauptanliegen Jesu“ zum Ausdruck; dieser „allumfassend voranstehende“ Wunsch, daß Gott groß und herrlich sei „...wird aufs Ganze gehen, keine Teilverwirklichung wird hier gemeint sein“[37].

Wieweit stellt die Verherrlichungsbitte von Joh 17,1 eine Parallele dazu dar? Von der Verschiedenheit des Verbums könnte kein unterschiedlicher Sinn hergeleitet werden. In jüdischen Gebeten, z.B. dem schon genannten Qaddisch, wird „heiligen“ mit einem Verbum verbunden, das im Deutschen oft mit „verherrlichen“ übersetzt wird: „verherrlicht [wörtlich: groß gemacht] und geheiligt werde sein großer Name“[38]. Auch das johanneische „verherrlichen“, das auf ein anderes hebräisches Wort (kbd) zurückgeht, enthält diese Bedeutung der unbedingten Ehrung[39]. Und wenn bei Johannes ein Parallelbegriff zu dem „Heiligen des Gottesnamens“ von Lk 11,2 gesucht wird, kommt nicht das ebenfalls im Johannesevangelium begegnende Wort ἁγιάζειν, „heiligen“, in Frage, das im Johannesevangelium einen anderen, spezifischen Sinn hat[40], sondern nur dieses δοξάζειν, „verherrlichen“.

Sicherlich geht das johanneische „Verherrlichen des Vaters“ bzw. des Vaternamens ebenfalls „aufs Ganze“, zielt dieses Ganze und Letzte aber doch in einer spezifischen Weise an, für die das Stichwort wohl nicht universale Öffnung, sondern Konzentration heißen müßte: Im Unterschied von Lk 11,2 konzentriert der johanneische Begriff von 17,1 alles auf die bestimmte, zentrale und entscheidende Verwirklichungsweise des Zur-Geltung-Bringens Gottes, die in dem Wirken des erhöhten Christus durch den Parakleten gegeben ist, und blendet andere Verwirklichungsweisen aus. Nach Joh 17,1 kommt diese Verherrlichung Gottes ja zustande durch das Wirken des Jesus, der zuvor selbst verherrlicht werden muß. Wenn nach 12,28 der „Name“ des Vaters verherrlicht werden soll, dann ist – wohl anders als in Lk 11,2 – der christologische Bezug, der Bezug auf die dialogische Einheit Jesu mit seinem Vater, mitgemeint: Der Name des Vaters – das ist Gott, insofern er als Vater nennbar

[35] Mk 12,17 parr.

[36] *H. Schürmann* aaO. 33.

[37] AaO. 27.

[38] Vgl. auch Sir 36,3. Das hebräische Verbum *gdl* kann in der LXX gelegentlich mit δοξάζειν wiedergegeben werden, vgl. ThWNT II 256.

[39] Vgl. Joh 5,23, wo τιμᾶν als Parallele von δοξάζειν steht.

[40] Siehe unten Abschnitt 5c.

und „erkennbar“ wird, und zwar als Vater Jesu Christi, der die Glaubenden als Brüder Jesu zu seinen Söhnen machen will (vgl. 20,17). Die Verherrlichung des Vaternamens ist der Sache nach identisch mit der Offenbarung dieses Namens durch Jesus (17,6.26).

Die Verherrlichung des Vaters von 17,1 ist näherhin als Offenbarung seiner Liebe zum Sohn zu erschließen (vgl. 17,24), insofern diese Offenbarung die Mitteilung dieser Liebe als der „Herrlichkeit“ (17,22) bzw. des Lebens (vgl. 17,2 und den redaktionellen Zusatz V. 3) darstellt. Der Ausdruck „Name des Vaters“ dürfte innerhalb dieses christologischen Kontextes den Kernsatz des 1. Johannesbriefs „Gott ist Liebe“ (1 Joh 4,8.16) *implizieren;* die Offenbarung bzw. Verherrlichung des Vaternamens dürfte ein Äquivalent darstellen zu dem Offenbarwerden Gottes als Liebe im 1. Johannesbrief. Die Verherrlichung des Vaters von Joh 17,1 bedeutet m.E. letztlich, daß Gott als die Liebe geoffenbart wird, die sich ursprunghaft in der Einheit des Vaters mit Jesus (und dann in seiner Liebe zu denen, die zu Jesus gehören) offenbart[41].

Die Aussage von der Verherrlichung des Vaters bzw. des Vaternamens durch den verherrlichten Jesus enthält demnach eine christologisch-ekklesiologische Konzentration der Botschaft des 1. Johannesbriefs von der absoluten Liebe Gottes[42]; dabei ist freilich – das ist zuzugeben – die Gefahr der christologischen bzw. ekklesiologischen Engführung vorhanden. Jedoch wird derjenige dieses johanneische Gebetsziel der „Verherrlichung des Vaters“ nicht für eine Verfälschung der Bitte von Lk 11,2 halten, der den nachösterlichen Glauben an die singuläre und unbedingte Bedeutung für legitim hält, die der auferstandene Jesus für Gottesglauben und Gottesgemeinschaft besitzt – der den theozentrischen Gebetswunsch von Joh 17,1 bzw. seine Realisierung durch den verherrlichten Jesus also als nachösterliche konzentrierende Transformation der Eröffnungsbitte des Herrengebets anzuerkennen vermag.

d) Die johanneische Verherrlichungsbitte und die synoptische Basileia-Bitte (Lk 11,2b par Mt)

Scheinbar bietet Joh 17 keine Parallele zur Bitte um das Kommen der Basileia. Jedoch muß an die Machtkomponente des Begriffs Doxa erinnert

[41] Diese Deutung kann sich auf Joh 17,26 stützen; sie wird noch überzeugender, wenn der 1. Johannesbrief (trotz der vermutlichen Verschiedenheit des Verfassers) zur Deutung herangezogen werden darf. (Siehe unten Abschnitt 5b.) Vgl. auch *R. Schnackenburg,* Johannesevangelium III 223: „Wer immer das Gebet konzipierte, er steht theologisch gleichsam in der Mitte zwischen dem Evangelisten und dem Verfasser von 1 Joh.“ Siehe auch ebd. 209.

[42] Auch im 1. Johannesbrief ist übrigens die Botschaft von Gott als Liebe christologisch vermittelt.

werden, die eine Verbindung zum Basileia-Begriff herstellt, der ja als Herrschaftsbegriff ebenfalls Machtbegriff ist: Die Verherrlichung des Vaters ist gleichzeitig Durchsetzung seiner Macht (johanneisch in der Weise des „Erkanntwerdens" und der Lebenspendung 17,2f) – und damit relativ weitgehend eine johanneische Sachparallele zur Basileia in der synoptischen Jesustradition. Basileia Gottes bezeichnet „beides gleicherweise: Gottes Herrlichkeit und Herrschaft und des Menschen Heil und Seligkeit"[43]. In Ermangelung von Wortparallelen müssen die sachlichen Entsprechungen berücksichtigt werden: Mit „Basileia Gottes" als dem zentralen Heilsgut der synoptischen Jesustradition ist die johanneische ζωὴ αἰώνιος (deren Spendung durch Jesus sachlich gleichbedeutend mit der Verherrlichung des Vaters von 17,1 ist) insofern vergleichbar, als auch sie das zentrale Heilsgut meint und keineswegs der personaldialogischen Relation entbehrt[44]. Das gilt trotz der Unterschiedlichkeit der Inhalte, vor allem was die eschatologische Konzeption angeht[45]. Auch hier ist nicht zu fragen, ob das eschatologische Ziel bei Johannes und in der Jesustradition identisch ist, sondern ob Vereinbarkeit (bzw. die Möglichkeit der Konvergenz) oder ausschließende Alternative vorliegt. Man wird anerkennen müssen, daß der Schwerpunkt der johanneischen Verherrlichung des Vaters *präsentisch* ist, eben weil die Wirksamkeit des Parakleten gemeint ist. Aber man wird die johanneisch konzipierte futurische Eschatologie der Aussage von Joh 17,24 berücksichtigen müssen. Diese stellt als letzte Willensäußerung Jesu in Joh 17 auch eine letzte Konkretion des Zieles der Lebenspendung in das Futurum hinein dar – freilich wieder in der konzentrierenden Einengung des Blicks auf die Glaubenden. Mit dieser Einschränkung wird man Joh 17,24 als johanneische Transformation der futurischen Komponente in der jesuanischen Basileia-Bitte auffassen können. Auch unter heutigem systematischem Fragehorizont, in dem das apokalyptische Raum- und Zeitverständnis hinterfragt werden muß[46], besteht keinerlei Grund, eine ausschließende Alternative zu postulieren.

[43] *H. Schürmann,* Gebet des Herrn 45f.

[44] Vgl. Joh 17,3; siehe ferner *R. Schnackenburg,* Johannesevangelium II 438.

[45] Vgl. *F. Mußner,* ΖΩΗ 184. – Zur ekklesiologischen Konzentration der johanneischen Macht-Komponente der „Verherrlichung des Vaters" vgl. unten 5d und e.

[46] Vgl. *G. Greshake – G. Lohfink,* Naherwartung – Auferstehung – Unsterblichkeit; darin vor allem *Lohfink,* Zur Möglichkeit christlicher Naherwartung 59–81.

4. Die Bitte um Bewahrung der Jünger (Joh 17,11b–16)

Diese erste Bitte des johanneischen Jesus für die Seinen hat ein anderes theologisches Kolorit als die drei bzw. vier Bitten im zweiten Teil des synoptischen Herrengebets. Zum einen bezieht sie nicht in der Weise wie Lk 11,3 die leibliche Not der in der Nachfolge und Sendung stehenden Jünger (und aller, die auf die Botschaft Jesu hören) mit ein[47]. Und zum anderen ist hier der johanneische „dualistische" Vorstellungsrahmen mit seinem Gegensatz zwischen den Jüngern und der „Welt" recht charakteristisch ausgeprägt. Joh 17,11b–16 setzt voraus, daß auch nach johanneischer Auffassung diese in einer so außerordentlich engen Weise mit dem Bereich Gottes verbundenen Jünger in der Gefahr stehen, aus diesem von der Offenbarung eröffneten Bereich herauszufallen. Dieser Gefahr will die Bitte begegnen, daß sie „im Namen des Vaters" bewahrt werden möchten, d.h. in dem „Raum", den die Offenbarung des Namens des Vaters schafft – und durch die göttliche Kraft, mit der die Offenbarung sie erfaßt, d.h. letztlich durch das Pneuma. Und dieses Bewahren im Bereich des heiligen, sich als Vater offenbarenden Gottes ist unter negativem Aspekt „Bewahrung vor dem Bösen", dem „Lügner und Mörder von Anbeginn" (8,44).

Die vergleichbare Bitte in der ursprünglicheren lukanischen Kurzfassung des Herrengebets ist die Bitte Lk 11,4c „Führe uns nicht in eine Versuchung". Im jesuanischen Gebet fehlt die positive Version; es ist schon dadurch als Beten aus der Not heraus gekennzeichnet[48]. Aber der Sache nach geht es hier in durchaus ähnlicher Weise „um Bewahrung im Jüngerstand, um Behütung vor Glaubensabfall, vor dem einmaligen und endgültigen Fall"[49]. Berücksichtigt man die Transformation in den nachösterlichen johanneischen Bezugsrahmen, wird man bei dieser Bitte um Bewahrung von einer recht weitgehenden Konvergenz sprechen können. Das gilt erst recht, wenn man die mattäische Ausweitung der Bitte von Lk 11,4c mit einbezieht: „Reiße uns hinweg vom Bösen" (Mt 6,13b). Diese mattäische Bitte stellt teilweise sogar eine Wort-

[47] Vgl. *H. Schürmann,* Gebet des Herrn 66–71. Zur Brotbitte gibt es in Joh 17 keine Entsprechung; vgl. die Christologisierung des Bittens um Brot in Joh 6 (sowie die Beziehung auf die Eucharistie) angesichts des Mißverständnisses der Menge in Joh 6,26.34, die an leibliche Nahrung denkt.

[48] Das bewirkt bei Johannes der Hinweis auf den Haß der Welt Joh 17,14.

[49] *H. Schürmann,* Gebet des Herrn 96.

parallele zu Joh 17,15b dar[50]. Mag auch das entfaltete dualistische Schema eine hervorstechende Eigenart des Johannesevangeliums gegenüber der synoptischen Tradition sein, der scharfe Gegensatz zwischen Jesus und seiner Jüngerschaft und „dem Bösen" ist auch in der synoptischen Tradition bestimmend.

In Joh 17 fehlt die Bitte um Vergebung der „Schulden" bzw. der Sünden. Aber sachlich-theologisch ist auch sie in der Bitte um Bewahrung impliziert. Die Sündenvergebung ist in die Lebenspendung eingeschlossen (vgl. 1 Joh 5,16)[51]. In analoger Weise ist das Pneuma in Joh 20,22f als Kraft der Sündenvergebung dargestellt. Also muß erst recht die „Bewahrung" von 17,11b–16, die die Mitteilung des „Lebens" vor ihrer Negation, dem Bösen, schützen will, die Nachlassung der Sünden in sich begreifen.

Der johanneische Text arbeitet deutlicher das positive Ziel heraus, das auch die synoptische Bitte um Bewahrung vor der Situation des Glaubensabfalls und auch schon die Vergebungsbitte besitzen. Freilich ist durch den johanneischen Kontext wieder – im Sinne nachösterlicher Transformation – die ekklesiologische Bindung der Bewahrung und Befreiung gegeben. Außerdem fehlt die Verbindung der Vergebung Gottes mit der eigenen Vergebungsbereitschaft – und damit ein für Jesus offenbar sehr bezeichnender und wichtiger Punkt. Aus dem johanneischen Kreis kann jedoch immerhin auf die Verbindung von Gottesliebe und Bruderliebe in 1 Joh 4,20 verwiesen werden – ein Aspekt, den die konzentrierende Stilisierung in Joh 17 sicher nicht ausschließen wollte. Wieder haben wir keine ausschließende Alternative vor uns, aber doch eine Konzentration, die ohne Auffüllung durch die jesuanischen Gedanken zur Verarmung führen könnte.

[50] Die im Johannesevangelium bemerkenswerte Aussage 17,15a („Ich bitte nicht, daß du sie aus der Welt fortnimmst ...") dürfte, wenn nicht eine Durchbrechung, so doch eine Relativierung des dualistischen Denkschemas anzeigen und insofern – zusammen mit dem Wort von der Sendung in die Welt 17,18 – zwar keine Harmonisierbarkeit, aber doch die Möglichkeit einer Zusammenschau der johanneischen und der synoptischen Sicht des Verhältnisses von Jünger und Welt eröffnen.

[51] Der 1. Johannesbrief setzt deutlicher das Gebet um die Vergebung der Sünden voraus; vgl. bes. das Bitten für den sündigenden Bruder 1 Joh 5,16; ferner 1,9; 2,12. Auch 2,1f ist zu beachten.

5. Die Einheit der Jünger (Joh 17,22f), die johanneische Agape und die Intention Jesu von Nazaret

a) Zum Problem

Der Abschnitt Joh 17,20–23 (bzw. VV. 22f[52]) stellt uns (zusammen mit Joh 17,11fin) vor die für unser Thema entscheidende Frage. Die Intention Jesu mitsamt der prophetisch-radikalen Öffnung nicht nur für Gott, sondern auch für den Menschen und seine Not kann in Joh 17 nur dann impliziert sein, wenn diese „Einheit" noch die jesuanische Nächstenliebe reflektiert; und das setzt voraus, daß die „Einheit" von Joh 17 mit der Agape-Forderung von Joh 13,34f und 15,12f – und darüber hinaus mit der konkreteren, deutlich auf leibliche Not bezogenen Agape-Forderung des 1. Johannesbriefs[53] – zusammengesehen werden darf.

Das Johannesevangelium spricht aber nicht von Nächstenliebe und erst recht nicht von Feindesliebe, sondern von Bruderliebe, also von Liebe der Christen untereinander. E. Käsemann hat dieses Problem stark reflektiert. Wir werden gut tun, seine verschärfende Sicht des Problems zu berücksichtigen. Käsemann fragt[54]: „War Jesu Wille wirklich darauf gerichtet, jene weltweite Gemeinde unter dem Wort zu gründen und in ihrer Einheit zu bewahren, welche seine Herrlichkeit preist?" Mit seiner Antwort, daß historische Kritik das kaum zugeben könne, wird man sich zwar nicht zufriedengeben dürfen, schon deshalb nicht, weil bereits die Frage inadäquat formuliert ist und die nachösterliche Transformation nicht berücksichtigt. Die Frage ist aber trotzdem ernstzunehmen.

Wie kommt Käsemann zu seiner Meinung? Er sieht zwar durchaus, daß Johannes sich „Liebe nicht ohne Hingabe vorstellen" kann und daß das Johannesevangelium in der Aufnahme des Agape-Gedankens „urchristlicher Tradition folgt, in welcher Liebe durchweg meint, für andere da zu sein"[55]. Aber das sei nicht die charakteristisch johanneische Weise, von Liebe zu sprechen. Das ist bei ihm vielmehr die Verbindung von Hingabe und Wort[56]. (Man kann wohl geradezu von einer Unterordnung der Liebe unter das Wort sprechen.) Liebe bezeichne im johanneischen Sinn die Gemeinschaft, die

[52] Vgl. *R. Schnackenburg,* Johannesevangelium III 214–216; siehe oben Abschnitt 3b, Anm. 22.

[53] Vgl. besonders 1 Joh 3,17.

[54] *E. Käsemann,* Jesu letzter Wille 158f.

[55] AaO. 127.

[56] Vgl. aaO. 127; auch 126f: „Liebe ist von Johannes untrennbar an das Ereignis des Wortes gebunden."

durch das Wort gestiftet und durch das Wort bewahrt wird[57]. Aus dieser These ergibt sich die Konsequenz, daß (wieder nach Käsemann) in der johanneischen Agape die Menschen nicht als solche, nicht um ihrer selbst willen geliebt werden[58], sondern um des Wortes willen, um der Sendung und der himmlischen Einheit willen, also doch wohl um eines nicht mehr in vollmenschliche Liebe integrierten höheren Zweckes willen. Dann muß freilich ein Gegensatz zur jesuanischen Liebe konstatiert werden[59].

b) Zur Textbasis innerhalb des johanneischen Schrifttums

Die Beantwortung dieser Fragen ist nicht allein von Joh 17 her möglich. Was die übrigen johanneischen Texte angeht, ist es methodisch geraten, zwei bzw. drei Textgruppen zu unterscheiden[60]. Die erste Textgruppe besteht aus den Texten der Abschiedsreden, die möglicherweise nicht vom Evangelisten selbst, sondern von einem – freilich eng mit ihm verbundenen – Redaktor stammen: Joh 13,12–17.34f; Joh 15–16. (Zu dieser Gruppe könnte auch Joh 17 selbst gehören.) An zweiter Stelle sind die unbestritten dem Evangelisten selbst zugeschriebenen Texte zu nennen (vor allem Joh 1–12.14 und größere Teile aus Joh 13[61]). Als dritte Textgruppe ist der zwar kaum

[57] AaO. 129. – Der johanneische Dualismus bewirke diese Steigerung der Worttheologie: „Der johanneische Dualismus ist nichts anderes als die Lehre von der Allmacht des Wortes. Nie ist entschlossener alles Heil und alles Unheil an das Hören der Botschaft geknüpft worden als in unserem Evangelium" (132f). Mit „Einheit" werde die „Solidarität des Himmlischen" ausgedrückt (139). Einheit gebe es für Johannes nur himmlisch und darum in Antithese zum Irdischen; auf Erden gebe es sie nur „als Projektion vom Himmel her, also als Merkmal und Gegenstand der Offenbarung" (142).

[58] AaO. 136: Objekt christlicher Liebe sei „nicht der Mitmensch als solcher ...", sondern „allein, was zur Gemeinde unter dem Wort gehört oder dazu erwählt ist."

[59] Der Auffassung *Käsemanns* bezüglich der „Einheit" von Joh 17,20–23 entspricht die von *S. Schulz,* Evangelium nach Johannes z. St. – *Lattke,* Einheit im Wort, will offensichtlich die Grundthesen Käsemanns übernehmen, vertritt aber – in sachlichem Unterschied von Käsemann (Jesu letzter Wille 127) – die Meinung, die „ethische" Deutung von „lieben" im Johannesevangelium sei eine ausschließende Alternative zu dem, was bei Johannes wirklich unter „Einheit im Wort" verstanden sei. – Die Begründung ist m. E. nicht überzeugend, vor allem da, wo Lattke von Käsemann abweicht bzw. die (trotz der polemischen Stoßrichtung doch insgesamt recht differenzierte) Position Käsemanns weiter zuspitzt.

[60] Die Position *R. Schnackenburgs* von 1975 (Johannesevangelium III 102), man werde „der Hypothese einer sekundären Einfügung der Kap. 15–16 (und evt. 17) folgen müssen" (im Sinne redaktionell entworfener Reden) scheint mir gegenüber der Position von 1965 (Johannesevangelium I 60: Nachtrag der Redaktion aus hinterlassenem Material des Evangelisten) zwar noch nicht völlig gesichert, aber doch so erwägenswert zu sein, daß sie mindestens methodisch berücksichtigt werden sollte.

[61] Vgl. *R. Schnackenburg,* Johannesevangelium III 14f.

dem Evangelisten[62] zuzuschreibende, aber für die theologischen Möglichkeiten des johanneischen Kreises doch aufschlußreiche 1. Johannesbrief hinzuzunehmen.

Aus der Textgruppe Joh 13,12–17; Joh 15–16 ist vor allem Joh 15,12–13 von Bedeutung. Von der hier vorliegenden Zusammenfügung des Liebesgebots mit der Lebenshingabe Jesu her kann die Position Käsemanns hinterfragt werden – wenn man den Verfasser dieser Texte nicht ganz einseitig von seinen gnostischen Kategorien her denken läßt, sondern seine Abschiedsreden-Texte vor allem als Neuinterpretation des Kerygmas von Tod und Auferstehung Jesu Christi und des daraus sich ergebenden Imperativs sieht[63].

Was die Texte des Evangelisten in Joh 1–12 und 14 angeht, so kommt es hier (unter anderem) darauf an, ob die Bedeutung von Joh 3,16 (Liebe Gottes zur Welt) und von vergleichbaren Stellen so relativiert werden darf, wie Käsemann das tut[64].

Zum 1. Johannesbrief: Wohl erst von diesem Brief aus läßt sich abschließend sichern, daß die johanneische Bruderliebe den Bruder als Menschen selbst meint. Denn hier wird völlig deutlich, daß diese Liebe Auswirkung und Weiterströmen der Liebe ist, die Gott auf den Menschen richtet und die diesen Menschen selbst und keinen ideologischen Zweck meint[65].

Es kann m.E. aufgewiesen werden, daß die Theologie des Evangelisten einerseits und die des Verfassers von Joh 15–16 bzw. 17 sowie die des 1. Johannesbriefs andererseits komplementäre Größen sind; konträre Gegensätze stellen sie auf keinen Fall dar. Für Joh 17, das wohl in noch größerer Nähe zu Joh 15–16 und zum 1. Johannesbrief steht[66], ist mindestens das in Rechnung zu stellen, daß die die Gemeinde konstituierende Doxa bzw. Liebe Gottes nach der Meinung des johanneischen Kreises zur Konkretisierung und Weitergabe in der zwischenmenschlichen (wenn auch auf die Brüder innerhalb der Gemeinde und diejenigen, die zu Brüdern geliebt werden sollen, projizier-

[62] Und wohl auch nicht unmittelbar dem Autor von Joh 13,12–17.34f; Joh 15–16.

[63] Auch Joh 13,12–17 ist hierfür relevant. Die „erste Deutung" der Fußwaschung durch den Evangelisten selbst (Joh 13,6–10) enthält den Agape-Imperativ zwar nicht ausdrücklich, ist aber m.E. für ihn offen.

[64] Jesu letzter Wille 124f. – Zum Zusammenhang von Glauben und ethischem Handeln beim Evangelisten vgl. *R. Schnackenburg,* Johannesevangelium I 514, ferner I 431f zu Joh 3,21. M.E. ist auch Joh 7,16f relevant; der Satz hätte keinen Sinn, wenn nicht ein im „Tun der Wahrheit" (in dem das ethische Handeln eingeschlossen ist) engagierter Glaube gemeint wäre. Vgl. *S. Schulz,* Evangelium nach Johannes 115.181 (Joh 7,17 auf die untrennbare Einheit von Glauben und Liebe bezogen).

[65] Vgl. *W. Thüsing,* Johannesbriefe, passim (z.B. 157–159).

[66] Vgl. *R. Schnackenburg,* Johannesevangelium III 101ff.190.230; s. auch oben Abschnitt 3c, Anm. 41.

ten) Agape drängt. In Joh 17 ist dieser Gedanke – christologisch geformt – in V. 26 erkennbar.

c) Die „Heiligung" Jesu und der Jünger (Joh 17,17–19) in ihrer Funktion für die Bitte um Einheit

Sicherlich darf die johanneische Einheit und Agape nicht psychologisierend gedeutet werden[67], und sicher transzendiert sie das Ethische[68]. Aber sie ist und bleibt grundlegend dem Bereich des Ethischen verbunden, insofern sie Füreinander-Dasein ist und selbst im Transzendieren des ethischen Bereichs nicht aufhört, das zu sein.
Das Recht dieser Deutung scheint mir dadurch gesichert zu sein, daß die Textgruppe Joh 13,12–17.34f; Joh 15–16; 1 Joh die Jünger-Agape an die Proexistenz Jesu bindet (vgl. Joh 15,12f; 13,34f; 13,12–17; 1 Joh 3,16). Innerhalb des Gebets Joh 17 ist der Proexistenzgedanke in Joh 17,19 enthalten. Diese Stelle (und damit die Heiligungsbitte Joh 17,17–19 überhaupt) ist deshalb für unsere Frage von besonderer Bedeutung.
Die Bitte um die Heiligung der Jünger steht nicht zusammenhangslos neben der Bitte um Bewahrung; sie stellt vielmehr ihre Weiterführung und ihren Höhepunkt dar. Die Heiligung in der „Wahrheit" entspricht der Bewahrung „im Namen des Vaters": „Wahrheit" und „Name des Vaters" sind der Sache nach parallele Begriffe für die sich in Jesus offenbarende göttliche Wirklichkeit. Der Gedankenfortschritt kann also nur in dem Begriff „heiligen" und in der Rückbindung der Heiligung der Jünger an die Selbstheiligung Jesu liegen.
Der christologische Satz in Joh 17,19 „für sie heilige ich mich selbst" enthält eine Verbindung von Theozentrik („ich heilige mich") und Proexistenz („für sie"). Das Sich-Hineingeben in den Bereich des sich offenbarenden Gottes, das hier mit „heiligen" gemeint ist, geschieht in der Weise des „Für"[69], muß also die (in Opferterminologie ausgedrückte) Lebenshingabe Jesu bedeuten bzw. wohl richtiger: sie als den Kulminationspunkt der Heiligung und

[67] Die Beschreibung des „Ethischen" im johanneischen Agape-Gedanken, die *M. Dibelius,* Joh 15,13, S. 175 versucht und dann ablehnen kann, wäre eher psychologisierend zu nennen.
[68] Vgl. *E. Käsemann,* Jesu letzter Wille 128.
[69] Das ὑπέρ von Joh 17,19 geht ohne Zweifel auf die traditionellen urchristlichen soteriologischen ὑπέρ-Formeln zurück; Joh 17,19 will also eine Neuinterpretation bieten. Vgl. *R. Schnackenburg,* Johannesevangelium III 212f.

Proexistenz einschließen[70]. „Für die Jünger“ ist diese Lebenshingabe, insofern sie auf die „Heiligung“ der Jünger hingeordnet ist (V. 19b: „damit sie geheiligt seien in [der] Wahrheit“). Ist mit V. 19b nur das Gebetsziel von V. 17 wieder aufgenommen, oder ist die Heiligung der Jünger von V. 19b durch den christologischen Satz V. 19a neu bestimmt? Anders gefragt: Ist für die Jünger einfach die Theozentrik der „Heiligung“ oder auch eine Konformität mit der Proexistenz Jesu intendiert? M. E. ist das letztere die unausweichliche Konsequenz des Textes. Dafür spricht auch das „damit *auch sie* ...“ von V. 19b zusammen mit der Entsprechung zwischen Jesus und den Jüngern, die durch V. 18 aufgestellt ist. Führt die „Heiligung und Sendung“ (Joh 10,36) durch den Vater zur „Selbstheiligung“ Jesu in der Lebenshingabe, so darf auch die Heiligung der Jünger nicht ohne ihre Angleichung an die Proexistenz Jesu gedacht werden[71].

Was mit dieser Proexistenz-Komponente der Heiligung der Jünger gemeint ist, dafür geben analog strukturierte Stellen der Textgruppe Joh 13,12–17.34f;

[70] Das Sich-selbst-Heiligen Jesu dürfte die Annahme und Übernahme alles dessen bedeuten, was in Joh 10,36 mit der Heiligung Jesu durch den Vater gemeint ist, freilich entsprechend dem „Für“ mit dem eindeutigen Akzent auf der Lebenshingabe. Vgl. *W. Thüsing,* Erhöhung und Verherrlichung 187–190. – Joh 17,19 stellt m. E. eine johanneische Transformation dessen dar, was *Schürmann* als „aktive Proexistenz“ Jesu, die er „auch in der Stunde des Martyriums durchzuhalten gewillt war“, bezeichnet (Wie hat Jesus seinen Tod bestanden und verstanden? 48f).

[71] Und zwar im Sinne des Autors von Joh 17 wohl auch schon in V. 17. – Die „Heiligung“ ist auch für die Jünger mit der Sendung in die Welt verbunden, genauso wie in 10,36 für Jesus selbst. Die besondere, durch den johanneischen „Dualismus“ gegebene Ausprägung des Sendungsgedankens verhindert weder bezüglich Jesu noch bezüglich der Jünger eine leidenstheologische und proexistenztheologische Implikation. Die Entsprechung in dem Motiv verfolgerischen Hasses gegenüber Jesus und gegenüber den Jüngern (also in einem Leidensmotiv) ist im Kontext verankert, vgl. Joh. 17,14 mit 15,18–16,4. Es handelt sich um einen Gedanken, der innerhalb der Textgruppe Joh 13,12–17.34f; Joh 15–16 (und evtl. Joh 17) auch im Sinne des Autors durchaus neben der Entsprechung in der proexistenten Lebenshingabe von 15,12f bestehen kann. (Auch die Entsprechung des Sieges Jesu über den „Fürsten dieser Welt“ und des in „Bewahrung“ und „Heiligung“ implizierten Sieges der Jünger [mit besonderer Akzentsetzung verdeutlicht im 1. Johannesbrief] müßte untersucht werden.)

Auch die Frage einer johanneischen *Kreuzestheologie* müßte u.a. von hier aus angegangen werden. *Käsemann,* der der Meinung ist, daß theologia crucis bei Johannes fehle (Jesu letzter Wille 111; vgl. auch 114.160), orientiert sich dabei m. E. zu ausschließlich an der paulinischen Konzeption bzw. stellt nicht intensiv genug die Frage, ob das von Paulus Gemeinte bei Johannes nicht vielleicht der Sache nach – mindestens in der Konzentration auf einen wesentlichen Kern – festgehalten sein könnte. Seine Meinung, daß bei Johannes „die tiefe Paradoxie“ fehle, „daß Auferstehungsmacht nur im Schatten des Kreuzes erfahren wird und Auferstehungswirklichkeit irdisch den Platz unter dem Kreuze“ bedeute (aaO. 111), verkennt den johanneischen „Erhöhungs“-Gedanken mit seiner Zusammenschau vom Kreuz und Herrlichkeit – und auch unsere Stelle Joh 17,19. (Übrigens gibt es bei Johannes m. E. durchaus Analogien zu der Destruktion des „Rühmens“, die bei Paulus die anthropologisch-paränetische Stoßrichtung der Kreuzestheologie bildet.)

Joh 15–16 (und 1 Joh) Anhaltspunkte: Die Proexistenz bzw. die Lebenshingabe Jesu ist dort Norm der Bruderliebe[72] – also der Haltung und Verhaltensweise, von der die „Einheit“ von 17,22f lebt.

So ist es innerhalb der zweifellos sehr überlegten Gedankenführung von Joh 17 kein Zufall, daß die Bitte um die Heiligung der Jünger der Bitte um ihre Einheit voraufgeht. Aus der „Heiligung“ als dem Höhepunkt der „Bewahrung“ erwächst zugleich die Kraft der Einheit (wie die Einheit ja schon nach V. 11 aus der „Bewahrung im Namen des Vaters“ hervorgeht). Die Kraft der Einheit: dafür bringt V. 22 die Bezeichnung „doxa“. Gemeint ist damit der Glanz und die Kraft der Liebeseinheit Jesu mit dem Vater[73] bzw. – sachlich gleichbedeutend – das Pneuma, das Jesus aufgrund seiner Erhöhung (also als der verherrlichte Gekreuzigte) spenden kann. Vermutlich würde der Autor von Joh 17 diese Doxa sogar als die Kraft bestimmen können, die aus der Heiligung von V. 19 hervorgeht[74]. Auch die „Heiligung“ führt die Jünger ja wie Jesus tiefer hinein in das Offenbarungswerk, zu dem auch sie gesendet sind und für das sie nur dann dasein können, wenn sie in der in V. 11c und in V. 22f gemeinten Einheit stehen.

Aus Joh 17,26, dem abschließenden Satz des Kapitels, ist noch einmal zu entnehmen, daß es bei der „Einheit“ um die Agape im johanneischen Verständnis geht: Die Einheit kommt (wie die hier mitangezielte Vollendung) zustande, wenn durch das „Kundmachen des Vaternamens“ (das gleichzeitig die Spendung von Doxa und Leben ist) diejenige Liebe in der Jüngergemeinschaft lebt, mit der der Vater Jesus „vor Grundlegung der Welt“ liebt – und wenn Jesus selbst in den Jüngern ist, d.h. wenn er auch als der

[72] Vgl. Joh 15,12f; m.E. auch 13,12–17. Vgl. *W. Thüsing,* Erhöhung und Verherrlichung 123–136.

[73] Vgl. *W. Thüsing,* Erhöhung und Verherrlichung 214–216; *ders.,* Herrlichkeit und Einheit 34–36.

Die Entsprechung zwischen Jesus und den Jüngern in der „Heiligung“ und in der Agape hat zwei Komponenten: nicht nur die ethische (die transzendiert wird), sondern auch – in untrennbarer Einheit damit – die theo-logische und christologische. Vermutlich kommt das Mißverständnis bei *Käsemann* und anderen daher, daß zwar diese theologisch-christologische Struktur des Einheitsbegriffs deutlich in den Blick kommt, aber nicht gesehen wird, daß die „ethische“ Komponente (besser: die Komponente der Proexistenz) keinen Gegensatz dazu bildet. Sie ist vielmehr in die johanneische Theo-logie wie Christologie eingeschlossen: Der johanneische Gottesbegriff geht nicht darin auf, daß Gott liebt, wie Menschen sich Liebe vorstellen. Das Primäre ist Gottes Gottheit, seine Heiligkeit. Aber eben darin gibt es die „ethische“ Komponente des ἀγαπᾶν als Urbild und Kraftquelle dessen, was den Glaubenden als Agape aufgetragen wird. Analog ist es bei der johanneischen Christologie (vgl. oben Anm. 6, letzter Absatz, und unten Anm. 75).

[74] Wenn man mit *R. Schnackenburg* (Johannesevangelium III 214ff) die VV. 20f als sekundär ausklammert, ergibt sich bei dieser Auffassung der nach V. 22 den Jüngern gegebenen Doxa ein guter und enger gedanklicher Anschluß an V. 19.

Verherrlichte in der bleibenden Proexistenz seiner „Selbstheiligung“[75] die Kraft ihrer Einheit wie ihrer Vollendung ist.

d) Weltweite Einheit der Glaubenden und jesuanische Intention

Berücksichtigt man die nachösterliche johanneische Transformation, wird man nicht sagen können, daß mit dem Gedanken von Joh 17,22f die Intention Jesu *verfehlt* sei. Die weltweite Einheit der Glaubenden von Joh 17 ist gewiß etwas anderes als die Sammlung Israels durch Basileia-Predigt und Metanoiaforderung bei Jesus von Nazaret[76]. Aber es wäre unhistorisch, von den Gemeinden der spätneutestamentlichen Zeit eine nicht-transformierte Basileia-Botschaft zu verlangen[77].
Doch wie ist es mit der in Joh 17,22f enthaltenen Funktion der Jüngereinheit für den Glauben der Welt? Und wie ist es mit der johanneischen Fixierung des Blicks auf die Bruderliebe, also auf die Liebe innerhalb der Jüngergemeinschaft?[78]
Hier muß man bedenken, daß bei Jesus und bei Johannes Zielrichtungen, die letztlich konvergieren, auf ganz verschiedener theologischer Ebene angestrebt werden. Ich fasse meine Meinung hierzu in drei Punkten zusammen:
(1.) „Johannes“[79] will das Sich-Ausbreiten der Liebe Gottes in die Welt hinein universal aussagen, genauso wie er grundsätzlich die Verherrlichung Gottes ohne Einschränkung will. In diesem Ziel konvergieren seine letzte Intention und die Jesu.

[75] Es scheint ein bedeutsamer Zug der johanneischen Christologie zu sein, daß man bei ihr in einer spezifischen Weise (anders als bei Paulus) von der bleibenden Realität der Proexistenz auch des verherrlichten Christus sprechen kann – als einer Ausdrucksweise der Identität des Erhöhten mit dem Irdischen. Deutliches Zeichen dafür sind die Wundmale des Auferstandenen (vgl. Joh 20,20.25.27) im Zusammenhang der johanneischen „Erhöhungs“-Theologie (vgl. *W. Thüsing,* Erhöhung und Verherrlichung 282). Diese bleibende Realität der Proexistenz reflektiert sich im Eintreten des Erhöhten für die Seinen (vgl. Joh 14,16; 1 Joh 2,1f). Sie ist verbunden mit der bleibenden Realität der Theozentrik auch beim verherrlichten Jesus (vgl. Joh 17,1; s. *W. Thüsing,* Christologie 148). Innerhalb des Gebets Joh 17 ist m.E. aus V. 26 im Zusammenhang mit V. 24 zu erschließen, daß auch für den Erhöhten die Einheit von Doxa und Agape – im Sinne von Proexistenz – gegeben ist.

[76] Die Sammlung der zerstreuten Kinder Gottes von Joh 11,52 ist zwar nicht dasselbe wie die Sammlung der Kinder Jerusalems in der Logienquelle (Lk 13,34f par Mt; vgl. Lk 11,23 par Mt; Mt 10,5f); aber es ist trotzdem von Bedeutung, daß es diese Vorstellung der Sammlung in der Jesustradition gibt (vgl. *A. Polag,* Christologie 41–43.66f). So liegt es nahe, darauf zu rekurrieren und nicht nur auf die entsprechenden gnostischen Vorstellungen.

[77] Vgl. auch *E. Käsemann,* Jesu letzter Wille 159.

[78] Vgl. zu dieser Thematik jetzt auch *H. Thyen,* „... denn wir lieben die Brüder“, der kritisch auf *Käsemanns* Thesen eingeht.

[79] Was hier gesagt werden muß, gilt m.E. (wenn auch mit Akzentverschiebungen) sowohl für den Evangelisten als auch für die anderen johanneischen Autoren bzw. Redaktoren, die von ihm inspiriert sind.

(2.) Weil er Verherrlichung Gottes als Offenbarung faßt, muß er die Vermittlung der Offenbarung durch Jesus und durch die nachösterlichen Jünger Jesu reflektieren. Dafür legte sich ihm ein Denkschema nahe (das „dualistische“), das ihn zwingt, seinen „Scheinwerfer“ auf die *Einheit* Jesu mit dem Vater und auf die *Einheit* der Jüngergemeinschaft Jesu zu richten. Die Jüngergemeinschaft muß für ihn also die Funktion haben, als Werkzeug für die universale Liebe Gottes zu dienen – und zwar *obschon* der anthropologisch-schöpfungsmäßige Zusammenhang dieser Jüngergemeinschaft mit der übrigen Menschheit weitgehend ausgeblendet wird.

In der johanneischen Struktur des Heilsvorgangs breitet die Liebe sich nicht in einem kontinuierlichen Übergang von Gott und Jesus über die Jünger in die Welt hinein aus, sondern gewissermaßen in großen Sprüngen von dem einen Bereich zu dem fundamental anderen. Es gilt, den Abgrund zu überwinden, der durch die Unmöglichkeit kontinuierlichen, linearen Sich-Ausbreitens der Liebe bedingt ist. Die dazu notwendige, gleichsam explosive Kraft, die größer ist als menschliche Möglichkeiten, heißt Einheit in der Agape. Die absolute Agape überwindet grundlegend den Abgrund, der die Welt von ihr trennt, durch die Kraft, die die Einheit Jesu mit dem Vater in der Lebenshingabe Jesu hervorbringt. Ebenso kann auch die den Jüngern geschenkte Agape nur dann in den ihnen gegenüber andersartigen (weil gegenüber Gott andersartigen und von Gott getrennten) „Kosmos“ hineinwirken, wenn der Abgrund überwunden wird, und zwar wiederum durch die Offenbarungskraft der „Einheit“. Wenn der Glaube und damit das Heil der Welt in Joh 17,22f an die Einheit der Jünger gebunden wird, hat das diesen Sinn. Die in der Hingabe sich verwirklichende volle Intensität der „Einheit“ ist beidemal die Voraussetzung dafür, daß die Liebe über die jeweilige „Einheit“ hinauskommt[80].

[80] Zur Ergänzung dieser Gedanken muß ich auf meine Ausführungen in „Erhöhung und Verherrlichung“ 136–141, bes. 139, verweisen.
Weil Johannes auf einer anderen Ebene denkt als Jesus, sollte man m.E. nicht sagen, die johanneische Bruderliebe umfasse die Nächstenliebe (wie sie bei Jesus und sonst im Neuen Testament gefordert wird) *exemplarisch*. Die johanneische Bruderliebe ist eben kein aus dem Gesamtkomplex „Nächstenliebe“ herausgegriffenes Beispiel. In der Ablehnung des Begriffs „exemplarisch“ kann ich *E. Käsemann* (Jesu letzter Wille 124) zustimmen, aber gewiß nicht, wenn er die johanneische Agape für eine „unverkennbare Einschränkung“ der Nächstenliebe hält (vgl. die beachtenswerte Kritik von *H. Thyen*, „... denn wir lieben die Brüder“ 536–539). In der johanneischen Konzentration des Blicks auf die Gemeinde ist die Konformität des Christen mit der Liebe Gottes zur Welt nicht geleugnet, sondern als Konsequenz mitgedacht. Was der Begriff „Proexistenz Jesu von Nazaret“ meint, geht sicherlich nicht in der johanneischen Bruderliebe auf. Trotzdem meint die johanneische Agape nicht einen Teil, sondern Keim, Kraftquelle und Kern des Weitergebens der Proexistenz Jesu. Der Leitgedanke johanneischer Agape-Theologie – die Bindung an die Proexistenz Jesu – ist transponierbar auf die Ebene der jesuanischen Öffnung und Brüderlichkeit nach außen.

(3.) Erkennt man diese Konzeption, so ist es einsichtig: Die johanneische Denkbewegung und die jesuanische liegen bezüglich der Agape nicht auf einer Ebene. Johannes konnte das jesuanische Ziel entsprechend seinen Denkvoraussetzungen gar nicht anders angehen als in der Weise dieser „Sprünge", die Andersartigkeit und Diskontinuität zu überwinden haben[81]. Man sollte also nicht wegen des in der Tat verschiedenen Denkschemas auf ein völlig verschiedenes oder verzerrtes Ziel schließen[82] bzw. die instrumentale Funktion der johanneischen Jüngergemeinschaft für ein Ziel verkennen, das mit dem Ziel Jesu konvergiert – und zwar nicht zuletzt deswegen, weil es nach johanneischer Intention die Weitergabe der Proexistenz Jesu ist. Es ist nicht berechtigt, wegen der auf verschiedenen Ebenen sich vollziehenden Denkbewegungen auf eine so große Diskrepanz zwischen Jesus von Nazaret und Johannes zu schließen, daß die johanneische Agape und „Einheit" christlich nicht mehr zu legitimieren wären. M.a.W.: Die universalistischen Aussagen des Johannesevangeliums über die Bejahung der Welt durch Gott (wie Joh 3,16) dürfen nicht wegen des auf die Beleuchtung ekklesiologischer Sachverhalte abzielenden „dualistischen" Schemas relativiert werden. Die johanneische Sicht enthält trotz ihrer Grenzen (und wegen ihrer Grenzen) die bleibend wertvolle Einsicht, daß die Brüderlichkeit *nach innen* (auf die allein sie gewissermaßen das Licht wirft) die Voraussetzung ist für das Wachsen der „Einheit"[83]. Freilich stellt die johanneische Blickweise kaum eine Hilfe dar, wenn es gilt, das *konkret* in den Blick zu nehmen und zu artikulieren, was im Sinne Jesu Brüderlichkeit *nach außen* genannt werden könnte.

[81] Es ist mehrfach bemerkt worden, daß dieses Gedankenschema gar nichts über das faktische Verhalten der johanneischen Christen gegenüber Außenstehenden aussagt. Vgl. *H. Thyen*, „... denn wir lieben die Brüder" 538f.

[82] Freilich gehören Form und Inhalt zusammen; sie können zwar unterschieden, aber nicht getrennt werden. Die Form kann jedoch dann nicht alleinbestimmend für den Inhalt sein, wenn sich nachweisen läßt, daß sie geöffnet ist auf eine mit ihr von Haus aus noch nicht verbundene Inhaltlichkeit. Im Falle des Johannesevangeliums ist diese Öffnung gegeben; als Beispiel sei die für Johannes grundlegende Christologie angeführt: Die beiden Eckpfeiler des johanneischen Schemas vom Weg Jesu, die in Joh 16,28 klassisch (und der Form nach den gnostisch-dualistischen Denkkategorien entsprechend) ausgedrückt werden, sind weder von gleichem Gewicht noch sind sie von gleichartiger Inhaltlichkeit gefüllt. Die Aussage des Ausgehens vom Vater bleibt im Abstrakten, während die des Gehens zum Vater als Theologie der Erhöhung und Verherrlichung reich – und gewiß nicht gnostisch – ausgestaltet ist. Vgl. *R. Schnackenburg*, Johannesevangelium I 444–447; *W. Thüsing*, Christologie 243–248.

[83] Vgl. *W. Thüsing*, Aufgabe der Kirche 72f.

e) Reichtum und Defizienz der johanneischen Sicht. Zur Spannungseinheit von Engagement für die Entscheidungsforderung Gottes und Öffnung für den Menschen

Es bleibt die Tatsache, daß die christologisch-ekklesiologische Stilisierung des Agape- und Einheitsgedankens, die uns bei Johannes begegnet, einerseits eine wichtige und fruchtbare Konzentration auf das Wesentliche bedeutet und einen Reichtum johanneischer Theologie darstellt, der aber andererseits durch eine Verarmung erkauft ist. Einerseits gilt, daß eine hohe Abstraktionsstufe für die Aufgabe, die jesuanische Intention durchzuhalten, nicht ohne weiteres illegitim ist (auch wenn sie durch Verwendung gnostischer Strukturen und Kategorien zustande kommt). Eine solche hohe Abstraktionsstufe scheint mir in der johanneischen Konzentration aller Weisungen Jesu auf die Liebe (bzw. entsprechend 1 Joh 3,23 besser auf das Doppelgebot von Glaube und Liebe, das in Wirklichkeit ein einheitliches Gebot ist) vorzuliegen.
Andererseits ist noch einmal auf die Kritik E. Käsemanns zu hören, daß das Objekt christlicher Liebe nach Johannes nicht der Mitmensch als solcher sei, sondern allein, was zur Gemeinde unter dem Wort gehöre oder dazu erwählt sei, so daß „dogmatische Verhärtung und Verengung" sich hier kaum verkennen ließen[84]. Käsemann erläutert[85]: „Die Differenz [zwischen Johannes einerseits und Jesus und Paulus andererseits] liegt nicht im Moralischen, sondern in einem andern Verhältnis zum Irdischen." Käsemann sieht durch Johannes das „Pathos der alttestamentlich-urchristlichen Botschaft: ‚Die Erde ist des Herrn und was darinnen ist'" gefährdet[86].
Ich vermute, daß Käsemann mit diesem „anderen Verhältnis zum Irdischen" letztlich die Auswirkungen der johanneischen Konzeption und Ausdrucksweise göttlicher Entscheidungsforderung meint. Aber gibt es die Differenz zwischen Johannes einerseits und Jesus (und Paulus) andererseits wirklich in der Weise, wie Käsemann sie sieht? Ist das Verhältnis zum „Irdischen" (bzw. zur Schöpfungswirklichkeit und zum irdischen Leben als ganzem) bei Johannes *nur* anders? Es wäre zu fragen, wieweit in der synoptischen Tradition, eventuell schon in Q, der spezifisch johanneische, durch die besondere Art

[84] Jesu letzter Wille 136.
[85] AaO. 136f.
[86] AaO. 137. Johannes denke nicht daran, „der Erde den Charakter der Schöpfung zu nehmen". Doch lasse er sie „nicht wirklich Schöpfung bleiben und auf ihre Neuschöpfung ausgerichtet sein" (137f). (Diese Kritik dürfte sich zu stark an den andersartigen paulinischen Kategorien orientieren, ohne die Frage nach dem Vergleichbaren innerhalb des Verschiedenen ausreichend zu stellen.) In dem „andern Verhältnis zum Irdischen" kommt heraus, was *Käsemann* „mit dem Stichwort des unreflektierten Doketismus anvisiert" (137).

der Auffassung und Artikulation der Forderung Gottes hervorgerufene Dualismus präformiert ist[87] – dieser in der göttlichen Entscheidungsforderung begründete Dualismus, bei dem die „Solidarität dem Irdischen gegenüber" zu verschwinden oder zurückzutreten scheint.

Man wird dem Sachverhalt (und damit der Lösung unserer Probleme) m. E. nur dann näherkommen können, wenn man lernt, die polare Struktur der Botschaft Jesu und überhaupt des Phänomens „Jesus von Nazaret" zu sehen[88]. Bei Jesus ist zur Einheit verbunden, was in Spannung zueinander steht: prophetisch-radikale Durchsetzung des unbedingten Anspruchs Gottes und ebenso prophetisch-radikale Öffnung für den Menschen und seine Freiheit. Diese Polarität ist geradezu das Charakteristikum des Phänomens, das Jesus von Nazaret darstellt. Er ist nicht nur der, „der zu Zöllnern und Sündern ging und das Gleichnis vom barmherzigen Samariter erzählte"[89]; es gibt bei ihm ohne Frage auch den anderen Pol der unbedingten, bis zu harter Radikalität gehenden Weitergabe der Forderung Gottes[90].

Es ist sicherlich zuzugeben: Von den beiden jesuanischen Spannungspolen „Anspruch Gottes" und „Öffnung für den Menschen" ist der zweite in dem johanneischen Liebesgebot so abstrakt und durch das Ubergewicht des Ekklesiologischen (gegenüber dem Schöpfungsmäßig-Menschheitlichen)[91] verdeckt impliziert, daß die Gefahr spiritualistischer Mißverständnisse, die Gefahr des Mißverständnisses einer bloßen Kultkirche, kurz die Gefahr einer Kirche gegeben ist, die nicht mehr oder nur noch bedingt die „Sache Jesu" vertritt. Andererseits kann die Art, wie Johannes den auch zu Jesus von Nazaret untrennbar gehörigen Spannungspol „Anspruch Gottes" herausarbeitet – sowohl in der Einseitigkeit und „Armut"[92] seiner theologischen Verkündigung als auch in ihrem Reichtum – ihre für das Gesamt christlicher Botschaft not-

[87] Aussagen wie Lk 12,8f haben im Grunde schon (von apokalyptischer Denkweise geprägt) die Struktur eines harten Gegensatzes, die unter Voraussetzung der religionsgeschichtlich mitbedingten Denkweise des vierten Evangeliums „dualistisch" werden konnte.

[88] Vgl. *W. Thüsing,* Strukturen des Christlichen 105–110.

[89] *E. Käsemann,* Jesu letzter Wille 136.

[90] Wo die richtige und unverzichtbare Kennzeichnung des irdischen Jesus als dessen, der „zu Zöllnern und Sündern" ging, einseitig und schlagwortartig wird, trifft sie das wirkliche Phänomen „Jesus von Nazaret" nicht mehr.

[91] Die Ausschließlichkeit, mit der Johannes den „Scheinwerfer" auf die glaubenden Jünger richtet (vgl. Joh 17,9), dürfte Auswirkung und Ausdrucksform dafür sein, daß der Spannungspol „Entscheidungsforderung Gottes" (gegenüber dem Pol „Öffnung für den Menschen und seine Befreiung") so stark betont ist.

[92] Die Fehldeutungen johanneischer Theologie im Laufe der Auslegungsgeschichte lassen sich zwar „nicht ungestraft übersehen" (*E. Käsemann,* Jesu letzter Wille 159), d.h. zwingen zwar zur Hinterfragung der johanneischen Theologie, dürfen aber deshalb noch nicht zum Maßstab der Interpretation gemacht werden.

wendige Aufgabe sehr eindringlich erfüllen – freilich nur dann, wenn man sie nicht isoliert. Davon ist jetzt noch zu reden.

6. *Abschluß*

Die Frage dieses Beitrags ist eingangs als *Legitimationsfrage* bezeichnet worden – als Frage nach der Legitimation von Joh 17 an dem Maßstab, den die Intention Jesu von Nazaret darstellt.
Auch E. Käsemann beantwortet die Legitimationsfrage in seiner Weise, und zwar keineswegs nur negativ; er will das Johannesevangelium ganz offensichtlich nicht für irrelevant erklären. Er erkennt im vierten Evangelium die Forderung, „daß wir uns ständig dem Worte Jesu ausliefern"[93]; es messe jede Kirche an der einen Frage: Kennen wir Jesus?[94] Freilich ist diese grundsätzlich in die rechte Richtung weisende Antwort in mancher Hinsicht zu modifizieren. Die Auskunft, daß nach der johanneischen Botschaft „das Heil in Jesus selbst und allein in ihm besteht"[95], ist noch zu formal.
Um einer inhaltlich gefüllteren Antwort näherzukommen, unterscheide ich zwischen der *Sache Jesu* und dem *Geheimnis Jesu*[96], d.h. zwischen den Intentionen, für die er eintrat, und seiner singulären Bindung an das absolute Geheimnis Gottes, vor allem der „Erhöhung" als seiner Aufnahme in das Geheimnis Gottes und seiner vom Neuen Testament ausgesagten Wirksamkeit aus diesem Geheimnis heraus[97]. Jedem Zeugen der Botschaft ist eine Verbindung dieser beiden Elemente „Sache Jesu" und „Geheimnis Jesu" aufgegeben. Auch das Johannesevangelium sucht sie herzustellen. Wir sahen, daß es zentrale Intentionen Jesu aufgreift und sie in seiner Weise artikuliert:

[93] Jesu letzter Wille 158.

[94] AaO. Die „faszinierende und gefährliche Theologie des Johannes" rufe uns „mit seiner Christusbotschaft in unsere Geschöpflichkeit, in die Jesus uns gestellt sah und die er über uns verkündigte". (Zum Verständnis des johanneischen Schöpfungsgedankens bei *Käsemann* vgl. die Kritik von *G. Bornkamm,* Zur Interpretation des Johannesevangeliums 23f, die trotz der Entgegnung *E. Käsemanns* [Jesu letzter Wille 109, Anm. 55; 132f, Anm. 18] ihre Bedeutung behält).

[95] *E. Käsemann,* Jesu letzter Wille 160.

[96] Dieses Begriffspaar deckt sich nur zum Teil mit dem oben in Abschnitt 5e gebrauchten Begriff der Spannungseinheit zwischen dem Anspruch Gottes und der Öffnung für den Menschen. Sowohl die Öffnung für den Menschen und seine Befreiung als auch das Eintreten für den Anspruch Gottes gehören auf die Seite der „Sache Jesu" (wobei beides auch vom Geheimnis Gottes und Jesu herkommt).

[97] Die singuläre Bindung an das Geheimnis Gottes ist im Sinne des Neuen Testaments sicherlich auch für den irdischen Jesus festzuhalten. Schon für ihn ist also nicht nur die „Sache", sondern auch das in diesem singulären Sinn verstandene „Geheimnis" zu reflektieren.

vom Vorrang der Theozentrik über die Eindeutigkeit der Entscheidungsforderung zur Gemeinschaft (und Sendungsgemeinschaft) der Jünger mit Jesus und zum Liebesgebot. Aber mit der Ausgestaltung dieser Intentionen und vor allem mit seiner Christologie und Soteriologie setzt es doch den beherrschenden Akzent auf die Theologie des Geheimnisses Jesu. Derjenige Pol der „Sache Jesu", den wir „Öffnung für den Menschen" nannten, fehlt zwar keineswegs grundsätzlich; aber er ist in der ekklesiologischen Stilisierung von Liebesgebot, „Einheit" und Sendung in die Welt jedoch nur sehr abstrakt und implizit erkennbar. Immerhin erbringen das Johannesevangelium bzw. die johanneischen Autoren (vor allem der von Joh 13,12–17.34f; Joh 15–16 und der des 1. Johannesbriefs) die große theologische Leistung, die zentrale Agapeforderung auf das engste mit dem „Geheimnis Jesu" zu verbinden – in abstrakter, konzentrierender, aber für christliche Theologie prinzipiell bedeutsamer Linienführung.
Indem das Gebet Joh 17 den Christen der johanneischen Gemeinden die Intention des erhöhten Jesus nahebringen will, reflektiert es wie in einem sammelnden Spiegel die johanneische Theologie der Einheit Jesu mit dem Vater (also des „Geheimnisses Jesu"), aber auch den johanneischen Ansatz der Verbindung von „Geheimnis" und „Sache" Jesu.
Wenn das im Geheimnis Gottes aufgehobene Geheimnis der Person und des Werkes Jesu für christliche Botschaft unverzichtbar ist, wird man das Johannesevangelium – und gerade das seine Anliegen zusammenfassende 17. Kapitel – als bleibend relevant auch für heutiges Glaubensverständnis ansehen. Gewiß kann johanneische Theologie „gefährlich" werden; wird sie trotz ihrer zeitbedingten Einseitigkeit absolut gesetzt, so bringt sie die Gefahr mit sich, daß die Intention Jesu selbst verfehlt oder verzerrt wird. Aber diese Gefährlichkeit ist die Kehrseite seiner positiven Kraft: den im „Geheimnis Jesu" verankerten Glauben so stark werden zu lassen, daß er die Weiterführung der „Sache Jesu" für heute zu tragen vermag – und damit auch die Weiterführung des schrankenlosen Eintretens Jesu für die Menschen, die mit der johanneisch verstandenen Agape und Sendung zusammenzusehen ist (bzw. aus ihr hervorgehen muß). Wenn man die johanneische Theologie so sehen darf, braucht man die johanneische Darstellung der Jüngergemeinschaft (und ihrer Verbindung mit Jesus und seinem Vater) nicht als eine Last zu empfinden. Heutige Beziehung zur Kirche ist zwar vielleicht auf größere Verhaltenheit und sicherlich auf die Fähigkeit zu kritischem Blick angewiesen. Aber das Zeugnis von Joh 17, daß der Jüngergemeinschaft Jesu in aller Unzulänglichkeit und Gefährdung verborgener Glanz geschenkt ist, hat als solches noch nichts mit Triumphalismus zu tun. Die Frage, ob es legitim sei, die Auffassung des Geheimnisses Jesu und seiner Jüngerschaft festzuhalten, wie

Joh 17 sie bietet, dürfte von nicht zu unterschätzender Bedeutung sein für die Frage, ob und wie ein vom Neuen Testament her denkender Christ in der gegenwärtigen Gemeinschaft der Kirche stehen kann.
Was die theologische und die meditative Beschäftigung mit dem johanneischen Text angeht, bleibt eine Aufgabe: die Defizienz an anthropologischer und schöpfungsmäßiger Weite aufzufüllen, durch die seine starke christologische und ekklesiologische Konzentration erkauft ist. Für den, der als Christ mit dieser neutestamentlichen Schrift leben möchte, ist es legitim und notwendig, einer Isolation der johanneischen Sicht entgegenzuwirken durch eine Zusammenschau[98]: durch die Zusammenschau des „Geheimnisses Jesu" und der „Sache Jesu", des Geheimnisses der Jüngergemeinschaft Jesu und der universal-anthropologischen Öffnung für jeden Menschen und seine Freiheit; und nicht zuletzt auch die Zusammenschau von Joh 17 mit dem synoptischen Gebet des Herrn. Es gilt, in die Offenheit der abstrakten, das gegenwärtige Geheimnis Gottes und Jesu reflektierenden johanneisch-theologischen Aussagen das hineinzugeben, was wir von den Anliegen Jesu von Nazaret aufgenommen haben und auch beim Mitvollziehen des Gebets Joh 17 nicht verlernen sollten. Dann könnte auch dieses Gebet die Intentionen Jesu neu (eben „transformiert") zurückschenken.

[98] Vgl. *R. Schnackenburg*, Johannesevangelium III 469. Der „Ausblick", den Schnackenburg diesem abschließenden Band seines Kommentars anfügt (465–470), enthält eine ganze Reihe wertvoller Beobachtungen und Einsichten zur Relevanz des Johannesevangeliums und zum Verhältnis zwischen diesem Evangelium und dem Jesus der Geschichte (vgl. auch II 511f).

Literatur

Bornkamm, G., Zur Interpretation des Johannes-Evangeliums. Eine Auseinandersetzung mit Ernst Käsemanns Schrift „Jesu letzter Wille nach Johannes 17" (1968), in: Geschichte und Glaube, Erster Teil (Gesammelte Aufsätze Band III) (BEvTh 48), München 1968, 104–121.

Dibelius, M., Joh 15,13. Eine Studie zum Traditionsproblem des Johannes-Evangeliums, in: Festgabe für Adolf Deißmann, Tübingen 1927, 168–186.

Greshake, G. – Lohfink, G., Naherwartung – Auferstehung – Unsterblichkeit. Untersuchungen zur christlichen Eschatologie (QD 71), Freiburg i. Br. 1975.

Hahn, F., Methodologische Überlegungen zur Rückfrage nach Jesus, in: K. Kertelge (Hrsg.), Rückfrage nach Jesus. Zur Methodik und Bedeutung der Frage nach dem historischen Jesus (QD 63), Freiburg i. Br. 1974, 11–77.

Jeremias, J., Neutestamentliche Theologie, Erster Teil: Die Verkündigung Jesu, Gütersloh 1971 (Nachdr. Berlin 1973).

Käsemann, E., Jesu letzter Wille nach Johannes 17, Tübingen [3]1971.

Kertelge, K. (Hrsg.), Rückfrage nach Jesus. Zur Methodik und Bedeutung der Frage nach dem historischen Jesus (QD 63), Freiburg i. Br. 1974.

Kittel, G., Art. δοκέω κτλ., in: ThWNT II (1935) 235–258.

Kuhn, K. G., Achtzehngebet und Vaterunser und der Reim (WUNT 1), Tübingen 1950.

Lattke, M., Einheit im Wort. Die spezifische Bedeutung von ἀγάπη, ἀγαπᾶν und φιλεῖν im Johannesevangelium (StANT 41), München 1975.

Mußner, F., ΖΩΗ. Die Anschauung vom „Leben" im vierten Evangelium unter Berücksichtigung der Johannesbriefe (MThSt[H]5), München 1952.

Ders., Die johanneische Sehweise und die Frage nach dem historischen Jesus (QD 28), Freiburg i. Br. 1965.

Polag, A., Die Christologie der Logienquelle (WMANT 45), Neukirchen–Vluyn 1977.

Rahner, K., Grundlinien einer systematischen Christologie, in: K. Rahner – W. Thüsing, Christologie – systematisch und exegetisch (QD 55), Freiburg i. Br. 1972.

Schnackenburg, R., Das Johannesevangelium (HThK IV), I. Teil Freiburg i. Br. 1965; II. Teil Freiburg i. Br. 1971; III. Teil Freiburg i. Br. 1975; (Nachdr. Leipzig 1967–1971–1977).

Ders., Strukturanalyse von Joh 17: BZ NF 17 (1973) 67–78. 196–202.

Schürmann, H., Das Gebet des Herrn, Leipzig – Freiburg i. Br. 1958.

Ders., Wie hat Jesus seinen Tod bestanden und verstanden? (1973), in: *ders.,* Jesu ureigener Tod. Exegetische Besinnungen und Ausblick, Freiburg i. Br. 1975.

Schulz, S., Das Evangelium nach Johannes (NTD 4), Göttingen [12]1972.

Strack, H. L. – Billerbeck, P., Kommentar zum Neuen Testament aus Talmud und Midrasch. Erster Band: Das Evangelium nach Matthäus, München [2]1956 (Nachdruck der Ausgabe von 1926); Vierter Band, 1. Teil, München [3]1961 (Nachdruck der Ausgabe von 1928).

Thüsing, W., Die Erhöhung und Verherrlichung Jesu im Johannesevangelium (Ntl. Abh. XXI, 1/2), Münster [2]1970.

Ders., Herrlichkeit und Einheit. Eine Auslegung des Hohepriesterlichen Gebetes Jesu (Johannes 17), Leipzig 1961 – Münster [2]1975.

Ders., Aufgabe der Kirche und Dienst in der Kirche: Bibel und Leben 10 (1969) 65–80.

Ders., Erhöhungsvorstellung und Parusieerwartung in der ältesten nachösterlichen Christologie (SBS 42), Stuttgart o. J. (1970).

Ders., Die Johannesbriefe (Geistliche Schriftlesung 22), Leipzig – Düsseldorf 1970.

Ders., Neutestamentliche Zugangswege zu einer transzendental-dialogischen Christologie, in: K. Rahner – W. Thüsing, Christologie – systematisch und exegetisch (QD 55), Freiburg i. Br. 1972.

Ders., Strukturen des Christlichen beim Jesus der Geschichte. Zur Frage eines neutestamentlich-christologischen Ansatzpunktes der These vom anonymen Christentum, in: E. Klinger (Hrsg.), Christentum innerhalb und außerhalb der Kirche (QD 73), Freiburg i. Br. 1976, 100–121.

Thyen, H., „... denn wir lieben die Brüder“ (1 Joh 3,14), in: J. Friedrich – W. Pöhlmann – P. Stuhlmacher (Hrsg.), Rechtfertigung (Festschr. für Ernst Käsemann), Tübingen 1976, 527–542.

ZUR AUSSAGE UND BOTSCHAFT VON JOHANNES 21

Von Eugen Ruckstuhl

Wie das Gesamtwerk unseres liebenswürdigen Jubilars und Freundes Heinz Schürmann eindrücklich zeigt, war es immer sein Anliegen, durch sorgfältige Untersuchungen zur Entstehungsgeschichte, Form und Sprachgestalt der neutestamentlichen Texte den Weg zum Verständnis ihrer Botschaft damals und heute zu ebnen. Mit dieser Arbeit möchte ich deswegen nicht nur meine aufrichtigen Wünsche zu seinem Geburtstag verbinden, sondern ihm auch danken für alle Mühe, die er während Jahrzehnten aufgewendet hat, um das Wort Gottes zu erhellen und auch für unsere Zeit vernehmbar und fruchtbar zu machen.

* * *

Zum Schlußkapitel des Johannesevangeliums sind in den letzten zwanzig Jahren viele Untersuchungen und Auslegungen erschienen. Zweifellos haben sie nicht wenig Licht auf seine Vorgeschichte und seine Stellung nach dem ursprünglichen Schluß des Evangeliums geworfen. Auch haben sich die starren Linien der Gegner, wie es scheint, hoffnungsvoll aufgelockert. Einer Aufhellung der Überlieferungsgeschichte, wie sie Rudolf Pesch für 21,1—14 geleistet hat, kann man sich nicht so leicht entziehen, und den die Anregungen und Ergebnisse der vorausgehenden Forschung umsichtig abwägenden und verarbeitenden Gesamtdarstellungen in den großen Kommentarwerken von Raymond Brown und Rudolf Schnackenburg wird man das Zeugnis ausstellen dürfen, daß sie zu Joh 21 in manchen Fragen Bleibendes bieten und die Auslegungsgeschichte einer Reihe von Lösungen entgegengeführt haben. Doch alle Rätsel des verworrenen Textes sind noch kaum entwirrt, und man hat nicht den Eindruck. daß zum Gesamtsinn und zur eigentlichen Botschaft des Kapitels das letzte Wort schon gesagt wurde. Zu dieser Botschaft will auch der Verfasser dieser Arbeit nur Anregungen und Überlegungen bieten, die, wie er hofft, einer weiteren Klärung dienen werden[1].

[1] Der Verfasser möchte in dieser Untersuchung vor allem synchronisch vorgehen und den vorliegenden Text Joh 21 möglichst genau auf seine eigene Aussage und Botschaft abhören. Da der zur Verfügung stehende Raum für ein solches Unternehmen aber knapp ist, können manche Fragen nur gestreift werden. Anderes muß vorausgesetzt werden, ohne daß es hier näher begründet werden kann. Sicher aber darf angenommen werden, daß die meisten Leser die oben angegebenen großen Kommentarwerke oder andere Kommentare kennen, die sich im Literaturverzeichnis finden, und sich so weitere Auskunft holen können.

Man kann kaum verkennen, daß Joh 21 stofflich, gattungsgeschichtlich und überlieferungsgeschichtlich sehr verschiedenartige Teilstücke umfaßt und seine Motive und Ausdrucksformen recht bunt sind. Einige mögliche Nahtstellen und literarische Ungeschicklichkeiten verstärken den ersten Eindruck, daß es dem Verfasser des Schlußkapitels[2] nicht gelungen ist, seinen sperrigen Stoff so überlegen zu meistern und einheitlich zu gestalten, wie das dem Evangelisten wenigstens in einigen Fällen gelungen war. Dennoch darf nicht übersehen werden, daß unser Kapitel, vor allem 21,1–23, eine Texteinheit darstellt und der für sie verantwortliche Schriftsteller sein Anliegen klar ins Auge gefaßt und zum Ausdruck gebracht hat. Wir können hier davon absehen, daß einzelne stilistische Züge das ganze Kapitel einheitlich prägen. Aber dieses umfaßt von V. 1–V. 23 sicher nicht zufällig zwei ungefähr gleich große Hälften. Schon das deutet auf die Absicht des Verfassers hin, ein geschlossenes Textganzes zu schaffen. Dieses Ganze wird zunächst hergestellt durch die Einheit von Ort und Zeit, die beide Hälften miteinander verbindet. Ihr gemeinsamer Horizont ist die „dritte“ Osteroffenbarung Jesu, wie sie in V. 14 genannt wird. Beide Hälften erscheinen auch durch den Chiasmus

Vorzugsjünger : Simon Petrus
Simon Petrus : Vorzugsjünger

verklammert. Zusammen mit dem auferstandenen Jesus sind diese Gestalten in beiden Abschnitten die Hauptaktanten. Die Verschiedenheit ihres Charismas, ihr Verhältnis zueinander und das Verhältnis der johanneischen Gemeinde[3] zu ihnen ist das Hauptthema in den VV. 1–14 wie in 15–23 (24). Diese Einheit und Ganzheit unseres Kapitels muß als Grundlage der Erklärung und Auslegung ernst genommen werden.

B. Die Offenbarung des Auferstandenen in 21,1–14

I. Zur Struktur des Abschnitts

Rudolf Pesch hat eine im großen und ganzen überzeugende Scheidung zwischen Überlieferung und Bearbeitung unseres Stückes vorgenommen und

[2] Auf die literarkritischen Fragen, ob dieser Verfasser mit dem Evangelisten gleichzusetzen ist oder nicht, ob er im zweiten Fall auch an einigen oder an vielen Stellen der früheren Kapitel kleinere oder größere Eingriffe vorgenommen hat, läßt sich die vorliegende Arbeit nicht ein.

[3] Die Frage, ob die johanneische Kirche eine oder mehrere Ortsgemeinden umfaßte, wird offengelassen.

sorgfältig zwei Überlieferungsschichten voneinander abgehoben: eine Erscheinungserzählung und eine Fischfangerzählung[4]. Der Bearbeiter hat die wichtigsten Aussagen beider Geschichten ungefähr zu gleichen Teilen miteinander verwoben, thematisch aber das Ganze als Bericht von einer Offenbarung des Auferstandenen gestaltet, in deren Verlauf sich das Fischfangwunder ereignet. Um zur Aussage und Botschaft des Berichts vorzudringen, muß man zweifellos von dieser Tatsache ausgehen. Es ist aber auch unumgänglich, die Textstruktur der vom Bearbeiter geschaffenen Einheit und Ganzheit herauszustellen und ihre wichtigsten Linien nachzuziehen.

1. Die ganze Erzählung lebt vom Auf und Ab zwischen Land und Wasser, Ufer und See. Die Jünger steigen am Ufer in das Boot und fahren auf den See hinaus, um dort während der Nacht zu fischen. Im Morgengrauen erscheint am Ufer ein Fremder und weist die Jünger an, draußen auf dem See nochmals das Netz auszuwerfen. Nachdem der Fremde am Ufer angesichts des Fangwunders als der Herr erkannt ist, wirft sich Petrus in den See und schwimmt ans Land. Ihm folgen im Boot die Gefährten. Nachdem sie an Land gegangen sind, zieht Petrus auch das volle Netz ans Ufer. So ist der Fang auf dem See am Land zu seinem Ziel gekommen. Die Erzählung endet mit dem Mahl am Ufer des Sees.

2. Dem Handeln der Jünger auf dem See steht das Handeln Jesu am Ufer gegenüber. Im ersten Teil der Erzählung steht das vergebliche und das erfolgreiche Handeln der Jünger im Vordergrund. Vom Wort Jesu abgesehen, tritt sein Handeln hier nur mittelbar in Erscheinung. Am Land kommt das Handeln der Jünger zur Ruhe. Ihm folgt am Ende das durch drei aufeinanderfolgende Tätigkeitswörter stark herausgehobene Handeln Jesu am Ufer.

3. Simon Petrus ist der eigentliche Hauptaktant der Jünger. Er bringt durch seinen Entschluß zum Fischen das Geschehen in Gang. Nachdem er den Herrn erkannt hat, leitet er kraftvoll den Wechsel der Handlung vom See an das Land zu Jesus ein. Als Jesus die Jünger auffordert, Fische vom Fang herzuschaffen, zieht Petrus das schwere Netz allein aus dem Wasser ans Land.

4. Simon Petrus steht der Jünger, den Jesus liebte, gegenüber. Als erster erkennt er am Fangwunder den Auferstandenen und macht Petrus darauf aufmerksam, daß der Fremde der Herr ist.

5. Die Erzählung wird stark durch das für Aktanten und (oder) Leser Unerwartete, Überraschende geprägt. Überraschend ergreift Simon das Gesetz des Handelns. Unerwartet greift ein Fremder in das Geschehen auf dem See ein, und unerwartet folgen die Jünger seiner Weisung und kommen doch noch zum Erfolg. Unerwartet erkennt der Vorzugsjünger, daß der Fremde Jesus

[4] Fischfang 85–110.

ist. Zur Überraschung aller stürzt sich Petrus im Obergewand ins Wasser. Überraschenderweise wird das volle Netz von ihm allein ans Land gezogen und zerreißt nicht. Unerwartet wird am Ufer ein Mahl bereitet, und Jesus fordert zum Mahl auf, zu dem die Jünger trotz seiner Weisung von ihrem Fang nicht beigetragen haben. Zur Überraschung der Leser möchten die Jünger den Fremden fragen, wer er ist, obgleich sie wissen, daß er der Herr ist.
6. Das Mahl der Jünger mit Jesus ist der Höhepunkt und Schlußpunkt der Geschichte. Es steht im Gegensatz zum bewegten Geschehen auf dem See und zur überraschenden Erscheinung des Fremden am Ufer. Im Mahl wird das zögernde Erkennen der Jünger zur vollen Gewißheit, obschon das nicht ausdrücklich gesagt ist. Im Mahl sind die Jünger und der Auferstandene wieder vereinigt und pflegen aufs neue Gemeinschaft.

II. Bildsprache und Zeichenhaftigkeit in 21,1–14

Unter den Fachleuten ist die Frage immer noch umstritten, ob unser Abschnitt wenigstens teilweise als Bildrede oder Zeichen für etwas anderes zu verstehen ist. Während Pesch vorsichtig nur die Siebenzahl der Jünger und das Mahl zeichenhaft auffassen will[5], setzt sich die Ansicht immer mehr durch, auch der reiche Fischfang und das unzerreißbare Netz seien Zeichen für eine dahinterliegende Wirklichkeit[6]. Diese und andere mögliche Bildaussagen unserer Erzählung sollen im folgenden genauer untersucht werden.

1. Die Siebenzahl der Jünger

Pesch glaubt, die Siebenzahl der Jünger stelle die ganze Jüngergemeinschaft, die Kirche dar[7]. Das ist durchaus möglich, wenn der Horizont des Kapitels 21, wie angedeutet wurde, nicht nur ein österlicher, sondern auch ein nachösterlicher, ein kirchlicher ist. Vielleicht ist der Sachverhalt aber weniger einfach. Sollte sich ergeben, daß der reiche Fischfang und das unzerreißbare Netz auf die urkirchliche Missionsarbeit hinweisen, dann wären jedenfalls die Jünger, die unter der Leitung von Simon Petrus fischen, zunächst stellvertretend für die ganze Gemeinschaft der apostolischen Missionare genannt. Das könnte auch der Grund sein, warum der Bearbeiter in V. 2 außer den vier Jüngern aus dem Zwölferkreis noch drei andere Jesusjünger anführt, die nicht zu

[5] Fischfang 146–151.
[6] Vgl. etwa *R. E. Brown,* John XIII–XXI, 1095–1098.
[7] Fischfang 148.

dieser Gruppe gehören. Dennoch liegt es, wie wir noch sehen werden, nahe anzunehmen, daß die sieben Jünger, wenn sie mit Jesus am Ende der Erzählung Mahl halten, auch die nachösterliche Gemeinde vertreten.

2. *Das Fangwunder*

Es gibt vielleicht keinen zwingenden Grund, das Fangwunder im Zusammenhang unserer Erzählung als Bild für die urkirchliche Mission zu verstehen, aber es gibt mehrere, zum Teil recht starke Hinweise darauf, so daß die Annahme, der Bearbeiter habe es nicht so gemeint, eher unwahrscheinlich wird. Diese Hinweise seien hier genannt.

a. Oben wurde darauf aufmerksam gemacht, daß zwischen den Abschnitten 1–14 und 15–23 (24) unseres Kapitels eine Entsprechung vorhanden ist. In 15–23 (24) geht es um das Hirtenamt des Simon Petrus und das Charisma des Vorzugsjüngers. Dieses Charisma wirkt in der johanneischen Gemeinde weiter. Aber es hindert sie nicht, das umfassende Hirtenamt des Simon Petrus anzuerkennen und sich als Teil der Herde Jesu zu verstehen, die Petrus weiden sollte. Von daher gesehen wäre es seltsam, wenn Simon Petrus in den VV. 1–14 dem Vorzugsjünger nur als der gegenüberstände, der stürmischer ist als er und die andern Jünger durch sein entschlossenes und rasches Handeln überspielt. Es liegt näher, Petrus – analog zu seiner Rolle als Hirt der Kirche in den VV. 15–18 – in den VV. 1–14 als Menschenfischer und Haupt der urkirchlichen Missionsarbeit zu verstehen.

b. Der Verfasser des Kapitels 21 hat die Offenbarung des Auferstandenen, die er in den VV. 1–14 erzählt, im Anschluß an die zwei vorausgehenden Offenbarungen in Kapitel 20 als dritte gekennzeichnet und sie damit auch durch die Gestalt des Tomas verbunden. Nun werden in 20,21 die Jünger vom Auferstandenen in die Welt gesandt – vgl. 17,18 –, wie das auch Mt 28,19 und Lk 24,47; Apg 1,8 sowie Mk 16,15 geschieht. Die Sendung der Jünger zur Weltmission findet sich somit, abgesehen von Joh 21,1–14, in allen ausgeführten Erscheinungserzählungen, wo Jesus seinen Jüngern erscheint. Sollte sie in unserer Erzählung nicht im Fischfangbefehl Jesu verborgen sein? Dann wäre auch die ausschließlich auf das Weiden und Leiten der schon gesammelten Herde Jesu zugespitzte Weisung des Auferstandenen in 21,15–17 leichter verständlich.

c. Das Fischfangwunder in unserer Fassung dürfte der johanneischen Überlieferung schon lange vor seiner Aufnahme in das durch Kapitel 21 erweiterte vierte Evangelium bekannt gewesen sein. Auch wenn das nicht der Fall sein sollte, so müssen wir voraussetzen, daß der Verfasser dieses Kapitels mit Stoff, Gedankenwelt, Denk- und Ausdrucksformen des vierten Evangeliums völlig

vertraut war. Er wußte um die Bildsprache des johanneischen Weinwunders und Brotwunders und allgemein um die Zeichendimension der johanneischen Semeia. Ist es dann nicht sozusagen unausweichlich anzunehmen, daß er das Fischfangwunder ähnlich verstand wie der vierte Evangelist seine Semeia?
d. Die Wundererzählung vom reichen Fischfang gehört in die Gruppe der Naturwunder der Jesusüberlieferung. Ihr Mutterboden wird darum vermutlich nicht die wirkliche Geschichte Jesu gewesen sein, sondern urkirchliche Glaubensüberlegung und Glaubensverkündigung, die zur Veranschaulichung von Glaubensinhalten solche Erzählungen schuf, indem sie sich an vorhandene Ausdrucksformen der Jesusüberlieferung anlehnte. Es ist somit denkbar, daß die Fischfanggeschichte von Anfang an das Bildwort von den Menschenfischern aufgriff und erzählerisch gestalten wollte. Gewiß könnte sie auch erst nachträglich als Veranschaulichung dieses Spruchs verstanden worden sein. Jedenfalls ist im johanneischen Überlieferungsraum eine analoge Entwicklung und Gestaltung möglich und wahrscheinlich, wie sie die lukanische Fischfangerzählung durchlief[8].
e. Der gegenwärtige Zusammenhang Joh 21,1–14 erweist sich, wie Pesch gezeigt hat, eindeutig als nachträgliche Verbindung einer Erscheinungserzählung und einer Fischfangerzählung, die vor ihrer Einfügung in unseren Bericht keine Merkmale einer Ostergeschichte aufwies[9]. Wenn dem so ist, muß die Absicht des Bearbeiters geklärt werden, der das Fangwunder in den Zusammenhang einer Osteroffenbarung hineinstellte. Sollte dadurch dem Vorzugsjünger das Erkennen des Auferstandenen leichter gemacht werden? Das scheint ganz abwegig zu sein. Oder wollte der Bearbeiter darstellen, wie der Auferstandene Simon Petrus und den andern Jüngern wirksam half, nach seinem Abschied von dieser Erde ihr menschliches Dasein zu fristen, und sie so ermutigte, auf seine Vorsorge und Hilfe in der Ausübung ihres wiederaufgenommenen Fischerberufs auch in Zukunft zu bauen? Ist das nicht ein ebenso ausgefallener Gedanke? Um ihn annehmbar zu machen, kann man sich, wie wir sehen werden, auch nicht auf die VV. 5 und 10 unserer Erzählung stützen. So bleibt keine andere Wahl als anzunehmen, daß unser Bearbeiter mit dem Einbau des Fangwunders in den Rahmen einer Osteroffenbarung Jesu zeigen wollte, daß durch die Auferstehung Jesu die Sammlung der Ge-

[8] Vgl. *R. Pesch,* Fischfang 126–130. – Dafür, daß unsere Fischfanggeschichte schon vor ihrer Aufnahme in Joh 21 zeichenhaft entworfen war, könnten folgende Hinweise sprechen: a. Das eine Netz im Gegensatz zu den Netzen der lukanischen Fassung; b. das Nichtzerreißen des Netzes; c. die hohe Zahl der großen Fische; d. die Angabe, Simon Petrus habe das Netz allein zu Jesus geschleppt. Man müßte auch nachprüfen, ob das im Hinblick auf das Gewicht des Fanges wahrscheinlich ist.

[9] Fischfang 102–104, 111–113.

meinde und die urkirchliche Mission möglich geworden war und daß ihr Erfolg nicht von menschlicher Anstrengung, sondern von der lebendigen Gegenwart des erhöhten Herrn abhing[10].

3. Das unzerreißbare Netz

V. 11 berichtete in der ursprünglichen Fischfanggeschichte jedenfalls den sichtbaren Nachweis des geschehenen Wunders, wie er für eine solche Erzählung stilgemäß ist. Die angegebene hohe Zahl von Fischen dürfte kaum eine geschichtliche Erinnerung darstellen, könnte aber ursprünglich im Sinn einer lebhaften Veranschaulichung eingesetzt worden sein. Auffällig ist dann die Aussage, daß das Netz trotz der hohen Zahl von großen Fischen nicht zerriß. Diese Aussage war für den Nachweis des Fangwunders überflüssig. Das Wunder wäre durch das offensichtlich mögliche Reißen des Netzes sogar noch anschaulicher geworden. So wird man die Aussage sachgemäß als Hinweis auf ein übertragenes Verständnis des Netzes und des Fischfangs verstehen, nämlich auf die durch den Auferstandenen wunderbar erhaltene Einheit der Gesamtkirche aus vielen Kirchen und vielen Völkern, wie sie durch die apostolische Missionsarbeit entstanden war. Das übertragene Verständnis des Netzes, das nicht zerreißt, fordert das übertragene Verständnis des Fischfangs und ist somit nochmals ein kräftiger Hinweis auf die Zeichenhaftigkeit des Fangwunders[11].

Trifft diese Deutung des unzerreißbaren Netzes zu – und wir haben keinen Grund, daran zu zweifeln –, so ist damit die Möglichkeit gegeben, daß auch die angeführte Zahl der Fische von Anfang an oder durch spätere Deutung auf den umfassenden Erfolg der urkirchlichen Völkermission zugespitzt war oder wenigstens vom Bearbeiter so verstanden wurde, ohne daß wir bis jetzt sagen können, welches der genaue Tiefensinn dieser Zahl für den damaligen Leser war[12].

[10] Ein weiterer starker Grund für das zeichenhafte Verständnis des Fangwunders ist, wie der nächste Abschnitt zeigt, das Bild vom unzerreißbaren Netz.

[11] *R. Schnackenburg,* Johannesevangelium III, 426f, glaubt, die Menge der Fische und das unzerreißbare Netz seien zwar ein Sinnbild für die universale Kirche und ihre Einheit. Diese werde aber im Text ausschließlich als Frucht des Wirkens Christi gesehen. Ein Hinweis auf das Missionswerk der Jünger sei dem Fischfang nicht zu entnehmen. Eine solche Spaltung zwischen der wunderbar erfolgreichen Arbeit der Jünger und dem zeichenhaften Sinn des Fangertrags und des Netzes, die der Fischer Simon Petrus zu Jesus schleppt, scheint dem Verfasser dieser Untersuchung nicht möglich.

[12] Vgl. *R. E. Brown,* John XIII–XXI, 1074–1076.

In dem genannten Zeichenzusammenhang muß nun auch die Rolle von Simon Petrus auf ihren hintergründigen Sinn geprüft werden. Jesus hatte seine Aufforderung, den Fang zu bergen, an alle sieben anwesenden Jünger gerichtet. Doch überraschenderweise handelt an ihrer Stelle Simon Petrus, indem er das volle Netz an Land zieht. Wir werden kaum fehlgehen, wenn wir angesichts der bis jetzt sichtbar gewordenen Zeichenhaftigkeit des Geschehens diese Handlungsweise Simons als Hinweis darauf verstehen, daß er als Haupt der apostolischen Mission den vom auferstandenen Herrn allen apostolischen Missionaren geschenkten Erfolg zum Herrn bringt, mit andern Worten: daß er kraftvoll die durch die Missionsverkündigung gewonnenen Menschen aus vielen Völkern in der einen umfassenden Gesamtkirche sammelt und sie Christus zuführt[13]. Vielleicht enthält das in unserm Vers verwendete Wort ἑλκύειν eine Anspielung auf Joh 12,32[14]. Simon Petrus wäre dann das Werkzeug, durch das der auferstandene Gekreuzigte die Menschen selbst zu sich zieht.

4. *Das Mahl des Auferstandenen*

a. Seine Eigenart und Zeichenhaftigkeit

Schon in der Osterüberlieferung, die unser Bearbeiter neben der Fischfanggeschichte verwendete, um die vorliegende Erzählung zu gestalten, war das Mahl am Ende jedenfalls ein Mahl, das der Auferstandene seinen Jüngern selbst bereitet hatte. Sein Sinn war gewiß die Wiederherstellung der heilvollen Gemeinschaft zwischen Jesus und den Jüngern, die durch die Ereignisse um seinen Tod zerbrochen war. Aber geht es in unserem Text eigentlich um ein Mahl, an dem Jesus mit seinen Jüngern teilnimmt? Die knappen Worte, mit denen es dargestellt wird, zeigen tatsächlich nur eine Speisung der Jünger durch Jesus an. Jesus ist der Gastgeber, die Jünger sind seine Gäste. Aber Jesus ißt, wie es scheint, nicht mit. Das Verhältnis Jesu zu denen, die er speist, ist somit das gleiche, das wir auch in der Erzählung von der wunderbaren Brotvermehrung – Joh 6,1–13 – finden. Aber auch die Speise, die der Auferstandene reicht, ist die gleiche wie dort: ἄρτος und ὀψάριον, Brot und Fisch. Und beide Male „nimmt“ Jesus Brot und „teilt“ es „aus“, und „gleicherweise“ Fisch. In der Brotvermehrungsgeschichte sind es freilich anfänglich fünf Brote und zwei Fische, während in unserer Erzählung jedenfalls *ein* Brot und

[13] Diesem Zeichensinn dürften ein Petrusbild und eine Petrusüberlieferung zugrunde liegen, wie sie auch in Apg 10f; 15 greifbar sind. Vgl. auch Gal 2,1–14 und die frühkirchliche Überlieferung über das Wirken des Petrus in Rom.

[14] Siehe *R. E. Brown,* John XIII–XXI, 1097.

ein Fisch an sieben Jünger ausgeteilt werden. Das wird dann noch deutlicher, wenn wir damit rechnen, daß unsere Erzählung sich an die Speisung in Joh 6 anlehnt.
Die johanneische Brotwundererzählung wird vom Evangelisten ausdrücklich als „Zeichen“ verstanden. Damit ist sehr wahrscheinlich nicht ein Hinweis auf Jesus als eucharistische Speise gegeben, sondern auf Jesus als das wahre Lebensbrot – 6,32–35 –, das göttliches, endzeitliches Leben spendet[15]. Dennoch darf 21,13 eucharistisch verstanden werden, da der Horizont unserer Erzählung unverkennbar ein nachösterlich-kirchlicher ist[16]. Wie immer es damit stehen mag, jedenfalls wird man angesichts der Querbezüge zwischen der Speisung an unserer Stelle und der Speisung in Joh 6 kaum leugnen können, daß das Brot und der Fisch auf Jesus selbst hindeuten, der den Jüngern nach dem Fischfang als Nahrung zum ewigen Leben gereicht wird und sie aufs engste mit ihm, dem auferstandenen und erhöhten Herrn, verbindet.

b. Die Verse 5 und 10 unseres Textes

Nach Pesch sind die VV. 5 und 10 unserer Erzählung sichere Zusätze des Bearbeiters zu den ihm vorliegenden Überlieferungsstücken[17]. Er versteht beide Verse als Hinweis darauf, daß der Fischfang der Jünger nach der Meinung des Bearbeiters auch zur Stillung ihres Hungers dienen soll. Wenn das zutrifft, scheint vor allem V. 10 ein ungeschickter Eingriff zu sein. Wie immer man ihn dann genauer verstehen will, so schiebt er sich jedenfalls unglücklich vor die VV. 11–13 und stört oder durchkreuzt die gegebene Auslegung dieser Verse empfindlich. Er scheint vor allem nahezulegen, daß die Jünger vom gemachten Fang einige Fische zu dem vom Auferstandenen bereiteten Mahl hinzufügten und dieses somit im Verständnis unseres Bearbeiters kaum mehr den Zeichensinn haben konnte, den wir darin gefunden haben.
Gegen diese Auffassung muß zunächst darauf hingewiesen werden, daß die VV. 11–13 auch nicht die geringste Anspielung enthalten, die Jünger hätten die Weisung Jesu als Aufforderung verstanden, zum Mahl Jesu auch von ihrem Fang beizutragen. Im Gegenteil! V. 11 ist nach der Absicht unseres Bearbeiters doch gewiß die Antwort auf die Weisung Jesu und zeigt, daß Petrus diese als Aufforderung aufgefaßt hat, den ganzen Fang Jesus zuzuführen. In den VV. 12f aber läuft alles so, daß man annehmen muß, Jesus lade nur

[15] Vgl. *R. Schnackenburg,* Johannesevangelium II, 21–23; 31–33.
[16] Siehe dazu *J. Wanke,* Emmauserzählung 104f.
[17] Fischfang 95,99.

zum Mahl mit dem einen Brot und dem einen Fisch, den er selbst zubereitet hat. Man könnte deswegen, wenn man V. 10 im Sinn von Pesch verstehen wollte, höchstens noch annehmen, Jesus habe sein Mahl als eine Art Gegenstück zu einem irdischen Sättigungsmahl aufgefaßt und so den Jüngern zeigen wollen, daß sie nicht von irdischer Nahrung wirklich leben könnten, sondern nur von seinem Lebensbrot. Doch ist auch diese Erklärung unwahrscheinlich, wenn Jesus die Jünger in V. 10 selbst dazu auffordert, von ihrem Fang Fische zum Mahl herbeizubringen.

Die Frage, die uns die beiden VV. 5 und 10 stellen, kann aber auch aus einer anderen Sicht gelöst werden. Zunächst sei darauf hingewiesen, daß die von Pesch wiederhergestellte Vorlage der Fischfangerzählung[18], wie sie der Bearbeiter und Verfasser von Kapitel 21 in der Überlieferung vorgefunden haben soll, wenn man sie genauer prüft, in ihrem Erzählgerüst eine empfindliche Lücke aufweist. Zwischen der Angabe, Jesus sei im Morgengrauen ans Ufer getreten, und seinem Fangbefehl fehlt etwas, entweder eine Angabe darüber, daß Jesus die Lage der Jünger, die eine Nacht lang erfolglos gefischt hatten, durchschaute, oder eine Frage an sie, wie es mit ihrem Fischerglück stehe. Mit andern Worten: Das kurze Zwiegespräch, das wir in V. 5 vorfinden, ist erzähltechnisch für die alte Fischfangerzählung unentbehrlich. Pesch konnte es nur mit dem Hinweis aus der Vorlage ausklammern, daß προσφάγιον „Zukost" bedeute und auf eine Verbindung mit dem Mahlbericht am Ende unseres Textes weise[19]. Das ist aber keineswegs überzeugend, abgesehen davon, daß προσφάγιον auch einfach „Fisch" bedeuten kann. Daneben hebt Pesch die johanneische Färbung des Gesprächs hervor, doch kann diese nur zeigen, daß die Fischfangerzählung der johanneischen Überlieferung nicht fremd war oder vom Bearbeiter leicht überarbeitet wurde.

Wie steht es nun mit V. 10? Nichts oder herzlich wenig steht der Annahme entgegen, daß V. 10 wie V. 5 ebenfalls zur ursprünglichen Fanggeschichte gehörte und die erzähltechnische Aufgabe hatte, nach dem ersten Nachweis des Fangwunders unter Wasser den zweiten Nachweis über Wasser anzuregen und vorzubereiten. Daß der Nachweis dann von Petrus allein erbracht wird, entspricht der Rolle, die er auch in der alten Erzählung spielt. Es ist auch nicht ausgeschlossen, daß V. 5 und V. 10 in deren Rahmen wenigstens vordergründig auf das Verzehren des Fanges hinweisen. Aber ihre Aufgabe ist, wie gezeigt wurde, an beiden Stellen eine andere. Was dann noch den Hinweis von Pesch[20] angeht, ὀψάριον sei aus dem alten Erscheinungsbericht aufge-

[18] Fischfang 103f.
[19] Fischfang 95.
[20] Fischfang 99.

nommen, so ist auch das nicht überzeugend. Wenn die überlieferte Fanggeschichte drei verschiedene Wörter für Fisch verwendete – προσφάγιον, ἰχθύς, ὀψάριον –, war das in einer solchen Erzählung nur ein Zeichen der zu erwartenden Vertrautheit des Erzählers mit dem Fischerhandwerk.

5. See und Ufer

Die Handlung unserer Erzählung spielt sich teilweise auf dem „Meer von Tiberias", teilweise an seinem Ufer ab. Die ganze Erzählung lebt vom Wechsel zwischen den beiden Schauplätzen und von der Bewegung, die im Zug des Geschehens immer stärker vom See zum Ufer drängt. Am Land schwingt die Arbeit der Fischer aus und kommt dort zur Ruhe, und hier am Ufer erreicht die Handlung als ganze ihren Höhepunkt. Nachdem wir die starke Zeichenhaftigkeit des Textes erkannt haben, wird der Bogen kaum überspannt werden, wenn wir nun mit der gebotenen Zurückhaltung auch See und Ufer eine hintergründige Zeichenhaftigkeit im Ganzen der Geschichte zuerkennen.
Der See ist der Ort, wo die Jünger ihre Arbeit als Fischer ausführen. Wenn diese Arbeit Zeichen für ihre apostolische Missionstätigkeit ist, dann dürfte der See Zeichen für diese Welt und Zeit sein. Im See tummeln sich die Fische. Welt und Zeit sind der Tummelplatz der Völker, wo die apostolischen Missionare Menschen fangen und im Netz der Kirche sammeln. Im Erfolg ihrer Arbeit offenbart sich die Kraft des Auferstandenen. Aber der Auferstandene geht durch sein Wirken in Welt und Zeit nicht in die welthafte Arbeit seiner Missionare ein. Er steht am Ufer der überweltlichen Wirklichkeit und wartet auf die Begegnung mit seinen Arbeitern und mit den Menschen, die sie ihm zuführen werden. Er bereitet den Arbeitern und diesen Menschen das Mahl, in dem sie ihn selbst und das wahre Leben in der Gemeinschaft mit ihm finden sollen. Die Arbeit in Welt und Zeit könnte, auch wenn sie in der Nähe des göttlichen Ufers geschieht – V. 8 – und durch das Wirken des Auferstandenen zum Erfolg wird, in Geschäftigkeit ausarten. Die Jünger könnten vergessen, daß das Ziel ihrer Sehnsucht der Herr war und daß sie nur am Strand der Ewigkeit das Leben „in Ihm" haben können. Sie könnten vor Freude über „ihren" Erfolg vergessen, daß sie die gewonnenen Menschen für Jesus gewonnen haben und ihre Arbeit nur dann einen Sinn hat, wenn sie diese Menschen zur lebendigen und dauernden Begegnung mit dem Herrn am Ufer der göttlichen Wirklichkeit führen. Das Leben der Kirche vollzieht sich nicht vor allem in der Außenarbeit auf dem „See", sondern da, wo der Auferstandene zum Mahle lädt und sich selbst zum Genuß darbietet.
Das erkennt Petrus in dem Augenblick, da er vom Vorzugsjünger darauf aufmerksam gemacht wird, daß der Fremde am Ufer der zum Leben auferweckte

Jesus ist. Dieser Jesus am Ufer ist das Ziel seines Lebens, die Liebe seines Herzens, der einzige Ort, an dem seine stürmische Sehnsucht zur Ruhe kommen kann. Wie immer man erklären will, daß er sein Obergewand anzieht und hochgürtet, im See wird es auf alle Fälle naß, auch wenn er, wie einige Erklärer annehmen, nur watet und nicht schwimmt. Im Zusammenhang der Erzählung hat dieser Hinweis nur die Aufgabe, den Enthusiasmus des Apostels zu malen. Hintergründig aber kennzeichnet dieser Enthusiasmus jene Liebe, die das notwendige Gegengewicht zur Missionsarbeit auf dem Tummelplatz der Völker darstellt und nur in der Gegenwart und Gemeinschaft Jesu am Ufer der Ewigkeit, im Mahl des Herrn zur Erfüllung kommt. Hier im Mahl wird der Auferstandene auch erst wirklich erkannt; nur hier offenbart er sich den liebenden Herzen der Seinen ganz.

6. Die Art der Zeichensprache in unserer Erzählung[21]

Wir haben bisher vermieden, die Zeichensprache und Bildhaftigkeit unseres Textes genauer zu prüfen und zu kennzeichnen. Das muß und kann jetzt nachgeholt werden. Wir haben früher darauf hingewiesen, daß der Horizont der Erzählung ein österlicher und ein nachösterlicher sei. Damit war schon angedeutet, daß sie zwei unterschiedliche Ebenen aufweist, sozusagen zwei Stockwerke: ein Erdgeschoß und ein Obergeschoß. Das Erdgeschoß wird durch die Stellung der Erzählung im Anschluß an die johanneischen Ostergeschichten in Kapitel 20 und die entsprechenden Bemerkungen unseres Bearbeiters in 21,1 und 14 deutlich. Es geht wie in Kapitel 20 um eine Osteroffenbarung Jesu. Zweifellos versteht der Bearbeiter sein Werk grundlegend als einen Erscheinungsbericht und ist überzeugt, daß sich Jesus am „Meer von Tiberias" kurz nach Ostern einigen seiner Jünger lebend gezeigt und sie mit Brot und Fisch gespeist hat. In diesen Erscheinungsbericht hat er nun eine Fischfangerzählung eingearbeitet, die so, wie er sie in der Überlieferung kennengelernt hatte, keine Ostergeschichte war. Vermutlich hat er auch sie als Bericht von einem tatsächlichen Ereignis aus der Zeit des irdischen Wirkens Jesu verstanden, auch dann, wenn er ihre Deutung auf die Missionsarbeit der Apostel schon im Schoß seiner Gemeinde vorfand. Indem er diese Geschichte nun mit der ihm bekannten Osterüberlieferung aus Galiläa verband und verwob, verstärkte er ihre Zeichenhaftigkeit und machte zugleich sichtbar, daß die Sammlung der nachösterlichen Gemeinde und die urkirchliche Missions-

[21] Für diesen Abschnitt habe ich wertvolle Anregungen aus dem Werk von *B. Olsson,* Structure and Meaning, empfangen; vgl. zusammenfassend 114, 256f, 275–290.

arbeit erst durch die Auferstehung Jesu ausgelöst und ermöglicht wurde und von der wirkenden Kraft des erhöhten Herrn getragen war.

Damit wird deutlich, wie unser Erzähler seine ganze Geschichte verstand. Er verstand sie auf der Ebene des „Erdgeschosses" als Bericht von Ereignissen, die sich im Leben des irdischen Jesus und nach seiner Auferstehung wirklich abgespielt hatten, war sich aber darüber klar, daß er diese Ereignisse in einen künstlichen Rahmen, nämlich den literarischen Rahmen eines „dritten" Erscheinungsberichts am Ende des ihm vorliegenden Evangeliums gefaßt hatte. In diesem Rahmen ruhte der „geschichtliche" Gehalt der Erzählung wie in einem bergenden Gefäß. Das „Erdgeschoß" lag sozusagen hinter einem wohlgepflegten Garten, der sich zu seinen Füßen ausdehnte. In diesem „Garten" war die Erzählung mit ihren Aussagen im großen und ganzen so zu verstehen, wie sie lautete, nämlich wörtlich.

Über diesem Erdgeschoß erhob sich nun aber, wenn wir unsere Bildsprache weiterführen dürfen, nach der Absicht des Erzählers und Gestalters unseres Textes auf einer zurücktretenden, dahinter liegenden Terrasse ein zweites Stockwerk, nämlich die hintergründige Aussage, die unser Bearbeiter vom Standpunkt seines Erdgeschosses aus und über ihm wohlüberlegt und sorgfältig so anlegte, daß der verständige Leser im Garten seiner Erzählung das Erdgeschoß mit dem darüber und dahinter liegenden Stockwerk immer neu und gleichzeitig in den Blick fassen konnte und verstand, daß nur vom Erdgeschoß her auch ein Zugang zum Terrassenstockwerk gegeben war. Diesen Zugang ermöglichten nicht nur der Standpunkt und die Voraussetzungen des Erzählers und der damaligen Leser, sondern auch einzelne Sätze und Ausdrücke, die vom Untergeschoß unmittelbar ins Obergeschoß emporführten, wie vor allem V. 11 b und die VV. 9 + 13.

Von daher können wir unsern Text als wörtlich zu verstehende Erzählung kennzeichnen, deren „geschichtliche" Aussage an einer Reihe von Stellen als Zeichen und Bild für eine andere Wirklichkeit dient und den Durchblick auf sie freigibt, eine Wirklichkeit, die teilweise nachösterlich geschichtlich, teilweise aber nachösterlich übergeschichtlich aufzufassen ist. Unser Text ist also eine „geschichtliche" Erzählung mit Zeichen- und Bildgehalt. Er darf nicht als allegorischer Text verstanden werden, weil ein allegorischer Text nicht gleichzeitig auch wörtlich und geschichtlich gedeutet werden kann; seine Raumtiefe ist ausschließlich der übertragene Sinn der Wörter und Aussagen. Inzwischen dürfte aber klar geworden sein, daß die literarische Art unserer Erzählung gut johanneisch ist und sich ähnlich nicht nur im Weinwunder von Kana, sondern auch in verschiedenen anderen Erzählungen des vierten Evangeliums findet.

C. Der Auftrag des Auferstandenen an Simon Petrus und die Aufgabe des Lieblingsjüngers: Joh 21,15–23 (24)[22]

I. Aufbau und Einheit des Abschnitts

Schon früher wurde darauf hingewiesen, daß formal unser Kapitel ein Ganzes bildet, zusammengehalten durch die Einheit von Ort und Zeit und durch die gleichen Hauptaktanten. Sein zweiter Abschnitt, dem wir uns hier zuwenden, schließt auch deutlich an die Handlung des ersten Abschnitts an, führt diese allerdings nicht mehr lebendig weiter, sondern nimmt in einem Gespräch zwischen dem Auferstandenen und Simon Petrus das vorher erzählerisch dargestellte Thema wieder auf, nämlich das Verhältnis zwischen Petrus und dem Vorzugsjünger. Auch wenn damit die Erzählung von der „dritten" Osteroffenbarung sich den zweiten Abschnitt eher künstlich einverleibt, so kommt doch darin der Wille des gestaltenden Bearbeiters zum Ausdruck, das im ersten Abschnitt nicht voll ausgeschöpfte Thema in einem zweiten Gang mit anderen Darstellungsmitteln nochmals zur Sprache zu bringen, weiter zu klären und angemessen abzuschließen. Damit wird auch deutlich, daß unser Abschnitt dem Abschnitt 1–14 mit gleichem Gewicht als Ganzes gegenübersteht und nicht in zwei Teile (15–19 + 20–23) zerfällt, die dem ersten Abschnitt je gleichwertig zur Seite treten würden.

II. Überblick über Feinstruktur und Aussagen des Abschnitts

1. Zu 21,15–19

a. Aufbau und Einheit

Der Teilabschnitt der VV. 15–19 umfaßt zwei Spracheinheiten, die, wie Schnackenburg klar herausgearbeitet hat, inhaltlich zusammengehören: die Übertragung des Hirtenamtes über die ganze Herde Jesu an Simon Petrus und die Ankündigung seines gewaltsamen Todes. Es kann kaum Zufall sein, daß beide Einheiten an das Gespräch zwischen Jesus und Petrus in 13,36–38

[22] Für Joh 21,15–23 (24) verweise ich gerne auf die sorgfältige und überzeugende Auslegung von *R. Schnackenburg,* Johannesevangelium III, 429–447. Ich teile vor allem auch seine Auffassung von der synchronischen Einheit dieses Textes, die neuestens von *R. Mahoney,* Disciples 286–297, entschieden in Frage gestellt wird. Mein Anliegen war es, vor allem Fragen der Struktur und Form des Abschnitts und seiner Teile zu untersuchen und von daher einen Zugang zu ihrer Aussage zu finden. V. 25 habe ich ganz aus dem Spiel gelassen, da er kaum vom Verfasser des Kapitels stammt und zu meiner Zielsetzung nichts beiträgt.

anknüpfen. Die dreimal wiederholte Frage Jesu, ob Petrus ihn liebe, erinnert unverkennbar an die Voraussage seiner dreimaligen Verleugnung in 13,38. Die erste Frage, ob Petrus ihn mehr liebe als die andern Jünger, knüpft jedenfalls an seine Versicherung in 13,37b an, er werde sein Leben für Jesus hingeben, hat allerdings auch einen Anhalt in 21,7b. Die Voraussage des gewaltsamen Todes, der als Nachfolge Jesu verstanden wird, nimmt die Voraussage Jesu 13,36 auf, Petrus werde ihm nicht jetzt, aber später auf seinem Todesweg folgen. Außerdem darf man nicht übersehen, daß Petrus mit der Versicherung, er werde sein Leben für Jesus hingeben, die Redeweise des Guten Hirten in 10,11.15.17f übernimmt, der sein Leben für seine Schafe aufs Spiel setzt und es dahingibt. Auch wenn an diese Ausdrucksweise in 21,15–19 nicht ausdrücklich erinnert wird, so wird doch die Hingabe des Lebens dessen, der die Hirtenvollmacht Jesu auf Erden ausüben soll, als Nachfolge Jesu gekennzeichnet, die in 13,37 mit der Lebenshingabe gleichgesetzt wird. Die Gedankenverbindung dürfte also doch vorhanden sein. Jedenfalls ist unser Teilabschnitt im Anschluß an 13,36–38 sehr überlegt und sinnvoll zusammengefügt. Man wird annehmen dürfen, daß dafür der Bearbeiter verantwortlich war. Sonst müßte man sich vorstellen, er habe die ganze Einheit als Stoffgruppe vorgefunden, die ursprünglich als Teil des Evangeliums vorgesehen war und dann aus undurchsichtigen Gründen nicht in das mit 20,30f abgeschlossene Werk aufgenommen wurde. Da scheint doch zuviel Unsicheres vorausgesetzt zu sein.

b. Zur Form und Aussage der Verse 15–17

In allen neutestamentlichen Osterberichten, wo der Auferstandene seinen Jüngern erscheint, ist, wie schon einmal gesagt wurde, von einem kirchlichen Auftrag an sie die Rede. In dieser Sicht ist die Verleihung kirchlicher Vollmacht an Simon Petrus, wie sie hier durch den Auferstandenen erfolgt, formkritisch sozusagen ein unerläßliches Element für eine Ostererzählung, in der Petrus von Anfang an als Hauptaktant auftrat. Dennoch kann man zweifeln, ob diese Vollmachterteilung zu jener Erscheinungserzählung gehörte, die in den VV. 1–14 mit der Fischfangerzählung verwoben wurde, da die eigenartige Sprachform des Auftrags keine Elemente aus 1–14 aufnimmt. Inhaltlich handelt es sich hier um eine wichtige Ergänzung der Vollmacht, die Petrus in 1–14 auf der Bildebene der Erzählung ausübt, indem er den vielfältigen und mannigfaltigen Ertrag der apostolischen Mission in der Gesamtkirche sammelt, ohne daß ihre Einheit zerbricht. In den VV. 15–17 überträgt der Erhöhte Simon Petrus die Hirtenvollmacht über seine ganze Herde, die schon gesammelt und geeint vorausgesetzt wird.

Man könnte sich nun vorstellen, daß der Verfasser von Kapitel 21 in unseren Versen auf eine überlieferte Formel der Vollmachtübertragung an Petrus zurückgreift. Da aber die dreigliedrige Formel, wie gezeigt, von ihm wahrscheinlich selbst gestaltet wurde, wäre eine solche vorgegebene Formel nur eingliedrig zu denken. Am nächsten liegt jedoch die Annahme, daß unser Bearbeiter, indem er an das ihm aus der Überlieferung vorgegebene Petrusbild, an die in der Urkirche im letzten Drittel des ersten Jahrhunderts vermutlich verbreitete Vorstellung von Gemeindehirten und an die johanneische Bildrede vom Guten Hirten anknüpfte, die Formel unserer Verse als Ganzes neu geschaffen hat, um so im Anschluß an den Abschnitt 1–14 an unserer Stelle sein Halbthema „Simon Petrus" nochmals aufzugreifen und nachher durch das Halbthema „Vorzugsjünger" zu ergänzen und zum Abschluß zu bringen.
Man kann dann nicht übersehen, daß die Vollmacht über die gesamte Herde Jesu, die Petrus hier verliehen wird, im Neuen Testament eine einmalige Aussageform darstellt, zunächst im Vergleich mit den Aussagen über Gemeindehirten, wie sie in Apg 20,28 und 1 Petr 5,2.4 gemacht werden. Auch an diesen Stellen steht die Gesamtkirche als die eine Herde Gottes im Blick. Aber als Hirten in ihr erscheinen nur Vorsteher einzelner Ortskirchen. Wo ausdrücklich vom Hirten der ganzen Herde die Rede ist, nämlich in 1 Petr 5,4, ist dieser Hirt Jesus Christus. Ebenso anspruchsvoll wie die Aussage unseres Textes ist freilich die ganz anders geartete Bildaussage Mt 16,18; vgl. Joh 1,42.
Indem Jesus an unserer Stelle an seine Verleugnung durch Simon Petrus erinnert, unterwirft er diesen vielleicht einer letzten Läuterung und vertieft seine liebende Hingabe an ihn, den auferstandenen Herrn. So wird Petrus ein neuer Mensch, der sich nicht mehr auf seine eigene Kraft und Fähigkeit verläßt, sondern, eingedenk seiner Schwachheit, einzig auf Gott und Jesus. Das ist die Grundvoraussetzung, damit ihm das umfassende Hirtenamt über die Herde Jesu übertragen werden kann. Erst so wird Petrus durch Gnade fähig, für die anvertraute Herde einst auch den Einsatz seines Lebens zu wagen.

c. Zur Form und Aussage der Verse 18f

Während die Spracheinheit der VV. 15–17 ein Gespräch im Rahmen eines Erzählgerüsts bot, spricht Jesus in den VV. 18f allein, aber immer noch im gleichen Rahmen. Daß die beiden Verse im Zusammenhang mit 15–17 stehen, wird dadurch deutlich, daß die Worte Jesu in 18 die letzte Redeeinleitung in V. 17 voraussetzen. Anderseits setzen sie mit der johanneischen Formel: „Amen, amen, ich sage (dir)" ein, die häufig einen Einschnitt kennzeichnet, etwas Neues und Wichtiges feierlich einleitet und nicht selten einen Ausspruch aufnimmt, der nach der Auffassung des Evangelisten auf den irdischen Jesus zurückgeht[23].

Fiel in den VV. 15–17 auf, daß eine Reihe johanneischer Gedanken und Ausdrucksformen verwendet wurden, so fällt in 18f auf, daß die Spracheinheit johanneische Bauelemente verwendet.

Das zeigt der folgende Aufriß:

„Amen-amen"-Formel

Zweifach zweiteiliger antithetischer Jesusspruch

Anmerkung des Verfassers in der Form von 12,33[24]

Wiederaufnehmende und auf den bedeutsamen Schluß vorbereitende Redeeinleitung[25]

Abschließendes Kurzwort Jesu als Sinnspitze des Ganzen.[26]

Man kann darüber streiten, ob das zweiteilige Bildwort, das hier als Jesusspruch geboten wird, nur den gewaltsamen Tod Simons oder zugespitzt seinen Tod am Kreuz ankünden will. Der stärkste Hinweis auf das zweite ist jedenfalls die Anmerkung des Verfassers, die auf 12,33 zurückweist, wo eindeutig der Kreuzestod Jesu in Sicht kommt. Man darf hier wie in 21,19a die Ausdrucksweise „mit was für einem Tod" nicht übersehen.

Die Anmerkung 21,19a ist auch sonst von großem Gewicht. Sie weist durch den starken Anklang an 12,33 darauf hin, daß Petrus wie Jesus eines gewaltsamen Todes sterben wird. Mit diesem Tod „wird er Gott verherrlichen", das heißt Gottes Macht offenbaren. Nun heißt aber das Thema des ganzen Textes 12,23–36: Verherrlichung des Menschensohns und seines Vaters durch den Tod Jesu. Durch diesen Tod offenbart der Vater seine wie auch die Macht Jesu zu richten und zu retten. In seinem Tod erwirbt Jesus die Macht, die Menschen um sich zu sammeln und ihnen Leben zu spenden. Als Gekreuzigter und Auferstandener zieht er alle an sich und macht sie zu Nachfolgern auf seinem Weg in den Tod und durch ihn hindurch ins Leben. Das gilt vor allem von seinen Jüngern und Dienern. Die Jünger, die Jesus in den Tod folgen, werden an seiner Herrlichkeit Anteil erlangen, werden aber so auch die Heilsmacht des Vaters offenbaren, wie Jesus sie im Tod am Kreuz offenbart. Sie werden also den Vater verherrlichen[27].

[23] Vgl. *R. Lindars,* Behind the Fourth Gospel, der zu den „Amen-amen"-Worten Jesu in seinem dritten Kapitel „The Making of the Fourth Gospel", 43–60, eine Reihe von Beobachtungen macht.

[24] Erläuternde Anmerkungen finden sich über das ganze Evangelium zerstreut. Beispiele: 3,24; 4,2.9c; 6,64b.71; 11,2.

[25] Analoge Beispiele: 11,11.28; 18,38b; 20,20.22.

[26] Analoge Beispiele: 4,26; 8,58; 10,30.

[27] Der Gedankengang ist zweifellos johanneisch. Es ist aber zuzugeben, daß im Evangelium aktives δοξάζειν sonst nur von Gott und Jesus ausgesagt wird, das zweite nur 17,1.4. Wenn 13,31 davon die Rede ist, daß der Vater in Jesus verherrlicht wird, ist das aktive δοξάζειν Jesu im Hinblick auf den Vater in einem weiteren Horizont miteingeschlossen.

So dürfte die Anmerkung 21,19a wegen ihrer deutlichen Verbindung mit diesem Gedankenzusammenhang ausdrücken, daß Petrus durch seinen gewaltsamen Tod Jesus nachfolgt und wie Jesus sein Leben für die ihm anvertraute Herde hingeben wird. Das will jedenfalls auch der abschließende Spruch Jesu: „Folge mir!" sagen, der zugleich als Abschluß des ganzen Zusammenhangs der VV. 15–19 verstanden werden muß.

2. *Zu 21,20–23 (24)*

a. Aufbau und Einheit

Nachdem in den VV. 15–19 Auftrag und Weg des Petrus zur Sprache gekommen sind, tritt nun in 20–23 (24) die Gestalt des Jüngers, den Jesus liebte, nochmals ins Blickfeld. Damit schließt sich die chiastische Klammer, die das ganze Kapitel zusammenhält. Auch Ort und Zeit bleiben zunächst noch gleich wie in den VV. 15–19, und sogar das Gespräch zwischen Jesus und Petrus wird weitergeführt. Aber mit V. 22 bricht es doch endgültig ab, freilich so, daß sein Schluß: „Du folge mir nach!" nochmals die Einheit des ganzen Gesprächs und damit des Erzählgerüsts der VV. 15–22 kräftig unterstreicht. Weg und Aufgabe des Vorzugsjüngers aber werden bis V. 22 nur im Rahmen der Auseinandersetzung zwischen Jesus und Petrus gesehen. Nur im Gegenüber zu Petrus wird hier vom geliebten Jünger gesprochen. Petrus will wissen, wie es um diesen Jünger steht, und er wird von Jesus auf dessen Eigenweg und Eigenwert verwiesen.

Auch wenn V. 22 die Handlung unseres Kapitels, soweit von ihr auch nach dem Abschnitt 1–14 noch die Rede sein kann, abschließt, so ist doch nicht zu verkennen, daß das Thema „Petrus und der Vorzugsjünger" in V. 23 noch weitergeht und erst mit V. 24 unwiderruflich erledigt ist, ein Zeichen, daß V. 23 einen Übergang von der vorhergehenden Erzählung zum eigentlichen Schlußwort unseres Bearbeiters, V. 24, darstellt. Man darf aber nicht übersehen, daß der Verfasser sich in V. 23 nicht etwa an seine Gemeinde wendet, sondern an einen Leserkreis, der am Verhalten dieser Gemeinde den wahren Sinn der Worte Jesu über den geliebten Jünger erkennen soll, an jenen Kreis von Lesern, der im ganzen Kapitel angesprochen war und auch im Schlußvers noch vorausgesetzt wird[28].

[28] Man kann sich nicht vorstellen, daß V. 23 so formuliert worden wäre, wie er lautet, wenn er sich an die Gemeinde des Verfassers gerichtet hätte. So konnte nur eine Mitteilung an Leser aus nichtjohanneischen Gemeinden lauten. Das setzt aber voraus, daß das ganze Kapitel an solche Gemeinden denkt. Sie standen jedenfalls in der petrinischen Überlieferung. Ihnen sollte, wie vor allem V. 24 zeigt, das „johanneische" Evangelium empfohlen werden.

b. Zur Form und Aussage der Verse 20–23 (24)

V. 20 versucht zunächst, das in den VV. 21 und 22 folgende Gespräch noch in den Gang der vorausgehenden Erzählung einzuflechten. Das geschieht nach unserm Empfinden vielleicht recht ungeschickt und gekünstelt. Es scheint vorausgesetzt, daß Jesus und Petrus sich vorgängig von der Gruppe der andern Jünger entfernt haben und der Vorzugsjünger, wie Petrus sich umblickend sieht, ihnen gefolgt ist. Ist aber unser Eindruck wirklich richtig? Hier wird doch in erzählerischer Form das Thema vom Verhältnis des Petrus zum Vorzugsjünger wieder aufgenommen. Wenn Jesus und Petrus sich von den Jüngern ernfernt haben, so heißt das, daß ihre Sache zunächst eine Sache zwischen Jesus und Petrus ist und die andern Jünger nicht auch Hirten der Gesamtkirche sein können. Aber der Vorzugsjünger folgt den beiden. Dadurch dürfte unser Verfasser zu verstehen geben, daß diesem Jünger, wenn auch in anderer Weise als Petrus, doch auch eine Aufgabe in der Gesamtkirche oder gegenüber der Gesamtkirche zukommt, die in seinem Vertrauensverhältnis zu Jesus ihren Ursprung hat. Dadurch, daß Petrus sich umwendet und den Jünger nachfolgen sieht, soll vermutlich angedeutet werden, daß auch Petrus wenigstens dunkel erkannte, der Weg des Vorzugsjüngers hinter Jesus her könnte auch ein Weg der Jesusnachfolge für andere werden.[28a]

Der geliebte Jünger wird nun im gleichen Vers in auffallender Weise vorgestellt, indem darauf verwiesen wird, daß er beim Letzten Mahl an der Brust des Herrn lag und ihn nach dem Verräter fragte. Dieser Hinweis erfolgt zweifellos, um das innige Verhältnis des geliebten Jüngers zu Jesus als einen Vorzug zu kennzeichnen, der ihm unter den Jüngern und Petrus gegenüber eine bleibende Bedeutung gab und ihn zu einem Zeichen für sie machte. Der Hinweis erfolgt erst jetzt – nicht schon in V. 7 –, weil das Thema erst jetzt voll entfaltet und dann abgeschlossen werden soll.

Ähnlich wie V. 19b das durch V. 19a unterbrochene Wort Jesu wiederaufnahm, nimmt auch V. 21 den durch 20b unterbrochenen V. 20a wieder auf, nicht ohne den Vorzug des geliebten Jüngers nochmals anzudeuten. Die Frage des Petrus geht jedenfalls zunächst auf die Art, wie denn das Leben dieses Jüngers enden soll. Sie zielt aber letztlich, wie V. 20a und der ganze Textzusammenhang, in dem der Auftrag des Petrus in der Kirche entscheidend ist, erkennen läßt und wie auch die Weiterführung des Themas zeigen wird, auf die Art und Weise,

[28a] Im Johannesseminar der 31. Jahrestagung der SNTS in Durham (N. C.) machte Raymond Brown darauf aufmerksam, daß ἀκολουθέω in Joh 21,20 wie in den VV. 19.22 im strengen Sinn der Jesus-Nachfolge zu verstehen sei. Während Petrus nach seiner Verleugnung neu in die Nachfolge gerufen werden mußte, galt vom Vorzugsjünger, daß er Jesus auch in den Ereignissen seines Leidens und Todes unentwegt „nachgefolgt“ war und an Ostern nicht neu gerufen wurde. Auch das wäre ein Grund, die eigene Gnadengabe dieses Jüngers anzuerkennen.

wie sich dieser Vorzug nach dem Willen des Herrn nachösterlich auswirken soll.

In V. 22 antwortet Jesus entsprechend der vordergründigen Absicht der Frage: „Wenn ich will, daß er bleibt, bis ich komme, was geht das dich an? Du folge mir!" Das heißt jedenfalls, wie die meisten Ausleger annehmen, daß der Vorzugsjünger, wenn Jesus will, bis zur nahen Parusie am Leben bleiben wird. Das überlieferungsgeschichtlich alte Wort deutet verhüllt an, daß das innige Verhältnis Jesu und des Jüngers, den er liebt, auch in der Art und Weise, wie sein irdisches Leben weitergehen und enden wird, noch zum Ausdruck kommen kann und soll. Daran wird Petrus nichts ändern können. Er soll sich auch darum nicht weiter kümmern, sondern sich seiner eigenen Aufgabe und seinem Weg der Nachfolge zuwenden.

Damit ist das Gespräch zwischen Jesus und Petrus und der Bericht von der „dritten" Offenbarung des Auferstandenen vor seinen Jüngern zu Ende. Aber eine klare Antwort auf die von Petrus gestellte Frage steht für den Leser immer noch aus. Petrus war seinen Weg zu Ende gegangen und eines gewaltsamen Todes gestorben. Wie aber ging es mit dem geliebten Jünger weiter? Der Verfasser des Kapitels deutet in V. 23 an, daß er entgegen der Erwartung seiner Gemeinde noch vor der zweiten Ankunft Jesu gestorben ist. War diese Erwartung falsch? Jedenfalls konnte sie sich nach der Meinung des Verfassers nicht auf den genauen Wortlaut der Antwort Jesu stützen. Er meint aber kaum, daß Jesus sich absichtlich unklar ausgedrückt habe, obgleich er wußte, daß der geliebte Jünger vor seiner Parusie sterben werde. Er versteht vielmehr in V. 23 das Stichwort „bleiben" sozusagen wirkungsgeschichtlich, nicht als „am Leben bleiben". Das geht aus V. 24 hervor, der sicher von der Hand des gleichen Verfassers stammt; denn erst dieser Vers zeigt eindeutig, wie das Verhältnis „Petrus – Vorzugsjünger" verstanden werden muß. Erst mit diesem Vers wird die aufgeworfene Frage endlich klar gelöst und das Thema abgeschlossen. Den Lesern, die unser Verfasser immer schon im Auge hatte, wird hier gesagt, daß der geliebte Jünger seine Vertrautheit mit dem irdischen Jesus und seinen Vorzug, den Auferstandenen rascher und anders zu erkennen als Petrus, nachösterlich durch sein Jesuszeugnis zum Ausdruck brachte und daß dieses Zeugnis im vorliegenden Evangelium bleibende Gestalt angenommen hat. Darum kommt diesem Evangelium in der Gesamtkirche, die sich auf Petrus und sein Zeugnis verläßt, eine unersetzliche Aufgabe zu. In ihm lebt die eigene Sicht auf Jesus, die den geliebten Jünger auszeichnete, unverlierbar weiter. Auf diese Sicht kann die Gesamtkirche nicht verzichten.

D. Die ekklesiologische Raumtiefe von Joh 21

I. Die Sorge des Auferstandenen für die nachösterliche Gemeinde

Grundlegend für das Verständnis unseres Kapitels ist die Tatsache, daß seine Botschaft in die Form einer Ostererzählung gekleidet ist. Der Auferstandene offenbart sich sieben Jüngern am „Meer von Tiberias“. Er gibt ihnen, nachdem sie eine Nacht lang vergeblich gefischt haben, die Weisung, ihr Netz nochmals auszuwerfen. Diese Weisung dürfte, wie wir gesehen haben, den Auftrag des Auferstandenen zur Sammlung der nachösterlichen Gemeinde und zur Weltmission darstellen. Die Erscheinung des Auferstandenen löst also die Gründung der Kirche und die Missionstätigkeit der apostolischen Missionare aus. Ihr reicher Erfolg ist die Wirkung des auferstandenen Herrn. Seiner Wundermacht wird vom Verfasser auch die Einheit der aus vielen verschiedenen Völkern und Gemeinden entstehenden Gesamtkirche, dargestellt durch das eine unzerreißbare Netz, zugeschrieben.
Die Aufforderung Jesu, die gefangenen Fische ans Ufer zu bringen, weist auf seine Sorge hin, daß die Menschen, die durch die Missionsarbeit seiner Jünger für die Kirche gewonnen worden sind, hier auch wirklich ihm, dem lebendigen Herrn der Kirche, begegnen. Er bereitet den Jüngern und in ihnen der ganzen Kirche das Mahl, durch das sie mit ihm zu einer Gemeinschaft von Erkennenden und Liebenden zusammenwachsen und von seinem göttlichen Leben genährt werden[29].

II. Die Rolle des Petrus

Die Sorge des Auferstandenen für die nachösterliche Gemeinde offenbart sich auch in den Aufgaben, die er Simon Petrus überträgt. Zwar fordert Jesus alle sieben Jünger zum Fischfang auf. Alle sind als apostolische Missionare und Gemeindegründer aufgerufen, Menschen für ihn zu fangen. Aber Jesus segnet Eifer und Tatkraft des Petrus, der die Bewegung der Jünger ans Ufer einleitet und den ganzen reichen Fang ihm zuführt, indem er das Netz nicht zerreißen und die Einheit der Kirche nicht zerbrechen läßt. Dann aber vertraut er Petrus ausdrücklich Hirtenvollmacht und Hirtensorge für seine ganze Herde an, da er von jetzt an nicht mehr sichtbar unter den Seinen weilen wird.

[29] Es ist anzunehmen, daß sich in den Hinweisen auf den Auferstandenen als das letzte Ziel aller Missionsarbeit, wie sie in den VV. 1–14 zu finden sind, Erfahrungen der apostolischen und nachapostolischen Kirche verraten, die sie mit manchen Missionaren und Wanderaposteln gemacht hatte. Man denke etwa an die Lügenapostel, denen wir in 2 Kor 10–12 begegnen. Solche Erfahrungen könnte auch die Gemeinde unseres Verfassers gemacht haben. 3 Joh wird man dagegen kaum anführen können.

III. Petrus und der Vorzugsjünger

Das Verhältnis zwischen Petrus und dem Vorzugsjünger wird in unserm Text nie unter einem persönlichen Gesichtswinkel, sondern immer aus einer kirchlichen Sicht gesehen. Der Vorzugsjünger ist einer der sieben apostolischen Missionare und Gemeindegründer, die unter der Führung des Petrus die Gesamtkirche aufbauen. Der Verfasser des Kapitels setzt als selbstverständlich voraus, daß auch die Kirchengründung seines verehrten Meisters in das eine Netz eingebracht wurde und als Teil der einen Herde Jesu der Hirtensorge des Petrus anvertraut war. Das hinderte aber nicht, daß der geliebte Jünger in seiner Gründung seine eigenen Gaben entfaltete und sein Licht leuchten ließ. Das könnte schon zu Lebzeiten des Petrus zu gewissen Schwierigkeiten mit ihm oder mit anderen Kirchen geführt haben. Nicht umsonst wünscht Petrus von Jesus letztlich zu erfahren, wie es denn mit seinem Vorzugsjünger und der Gesamtkirche stehe. Aber Jesus schützt den eigenen Weg und die eigenen Gaben des Jüngers, den er liebt, und verweist Petrus auf seine wesentliche Aufgabe, für die Herde Jesu den Weg der Hingabe zu gehen.

IV. Der nachapostolische Raster des Kapitels

Es ist selbstverständlich, daß Joh 21 vor allem aus der kirchlichen Gegenwartssicht des Verfassers geschrieben wurde. Weder Simon Petrus noch sein Lehrer und Meister waren für ihn nur Gestalten der Vergangenheit. Sie lebten in ihren Gründungen und ihrer Eigenart weiter; ihre Aufgabe war mit ihrem Tod nicht einfach erloschen. Es gab zur Zeit, da unser Kapitel geschrieben wurde, eine lebendige Petrusüberlieferung, die wir unter gewissen Gesichtspunkten stärker in den synoptischen Evangelien als im vierten Evangelium greifen können. Aber diese Überlieferung dürfte sich damals auch in der Sorge vieler kirchlicher Kreise um die Einheit der großen Herde Christi und um die Erhaltung des Erbes der Apostel und der apostolischen Frühzeit der Kirche niedergeschlagen haben. Dafür zeugen etwa Mt 16,18f; 18,18; Eph 2,20–22; Offb 21,14. So wie Petrus in der Großkirche weiterlebte und weiterwirkte, so lebte und wirkte für unsern Verfasser und seine Gemeinde auch ihr Gründer und Lehrer, der Jünger, den Jesus liebte, in der von ihm ausgegangenen und in der von ihm aufgenommenen Überlieferung weiter.

Das aber heißt für die „johanneische" Gemeinde zur Zeit unseres Verfassers, wenn wir Kapitel 21 richtig verstehen, dreierlei.

1. Die Gemeinde anerkennt die petrinische Überlieferung und die petrinische Sicht auf die ganze Herde Christi und ordnet sich in ihre Einheit und Ganzheit willig ein.

2. Diese Gemeinde will ihrem Gründer, dem Vorzugsjünger Jesu, Treue halten, indem sie sein Zeugnis weiterträgt, das in „seinem" Evangelium bleibende Gestalt angenommen hat. Sie ist überzeugt, daß die Sicht dieses Zeugnisses auf den geschichtlichen Jesus und die Wirklichkeit des erhöhten Herrn unvergängliche Wahrheit und Lebenskraft entbirgt.

3. Die Gaben des Vorzugsjüngers, die in seinem Werk aufleuchten und weiterwirken, stellen eine Ergänzung des petrinischen Erbes dar, die auch für die Gesamtkirche wichtig und wertvoll ist. Unser Verfasser möchte deswegen das vorliegende Evangelium auch petrinischen Kirchen angelegentlich empfehlen in der Hoffnung, es werde auch dort aufmerksame und freundliche Leser finden, die seine geistgetragene Eigenart und seinen Reichtum erkennen und schätzen[30]. Es wäre auch möglich, daß es in petrinisch denkenden und lebenden Gemeinden Kreise gab, die der johanneischen Kirche ihre Eigenart zum Vorwurf machten, wie immer sie in ihrem Leben und Handeln zum Ausdruck kam. Wenn das der Fall war, so ist unser Kapitel auch ein Aufruf an sie, das Verhältnis des Vorzugsjüngers zu Simon Petrus neu zu überdenken und den Eigenwert seines Zeugnisses nicht zu verkennen. Es ist endlich auch denkbar, daß die johanneische Kirche durch ihre Randlage im damaligen Einflußgebiet des Christentums und durch ihre gesellschaftliche Stellung in einer jüdischen und christenfeindlichen Umgebung sich vereinsamt fühlte und daß der Verfasser unseres Kapitels hoffte, durch seine Werbung für das Evangelium im Raum der Großkirche auch Hilfe und Unterstützung von daher zu erfahren. Greifbare Hinweise auf ein solches Anliegen sind in unserem Kapitel allerdings nicht zu finden.

[30] Es ist möglich und wahrscheinlich, daß unser Verfasser in Joh 21 gerade deswegen auf die alte galiläische Osterüberlieferung zurückgegriffen hatte, weil er wußte, daß in vielen petrinischen Kirchen die jerusalemische Osterüberlieferung, von den frommen Frauen am leeren Grab abgesehen, nicht bekannt oder nicht anerkannt war. Seine Darstellung war dann auch in dieser Hinsicht ein Entgegenkommen an die petrinische Überlieferung und eine captatio benevolentiae.
Merkwürdig angesichts dieser starken Rücksichtnahme unseres Kapitels auf Petrus, petrinische Gemeinden und Überlieferung ist freilich die Vernachlässigung des paulinischen Christentums und Missionsgebietes. Das kann kein Zufall sein, so wenig es Zufall ist, daß in der nachpaulinischen Briefliteratur Petrus und die Zwölf kaum eine Rolle spielen. Die Sicht unseres Verfassers läßt sich erklären, wenn wir annehmen, daß in den an seine Gemeinde oder an das Einflußgebiet des johanneischen Christentums angrenzenden Kirchengebieten nur petrinisches Christentum und petrinische Überlieferung heimisch waren. Für ihn war damit die ganze Kirche petrinisch, was natürlich in der Petrusüberlieferung auch eine sachliche Grundlage hatte. Geographisch ausgedrückt ist es von daher unwahrscheinlich, daß die johanneische Kirche in Ephesus lebte. Sie dürfte zur Zeit des Verfassers in Syrien oder „jenseits des Jordan" gelebt haben.

Literatur

Barrett, C. K., The Gospel according to St. John, London 1955.
Brown, R. E., The Gospel according to John XIII–XXI (The Anchor Bible 29 A), New York 1970.
Lindars, B., Behind the Fourth Gospel (Studies in Creative Criticism 3), London 1971.
Ders., The Gospel of St. John (New Century Bible), London 1972.
Mahoney, R., Two Disciples at the Tomb. The Background and Message of John 20,1–10 (Theologie und Wirklichkeit 6), Bern/Frankfurt a. M. 1974.
Olsson, B., Structure and Meaning in the Fourth Gospel. A Text-Linguistic Analysis of John 2: 1–11 and 4: 1–42 (Coniectanea Biblica NT 6), Lund 1974.
Pesch, R., Der reiche Fischfang: Lk 5,1–11 / Joh 21,1–14. Wundergeschichte – Berufungsgeschichte – Erscheinungsbericht, Düsseldorf 1969.
Schnackenburg, R., Das Johannesevangelium, I–III (HThK IV), Freiburg–Basel–Wien 1965/1971/1975 (Nachdr. Leipzig 1967/1971/1977).
Schwank, B., Das Johannesevangelium (Die Welt der Bibel), Düsseldorf 1968.
Wanke, J., Die Emmauserzählung. Eine redaktionsgeschichtliche Untersuchung zu Lk 24,13–35 (Erfurter Theologische Studien 31), Leipzig 1973.

AUTOUR DU ΣΗΜΕΙΟΝ JOHANNIQUE

par Xavier Léon-Dufour

A première vue, le terme σημεῖον semble aisé à caractériser: il suffirait d'en classer les usages faits par Jean. Quand les juifs l'évoquent[1], ou quand l'évangéliste le leur attribue[2], les signes sont des actions extraordinaires par lesquelles Jésus a suscité une question chez les spectateurs. En un cas précis[3], l'évangéliste donne au mot la même signification; mais il en manifeste aussi un sens plus profond. Ainsi Jésus dénonce l'imperfection du „voir" des juifs de Galilée, qui ont sans doute „vu" le „signe", mais n'ont pas discerné le sens qui lui était attaché[4]. Jean explique que l'action par laquelle Jésus a changé l'eau en vin a été manifestation de la gloire de Jésus[5], que les actions de sa vie publique n'ont pas amené les juifs à voir cette gloire[6], enfin que tous les signes (y compris les apparitions) sont rapportés afin de conduire les lecteurs à la foi[7]. Ces données textuelles ont conduit l'ensemble des critiques à caractériser le sèmeion johannique par un double aspect: un phénomène sensible extraordinaire qui s'impose à tous, et une signification doctrinale qui suppose une certaine foi.

La plupart du temps, on va jusqu'à compendre le sèmeion comme un „symbole". Ainsi C. H. Dodd, qui ne s'aventure pas à „tracer la frontière exacte entre le fait et le symbole", mais ose „lire les récits de miracle évangéliques comme des symboles visibles du pouvoir de renouvellement spirituel" expérimenté par les disciples de Jésus[8]. Ou encore, selon le dernier des travaux sur le sujet: „Sèmeion signifie plus que miracle; il signifie symbole, signe orientant vers un sens"[9]. Malheureusement, il est fort difficile de préciser ce que les divers auteurs entendent par symbole[10]. D'où provient cette imprécision dans l'usage du mot? Sans doute en grande partie du fait que, par suite de l'avènement de l'exégèse dite scientifique, l'exégèse „symbolique" du Moyen Age est tombée

[1] Jn 2,18; 3,2; 6,30; 7,31; 10,41; 11,47.
[2] Jn 2,23; 6,2.14; 12,18 (cf. 4,48).
[3] Jn 4,54.
[4] Jn 6,26.
[5] Jn 2,11.
[6] Jn 12,37.
[7] Jn 20,30.
[8] *Ch. H. Dodd,* Fondateur 37s.
[9] *W. Nicol,* Sēmeia 114.
[10] *E. Schweizer,* EGO EIMI 116, cité par *G. Stemberger,* Symbolique 13.

dans un grand discrédit. Tout se passe comme si qualifier des „symboliques" les actions accomplies par Jésus revenait à en exténuer la réalité propre, et d'abord l'„historicité", pour y voir soit de simples transpositions de l'Ancien Testament, soit des tremplins inconsistants vers une théorie de type platonicien ou gnostique.

Je ne prétends pas traiter ici pleinement le problème de la „symbolique" de l'évangile de Jean; je voudrais simplement manifester les implications de notre langage à propos du sèmeion johannique, en faisant ressortir la part qui, dans cette réalité complexe, revient au „signe", et celle qui peut être dite, au sens fort, „symbolique"[10a].

1. Du signe au symbole

Certains auteurs, peu nombreux, n'accordent aux signes qu'une portée fort limitée. Ils introduisent une dichotomie tranchée entre les „œuvres" et les „signes": nous serions en présence de deux degrés successifs de révélation: à une „section des signes" (ch. 2—4), constituant une première présentation de Jésus, succéderait une „section des œuvres" (ch. 5—10) qui constituerait „un degré supérieur de révélation". „Matériellement, les signes et les œuvres ne se distinguent pas, puisqu'il s'agit toujours de miracles, mais leur valeur de signification diffère"[11]. Ces deux stades de révélation se rapporteraient l'un au Jésus terrestre, l'autre au Jésus dans la gloire[12].

Pour L. Cerfaux[13], les miracles-signes „révèlent le Fils de Dieu en tant qu'ils sont des manifestations de sa Puissance", car, en vertu de ce „symbolisme", „le miracle est cette Puissance elle-même en acte; le voir, c'est contempler la Puissance spirituelle". Mais „ce n'est que dans la foi parfaite qu'on peut appeler les miracles de Jésus des 'œuvres' de Dieu". Il y aurait donc, là encore, un progrès dans la connaissance qui va du „symbole" à la „réalité" même. R. E. Brown, quant à lui, s'en tient à une distinction d'aspects: l'œuvre souligne davantage la perspective divine de ce qui est accompli; le signe montre le point de vue psychologique[14]. Enfin E. Formesyn tente de concilier signe et œuvre en situant le signe johannique par rapport au sèmeion hellénistique. Le sèmeion johannique a une portée symbolique qui l'apparente aux

[10a] Cette contribution doit beaucoup à un travail inédit de Dominique Salin.

[11] *H. van den Bussche,* Structure 77–79, repris et critiqué par *S. Hofbeck,* Semeion 69s.

[12] *W. Thüsing,* Erhöhung 114ss.

[13] *L. Cerfaux,* Miracles 46s.

[14] *R. E. Brown,* Essays 186.

sèmeia des prophètes, mimes ou actions symboliques; plus précisément, les sèmeia de Jean „sont des miracles démonstratifs, dans un contexte de *Wortoffenbarung,* mais, en même temps aussi, des miracles révélant progressivement tout le mystère de la personne du révélateur. Par leur caractère miraculeux, les sèmeia johanniques sont des fait significatifs d'ordre démonstratif; par leur caractère symbolique, ce sont des faits significatifs d'ordre doctrinal[15]".
Avouer la fonction privilégiée des sèmeia dans l'évangile de Jean, c'est donc reconnaître leur caractère symbolique. De la préhistoire vétéro-testamentaire du sèmeion johannique, telle que la montre D. Mollat, c'est la notion de „signe de reconnaissance" (indice, „marque distinctive") qui est retenue comme fondamentale: „Quel signe de reconnaissance (σημεῖον) vais-je lui donner, demande Tobie à son père, pour qu'il me croie et me remette de l'argent?"[16]. N'est-ce pas là l'exacte dénotation du σύμβολον antique, tessère brisée en deux, dont la réunion signifiait et actualisait le pacte jadis conclu entre les clans ou les individus? C'est à ce sens premier que les signes de légitimation (les *ôt*), présentés par les messagers de Dieu dans l'Ancien Testament, empruntent leur valeur „démonstrative". C'est à lui que les δυνάμεις des Synoptiques et les σημεῖα-miracles chez Jean se rattachent à leur manière: ils doivent montrer que le Messie est l'envoyé de Dieu et que l'heure du jugement est arrivée. Le σύμβολον originel déploie ici l'essentiel des connotations dont la tradition occidentale l'a peu à peu enrichi: „Lettre de créance de Jésus comme Envoyé de Dieu, le sémeion johannique est aussi symbole, révélateur de la mission dont Jésus est chargé. Non seulement il garantit et authentique cette mission, mais il la manifeste en sa nature profonde; il exprime la réalité surnaturelle que Jésus vient révéler aux hommes et leur communiquer. L'eau changée en vin, à Cana, inaugure la révélation nouvelle: dans les jarres du judaïsme, Jésus verse le vin meilleur, gardé pour la fin. La purification du Temple prélude à la révélation du culte nouveau, en esprit et vérité, dont la résurrection du Christ sera le principe"[17].
Ce symbolisme, dont le „contenu" se rattache à celui de la geste mosaïque, n'emprunte pas sa „forme" (sa „mise en scène", écrit Mollat) au symbolisme philosophique de Philon, mais plutôt aux actions symboliques accomplies par les prophètes, dans la mesure où celles-ci sont „non la simple traduction d'une idée atemporelle, mais les gestes révélateurs de l'intervention et des jugements de Dieu dans l'histoire"[18].

[15] *R. Formesyn,* Sèmeion 890.
[16] Tb 5,2 LXX, dans *D. Mollat,* Sèmeion 211.
[17] *D. Mollat,* Sèmeion 212.
[18] *D. Mollat,* Sèmeion 213.

C'est donc la reconnaissance de la portée „symbolique" du signe johannique qui permet d'étoffer la valeur des sèmeia, plus exactement de voir dans ce terme autre chose qu'un simple synonyme des δυνάμεις des Synoptiques ou qu'une variante stylistique des ἔργα chez saint Jean. Mais le rapport du signe johannique et de son aura symbolique reste à élucider.

Dans les textes cités précédemment, on a remarqué le passage fréquent de la catégorie du signe à celle de symbole. Ce glissement s'opère généralement lorsque les exégètes veulent render compte du fait que les „signes" johanniques *semblent dire plus que ce qu'ils disent*. Tout se passe comme s'il y avait un supplément de sens par rapport au sens immédiat. Mais les formules utilisées pour caractériser cette plus-value de sens sont assez flottantes, pour ne pas dire contradictoires.

Ainsi pour Cerfaux, les *signes* sont „symboliques" en tant qu'ils „représentent" l'autorité du Christ; alors que la „perfection de la foi" nécessaire pour percevoir à travers eux l'unité du Christ et de son Père est connotée par les *œuvres*. R. Formesyn, au contraire, réserve le terme de „symbolique" à la fonction révélatrice suprême des sèmeia: „les faits significatifs" que sont les sèmeia relèvent, par leur aspect miraculeux, de l'ordre de la „démonstration", et par leur aspect symbolique de l'ordre de la „doctrine". Il est clair que Cerfaux donne un sens faible à l'adjectif „symbolique", alors que Formesyn lui donne un sens fort. Pour Cerfaux, „symbole" a le sens faible de „signe (démonstratif)"; symbole et signe s'opposent à „œuvre". Aux yeux de Formesyn, sèmeion ne s'oppose pas à „œuvre"; mais le sèmeion se dédouble en une fonction faible, caractérisée par l'aspect miraculeux, et en une fonction forte de symbolisation. Semblablement, Mollat juxtapose à la valeur faible de „titre de créance", attachée au sèmeion de Cana, une valeur symbolique forte: le vin qui remplace l'eau, c'est la révélation nouvelle qui succède au judaïsme.

Le mot „symbole" revêt dans le discours des exégètes la même ambiguïté qu'il véhicule dans le langage courant: tantôt il est chargé d'une connotation plus ou moins minimisante (on dira, par exemple, de quelqu'un qui s'abstient habituellement d'alcool, qu'il a trinqué „symboliquement"); tantôt, dans le discours philosophique et anthropologique modernes surtout, le mot symbole revêt une acception tout à fait positive; parfois même, prenant la relève du vieux discours ontologisant dégradé en un objectivisme pétrifié, il se voit assigner la tâche de révélateur privilégié de la transcendance[19].

Une clarification, simple au demeurant, s'impose donc. Si l'on veut justifier le passage du signe au symbole à propos des sèmeia johanniques, il convient d'abord de définir avec quelque rigueur ce que l'on peut entendre par la fonc-

[19] Ainsi G. Fessard, E. Ortigues, G. Morel, E. Levinas...

tion de signe et par celle de symbole, et de mettre en évidence le jeu de leur articulation. Il faudra ensuite montrer comment ces deux fontions interfèrent dans la constitution du sèmeion johannique.

2. *Signe et symbole. L'apport de la sémiologie.*

Le problème posé par l'interprétation des sèmeia chez Jean tient d'abord, comme on l'a vu, à une ambiguïté de fond. Le signe peut être compris comme une simple action d'éclat, relevant du domaine de l'apparaître, du φαινόμενον, du „sensationnel", c'est-à-dire de ce qui touche les sens sans nécessairement toucher au cœur de l'homme; le signe, dès lors, est opposé à l'„œuvre" qui, elle, s'ancre dans l'intériorité du cœur et la plénitude de la foi.
Dans une telle perspective, schématisée par la position de van den Bussche, on ne manquera pas de relever l'incrédulité quasi totale rencontrée par les signes, telle que la souligne Jean à la fin du chapitre 12, telle aussi qu'il semble l'expliquer par la citation d'Isaïe: les signes sont „spectaculaires", ils sont faits pour être „vus"[20]. Or Dieu a aveuglé les yeux des spectateurs. Le même auteur insistera aussi sur le peu d'importance accordée par Jésus aux sèmeia, voire son exaspération à leur sujet.
Une autre manière, moins dépréciative, de comprendre le signe, représentée par l'interprétation de Mollat, ne le réduit pas à l'extériorité du sensible, mais lui fait dire „autre chose" que ce qu'il exhibe. Non pas au-delà du sensible, mais en lui, et comme trouant l'opacité ambiguë des conduites humaines, le signe aurait une fonction révélatrice de ce qui, dans la personne de Jésus, fait décidément éclater l'empire de la représentation. Pour désigner cette fonction du signe et la plus-value de sens qu'elle met en jeu, les exégètes recourent ordinairement au mot symbole; comme s'ils pressentaient qu'un „signe" est plus pauvre qu'un „symbole". Ils n'ont pas tort. Mais encore faut-il essayer de rendre clairement compte et de l'ambiguïté du signe johannique et de la légitimité de sa prétention au titre de symbole.
Un rapide survol de ce que le sens commun, éclairé par quelques notions simples de sémiologie, peut entendre aujourd'hui par „signe" et „symbole", éclairera le débat.
a. Le signe se présente d'abord comme une énigme, une rupture de l'ordre „naturel". Pour prendre des exemples simples et apparemment hétérogènes, un panneau de signalisation routière au bord d'un chemin de campagne, une inscription gravée en caractères inconnus sur une vieille pierre, un panache

[20] Sur les 17 occurrences de σημεῖον/σημαίνειν, le terme est lié 7 fois à ὁράω et 8 fois à δείκνυμι.

de fumée s'élévant avec irrégularité au sommet d'une colonne lointaine, des statues qui se mettent à suer du sang, un homme qui transforme de l'eau en vin et fait revivre des morts, — tout cela jure dans l'ordre „naturel" des choses et suscite une question chez l'observateur, depuis: „Qu'est-ce que cela veut dire?", jusqu'à: „Quel est-il donc celui-là, que même les vents et la mer lui obéissent?". Au-delà du phénomène perçu et de la conscience immédiate de se trouver au contact, non plus d'un fait seulement „naturel", mais d'une réalité d'un autre ordre (avec ses composantes humaines, culturelles et, pour certains cas, ultimement religieuses et transcendantes), le signe suscite la question de savoir ce qui est „derrière" la chose perçue, au-delà d'elle. Le signe suscite le pressentiment immédiat d'une „autre chose" que ce qui est perçu. La classique définition de saint Augustin prend en compte cette altérité présente dans le φαινόμενον et le désignant comme signe: „Un signe est une chose qui, en plus de l'impression qu'elle produit sur les sens, fait venir, d'elle-même, à la pensée quelque autre chose"[21].

Cette définition dit trop et trop peu: „faire venir" est-ce bien „signifier" au sens rigoureux du terme? La sirène peut *signifier* la fin de la journée de travail, mais elle peut aussi *évoquer* la détente, la vie familiale, etc. Les deux fonctions sont-elles vraiment identiques?

Il semble préférable d'emprunter à un sémiologue récent la définition suivante, plus limitée et donc plus rigoureuse: „Un signe est une entité qui 1) peut *devenir sensible* et, 2) *pour un groupe* défini d'usagers, *marque un manque* en elle-même"[22]. Le signe est un objet (graphique, visuel, phonique ...) présent en qui se marque une absence. Depuis Saussure, la part matérielle, „présentée", du signe s'appelle le signifiant; la part absente, le signifié; la relation des deux constitue la signification. Il convient de souligner immédiatement que le signifié ne saurait être assimilé ni à l'objet matériel (le référent) éventuellement désigné par le signe, ni à l'image mentale qui est ordinairement associée à l'émission ou à la réception d'un signe. La signifié n'est qu'un être de raison; il est radicalement différent du signifiant, mais il ne saurait exister sans lui.

Ici se marque l'originalité du signe et sa différence essentielle d'avec le symbole. Premièrement, dans le signe, la relation signifiant/signifié est nécessairement *immotivée:* aucune ressemblance ne s'impose entre un ensemble graphique, sonore ou visuel, d'une part, et un sens, d'autre part. Cette immotivation du signe est ce que Saussure appelait son „arbitraire". Deuxièmement, la relation signifiant/signifié est *nécessaire:* le signifié ne peut exister sans le signifiant, et inversement.

[21] *Signum est enim res, praeter speciem quam ingerit sensibus, aliud aliquid ex se faciens in cogitationem venire.* De doctrina christiana, II, 1,1 = P. L. 34,35.

[22] *T. Todorov*, Dictionnaire encyclopédique des sciences du langage, Paris 1972, p. 132. Les remarques qui suivent dépendent en grande partie des travaux de cet auteur.

b. Le symbole, comme le signe, se présente d'abord comme une énigme. Pour prendre des exemples simples: comment se fait-il qu'une assemblée se dresse comme un seul homme dans le plus grand silence lorsqu'un drapeau est hissé au sommet d'un poteau? Pourquoi, en temps de guerre, deux individus qui se rencontrent, après s'être considérés mutuellement avec circonspection, tombent-ils dans les bras l'un de l'autre lorsqu'ils ont échangé deux répliques apparemment dénuées de sens, ou sorti de leur poche et réuni côte à côte les deux mointiés déchirées d'un billet de banque?
Comme le signe, le symbole peut être décomposé en deux éléments: le symbolisant et le symbolisé. Mais, à la différence du signe, la relation symbolisant/symbolisé est, en premier lieu, *non nécessaire:* bien qu'il y ait entre eux, de toute évidence, un élément de convenance qui exclut tout arbitraire au sens strict, il faut dire que le symbolisant et, parfois, le symbolisé peuvent exister indépendamment l'un de l'autre et valoir chacun pour soi: ainsi la balance et l'idée de justice; ou encore, dans le discours poétique, la „flamme" et l'„amour". C'est parce qu'elle n'est pas nécessaire que la relation symbolisant/symbolisé est, deuxièmement, *motivée*. S'il n'en était pas ainsi, on ne s'expliquerait pas la part de contingence qui demeure dans son établissement.
Cette motivation peut se ramener à deux grands types, établis d'après une classification psychologique des associations: la *ressemblance* (catégorie de l'icône): l'amour brûle *comme* la flamme, l'équilibre de la balance *ressemble* à l'équité ...; et la *contiguïté* (catégorie de l'indice): le drapeau tricolore est *lié à* la révolution française, donc à la France et à la liberté.
C'est l'usage ou, plus noblement, l'histoire d'un peuple, d'un groupe avec ses „conventions" qui a consacré les symboles, et a revêtu d'un caractère de nécessité (ils *s'imposent* désormais aux membres du groupe) ce qui n'était peut-être à l'origine qu'un choix historique, c'est-à-dire, à la limite, la conjonction non nécessaire d'événements et de libertés humaines.
c. Cette dernière remarque conduit à constater, au-delà de la double différence qui vient d'être marquée (motivation/immotivation, non nécessité/nécessité), la relation existant entre le signe et le symbole, plus exactement entre la fonction de signification et la fonction de symbolisation. Nous avons plus haut analysé le signe de façon statique, décomposant les éléments qu'il met en jeu, à savoir le signifiant et le signifié. Mais, dès qu'on fait *jouer* la fonction de signification, on s'aperçoit qu'elle est articulée et fondée sur cette autre fonction, moins immédiatement perceptible, plus „profonde", plus englobante, plus „riche", qu'est la fonction de symbolisation. Une telle articulation peut s'observer à un niveau macroscopique et à un niveau microscopique.
L'existence d'un groupe, d'une communauté, historique ou non, au moins d'un „être ensemble" (συνεῖναι), nécessaire pour que fonctionne le symbole,

est aussi nécessaire pour que fonctionne un système de signes. Le rôle du pacte, de la convention, fondateurs d'un groupe humain et des symboles fondamentaux auxquels il se réfère et qu'il utilise, est tout aussi nécessaire au fonctionnement des systèmes de signes qu'il se donne — et d'abord à son système linguistique. Par ailleurs, si le symbole qui semble, au premier abord, „naturel" et allant de soi (ainsi le pain, symbole de la vie) s'établit sur un fond de pacte social, le plus souvent enfoui jusqu'à l'oubli au fond de la mémoire d'un groupe, d'un peuple ou même de l'humanité, à plus forte raison le signe — linguistique par exemple, dont le caractère arbitraire est immédiatement marqué par la simple existence de la pluralité des langues — repose-t-il sur la convention. C'est pourquoi, dans la définition du signe que nous avons retenue plus haut („une entité sensible qui, *pour un groupe défini d'usagers,* marque un manque en elle-même"), il convient de souligner la restriction qu'elle comporte: le signe, comme le symbole, et plus clairement encore que lui, représente une rupture par rapport à l'ordre „naturel". Il nécessite la connaissance d'un *code* pour être déchiffré. Le signe, comme le symbole, mais de façon encore plus marquée, est toujours institutionnel.

Ces constatations permettent de donner une formulation globale de la relation existant entre la fonction de symbolisation et la fonction de signification: l'une et l'autre répondent à un projet commun, fondamental pour l'existence de l'homme et l'instauration de la vie sociale: le projet de communication. Mais l'une et l'autre jouent à des niveaux différents. Le fait même que le symbole apparaisse plus „naturel", plus enraciné dans l'histoire, qu'il fasse appel à ce qu'il y a souvent de plus profond dans la mémoire de la personne humaine, le fait aussi qu'il soit plus immédiatement „parlant" que le langage articulé (il est des cas où une simple poignée de mains silencieuse, le dépôt muet d'une gerbe au pied d'une stèle, sont plus éloquents que bien des discours), tout cela suggère déjà un „primat" de l'expression symbolique. L'expression par les signes, en regard, fait figure d'une expression dérivée, de parente pauvre. A tout le moins, elle n'est qu'un cas particulier de la fonction symbolique.

Descendons maintenant à un niveau microscopique: cela permettra de définir avec plus de rigueur l'articulation de la fonction de signification sur la fonction de symbolisation et le fait que son émancipation par rapport à celle-ci n'est que toute relative. Nous avons vu que, si le signe est „immotivé", alors que le symbole est fortement motivé, ils s'inscrivent tous deux pourtant dans le procès de cohésion et de communication entre les hommes. La signification répond à cette finalité par un double trait qui dévoile son substrat symbolique.

Nous n'avons distingué jusqu'à présent dans le signe que deux éléments, le signifiant et le signifié. Or deux autres éléments interviennent dans le procès de signification: le „référent“ (l'objet matériel *dénoté* par le signe) et l'„image mentale“, la *réprésentation* qui accompagne l'émission et la réception d'un signe et qui peut elle-même se décomposer en plusieurs signifiés, indirectement évoqués, *connotés* par le signe principal[23]. On retrouve ainsi les trois composantes de la signification déjà mises en évidence par les Stoïciens: la „chose réelle“ (le référent: procès de dénotation), l'„image psychique“ (la réprésentation: procès de connotation) et le „dicible“ (la signification proprement dite: l'union du signifiant et du signifié). Pour prendre un exemple simple, le signe „arbre“, qui se décompose en un signifiant et un signifié, correspond au troisième élément; l'objet végétal dénoté, au premier; la représentation, qualifiée par exemple par les signifiés (feuilles, branches, tronc, fruits, majesté, fraîcheur, puissance, etc.), au second élément.

C'est par le biais de la dénotation et de la connotation, qui consistent à associer simultanément un signe à un objet et à un contenu mental, que se révèle l'ancrage du signe dans la fonction symbolique. Le procès de signification suppose un projet commun et une connivence au plan de la communication. Il suppose que l'on se mette d'accord pour associer, pour „mettre ensemble“ (συμ-βάλλειν) un élément linguistique (le signe) et les objets extralinguistiques échappant à la clôture du langage (le référent et la représentation). Todorov a décrit cette émergence de la fonction symbolique dans le langage articulé:

Dénotation et représentation sont des cas particuliers d'un usage plus *général* du signe que nous appelons la symbolisation, opposant ainsi le signe au *symbole*. La symbolisation est une association plus ou moins stable entre deux entités de même niveau (deux signifiants ou deux signifiés). Le mot „flamme“ signifie *flamme*, mais aussi en littérature, l'*amour;* l'expression „t'es mon pote“ signifie *t'es mon pote*, mais elle symbolise la familiarité, etc.[24]

Ainsi s'éclaire la définition du signe proposée par saint Augustin. Nous l'avions laissée en suspens à cause de son caractère ambigu. C'est qu'en réalité elle rendait compte de la dimension globalement symbolique du signe plutôt que de sa fonction strictement significative. Dans la définition: „Le signe est une chose qui, en plus de l'impression qu'elle produit sur les sens, fait venir, d'elle-même, à la pensée quelque autre chose“, l'innocent „fait venir“ recouvre en réalité trois types de relations très différentes que nous sommes maintenant à même de nommer: relation du signifiant au signifié (signification proprement dite), relation du signe au référent (dénotation), relation du signe à la représentation (connotation). Dans ce paquet de relations, ce sont les deux dernières qui relèvent éminemment de la symbolisation.

La dénotation consiste en une opération de substitution. On substitue un „sens“ (ainsi „bombardement“) à un élément sensible (l'objet sonore désigné

[23] *T. Todorov,* ibid., p. 133–134.
[24] *T. Todorov,* ibid., p. 134.

par le mot „sirène"). Qu'une convention et une visée commune (la protection d'une population en temps de guerre) soient nécessaires pour que cette substitution fonctionne, c'est trop clair. Mais il faut en tirer une conséquence importante, permettant d'expliquer une illusion tenace, qui a cependant sa part de vérité. Si la relation signifiant/signifié est immotivée, la relation signifiant/référent peut sembler moins arbitraire, moins immotivée qu'il ne paraît d'abord. Dans l'histoire d'un groupe, le temps a contribué à transformer la convention initiale en état de choses „naturel" aux yeux des sujets parlants.
La poésie vit de cette ambiguïté. „Donner un sens plus pur aux mots de la tribu", c'est, consciemment pour Mallarmé et sa postérité, inconsciemment pour leurs prédécesseurs, faire un usage tel des signes du langage qu'ils paraissent empreints d'une inévitable nécessité. L'effet visé est atteint, le poème réussi, lorsqu'au terme le lecteur s'exclame: „Oui, cela ne pouvait être dit qu'avec ces mots-ci et selon cette disposition-ci!". Transformer en nécessité l'arbitraire des mots, telle est l'ambition du poète. Employer le mot „jour" de telle manière qu'il ne puisse signifier que *jour*. La poésie recrée en nous, jusqu'à l'aveuglement, l'illusion de l'enfant pour qui il est inconcevable que, par exemple, *chat* puisse se dire autrement que „chat", *cat* ou *Katze*. La poésie donne aux mots un pouvoir de suggestion qui semble affecté d'une mystérieuse nécessité. Par son pouvoir immédiatement suggestif, la poésie vise à „rendre" aux signes du langage ce qui semble être d'abord l'apanage du symbole: la motivation.
La représentation, qualifiée par la connotation, relève, elle aussi, de la symbolisation. Ici encore la fonction symbolisante se dissimule souvent derrière le masque de l'arbitraire, de la convention, de l'utilité. L'expression „t'es mon pote" qui, outre sa signification *t'es mon pote* a pour visée principale d'exprimer une affectueuse familiarité, montre que la métaphore joue, dans le langage le plus commun de la communication quotidienne, un rôle beaucoup plus important que nous ne l'imaginons souvent. Déclarer, dans le salon d'attente d'un médecin: „Il fait frisquet, ces jours-ci", vise moins à donner une information météorologique qu'à inviter une assemblée un peu compassée à se dégeler et à communiquer. Le langage indirect n'est pas le privilège des poètes. En un sens, on parle toujours pour dire „autre chose" . . .
Au terme de cette brève et partielle analyse, une remarque de Todorov résume bien ce qui s'est laissé entrevoir de la symbolisation et de la signification dans le langage humain. L'ambiguïté du signe, son „origine" et sa „vocation" symbolique y sont bien marquées; ainsi s'éclaire quelque peu notre propos sur l'ambiguïté du signe johannique. Comment, se demande Todorov, peut-on vouloir, avec Rimbaud, entendre les mots à la fois „littéralement et dans tous les sens"?

C'est la signification qui ne peut être que littérale. Les poètes qui l'ont affirmé ont été meilleurs linguistes que les professionnels: les mots ne signifient que ce qu'ils signifient, et il n'y a aucun autre moyen de dire ce qu'ils disent; tout commentaire fausse leur signification. Quand Kafka dit „un château", il veut dire un *château*. Mais c'est la symbolisation qui est infinie, tout symbolisé peut devenir à son tour symbolisant, ouvrant ainsi une chaîne de sens dont rien ne peut arrêter le déroulement. Le château symbolise la famille, l'État, Dieu et encore beaucoup d'autres choses. Il n'y a pas de contradiction entre les deux, et c'est Rimbaud qui avait raison.[25]

Si la signification relève de la „lettre", si le sèmeion johannique est passible d'une interprétation „charnelle", la voie reste ouverte à une autre compréhension des *dicta gestaque Jesu*. On peut l'appeler figurative ou spirituelle (la figure ou „l'esprit" s'opposant à la lettre et à l'„histoire", pour reprendre des catégories augustiniennes ou origéniennes), ou encore, en termes modernes, symbolique. Ce qui a été dit du symbole permet d'entrevoir déjà que cette seconde dimension n'entretient pas avec la première un rapport d'exclusion. Elle la fonde, au contraire. Par ailleurs, l'interprétation symbolique des sèmeia de Jésus n'est pas moins „vraie" que le rapport „objectif" aux faits qu'on dit „bruts". Or le fait brut est une abstraction. Mais, puisque le symbole fait intervenir les libertés et sanctionne leur exercice au plus haut niveau — celui de la communauté humaine à construire et des fins esthétiques, politiques, religieuses qui lui sont proposées —, il est normal qu'en lui se retrouvent les obscurités et les contradictions inhérentes à la condition humaine. „Pour ou contre Jésus?", et „Quel Jésus?", telles sont, en définitive, les questions théoriques et pratiques auxquelles nous ramène notre examen de la notion de symbole.

3. Structure du σημεῖον *johannique*

Signe ou symbole? Posée au debut de cette étude, à propos du sèmeion johannique, cette question a perdu une bonne part de sa pertinence. Dans la mesure en effet où tout signe humain existe sur fond de symbolisme, le sèmeion participe de l'un et de l'autre. Cependant l'évangéliste étage sa présentation du sèmeion, de sorte qu'il est possible d'en parler à divers niveaux.

A un premier niveau, celui des contemporains de Jésus et plus spécialement des „juifs" qui se refusent à croire en lui, le sèmeion désigne une action extraordinaire de Jésus qui pose une question à tous. C'est ainsi que les juifs „voient" des signes, à Jérusalem[26] ou en Galilée[27]; c'est ainsi également que

[25] *T. Todorov*, „Synecdoques", dans Communications (éd. Seuil) 16 (1970) 35.

[26] Jn 2,23; 3,2; 7,31; 9,16; 11,47; 12,18.

[27] Jn 2,11; 4,54; 6,2.14.

l'évangeliste récapitule le comportement des dirigeants juifs[28]. Tout se passe comme si ces actions de Jésus, tout en s'imposant comme surprenantes, ne trouvaient pas leur „sens" en elles-mêmes. Par exemple, quand les juifs requièrent de Jésus un „signe"[29], il s'agit pour eux en fait d'un simple „signal" qui devrait automatiquement indiquer, garantir, asseoir l'autorité de celui qui le fait. De même que les „œuvres" portent „témoignage" à Dieu, Père de Jésus, et à Jésus lui-même, ainsi les „signes" font appel à une „vue" spéciale, ou ils dénoncent l'aveuglement des spectateurs; ils ne requièrent pas que soit découvert quelque „signifié" distinct du „signifiant", comme si le miracle était un acte sensible contredistingué du sens intelligible. C'est dans l'acte même que doit être perçu le sens. En effet, à l'opposé de ce dualisme de type opératoire, le symbole consiste en une opération de type ontologique, mais de ce type d'„ontologie" concrète pour lequel l'universalité du sens s'inscrit tout entière dans la particularité de la détermination. Disons-le en d'autres termes, en usant de catégories peut-être ici dépassées: symbolisant et symbolisé peuvent être alors considérés comme tout entiers „sensibles" et tout entiers „intelligibles". Ainsi la réconciliation est-elle *cette* poignée de mains-*ci* que j'échange avec mon ennemi d'hier; ainsi l'amour que se portent les membres de notre famille est-il *ce* repas-*ci* que nous partageons ensemble. Réconciliation et amour ne sont pas à chercher ailleurs que *dans* ces gestes où se manifeste — où se constitue — un projet de communion qui enveloppe et dépasse chacun des sujets en présence.

Mais saint Jean n'en reste pas à ce premier niveau, celui des juifs qui réduisent le sèmeion à n'être qu'un „signal" démonstratif. Il en manifeste le sens profond quand il montre sa motivation dans la gloire du Christ. „Tel fut, à Cana de Galilée, le commencement des signes de Jésus; il manifesta sa gloire et ses disciples crurent en lui" (2,11). Le sèmeion est alors conçu comme un authentique „symbole" terrestre de la gloire de Jésus. Telle est la raison pour laquelle il ne faut pas étendre excessivement la notion de sèmeion. Sans doute les sèmeia johanniques peuvent-ils être comparés aux actions symboliques des prophètes, mais ils ne peuvent leur être pleinement identifiés. Prenons un exemple. Le lavement des pieds accompli par Jésus est proprement une action symbolique, dont on peut préciser le sens en analysant de près le geste et le discours qui l'accompagne: il s'agit non seulement d'inviter les disciples à se servir mutuellement, mais aussi de symboliser le service ultime que Jésus va rendre aux hommes en se sacrifiant sur la croix. Jean pourtant ne qualifie pas ce geste de sèmeion; en effet, il lui manque un aspect essentiel, le rapport immédiat à la gloire, et un élément fondamental, à savoir le geste miraculeux. D'autre part, les apparitions peuvent être englobées dans les sèmeia: elles

[28] Jn 12,37.
[29] Jn 2,18; 6,30.

présentent un aspect miraculeux évident et elles signifient la gloire du Ressuscité, qui rejaillit jusqu'à ceux qui demeurent encore dans l'économie du temps. Voilà pourquoi elles peuvent être rangées parmi les sèmeia dont Jean déclare qu'ils ont été mis par écrit afin que nous obtenions la foi (20,30). Par contre, en dépit de certains critiques, on ne peut qualifier la croix de sèmeion par excellence; en fait, s'il est vrai qu'en parlant d'exaltation Jésus „signifie" la mort par laquelle il doit mourir (12,33), on ne peut dire que cette parole vise la croix comme un sèmeion; et cependant elle a une portée symbolique[30].

C'est la relation intrinsèque qui unit le sèmeion avec la gloire et avec la foi qui permet d'en déterminer la structure. Le sèmeion, avons-nous dit plus haut, est un symbole plus qu'un signe, car, tandis que le signe est seulement „arbitraire", le symbole est „motivé". Voilà ce qu'on peut montrer en confrontant l'usage johannique avec l'usage des Grecs et avec celui de l'Ancien Testament.

L'immotivation, l'arbitraire des miracles hellénistiques est évident. Comme l'a remarqué R. Formesyn[31], il s'agit de signes („signaux") annonciateurs de l'avenir, de présages, dont la signification n'a rien à voir avec la manifestation sensible qui les constitue comme tels: il n'y a aucun rapport entre l'orientation du vol d'un oiseau ou la sueur de sang découlant de statues et le dessein des dieux qui cherche à se manifester, aucun rapport entre le forme du message et le message lui-même, entre le signifiant et le signifié. A preuve, dans les récits de l'époque, l'insistance sur la παρατήρησις (l'interprétation) par les μάντεις (devins), indispensable et plus importante encore que le phénomène lui-même. Ces sèmeia ne peuvent donc être qualifiés de „symboles".

Il en va tout autrement lorsqu'on pénètre dans le monde de la Bible. Les sèmeia sont toujours des signes démonstratifs destinés à confirmer la parole révélatrice de Yahweh, qu'il s'agisse du signe de Caïn, de l'arc-en-ciel de Noé, d'Isaïe se promenant tout nu dans la Cité, des prodiges accomplis par Moïse devant Pharaon ou de l'embrasement du bûcher d'Elie. Ces signes accompagnent une parole divine, souvent transmise par des hommes, dont le sens est, par ailleurs, clair, alors que les sèmeia hellénistiques consistent en des phénomènes muets qui doivent nécessairement être interprétés par une parole humaine. Alors que les sèmeia hellénistiques sont des présages, en soi dépourvus de sens et pas nécessairement miraculeux, faisant appel pour être déchiffrés à la connaissance technique, les sèmeia bibliques sont des signes démonstratifs

[30] Avec *R. Schnackenburg,* Johannesevangelium III, 402, et *R. E. Brown,* John 1059, nous pensons que ni la croix ni la résurrection de Jésus ne sont des sèmeia; sans doute le couple mort/résurrection (c'est-à-dire l'exaltation) fonde en dernier ressort les sèmeia, il ne dit pas un phénomène extraordinaire et il ne concerne pas seulement la vie sur terre de Jésus de Nazareth.

[31] *R. Formesyn,* Sèmeion 862–869.

venant briser le cours ordinaire des choses, où l'élément miraculeux n'est plus secondaire, mais généralement primordial. D'autre part, les sèmeia bibliques annoncent une Parole de Yahweh qui est à venir; en ce sens, ils se rangent parmi les signes annonciateurs du jugement imminent.

Dans leur ensemble, les δυνάμεις des Synoptiques sont eux aussi des miracles démonstratifs, dont la fonction principale est d'accréditer Jésus, parole de Dieu, auprès de ses contemporains. S'ils diffèrent des sèmeia de l'Ancien Testament, c'est qu'ils signifient dès à présent la Puissance de Dieu à l'œuvre, authentiquant la mission de Jésus qui est là. Parfois cependant, comme pour la guérison du paralysé de Capharnaüm ou pour les exorcismes, ces miracles de puissance ont une portée pleinement symbolique: la rémission des péchés ou le triomphe sur Satan. Il reste que le geste et le sens demeurent quelque peu juxtaposés l'un à l'autre.

C'est avec Jean que les miracles sont définitivement présentés comme des „symboles". Tout en restant d'un certain point de vue des „signes" indiquant quelque chose d'autre, ils sont pourtant rapportés de telle sorte que, aux yeux du croyant, le sèmeion est „motivé" par la „gloire" qu'il exprime. Le récit est le message lui-même; la fin des temps s'accomplit dans le temps de Jésus terrestre. C'est pourquoi le sèmeion est appel au jugement eschatologique.

Dans le sèmeion se récapitulent les éléments épars de la révélation. Il n'est pas indifférent que Jésus ait rendu la vie à un mort, fait couler à nouveau le vin de la fête, donné à manger un pain merveilleux, plutôt que d'accomplir n'importe quel tour de passe-passe légitimant son autorité: l'action même est révélation, elle est Parole.

Aussi, comme d'aucuns l'ont déjà fait remarquer, le fondement de la symbolique des sèmeia, c'est le fait que la Parole éternelle s'est exprimée à travers un visage humain, celui de Jésus. C'est dans le corps de Jésus, corps glorieux dès avant sa mort et sa résurrection, que s'ancre le symbolisme des sèmeia. Le message johannique n'est que le rayonnement de ce corps mystérieux, à la fois opaque et ouvert au regard du croyant. Alors que les prophètes figuraient avec leur corps l'histoire à venir du peuple d'Israël, Jésus réalise dans son corps et dans ses gestes toutes les promesses de vie dont Yahweh, par Moïse, avait donné les arrhes[32].

L'anthropologie moderne apprend que le langage symbolique est, en définitive, langage du corps. Longtemps négligé, le corps est devenu, depuis Nietzsche spécialement, l'ultime point de référence du discours, le dernier signifiant de ce discours qui résiste à la critique généralisée, sans doute parce

[32] Cf. *D. Mollat,* Sèmeion 214–216. — *R. E. Brown,* John 525–531. — *S. Hofbeck,* SEMEION 167–178.

qu'il est la source même de ce discours, sans doute aussi parce que nous savons bien mal ce qu'est le corps. Toujours autre que nos discours, dont il n'était naguère que l'instrument docile, le corps est devenu le lieu où se révèle l'extériorité redoutable qui mine le confort de nos certitudes immédiates. C'est dans l'expérience du corps que s'éprouve aujourd'hui la transcendance. Καὶ ὁ λόγος σὰρξ ἐγένετο.

Bibliographie

Brown, R. E., The Gospel according to John, I–II (The Anchor Bible), New York 1966/1970.
----, New Testament Essays, Milwaukee 1965.
Bussche, H. van den, La structure de Jean I–XII, dans: L'Evangile de Jean. Etudes et problèmes (Rech. Bibl. III), Louvain 1958, 71 ss.
Cerfaux, L., Les miracles, signes messianiques de Jésus et œuvres de Dieu (1954), dans: Recueil Lucien Cerfaux, t. II, Gembloux 1954, 41–50.
Dodd, Ch. H., Le fondateur du christianisme (trad. fr.), Paris 1972.
Formesyn, R., Le sèmeion johannique et le sèmeion hellénistique: EThL 38 (1962) 856–894.
Hofbeck, S., SEMEION. Der Begriff des ‚Zeichens' im Johannesevangelium unter Berücksichtigung seiner Vorgeschichte, Münsterschwarzach 1970.
Mollat, D., Le Sèmeion johannique, dans: Sacra Pagina, t. II, Gembloux–Paris 1959, 209–218.
Nicol, W., The Sēmeia in the Fourth Gospel. Tradition and Redaction, Leiden 1972.
Schnackenburg, R., Das Johannesevangelium, t. III (HThK IV/3), Freiburg–Basel–Wien 1975 (= Leipzig 1977).
Schweizer, E., EGO EIMI... (FRLANT 56), Göttingen 1939.
Stemberger, G., La symbolique du bien et du mal selon saint Jean, Paris 1970.
Thüsing, W., Die Erhöhung und Verherrlichung Jesu im Johannesevangelium (NTA XXI,1–2), Münster 1960.

LA NOTION DE „COMMENCEMENT“ DANS LES ÉCRITS JOHANNIQUES

par Ignace de la Potterie

C'est un des mérites du Prof. H. Schürmann d'avoir attiré l'attention sur un thème qui a été très vivant dans le christianisme des origines et que l'exégèse moderne, jusque tout récemment, avait étrangement négligé: le thème du „commencement“[1]. Où et quand, à proprement parler, commença la nouveauté chrétienne? Très tôt, dans les communautés primitives, a dû circuler un récit sur „le commencement de Jésus“. L'intérêt pour cette idée transparaît encore dans les formules kérygmatiques anciennes: l'évangile de Marc s'ouvre sur le mot ἀρχή (1,1); dans les écrits de Luc, cette idée de „commencement“ prend déjà plus d'ampleur, et elle est intégrée dans une vaste conception théologique sur les différentes époques de l'histoire du salut[2]; mais, fait curieux, ce rappel insistant du „début“ reste tout aussi frappant dans les écrits johanniques (surtout I et II Jn)[3], quoiqu'ils aient été composés à une date plus récente que les synoptiques. C'est cet emploi johannique du thème (dans l'évangile et les épîtres) que nous voudrions examiner ici. Nous sommes heureux de présenter ce travail en hommage au Prof. H. Schürmann, en signe de gratitude pour le stimulant qu'il nous a donné, non seulement par l'étude mentionnée ci-dessus, mais aussi par plusieurs autres publications de ces dernières années.

I Des synoptiques à Jean

Pour mieux saisir ce qu'il y a de spécifique dans la conception johannique du „commencement“, rappelons brièvement ce qu'en disaient Marc et Luc.

1. „Commencement de l'Evangile de Jésus Christ, Fils de Dieu“ (Mc 1,1). On s'est tourmenté inutilement sur le sens de ce verset[4]. Avec la plupart des auteurs il faut admettre, semble-t-il, que ces quelques mots servent de titre à tout l'ouvrage. Marc se propose d'annoncer la Bonne Nouvelle: celle-ci a pour objet Jésus Christ, le Fils de Dieu. 'Αρχή n'est pas à prendre au sens naïf et

[1] *H. Schürmann,* Der „Bericht vom Anfang“. Ein Rekonstruktionsversuch auf Grund von Lk 4,14–16, in: Studia Evangelica, II (TU 87), Berlin 1964, 242–258.

[2] *E. Samain,* La notion; voir aussi *H. Conzelmann,* Die Mitte der Zeit 197, n. 1.

[3] *H. Conzelmann,* „Was von Anfang war“ 194–201.

[4] Voir l'exposé des six principales interprétations chez *A. Wikgren,* ΑΡΧΗ ΤΟΥ ΕΥΑΓΓΕΛΙΟΥ: JBL 61 (1942) 11–20.

banal: „C'est ici que commence mon livre"[5]. Le mot contient plutôt une référence au ministère du Précurseur, qui va être décrit l'instant d'après: pour Marc, la Bonne Nouvelle de Jésus Christ, thème de tout l'ouvrage, a commencé dans l'histoire par l'annonce de Jean-Baptiste (1,2–8). C'est dire que, dans le IIe évangile, Jean-Baptiste se situe sur le versant chrétien de l'histoire du salut: non seulement son message se concentre sur Jésus, mais dans sa personne et même dans sa mort Jean-Baptiste annonce et préfigure le Messie[6]. C'est la proclamation kérygmatique du Précurseur (cf. κηρύσσειν en Mc 1,4.7) qui constitue pour Marc le „commencement" de la Bonne Nouvelle de Jésus Christ.

2. Luc voit les choses autrement. Il a une certaine tendance à séparer le ministère du Précurseur de celui de Jésus. Jean-Baptiste, certes, est plus qu'un prophète (7,16). Il est cependant présenté comme une voix prophétique qui annonce le temps du salut. Lui-même n'appartient pas vraiment à cette époque; il est encore plutôt une figure de l'A. T.: „La Loi et les Prophètes vont jusqu'à Jean; depuis lors la Bonne Nouvelle du Royaume de Dieu est annoncée" (Lc 16,16)[7].

a) Pour le IIIe évangéliste, le début de l'Evangile n'est pas la prédication du Baptiste. „Il réserve le mot ἀρχή au début de l'*activité* de Jésus, que précède et prépare la prédication de Jean"[8]. Cela est particulièrement clair en Lc 3,23, qui, malheureusement, est souvent mal traduit[9]. Le sens n'est pas: „Jésus, à ses débuts, avait environ trente ans", comme si Luc voulait attirer l'attention sur *l'âge* de Jésus. L'accent tombe sur le fait qu'ici se situe le début de son ministère: „Et Jésus *commençait,* à l'âge d'environ trente ans"[10]. La portée et le sens de ce ministère qui va commencer sont encore soulignés par la généalogie (3,23–38) et par l'épisode de la tentation de Jésus (4,1–13). En 4,14 commence le récit de la prédication proprement dite, d'abord dans le sommaire des versets 4,14–15, puis dans le discours-programme de Nazareth (4,16–30). Bref, quand on passe de Mc à Lc, le „commencement" se déplace de Jean-Baptiste à Jésus.

[5] *M.-J. Lagrange,* Marc 1.

[6] *W. Marxsen,* Der Evangelist Markus. Studien zur Redaktionsgeschichte des Evangeliums, Göttingen 1959², 19: „...vielmehr sind die Täuferaussagen christologische Aussagen"; *A. Farrer,* A Study in St. Mark, London 1952, 389.

[7] Sur ce logion discuté, voir *H. Conzelmann,* Die Mitte der Zeit 17–18; *W. G. Kümmel,* „Das Gesetz und die Propheten gehen bis Johannes". – Lk 16,16 im Zusammenhang der heilsgeschichtlichen Theologie der Lukasschriften, in: Verborum Veritas (Festschr. für G. Stählin), Wuppertal 1970, 89–102; *E. Samain,* La notion 310–312, n. 41.

[8] *E. Samain,* La notion 310, n. 41.

[9] *E. Samain,* La notion 313, n. 43.

[10] Cf. encore Lc 23,5; Act 1,21–22; 10,37.

b) Mais on trouve encore chez Luc un autre emploi, non moins significatif, du terme ἀρχή. Il désigne aussi, dans l'œuvre lucanienne, le commencement de la mission apostolique après Pâques. En Act 11,15, Pierre décrit la descente de l'Esprit-Saint sur les disciples à la Pentecôte, comme le grand événement qui eut lieu „au commencement". D'après Lc 24,47, la proclamation du pardon des péchés à toutes les nations doit *commencer* par Jérusalem (cf. aussi Act 1,8). „Cette notion de ἀρχή ... fixe Jérusalem comme centre et point de départ de la mission chrétienne au monde entier, conditionnée par la venue préalable de l'Esprit Saint sur les apôtres"[11].

c) Nous trouvons donc, dans le IIIe évangile et dans les Actes, deux emplois du thème de l'ἀρχή: tantôt, il désigne le début de l'activité de Jésus; tantôt, le début de la mission des apôtres. Il y a certainement un rapport entre ces deux „commencements". Mais de quel ordre est-il? E. Samain pose la question[12]: est-ce un parallélisme de simple juxtaposition ou de profonde connexion? La réponse qu'il donne n'est pas satisfaisante: à juste titre, certes, l'auteur commence par critiquer la position de H. Conzelmann, pour qui „le commencement de l'Eglise n'a aucune attache dans l'évangile"[13]. E. Samain lui-même souligne que Luc a bien dégagé le rôle conjoint de l'Eglise dans le temps de l'accomplissement inauguré par Jésus. Mais il semble qu'il faille dire davantage. Les deux „commencements" sont liés en profondeur. Le lien qui les unit n'est qu'un cas particulier du parallélisme général qui existe, dans l'œuvre lucanienne, entre le IIIe évangile et le Livre des Actes. Ce parallélisme est d'ordre typologique et théologique: bien des fois en effet un événement de la vie de Jésus est décrit par Luc dans une perspective ecclésiale, comme s'il devait se reproduire et se prolonger dans la communauté chrétienne ou dans la mission apostolique; autrement dit, un fait raconté dans l'Evangile se présente plusieurs fois comme une anticipation ou une préfiguration de quelque événement semblable dans la vie de l'Eglise[14].

C'est le même genre de parallélisme typologique que nous retrouvons pour les deux „commencements", celui de Jésus et celui de l'Eglise: la descente de l'Esprit-Saint sur Jésus au Jourdain (Lc 3,22) trouve sa réplique, si l'on peut dire, dans la venue de l'Esprit sur les disciples à la Pentecôte (Act 2,3–4)[15];

[11] *E. Samain*, La notion 303.

[12] La notion 326.

[13] La notion 327; et il renvoie à *H. Conzelmann,* Die Mitte der Zeit 197, n. 1.

[14] Cf. *J. G. Davies,* The Prefigurement of the Ascension in the Third Gospel: JThS 6 (1955) 229–233: Luc veut montrer „the prefigurement of the history of the Church which he discovered in the Gospel" (p. 229); *I. de la Potterie,* Le titre ΚΥΡΙΟΣ appliqué à Jésus dans l'évangile de Luc, in: Mélanges bibliques... Béda Rigaux, Duculot 1970, 117–146. Dans ces deux articles on trouvera plusieurs exemples de ces anticipations.

[15] Cf. *G. W. Lampe,* The Holy Spirit in the Writings of St. Luke, in: Studies in the Gospels (ed. *D. E. Nineham*), Oxford 1955, 159–200 (cf. pp. 169.193).

en outre, comme l'a bien montré J. Dupont[16], ces deux „débuts“ sont marqués par un discours inaugural: celui de Jésus à Nazareth (Lc 4,16–30) et celui de Pierre à Jérusalem (Act 2,14–40); ils se terminent l'un et l'autre sur une perspective universaliste.

Il ne s'agit donc pas, on le voit, d'une simple juxtaposition. Entre le „commencement“ de Jésus et le „commencement“ de la mission de l'Eglise existe un profond rapport d'ordre théologique: ces deux points de départ ont fondamentalement le même contenu, le même sens. Les deux fois le „début“ est marqué par une intervention de l'Esprit prophétique; dans les deux cas aussi la perspective est kérygmatique et missionnaire. Le „commencement“ de la *mission* chrétienne est comme une reprise et une actualisation du „commencement“ de la *mission* de Jésus.

3. Chez Jean, la perspective n'est plus kérygmatique. Le fait qu'il insiste, lui aussi, sur l'idée de „commencement“ aura donc une autre signification que chez Luc. Seule l'analyse précise des textes permettra de voir en quoi consiste cette conception proprement johannique.

Mais il nous faut d'abord bien prendre conscience du fait que le terme „commencement“ occupe vraiment une place importante dans le vocabulaire de Jean. A. Feuillet observe: „Le mot ἀρχή, emprunté aux Sapientiaux, joue dans la christologie johannique un rôle capital (Jn 1,1.2; 1 Jn 1,1; 2,13–14)“[16a]. Déjà du simple point de vue statistique, en effet, on est surpris de constater que Jean est l'auteur du N. T. chez qui l'emploi de ἀρχή est le plus fréquent:

Mt	Mc	Lc	Jn	Act	ép. paul.	Hébr	1–3 Jn	ép. cath. (sauf 1–3 Jn)	Apoc
4	4	3	*8*	4	11	6	*10*	2	3

Le cas est analogue à celui d'autres termes du vocabulaire temporel, dont la fréquence dans l'évangile de Jean est nettement plus grande que dans les synoptiques et dans les Actes:

[16] *J. Dupont,* Le salut des Gentils et la signification théologique du Livre des Actes: NTSt 6 (1959–60) 132–155; reproduit dans: Etudes sur les Actes des Apôtres (Lectio divina, 45), Paris 1967, 393–419. Ajoutons que les deux discours-programmes sont inspirés par l'Esprit prophétique et se présentent comme l'inauguration d'une mission de prédication; cf. notre article L'onction du Christ. Etude de théologie biblique: NRTh 80 (1958) 225–252 (surtout pp. 234–239).

[16a] *A. Feuillet,* Etudes johanniques 78.

	Mt	Mc	Lc	Jn	Act
αἰών	8	4	7	*13*	2
ἄρτι	7	0	0	*12*	0
ἤδη	7	8	10	*16*	3
νῦν	4	3	14	*28*	26
πάλιν	17	28	3	*43*	5
πάντοτε	2	2	2	*7*	0
ποτέ	0	0	1	*1*	0
πρῶτον	8	7	10	*8*	5
ὥρα	21	12	17	*26*	11

A juste titre donc, D. Mollat faisait remarquer, dans un article fort suggestif: „...les expressions temporelles ... abondent dans le quatrième évangile et y jouent un rôle de premier plan“[17]. Il est regrettable que cette structure temporelle du récit johannique n'ait pas encore été étudiée d'une manière méthodique (exception faite pour le thème de l'„heure“, sur lequel nous avons plusieurs travaux).

Un premier relevé des emplois de ἀρχή montre immédiatement que Jean, dans l'évangile comme dans les épîtres, parle du „commencement“, tantôt par rapport à *Jésus* (ou au diable), tantôt par rapport aux *disciples*. Comme il est normal, le premier emploi prédomine dans l'évangile; le deuxième, dans les épîtres. Nous examinerons successivement évangile et épîtres, en distinguant chaque fois ces deux points de vue.

II L'ἀρχή dans le IVe évangile

L'emploi du substantif ἀρχή dans le IVe évangile n'est pas stéréotypé: Jean utilise deux fois le mot à l'accusatif (τὴν) ἀρχήν en lui donnant une fonction déterminée dans la phrase (2,11; 8,25); ailleurs il le joint toujours à une préposition temporelle: ἐν ἀρχῇ (1,1.2); ἐξ ἀρχῆς (6,64; 16,4); ἀπ' ἀρχῆς (8,44; 15,27). Mais d'après les différents „commencements“ auxquels ces huit textes nous renvoient, on peut grouper ceux-ci en trois séries.

1. Le commencement absolu en Dieu.

a) Le texte fondamental pour cet aspect du thème est évidemment le début du

[17] *D. Mollat,* Remarques sur le vocabulaire spatial du quatrième évangile, in: Studia evangelica (TU 73), Berlin 1959, 321–28 (cf. p. 321); les italiques sont de nous.

prologue (1,1–2): „*Au commencement* (ἐν ἀρχῇ) était le Verbe et le Verbe était tourné vers Dieu ... Il était *au commencement* (ἐν ἀρχῇ) tourné vers Dieu"[18]. Le mot ἀρχή, en grec, signifie à la fois „commencement" et „principe"; on ne s'étonnera donc pas que, dans tel ou tel système plus spéculatif de l'antiquité, le terme ait été compris ici au deuxième sens, celui de „principe (métaphysique)". Au témoignage d'Irénée, c'était l'exégèse des Valentiniens[19]; elle fut reprise par un disciple de Plotin, le néo-platonicien Amelius[20], et par plusieurs Pères qui étaient davantage marqués par le platonisme[21]. Mais pour Jean Chrysostome et son école, la formule du début du prologue indique un temps sans fin et désigne donc l'éternité[22]. Les modernes voient d'ordinaire dans ces mots une référence à la création, et indirectement l'indication de l'éternité du Verbe.

La formule ἐν ἀρχῇ est très rare dans la langue profane[23], mais on la rencontre près de trente fois dans la Bible grecque. C'est une formule plus ou moins stéréotypée, dont le sens temporal ne peut guère laisser de doute. On dit souvent que Jean, en 1,1–2, doit avoir eu en tête les premiers mots de la Genèse, dont le texte grec commence également par ἐν ἀρχῇ. Cependant le prologue a de plus nombreux contacs avec les livres sapientiaux. Or, là, „le commencement", si l'on peut dire, se situe au-delà du temps et de la création; il débouche sur l'absolu, sur la vie en Dieu, là où préexistait la Sagesse: „*Dès l'éternité* (mᵉōlam; LXX: πρὸ τοῦ αἰῶνος), je fus fondée, *dès le commencement* (mᵉrōš; LXX: ἐν ἀρχῇ), *avant* l'origine de la terre..." (Prov 8,23); „*Avant les siècles, dès le commencement* (πρὸ τοῦ αἰῶνος, ἀπ' ἀρχῆς) il m'a créée, et

[18] Pour cette traduction de πρὸς τὸν θεόν, voir notre article: L'emploi dynamique de εἰς dans saint Jean et ses incidences théologiques: Bibl 43 (1962) 366–387 (cf. pp. 379–387).

[19] *Irénée,* Adv. Haer., I, 1,18 (*Harvey* I, 75–77).

[20] D'après *Eusèbe,* Praep. evang., XI, 19 (PG, 21, 899). Voir *H. Dörrie,* Une exégèse néoplatonicienne du prologue de l'évangile de saint Jean, in: Epektasis. Mélanges J. Daniélou, Paris 1972, 75–87: „Il (Amelius) attribue au Logos le rang et la dignité de principe: ἀρχή. Amelius a donc lu les mots ἐν ἀρχῇ ἦν ὁ λόγος d'un œil platonicien; son interprétation ne porte pas sur le ‚commencement' au sens temporel, mais sur la dignité principale au sens causal."

[21] *Origène,* In Iohannem, I (GCS, IV, 19[22], p. 23–24; PG, 14, 56 B–D; SChr, 120, 199): „Dans le principe était le Verbe"; le „principe" désigne ici la sagesse éternelle du Fils. Pour d'autres, le „principe" est la personne du Père; ainsi p. ex. pour *J. Scot Erigène,* dans l'homélie sur le prologue Vox spiritualis aquilae, 6,10–11 (PL, 122, 286 B; SChr, 151, 226) „In principio erat Verbum, ac si aperte diceret: In Patre subsistit Filius"; cf. aussi 5,15–17 (SChr, p. 224).

[22] *J. Chrysostome,* In Ioh., II, 4 (PG, 59,34): „Ces mots ‚Au commencement était' signifient qu'il a toujours été et qu'il est éternel"; *Théophylacte,* In Ioh., I (PG, 123, 1136–1137); *Euthymius,* In Ioh. (PG, 129, 1108–1109).

[23] *W. Bauer,* Wörterbuch, ⁵1958, s.v. ἀρχή, 2, b, p. 222. Voir aussi *A. Ehrardt,* The Beginning. A Study in the Greek Philosophical Approach to the Concept of Creation from Anaximander to St. John, Manchester 1968. On s'étonne cependant que l'auteur (pp. 1–4.190–198s.), sans analyse des textes, veuille expliquer directement Jn 1,1–2 (et 1 Jn 1,1) à la lumière de cette tradition de la philosophie grecque.

pour les siècles (ἕως αἰῶνος) je ne cesserai d'exister" (Sir 24,9). D'après un passage semblable du *IVe Livre d'Esdras,* Dieu, *dès avant la création,* conçoit le plan du gouvernement du monde: „*Initio* terreni orbis, et *antequam* starent exitus saeculi, et *antequam* spirarent conventiones ventorum, et *antequam*..., tunc cogitavi, et facta sunt per me solum, et non per alium..." (6,1-6).

La même situation est décrite dans le prologue johannique. Le rôle du Verbe dans le monde et dans l'histoire des hommes n'est pas considéré avant le v.3. Dans les deux premiers versets, il n'est question que de la vie en Dieu. „Au commencement" ne désigne donc pas le moment de la naissance des mondes et du temps, mais, *avant* la création, la vie interne du Verbe et de Dieu. Jean, comme Marc, commence son évangile par le rappel d'un „commencement"; mais il le fait dans une perspective toute différente. Il ne s'agit plus ici d'un commencement précis, que l'on peut situer dans l'histoire. Jean évoque le commencement absolu, qui transcende le temps et se situe dans l'éternité: l'ἀρχή des relations du Verbe et de Dieu[24]. Pour lui, c'est là le point de départ fondamental, l'explication dernière de toutes choses.

Qu'est-ce que Jean nous dit de plus précis sur ce „commencement"? Contrairement à ce qu'on affirme souvent, il n'attire pas l'attention sur la *pré*-existence du Verbe, ce qui impliquerait encore une référence à l'écoulement de l'histoire[25]. La construction même de la phrase, où les mots en position emphatique ne sont pas ἦν, mais ἐν ἀρχῇ et ὁ λόγος[26], montre que Jean veut décrire ici la *présence éternelle* de *la Parole* en Dieu: „Au commencement, dans l'éternité, il y avait la Parole". Il songe déjà à la Parole qui doit s'incarner et venir habiter parmi nous (1,14), cette Parole qui est pour lui Jésus Christ (1,17) et qui est devenue pour nous la plénitude de la Révélation (1,18). L'orientation christologique du prologue est donc implicitement marquée dès les premiers mots. Mais ce que Jean veut surtout souligner en 1,1-2, c'est que cette Parole „était *tournée vers Dieu*" (ἦν πρὸς τὸν θεόν, repris au v. 3, comme un résumé du v. 1). La préposition πρός décrit la direction, l'orientation du Verbe *vers* Dieu[27].

[24] Cette présence d'éternité est encore soulignée par l'emploi répété de ἦν dans 1,1-2, tandis qu'à partir du v. 3 paraît le ἐγένετο, le devenir des choses créées.

[25] Par contraste avec le déroulement de l'histoire qui commence à la création, on dit souvent que le verbe ἦν met l'accent sur l'éternité du Verbe. Cf. la paraphrase de *Tolet:* „In hoc principio Verbum *erat*" (on notera l'inversion des termes), ou la traduction de *J. Mateos:* Al principio *ya existia* la Palabra". Dans cette interprétation, l'attention est attirée sur le verbe ἦν.

[26] Cf. *Blass-Debrunner,* § 472,1. La phrase tout à fait neutre aurait l'ordre: verbe/sujet/objet („Erat Verbum in principio"). Mais dans la construction actuelle („*In principio* erat *Verbum*"), l'accent tombe aussi bien sur le premier que sur le troisième membre (voir un cas semblable dans Dan 9,23 Théod.).

[27] Voir l'article cité à la note 18.

En raison de l'inclusion avec 1,18 („le *Fils* unique tourné *vers* le sein du *Père*"), on peut même dire que la formule πρὸς τὸν θεόν des vv. 1–2 n'indique pas seulement l'intimité des personnes divines, mais qu'elle suggère déjà la relation de *filiation* proprement dite[28].
Cette présence de la Parole de Dieu, cette intimité des deux Personnes divines, cette orientation *filiale* de la Parole *vers Dieu,* voilà, pour Jean, le „commencement" absolu.
b) Le même thème, à ce qu'il semble, reparaît encore une fois dans le corps de l'évangile: τὴν ἀρχὴν ὅ τι καὶ λαλῶ ὑμῖν (8,25). Ce texte, à vrai dire, est un des plus difficiles et des plus obscurs du IVe évangile. On en a proposé toute une série de traductions[29]. Les différences viennent surtout du sens qu'on donne à τὴν ἀρχήν. Plusieurs traduisent: „*D'abord* (= après tout), pourquoi donc est-ce que je vous parle?"[30]. Jésus répondrait ici par une fin de non-recevoir. Mais on prend alors la formule adverbiale τὴν ἀρχήν (avec l'article!) au sens *logique* et non pas temporel (cf. *Bauer:* „= ὅλως, überhaupt"), et l'on donne à la proposition un tour interrogatif qui a valeur de *négation.* Ces deux options sont strictement liées, car lorsque, dans la langue profane, la formule τὴν ἀρχήν est prise au sens logique, c'est pratiquement toujours dans une proposition négative (ou qui équivaut à une négation pour le sens)[31]. En Jn 8,25, cette interprétation demanderait que le relatif ὅ τι introduise une interrogation directe („pourquoi...?"); or, il est extrêmement douteux que ὅ τι puisse avoir ce sens[32]. Ajoutons que la fin de non-recevoir que ce verset est censé exprimer est contredite par tout le contexte, puisque le thème du λαλεῖν de Jésus se poursuit pendant plusieurs (vv. 26bis.28.30.38.40). Il faut donc prendre cette parole de Jésus, non pas comme un refus de répondre,

[28] L'inclusion entre 1,1–2 et 1,18 n'implique pourtant pas que le verset final considère de nouveau la vie en Dieu, comme le verset d'ouverture. Au v. 18 il s'agit de Jésus Christ, le Verbe *incarné* (cf. le v. 17): la vie filiale de *l'homme* Jésus fit découvrir aux disciples sa relation au Père, la relation du Verbe à Dieu, celle qui est placée thématiquement au début du prologue. L'inclusion indique qu'il s'agit dans les deux cas de la même relation fondamentale du Christ à Dieu: au niveau humain (v. 18) et au niveau divin (vv. 1–2).

[29] Voir *B. F. Westcott,* John 142–143; *R. E. Brown,* John I, 347–348.

[30] Crampon, *Condamin* (RB, 1899, 409ss.), Van den Bussche, *J. Joüon* (L'Evangile de N. S. J. C., Paris 1930, 512), Calmes, Loisy, Lagrange, *Bauer* (Wört., s. v.), Schnackenburg. C'était aussi l'interprétation des Pères de l'école d'Antioche: Chrysostome, Théophylacte, Euthymius.

[31] Quelques exemples: ἀλλὰ τὴν ἀρχὴν μηδὲ κτῆσις, *Platon,* Gorgias, 478c; οὐδὲ ἐπαγγεῖλαι τὴν ἀρχήν, *Thucydide,* 6,56,1; *Démosthène,* Contre Aristarque, 93; πῶς γὰρ ἂν τὴν ἀρχὴν εἰσελθεῖν ὑπέμειναν, εἰ μὴ ..., *Philon,* Abr., 116; εἰ μὴ παρακολουθεῖς, τί καὶ τὴν ἀρχὴν διαλέγομαι; *Ps.-Clem.,* Hom., 6,11,1 (Rehm, 110,21). Dans les deux derniers exemples, le tour de phrase est interrogatif, mais la question équivaut à une négation.

[32] *Blass-Debrunner,* § 300,2: „Unglaubhaft ist die Verwendung von ὅστις... in direkten Fragen"; *Zerwick,* Graec. bibl., [5]1966, 222 (168).

mais au contraire comme une affirmation très nette – encore que mystérieuse – et garder à ὅ τι son sens habituel de pronom relatif indéfini.

L'expression τὴν ἀρχήν, dans ce cas, a valeur temporelle. C'est d'ailleurs normal, car tel est le sens courant de la formule quand elle se trouve, comme ici, dans une phrase *positive*[33]. Précisons qu'elle signifie alors, non pas „*depuis* le commencement", mais „*au* commencement, *à* l'origine"[34]. C'est toujours en ce sens temporel que la formule est employée dans les LXX. Un texte de Daniel (9,21), grâce à ses deux traductions grecques, permet même de voir que τὴν ἀρχήν équivaut pratiquement à ἐν τῇ ἀρχῇ[35]. En Jn 8,25, on ne peut donc pas rapporter la formule à λαλῶ, et traduire comme le font certains: „Ce que je ne cesse de vous dire *depuis* le commencement"[36], car on donne alors à τὴν ἀρχήν le sens de ἐξ ἀρχῆς. La formule adverbiale de Jn 8,25 ne peut que déterminer le verbe principal sous-entendu, qui est ici ἐγώ εἰμι. Ces mots „Je Suis" sont impliqués dans la question „qui *es-tu*?" du v. 25*a*, et ils ne font que reprendre le „Je Suis" du v. 24. Bref, la réponse de Jésus à la demande des Juifs a probablement le sens que voici: „(Je Suis) *au commencement* (au principe, c'est-à-dire au-delà du temps); *c'est aussi* (καί) *ce que je ne cesse de vous dire*"[37].

Cette traduction s'accorde bien avec le contexte. D'après notre verset, la déclaration de Jésus sur ce qu'il est „au commencement" est l'objet d'un

[33] Cf. *Hérodote,* 1,58,4: ἀπὸ σμικροῦ τεο τὴν ἀρχὴν ὁρμώμενον; 5,57,2; *Platon,* Conv., 190b: „le mâle était *originairement* un rejeton (τὴν ἀρχὴν ἔγκονον) du soleil"; *Andocide,* 3,20; *Fl. Jos.,* Bell., 2,356 (certains mss.); *Dion Chrysostome,* 31,5: τὴν ἀρχὴν... νυνὶ...; *Dittenberger,* Syll. inscr. grae., 3ᵉ éd., II, 48, n° 557,20: τ(ὴ)ν ἀρχὴ(ν) μὲν... χρόνωι δὲ ὕστερον...
Dans bien des cas, évidemment, la formule se présente aussi dans une phrase négative, mais la distinction entre phrases négatives et positives n'a guère d'importance dans l'emploi *temporel* de l'expression, comme on peut le voir dans ces deux textes de Thucydide: οὐτὲ τὴν ἀρχὴν... οὐτὲ... οὐτὲ... νῦν... (2,74,3); τὴν μὲν ἀρχὴν... ὕστερον δὲ... (6,4,5). Cf. encore *Fl. Josèphe,* Ant., 1,100.209; 8,8; 15,235; Bell., 4,394. Au contraire, prise au sens *logique,* l'expression n'est pratiquement attestée que dans des propositions négatives (cf. n. 31).

[34] Τὴν ἀρχήν est donc différent de ἐξ ἀρχῆς ou ἀπ' ἀρχῆς. Cf. *R. Bultmann,* Johannes 267: (τὴν) ἀρχὴν... heißt aber nie ‚von Angang' (= ἐξ ἀρχῆς)." Cela enlève toute valeur à l'objection de certains (Corluy, Brown): il est plus normal pour Jean, disent-ils, d'employer une préposition (ἐξ ἀρχῆς ou ἀπ' ἀρχῆς). Voir la note suivante.

[35] Voici les emplois de τὴν ἀρχήν dans les LXX: Gen 41,21; 43,18.20; Dan 8,1 (Théod.: τὴν ἀρχήν; LXX: τὴν πρώτην); 9,21 (Théod.: ἐν τῇ ἀρχῇ; LXX: τὴν ἀρχήν). L'hébreu sousjacent est partout baṯḥilāh. On remarquera que le même Théodotion traduit une première fois par τὴν ἀρχήν (8,1), la deuxième par ἐν τῇ ἀρχῇ (9,21).

[36] TOB; cf. aussi Brown.

[37] Cf. en ce sens *Hoskyns* („At the beginning I am what I even now tell you"), Barrett, *A. Feuillet* (Etudes johanniques 78–79), *D. Mollat* (La Bible de Jérusalem, ³1973). Καί a ici valeur adverbiale (= aussi): il détermine λαλῶ, et sert à faire comprendre que l'action de ce verbe „je vous *dis*" vient appuyer et renforcer celle d'un autre verbe (sous-entendu) „Je *Suis*". C'est ce que nous avons cherché à exprimer dans la traduction (voir le texte).

λαλεῖν de Jésus. Or ce verbe se rencontre 17 fois dans les chapitres 7 et 8 de l'évangile[38], et rien que dans notre passage 8,25–30, il est répété 5 fois. C'est un verbe de révélation dans S. Jean. Puisque Jésus, au v. 25, déclare aux Juifs qu'il est ce qu'il ne cesse de *leur révéler dans son discours* (ὅ τι καὶ λαλῶ ὑμῖν), il faut se demander quelle est la révélation qu'il propose dans 8,21–59. La chose est claire. Les trois textes essentiels, de ce point de vue, sont les suivants:

- ἐγὼ ἐκ τῶν ἄνω εἰμί (v. 23);
- ἐγώ εἰμι (vv. 24.28);
- πρὶν Ἀβραὰμ γενέσθαι ἐγώ εἰμί (v. 58).

A quoi l'on peut ajouter l'objet du λαλεῖν de Jésus au v. 26: „*Ce que j'ai entendu de lui,* voilà ce que je déclare au monde"; et l'explication de l'évangéliste au v. 27: „Ils ne comprirent pas qu'il leur parlait du *Père*" (cf. aussi le v. 19). Ces diverses formules décrivent la mission révélatrice de Jésus, sa mystérieuse transcendance, sa vie en Dieu, son divin „Je Suis", avant même qu'Abraham existât. Tout cela est synthétisé dans la formule du v. 25: „*(Je Suis) au commencement*".

On le voit, nous sommes très proches des textes sapientiels (Prov 8,23; Sir 24,9) que nous avons rappelés à propos du prologue. Nous faisons donc nôtre ce commentaire de D. Mollat sur Jn 8,25: „‚Dès le commencement', comme la Sagesse, Jésus est ce qu'il dit, la Parole, le *Je Suis* en qui Dieu se révèle et se donne"[39]. Autre remarque, qui étonnera davantage: la version latine „Principium, qui (quod, quia) et loquor vobis", traitée avec dédain par la critique moderne, n'est peut-être pas si fautive qu'on le dit. Grammaticalement, certes, „(Ego sum) principium" demanderait le nominatif ἡ ἀρχή, et non l'accusatif τὴν ἀρχήν, qui est une expression adverbiale à portée temporelle. Mais au plan sémantique et théologique, l'interprétation latine est très proche de celle que nous avons présentée: „(Je suis) *le commencement*" (cf. Apoc 22,13) et „(Je Suis) *au commencement*" ne sont pas très différents, du moins si l'on entend „principium", non pas au sens d'un principe métaphysique[40], mais au

[38] Voir notre ouvrage: La vérité dans S. Jean, Rome 1977, tome I, chap. I, où nous analysons l'emploi de λαλεῖν dans S. Jean.

[39] Note *e* à Jn 8,25, dans la Bible de Jérusalem (éd. en fasicules), ³1973, 134–135. Faisons cependant remarquer que l'expression „dès le commencement" ne doit pas être comprise d'une durée temporelle; dans les écrits de Sagesse, elle signifie pratiquement „dès l'éternité" (cf. plus haute p. 384s).

[40] Cf. *Augustin,* In Joannem, 39,1–5 (PL, 35, 1682–83); pour saint Ambroise, le texte indique la divinité et l'éternité du Christ, cf. In Lc., X, 112 (CSEL, 32, 19–22); De fide, III, 7,49 (CSEL, 78, 125s.); V, 10,121 (ib., 262). D'après *Vigile de Thapse,* Contra Varimadum, I, 12 (PL, 62, 362), les Ariens utilisaient ce verset comme un argument contre l'éternité du Fils (il a eu un „commencement"). Mais on voit qu'au sens sapientiel ἀρχή se rapproche de l'idée de „principe métaphysique" que l'on trouve souvent chez les Pères.

sens sapientiel: „principium" désigne alors le commencement absolu de la vie en Dieu, la préexistence, l'éternité. C'est l'exégèse qu'avait déjà excellemment formulée à la Renaissance le Cardinal Tolet[41].

2. *Le „commencement" de l'histoire du salut.*

Outre le commencement absolu de la vie en Dieu, Jean mentionne également le commencement fondamental pour les hommes, le début de l'histoire du salut, le début de l'humanité. Dans la discussion sur la véritable postérité d'Abraham, en 8,31–59, Jésus indique aux Juifs la raison de leur incrédulité: „Votre père, c'est le diable; vous êtes du diable; et ce sont les désirs de votre père que vous voulez accomplir. Il était meurtrier *dès le commencement* (ἀπ' ἀρχῆς); et il n'était pas établi dans la vérité, parce qu'il n'y a pas de vérité en lui" (v. 44).

Les mots ἀπ' ἀρχῆς se rapportent certainement à l'action du démon décrite au début de la Genèse; mais cette influence néfaste qu'il exerce depuis toujours est décrite ici comme l'anticipation de son action *présente* et comme la cause de l'incapacité des Juifs de croire en Jésus. Les mots „il était meurtrier depuis le commencement" ne sont pas une allusion au meurtre de Caïn, mais au fait que le diable a fait entrer la mort dans le monde (Sag 1,13–15; 2,24; cf. Gen 2,17; 3,19): il s'agit directement de la mort spirituelle. C'est aussi le sens de ἀνθρωποκτόνος dans S. Jean: est „meurtrier", d'après 1 Jn 3,14–15, celui qui étouffe en soi-même l'amour fraternel et la vie divine. En Jn 8,44, l'action du diable sur les Juifs est „meurtrière" parce qu'il tue leur foi en Jésus et leur enlève la possibilité de devenir enfants de Dieu. L'action du diable, certes, a ses lois propres, mais elle est décrite ici à partir de son action concrète sur les Juifs. Contrairement à ce qu'ils prétendent, ils n'ont pas Dieu pour Père (v. 42); leur père, c'est le diable (v. 44). Or le diable est le père du mensonge (*ibid.*); c'est lui qui inspire le „mensonge" des Juifs (v. 55), c'est-à-dire leur incroyance, leur refus de la vérité. Cette action du diable a nécessairement les caractéristiques qui sont décrites ici, car, „quand il profère le mensonge, il parle de son propre fonds"; or, précisément, „il n'y a pas de vérité en lui" (v. 44).

[41] *F. Toletus,* In Sacrosanctum Iohannis Evangelium Commentarii, Coloniae Agrippinae 1599, 749–50: „*Principium* positum est per modum adverbii... A principio ego sum, qui nullo concludor tempore, qui omnia praecedo, apud quem non est fuisse, et fore, sed semper esse. *Qui et loquor vobis,* id est, qui etiam hoc ipsum vobis annuncio, et praedico, quando dixi *Ego sum*... qui enim a principio est, semper est, solusque dicere absolute potest *Ego sum*... Adverte ibi *A principio* supplendum esse verbum *Sum*...".

Le „commencement“ dont Jean parle ici est bien, certes, le début de l’histoire du salut; mais il est présenté par Jean comme une anticipation du dualisme eschatologique du temps de Jésus, c’est-à-dire comme une préfiguration de l’opposition entre le diable et Jésus, entre le mensonge et la vérité. Proleptiquement, le diable, pour Jean, est dès le commencement l’adversaire de Jésus. C’est pourquoi l’ἀρχή du temps du salut reçoit ici une coloration à la fois christologique et eschatologique (cf. le cas analogue de Jn 8,58): le début de l’histoire est déjà marqué par le contraste eschatologique entre le mensonge et la vérité; l’sapect spécifique de ce contraste vient de l’option *devant le Christ,* option qui se traduit par l’incrédulité ou la foi.

Le mot ἀρχή a donc ici une double résonance: il indique formellement le début de l’histoire du salut; mais ce „début“ est déjà marqué par une prise de position, positive ou négative, devant Jésus et sa vérité[42]. En ce sens, *Jésus lui-même,* qui propose sa vérité, est déjà mystérieusement présent „dès le commencement“.

3. *Le „commencement“ de la vie en commun de Jésus avec ses disciples.*

Dans les quatre textes de l’évangile qui restent à considérer (2,11; 6,64; 15,27; 16,4), l’ἀρχή se réfère toujours au début de la vie publique de Jésus. Mais ce début est considéré par Jean d’un point de vue spécifique: ce n’est pas le commencement de la prédication de l’Evangile, comme chez Luc, mais le commencement des rapports entre *Jésus* et ses *disciples.* C’est particulièrement évident dans les deux derniers passages:

15,27 ... ἀπ’ ἀρχῆς μετ’ ἐμοῦ ἐστε
16,4 ... ἐξ ἀρχῆς οὐκ εἶπον, ὅτι μεθ’ ὑμῶν ἤμην

Nous examinerons d’abord les trois textes où le sujet de l’action est Jésus (2,11; 6,64; 16,4), puis celui où il est question des disciples (15,27).

a) La première mention du mot ἀρχή après le prologue se lit en conclusion du récit des noces de Cana: „Tel fut *le commencement des signes* (τὴν ἀρχὴν τῶν σημείων) de Jésus, à Cana de Galilée; il manifesta sa gloire et ses disciples crurent en lui“ (2,11). Vu l’importance que Jean accorde à la communauté de Jésus et des siens, on peut se demander pourquoi il ne situe pas l’ἀρχή dès le moment de la vocation des disciples (1,35–51). S’il ne le fait pas, c’est semble-t-il, parce que Jésus, à ce moment, ne se révèle pas encore. Cette révélation commence à Cana.

[42] Pour de plus amples développements sur Jn 8,44, voir notre ouvrage: La vérité dans S. Jean Rome 1977, tome II, chap. XII, § 1: „Le mensonge et la vérité“.

Le changement de l'eau en vin est le signe de l'inauguration des temps messianiques. Le vin que Jésus procure symbolise la révélation définitive qu'il apporte, et qui doit remplacer la Loi de Moïse, représentée par l'eau des jarres[43]. L'époux, qui „a gardé le bon vin jusqu'à présent" (v. 9), est pour Jean l'image de Jésus lui-même (cf. 3,29), avec qui vont commencer les noces messianiques. A travers ces symboles, Jésus „manifesta sa gloire" (v. 11). A la suite d'Origène, d'Abbott et Barrett[44], attirons l'attention sur l'étrangeté de la tournure ταύτην ἐποίησεν ἀρχὴν τῶν σημείων[45]. S'il avait simplement voulu parler du *premier* des signes, Jean aurait plutôt écrit τοῦτο πρῶτον σημεῖον ἐποίησεν[46]. Par la formule qu'il emploie, Jean semble vouloir suggérer que le „signe" de Cana est typique, représentatif: „Plus que le premier des ‚signes' il est l'archétype dans lequel est préfigurée et précontenue toute la série"[47]; il est un geste symbolique qui donne le sens profond de toute l'œuvre de Jésus, qui était de „manifester sa gloire"; son œuvre consistait essentiellement à apporter la révélation, la grâce de la vérité (1,14–18).

Il n'est pas indifférent non plus que Jean ne parle de cette révélation que par rapport aux disciples: „Et ses disciples crurent en lui"[48]. Le signe de Cana constitue donc le début de l'*auto-manifestation de Jésus* aux siens, le début aussi de leur découverte de son mystère, le début de leur *foi*[49].

b) Le thème du „commencement" est également lié à la foi en 6,64. Après le discours sur le pain de vie, l'incrédulité des Juifs gagne peu à peu les disciples.

[43] Cf. la thèse dactylographiée de *A. Serra,* Contributi dell'antica letteratura giudaica per l'esegesi di Gv 2,1–12 e 19,25–27, Roma (Ist. Bibl.) 1975, cap. III: „Il simbolismo del vino di Cana e i suoi antecedenti biblico-giudaici".

[44] *E. A. Abbott,* Johannine Grammar, n° 2386; *C. K. Barrett,* John 161.

[45] Le caractère quelque peu insolite de la formule se reflète dans la transmission du texte: deux témoins ont inséré πρωτην (après Γαλιλαιας, S*; πρωτην αρχην εποιησεν, P[66]*); chez les latins: *primum,* b; *primum initium,* f q; un grand nombre ajoute l'article: την αρχην.

[46] Formule d'Epiphane, dans *E. A. Abbott,* Johannine Grammar, n° 2386*e*; cf. aussi la formule de Chrysostome citée immédiatement après. Jean aurait également pu écrire: ἀρχὴ τῶν σημείων τοῦτο ἐγένετο (cf. *Fl. Josèphe,* Ant., 8,229: ἀρχὴ κακῶν τοῦτο ἐγένετο).

[47] *D. Mollat,* dans la Bible de Jérusalem (éd. en fascicules), ³1973. Du point de vue philologique, cette interprétation peut s'autoriser d'un texte d'*Isocrate* (Panégyrique, 38), où l'on trouve pratiquement la même formule: ἀλλ' <u>ἀρχὴν μὲν</u> ταύτην ἐποιήσατο τῶν εὐεργεσιῶν, τροφὴν τοῖς δεομένοις εὑρεῖν,... ἡγουμένη δὲ... οὕτως ἐπεμελήθη <u>καὶ τῶν λοιπῶν</u>...
„Le premier des services" rendu par la ville d'Athènes est entendu ici moins au sens chronologique que suivant l'ordre d'importance, car il est opposé à „tout le reste".
Sur la portée symbolique de l'ἀρχή en Jn 2,11, voir *B. Olsson,* Structure and Meaning in the Fourth Gospel, Lund 1974, 63–69.

[48] *Loisy,* Le Quatrième évangile 280: „Dans la pensée de l'évangéliste, ce miracle est fait pour les disciples, et la ‚gloire' de Jésus ne s'est révélée qu'à eux en cette circonstance."

[49] Non sans raison, le verbe πιστεύειν, pourtant si fréquent dans le IVᵉ évangile (98x), ne paraît nulle part dans le chapitre I, après le prologue; son premier emploi est précisément celui de 2,11.

Et Jean commente: „Jésus savait en effet *dès le commencement* (ἐξ ἀρχῆς) qui étaient ceux qui ne croyaient pas et qui était celui qui le livrerait." Les interprètes anciens situaient volontiers ce „commencement" dans l'éternité ou au moment de la création[50]. Mais il faut remarquer avec Loisy[51] que l'économie du discours et la comparaison avec d'autres passages (15,27; 16,4) demandent que l'on reste dans le temps. Jean songe presque certainement, ici encore, au début de la vie publique (le moment de l'élection des Douze; cf. 6,70): „dès le commencement"(ἐξ ἀρχῆς) Jésus *savait* (ᾔδει) que Judas le trahirait. Dans tout le N. T. ἐξ ἀρχῆς ne paraît qu'ici et en 16,4; ailleurs on trouve toujours ἀπ' ἀρχῆς (dans 21 cas, dont 11 dans S. Jean). Quoi qu'en disent certains, les deux formules ne sont pas équivalentes. D'autres emplois des deux prépositions montrent que Jean les distingue[52]: ἀπό indique un point de départ, certes, mais dont on est déjà distant; ἐκ concentre l'attention sur l'*origine elle-même* et suggère l'image de ce qui coule d'une source en un flot continu[53]. Ce n'est pas par hasard que ἀπ' ἀρχῆς est utilisé pour les *disciples* (15,27) et ἐξ ἀρχῆς pour *Jésus* (6,64; 16,4). En lui, „le commencement" est toujours présent. Il reste proche du moment actuel, sans écart de temps entre les deux. En 6,64, ᾔδει γὰρ ἐξ ἀρχῆς ὁ' Ιησοῦς met en lumière la continuité naturelle et sereine de la connaissance de Jésus „dès le commencement", dès la première révélation qu'il en fit aux siens.

Cette interprétation est confirmée par l'emploi du verbe οἶδα (6,61.64; 13,11), que Jean distingue consciencieusement de γινώσκω[54]: il emploie γινώσκω pour décrire l'acquisition d'une connaissance humaine par Jésus (= apprendre, constater, etc.), mais il réserve οἶδα à sa connaissance des choses divines[55]; ce „savoir" a quelque chose d'absolu. Les diverses réactions des disciples devant sa révélation, leur murmure (6,61), leur manque de foi (6,64), le fait

[50] Théophylacte, Rupert de Deutz, saint Thomas, Tolet.

[51] *Loisy,* Le Quatrième évangile 474.

[52] Cf. l'emploi de ἐκ, παρά et ἀπό avec ἐξέρχομαι (quelques indications dans *E. A. Abbott,* Johannine Grammar, n° 2326): quand c'est Jésus qui prend la parole, les prépositions employées sont ἐκ (8,42; 16,28) ou παρά (16,27; 17,8): elles mettent l'accent sur son *origine en* Dieu (ἐκ) ou sa *proximité* avec lui (παρά); quand au contraire l'évangéliste ou les disciples parlent de Jésus, le verbe est construit avec ἀπό (13,3; 16,30), car Jésus est venu de Dieu: auprès d'eux, il est „distant" de Dieu. Pour plus de détails, voir *I. de la Potterie, S. Lyonnet,* La Vie selon l'Esprit, condition du chrétien, Paris 1965, 131, n. 1; cf. aussi *E. A. Abbott,* Johannine Grammar, n° 2292.

[53] *B. F. Westcott,* John 226, à propos de ἐξ ἀρχῆς en Jn 16,4*b*: „The proposition suggests the notion of that which flows ‚out of' a source in a continuous stream... Comp. Isa. 40,21; 51,26; 43,9 (LXX); Eccles. 39,32." C'est à tort que *J. H. Bernard,* John 218 et 502, affirme qu'il n'y a pas de différence entre ἐξ ἀρχὴς et ἀπ' ἀρχῆς.

[54] Cf. notre article: Οἶδα et γινώσκω. Les deux modes de la connaissance dans le quatrième évangile: Bibl 40 (1955) 709–725 (surtout p. 716). Nous en reprenons ici quelques éléments.

[55] Par exemple, sa connaissance de Dieu ([ἐγὼ] οἶδα αὐτόν, 7,29; 8,55) ou des événements de l'Heure (13,1.4; 18,4; 19,28).

que l'un d'entre eux deviendrait un traître (6,64; 13,11), tout cela, Jésus le „savait“ parfaitement (εἰδώς, ᾔδει), „depuis le commencement“; il ne le savait pas par d'autres, mais „en lui-même“ (6,61).

Le „commencement“ dont Jean parle en 6,64 n'indique donc pas simplement un fait extérieur, le début du ministère de Jésus; Jean songe plutôt au début de la *révélation,* celle que Jésus fit progressivement aux siens, lorsqu'il commença à manifester la „connaissance“ parfaite qu'il possédait de tout ce qui concernait l'œuvre du Père.

c) L'autre texte où ἐξ ἀρχῆς est appliqué à Jésus se lit à la fin des discours d'adieux. Après avoir annoncé aux disciples qu'ils auraient à subir des persécutions et la haine du monde (15,18–16,4*a*), Jésus conclut: „Je ne vous ai pas dit cela *dès le commencement,* parce que j'étais avec vous“ (16,4*b*). Nous n'avons pas à traiter ici le problème de l'accord entre Jean et les synoptiques. C'est l'expression johannique ἐξ ἀρχῆς qui nous intéresse. Les commentateurs d'ordinaire ne s'y arrêtent pas ou se bornent à dire qu'elle indique „le début du ministère“[56]. Mais Jean songe-t-il vraiment ici au début de la prédication de Jésus? Il considère plutôt le début de ses entretiens avec les disciples et de sa présence auprès d'eux: à cette époque, Jésus ne devait pas encore leur parler des persécutions futures, parce qu'il était lui-même avec eux (μεθ' ὑμῶν ἤμην).

L'expression ἐξ ἀρχῆς, qui est jointe à οὐκ εἶπον, se réfère à cette époque où Jésus commençait à *dire* certaines choses *aux disciples.* Dans le contexte du discours après la Cène, ce οὐκ εἶπον de jadis forme contraste avec le ἐγὼ εἶπον ὑμῖν de maintenant, qui désigne le discours actuel, et qui est cependant placé à l'aoriste parce qu'il est déjà considéré comme passé, et présenté ici à partir du souvenir (ἵνα . . . μνημονεύητε) qu'en auront bientôt les disciples. Mais l'énoncé direct du discours, au moment de la Cène, est indiqué deux fois par le parfait-présent ταῦτα λελάληκα ὑμῖν qui forme inclusion (16,1.4*a*). L'alternance λαλεῖν/λέγειν a son importance: c'est uniquement au moment présent que ses paroles de Jésus sont présentées comme une révélation (λελάληκα); naguère, au début, il n'en était pas encore question (οὐκ εἶπον); et plus tard, les disciples risquent à nouveau de l'oublier. Trois époques sont donc considérées ici:

le „début“	ἐξ ἀρχῆς οὐκ εἶπον
le présent	ταῦτα λελάληκα ὑμῖν
le futur	ἵνα, ὅταν...
	μνημονεύητε... ὅτι ἐγὼ εἶπον ὑμῖν.

56 *R. E. Brown,* John 704: „the beginning of the ministry“.

Toutes trois sont unies entre elles par le thème de la *parole* de Jésus: „au début", quand Jésus était avec les siens, cette parole restait encore cachée (οὐκ εἶπον); à la Cène, il la leur communique, et elle est pour eux une vraie révélation (λελάληκα); plus tard, elle risque à nouveau d'être obscurcie, à cause des persécutions, mais le souvenir de cette parole (εἶπον) en fera apparaître toute la portée révélatrice, et ainsi elle préservera les disciples du scandale (v. 1).
Ces diverses considérations étaient nécessaires pour faire voir de quel point de vue Jean considère le ἐξ ἀρχῆς de 16,4*b*. Le point de vue est pratiquement le même qu'en 6,44. „Au commencement" Jésus n'avait encore rien *dit* aux disciples (οὐκ εἶπον); mais, bien que le ᾔδει de 6,64 ne soit pas employé ici, tout laisse entendre que Jésus *savait* déjà parfaitement à cette époque qu'ils allaient au devant des persécutions (cf. le ᾔδει de 6,64). Pourtant Jésus ne leur dit encore rien: il réservait cette révélation pour le moment de l'Heure; cette révélation aurait pour but d'affermir un jour les disciples dans leur foi. La chose est donc claire: „le commencement" de la vie publique, dont parle ici Jésus, est considéré du point de vue de la *révélation* qu'il apportait; „au commencement", quand Jésus était avec les siens, cette révélation restait encore implicite; elle était cependant déjà là, si l'on peut dire, dans la claire *connaissance* que Jésus avait des événements futurs; au moment de l'Heure, par contre, il en ferait la révélation explicite, pour affermir les disciples dans la foi, quand ils seraient exposés à la haine du monde[57].
Ici de nouveau, on saisit la raison du choix de ἐξ ἀρχῆς (de préférence à ἀπ' ἀρχῆς). Entre la connaissance de Jésus „au commencement" et celle de maintenant, il n'y a aucune différence, aucune évolution; le changement se fait dans la révélation faite aux disciples: d'un οὐκ εἶπον de naguère Jésus passe à un λελάληκα actuel (avec un changement de λέγειν en λαλεῖν). C'est donc bien la *continuité* qui est soulignée ici. L'ἀρχή envisagée ici est le commencement de la présence de *Jésus* auprès des siens, le commencement surtout de la *révélation* qu'il leur fit.
d) Le dernier texte qui reste à considérer (15,27) précède de quelques versets celui que nous venons d'analyser (16,4); il présente le point de vue inverse et complémentaire: celui de la présence des *disciples* auprès de Jésus. Le contexte est celui de la troisième promesse du Paraclet: „. . .l'Esprit de vérité, qui vient du Père, il me rendra témoignage. Mais vous aussi vous (me) rendez témoignage, parce que vous êtes avec moi *depuis le commencement* (ἀπ' ἀρχῆς)." Plus que partout ailleurs on fait fausse route, quand on voit dans ce

[57] En ce sens on peut dire avec *A. Loisy,* Le Quatrième évangile 777, au sujet du Christ qui parle en 16,4*b*: „Il est censé en face des apôtres et il parle à l'Eglise."

„commencement“ le début de la vie publique de Jésus et de son ministère[58]. Le sujet du verbe, ici, n'est pas Jésus mais les disciples. Le texte est formel: il s'agit de la vie *des disciples avec Jésus*. Cette présence auprès de lui est présentée ici comme la condition fondamentale de leur témoignage. Mais Jésus distingue un double témoignage: celui du Paraclet (ἐκεῖνος μαρτυρήσει) et celui des disciples (καὶ ὑμεῖς δὲ μαρτυρεῖτε). Le premier, qui en un sens est requis par le second, est un témoignage intérieur: l'Esprit de vérité leur donnera „l'intelligence profonde du Christ“[59], sans laquelle eux-mêmes ne pourraient pas devenir de vrais témoins[60]. La foi en Jésus est donc indispensable au témoignage.

Mais une autre condition est encore plus fortement soulignée: il faut être *avec Jésus* (cf. le ὅτι causal de 15,27*b*). La même condition était déjà posée dans la communauté primitive, pour qu'un disciple pût devenir témoin de la Résurrection (Act 1,21–22). D'après ce passage des Actes, comme il est normal, la vie avec Jésus et le témoignage pascal se situent à deux étapes *successives*[61]. Au contraire, dans le texte de Jean, être avec Jésus et témoigner, employés tous deux au présent, semblent étrangement *coïncider*: „Vous *rendez* témoignage, parce que vous *êtes* avec moi depuis le commencement.“ Dans cette description du témoignage des disciples, toute l'attention de l'évangéliste se concentre sur la présence des disciples auprès de Jésus. Barrett[62] a raison lorsqu'il écrit que le présent ἐστέ suggère l'idée de continuité: les disciples ont été avec Jésus depuis le commencement, ils le sont toujours en ce moment de la Cène, et ils ne pourront plus vraiment être séparés de lui, puisqu'il reviendra (14,3.18.28). Les deux présents de 15,27 (μαρτυρεῖτε, ἐστέ) décrivent une sorte d'état permanent du disciple de Jésus: il est toujours „avec lui“ et il lui „rend témoignage“[63]. Ce témoignage des disciples est déjà actuel et déjà recevable, „comme celui de gens qui ont tout vu depuis le commencement“[64].

[58] On s'étonne de trouver cette explication chez *B. F. Westcott,* John 225: „Here it expresses the commencement of Messiah's public work (Acts 1,22; Luke 1,2).“ Ce rapprochement avec les textes lucaniens ne peut qu'induire en erreur.

[59] TOB, note *s,* à Jn 15,27.

[60] Voir Le Paraclet, in: La Vie selon l'Esprit, condition du chrétien, Paris 1965, 85–105 (cf. 98–99).

[61] Remarquer, dans Act 1,21–22, la forte opposition temporelle entre deux périodes: d'une part, le *passé,* celui de la vie publique de Jésus („des hommes qui nous *ont accompagnés* durant tout le temps où le Seigneur Jésus *a marché* à notre tête... jusqu'au jour où il *fut enlevé*“); de l'autre, l'*avenir* tout proche („il faut que l'un d'entre eux *devienne* avec nous témoin de sa Résurrection“).

[62] *C. K. Barrett,* John 403.

[63] D'ordinaire on traduit ce présent μαρτυρεῖτε par un futur (p. ex. la Vulgate: „perhibebitis“) ou on lit dans ce présent l'indication d'une tâche à accomplir („Ihr seid [zu] Zeugen [bestimmt]“, *R. Bultmann,* 426, n. 6). Est-ce bien nécessaire? On affaiblit ainsi la forte union que Jean a voulu mettre entre leur *présence* auprès de Jésus et leur *témoignage:* le témoin est essentiellement „avec Jésus“. Du moment que cette présence est assurée, le témoignage extérieur vient tout seul.

[64] *M.-J. Lagrange,* Marc 414.

Dans une telle présentation des choses, il est clair que le moment passé du commencement s'estompe au loin (d'où ἀπό). Il est rappelé cependant, mais pour sa valeur de symbole, de paradigme: l'ἀρχή est le commencement, le modèle, d'un état permanent, actuel, à savoir l'état de disciple, l'état de ceux qui „sont avec Jésus". Cette présence est la condition fondamentale de leur témoignage; elle devient même, peut-on dire, l'objet dont ils témoignent.

III L'ἀρχή dans les épîtres

Il importe avant tout de constater que l'emploi du terme dans les épîtres est stéréotypé (ce n'était pas le cas dans l'évangile): il revient dix fois, toujours dans la formule fixe ἀπ' ἀρχῆς. Ces textes, ici encore, se répartissent fondamentalement en deux séries, selon qu'il s'agit du Christ ou des croyants. Ce sont les deux étapes que nous suivrons dans notre exposé. Mais on verra que, dans les deux cas, l'ἀρχή est liée de quelque manière au début du message chrétien.

1. *La manifestation de Jésus Christ: le commencement du christianisme.*

Dans trois textes de la première épître, ἀπ' ἀρχῆς se rapporte à Jésus Christ, et doit presque certainement être compris de la même manière: ὃ ἦν ἀπ' ἀρχῆς en 1,1, et τὸν ἀπ' ἀρχῆς qui est répété deux fois en 2,13–14.
a) Le sens de la formule d'ouverture de l'épître est toujours controversé. Pour la plupart des commentateurs, elle aurait le même sens que ἐν ἀρχῇ en Jn 1,1–2, et décrirait donc le commencement absolu, l'éternité du Verbe de vie. Mais nous ne pouvons nous résoudre à négliger si allègrement la différence importante entre „*depuis* le commencement" (qui considère un *déroulement temporel* à partir d'un moment donné) et „*au* commencement" (qui indique simplement le *point* initial). Nous nous rallions donc à l'opinion de ceux qui estiment que ὃ ἦν ἀπ' ἀρχῆς doit se référer à un événement *historique,* considéré comme point de départ d'une période qui se prolonge jusqu'au temps de l'auteur; et cela d'autant plus que la formule technique ἀπ' ἀρχῆς est toujours prise au sens historique ailleurs dans les épîtres (1 Jn 2,7.24[bis]; 3,8.11; 2 Jn 5.6). En outre, la construction de la phrase montre que la formule est étroitement liée au kérygme: ὃ ἦν ἀπ' ἀρχῆς est parallèle à ὃ ἀκηκόαμεν, ὃ ἑωράκαμεν (qui est repris en ordre inverse au v. 3); or ces trois relatives sont le complément direct de ἀπαγγέλλομεν (v. 3), et décrivent donc l'objet du message chrétien, qui est la révélation de Dieu en Jésus Christ. Cela est encore plus apparent quand on considère la reprise des mêmes idées au v. 5:

vv. 1–3	v. 5
ὃ ἦν ἀπ' ἀρχῆς	...ἡ ἀγγελία
ὃ ἀκηκόαμεν...	ἣν ἀκηκόαμεν...
ἀπαγγέλλομεν καὶ ὑμῖν	ἀναγγέλλομεν ὑμῖν

Mais surtout, il faut tenir présente à l'esprit la préoccupation majeure de l'auteur: il veut préserver l'Eglise des doctrines hérétiques; contre innovations gnosticisantes, il en appelle à la permanence de la tradition, „depuis le commencement"[65].

A quel moment concret de l'histoire se situe ce „commencement"? C'est parce que ce point-ci n'a pas été suffisamment élucidé que l'interprétation historique de 1 Jn 1,1 n'a pu s'imposer. Les uns, en raison du contact de notre verset avec les formules kérygmatiques de l'épître, voient dans l'ἀρχή de 1 Jn 1,1 le début de la prédication chrétienne[66]; d'autres le font remonter à la vie de Jésus, soit au début de son ministère[67], soit même à l'Incarnation[68]. La première de ces exégèses doit certainement être exclue. Car les parallélismes signalés ci-dessus montrent que ὃ ἦν ἀπ' ἀρχῆς n'indique pas le message lui-même (ἡ ἀγγελία, v. 5), mais son *objet* (cf. les vv. 1–3: ὃ... ἀπαγγέλλομεν). D'autre part, ces mots décrivent aussi l'objet de l'expérience qu'ont faite jadis les premiers témoins de la vie du Christ (ὃ ἀκηκόαμεν, etc.). „Ce qui était au commencement" doit donc se situer dans la vie publique de Jésus. Ceci exclut la référence au moment de l'Incarnation. Mais il ne suffit pas non plus de parler avec R. Law du début du *ministère* de Jésus. Nous avons constaté, à propos de l'évangile, combien une telle formule est ambiguë. L'ἀρχή, quand elle se rapportait à Jésus, indiquait plutôt le début de sa *révélation* aux disciples. Or, on est frappé de constater que c'est exactement ce que dit le prologue de l'épître: l'ἀρχή mentionnée ici est expliquée dans le double ἐφανερώθη du v. 2; dès lors, le commencement absolu du christianisme,

[65] *H. H. Wendt,* Der „Anfang", note fort bien que le problème brûlant était de savoir „wie es sich mit dem ‚Anfange' des Christentums verhalte, in welchem Verhältnis derselbe zu den bedeutsamen neuen Ideen und Forderungen der jungen Generation stehe, ob er durch diese Neuerungen eine wesentliche Ergänzung und Verbesserung erfahre, oder ob man an den Gebräuchen und Lehren des Anfangs festhalten solle" (p. 42).
Voir une discussion de toute la question dans *M. Kohler,* Le cœur 21–23. *H. Conzelmann,* „Was von Anfang war", qui a bien montré que „der Anfang der Kirche" est peut-être le thème central de la première épître, maintient cependant pour 1 Jn 1,1–2 l'exégèse courante: „der Verf. redet hier vom absoluten Beginn" (p. 195).

[66] *W. Karl,* Johanneische Studien. I: Der erste Johannesbrief, Freiburg i.B., 1898, 2; *M. Goguel,* La naissance du christianisme, Paris 1946, 398.

[67] *R. Law,* The Tests of Life, London 1909, 369.

[68] *R. Bultmann,* Johannesbriefe 15.

pour Jean, c'est *le commencement de la manifestation de Jésus Christ aux premiers témoins.* Cette manifestation a d'abord été pour eux l'objet d'une *expérience* (ἀκηκόαμεν, etc.), pour devenir ensuite celui de leur *proclamation* (ἀπαγγέλλομεν). C'est dans cette ligne que s'orientait déjà l'exégèse de H. H. Wendt[69]; mais nous la préciserions en reprenant une formule heureuse de R. Bultmann: „Der Ursprung des geschichtlichen Ereignisses des φανερωθῆναι ist gemeint"[70].

On comprend alors la portée de la formule „*depuis* le commencement". La manifestation, qui a été pour les disciples le point de départ d'une vie nouvelle, demeure présente dans leur foi et devient l'objet de leur message aux chrétiens. Le caractère permanent et actuel de cette expérience des témoins est nettement souligné (cf. les parfaits ἀκηκόαμεν, etc.). Il apparaît aussi qu'il ne s'agissait pas simplement, jadis, d'un „entendre" ou d'un „voir" corporel et transitoire; à travers ce contact sensible, les premiers disciples avaient découvert en Jésus le Verbe de vie et le Fils de Dieu. Le contact extérieur avec lui avait été leur privilège; mais leur perception du mystère de Jésus était de l'ordre de la foi, et devait, comme telle, être transmise à la communauté chrétienne. L'expérience du début était cependant normative pour le temps à venir. Naguère comme maintenant, „ce qui était depuis le commencement", c'est *le dévoilement du mystère de Jésus,* le dévoilement du rapport entre le Fils et le Père (vv. 2–3); il allait devenir l'objet de la foi des chrétiens.

b) Nous serons très brefs pour la formule ἐγνώκατε τὸν ἀπ' ἀρχῆς de 2,13–14, parce que nous en avons déjà parlé ailleurs[71] et que le sens est pratiquement le même qu'en 1,1. Les trois versets 2,12–14 sont comme un condensé de l'épître: devant le danger des doctrines hérétiques, Jean y affirme avec force que seuls les croyants possèdent la vraie connaissance, celle du Père et de „celui qui est depuis le commencement"; par cette connaissance, ajoute-t-il, ils sont

[69] Der „Anfang" 41: „Nicht die Person Jesu Christi, wohl aber die Sache, die durch Jesus in der Welt zur Erscheinung gebracht ist...". Et plus loin: „das von Jesus in die Welt gesetzte Christentum". Mais ces formules sont trop vagues: la „cause" de Jésus, le „christianisme", ne sont en définitive rien d'autre que le *dévoilement* du mystère du *Christ,* d'abord perçu par les témoins, puis proclamé au monde.

[70] *R. Bultmann,* Johannesbriefe 15, n. 1. Aussi ne comprenons-nous pas en quel sens Bultmann parle ici (p. 15, dans le texte) de l'*Incarnation* (le mot est placé entre guillemets). Cf. plutôt la remarque très juste de *H. Conzelmann,* („Was von Anfang war" 199–200, n. 20): „Die tragenden Elemente sind Augenzeugenschaft, Verkündigung, Bindung an die Tradenten (‚Gemeinschaft'). Die gegenwärtige Gemeinschaft hat ein historisches Fundament, und das Historische reicht in die jetzige Sozietät hinein." Mais pourquoi interprète-t-il alors l'ἀρχή de la préexistence du Verbe? Voir encore *A. Loisy,* Le Quatrième évangile 531: „le Christ en sa manifestation terrestre".

[71] Cf. La connaissance de Dieu dans le dualisme eschatologique d'après I Jn II,12–14, in: Au service de la Parole de Dieu. Mélanges... A. M. Charue, Gembloux 1969, 77–99 (cf. 94–96).

les vainqueurs du Mauvais. Dans ce contexte polémique du dualisme eschatologique, Jean fonde la foi chrétienne sur la fidélité à la tradition. „Celui qui est depuis le commencement", c'est le Christ qui, jadis, s'est fait connaître aux disciples comme le Fils de Dieu. Ici comme au début de l'épître, le „commencement" est ce moment de l'histoire où le Christ s'est manifesté aux siens: là se situe le commencement absolu du christianisme[72].

c) L'unique passage de la première épître où ἀπ᾿ ἀρχῆς est appliquée au diable (3,8) peut être traité ici, car il est considéré dans une perspective christologique. Le cas est semblable à celui de Jn 8,44, dont nous avons parlé plus haut. Dans 1 Jn 3,3–9, Jean cherche à spécifier ce qu'est le péché caractéristique du dualisme eschatologique: c'est le péché d'incrédulite. En songeant à ce péché typique des antichrists, il écrit au v. 4: „Quiconque commet le péché commet aussi l'inquité; car le péché, c'est l'iniquité"[73]. Ce verset est parallèle au v. 8: „Qui commet le péché est du diable, parce que *depuis l'origine* (ἀπ᾿ ἀρχῆς) le diable est pécheur (ἁμαρτάνει)." L'incrédulité typique du dualisme eschatologique, l'iniquité, a pour Jean un caractère diabolique; elle ne peut s'expliquer que par l'action du diable; celle-ci, dès le commencement, a une orientation anti-christologique.

2. *Le message chrétien et le début de la foi.*

A diverses reprises, face aux doctrines hétérodoxes, Jean emploie la formule ἀπ᾿ ἀρχῆς pour rappeler aux chrétiens le début de leur foi: „depuis le commencement", ils ont entendu le message (2,24 [bis: avec inversion]; 3,11; 2 Jn 6); „depuis le commencement" ils avaient le commandement nouveau, celui de s'aimer les uns les autres (2,7; 2 Jn 5).

a) Y a-t-il un lien entre ces textes, qui parlent des chrétiens, et ceux de la série précédente, qui se rapportaient au Christ? Indubitablement. En 1 Jn 1,1, la première „manifestation" historique de Jésus s'adressait déjà à la foi des témoins; cette „découverte" de Jésus Christ devait se transmettre dans la communauté chrétienne. Ainsi, pour tout nouveau croyant, le message provient

[72] Dans la même sens *H. H. Wendt,* Der „Anfang" 40, mais il s'exprime en des termes trop généraux: „Auch hier ist der Anfang des geschichtlichen Christentums gemeint, nicht der Anfang des Christseins speziell der Adressaten, wie in 2,7.24; 3,11, wohl aber der Anfang der einen großen Sache des Christentums, die auch zu den Adressaten gekommen ist und von deren erstem Sein er ihnen etwas mitteilen möchte." Nous préférons la formulation de *M. Kohler,* Le cœur 69: „Connaître celui qui est dès le commencement, c'est savoir qu'en Christ, une vie nouvelle commence, une vie inaltérable, indestructible que rien, même pas la mort, n'est capable de compromettre."

[73] Voir notre article „Le péché, c'est l'iniquité" (1 Jn 3,4): NRTh 78 (1956) 785–797, repris dans: La vie selon l'Esprit, condition du chrétien, Paris 1965, 65–83.

du „commencement“ de sa foi. Ce glissement insensible d'un commencement à l'autre – celui de la manifestation historique de *Jésus* et celui de la foi des *chrétiens* – est encore perceptible ailleurs dans l'épître, mais en ordre inverse, si l'on peut dire: de l'ἀρχή des chrétiens on remonte à l'ἀρχή de Jésus. Dans la section 1 Jn 2,28–28, on lit deux fois l'expression ἀπ' ἀρχῆς (v. 24bis), mais on y rencontre aussi deux fois (vv. 20.27) la métaphore de „l'huile d'onction“, (τὸ) χρῖσμα[74]. Ces différents textes sont liés entre eux:

ἔχετε ἀπὸ τοῦ ἁγίου (v. 20);
ἠκούσατε ἀπ' ἀρχῆς (v. 24);
ἐλάβετε ἀπ' αὐτοῦ (v. 27).

Au v. 20, le χρῖσμα désigne l'enseignement que possèdent *actuellement* (ἔχετε) les croyants; mais en définitive, dit Jean, cet enseignement qui demeure en eux, ils l'ont reçu du *Christ* (ἀπ' αὐτοῦ, v. 27), du *Saint* (ἀπὸ του ἁγίου, v. 20). D'autre part, entre le temps du Christ et le moment présent se situe un autre moment du passé, celui où les croyants ont „entendu“ cet enseignement pour la première fois: c'est ce moment intermédiaire que désigne le mot ἀρχή au v. 24. Trois étapes sont donc évoquées ici. Elles sont en continuité, et finissent par se fondre et s'identifier en profondeur: le commencement historique de la révélation de Jésus (1) est devenu existentiellement pour les chrétiens le commencement de leur foi (2); mais ces deux commencements passés s'actualisent à leur tour dans le moment présent et sont toujours là dans leur foi en Jésus (3).

b) La continuité organique entre l'ἀρχή de Jésus et l'ἀρχή de la foi chrétienne apparaît également quand on considère l'objet des deux verbes qui accompagnent ἀπ' ἀρχῆς dans nos cinq textes. Dans quatre cas (1 Jn 2,7; 3,11; 2 Jn 5–6), l'enseignement que les chrétiens „ont entendu“ ou qu',„ils possédaient *depuis le commencement*“, c'est le commandement nouveau, le message aux disciples de s'aimer les uns les autres, ce qui nous renvoie naturellement au commandement de l'amour donné par Jésus à la Cène (Jn 13,34; 15,12–17; cf. 1 Jn 3,23). En 1 Jn 2,24, „ce que vous avez entendu depuis le commencement“ n'est pas indiqué explicitement. Mais la situation du verset dans la structure concentrique de 2,20–27 permet de préciser (A: 20–21; B: 22–23; A': 24–27): A et A' sont parallèles (A: χρῖσμα, ἀπὸ τοῦ ἁγίου, οἴδατε, ψεῦδος; A': τὸ χρῖσμα, ἀπ' αὐτοῦ, διδάσκει, ψεῦδος) et décrivent la „connaissance“ que possèdent les croyants. L'objet de cette connaissance, „la vérité“ (v. 21), est décrite dans la partie centrale (B: vv. 22–23), et forme contraste avec le „mensonge“ et l'antichrist: le croyant sait que „Jésus est le Christ“ (v. 22); il „confesse le Fils“ (v. 23). C'est là „le message entendu dès le commencement“

[74] Voir L'onetion du chrétien par la foi, in: La vie selon l'Esprit (n. 73), 107–167 (cf. 126–142).

(v. 24). Ceci nous renvoie à la „manifestation“ de Jésus Christ proclamée par les premiers disciples (1,1–2) et, par-delà ce message, à l'expérience qu'avaient faite les témoins „depuis le commencement“ de leur vie avec Jésus (1,1).
L'objet du message aux chrétiens est donc double: d'une part, le dévoilement du mystère de Jésus; de l'autre, le commandement de l'amour. Mais ces deux objets, en définitive, n'en font qu'un, puisque les chrétiens connaissent, dans la foi, le mystère de l'amour (4,16) en contemplant le Fils envoyé par le Père comme Sauveur du monde (4,14).
Le „commencement“ de la foi chrétienne, on le voit, coïncide, dans son objet, avec le „commencement“ absolu du christianisme: soit objectivement (dans l'histoire) soit subjectivement (dans l'accueil des croyants), il s'agit toujours de *la révélation de Jésus Christ,* de ce que Jean appelle *la vérité.* La foi n'est rien d'autre que l'actualisation de cette vérité dans la vie des chrétiens.

Conclusion

Dans tous les textes johanniques que nous avons examinés, la conception de l'ἀρχή est fondamentalement la même. Cette conception est très différente de celles de Marc et de Luc. Le deuxième évangéliste place le „commencement“ du message chrétien dans *la proclamation de Jean-Baptiste.* Luc dédouble le sens du terme: l'ἀρχή est d'une part le début de *la prédication de Jésus,* de l'autre le début du *ministère apostolique,* mais il voit entre les deux un lien profond d'ordre typologique.
Chez Jean le thème se diversifie encore davantage. Comme Luc, il distingue tout d'abord dans l'histoire un double commencement: l'un dans la vie de Jésus; l'autre dans la communauté chrétienne. Mais la perspective n'est plus celle de la proclamation de la parole. Il s'agit toujours, pour Jean, de *la manifestation de Jésus aux disciples,* dans la foi. Ce φανερωθῆναι de Jésus étant d'ordre spirituel, l'identité profonde entre les deux „commencements“ (la révélation aux premiers témoins d'abord, aux chrétiens ensuite) est beaucoup plus grande que chez Luc, où l'on reste davantage sur le plan missionnaire. Mais l'ἀρχή du Christ lui-même, chez Jean, se dédouble à son tour: le terme indique le début de la manifestation *historique* du Christ aux premiers témoins, mais c'était la manifestation d'une réalité *transcendante,* la vie du Verbe tourné vers le Père (1 Jn 1,1–2). La même rencontre de l'horizontal et du vertical se trouve dans le prologue de l'évangile: au plan humain, Jésus Christ s'est fait connaître aux siens comme le Fils unique tourné vers le sein du Père; en cela même il était la plénitude de la révélation et de la vérité (Jn 1,14–18). Mais cette révélation du Verbe fait chair n'était que le reflet ici-bas de la vie en Dieu: la

vie du Verbe éternellement tourné vers Dieu (1,1–2). Le „commencement" *historique* de la révélation était la manifestation d'un autre „commencement", le commencement *absolu* de la vie en Dieu[75]. On le voit, ces deux aspects de l'ἀρχή du Christ – l'aspect historique et l'aspect transcendant – sont intimement liés; car ce que Jésus a dévoilé de lui-même, c'est sa vie filiale, sa relation au Père, la vie qu'il vivait en Dieu; il s'agit d'une réalité unique, considérée à deux plans différents: celui du temps et celui de l'éternité.

On peut donc dire, en définitive, que, dans la théologie johannique, l'ἀρχή absolument première du christianisme et de l'Église, c'est la personne même du Christ, qui révèle le mystère de sa divine filiation. On comprend dès lors que l'Apocalypse johannique, dans la description de l'eschatologie finale, ait pu faire du mot ἀρχή un titre du Christ:

> „Je suis l'Alpha et l'Oméga,
> le Premier et le Dernier,
> le *Commencement* et la *Fin*" (22,13).

[75] Pour cette exégèse de Jn 1,1–2 et 1,14–18, voir notre ouvrage: La vérité dans Saint Jean, Rome 1977, tome I, chap. III.

Ouvrages plus souvent cités

Abbott, E. A., Johannine Grammar, London 1906.
Barrett, C. K., The Gospel according to St. John, London 1955.
Bernard, J. H., A Critical and Exegetical Commentary on the Gospel according to St. John, I–II (ICC), Edinburg 1928.
Brown, R. E., The Gospel according to John, I–II (The Anchor Bible), New York 1966/1970.
Bultmann, R., Das Evangelium des Johannes (Meyer K), Göttingen 1963.
–––––, Die Johannesbriefe (Meyer K), Göttingen 1967.
Conzelmann, H., Die Mitte der Zeit. Studien zur Theologie des Lukas (BHTh 17), Tübingen [3]1960.
–––––, „Was von Anfang war", in: Neutestamentliche Studien für Rudolf Bultmann (BZNW 21), Berlin 1954, 194–201.
Feuillet, A., Etudes johanniques, Desclée De Brouwer 1962.
Kohler, M., Le cœur et les mains. Commentaire de la première épître de Jean, Neuchâtel 1962.
Lagrange, M.-J., Evangile selon saint Marc, Paris 1911.
Loisy, A., Le Quatrième évangile. Les Epîtres dites de Jean, Paris [2]1921.
Samain, E., La notion de ἀρχή dans l'œuvre lucanienne, in: L'Evangile de Luc (éd. F. Neyrinck), Gembloux 1973, 299–328.
Wendt, H. H., Der „Anfang" am Beginne des I Johannesbriefes: ZNW 21 (1922) 38–42.
Westcott, B. F., The Gospel according to St. John, I–II, London (1908) 1958.

ZUR STILISTISCHEN UND SEMANTISCHEN STRUKTUR DER FORMEL VON 1 KOR 15,3–5

Von Franz Mußner

Heinz Schürmann hat sich in seinem umfangreichen Werk auch mit Problemen des „Stils" befaßt; vgl. besonders seinen Aufsatz „Die Überwältigung der antiken Stilregel durch die Geschichte Jesu".[1] So ist es angebracht, in dieser Festschrift für den großen Gelehrten sich in einem Beitrag mit „Stilfragen" zu beschäftigen, und zwar im Hinblick auf die alte Credoformel von 1 Kor 15,3–5. Es wird sich zeigen, daß darüber noch lange nicht schon alles gesagt worden ist.

I. *Parallele Strukturen in der Formel*

Glied	A	B	C	D	E
I	–	ὅτι	Χριστὸς	ἀπέθανεν	ὑπὲρ τῶν ἁμαρτιῶν ἡμῶν κατὰ τὰς γραφάς
II	καὶ	ὅτι	(Χριστὸς)	ἐτάφη	–
III	καὶ	ὅτι	(Χριστὸς)	ἐγήγερται	τῇ ἡμέρᾳ τῇ τρίτῃ κατὰ τὰς γραφάς
IV	καὶ	ὅτι	(Χριστὸς)	ὤφθη	Κηφᾷ, εἶτα τοῖς δώδεκα

Es ist schon längst aufgefallen, daß die Formel des Urcredo von 1 Kor 15,3–5 weithin einen parallelen Aufbau aufweist. J. Jeremias spricht im Hinblick auf die Formel sogar von einem „synthetischen Parallelismus membrorum".[2] Andere folgten ihm darin.[3] Wir haben in den Formelgliedern II, III

[1] In: *H. Schürmann,* Ursprung 3‿6–332.

[2] Abendmahlsworte 96f.

[3] So etwa *K. Lehmann,* Auferweckt 68–70. Auch *J. Kremer* spricht im Hinblick auf die Formel vom „Parallelismus membrorum" (Zeugnis 25f). Mit der „Konstruktion" der Formel von 1 Kor 15,3–5 hat sich am eingehendsten *J. P. Charlot* in seiner umfangreichen Münchener Dissertation: The Construction of the Formula in 1 Corinthians 15,3–5 (München 1968) beschäftigt (mit reicher Literatur). Die Arbeit ist leider nicht durchpaginiert. Ch. berichtet eingehend über die Forschungsgeschichte und faßt sein eigenes Ergebnis so zusammen: die

und IV zu Beginn jeweils ein parataktisches καί (Reihe A) – beim Glied I muß es naturgemäß fehlen. Wir haben viermal in derselben Position stehend das deklarative ὅτι (Reihe B). Subjekt der ganzen Formel ist Χριστός, wenn es auch nur im Glied I erscheint (Reihe C). Die vier Verbalaussagen der Formel stehen in derselben Position (Reihe D). Wir haben schließlich in der Schlußposition (Reihe E) drei Attributive: Im Glied I eine Präpositionalphrase, im Glied III eine Zeitbestimmung, im Glied IV Dativobjekte; nur im Glied II fehlt ein Attributiv, wodurch der Parallelismus der Formel im Grunde empfindlich gestört wird. Die am Ende des Gliedes I und III erscheinende Präpositionalphrase κατὰ τὰς γραφάς steht in derselben Position (am Ende des jeweiligen Gliedes der Formel) und ist zudem gleichlautend.

Wir haben also zweifellos weithin eine parallele Struktur im Aufbau der Formel. Man kann in der Tat mit J. Jeremias von einem „Parallelismus membrorum" in der Formel sprechen; ob allerdings von einem „synthetischen", ist zu bezweifeln (s.u.). Man kann darüber hinaus die Formelglieder I und II bzw. III und IV im Hinblick auf die Verbalaussagen zunächst zusammensehen und die Glieder I und II dem „Todesbereich" (ἀπέθανεν, ἐτάφη), die Glieder III und IV dem „Lebensbereich" (ἐγήγερται, ὤφθη) zuteilen und insofern von einer Zweigliedrigkeit der Formel sprechen bzw. von einem antithetischen Parallelismus membrorum in ihr (Tod vs Leben und umgekehrt); doch auch hier werden sich Zweifel einstellen (s.u.).

Ist damit die Struktur der Formel stilistisch völlig erfaßt? Begibt man sich von der rein formal-syntaktischen Ebene auf die lexematisch-semantische, so fällt in der Reihe D (Verbalaussagen der Formel) nicht bloß der Wechsel der Lexeme, sondern auch die sukzessive Stufung des erzählten Geschehens auf: Christus *starb*, er wurde *begraben*, er ist *auferweckt* worden, er *erschien*: Das ist eindeutig ein Nacheinander. Die Stufen des sukzessiven Geschehens sind miteinander durch ein parataktisches καί verbunden – *dieses* καί *reiht die Stufen aneinander*. Diese Beobachtung führt uns zu einer zweiten Stilfigur in der Formel, nämlich zu der in der Stilistik nicht unbekannten Stilfigur der „enumerativen Redeweise".[4]

Formel ist „an expandable formula constructed by means of a series of ὅτι-clauses, in verses 3f; later become fixed to it; it is also typically expanded by means of free and stereotyped terms, phrases, and clauses, in verses 5ff" (V. 1.). Auf die der Formel zugrundeliegende Stilfigur geht Ch. leider nicht ein. – Eine umfassende Bibliographie (1920–1973) zum Thema „Ostern" im Neuen Testament hat *G. Ghiberti* unter dem Titel „Bibliografia sulla Risurrezione di Gesù" zusammengestellt in: *É. Dhanis* (Hrsg.), Resurrexit 651–745.

[4] Ich habe auf diese Stilfigur in der Formel bereits in meinem Buch: Die Auferstehung Jesu 60–64, angeregt durch *E. Pax*, Die syntaktischen Semitismen im Neuen Testament, in: Stud. Bibl. Francisc. Liber. Ann. XIII (1962/63) 136–162, bes. 156, kurz hingewiesen.

II. „*Enumerative Redeweise*“ *in der Formel*

Die „enumerative Redeweise“ hat es mit dem „sukzessiven Denken“ zu tun. Mit dem sukzessiven Denken im Stil hat sich einst der Professor für vergleichende Sprachwissenschaft an der Universität Breslau W. Havers beschäftigt.[5] Zum sukzessiven Denken gehört auch die parataktische Zerlegung logisch subordinierter Begriffe, „ein weites Gebiet, das auch die sog. Appositio partitiva und distributiva ... in sich schließt“ oder sich „in der *lockeren Art der Satzfügung*“ zeigt[6]. „Kunstvolle Perioden liebt die Volks- und Umgangssprache nicht, und wo die Schriftsprache eine logische Gliederung des Satzgefüges in Haupt- und Nebensatz hat, da stellt die lebendige Rede die Sätze oft gleichberechtigt nebeneinander, man überläßt es dem Hörer, sich ihre gedankliche Beziehung zurecht zu legen. Wenn Cato Or. fragm. 37,3 mit kunstloser Parataxis schreibt: *homines defoderunt in terram dimidiatos ignemque circumposuerunt, ita interfecerunt*, so hätte Cicero denselben Gedanken folgendermaßen ausgedrückt: *homines in terram defossos igni circumposito interfecerunt*.“[7]

Auch die alte Credoformel von 1 Kor 15,3–5 ist ganz deutlich nach der Stilfigur der „enumerativen Redeweise“ aufgebaut, mit deren Hilfe die Etappen eines sukzessiven Geschehens nacheinander genannt werden: „Christus starb und er wurde begraben und er ist auferweckt worden und er erschien“. Die nacheinander folgenden „Etappen“ dieses erzählten Geschehens werden mit Hilfe des parataktischen καί enumerativ aneinandergereiht.[8] Diese Stilfigur in der Formel *überlagert* jene des Parallelismus membrorum, was für die Semantik der Formel nicht ohne Bedeutung ist, wie sich zeigen wird. Nochmals sei darauf hingewiesen, daß, rein formal-syntaktisch gesehen, auch in der

[5] Handbuch der erklärenden Syntax. Ein Versuch zur Erforschung der Bedingungen und Triebkräfte in Syntax und Stilistik (Indogerm. Bibliothek, I. Reihe, Bd. 20), Breslau 1931, 43–48 (freilich allzu knapp).

[6] Ebd. 46f.

[7] Ebd. 47 (unter Verweis auf *E. Norden*, Antike Kunstprosa I, 166). Vgl. auch *W. Havers*, in: Indogerm. Forschungen 45 (1927) 229. Der Ausdruck „enumerative Redeweise“ stammt von *W. Planerts* (Die syntaktischen Verhältnisse des Suaheli, Diss. Leipzig 1907; Hinweis bei Havers).

[8] Vgl. auch *J. Blank*, Paulus 143: „Geht man von der Voraussetzung der Einheitlichkeit der Formel aus, dann ist zur *Form* derselben zu sagen, daß sie die Form des Berichtes hat, die Form ‚heilsgeschichtlicher Erzählung‘ in konzentriertester Weise. Verschiedene Begebenheiten werden aneinandergereiht, doch so, daß sie untereinander in einem Geschehenszusammenhang stehen; sie wollen als ein einziges Geschehen verstanden sein. Das ‚Gestorben-Begraben, Auferweckt-Erschienen‘ stellt sich als eine klare Geschehensfolge heraus, und dies verbietet von vornherein eine Zerstückelung. Dies um so mehr, als von Anfang bis zum Ende die Einheit des Subjekts festgehalten wird, von dem die Begebenheiten ausgesagt werden: Christus“.

Reihe D unseres Schemas eine Parallelität vorliegt, nicht jedoch auf der lexematisch-semantischen Ebene; das gleiche gilt für die Reihe E. Wir haben in der Formel zwar einen strukturellen Parallelismus vor uns, aber keinen semantischen.[9] Das viermalige ὅτι erlaubt zusammen mit dem parataktischen καί eigentlich auch nicht, die Glieder I und II („Todesbereich") und die Glieder III und IV („Lebensbereich") als die beiden Teile eines antithetischen Parallelismus membrorum zu sehen; denn die Etappen des vierstufigen Geschehens werden durch die stereotype Wiederholung des καὶ ὅτι enumerativ und gleichwertig aneinandergereiht.[10] Im übrigen begegnet die Stilfigur der „enumerativen Redeweise" auch häufig in der Septuaginta.

III. Enumerative Redeweise in der Septuaginta

Im folgenden wird ausgewähltes Material aus der Septuaginta vorgelegt, das nach der Stilfigur der enumerativen, parataktischen Redeweise aufgebaut ist, die die einzelnen Etappen eines sukzessiven Geschehens aufzählt.[11]

Gen 18,2b.3: καὶ ἰδὼν προσέδραμεν . . . καὶ προσεκύνησεν ἐπὶ τὴν γῆν *καὶ* εἶπεν . . .

Gen 18,7: *καὶ* εἰς τὰς βόας ἔδραμεν Ἀβρααμ *καὶ* ἔλαβεν . . . *καὶ* ἔδωκεν τῷ παιδί

Gen 28,11b.12: *καὶ* ἔλαβεν . . . *καὶ* ἔθηκεν . . . *καὶ* ἐκοιμήθη . . . *καὶ* ἐνυπνίασθη . . .

Gen 28,18: *καὶ* ἔστησεν . . . *καὶ* ἐπέχεεν . . . *καὶ* ἐκάλεσεν . . .

Gen 42,24: *καὶ* εἶπεν αὐτοῖς *καὶ* ἔλαβεν . . . *καὶ* ἔδησεν . . .

[9] Vgl. dazu auch *M. Z. Kaddari,* A Semantic Approach to Biblical Parallelism: JJSt 24 (1973) 167–175.

[10] *J. Jeremias* vertrat bis einschließlich der 3. Auflage seines Werkes die These, die Partikel καί vor dem Formelglied ἐγήγερται κτλ. sei adversativ; in der 4. Auflage ließ er sie fallen, unter dem Eindruck der Gegenargumente *H. Conzelmanns,* Analyse 6. *K. Lehmann* verteidigt die ursprüngliche Auffassung Jeremias' und meint, der Parallelismus membrorum habe „zwischen vv. 3–4a und vv. 4b–5" eine antithetische Funktion: „Die polaren Aussagen des Sterbens bzw. Begrabenwerdens *und* des Auferwecktwerdens bzw. Erscheinens bilden einen äußersten Wechsel in der Situation" (Auferweckt 72; mit weiteren Vertretern dieser Anschauung). Natürlich wechselt die Situation vom Tod zum Leben, aber deswegen ist das καί vor ἐγήγερται noch lange nicht adversativ zu verstehen. *Charlot* (Construction III. 131.) bemerkt sehr gut: „If I and II were antithetical to III and IV, a simple particle, a simple δέ, would have sufficed to make this clear." Die These vom „antithetischen Parallelismus membrorum" in der Formel scheitert am stereotypen, aneinanderreihenden καί ὅτι. Vgl. auch noch Anm. 16.

[11] Für die Erstellung des Materials danke ich meinen ehemaligen WHK's P. Tullio *Aurelio* und P. Luis *Rosario.*

Dtn 11,3–6:	καὶ τὰ σημεῖα αὐτοῦ καὶ τὰ τέρατα αὐτοῦ, ὅσα ἐποίησεν ... *καὶ* ὅσα ἐποίησεν ... *καὶ* ὅσα ἐποίησεν ... *καὶ* ὅσα ἐποίησεν ...[12]
Dtn 26,8.9:	καὶ ἐξήγαγεν ἡμᾶς ὁ κύριος ἐξ Αἰγύπτου ... καὶ εἰσήγαγεν ἡμᾶς εἰς τὸν τόπον τοῦτον *καὶ* ἔδωκεν ἡμῖν τὴν γῆν ταύτην ...
Jos 24,25.26:	*καὶ* διέθετο Ἰησοῦς διαθήκην ... *καὶ* ἔδωκεν ... *καὶ* ἔγραψεν ... *καὶ* ἔλαβεν ... *καὶ* ἔστησεν ...
Ri 8,32:	*καὶ* ἀπέθανεν Γεδεων ... *καὶ* ἐτάφη ...
Ri 9,43a:	καὶ παρέλαβεν τὸν λαὸν καὶ διεῖλεν αὐτὸν τρεῖς ἀρχὰς *καὶ* ἐνήδρευσεν ἐν αὐτῷ
Ri 9,48:	*καὶ* ἀνέβη Αβιμελεχ ... *καὶ* ἔλαβεν Ἀβιμελεχ ... *καὶ* ἔλαβεν ... *καὶ* ἐπέθηκεν ... καὶ εἶπεν ...
Ri 12,7:	*καὶ* ἀπέθανεν Ιεφθαε ... *καὶ* ἐτάφη ...
Ri 12,10:	*καὶ* ἀπέθανεν Ἐσεβων ... *καὶ* ἐτάφη ...
Ri 12,15:	*καὶ* ἀπέθανεν Λαβδων ... *καὶ* ἐτάφη ...
Ri 14,19:	*καὶ* κατέβη ... *καὶ* ἔπαισεν ... *καὶ* ἔλαβεν *καὶ* ἔδωκεν ...
Ri 19,27:	*καὶ* ἀνέστη ὁ κύριος ... *καὶ* ἤνοιξεν ... *καὶ* ἐξῆλθεν ...
Ri 19,29:	*καὶ* εἰσῆλθεν ... *καὶ* ἔλαβεν ... *καὶ* ἐπελάβετο ... *καὶ* ἐμέλισεν ... *καὶ* ἐξαπέστειλεν
1 Sam 1,19:	*καὶ* ὀρθρίζουσιν ... *καὶ* προσκυνοῦσιν ... *καὶ* πορεύοντο ...
1 Sam 10,1:	καὶ ἔλαβεν Σαμουηλ ... καὶ ἐπέχεεν ... καὶ ἐφίλησεν ... καὶ εἶπεν ...
2 Sam 12,20:	*καὶ* ἀνέστη Δαυιδ ... *καὶ* ἐλούσατο *καὶ* ἠλείψατο *καὶ* ἤλλαξεν ... *καὶ* εἰσῆλθεν ... *καὶ* προσεκύνησεν ...
1 Kön 2,10:	*καὶ* ἐκοιμήθη Δαυιδ ... *καὶ* ἐτάφη ...
1 Kön 11,43:	*καὶ* ἐκοιμήθη Σαλωμων ... *καὶ* ἔθαψαν αὐτόν ...
2 Chron 31,1:	ἐξῆλθεν πᾶς Ισραηλ ... *καὶ* συνέτριψαν ... *καὶ* ἐξέκοψαν ... *καὶ* κατέσπασαν ...
Est 4,1:	ὁ δὲ Μαρδοχαῖος ἐπιγνοὺς ... *καὶ* ἐνεδύσατο ... *καὶ* κατεπάσατο ... *καὶ* ... ἐβόα ...
1 Makk 1,1.2:	... Ἀλέξανδρον ... *καὶ* ἐπάταξεν ... *καὶ* ἐβασίλευσεν ... *καὶ* συνεστήσατο ... *καὶ* ἐκράτησεν ... *καὶ* ἔσφαξεν ... etc.

[12] Es handelt sich hier um einen sogenannten Rückblick, in dem die Heilstaten Jahwes an Israel in enumerativer Redeweise aufgezählt werden (ὅσα ... καὶ ὅσα ...).

In diesem LXX-Material liegt überall die Stilfigur der „enumerativen Redeweise“ vor; die sukzessiven Etappen eines Vorgangs werden nacheinander, verbunden mit dem parataktischen καί, aufgezählt. Das Material ließe sich stark vermehren. Wir stoßen mit der enumerativen Redeweise auf eine weit verbreitete Stilfigur. Die ersten beiden Verbalphrasen der alten Credoformel von 1 Kor 15,3–5 (ἀπέθανεν, ἐτάφη) begegnen als Etappen eines sukzessiven Geschehens ausdrücklich in Ri 8,32; 12,7.10.19; 1 Kön 2,10; 11,43 (hier statt: ἐτάφη: ἐκοιμήθη). Beachtenswert ist in dem vorgelegten Material besonders Dtn 26,8f; denn hier liegt die Stilfigur in einem Text vor, der homologetischen Charakter besitzt; es handelt sich um ein bekenntnismäßiges Summarium geschehener Heilstaten Jahwes.[13] Ähnlich nennt auch die alte Credoformel von 1 Kor 15,3–5 die Heilsereignisse, die mit Tod und Auferweckung Jesu zusammenhängen, aber nicht in beliebiger, sondern in sukzessiver Folge. Welcher hermeneutische Wille steht dahinter? Die Frage wird uns noch beschäftigen. Jedenfalls zeigt sich, daß die alte Formel nach einer bestimmten, in der LXX häufig anzutreffenden Stilfigur aufgebaut ist, die die formale Parallelstruktur der Formel überlagert. Was die Entstehungsgeschichte der Formel angeht, so läßt sich diese nicht mehr mit Sicherheit rekonstruieren. Es kann sein, daß sie aus einer ursprünglich zweigliedrigen Fassung mit der grundlegenden Doppelaussage ‚gestorben – auferweckt‘ entstand.[14] Sie wurde dann aus dem Überlieferungswissen um das Geschehen, das mit Jesu gewaltsamem Tod und seiner Auferweckung zusammenhing, und den dazu gehörigen Deutungen einschließlich der Schriftgemäßheit[15] nach der Stilfigur der enumerativen Redeweise aufgefüllt, wodurch aber die sukzessiven Etappen des Geschehens, vor allem durch die Wiederholung des recitativen ὅτι, stark herausgestellt wurden.[16] Die Formel wurde

[13] *G. von Rad* sieht „in diesen heilsgeschichtlichen Summarien die ältere und ursprünglichere Form eines Geschichtsbildes erhalten ..., das uns in einer viel weiter ausgestalteten Form in den Pentateuchquellen vorliegt“ (Das fünfte Buch Mose. Deuteronomium, Göttingen 1964, 113).

[14] Vgl. dazu *J. Schmitt,* Le „Milieu“ littéraire de la „Tradition“ citée dans I Cor., XV, 3b–5, in: *É. Dhanis* (Hrsg.), Resurrexit 169–180.

[15] Vgl. dazu etwa *A. Schmitt,* Ps 16,8–11 als Zeugnis der Auferstehung in der Apg: BZ NF 17 (1973) 229–248.

[16] Die Wiederholung des deklarativen ὅτι zu Beginn der Glieder der Formel läßt die Verbalphrasen in ihrer Aussagebedeutung stark hervortreten und macht eine Unterbewertung einer von ihnen oder ihre Umstellung unmöglich. „Einleitendes ὅτι ist bei Formeln im Anschluß an πιστεύειν usw. stilgemäß ... Das gilt aber nicht für in der Formel wiederholtes ὅτι. Von dem an unserer Stelle wiederholten ὅτι auf urspr. selbständige Formeln zu schließen, wie das Wilckens ... tut, widerspricht allen formgeschichtlichen Untersuchungen der Pistisformel. Das ὅτι spiegelt hier kein früheres Stadium, sondern ist an unserer Stelle ad hoc eingefügt, um die einzelnen Aussagen reihenartig zu betonen. Es hat etwa dieselbe Funktion wie unser „erstens“, „zweitens“ usw. (*W. Kramer,* Christos 15, Anm. 9). Zur Diskussion über das ὅτι in der Formel vgl. auch *Charlot,* Construction II.48 ff.

besonders durch das viermalige ὅτι *ein „rezitierfähiger" heiliger Text.*[17]

IV. Vergleich mit Apg 2,29 und 13,29

1. *Apg 2,29:* Ἄνδρες ἀδελφοί, ἐξὸν εἰπεῖν μετὰ παρρησίας πρὸς ὑμᾶς περὶ τοῦ πατριάρχου Δαυίδ, *ὅτι καὶ* ἐτελεύτησεν *καὶ* ἐτάφη *καὶ* τὸ μνῆμα αὐτοῦ ἔστιν ἐν ἡμῖν ἄχρι τῆς ἡμέρας ταύτης. Auch in diesem Text haben wir die Stilfigur der enumerativen Redeweise vor uns: Davids Tod, sein Begräbnis, die Existenz seines Grabes „bei uns bis zu diesem Tag". Eingeleitet wird die Aufzählung des sukzessiven Geschehens mit einem deklarativen ὅτι (abhängig von εἰπεῖν), ähnlich wie in 1 Kor 15,3; dieses ὅτι wird zwar nicht vor jedem Glied der Aufzählung des Geschehens wiederholt, weil die einzelnen Glieder hier nicht so herausgestellt werden wie in 1 Kor 15,3–5.

2. *Apg 13,29b–31:* ... καθέλοντες (sc. αὐτόν = Jesus) ἀπὸ τοῦ ξύλου *ἔθηκαν εἰς μνημεῖον.* ὁ δὲ θεὸς *ἤγειρεν* αὐτὸν ἐκ νεκρῶν. ὃς *ὤφθη* ἐπὶ ἡμέρας πλείους τοῖς συναναβᾶσιν αὐτῷ ἀπὸ τῆς Γαλιλαίας εἰς Ἰερουσαλήμ ... H. Conzelmann meint, die „Form" dieses Textes sei „kerygmatisch, nicht erzählerisch".[18] Aber im Vergleich mit 1 Kor 15,3–5 tritt das erzählerische Element gegenüber dem kerygmatischen doch stärker in den Vordergrund. Es wird *erzählt*, was mit dem gekreuzigten Jesus nach dessen Tod geschehen ist: Man legte ihn in ein Grab; Gott hat ihn von den Toten erweckt; er erschien seinen vorösterlichen Begleitern. Freilich ist der Erzählstil z. T. kerygmatisiert, am deutlichsten erkennbar an der Formulierung: ὁ δὲ θεὸς ἤγειρεν αὐτὸν ἐκ νεκρῶν. Auffällig ist für unseren Zusammenhang wieder die Sequenz des Geschehens: Begräbnis, Auferweckung, Erscheinungen des Auferweckten vor den Zeugen, genau wie in der alten Formel von 1 Kor 15,3–5. Die Sequenz der Etappen des Geschehens ist keine willkürliche, sondern entspricht dem faktischen Geschehen: Zuerst muß einer gestorben sein, bevor er ins Grab gelegt wird. Niemand zweifelt, daß es auch bei Jesus von Nazaret so war.[19]

[17] Insofern ist das richtig, was *A. Vögtle* bemerkt (in: Osterglauben 59, Anm. 87), daß die Formel von 1 Kor 15,3b–5 „schon einen hohen Grad von Reflexion" voraussetzt, jedoch nicht, wie uns scheint, „in geradezu jeder Hinsicht", wie Vögtle meint; das versucht Paulus erst im anschließenden Text (vgl. dazu *F. Mußner*, Schichten, 178–188).

[18] Apostelgeschichte 84.

[19] Vgl. zum Begräbnis Jesu auch *J. Blinzler,* Die Grablegung Jesu in historischer Sicht, in: *E. Dhanis* (Hrsg.), Resurrexit 56–103.

Es taucht die Frage auf, was, traditionsgeschichtlich gesehen, älter ist: die Credoformel oder die Erzählung. Vermutlich ist die Erzählung älter als das Credo. Das Credo ist die kerygmatische Zusammenfassung der Geschehnisse für den Glauben der Gemeinde, weil diese Geschehnisse Heilsrang besitzen. Die erzählerischen Elemente sind weithin gestrichen. Der kerygmatische Charakter des Credo war aber schon in den ersten Berichten mitgegeben, weil zu ihnen, wie die Evangelien noch erkennen lassen, die Oster-*Botschaft* gehörte: „Wirklich ist der Herr auferweckt worden und dem Simon erschienen“: Dieses „Kerygma“ *erzählen* nach Lk 24,34 die Elf den nach Jerusalem zurückgekehrten Emmausjüngern. Die Erzählung ist in diesem Fall von vornherein kerygmatisch stilisiert.
Jedenfalls zeigt ein Vergleich der alten Credoformel von 1 Kor 15,3–5 mit den beiden Texten aus der Apg, daß die mit Tod und Auferstehung Jesu zusammenhängenden Ereignisse in der Stilfigur der enumerativen, parataktischen Redeweise erzählt wurden, wenn auch im Fall von Apg 13,29b–31 die Figur dem „höheren Stil“ schon angeglichen ist (adversatives δέ statt enumaratives καί; Relativanschluß mit ὅς). Die Stilfigur der enumerativen Redeweise war dafür besonders geeignet, weil in ihr die Erzählung dem tatsächlichen Geschehen folgen kann: die *erzählten* Etappen entsprechen den *faktischen* Etappen des Geschehens.

V. Zur semantischen Struktur der Formel (Wie verstand die alte Formel von 1 Kor 15,3–5 die „Auferweckung Jesu von den Toten“?)

In der Hermeneutik geht es um Verstehen. Es kann für Kirche und Theologie nicht gleichgültig sein, zu erkennen, wie jene Männer der Urkirche, auf die die alte Formel von 1 Kor 15,3–5 zurückgeht, diese verstanden haben. Die Stilfigur selbst, in der die Formel vorliegt, ist dabei die beste Hilfe; sie vermag auch zur richtigen Antwort auf die Frage zu führen: Wie verstand die alte Formel von 1 Kor 15,3–5 die „Auferweckung Jesu von den Toten“?
In der Formel werden Stufen des Geschehens sukzessiv aufgezählt: Χριστὸς ... ἀπέθανεν ... ἐτάφη ... ἐγήγερται ... ὤφθη. In meinem Buch über die Auferstehung Jesu habe ich dazu bemerkt:[20] „Löst man die in der Paradosisformel vorliegende grammatische Parataxe in eine logische Hypotaxe auf, so kann diese nur temporal formuliert werden, wobei entweder von ὤφθη ausgegangen wird: Christus erschien, *nachdem* er auferweckt worden ist; er wurde auferweckt, *nachdem* er begraben war; er wurde begraben,

[20] AaO. 61f.

nachdem er gestorben war. Oder man kann die Hypotaxe auch umkehren und von ἀπέθανεν ausgehen: Nachdem Christus gestorben war, wurde er begraben; und nachdem er begraben war, ist er auferweckt worden; und nachdem er auferweckt worden ist, erschien er. Das in der Formel zur Sprache kommende Geschehen wird also in seinen sukzessiven Etappen vorgelegt". Das kann von niemand geleugnet werden. Was uns jetzt in hermeneutischer Hinsicht bewegt, sind *die semantischen Relationen*, in denen die vier Verbalphrasen der Formel zueinander stehen. Nach der Lehre der Semantik erhält ein Term in einem Satz seine semantische Valeur („Bedeutung") durch die Position, in der er sich im ganzen Satzgefüge befindet. Selbstverständlich gibt es, diachronisch gesehen, für jeden Term auch eine semantische Vorgeschichte, aber zur vollen semantischen Eindeutigkeit (Monosemierung) kommt er jeweils erst durch die Relationen, die ihm seine Position im Satzgefüge zuweist. Dabei darf nicht aus dem Auge verloren werden, daß die Stilfigur der enumerativen Redeweise, nach der unsere Formel gebaut ist, die Etappen eines Geschehens *sukzessiv*, also in ihrer Aufeinanderfolge, aufzählt. Das schließt in semantischer Hinsicht die Konsequenz in sich, daß die *maßgebende* Relation der vier Verbalphrasen der Formel primär „nach links", also in Richtung zum *vorausgehenden* Textteil, zu suchen ist: Χριστὸς ← ἀπέθανεν ← ἐτάφη ← ἐγήγερται ← ὤφθη, und erst in einem zweiten Schritt in umgekehrter Richtung: Χριστὸς → ἀπέθανεν → ἐτάφη → ἐγήγερται → ὤφθη. Eine semantische Relationsanalyse der Formel führt dann zu folgenden Ergebnissen:

Das Subjekt der Formel ist Christus. Das hat zur Folge, daß ihre Verbalphrasen sich auf eine *Person* beziehen, also Aussagen über ein „personales Geschehen" darstellen. Von Christus wird im ersten Glied der Formel gesagt, daß er „starb" (ἀπέθανεν). Die dazugehörige Präpositionalphrase „für unsere Sünden" deutet den Tod Jesu als Heilstod. Damit bekommt der Term „sterben" in der Formel in semantischer Hinsicht eine theologische Valeur, die er sonst nicht besitzt. Dieser Heilstod des Christus ist in der Schrift schon angesagt („gemäß den Schriften").

Die zweite Verbalphrase ἐτάφη hat ihre Position zwischen ἀπέθανεν und ἐγήγερται. Man könnte das Glied ἐτάφη als kerygmatisch überflüssig betrachten; denn es würde genügen, auf ἀπέθανεν sofort ἐγήγερται folgen zu lassen (vgl. 1 Thess 4,14: ὅτι Ἰησοῦς ἀπέθανεν καὶ ἀνέστη). Man hat mit Recht darauf hingewiesen, daß das ἐτάφη in der Formel „die Realität der vorhergegangenen Aussage", also des Todes Jesu, „sichern" soll.[21] Ob das freilich genügt, bedarf der weiteren Reflexion.

[21] Vgl. *J. Jeremias,* Abendmahlsworte 97; *H. Conzelmann,* Apostelgeschichte 85; u.a.

Die dritte Verbalphrase ἐγήγερται hat ihre Position zwischen ἐτάφη und ὤφθη, steht also in einer Relation „nach links" (zu ἐτάφη) und in einer „nach rechts" (zu ὤφθη). Die Stilfigur der Formel gibt der Relation „nach links" den Vorrang (s.o.). ἐγήγερται steht in Relation „nach links" zu ἐτάφη. Also kann seine semantische Valeur nicht durch eine isolierte Betrachtung des Terms ἐγείρειν als solchen gewonnen werden, sondern nur in der Berücksichtigung seiner Relation zum vorausgehenden Glied ἐτάφη, das selber wiederum in Relation zum Glied ἀπέθανεν steht.[22] „Auferweckt am dritten Tag" wurde – so ist dann die eiserne Konsequenz – nicht irgendeiner und auch nicht „irgendein" Christus, *sondern der gestorbene und dann begrabene Christus.* Das wiederum impliziert folgendes: 1. Auferweckt wurde am dritten Tag der gekreuzigte und begrabene *Leib* des Christus – denn begraben wurde ja sein getöteter Leib und nicht irgendsonst etwas. 2. Wenn der getötete und begrabene Leib des Christus auferweckt worden ist, war folglich sein Grab nach seiner Auferweckung leer. Wenn also das leere Grab Jesu in der Formel auch nicht erwähnt wird, so impliziert die Formel dennoch auf Grund der durch die verwendete Stilfigur der enumerativen Redeweise gegebenen semantischen Relationen in ihr das Leersein des Grabes Jesu. Das ist nicht ein theologisches Postulat, sondern das Ergebnis einer semantischen Relationsanalyse der Formel.[23] Die Relation des Gliedes ἐγήγερται „nach rechts" (zu ὤφθη) bringt folgende Erkenntnis mit sich: Weil der Auferweckte „erschienen" ist, darum mußte sein Auferweckungsleib so geartet sein, daß er „erscheinen" konnte.

[22] Erst durch seinen Kontext wird der Term ἐγείρειν jeweils in seiner spezifischen Bedeutung erkennbar; so heißt es etwa in Mt 1,24: „Auferweckt aber Josef vom Schlaf" (ἐγερθεὶς δὲ Ἰωσὴφ ἀπὸ τοῦ ὕπνου). Weitere Beispiele bei *J. Molitor,* Jesusüberlieferung 45–91; *R. Schnackenburg,* Aussageweise 13–15.

[23] Im übrigen gehen wir in unserem Beitrag auf das Problem des leeren Grabes nicht ein. Vgl. dazu etwa *F. Mußner,* Auferstehung 128–135; *K. Lehmann,* Auferweckt 78–86 (Exkurs: 1 Kor 15,4a und das leere Grab); *J. Kremer,* Zur Diskussion über „das leere Grab" in: *E. Dhanis* (Hrsg.), Resurrexit 137–161. *H. Conzelmann* meint (Korinther 301): „ἐτάφη ist dem Sterben zugeordnet, nicht der Auferstehung. Es liegt daher keine Anspielung auf das leere Grab vor". Gewiß ist ἐτάφη „dem Sterben zugeordnet", aber infolge der nach der enumerativen Redeweise aufgebauten Formel ebenso der Auferweckung; ἐτάφη hat eine Relation sowohl „nach links" als auch „nach rechts": Auferweckt wurde der gestorbene und begrabene Christus und kein anderer. Vgl. auch *U. Wilckens,* Auferstehung 20: „Daß der kurze Satz über die Bestattung Jesu ... die entsprechende Erzählung der Evangelien voraussetzt, läßt sich zwar nicht stringent nachweisen, ist aber die wahrscheinlichste Annahme. Denn daß die Erwähnung der Bestattung nur die Realität des Todes unterstreichen solle, so daß Tod und Begräbnis aufs engste zusammengehören (vgl. Apg 2,29; Luk 16,22; Jes 53,9), ist dadurch ausgeschlossen, daß dem Satz in der Reihe der Aussageformel trotz seiner Kürze das gleiche, selbständige Gewicht zukommt wie den anderen drei Sätzen". Dieses selbständige Gewicht bringt die Wiederholung des ὅτι zur Geltung.

Die vierte Verbalphrase ὤφθη steht „nach links“ in Relation zu dem Glied ἐγήγερται (und dieses wiederum zu ἐτάφη und ἀπέθανεν). Wer ist also „erschienen“? Wiederum nicht irgendeiner oder „irgendein“ Christus, *sondern jener Christus, der am dritten Tag von den Toten auferweckt worden ist,* nachdem er zuvor gestorben war und begraben wurde. Wie das ὤφθη sonst zu verstehen ist, ist eine Frage, auf die hier nicht eingegangen wird.[24] Jedenfalls muß diese Frage im Kontext aller Aussagen des NT über die Erscheinungen des Auferweckten beantwortet werden; sie kann weder bloß philologisch noch spekulativ einer Antwort entgegengeführt werden.

Wie haben also die Männer, auf die die alte Credoformel von 1 Kor 15,3–5 zurückgeht, „die Auferweckung Jesu von den Toten“ verstanden? Die Frage kann nun eindeutig beantwortet werden: *Sie verstanden die Auferweckung Jesu von den Toten als die Auferweckung des gekreuzigten und begrabenen Leibes Jesu.* Wie wichtig ihnen die einzelnen Etappen des Geschehens, das mit Tod, Begräbnis, Auferweckung und Erscheinungen Jesu zu tun hatte, war, zeigt innerhalb der Formel „das monotone viermalige ὅτι“ (Jeremias)[25]: es erlaubt nicht, eine Etappe des Geschehens bzw. eine Verbalphrase der Formel unterzubewerten oder gar zu unterschlagen oder die Formel in zwei voneinander unabhängige Bekenntnissätze (Glieder I und II; Glieder III und IV) aufzulösen. Die Formel selbst bietet durch ihre Struktur die hermeneutisch-semantische Hilfe zu ihrem Verständnis. Die Formel beantwortet auch die Frage: Wie kam es in der Urkirche zum Osterglauben? Ihre Antwort lautet: Weil der getötete, begrabene und auferweckte Christus „dem Kephas, hierauf den Zwölfen *erschienen* ist“.

Kann die Kirche heute die Formel anders verstehen als die Kirche des Anfangs? Heinz Schürmann wird vermutlich antworten: Sie kann das nicht.

[24] Vgl. dazu etwa *K. Lehmann,* Zur Frage nach dem „Wesen“ der Erscheinungen des Herrn. Thesen zur hermeneutisch-theologischen Struktur der Ostererzählungen, in: *É. Dhanis* (Hrsg.), Resurrexit 297–315.

[25] Abendmahlsworte 97.

Literatur

Blank, J., Paulus und Jesus. Eine theologische Grundlegung (StANT 18), München 1968.

Charlot, J. P., The Construction of the Formula in 1 Corinthians 15,3–5, Diss. München 1968.

Conzelmann, H., Zur Analyse der Bekenntnisformel 1 Kor 15,3–5: EvTh 25 (1965) 1–11.

ders., Der erste Brief an die Korinther (MeyerK V), Göttingen 1969.

ders., Die Apostelgeschichte (HNT 7), Tübingen ²1972.

Dhanis, É. (Hrsg.), Resurrexit. Actes du Symposium International sur la Résurrection de Jésus (Rom 1970), Rom 1974.

Jeremias, J., Die Abendmahlsworte Jesu, Göttingen ⁴1967 (Nachdr. der 3. Aufl. Berlin 1963).

Kramer, W., Christos Kyrios Gottessohn (AThANT 44), Zürich 1963 (Nachdr. Berlin 1970).

Kremer, J., Das älteste Zeugnis von der Auferstehung Christi (SBS 17), Stuttgart 1966 (Nachdr. Leipzig 1968).

Lehmann, K., Auferweckt am dritten Tag nach der Schrift (QD 38), Freiburg–Basel–Wien ²1969.

Molitor, J., Grundbegriffe der Jesusüberlieferung im Lichte ihrer orientalischen Sprachgeschichte, Düsseldorf 1968.

Mußner, F., Die Auferstehung Jesu, München 1969.

ders., Schichten in der paulinischen Theologie. Dargetan an 1 Kor 15, in: *ders.*, PRAESENTIA SALUTIS. Gesammelte Studien zu Fragen und Themen des Neuen Testaments, Düsseldorf 1967.

Schnackenburg, R., Zur Aussageweise „Jesus ist (von den Toten) auferstanden": BZ NF 13 (1969) 1–17.

Schürmann, H., Ursprung und Gestalt. Erörterungen und Besinnungen zum Neuen Testament, Düsseldorf 1970.

Vögtle, A. – Pesch, R., Wie kam es zum Osterglauben?, Düsseldorf 1975.

Wilckens, U., Auferstehung. Das biblische Auferstehungszeugnis historisch untersucht und erklärt, Stuttgart/Berlin 1970.

DIE PHILIPPER UND DAS LEIDEN

Aus den Anfängen einer heidenchristlichen Gemeinde

Von Nikolaus Walter

Hat der Philipperbrief ein zentrales Thema, um dessentwillen Paulus ihn schrieb? Oder ist es gerade derjenige unter den Paulusbriefen, der nichts anderes sein will als wirkliche Korrespondenz mit den Lesern, Ausdruck herzlicher Verbundenheit des Apostels mit dieser Gemeinde, Niederschlag des Dankes für empfangene Hilfe und Bericht vom eigenen Ergehen?
Es ist deutlich, daß der Philipperbrief – wenn man von Kap. 3,1–4,1 absieht – tatsächlich in besonderem Maße ein persönliches Schreiben des Paulus ist, daß in ihm die Freude des Apostels über diese Gemeinde besonders hervortritt und daß der Aufruf zur Freude beherrschend ist. Aber schon die äußerst gewichtige Begründung der Mahnung zur Einmütigkeit und gegenseitigen Demut durch einen Christushymnus (in 2,1–18) gibt zu der Frage Anlaß, ob Paulus nicht auch mit der Gemeinde in Philippi ein wesentliches Sachthema mit allem Ernst und Nachdruck zu behandeln hatte.

I.

Eine besonders eindrucksvolle, geschlossene Konzeption für die Erklärung des Philipperbriefes hat bekanntlich Ernst Lohmeyer in seinem 1928 erschienenen Kommentar[1] entwickelt. Er setzt undiskutiert voraus, daß sich Paulus mit der Gemeinde in allen wesentlichen Dingen einig ist, insbesondere aber in der Haltung zum *Leiden*. Beide – Autor und Empfänger – stehen nach Lohmeyer in ähnlicher Situation der Verfolgung und des Leidens; beide bewähren in dieser Lage unerschüttert die Haltung der „Märtyrerfreudigkeit" (S. 4). Die Gefahr einiger Leute in Philippi ist „Märtyrerstolz"; innere Spaltungen drohen (ebd.). So erklärt sich der Ton des Ernstes im Brief, vor allem aber der Ton der Freude, der der „unendlichen Bedeutung" des Martyriums entspringt, den Märtyrer „zu dem ‚vollkommenen' Repräsentanten des Evangeliums zu bestimmen" (S. 5). So spricht hier „ein Märtyrer zu Märtyrern"

[1] *E. Lohmeyer,* Der Brief an die Philipper, Göttingen 1928. Der Gesamtband (MeyerK IX, 8. Aufl.), der auch den Kommentar zum Kolosser- und zum Philemonbrief enthält, erschien erst 1930.

(ebd. und S. 70), und deshalb bedarf es keiner „sachlichen Darlegungen" über bestimmte Themen; denn der Märtyrer lebt in besonderer, charismatischer Weise „in der Fülle des Glaubens", „das Martyrium selbst ... enthüllt, was noch an letzter Klarheit fehlen mag" (S. 70). Es bedarf nur der Standhaftigkeit und Treue und daher von seiten des Apostels nur der Mahnung dazu. Vom Grundgedanken des Martyriums ist nach Lohmeyer der Brief in seiner Gliederung wie in seinen Einzelaussagen sozusagen vom ersten bis zum letzten Satz erfüllt.

Daß sich diese Konzeption nicht wirklich durchhalten läßt, ohne daß man dem Brief Gewalt antäte, hat schon H. Windisch in der Rezension zu Lohmeyers Kommentar[2] ausgesprochen; W. Michaelis hat es in seinem Kommentar von 1935[3] auch im einzelnen gezeigt.[4] So scheint die These Lohmeyers trotz ihrer eindrucksvollen Geschlossenheit die Forschung nicht eigentlich befruchtet zu haben.[5] Und doch scheint mir Lohmeyer etwas Wesentliches gesehen zu haben. Das Leiden des Christen um seines Glaubens willen ist tatsächlich ein wichtiges Thema des Philipperbriefes. Freilich nun gerade nicht so, daß Paulus und die Philipper die Erfahrung des Widerspruchs und des Leidens in gleicher Weise im Glauben zu bewältigen vermöchten, sondern vielmehr so, daß Paulus ihnen in dieser Sache Neues, durchaus Befremdliches zu sagen hat.

II.

Will man das inhaltliche Hauptthema des Philipperbriefes erfragen, so möchte man zunächst versuchen, aus der Gliederung Hinweise darauf zu erhalten. Freilich verspricht diese Fragestellung gerade beim Philipperbrief keinen eindeutigen Erfolg; vielmehr haben gerade die Undeutlichkeit des Aufrisses

[2] *H. Windisch,* ThLZ 53 (1928) 512–516.

[3] *W. Michaelis,* Der Brief des Paulus an die Philipper (ThHK XI), Leipzig 1935.

[4] Eine wichtige Weichenstellung zugunsten der Auffassung Lohmeyers vollzieht sich schon bei seiner Exegese von Phil 1,7 (*E. Lohmeyer,* Philipper 26f), nach welcher unter der „Gnade" das Märtyrerschicksal zu verstehen und die „Gemeinschaft" zwischen Paulus und den Philippern auf das gemeinsame Teilhaben am Martyrium zu beziehen wäre. Hier bleibt auch *W. Michaelis* (Philipper 14f) stärker als nötig im Banne Lohmeyers. Teilt man nämlich den Satz anders auf, als es der bei Nestle gedruckte Text vorschlägt, zieht man ἔν τε τοῖς δεσμοῖς μου ... τοῦ εὐαγγελίου zu διὰ τὸ ἔχειν με ... ὑμᾶς statt zu συγκοινωνούς μου..., so ergibt sich folgender einfacher Sinn von V. 7b: „weil ich euch (auch hier) in meiner Gefangenschaft, also bei meiner Verteidigung und Bekräftigung des Evangeliums, in meinem Herzen trage, (euch,) die ihr gemeinsam mit mir alle Teilhaber an der Gnade (Gottes in Jesus Christus) seid".

[5] Im jüngsten Kommentar zum Philipperbrief von *J. Gnilka,* Freiburg bzw. Leipzig 1968 (HThK X,3), hat die These Lohmeyers schon keinen beherrschenden Eindruck mehr hinterlassen; nur gelegentlich setzt sich Gnilka mit ihr auseinander (z.B. 95 und ebd. Anm. 12).

und bestimmte Einzelbeobachtungen zu der Annahme geführt, der uns vorliegende Brief sei aus mehreren kürzeren Briefen erst durch spätere Redaktion zusammengesetzt worden.

Auf das Präskript (1,1–2) folgt – wie so oft in den Paulusbriefen – Proömium mit Dank und Fürbitte (1,3–11). Daran schließt sich ein Abschnitt, in dem Paulus von seiner eigenen Lage zu berichten scheint (1,12–26), jedoch in einer Weise, daß es auffällig ist, wie wenig Konkretes man über das Ergehen des Apostels erfährt.[6] Dann beginnt – nach der geläufigen Gliederung – die Paränese (1,27–2,18), an die sich ein Abschnitt über Pläne des Paulus im Blick auf seine Beziehungen zur Gemeinde in Philippi schließt: Reisepläne für seinen Mitarbeiter Timotheus (2,19–23), für sich selbst (2,24) und für den in Philippi beheimateten Epaphroditos, dem er den jetzt geschriebenen Brief mitgeben will (2,25–30). Derartige Erörterungen sind nach dem Muster anderer Briefe das Zeichen dafür, daß Paulus zum Schluß kommen will. Und so setzt 3,1 ganz folgerichtig mit τὸ λοιπόν ein.

Bekanntlich wird aber dieses Gefälle zwischen 3,1 und 3,2 abrupt unterbrochen, indem hier ein scharf polemischer Abschnitt einsetzt (3,2–4,1, evtl. bis 4,3), während in 4,4ff. der Brief im Ton von 3,1 fortfährt, als sei nichts gewesen. In 4,10–20 folgt eine weitere Einlage, in der Paulus für eine Gabe der Philipper an ihn dankt – reichlich spät, wie es scheint; denn vom Überbringer, Epaphroditos, war ja schon ausführlich die Rede gewesen (2,25–30), und seine Ankunft bei Paulus mit der Gabe liegt schon eine geraume Zeit zurück (inzwischen hatte Epaphroditos die Gefangenschaft mit Paulus geteilt, wie aus Philemon 23 wohl zu entnehmen ist; er war schwer krank geworden, und darüber hatten die Philipper schon Nachricht erhalten: 2,29b). Danach schließt der Brief, wie andere Paulusbriefe, mit Grüßen und Gnadenwunsch (4,21–23).

Zur Erklärung des beobachteten Sachverhalts sind verschiedene Versuche vorgelegt worden, die hier nicht im einzelnen zu erörtern sind.[7] Ich nehme mit mehreren alten und neuen Autoren an, daß mindestens das polemische Kapitel 3,2 – 4,1 einem anderen, wohl späteren Brief des Paulus nach Philippi zuzuweisen ist (Brief C). Auch scheint mir der Abschnitt 4,10–20 am besten als Teil eines früheren Briefes (Brief A) verständlich zu sein.[8] Der „Hauptbrief" B, zu dem vor allem die Kapitel 1 und 2 gehören würden (über die

[6] Vgl. dazu etwa *J. Gnilka* (Philipperbrief 54f.) mit der an sich plausiblen Erklärung, die konkreten Einzelheiten zu berichten habe Paulus wohl dem Überbringer des Briefes überlassen.

[7] Vgl. die Referate über die Diskussion bei *W. Schmauch,* Beiheft 13–16; *J. Gnilka,* Philipperbrief 6–11; *W. G. Kümmel,* Einleitung 291–294. Mir scheint die Frage durch die Arbeiten von *G. Bornkamm* und *J. Gnilka* am besten gefördert zu sein.

[8] Hierin folge ich *G. Bornkamm* und anderen gegen *J. Gnilka,* der aber die These durchaus für erwägenswert hält (Philipperbrief 10).

Verteilung einiger Verse in Kap. 4 wird man nicht letzte Sicherheit erreichen können), läge demnach zeitlich zwischen A und C, so daß sich etwa folgendes Bild ergibt:

A: 4,10–20 (Anfang und Ende fehlen); geschrieben vor 55, aus Ephesus, jedoch nicht unbedingt aus einer Gefangenschaft;

B: 1,1 – 3,1; 4,(4)5–7.(8–9)(21–23); geschrieben Ende 55, aus der zweiten Gefangenschaft in Ephesus, auf die 2 Kor 1,8f. (vgl. 6,5; 11,23) als auf eine eben überstandene ernste Gefahr zurückblickt;[9] geschrieben bald nach Abfassung des Philemonbriefes (s. oben);

C: 3,2 – 4,1.(2–3) (auch hier würden Anfang und Briefschluß fehlen); geschrieben vermutlich im Frühjahr 56 aus Korinth,[10] nachdem Paulus auf seiner zweiten Reise durch Mazedonien (2 Kor 2,14; 7,5; Apg 20,1f.) die Gemeinde wiedergesehen, aber auch die neue Gefährdung durch Irrlehrer kennengelernt hat (vgl. 3,18). Dieser Brief steht damit in unmittelbarer zeitlicher, aber auch thematischer (vgl. Phil 3,9!) Nähe zum Galater- und zum Römerbrief.

Was den „Hauptbrief" B angeht, so ist jedenfalls das Einsetzen der Paränese gleich nach dem angeblichen „Eingangsteil" (1,3–26) auffällig und der verständliche Anlaß zu der geläufigen Meinung, Paulus habe zur Verhandlung eines besonderen Sachthemas keinen Anlaß gehabt,[11] vielmehr komme in diesem Brief vor allem die besondere Herzlichkeit des Verhältnisses zwischen dem Apostel und dieser Gemeinde zum Ausdruck.

III.

Hat wirklich keine sachbezogene Anfrage der Gemeinde an Paulus vorgelegen? Hatte sie sich nur in persönlicher Anteilnahme nach seinem Ergehen erkundigt?

[9] Dagegen dürfte 1 Kor 15,32 von einer früheren Gefährdungssituation in Ephesus sprechen. Dies hat *J. Gnilka* (Philipperbrief 21–24) m. E. treffend dargelegt. – Hinsichtlich der Zuordnung einzelner Verse zu Brief B folge ich im wesentlichen der ursprünglichen Analyse *G. Bornkamms* von 1962, nicht der Abänderung bei der Neubearbeitung des Aufsatzes (1971), wonach er 4,4–9 lieber dem Brief C zuweisen möchte (Geschichte und Glaube II, 197 mit Anm. 11). Eine wörtliche Anknüpfung von Brief C an Brief B (wie sie sich bei Bornkamms neuer Verteilung ergibt) erscheint sachlich nicht motiviert und daher unwahrscheinlich, zumal wenn man den Abstand zwischen Brief B und Brief C länger ansetzt als Bornkamm (s. folgende Anm.). Eher wird man 4,4 als Zutat des Redaktors ansehen können, der nach der Einschaltung des Kampfbriefes C wieder zum Hauptbrief B zurücklenken wollte.

[10] Hierin folge ich wieder *J. Gnilka* (Philipperbrief 25) gegen *G. Bornkamm*, der auch Brief C noch aus Ephesus geschrieben sein läßt, mit einer Überlegung, die nur die Alternative Ephesus oder Rom in Betracht zieht (Geschichte und Glaube II, 201).

[11] Nicht nur *Lohmeyer* (siehe oben I), sondern auch die meisten anderen Autoren sehen im Philipperbrief (abgesehen vom Kampfbrief in Kap. 3) kein eigentliches Sachthema verhandelt.

Mir scheint, daß das, was Paulus über die schwierige Lage der Gemeinde in Philippi und offenbar auch über ihre Ratlosigkeit in dieser Lage erfahren hatte, für ihn „Anfrage" genug war, auf die er mit großem Ernst eingeht. Immerhin scheint ja die Gemeinde in der Gefahr zu stehen, sich zu zerstreiten und auseinanderzubrechen; sie tritt also der Bedrückung von außen keineswegs mit jener Geschlossenheit und freudigen Zuversicht entgegen, die Lohmeyer meinte voraussetzen zu können.

Eine genauere Betrachtung des (angeblichen) Beginns des Paränese-Abschnitts, 1,27–30, zeigt denn auch sogleich, daß hier gewiß Mahnung, aber doch nicht „katalogische Paränese" nach Art anderer Briefschluß-Teile vorliegt, die allgemeinen Konventionen folgte, sondern daß die Mahnungen um zwei Brennpunkte kreisen, also doch wohl recht konkreten Anlaß haben.

Nachdem Paulus davon gesprochen hatte, wie er seine Gefangenschaft als Leiden für Christus und das Evangelium versteht und besteht (1,12–26), mahnt er die Philipper, nun auch ihrerseits „würdig des Evangeliums zu ‚wandeln'" (V. 27). Das ist die Grundforderung (μόνον!), die Paulus an die Gemeinde zu richten hat, wobei man nicht übersehen darf, daß er ausdrücklich den Zusammenhang zwischen 1,12–26 und 1,27–30, also zwischen seinem Ergehen und Erleben und dem der Christen in Philippi, herstellt (V. 25 und V. 30). Das mit ‚wandeln' übersetzte Wort πολιτεύεσθαι in V. 27 hat nun nicht den abgeblaßten Sinn von ‚Lebensführung' im allgemeinen (wie etwa περιπατεῖν)[12]; es hat vielmehr die Nuance des bewußten Sich-Orientierens an der Norm einer Gemeinschaft, zu der man gehört: ἀξίως τοῦ εὐαγγελίου τοῦ Χριστοῦ πολιτεύεσθε. Im ganzen ersten Kapitel ist τὸ εὐαγγέλιον eine „Größe", die verteidigt und bekräftigt werden kann (1,7.16), die Fortschritte macht (1,12); hier ist sie Bezugsgröße, Norm, nach der sich das Verhalten von Christen bemessen muß – und zwar in der Lage der Anfechtung von außen; an individuelles ethisches Wohlverhalten gegenüber Mitmenschen ist hier bei πολιτεύεσθαι nicht gedacht. Mit Recht gibt daher Gnilka die Wendung so wieder: „Führt euer Gemeindeleben würdig des Evangeliums Christi"[13]. Paulus erwartet – und das starke persönliche Interesse an diesem Punkt wirft sogar die Satzkonstruktion über den Haufen (V. 27b)[14] –, daß die Gemeinde in innerer Einigkeit (V. 27c; vgl. 2,3) ihren festen Standort bei Christus hat. Das heißt, positiv ausgedrückt: daß sie einmütig für den Glauben an das

[12] So *W. Michaelis,* Philipper 29. Dagegen die meisten neueren Ausleger; vgl. die nächste Anm.

[13] *J. Gnilka,* Philipperbrief 96, vgl. noch 98.

[14] Das finale ἵνα zielt eigentlich auf στήκετε... Dazwischen schiebt sich, zuerst mit Partizip, dann mit Verbum finitum formuliert, der Gedanke: ich (Paulus) möchte das gern erfahren. Vgl. *E. Lohmeyer,* Philipper 74 Anm. 5, und *W. Michaelis,* Philipper 29.

Evangelium kämpfend eintreten soll (V. 27d), und negativ gesagt: daß sie sich in keinem Punkte von den Gegnern einschüchtern, unsicher machen lassen darf (V. 28a).

Wer sind diese Gegner? Offenbar Leute, die von außen her Druck auf die Christen ausüben. Also jedenfalls nicht etwa Christen von der Art jener Brüder, die nach 1,15–17 Paulus im Gefängnis das Leben bewußt schwer machen; auch nicht innergemeindliche Irrlehrer von der Art, wie sie nach Kap. 3 (Brief C) in der Gemeinde zu Philippi aufgetreten sind. Daß sich diese Gegner gegen die Leute Christi stellen, ist in bezug auf sie selbst ein untrügliches Zeichen ihrer Verlorenheit, im Blick auf die philippischen Christen aber ein ebenso sicheres Zeichen ihres Heils, ein Zeichen, das Gott selbst ihnen gibt (V. 28b). Was bei euch jetzt geschieht – so will Paulus den Christen in Philippi klarmachen –, ist also nicht ein blindes Spiel des Schicksals, ein sinnloses Geschehen, das ihr als fatum ertragen müßt, ohne inneren Ertrag für euch selbst – warum solltet ihr ihm dann schließlich nicht entfliehen und euer Stehen beim Evangelium aufgeben?! Vielmehr: es geschieht zu eurem Heil! Schon die Tatsache des Kampfes, nicht erst irgendein erkennbarer „Erfolg", ist ein genügend deutliches Zeichen eures Heiles! Ja, in diesem Sinne ist es sogar ein Geschenk, daß ihr an Christus nicht nur glaubt, sondern für ihn, für das Evangelium sogar leiden dürft (V. 29). Wie mein Leiden ein Kampf für das Evangelium ist (1,12ff.), so soll es sich auch bei euch vollziehen (V. 30).

Darum führt Paulus nun noch einmal die schon zuvor geäußerte Mahnung zur Einmütigkeit und zum Zusammenhalten mit aller verfügbaren Eindringlichkeit aus (2,1–5) und unterstreicht sie mit dem Hinweis auf Jesus Christus, der den Lesern als der freiwillig auf Macht Verzichtende und Leidende mit den Worten eines Hymnus vor Augen gemalt wird (2,6–11)[15]. Bei ihm „stehen", das bedeutet: sich die σωτηρία erwirken (2,12; vgl. 1,28c); Gott, der bei den Philippern Glauben gewirkt hat, wird auch das Festbleiben wirken (2,13; vgl. 1,6). Eine doppelte Beziehung besteht zwischen dem Festbleiben der Christen in Philippi und Paulus: ihm ist die Frucht seiner Arbeit Ruhm bei Christus; ihnen ist sein Leiden und Festbleiben – eventuell bis in den Tod hinein – Anlaß zur Freude und Ermutigung.

Was ist hier geschehen? Hat hier „ein Märtyrer zu Märtyrern" gesprochen?

[15] Zu dieser Interpretation des von Paulus zitierten Hymnus vgl. *O. Hofius,* Der Christushymnus Philipper 2,6–11 (WUNT 17), Tübingen 1976, bes. 56–67, etwa gegenüber der bekannten Deutung von *E. Käsemann,* nach welcher die Offenbarung des Gehorsams im Mittelpunkt des Hymnus stünde. – Paulus zieht den Hymnus offensichtlich wegen einiger (Neben-)Motive heran, die sich ethisch verwerten lassen (vgl. die Stichwortbeziehungen zum Kontext bei οὐχ ἡγήσατο..., ἐταπείνωσεν..., ὑπήκοος), was freilich nicht bedeutet, daß das Gewicht dieser Zitation sich in der ethischen Verrechenbarkeit jener Motive erschöpft.

Kaum! Die Gefahr der Exegese Lohmeyers wird gerade an unserem Abschnitt 1,28b–30 deutlich: Wenn den Christen in Philippi die Gedanken, die Paulus vorträgt, schon bekannt gewesen wären, wenn sie – so wie er – ihre Situation im Bewußtsein eines „Martyriums“ verstanden hätten, dann hätte alles Gesagte den Klang von Gewohntem und wäre in Gefahr, überflüssig oder eher pathetisch als aktuell zu sein.

Gewiß: Paulus redet hier in Gedankengängen apokalyptischer Märtyrertheologie (darauf ist später zurückzukommen). Aber er spricht zu Christen, denen solche Gedanken alles andere als vertraut sind, denen ein Leiden um Christi, um des Evangeliums willen den Glauben und die Standfestigkeit, aber auch den Zusammenhalt untereinander zu zerstören droht. Sie sind nicht darauf vorbereitet, daß sie für eine Botschaft, die sich „frohe Botschaft“ nennt, würden leiden müssen. Paulus kann die Christen in Philippi auch nicht daran erinnern, daß er ihnen dergleichen bereits bei seinem Missionsaufenthalt gesagt hätte. In Thessalonich dagegen scheint er – wohl unter dem frischen Eindruck der Schwierigkeiten, die er zuletzt in Philippi erlebt hatte und die ihn zum schnellen Verlassen der Stadt genötigt hatten – grundsätzliche Aussagen über die Notwendigkeit leidensbereiten Eintretens für das Evangelium gemacht zu haben (vgl. 1 Thess 3,3f.). Aber für die Christen in Philippi ist die massive Erfahrung des Leidenmüssens neu und befremdlich.

Das ist ganz natürlich. Denn die Christen in Philippi sind vermutlich in der Hauptsache Heidenchristen, ihrer religiösen Tradition nach griechische oder auch römische Hellenisten. Bekanntlich waren unter Augustus römische Veteranen in Philippi angesiedelt worden, die unter Antonius gedient hatten; die Stadt erhielt die offizielle Benennung Colonia Iulia Augusta Philippensis und erfreute sich des Ius Italicum[16]. Nach Apg 16,21 fühlen sich die Bürger auch ganz als Römer. Auch die sich bildende Christengemeinde dürfte sich im wesentlichen aus Hellenisten römischer und griechischer (oder noch anderer, z. B. thrakischer) Nationalität, jedenfalls aus „Heiden“, zusammengesetzt haben. Auch die aus dem kleinasiatischen Thyatira stammende Purpurhändlerin Lydia samt ihren Betschwestern (Apg 16,13f.) wird man ihrer religiösen Tradition nach als Heidinnen anzusehen haben, selbst wenn sie sich, als „Gottesfürchtige“, inzwischen mit der Verkündigung der Synagoge vertraut gemacht hatten[17]. Der Gefängniswärter mit seiner Familie (Apg 16,33f.) hat sicher keinerlei Beziehungen zur Synagoge gehabt, und die übrigen Namen philippi-

[16] Vgl. zu diesen Fragen *Johanna Schmidt,* Art. Philippoi, PW XIX, 1938, Sp. 2206–2244, bes. Sp. 2233–2235.

[17] Zu den „Gottesfürchtigen“ vgl. *K. G. Kuhn,* in: ThWNT VI, 733f; 743f; sowie *K. G. Kuhn* und *H. Stegemann,* Art. Proselyten, PW Suppl. IX, 1963, Sp. 1247–1283, bes. Sp. 1259f, 1266f, 1281f. – Zur „Synagoge“ in Philippi siehe noch Anm. 31.

scher Christen, die wir kennen, lassen ebenfalls solche Beziehungen nicht vermuten: Epaphroditos (Phil 2,25–30; 4,18),[18] Euodia und Syntyche (Phil 4,2) sowie Clemens als Träger eines gut lateinischen Namens (Phil 4,3). So darf man „auf eine wesentlich heidenchristliche Gemeinde schließen“[19]. Aber eben dies muß man dann auch bei der Exegese vor Augen haben.

IV.

Wie möchte sich die Mahnung zum Leiden für Christus bzw. um des Evangeliums willen in den Ohren eines hellenistischen Menschen ausgenommen haben? Hier ist eine – notwendigerweise skizzenhafte – Besinnung darüber nötig, welche religiös-ethische Wertung das Leiden in griechischer Tradition erfahren hatte.

Der erste Eindruck[20] macht schon deutlich, wie wenig das Problem des Erleidens und Leidens vom griechischen Menschen als ein religiöses verstanden worden ist. Nicht, daß die griechische Weltsicht für das Phänomen des Erleidens blind gewesen wäre. Es wird vielmehr als ein überall anwesendes Element menschlicher Existenz gesehen, und zwar natürlich im allgemeinen als Beeinträchtigung des Menschseins. Es kommt auf die rechte Haltung an, in der man das Erlittene besteht; Leiden ergibt einen Zugewinn an Lebenserfahrung („πάθει μάθος“)[21]. Aber religiöse Erkenntnisse und Akte im engeren Sinne verbinden sich mit dem Leiden zunächst nicht; das eigentliche Theodizee-Problem kann unter dem Vorzeichen des olympischen Götterhimmels kaum entstehen.[22]

Die klassische Tragödie[23] kennt das Leiden unter der Gottheit, richtiger gesagt wohl: das Leiden unter und an dem, was die Moira, das allmächtige

[18] Ich setze Identität mit jenem Epaphras voraus, der im Philemonbrief als Mitgefangener des Paulus grüßt (Phlm 23), doch vermutlich gleichfalls aus einer Gefangenschaft in Ephesus (siehe oben II). – Daß Epaphras die Gemeinde in Kolossä als Sendbote des Paulus gegründet habe, scheint mir eine auf Phlm 23 basierende Fiktion des Kolosserbrief-Autors zu sein.

[19] *W. G. Kümmel,* Einleitung 282.

[20] Es ist bezeichnend, daß die Stichwortregister zu drei klassischen Darstellungen der griechischen Religion und Kultur (von *J. Burckhardt, U. von Wilamowitz-Moellendorff* und *M. P. Nilsson*) die Stichworte „Leid“ oder „Leiden“ nicht enthalten; nur im Register zu *W. Nestle*s „Griechischer Geistesgeschichte“ begegnet „Leid“ mit zwei Stellenangaben. Die Abhandlung von *W. Nestle* über „Die Überwindung des Leids in der Antike“ (von 1942) ergänzt die oben gegebene Skizze.

[21] Vgl. *W. Michaelis,* ThWNT V, 904f; 926; 929.

[22] Daß „aller Polytheismus ... schon von Hause aus leicht einen Fatalismus zur Seite“ hat, sagt *J. Burckhardt,* Kulturgeschichte I, 384.

[23] Vgl. hierzu u. a. *W. Nestle,* Geistesgeschichte 115–117; 204–209.

Schicksal, verhängt hat und woran auch die Götter an sich nichts ändern können. Die Tragödie arbeitet an der Frage, wie die Haltung des Menschen in solchem Falle auszusehen hat. Sie zeigt den Menschen, der sich heroisch aufbäumt – auch wenn er weiß, daß er damit letztlich nicht gegen das Schicksal ankommt –, der jedenfalls in stolzer Haltung trägt, was ihm verhängt ist, und der mit solcher Haltung selbst den Göttern einen gewissen Respekt abnötigen kann, ohne daß das etwas an der Heimarmene, am „verhängten Geschick", änderte. – Im übrigen fürchtet man etwa, unter dem Zorn oder dem Neid der Götter leiden zu müssen; unter dem Neid da, wo ihnen der Mensch in Glück, Schönheit oder hervorragender Fähigkeit zum Konkurrenten zu werden droht; unter dem Zorn da, wo sie sich vernachlässigt oder durch menschliche Hybris herausgefordert fühlen könnten. So sucht der Mensch sich im Kult der Gunst der Götter zu versichern, um so wenigstens unnötigem Leidenmüssen vorzubeugen.

Die Philosophie läßt den Menschen sich an der Sophrosyne, der würde- und maßvollen Besonnenheit, orientieren. Sokrates, dem für sein freimütiges Philosophieren auch Leiden und schließlich der Tod zuteil wurden – in der Alten Kirche hat ihm das den Ruhm eingetragen, unter die Vorläufer Christi gerechnet zu werden[24] –, leidet nicht an den Göttern oder für die Gottheit; ihm bestätigt sein Daimonion vielmehr, daß er den rechten, seiner Menschenwürde angemessenen Weg geht. – Das althellenische μηδὲν ἄγαν, die Orientierung auf das mittlere Maß zwischen jedem Übermaß und Überschwang, die auch der Aristotelischen Ethik zugrunde liegt, mag seinen mythischen Grund in der Furcht vor Neid und Zorn der Götter haben: wer ein Zuviel an Freude erkennen läßt, reizt ihren Neid heraus; wer sich der Klage und dem Jammer maßlos hingibt, fällt ihnen lästig und wird ihnen verächtlich – ihr Erbarmen vermag er nicht zu rühren, er ist kein würdiger Partner mehr für sie. So wahrt der Mensch zugleich seine Menschenwürde und sichert sich zugleich die Geneigtheit, ja Achtung der Götter, wo er Haltung, Maß, eben Sophrosyne bewahrt. – Auch in der Apatheia der Stoa geht es um die Haltung gegenüber Freud und Leid, nicht um (religiöse) Ergebung in das, was Gott schickt – wie es die spätere interpretatio christiana der stoischen Religiosität verstand[25]. War an dem, was die Heimarmene oder Ananke dem Menschen zugedacht hatte, nichts zu ändern, so entsprach dem der Mensch doch nicht in willenlosem Fatalismus, sondern in jener letzten Unberührtheit, die ihn trotz allem, was an Gutem

[24] Vgl. z.B. *E. Benz,* Christus und Sokrates in der alten Kirche: ZNW 43 (1950/51) 195–224; *E. Fascher,* Sokrates und Christus: ZNW 45 (1954) 1–41 (auch in: *ders.,* Sokrates und Christus, Leipzig 1959, 36–94 und 425–432); dort auch ältere Literatur (427f, Anm. 5).

[25] Etwa in *Boethius'* Schrift „Trost der Philosophie", geschrieben 523/24, in der sich stoische und neuplatonische Gedanken mit christlichem, an *Augustin* geschultem Glauben verbinden.

und Bösem auf ihn einstürmt, inneres Gleichmaß und Würde bewahren und somit Freiheit beweisen läßt. Klassisch läßt Plutarch es Kratesiklea, die Mutter des Kleomenes, in einer schweren Stunde so aussprechen: „Niemand soll uns weinen oder Spartas unwürdig sehen; denn von uns hängt allein unsere Haltung ab – das Schicksal vom Daimon"[26]. An den Umständen als solchen läßt sich nichts ändern; sie brauchen deshalb weder bejaht noch können sie verneint werden. Allein auf menschenwürdige Haltung ihnen gegenüber kommt es an.
Ganz unvollziehbar dürfte für einen Griechen der Gedanke sein, daß die Götter oder das Göttliche es nötig haben könnten, daß der Mensch für sie oder um ihretwillen Leiden zu übernehmen hätte. Völlig fremd mußte es den Christen in Philippi zunächst scheinen, daß eine Botschaft, die sich die „frohe" nannte, notwendiger-, ja gar sinnvollerweise mit Leiden verknüpft sein sollte, daß es gelten konnte, um Gottes willen Lebensminderung und Lebenseinbuße auf sich zu nehmen.
Habe ich hier den Singular „Gott" gebraucht, so deutet sich damit der tiefere Zusammenhang an. Der homerische Götterhimmel bot manche tragische oder amüsante Szene vom Neid der Götter untereinander, von ihrer Eifersucht aufeinander – Passagen, die den Homerlesern in hellenistischer Zeit eher peinlich waren und die Stoa zur allegorischen Deutung solcher mythischer Texte führten. Aber weder das Griechentum noch der Orient außer Israel kannten die ganz andersartige „Eifersucht" des Einen Gottes, der keine anderen Götter neben sich duldete. Der Monotheismus, der sich in der Religiosität der hellenistischen Zeit, von der Philosophie gefördert, immer mehr als die eigentliche Anschauung hinter allen konkreten Kultformen durchsetzte, meinte ja das genaue Gegenteil: „das Göttliche" war der Oberbegriff, gewissermaßen die Summe aller Gottheiten, inklusiv und allumfassend, so daß Götternamen, -gestalten und -attribute austauschbar und kombinationsfähig wurden. „Das Göttliche", das war die höchste Zusammenfassung alles Seins, die letzte, transzendente Wahrheit hinter allen Erscheinungsformen im Kosmos, sein Logos, sein vernunftmäßiges Strukturgesetz. Und Ziel der Lebenshaltung konnte nur sein, sich vernunftgemäß in die logoshafte Ordnung des Kosmos, der Natur, letztlich: „des Göttlichen" einzuordnen. Die Vorstellung eines „Leidens um des Göttlichen willen" ergäbe in solchem Zusammenhang kaum Sinn. – Auch die praktischen Vollzüge der Religiosität wurden, sofern man sie weiterführte, so aufgefaßt. In allen Kulten diente man letztlich dem Einen Göttlichen; in den Mysterien suchte man mit den Kräften jener Welt in Verbindung zu kommen, die einen über die Begrenztheiten menschlichen Daseins hinauszuheben versprachen[27]. Und wo religiöser Monismus die Lebenserfah-

[26] *Plutarch,* Kleomenes 22, zitiert bei *J. Burckhardt,* Kulturgeschichte III, 428.
[27] Vgl. etwa *G. Haufe,* Die Mysterien, in: Umwelt des Urchristentums I, 101–126.

rung nicht zu decken schien, da sah man sich im spätantiken Hellenismus von „Mächten", von Dämonen in einem anderen als dem sokratischen Sinn umgeben, umstellt, unterjocht, deren Zwängen man sich durch Riten, durch Askese, durch Beobachten von günstigen bzw. ungünstigen Vorzeichen und Terminen zu entziehen suchte[28]. Noch radikaler erschien die Einheit oder auch nur der positive Zusammenhang von Kosmos und Göttlichem zerbrochen nach jener Welterfahrung, aus der die religiöse Bewegung der Gnosis hervorging; für sie war die materielle Welt schlechthin Ausfluß eines bösen, widergöttlichen Schöpferdämons, so daß Weltverneinung als einzig angemessene Haltung und Leiden als Zeichen der Fremdheit menschlicher Existenz in der Welt erschien.[29] So sehr man die späthellenistische Epoche als eine Zeit unsicheren Lebensgefühls und religiösen Suchens charakterisieren kann[30], so wenig erlebte sie doch die Religion als bindende Kraft, die es vermocht hätte, tragend, normsetzend und gemeinschaftsbildend die Lebenswirklichkeit des Alltags zu bestimmen. Mit dem Einen Gott sah sich der hellenistische Mensch in seinen religiösen Bezügen nirgends konfrontiert. Nur an einer Stelle konnte er solches Bezogensein auf Einen Gott und wirkliches Gebundensein durch Religion beobachten, und zwar wohl überall in der ganzen Oikumene rings um das Mittelmeer: an den Juden,[31] die eben deshalb, weil sie an dem Einen, „eifersüchtigen" Gott hingen, eine enge Gemeinschaft untereinander bildeten und sich andererseits nirgends voll und ganz in die hellenistische Menschheitsgemeinschaft integrieren ließen und deshalb immer verdächtig blieben, menschenfeindlich und gar „götterlos" zu sein. Das erklärt gleicherweise das Fremdheitsgefühl des hellenistischen Menschen dieser Gruppe gegenüber[32] wie zu-

[28] Vgl. *R. Bultmann,* Urchristentum 158–168; *G. Haufe,* Hellenistische Volksfrömmigkeit, in: Umwelt des Urchristentums I, 68–100. Zur hellenistischen Welterfahrung des Unbehaustseins, die die Einheit von Himmel und Erde auseinanderbrechen und den Menschen in diesem Chaos verlorengehen sieht, vgl. bes. *H. Jonas,* Gnosis I, 69f, 141–143, sowie *E. Schweizer,* Das hellenistische Weltbild als Produkt der Weltangst (1960), in: Neotestamentica 15–27.

[29] Vgl. etwa *H. Jonas,* Gnosis I, 98–102, 109–113.

[30] Vgl. *M. P. Nilsson,* Geschichte II, 286–294.

[31] So muß Paulus, wenn er etwa den Christen in Korinth an einem Beispiel deutlich machen will, daß der Glaube an Einen Gott das Sitzen an den Tischen anderer Gottheiten ausschließt, seine Leser auf das „Israel nach dem Fleisch" hinweisen, also auf Juden, deren Existenzweise man auch in Korinth beobachten konnte (1 Kor 10,18a; die hierbei vorausgesetzte, von der üblichen abweichenden Interpretation von 1 Kor 10,16–22 möchte ich in einem Aufsatz „Sakrament und Bekenntnis in Korinth" näher darlegen). – Daß die jüdische Gemeinde in Philippi sehr klein war und nicht einmal eine Synagoge hatte, schließt *E. Lohmeyer* (S. 1) einleuchtend aus Apg 16,13.

[32] Man denke etwa an die ständigen Auseinandersetzungen zwischen griechischen und jüdischen Alexandrinern sowie andererseits an das apologetische Bemühen eines *Josephus,* hellenistischen Lesern das Judentum in seiner Eigenart verständlich zu machen und es zugleich als wertvollen Bestandteil der Menschheit vorzustellen (in den Antiquitates und in Contra Apionem). Vgl. zur Sache überhaupt etwa *I. Heinemann,* Art. Antisemitismus, PW Suppl. V, 1931, Sp. 3–43.

gleich die Faszination des Judentums für manche, die sich ihm als „Gottesfürchtige" näherten oder als Proselyten anschlossen.

Hier war eine Gruppe, die trotz aller Vermittlung zu hellenistischem Denken und Leben auch in der Diaspora stets einen Ausschließlichkeitsanspruch für die von ihr vertretene „Sache" – richtiger: für den von ihr verkündeten Gott – erhob. Und in dieser Hinsicht trat die Botschaft von Jesus Christus ähnlich neben dem Judentum auf: mit gleichem Ausschließlichkeitsanspruch[33], jedoch – in der von Paulus und anderen Missionaren getragenen Form der Heidenmission – ohne die ethnisch-rituelle Begrenzung auf Juden und solche, die das Judentum zu übernehmen bereit waren. So übertrug sich die Anziehungskraft der jüdischen Diaspora-Synagoge auf die neuentstehenden Christus-Gemeinden (die ihrerseits von der Synagoge, wie ehemals von Paulus selbst, als ärgerliche, gotteslästerliche Konkurrenz empfunden wurden), wie denn andererseits auch das Gefühl des Befremdlichen, Neuartigen dieser Botschaft gegenüber bestehen blieb, mit den Reaktionen des Kopfschüttelns angesichts der Torheit der Predigt von Kreuz und Auferstehung (1 Kor 1,18.23; Apg 17,18.32), des Widerstands angesichts der Störung der gegebenen Ordnung (Philippi: Apg 16,20–22; Ephesus: Apg 19,23–40) oder aber des Mißverständnisses, als handele es sich um eine weitere Variante im Angebot der Mysterienkulte (1 Kor 10,14–22[34]).

V.

So fremd für den aus hellenistischer Tradition kommenden Menschen der Gedanke des Leidens um Gottes und seines Ausschließlichkeitsanspruches willen sein mußte, so sehr war es einem Paulus aus der Tradition des Judentums seit der Zeit der Makkabäer und Hasidim geläufig, daß Leiden um Gottes willen Freude sein könne.

Leiden um der „Sache Gottes" willen – das hieß im Sinne des gesetzestreuen Judentums: der Fromme muß bereit sein, für das Festhalten an der Thora und damit wirklich um Gottes und seiner Heiligkeit willen Druck, Verfolgung, Leiden auf sich zu nehmen. So entwickelte sich eine Martyriumstheologie, die das Leiden nicht mehr zuerst als Strafe für Schuld, sondern als Bestätigung der Zugehörigkeit zu Gott und damit als Grund zur Freude verstand.[35] Die

[33] Vgl. etwa *M. P. Nilsson,* Geschichte II, 555.

[34] Zu diesem Text vgl. das in Anm. 31 Bemerkte.

[35] Es geht um das Motiv „Leiden/Verfolgung als Grund zur Freude", desses traditionsgeschichtliche Herkunft *W. Nauck* in seinem Aufsatz „Freude im Leiden" skizziert hat. Keine Rolle spielt in diesem Zusammenhang der Gedanke einer sühnenden Kraft des Leidens; vgl. dazu

Erfahrung des Leidens um Gottes willen war eines der treibenden Motive bei der Ausbildung der Apokalyptik[36]; in der besonderen Form apokalyptischer Seligpreisungen schlug sich diese Erfahrung nieder: selig konnte gepriesen werden, wer bis zum Ende aushielt und treu blieb – Gottes Lohn würde ihm zuteil werden (vgl. Dan 12,12; Tob 13,16; Ps Sal 4,23; 17,44 usw.)[37].
Leiden um der „Sache Gottes" willen – das hieß nun für die Urchristenheit: Leiden um Jesu Christi und um des Evangeliums willen (wie es in Mk 8,35 präzise formuliert ist). So kann die „Leidenstheologie" des Urchristentums in vieler Beziehung an die des apokalyptischen Judentums anknüpfen, auch hinsichtlich des literarischen Niederschlags dieser Erfahrung[38]; gerade die paradoxen apokalyptischen Seligpreisungen und inhaltlich verwandte, geprägte Aussagen begegnen in breiter Streuung im ganzen Neuen Testament (Mt 5,11f./Lk 6,22f.; Mt 5,10/1 Petr 3,14; 4,14; Jak 1,12; vgl. 1,2; ferner Röm 8,18; 2 Kor 4,17f.; Mk 8,34f. usw.).
Paulus selbst hatte als Jude seinen nachmaligen Brüdern mit harter Bedrückung zugesetzt (Gal 1,13f.23) in der Meinung, Gott damit zu dienen (Phil 3,6; vgl. Joh 16,2). Nun ist er selbst Objekt des Widerspruchs gegen das Evangelium geworden und erfährt diesen Widerspruch täglich und stündlich; in 2 Kor 11,23–29 gibt er davon einen bewegenden Bericht, in der ironisch angewandten Form jener Königsinschriften, die dem Ruhm der eigenen Leistungen dienen[39]. Zugleich erfährt er aber nicht nur, daß ihn dieser Widerspruch nahe bei Christus hält; er erfährt vielmehr auch, daß der Widerspruch den Lauf des Evangeliums sogar fördert (Phil 1,12–14): es wird auch den Heiden deutlich, daß Paulus nicht einer der üblichen popularphilosophischen Wanderprediger und Wunderschwindler (Goëten) ist, die ein bißchen Neugier, gewiß auch ein bißchen Nachdenklichkeit erwecken, auch gelegentlich Aufsehen erregen und hier und da anecken, sich aber, wenn es brenzlig wird, möglichst schnell aus dem Staube machen[40]. Paulus weiß, daß es für einen Zuschauer nahe liegt,

E. Lohse, Märtyrer und Gottesknecht. Daß der Gedanke einer stellvertretenden Sühnkraft des Märtyrerleidens für die Sünden anderer erst im Judentum nach 70, in der tannaitischen Periode, entwickelt worden ist, hat besonders *W. Wichmann,* Die Leidenstheologie, gezeigt; vgl. auch *E. Lohse,* Märtyrer 70–72, 76–78.

[36] Vgl. *N. Walter,* Zur theologischen Relevanz apokalyptischer Aussagen, in: Theologische Versuche VI, Berlin 1975, 47–72, bes. 51–53.

[37] Vgl. *K. Koch,* Was ist Formgeschichte?, 2. Aufl. Neukirchen bzw. Berlin 1971, 8f; *N. Walter,* Die Bearbeitung der Seligpreisungen durch Matthäus, Studia Evangelica IV (TU 102), Berlin 1968, 246–258, bes. 250f.

[38] Vgl. den in Anm. 35 genannten Aufsatz von *W. Nauck.*

[39] Dazu *E. Kamlah,* Wie beurteilt Paulus sein Leiden? ZNW 54 (1963) 217–232, bes. 221f.

[40] Zur kynisch-stoischen Diatribe und den Wanderpredigern mit ihren positiven und negativen Zügen vgl. *P. Wendland,* Kultur 71f und 75–96, bes. 88f, 92f. – Das anschaulichste Bild, gewiß mit ironischer Zuspitzung, liefern noch immer *Lukians* einschlägige Satiren, z. B. „Das Ende des Peregrinos" (De Peregrini morte).

ihn in diese Kategorie einzureihen; in 1 Thess 2,1–12 tritt er einer solchen Einordnung mit Nachdruck entgegen[41]. Nun erlebt es Paulus in der ephesinischen Gefangenschaft – und zwar, wie man aus dem μᾶλλον (Phil 1,12) wohl entnehmen kann, zu seiner eigenen Überraschung! –, daß sein Eintreten für „seine" Sache auf seine Umgebung wirklich den Eindruck macht, daß Paulus nicht nur tatsächlich bereit ist, für „seine" Sache einzustehen, sondern vielmehr noch: daß es sich in Wahrheit nicht um seine, sondern um die Sache seines „Herrn" handelt: seine Gefangenschaft ist „als Gefangenschaft in Christus offenbar geworden" (1,13), und das bewirkt eine überraschende Ermutigung bei anderen Christen, „das Wort[42] ohne Furcht zu reden" (1,14).

So soll den Philippern schon allein die Schilderung der Vorgänge bei Paulus und in seiner Umgebung eine Ermutigung sein, auf den Widerstand gegen das Evangelium nicht mit Resignation zu begegnen, sondern zu sehen, daß Gott auch in solchem Geschehen verborgen am Werke ist und das Evangelium „fördert". Zugleich zeigt ihnen Paulus, indem er seine eigene Haltung in seiner derzeitigen Zwangslage beschreibt (1,18–26), daß Leiden nicht den Glauben ins Unrecht setzen, sondern nur den Glaubenden näher zu Christus bringen kann – sei der Ausgang auch der Tod.

So will Paulus mit allem, was er in dem Abschnitt 1,12–26 schreibt, die Leser auf jene Paränese vorbereiten, die ihnen auch ihr Leiden als einen Bestandteil ihres Glaubens, ihres Zu-Christus-Gehörens verständlich machen soll (1,27–30).

Wie fremd solche Gedanken für die römisch-hellenistischen Christen in Philippi sein mußten, das ist dem Paulus wohlbewußt[43]. Daraus erklärt sich formal die zunächst unterbrochene Satzkonstruktion in 1,29. Denn τὸ ὑπὲρ Χριστοῦ ist alles andere als eine feste Wendung, ein „Kampf- und Siegesruf", eine Märtyrerlosung oder ein „Motto"[44]. Vielmehr setzt Paulus zu der Aussage über τὸ ὑπὲρ Χριστοῦ πάσχειν an, spürt aber, daß er diese den Lesern nicht gleich als erstes zumuten kann, und retardiert deshalb. Daß das εἰς

[41] Vor allem *E. von Dobschütz* hat auf diesen Hintergrund zu 1 Thess 2,1–12 aufmerksam gemacht (Thessalonicher-Briefe 2–6); vgl. noch *M. Dibelius,* Thessalonicher 9.

[42] So, nicht „das Wort *Gottes*", ist mit Papyrus 46 und dem Reichstext gegen die „ägyptischen" Handschriften wohl zu lesen. „Das Wort reden" ist terminus technicus für „Mission", vgl. 1 Thess 1,6; Gal 6,6; häufig in Apg; ferner Mk 4,14–20 und dazu *J. Jeremias,* Die Gleichnisse Jesu, Göttingen [7]1965 bzw. Berlin 1966, 75f.

[43] Noch eine Generation später gilt dasselbe für die heiden-christliche Gemeinde des 1. Petrusbriefes; vgl. 1 Petr 4,12: sie werden aufgerufen: μὴ ξενίζεσθε, denn das Leiden könnte ihnen als ein ξένον erscheinen. Und der Niederschlag urkirchlicher Missionserfahrung in der Gleichnisauslegung Mk 4,14–20 (Lit. siehe vorige Anm.) läßt ahnen, wie häufig θλῖψις und διωγμός zum Abfall eben erst gewonnener Christen geführt haben mögen (4,17).

[44] Vgl. *E. Lohmeyer,* Philipper 78 und die Übersetzung 72 (!); von einem „Motto" spricht *W. Michaelis,* Philipper 30.

αὐτὸν πιστεύειν ein Geschenk sein könne (ὑμῖν ἐχαρίσθη, V. 29), darin werden sie ihm zustimmen. Nun muß er ihre Erkenntnis einen Schritt weiterführen und sie lehren, daß auch das ὑπὲρ αὐτοῦ πάσχειν das Geschenk des Evangeliums nicht aufhebt, sondern bekräftigt, also dazugehört. Sprachlich ist dabei interessant, daß im Prozeß dieses Neu-Denkens auch das Wort πάσχειν eine ausgesprochen aktive Nuance bekommt, wie es sie für griechisch Sprechende zunächst nicht hat: es meint das bewußt übernommene, im „Kampf" (V. 30) bejahte Leiden[45] – der „Kampf" (ἀγών) ist ja das, was für griechisches Lebensgefühl – im Unterschied zum πάσχειν – gerade die Würde des Menschen ausmacht[46]; jetzt werden beide Momente positiv aufeinander bezogen.

Ein fremder Gedanke für die, an die Paulus hier schreibt! Nur die jahrtausendealte christliche, ja schon bis in die Makkabäerzeit zurückreichende jüdisch-christliche Tradition läßt uns heute, bis in die wissenschaftliche Exegese hinein, verkennen, wie „fremd" er ist – keineswegs nur dem Griechen, sondern doch wohl dem Menschen in einem viel weiteren Horizont, ja vielleicht gar dem „natürlichen" Menschen überhaupt?[47]

VI.

Der Ertrag der Überlegungen scheint mir in zweifache Richtung zu gehen.

1. Für das Verständnis des Philipperbriefes könnte sich ergeben, daß der „Hauptbrief" B (1,1–3,1; 4,[4] 5–7.[8–9] [21–23]) in seinem Mittelstück (von 1,12 an bis 1,30) wohl doch ein eigenes Thema hat: das Thema des Leidens um Christi und des Evangeliums willen. Es legt sich nahe, zwischen 1,12–26 und 1,27–30 doch eine engere Verbindung zu sehen, als das üblich ist. Wenn die Einleitungswendung in 1,12 („Ich möchte, daß ihr wißt...") möglicherweise andeutet, daß Paulus auf eine Anfrage der Philipper eingeht (wie das bei ähnlichen Wendungen in den Paulusbriefen weithin vorauszusetzen ist), dann könnte es sein, daß diese Anfrage sich nicht nur teilnehmend auf das persönliche Ergehen des Paulus richtete, wie man meist voraussetzt, sondern daß sie zugleich – ausdrücklich oder unterschwellig – bewegt war von der Glaubens-

[45] Vgl. *W. Michaelis,* ThWNT V 919f; *J. Gnilka,* Philipperbrief 100f.

[46] *J. Burckhardt* (Kulturgeschichte III, 46–108) stellt das „agonale" Motiv als eins der wesentlichen Motive hellenischen Selbstverständnisses heraus.

[47] Ein Befürworter der Gegenwartsbedeutung griechischer Weltanschauung wie *W. Nestle* kann (1946) immerhin schreiben, daß das Griechentum „uns Welt und Leben einmal wieder unbefangen, ohne die christliche Beleuchtung, rein menschlich sehen" lassen könne (Griechische Weltanschauung, Vorwort 11).

frage, die aus den eigenen Erfahrungen der Christen in Philippi entsprang: Ist es denn wahr, daß man als Christ aktiven Widerspruch, ja Verfolgung und Gefängnis hinnehmen muß? Wie verstehst du, Paulus, es, daß du derartiges jetzt in Ephesus wieder durchmachen mußt? Wird nicht die rettende Kraft des Evangeliums, von der du uns gepredigt hast, durch solche Vorgänge in Frage gestellt? Lohnt es unter solchen Umständen überhaupt, ein Christ zu sein bzw. zu bleiben? So radikal hätten wir uns den Einschnitt in unser Leben nicht gedacht! – Auf so geartete Fragen bezogen, wären die Sätze des Paulus nicht einfach Nachrichten über seine „Situation ... in der Gefangenschaft“[48], sondern eine Antwort, in der er mit der Darlegung seiner Erfahrungen (V. 12–14 und 15–18a), seiner Beurteilung dieser Lage (V. 18b–20) und seiner eigenen Einstellung zu dem, was ihn möglicherweise erwartete (V. 21–26), die Leser darauf vorbereitet, die „Zumutung“ der Verse 27–30 richtig aufzunehmen und sie als ein Mutmachen zu verstehen. Immerhin klingt ja in diesem ganzen Brief immer wieder als Nebenmotiv die Frage an, ob die Philipper wohl nach ihrem damaligen guten „Start“ auch weiterhin bei Christus bleiben werden (1,5f.24f.27; 2,12f.19) – eine Frage, die für Paulus in seiner Verantwortung vor dem Herrn lebenswichtig ist (2,16.19b; wohl auch 1,11, wenn dort die schwierigere Lesart von cod. G „mir zum Ruhm und Lob“, nämlich: am Tage Christi, zu bevorzugen ist).

So ergäbe sich folgende Disposition des Briefes B:

1,1–2 Präskript (Adresse)

1,3–11 Proömium (Lobpreis und Fürbitte)

1,12–30 Thema (Leiden um Christi willen) mit paränetischer Zuspitzung

2,1–18 Paränese zu Einmütigkeit und gegenseitiger Demut (Ausführung zu 1,27b) mit Rückgriff auf das Thema in 2,17–18

3,1; 4,(4)5–7.(8–9)(21–23) Schlußmahnungen und -wünsche, Grüße.

2. Für die exegetische Arbeit verdeutlicht sich der Eindruck, daß wir trotz aller zeitgeschichtlichen Kenntnisse (eigentlich Neues war auf diesen Seiten ja gar nicht vorzutragen) zu sehr geneigt sind, die urchristlichen Schriften immer wieder aus einer allzu „biblischen“ Optik heraus und unter dem Bestimmtsein von Auffassungen zu lesen, die uns nach vielen Jahrhunderten christlicher Theologie selbstverständlich zu sein scheinen, statt etwa die Paulusbriefe wirklich mit den Augen von Lesern zu studieren, die bis vor kurzem Heiden und von biblischer Glaubenstradition unberührt waren, und

[48] So *J. Gnilka,* Philipperbrief 54, in der Überschrift zu 1,12–26. Er sieht in diesem Abschnitt vor allem das „Apostelschicksal“ als Sachthema und schlägt – wie das auch sonst in den Kommentaren und Inhaltsgliederungen (vgl. etwa *W. G. Kümmel,* Einleitung 281) durchweg geschieht – 1,27–30 zum nächsten, bis 2,18 reichenden paränetischen Abschnitt.

das natürlich keineswegs nur hinsichtlich des hier behandelten Themas vom Leiden um Gottes bzw. Christi willen[49].
In unserem Falle betrifft die Kritik durchaus nicht nur die Exegese E. Lohmeyers, der mit großer Unbefangenheit bei den Christen in Philippi ein gewissermaßen „komplettes" Märtyrerbewußtsein glaubte voraussetzen zu können, ohne überhaupt zu fragen, woher sie denn mit jüdisch-apokalyptischer Tradition hätten in Berührung stehen sollen bzw. wie denn bei so kurzer „Unterweisung" durch den Missionar Paulus, in der das Thema des Leidens vermutlich nicht einmal angesprochen worden war (siehe oben III.), eine so tiefgreifende Umstellung des elementaren Lebensgefühls hätte eintreten können. Die Kritik betrifft auch die sonst übliche Exegese, die den Punkt nicht so scharf akzentuiert wie Lohmeyer, für die sich aber das Leidenmüssen um Christi willen durchaus nicht als Glaubensproblem für die Christen in Philippi darstellt, wie denn beispielsweise Gnilka ohne weiteres beiläufig schreiben kann: „Um Christi willen ist das Leid ihr Los, deswegen bejahen sie es"[50]. Nein – vielmehr ist es eine erhebliche Zumutung an sie, daß sie lernen sollen, es zu bejahen. Und wenn man voraussetzt, daß Paulus sich dessen bewußt ist, werden manche Einzelheiten des Textes, bis hin zu dem mehrfach anakoluthischen Stil, sich besser verstehen lassen. Und für den Philipperbrief (B) als ganzen verliert der Aufruf „Freuet euch!", der ja mit Recht als charakteristisch für diesen Brief gilt, alles scheinbar Unbeschwerte – er erweist sich vielmehr als Glied jener Tradition, die dem Glaubenden in paradoxer Weise zuzumuten wagt, daß auch und gerade unter der Bedrohung durch Widerspruch und Leid Grund zur Freude gegeben ist[51].

[49] Eine ähnliche Bemerkung finde ich bei *E. von Dobschütz*, Thessalonicherbriefe 2 (also 1909!), habe aber nicht den Eindruck, daß sie sich heute schon erledigt habe – obwohl ihr grundsätzlich kaum widersprochen werden wird.

[50] *J. Gnilka*, Philipperbrief 101.

[51] Zu dieser Tradition ist nochmals auf den in Anm. 35 genannten Aufsatz von *W. Nauck* zu verweisen.

Literatur

Bornkamm, G., Der Philipperbrief als paulinische Briefsammlung (1962), in: ders., Geschichte und Glaube, Zweiter Teil (BEvTh 53), München 1971, 195–205.

Bultmann, R., Das Urchristentum im Rahmen der antiken Religionen, Zürich und Stuttgart (1949)² 1954.

Burckhardt, J., Griechische Kulturgeschichte. Zusammengefaßt hgg. von R. Marx, I–III, Leipzig o. J. (1929) (Kröners Taschenausgabe 58/60).

Dibelius, M., An die Thessalonicher I. II, An die Philipper (HNT 11), Tübingen ²1923 (die 3., neubearb. Aufl. von 1937 war mir leider nicht zugänglich).

Dobschütz, E. von, Die Thessalonicher-Briefe (MeyerK X), Göttingen ⁷1909.

Frend, W. H. C., Martyrdom and Persecution in the Early Church. A Study of a Conflict from the Maccabees to Donatus, Oxford 1965 (war mir leider nicht zugänglich).

Gnilka, J., Der Philipperbrief (HThK X,3), Freiburg–Leipzig 1968.

Jonas, H., Gnosis und spätantiker Geist I und II,1 (FRLANT 51 und 63), Göttingen (1934) ³1964 und 1954.

Kamlah, E., Wie beurteilt Paulus sein Leiden? Ein Beitrag zur Untersuchung seiner Denkstruktur: ZNW 54 (1963) 217–232.

Kümmel, W. G., Einleitung in das Neue Testament, Heidelberg 1973.

Leaney, A. R. C., The Eschatological Significance of Human Suffering in the O. T. and the Dead Sea Scrolls: Scottish Journal of Theology 16 (1963) 286–301 (war mir leider nicht zugänglich).

Liechtenhan, R., Die Überwindung des Leides bei Paulus und in der zeitgenössischen Stoa: ZThK NF 3 (1922) 368–399.

Lohmeyer, E., Die Briefe an die Philipper, an die Kolosser und an Philemon (MeyerK IX), Göttingen 1930, ¹³1964 (vgl. noch oben Anm. 1).

Lohse, E., Märtyrer und Gottesknecht (FRLANT 64), Göttingen 1955.

Michaelis, W., Der Brief des Paulus an die Philipper (ThHK XI), Leipzig 1935.

Nauck, W., Freude im Leiden. Zum Problem einer urchristlichen Verfolgungstradition: ZNW 46 (1955) 68–80.

Nestle, W., Griechische Geistesgeschichte von Homer bis Lukian, Stuttgart 1944.

Nestle, W., Griechische Weltanschauung in ihrer Bedeutung für die Gegenwart, Stuttgart 1946 (darin insbesondere: Die Überwindung des Leids in der Antike [1942], S. 414–440).

Nilsson, M. P., Geschichte der griechischen Religion, I² und II (HAW V 2,1–2), München 1955 und 1950.

Schmauch, W., Beiheft zu: E. Lohmeyer, Die Briefe an die Philipper, Kolosser und an Philemon (MeyerK IX¹³), Göttingen 1964.

Schweizer, E., Das hellenistische Weltbild als Produkt der Weltangst (1960), in: *ders.*, Neotestamentica, Zürich 1963, 15–27.

Umwelt des Urchristentums, hgg. v. J. Leipoldt und W. Grundmann, I–III, Berlin 1965/67.

Wendland, P., Die hellenistisch-römische Kultur in ihren Beziehungen zu Judentum und Christentum. Die urchristlichen Literaturformen (HNT 2), Tübingen ²/³1912 (bzw. 4., erw. Aufl. ebd. 1972).

Wichmann, W., Die Leidenstheologie. Eine Form der Leidensdeutung im Spätjudentum (BWANT 53), Stuttgart 1930.

Wilamowitz-Moellendorff, U. von, Der Glaube der Hellenen, I/II (1931/32), Berlin ²1955.

DIE ZUKUNFTSERWARTUNG NACH DEM PHILIPPERBRIEF

Von Günther Baumbach

Da der verehrte Jubilar, dem dieser Aufsatz als Zeichen der Hochschätzung und Dankbarkeit zur Vollendung seines 65. Lebensjahres gewidmet ist, seine umfangreiche Lehr- und Forschungstätigkeit schon seit vielen Jahren in nächster Nähe von Weimar ausübt, möchte ich ein Wort von Goethe an den Anfang stellen: „Ich bin überzeugt, daß die Bibel immer schöner wird, je mehr man sie versteht, das heißt, je mehr man einsieht und anschaut, daß jedes Wort, das wir allgemein auffassen und im besonderen auf uns anwenden, nach gewissen Umständen, nach Zeit- und Ortsverhältnissen seinen eigenen, besondern, unmittelbar individuellen Bezug gehabt hat"[1]. Diesem „nach Zeit- und Ortsverhältnissen ... eigenen, besondern ... Bezug" will ich im Blick auf die Zukunftsaussagen des Apostels Paulus nachgehen. Dem Philipperbrief kommt für diese Thematik große Bedeutung zu, weil er häufig in die späteste Zeit des Paulus versetzt[2] und als Endpunkt einer Entwicklung der eschatologischen Aussagen und Vorstellungen des Apostels gewertet wird. Die vor allem von O. Pfleiderer angeregte Entwicklungsthese[3] geht von dem Gegensatz zwischen jüdischer und hellenistischer Denkweise aus und erblickt das Anfangsstadium im 1. Thessalonicherbrief als dem ältesten Paulusbrief, wo Paulus entsprechend jüdischem Denken die Vollendung der Christen erst bei der als nahe erwarteten Parusie annimmt. Diese jüdisch-apokalyptisch geprägte Vorstellung soll auch noch im 1. Korintherbrief nachwirken, obwohl hier schon erste Anzeichen einer hellenistisch orientierten pneumatischen Zukunftshoffnung zu erkennen seien. Die entscheidende Wende in der Zukunftserwartung des Apostels wird in der schweren Lebensgefahr gesehen, die Paulus zwischen dem 1. und dem 2. Korintherbrief überstand und bei der er sein Leben verloren gegeben hatte[4]. „Das Ergebnis ist die Beseitigung des Begriffs der Totenauferstehung"[5] und ihre Ersetzung durch die hellenistische Pneumalehre, die einen unmittelbaren Übergang des geistbegabten Christen in die

[1] *J. W. v. Goethe,* Maximen und Reflexionen Abt. 6.

[2] Vgl. die Belege bei *W. Wiefel,* Hauptrichtung 79 Anm. 106.

[3] Vgl. *O. Pfleiderer,* Urchristentum 299; weitere Autoren bei *P. Hoffmann,* Die Toten 4–6; 235f.

[4] Vgl. 2 Kor 1,8ff.

[5] *E. Teichmann,* Vorstellungen 59.

Gemeinschaft mit Christus nach dem Tode proklamierte. Neben dem 2. Korintherbrief wird dafür hauptsächlich der Philipperbrief als Kronzeuge angeführt. Daß eine solche These keineswegs der Vergangenheit angehört, erweist der 1974 erschienene Aufsatz von W. Wiefel: „Die Hauptrichtung des Wandels im eschatologischen Denken des Paulus“[6]. Auch Wiefel spricht von einer „kontinuierlichen Entwicklung der Gedanken des Paulus“[7] und rechnet mit „vier Reflexionsstufen“ eschatologischen Denkens des Apostels, die von der Parusie (1 Thess 4) über die Totenauferstehung (1 Kor 15) zur „Geltendmachung des individuellen Aspekts in der Eschatologie“[8] (2 Kor 5) führen und in der ganz pneumatisch-individuell orientierten Zukunftserwartung des Philipperbriefes ihre Vollendung erreichen: „So behält auf dieser vierten Reflexionsstufe von den traditionellen apokalyptischen Inhalten Parusie, Auferstehung, Gericht nur die erstere ihre Bedeutung, jedoch auch sie in der Heraushebung des individuell-eschatologischen Aspekts“[9]. Die „sich durchhaltende Kontinuität der paulinischen Eschatologie“ erblickt Wiefel in der Zielbestimmung des „Mit-Christus-Seins“[10]. Weil diese Entwicklungsthese im folgenden kritsch geprüft werden soll, können die Zukunftsaussagen des Philipperbriefes nicht isoliert betrachtet werden, sondern erst nach Heranziehung der eschatologischen Aussagen in 1 Thess 4–5, 1 Kor 15 und 2 Kor 5. Ein solches Vorgehen ist nicht nur durch die beabsichtigte Nachprüfung der exegetischen Grundlagen für die genannte These geboten, sondern auch durch die Tatsache, daß Paulus als Apostel und Missionar nicht theologische Abhandlungen, sondern ganz konkrete Gelegenheitsschriften, die auf Fragen und Probleme des Gegenübers eingehen, geschrieben hat. Insofern darf dieser zeit- und situationsbedingte Rahmen nicht außer acht gelassen werden.

Im 1. Thessalonicherbrief als dem ältesten erhaltenen Paulusbrief[11] antwortet Paulus in Kapitel 4–5 entweder auf einen Brief der Gemeinde oder auf eine mündlich an ihn gerichtete Frage[12] nach dem Schicksal der vor der (als nahe erwarteten) Parusie verstorbenen Gemeindeglieder. Entsprechend dieser konkreten Fragestellung gestaltet der Apostel seine Antwort, so daß „die Situationsgebundenheit der Verse 14–17“ von 1 Thess 4 „in voller Deutlichkeit“ hervortritt: „Hilfe zu gegenseitiger Tröstung einer trauernden Gemeinde zu geben, war das Ziel des Apostels“[13]. Der Schwerpunkt liegt dabei auf V. 15b:

[6] Theologische Zeitschrift 30 (1974) 65–81.

[7] AaO., 74.

[8] AaO., 78.

[9] AaO., 80.

[10] AaO., 81.

[11] Vgl. *W. G. Kümmel,* Einleitung 221: „etwa im Jahr 50“.

[12] Vgl. *W. G. Kümmel,* Einleitung 224; *P. Siber,* Mit Christus 14ff.

[13] *P. Hoffmann,* Die Toten 228f; vgl. auch *M. Dibelius,* Thessalonicher 23.

Die bei der Parusie Lebenden werden den vorher Gestorbenen bei der Heilsvollendung nicht zuvorkommen. Das Thema Parusie ist also durch die Anfrage aus Thessalonich bedingt. Der Apostel selbst läßt sich auf Terminfragen, wie 5,1 erweist, nicht ein, sondern mahnt in 5,6ff zu Wachsamkeit und Nüchternheit, um auf diese Weise des in Jesu Kreuz und Auferweckung gründenden Heils[14] teilhaftig zu werden. Die eigentliche Schilderung des endzeitlichen Vorgangs, wie sie in V. 16–17 gegeben wird, stammt wahrscheinlich aus einem V. 16–17a umfassenden traditionellen Herrenwort[15], an das Paulus mit „und so..." in V. 17b seine eigene Interpretation angehängt hat. Während also die universale Zukunftsschilderung traditionell bedingt ist, markiert die Syn-Aussage: ‚Allezeit mit dem Herrn zusammensein' das, worauf es Paulus bei der Zukunft ankommt. Die Wichtigkeit dieser Aussage wird auch durch V. 14 unterstrichen, wo Paulus im Anschluß an die von Jesu Tod und Auferweckung redende Glaubensformel von einem ‚Durch Jesus mit ihm Zusammenführen' spricht. Zugleich zeigt sich hier, daß es für den Apostel nur *einen* Brennpunkt seiner Theologie gibt: Kreuz und Auferweckung Jesu[16], in dem alles Heil gründet, das Heil also in der Gemeinschaft mit diesem Christus besteht. Genau in diese Richtung tendiert auch 5,10, wo aus Jesu Heilstod die Hoffnung auf ein ‚Zusammenleben mit ihm' abgeleitet wird. Bei diesem im 1. Thessalonicherbrief dreimal hervorgehobenen ‚Sein mit Christus' als Ziel der Hoffnung geht es um die Partizipation am Auferstehungsleben Jesu, so daß „Paulus schon in seinem wahrscheinlich ältesten Brief mit der Erwartung des ‚Lebens mit Christus' sachlich gar nichts anderes aussagt als mit der ‚Auferweckung mit Christus', weil es hier wie dort um das Teilhaben am Auferstehungsleben Jesu geht"[17]. Daß das Kreuzeskerygma *allen* Christen in Thessalonich – Lebenden und bereits Verstorbenen – Anteil am lebendigen Christus verheißt und darum Trost gewährt, will der Apostel hier unterstreichen.
Auch im 1. Korintherbrief, der zeitlich auf den 1. Thessalonicherbrief folgt[18], geht Paulus auf konkrete Fragen aus der Gemeinde ein[19] und setzt sich im 15. Kapitel mit der in Korinth vertretenen These: „Eine Totenauferstehung gibt es nicht"[20] auseinander, wobei aber fraglich ist, ob die These in dieser

[14] Vgl. 4,14 und 5,10.

[15] Vgl. *P. Siber,* Mit Christus 35–43. Da es sich um ein von Paulus für einen bestimmten Zweck übernommenenes Traditionsstück handelt, sollte jede Ausdeutung der Einzelzüge unterbleiben (gegen *B. Spörlein,* Leugnung 126–129).

[16] Gegen *W. Wiefel,* Hauptrichtung 67, der von zwei Brennpunkten der paulinischen Theologie: „Tod und Auferstehung Christi einerseits und die Parusie andererseits" spricht.

[17] *P. Siber,* Mit Christus 73.

[18] Vgl. *W. G. Kümmel,* Einleitung 241f; „Frühjahr 54 oder 55".

[19] Vgl. 7,1; 8,1; 12,1; 16,1.

[20] Vgl. 15,12.13.15.16.29.32.

Form in Korinth wirklich vertreten wurde und ob sie nicht auf ein Mißverständnis des Apostels zurückgeht[21]. Die paulinische Antwort ist ganz auf die genannte These ausgerichtet: Der Apostel bemüht sich darum, die theologische Notwendigkeit der noch ausstehenden, zukünftigen Totenauferstehung seinem Gegenüber einsichtig zu machen. Insofern geht es hier nicht um eine „zweite Stufe der Reflexion", in der sich „das Interesse des Paulus ... deutlich von der Parusie auf die Totenauferstehung verlagert" hat[22]; denn wie in 1 Thess 4–5 die Parusie-Erwähnung durch die konkrete Fragestellung seines Gegenübers bedingt war, so in 1 Kor 15 die Auferstehungsproblematik. Von einer „zweiten Stufe der Reflexion" sollte man jedoch schon deshalb nicht sprechen, weil „der Beweis, daß eine Äußerung ... durch diese oder jene Situation *veranlaßt* ist, ... noch nicht zu der Annahme (berechtigt), daß durch dieselbe Situation auch die *Entstehung* der Vorstellung erklärt werden kann"[23]. Paulus kann durchaus bereits vor Abfassung des 1. Korintherbriefes zu der Auffassung über die Totenauferstehung mit ihrer besonderen Leiblichkeit gekommen sein, die Veranlassung zum Aussprechen und Entfalten dieser Vorstellung bestand jedoch erst angesichts der Anfrage der Korinther. In Entsprechung zu der Auferstehungsfrage als dem Ausgangspunkt redet der Apostel hier nicht wie in 1 Thess 4,17 von der Entrückung, sondern von der Verwandlung, um damit „Gottes von Grund auf neuschaffendes Auferstehungshandeln zu interpretieren"[24]. Aus dieser Zielrichtung erklärt sich auch die Übernahme der hellenistisch geprägten Gegensatzpaare: Vergänglichkeit – Unvergänglichkeit (V. 42.50.53f), psychischer Leib – geistlicher Leib (V. 44ff), irdisch – himmlisch (V. 47ff), sterblich – Unsterblichkeit (V. 53f), die lediglich dazu dienen, Gottes Auferweckungshandeln zu verdeutlichen, und insofern auf das Kerygma von Jesu Kreuz und Auferweckung ausgerichtet sind[25], weshalb ja auch der Apostel in 15,19.30–32 die täglichen Lebensgefahren mit der Auferstehungshoffnung zusammenbringt. „Die Auferstehung bedeutet dem Apostel die Garantie dafür, daß sich der Einsatz des Lebens lohnt"[26]. Paulus verbindet also hier sein Leidensschicksal als Apostel des Gekreuzigten mit der Auferstehungshoffnung und unterstreicht damit am Beispiel seiner Person die Notwendigkeit der Totenauferstehung. Trotzdem kann man nicht sagen, daß die in 1 Kor vorhandene Fragestellung „individual orientiert" sei und daß „an die Stelle christologisch zentrierter Apokalyptik ... eine anthropologisch

[21] Vgl. dazu *P. Hoffmann,* Die Toten 240ff, sowie die dort angegebene Literatur.
[22] *W. Wiefel,* Hauptrichtung 72.
[23] *P. Hoffmann,* Die Toten 327.
[24] *U. Luz,* Geschichtsverständnis 355.
[25] Vgl. 15,3ff, 12ff.
[26] *P. Hoffmann,* Die Toten 247.

zentrierte getreten (sei), die um die Vorstellung der Verwandlung kreist"[27]. Wie nämlich die Verse 24–28 klar erweisen, übernimmt Paulus auch hier kosmisch-apokalyptische Vorstellungen und ist keineswegs „anthropologisch zentriert", sondern voll und ganz christologisch; denn die endgültige Überwindung der Macht des Todes als des ‚letzten Feindes' ist das Endziel der Macht der Auferweckung Jesu und liegt darum in der Konsequenz der Osterbotschaft, die der Apostel verkündet und die ihm im Leiden die Glaubenszuversicht zu dem Gott gibt, „der die Toten lebendig macht und das Nichtseiende ins Sein ruft"[28]. Von diesem christologisch orientierten Verständnis Gottes als des Schöpfers, der als solcher zugleich der Erlöser ist, wird aber jede Entgegensetzung von kosmisch und anthropologisch unsinnig, zumal ja bereits in der jüdischen Apokalyptik Universalismus und Individualismus untrennbar zusammengehören[29] und auch im Hellenismus die Erweiterung des Horizontes auf den Kosmos hin in Verbindung mit einer Betonung des einzelnen steht[30]. Demnach geht es weder bei der in 1 Kor 15,51ff ausgesagten Verwandlung noch in den Auferstehungsaussagen im ganzen Kapitel um eine „anthropologische Zentrierung", sondern im ganzen Kapitel will Paulus angesichts der korinthischen These, es gäbe keine Totenauferstehung, die Wirklichkeit und Bedeutsamkeit der zukünftigen Auferstehung der Toten als Folge des Gottesglaubens und des Osterkerygmas erweisen, so daß kosmische und individuelle Zukunft untrennbar zusammengehören[31].

Im Rahmen der These von einer „kontinuierlichen Entwicklung der Gedanken des Paulus im eschatologischen Themenkreis"[32] wird nach 1 Kor 15 auf 2 Kor 5,1–10 verwiesen und hier die durch „Individualisierung und Dualismus ... bezeichnete Stufe der Reflexion" erblickt, die deshalb Raum gewinnen konnte, „weil Paulus erst jetzt die Möglichkeit des Sterbens vor der Parusie für sich und die Mehrzahl der Christen ins Auge faßt"[33]. Insofern muß 2 Kor 5 jetzt auch herangezogen werden, allerdings in Beschränkung auf die Zielsetzung dieses Aufsatzes. Wie die von P. Hoffmann referierte Auslegungsgeschichte von 2 Kor 5 zeigt[34], stellen vor allem die Verse 1–5 wegen ihrer

[27] *W. Wiefel,* Hauptrichtung 71f.

[28] Röm 4,17; vgl. 2 Kor 1,9; 4,14.

[29] Vgl. *P. Vielhauer,* in: E. Hennecke – W. Schneemelcher, Apokryphen II, 414.

[30] Vgl. *W. Tarn – G. T. Griffith,* Kultur 3: „...der Universalismus, der vom Individualismus begleitet wird".

[31] Vgl. dazu *U. Luz,* Geschichtsverständnis 349.

[32] *W. Wiefel,* Hauptrichtung 74.

[33] *W. Wiefel,* Hauptrichtung 77. Zu den älteren Vertretern dieser These vgl. *B. Spörlein,* Leugnung 132f.

[34] *P. Hoffmann,* Die Toten 254–267; vgl. auch *N. Baumert,* Täglich sterben, passim.

gnostisch-dualistisch klingenden Bildsprache (irdische und himmlische Behausung, Um- bzw. Überkleidetwerden, Ausziehen und Anziehen, Auswandern aus dem Leib und Heimatfinden beim Herrn) die Exegeten vor kaum lösbare Schwierigkeiten, so daß keine Einmütigkeit bisher erzielt wurde und wohl auch nicht zu erzielen ist. Um bei diesen im einzelnen schwer deutbaren Aussagen nicht in die Irre zu gehen, ist im Blick auf den Kontext davon auszugehen, daß es sich in 2 Kor 5,1–10 „nicht um einen Traktat über die Endereignisse handelt, sondern es wird nur im Rahmen der Thematik der apostolischen Leiden und des Lebens der Apostel auch der Abschluß dieses Lebens ins Auge gefaßt"[35]. Zugleich dürfte hinter der radikalen Entgegensetzung von gegenwärtiger apostolischer Leidenssituation und zukünftiger Herrlichkeitsfülle, die nicht in eine Koexistenz von irdischer und himmlischer Seinsweise in diesem Leben aufgelöst werden darf[36], die den 2. Korintherbrief bestimmende Polemik gegen Irrlehrer zu sehen sein, die sich ihrer Vorzüge und Überlegenheit rühmten und dem Paulus aufgrund fehlender Zeichen, Wunder und Krafttaten das Apostelamt bestritten[37]. Diesen „Überaposteln"[38] wirft Paulus vor, daß sie einen anderen Jesus und ein anderes Evangelium verkündigen, also nicht den auferweckten Gekreuzigten, dessen Kraft sich in Schwachheit vollendet, dessen Auferstehungsmacht also im Leiden erfahren wird[39] und an dessen Auferstehungsleben erst die künftige Auferstehung nach 4,14 Anteil gibt. Weil sich die Auseinandersetzung auf den Apostolat des Paulus bezieht, darum exemplifiziert Paulus in 4,16 – 5,10 sein Evangelium an der auch den Apostel Jesu kennzeichnenden Leidensnachfolge des gekreuzigten Christus. Der „individuelle" Charakter dieser Ausführungen weist also nicht auf ein weiteres Stadium der Individualisierung der paulinischen Zukunftserwartung hin[40], sondern ist durch die diesen Brief beherrschende Frontstellung bedingt. Der Abschnitt 5,1–10 darf darum nicht von 4,7–18 abgetrennt werden, worauf das „denn" in 5,1 sowie „die Parallelität von 5,6 θαρροῦντες οὖν und 4,16 διὰ οὐκ ἐγκακοῦμεν" sowie „die Aufnahme von

[35] *B. Spörlein,* Leugnung 154. Insofern muß eine diesen Zusammenhang nicht beachtende Exegese von 5,1–10 notwendigerweise zu falschen Schlüssen kommen (gegen *W. Wiefel,* Hauptrichtung 74–79, der diesen Abschnitt ganz isoliert betrachtet).

[36] Gegen *N. Baumert,* Täglich sterben 173.

[37] Vgl. 3,4ff; 5,12f; 11,5.12f.18; 12,2.7.11f.

[38] Vgl. 11,5; 12,11.

[39] Vgl. 4,10f; 11,5; 12,10.

[40] Gegen *W. Wiefel,* Hauptrichtung 78: „In dem Maße, in dem für Paulus die unmittelbare Parusieerwartung zurücktritt, genügt ihm das apokalyptische Auferstehungsdogma als Antwort auf die Frage nach der Zukunft des Menschen nicht mehr. Ihre Beantwortung verlangt die Geltendmachung des individuellen Aspekts in der Eschatologie".

αἰώνια (4,18) durch αἰώνιος (5,1)" hinweist[41]. Allerdings dehnt der Apostel die über seine apostolische Existenz gemachten Aussagen auch auf die im Zeichen des Leidens stehende Gemeinde aus, so daß die hier gegebene Verheißung zur Stärkung der Angefochtenen und Verfolgten dient[42]. Ein erster Höhepunkt ist in 5,5 erreicht, wo die Heilshoffnung auf Gott selbst zurückgeführt und mit dem heiligen Geist als „Unterpfand" der Gewißheit der göttlichen Zusage in Verbindung gebracht wird. Hier taucht zum ersten Mal innerhalb paulinischer eschatologischer Aussagen der heilige Geist auf, woraus die Vertreter der Entwicklungstheorie geschlossen haben, daß hier der Übergang von der alten jüdischen Auferstehungsvorstellung zu der hellenistischen Pneumalehre mit der Annahme eines unmittelbaren Übergangs nach dem Tod in die Christusgemeinschaft vollzogen sei. Dabei wird ein „individuelles Verständnis des Pneuma", das „die durchhaltende Identität sichert"[43], angenommen. Es ist jedoch keineswegs sicher, daß das Pneuma hier so „hellenistisch" zu verstehen ist. Wie 11,4 zeigt, brachten die „Überapostel" auch einen „anderen Geist", der nicht mit dem durch die paulinische Evangeliumsverkündigung verliehenen übereinstimmte. Bezeichnenderweise kommt in 2 Kor 4–5 das Wort Pneuma neben 5,5 nur noch in 4,13 vor und steht dort in Bezogenheit auf die Verkündigung als den „Schatz in irdenen Gefäßen" (4,7). Demzufolge will Paulus hier doch wohl seinen auf ihre Geistmächtigkeit in Gestalt von Zeichen, Wundern und Krafttaten stolzen Gegnern entgegenhalten, daß „das Leben Jesu im Apostel ... nicht in dessen Geisterfahrungen, sondern in der Verkündigung des Evangeliums (besteht) und somit ... direkt *nur* in der Gemeinde sichtbar (wird), die durch diese Verkündigung entstanden ist (V. 12)"[44]. Die Erwähnung des Pneuma ist demnach durch die konkrete Polemik bedingt und zeigt keine Strukturänderung der paulinischen Eschatologie an.

In den umstrittenen Versen 5,1–5, die im Zusammenhang eine „polemische Abschweifung"[45] sind, kommt dem Wort ἐπενδύσασθαι (V. 2.4) große

[41] *P. Hoffmann,* Die Toten 267, wo auch weitere mögliche Berührungspunkte genannt sind. Nach *U. Luz,* Geschichtsverständnis 368, geht es in 3,1 – 4,6 um den „ersten Argumentationsgang der Rechtfertigung seines Apostolats, den Paulus ... von der Herrlichkeit der neuen διακονία her führt", und in 4,7 – 5,10 um den „zweiten Argumentationsgang ... von seiner Existenz im Leiden her, die eine Darstellung der νέκρωσις Jesu, zugleich aber auch des Lebens Jesu jetzt und in Zukunft ist".

[42] Vgl. *R. Bultmann,* Probleme 3.

[43] *W. Wiefel,* Hauptrichtung 76; vgl. auch *E. Teichmann,* Vorstellungen 59, der daraus die „Beseitigung des Begriffs der Totenauferstehung" folgert.

[44] *U. Luz,* Geschichtsverständnis 368.

[45] Vgl. *R. Bultmann,* Probleme 4, der auf das οὐ – ἀλλά V. 4 und das betonte εἰς αὐτὸ τοῦτο verweist.

Bedeutung zu, das sich gegen solche wendet, die offensichtlich das „Ausziehen“ des Leibes und das „Nackt-Erfundenwerden“ als Ziel ihrer Sehnsucht betrachteten[46]. Demzufolge muß das ἐπενδύσασθαι als „Empfang eines neuen Leibes“[47] verstanden werden; denn der Apostel kann sich, wie auch 1 Kor 15 zeigt, eine leiblose Existenz nicht vorstellen. Paulus bedient sich somit hier der Sprache seiner Gegner zum Zwecke der Auseinandersetzung und kritischen Abhebung, so daß aus der hier vorhandenen andersartigen Bildsprache nicht auf eine veränderte Eschatologie geschlossen werden darf. In 5,6 setzt Paulus ähnlich wie in 4,16 ein und lenkt auf den Ausgangspunkt zurück, so daß „durch 5,6–10 . . . der Gedanke von 5,1–5 dem beherrschenden Thema eingeordnet wird“[48]. Die apostolische Existenz wird jetzt wieder zur bestimmenden Mitte und damit zugleich das Verhalten der durch das apostolische Kerygma gegründeten Gemeinde. Daß dieser ganze Abschnitt eine paränetische Ausrichtung hat, zeigen die Schlußverse 9–10, auf denen der Hauptakzent liegt. Die paulinische Position, die in den Versen 1–5 noch nicht klar entfaltet ist, tritt in den folgenden Versen immer deutlicher in Erscheinung. So richtet sich die Heilshoffnung in VV. 6–8 nicht mehr auf das „Überkleidetwerden“, sondern ist stärker christologisch geprägt und zielt auf das „Heimatfinden beim Herrn“ (V. 8), das im Gegensatz zu dem gegenwärtigen „Beheimatetsein im Leib“ als dem „Fernesein vom Herrn“ (V. 6) steht. Im Zusammenhang damit ist der in V. 7 genannte Gegensatz von διὰ πίστεως und διὰ εἴδους zu sehen, der „zwei Sphären“ meint: die eine, „in der wir auf Glauben angewiesen sind“, und die andere, „in der es sich um ‚schaubare Gestalt‘ handelt“[49]. Das „Angewiesensein auf Glauben“ ist dann aber als „begleitender Umstand“ auf unseren Wandel im noch bestehenden alten Äon zu beziehen, in dem wir „noch wie durch einen Spiegel auf ein Rätselbild sehen“ (1 Kor 13,12), in dem wir im Sinne von Phil 3,12f „noch nicht“ alles „schon ergriffen“ haben bzw. „schon vollendet“ sind. Bei der noch ausstehenden „schaubaren Gestalt“ wäre dementsprechend an die Erscheinung der ewigen Herrlichkeit im Sinne von 2 Kor 4,17 zu denken[50]. Diese Zukunftsaussage tendiert damit in die Richtung von Phil 3,20f, wo der neue Äon den Christus-

[46] Vgl. *R. Bultmann,* Probleme 4–6; *W. Schmithals,* Gnosis 248ff; *P. Hoffmann,* Die Toten 277; *K.-A. Bauer,* Leiblichkeit 125, u. a. m.

[47] *P. Hoffmann,* Die Toten 278; gegen *N. Baumert,* Täglich sterben 173.

[48] *R. Bultmann,* Probleme 4.

[49] ThWNT II, 372; vgl. dazu auch *C. Demke,* Auslegung 600; *W. Schenk,* Wort 486. Die übliche aktivische Übersetzung von εἶδος als „Schauen“ ist sprachlich nicht gerechtfertigt.

[50] Vgl. dazu *K.-A. Bauer,* Leiblichkeit 122f, der von einer „antienthusiastischen Korrektur“ spricht und mit ThWNT II, 372, auf 1 Joh 3,2 weist. Insofern geht es hier sehr wohl um einen „eschatologischen Vorbehalt“ (gegen *C. Demke,* Auslegung 598, und *W. Schenk,* Wort 468).

gläubigen die Gleichgestaltung mit Christi Herrlichkeitsgestalt bringen wird. Auf diese jetzt noch ausstehende Gestalt bzw. Gestaltwerdung zielte schon der Terminus „Überkleidetwerden" in V. 2 und 4, diese Gestalt ist also identisch mit dem Geschenk des neuen Leibes und meint im Sinne von V. 8 das „Heimatfinden beim Herrn", d. h. die Christusgemeinschaft als das „Zusammensein mit dem Herrn" von 1 Thess 4, 14.17; 5,10. Die unterschiedlichen Zukunftsaussagen dienen darum der Veranschaulichung dieser christologischen Mitte in einer dem jeweiligen Gegenüber verständlichen Sprache. Daß in 2 Kor 5 keine Antithese zum und schon gar keine Ablösung des „apokalyptischen Auferstehungsdogmas" intendiert sein kann, zeigt 4,14, wo gesagt wird, daß Gott auch „uns zusammen mit Jesus auferwecken und zusammen mit euch (vor Gottes Thron) hinstellen wird"[51]. Der Apostel kann demnach innerhalb der beiden engstens zusammengehörenden Kapitel 4–5 des 2. Korintherbriefes Vorstellungen verwenden, die sich „nur schwer zu einer Gesamtgeschichte der Zukunft ergänzen" lassen[52]. Auffällig ist, daß Paulus in 2 Kor 5,1–8 seiner Sehnsucht nach Erfüllung seiner Heilshoffnung beredten Ausdruck verleiht, aber dieser Hoffnung in VV. 9–10 das εὐάρεστοι αὐτῷ εἶναι und damit die Bewährung in diesem Leibesleben vor- und überordnet. Auf diese Weise bekommt das Praktizieren des Gehorsams in der Gegenwart den Vorrang vor der Reflexion über die Heilsvollendung[53]. Die christologische Grundlegung der ganzen Ausführungen macht sich auch hier wieder geltend; denn da für Paulus der Gekreuzigte der Grund des Heils ist und das Kreuz damit das Kennzeichen der christlichen Existenz darstellt[54], ist das „in-Christus-Sein" die Voraussetzung für das Partizipieren an der Heilsvollendung als dem „Zusammensein mit dem Herrn". Die Erwähnung des Gerichts in V. 10 unterstreicht die paränetische Intention dieses Abschnitts und richtet sich auf die Parusie; denn der Gerichtsgedanke steht meist im Zusammenhang mit der Parusie[55]. Da jedoch der Apostel „in der Verwendung der Gerichts- und Parusieaussagen in der Paränese ... weitgehend der Gemeindetradition

[51] Im Blick auf die hier vorliegende typisch paulinische Syn-Aussage berührt sich 4,14 mit 1 Thess 4,14.17; 5,10, wobei nicht etwa in 1 Thess 4–5, sondern ausgerechnet in 2 Kor 4,14 das Verb ἐγείρειν mit einer Syn-Aussage gebraucht wird. Als traditionell bedingt kann nur der erste Teil dieser Glaubensformel, nicht jedoch der durch die Syn-Aussage geprägte V. 14b gelten (gegen *W. Wiefel,* Hauptrichtung 79; vgl. zu dem Ausgeführten *P. Siber,* Mit Christus 71).

[52] *U. Luz,* Geschichtsverständnis 357.

[53] Vgl. dazu auch *L. Mattern,* Verständnis 158: „Nicht die Zukunft des Menschen, sondern das Verhältnis des Christen zu Christus und die Verantwortung des Dieners vor dem Herrn für sein ganzes Tun ist sein Thema".

[54] Vgl. 1 Kor 2,1ff; 4,9ff; 2 Kor 4,7ff; 6,4ff; 11,23ff; Gal 6,14.

[55] Vgl. *G. P. Wetter,* Vergeltungsgedanke 92; *U. Luz,* Geschichtsverständnis 311; ferner 1 Thess 3,13; 5,23; 1 Kor 4,5; 7,29ff; Röm 13,11ff; Gal 6,7ff.

folgt“[56], darf 5,10 nicht zu einer zeitlichen Festlegung des ganzen Abschnitts 4,16 – 5,10 benutzt werden, zumal ja der in 5,1 enthaltene Gedanke der „Auflösung“ wegen der Berührung mit Phil 1,23 eher an den Zeitpunkt des Todes denken läßt[57]. Daraus ergibt sich, daß das Fehlen eindeutiger Hinweise auf eine zeitliche Festlegung der eschatologischen Vorgänge ernst zu nehmen ist, weil dadurch zum Ausdruck kommt, daß für den Apostel das Problem eines eschatologischen Fahrplans ebensowenig existiert wie das des Zeitpunkts der Heilsvollendung. Konstitutiv ist für ihn vielmehr die christologische Ausrichtung dieser Hoffnung mit ihren Konsequenzen für die Gegenwart, weshalb ja auch in 5,10 nicht von Gottes Gericht, sondern von Christi Richtstuhl die Rede ist, vor dem sich die korinthischen Christen verantworten müssen.
Der Endpunkt der Entwicklung im eschatologischen Denken des Paulus soll im Philipperbrief vorliegen, dessen Zukunftsaussagen darum erst jetzt nach Berücksichtigung der „älteren“ Paulusbriefe herangezogen werden können. Nach W. Wiefel liegt in diesem Brief eine „vierte Reflexionsstufe“ vor, auf der „von den traditionellen apokalyptischen Inhalten Parusie, Auferstehung, Gericht nur die erstere ihre Bedeutung (behält), jedoch auch sie in der Heraushebung des individuell-eschatologischen Aspekts“[58]. Gegen diese Formulierung läßt sich zunächst einmal einwenden, daß vom Gericht auch im ältesten Paulusbrief nicht die Rede ist, so daß das Fehlen der Gerichtsterminologie im Philipperbrief nichts Auffälliges ist. Hinzu kommt, daß auch im 1. Thessalonicherbrief der Terminus „Totenauferstehung“ überhaupt nicht vorkommt[59], wohl aber gerade im Philipperbrief, wie 3,11 beweist. Diese Aussage von der „Auferstehung von den Toten“ findet sich im umstrittenen 3. Kapitel, das wegen seiner in 3,2 unvermittelt einsetzenden scharfen Ketzerpolemik zu Teilungshypothesen Anlaß gegeben hat[60]. Die Berechtigung dazu, Phil 3 als einen ursprünglich selbständigen Brief („Kampfbrief“), der später als Phil 1–2.4 („Gefangenschaftsbrief“) abgefaßt wurde, anzusehen[61], läßt sich prinzipiell nicht

[56] *U. Luz,* Geschichtsverständnis 314, unter Hinweis auf 1 Petr 1,7.13; 4,13; 5,4; Jak 5,7ff.
[57] Vgl. *P. Hoffmann,* Die Toten 270. Zum gleichen Ergebnis, allerdings mit anderer Begründung, gelangt auch *C. Demke,* Auslegung 595 Anm. 27. Entscheidend ist für Paulus nicht, wann dieses „Abbrechen“ des Leibes erfolgt – ob im Tod oder bei der Parusie –, sondern daß er durch das Unterpfand des Geistes des Auferstehungslebens gewiß sein darf, vgl. dazu *B. Spörlein,* Leugnung 149f.
[58] *W. Wiefel,* Hauptrichtung 80.
[59] In 1 Thess 1,10 ist nur von Jesu Auferweckung von den Toten die Rede; der mit „Totenauferstehung“ gemeinte Tatbestand wird schon im ältesten Paulusbrief durch die Syn-Aussagen in 4,14.17; 5,10 umschrieben.
[60] Vgl. dazu *G. Baumbach,* Irrlehrer 293–298; *J. Gnilka,* Philipperbrief 6–18; *W. G. Kümmel,* Einleitung 291–293.
[61] Vgl. *J. Gnilka,* Philipperbrief 11ff; *W. G. Kümmel,* Einleitung 292 Anm. 31.

bestreiten; denn 3,2–21 stellt ein in sich geschlossenes Stück dar, das in mehrfacher Hinsicht vom Kontext abweicht. Während in den Kapiteln 1–2.4 die Situation des Apostels und seiner Gemeinde konkret geschildert und die Herzlichkeit des gegenseitigen Beziehungsverhältnisses deutlich erkennbar wird, wirken die im 3. Kapitel gemachten Aussagen recht allgemein und geradezu situationslos, weshalb sie die Forschung zu einer Fülle von unterschiedlichen Hypothesen über die hier gemeinten „Irrlehrer" inspiriert haben[62]. Aber es ist zu überlegen, ob sich diese Unkonkretheit und Situationslosigkeit nicht formgeschichtlich erklären läßt. G. Bornkamm hat nämlich auf ein „formgeschichtliches Gesetz" hingewiesen, das sich in den meisten neutestamentlichen Briefen beobachten läßt, wonach „die Ankündigung von Pseudopropheten und Irrlehrern und die Warnung vor ihnen sehr häufig am Ende einzelner Schriften und Schriftabschnitte begegnet"[63]. Im Philipperbrief steht ein solcher Abschnitt „unmittelbar vor der letzten Ankündigung der Parusie des Herrn"[64]. Der Hinweis auf die Parusie unterstreicht die eschatologische Ausrichtung dieser Warnungen, wobei diese Orientierung aber auch in 3,19–21 klar zum Ausdruck kommt. Es ist darum anzunehmen, daß wir in Phil 3–4 „an extended postscript"[65] vor uns haben, das zudem an das „classical pattern of the testament of a dying father to his children" erinnert[66]. Die in Phil 1–2 vorliegende Situation des Apostels, der als Gefangener die Möglichkeit des Todes ins Auge fassen muß[67], könnte in diese Richtung weisen. Wenn „das Auftreten von Irrlehrern ein Signum der Endzeit" ist[68] und hier ein „formgeschichtliches Gesetz" vorliegt, dann kann der außerordentlich schroffe Ton in 3,2 nicht überraschen und bedarf keiner psychologischen Erklärungen oder Teilungshypothesen. Die mangelnde Konkretheit der Ausführungen von Kap. 3 wäre dann kein Zufall. Daraus ergibt sich als Folgerung: Paulus will hier nicht historisch getreu seine Opponenten schildern, sondern die eschatologische Gefährdung seiner Gemeinde zum Ausdruck bringen, die dieser durch Irrlehrer droht und deren sie sich offensichtlich noch gar nicht bewußt geworden ist. Die grundlegende theologische Antithese wird gleich in V. 3 gebracht, indem hier das „Selbstvertrauen" (πεποιθέναι ἐν σαρκί) dem „Rühmen Jesu Christi" (καυχᾶσθαι ἐν Χριστῷ Ἰησοῦ) entgegengestellt und

[62] Vgl. dazu *R. Jewett,* Movements 362ff; *J. Gnilka,* Philipperbrief 211ff.

[63] *G. Bornkamm,* Vorgeschichte 180, mit Verweis auf Gal 6,11ff; Röm 16,17–20; 1 Petr 4,17; 5,2ff; Jud 17ff; 2 Petr 3,2ff; Hebr 13,9ff; Offb 22,9–19.

[64] *G. Bornkamm,* ebd., mit Verweis auf 4,4f.

[65] *V. P. Furnish,* Place 80.

[66] *B. D. Rahtjen,* Letters 171.

[67] Vgl. 1,29ff; 2,17.

[68] *G. Bornkamm,* Vorgeschichte 180.

letzteres als „Dienst im Gottesgeist" (πνεύματι θεοῦ λατρεύειν) interpretiert wird mit der Folge eines „pneumatischen" Verständnisses der Beschneidung und einer radikalen Ablehnung der jüdischen Beschneidungsforderung (V. 2). In V. 9 begegnet die Antithese in der Sprache der paulinischen Rechtfertigungslehre, indem der „eigenen Gerechtigkeit aus dem Gesetz" die „Gerechtigkeit aus Gott aufgrund des Glaubens" entgegengestellt wird, die, weil sie in Christi Kreuz gründet, die Teilhabe an seinen Leiden und die Gleichgestaltung mit seinem Tode einschließt. In den dazwischenliegenden Versen wird die Sarx-Bestimmtheit der Irrlehrer pharisäisch-nomistisch verstanden. Daraus erklärt es sich, daß diejenigen Forscher, die eine Festlegung konkreter Irrlehrer von diesen Versen aus versuchten, immer entweder Juden oder Judaisten als Gegner annahmen und im Blick auf die hier verwendete Begrifflichkeit auch annehmen mußten; denn Paulus exemplifiziert das Vertrauen auf die Sarx hier durch die Darstellung der jüdisch-pharisäischen Religiosität, indem er sich selbst als Paradigma in V. 5–11 hinstellt, und berührt sich darum mit entsprechenden polemischen Aussagen im Römer- und im Galaterbrief[69]. Jedoch darf der trotzdem vorhandene Unterschied nicht übersehen werden: Es fehlt diesen Versen die Konkretheit, die die Auseinandersetzung des Paulus mit seinen judaistischen Antipoden im Galaterbrief bestimmt. Die jüdischen Speise- und Absonderungsgesetze[70] sowie der jüdische bzw. judenchristliche Festkalender[71] werden in Phil 3 eben nicht angesprochen. Diese Unbestimmtheit hat es den Vertretern der Gnostikerlehre erlaubt, genial über diese Verse hinwegzugehen und kurzerhand zu konstatieren: „Direkte Hinweise auf die bekämpften Gegner enthält dieser Abschnitt nicht"[72]. Wer dagegen wie J. Gnilka um eine Auswertung auch dieser Verse zur Rekonstruktion konkreter Gegner bemüht ist, muß das Eingeständnis machen: „Es erscheint seltsam, daß die Pseudomissionare in einer heidenchristlichen Gemeinde wie Philippi die Beschneidung predigten"[73], und zu der Verlegenheitsauskunft greifen: „Möglicherweise forderten sie diese nicht von den Philippern, sondern rühmten sich nur der eigenen Beschnittenheit"[74]. Innerhalb dieser testamentarischen Warnung des Apostels vor der der Gemeinde drohenden eschatologischen Gefahr durch Irrlehrer, die im Typos des pharisäischen Nomisten geschildert werden, stehen die biographischen Aussagen des Paulus von seiner vorchristlichen jüdisch-pharisäischen Vergangenheit und seiner mit Hilfe der

[69] Vgl. Röm 3,21ff; 4,5; 10,3ff; Gal 2,6; 3,11ff u. ö.
[70] Vgl. Gal 2,12ff.
[71] Vgl. Gal 4,10.
[72] *W. Schmithals,* Paulus 66, zu 3,8–11, während 3,5–7 gan[z] unbeachtet bleibt.
[73] *J. Gnilka,* Philipperbrief 186.
[74] *J. Gnilka,* Philipperbrief 187.

Rechtfertigungslehre interpretierten neuen Existenz. Der individuelle Charakter der Auferstehungsaussage in V. 11 ist also durch diese biographischen Ausführungen bedingt. Da diese aber paradigmatisch gemeint sind[75], hat auch die in 3,11 geäußerte Auferstehungshoffnung beispielhafte Bedeutung für die Gemeinde. Allerdings sollte man V. 11 nicht als „zweiflerisch klingende Formulierung" deklarieren und mit einem Fragezeichen am Schluß versehen[76]; denn das εἴ πως am Satzanfang ist „Ausdruck der Erwartung"[77]. Demnach will Paulus hier verdeutlichen, daß die in der Gegenwart in der Leidensgemeinschaft erfahrene „Kraft der Auferstehung" die Gewißheit der Hoffnung auf die noch ausstehende Totenauferweckung gibt[78]. Der bei Paulus nicht übliche Ausdruck ἐξανάστασις ἐκ νεκρῶν hat zu verschiedenen Spekulationen Anlaß gegeben. So soll nach E. Lohmeyer[79] es hier „nicht um die allgemeine Auferstehung *der* Toten am jüngsten Tage, sondern um eine spezielle *von* den Toten vor diesem Tage", wie sie den Märtyrern zuteil wird, gehen, während nach J. Gnilka[80] das doppelte ἐκ „die Realistik der Erweckung aus den physisch Toten unmißverständlich zum Ausdruck bringen" will in Abhebung von den hier polemisch gemeinten Gegnern, die „über die Auferstehung anders denken". Aber wahrscheinlich liegt bei dem ἐξ nur „eine an ἐκ νεκρῶν orientierte Verstärkung des ἀνα- durch ἐκ- vor"[81]. Paulus schließt also diesen Abschnitt mit dem Ausdruck der Erwartung, daß Gott das Werk, das er an ihm bei seiner „Bekehrung" begonnen hat, auch zur Vollendung bringen werde. Dieses hoffende Vertrauen auf Gottes Macht und Treue markiert den radikalen Gegensatz zu dem Bewußtsein der vollkommenen Gerechtigkeit aus dem Gesetz, das ihn als Pharisäer bestimmte. „So wird das ‚allein aus Gnade', womit Gottes Ruf an ihn den Anfang machte, auch bis zum Ende festgehalten"[82]. Dieses ‚allein aus Gnade' verbindet Anfang und Vollendung, wobei die Zukunft – hier als „Auferstehung von den Toten" bezeichnet – in der Gegenwart als der Erfahrung der „Auferstehungsmacht Jesu" in der „Anteilhabe an seinen Leiden" und der „Gleichgestaltung mit seinem Tode"

[75] Vgl. *G. Eichholz,* Theologie 224.

[76] So *J. Gnilka,* Philipperbrief 192. 197.

[77] *Blass-Debrunner* § 375.

[78] Keinesfalls darf der zukünftige Charakter der noch ausstehenden Totenauferstehung zugunsten einer Geist-Gegenwart eliminiert werden, wie es die (einzige!) Bemerkung *W. Wiefels* zu 3,11 nahelegt: „Die Kraft der Auferstehung in Phil 3,11 besteht in dem gegenwärtig wirkenden Pneuma" (Hauptrichtung 81 Anm. 123) – zumal vom Pneuma hier überhaupt nicht die Rede ist.

[79] *E. Lohmeyer,* Philipper 141.

[80] *J. Gnilka,* Philipperbrief 197.

[81] *W. Michaelis,* Philipper 58.

[82] *J. Blank,* Paulus 237.

(V. 10) gründet. 3,10f zeigt somit, daß auch im Philipperbrief die künftige Totenauferstehung für den Apostel keineswegs bedeutungslos geworden ist. Allerdings ergibt sich aus der knappen Aussage von 3,11, daß sie keinen polemischen Streitpunkt mit irgendwelchen konkreten Gegnern darstellt und deshalb nicht näher ausgeführt werden mußte[83]. Dagegen verdient die in 3,8–11 vorliegende enge Verklammerung der Totenauferstehung mit dem Zentrum des paulinischen Kerygmas: der Rechtfertigungslehre als der Spitze der paulinischen Christologie größte Beachtung; denn auf diese Weise wird deutlich, daß die Rechtfertigung „in eschatologischer Zeit erfolgende creatio ex nihilo und Vorwegnahme der Totenauferweckung inmitten noch anhaltender irdischer Anfechtung" ist[84] und insofern Zukunft eröffnet und auf eine Vollendung tendiert, die mit zu diesem Heilsgeschehen hinzugehört, aber kein selbständiges, isoliert betrachtbares theologisches Thema ist und demzufolge unter Zuhilfenahme unterschiedlicher Vorstellungen beschrieben werden kann.

Dies bestätigen im Philipperbrief auch die beiden anderen Zukunftsaussagen 3,20f und 1,23. Im Unterschied zu 3,11 spricht der Apostel in 3,20f von der Gleichgestaltung mit Jesu Herrlichkeitsleib. Diese Syn-Aussage verbindet aber zugleich 3,21 mit 3,10 und macht außerdem deutlich, daß hier eine bedeutsame paulinische Formulierung vorliegt, die auch in 1 Thess 4,14.17; 5,10; Röm 8,17.29 die christologische Ausrichtung der paulinischen Eschatologie signifiziert. Der unmittelbare Kontext von 3,20f läßt erkennen, daß Paulus vor Leuten warnen will, die er im Typus des heidnischen Libertinisten schildert. Da jedoch die Unbestimmtheit der hier gebrauchten Wendungen zum typischen Stil des beginnenden Ketzerkampfes gehört, ergibt sich als notwendige Folgerung, daß man aus den „ziemlich allgemein gehaltenen Formulierungen ... keine sicheren Rückschlüsse auf die präzise Situation der philippischen Irrlehrer ziehen kann"[85] und darum doch wohl solche Rückschlüsse unterlassen sollte! Mit Sicherheit kann nur gesagt werden, daß der Apostel in Phil 3 die für sein Kerygma notwendige Abgrenzung nach beiden Seiten hin: nach der nomistischen in V. 2–11 und nach der antinomistischen in V. 12–21 vollzieht und dementsprechend seine Gemeinde vor beiden Arten von Irrlehrern, die beide durch die Sarx bestimmt sind, warnen will; denn für Paulus prägt sich

[83] Allerdings dürfte es kaum zufällig sein, daß Paulus in 3,2–11, wo er die Gefahr in der jüdisch-pharisäischen bzw. judaistisch-nomistischen Verkehrung seines Evangeliums sieht, von „Totenauferstehung" und in 3,12–21, wo er die Gefahr in der heidnisch-libertinistischen bzw. hellenistisch-antinomistischen Verkehrung seines Evangeliums erblickt, von „Verwandlung" spricht.

[84] *E. Käsemann,* Perspektiven 162.

[85] *J. Gnilka,* Philipperbrief 205.

„das Verfallensein an die sarx ... in der Gesetzlichkeit des Pharisäers ebenso aus wie in der Unmoral des Heiden“[86].
Der Unterabschnitt 3,18–21 ist antithetisch aufgebaut: Verderben (V. 19) und Gleichgestaltung mit Christi Herrlichkeitsleib (V.21), Ausrichtung auf Irdisches (V. 19) und Politeuma in den Himmeln (V. 20) sowie der Bauch als Gott (V. 19) und Erwartung Jesu Christi als des Herrn (V. 20) stehen sich ausschließend gegenüber. Die hier vorliegende Entgegensetzung zwischen Wandel und Schicksal der „vielen“ und zwischen Wandel und Schicksal von „uns“[87] erweist die polemische Ausrichtung dieser Ausführungen, in denen Gericht und Rettung als Folge eines bestimmten Wandels erscheinen und dem Leib darum große Bedeutung zukommt. Auffällig sind in V. 20 die bei Paulus sonst nicht nachweisbaren Termini πολίτευμα und σωτήρ, die darauf hindeuten können, daß hier ein vorpaulinisches Traditionsstück vorliegt, zumal ja „die Parusieaussage der Sache nach ohnehin von Paulus übernommen“ ist und die Berührung mit der Parusieaussage in 1 Thess 1,10, „die Paulus aus dem hellenistischen Missionskerygma übernimmt“[88], in die gleiche Richtung weist. Dagegen sind die von E. Güttgemanns und G. Strecker[89] beigebrachten Belege für die Behauptung, in V. 20 und V. 21 liege ein vorpaulinischer Hymnus vor, nicht überzeugend[90]. Von den vier Bedeutungen von πολίτευμα: 1. act of administration, 2. the concrete of politeia, 3. citizen rights, citizenship, 4. body of citizens (Liddel-Scott) sind im Blick auf den ethisch-soteriologisch bestimmten Kontext die Bedeutungen 2 und 3 in die engere Wahl zu ziehen. Das bedeutet: Unsere konkrete Politeia, in der wir die Rechte eines Bürgers haben und rechtmäßig existieren, ist die Sphäre bzw. die Herrschaft Gottes (= ‚Himmel‘), nicht aber der sündige und vergängliche alte Äon. Demzufolge wäre mit πολίτευμα ἐν οὐρανοῖς nicht das Ziel[91], sondern der gegenwärtige Existenzgrund anvisiert, wie er sich in einem entsprechenden Wandel (im Kontrast zu dem der „vielen“ in V. 18f) und einer entsprechenden Erwartung (im Kontrast zu der ἀπώλεια der „vielen“) auswirkt. Das ἐκ/ἐξ mit Genitiv dürfte hier im Sinne von Phil 1,16f die Bedeutung: „aufgrund dessen“ haben und „zur Bezeichnung des Ursprungs“ (Bauer) dienen. Indem dieses ἐξ οὗ

[86] *E. Schweizer*, in: ThWNT VII, 132.

[87] Das ἡμῶν steht ganz betont am Anfang von V. 20.

[88] *P. Siber*, Mit Christus 123.

[89] *E. Güttgemanns*, Apostel 241f; *G. Strecker*, Redaktion 75f.

[90] Vgl. *J. Gnilka*, Philipperbrief 208–210, und *P. Siber*, Mit Christus 122–126, bes. 123f Anm. 88. Mit *P. Siber*, a. a. O. 125, ist anzunehmen, daß die Auslegung von Ps 8,7 am Schluß von V. 21 traditionell bedingt ist, vgl. 1 Kor 15,7f; Eph 1,22; Hebr 2,6–8.

[91] Gegen *J. Gnilka*, Philipperbrief 206: „... bestimmt, das himmlische Vaterland zu besitzen“, also „Kontrast zur realized eschatology der Gegner“.

grammatikalisch auf πολίτευμα zu beziehen ist[92], ergibt sich als Sinn: Weil wir unter Gottes Herrschaft existieren, darum gibt es für „uns" eine Hoffnung, die mit dem Verb ἀπεκδέχεσθαι[93] umschrieben wird und sich hier auf die Parusie Christi als des Retters und des Herrn bezieht. Von diesem Retter und Herrn wird in V. 21 die Verwandlung erwartet. Subjekt dieses Geschehens ist aber hier nicht Gott, sondern Jesus, „durch" den nach 1 Thess 4,14 das ἄξει σὺν αὐτῷ geschieht, der nach 1 Thess 1,10 „uns vor dem kommenden Zorn erretten wird" und der nach 1 Thess 4,16 durch sein Herabkommen vom Himmel die Totenauferstehung und die Entrückung der Lebenden bewirkt. Unklar ist, ob mit dem Verb μετασχηματίζειν in V. 21 die Verwandlung der bei der Parusie lebenden Christen gemeint ist, wie sie in 1 Thess 4,16 als Entrückung und in 1 Kor 15,51 mit Hilfe des Verbs ἀλλάσσεσθαι umschrieben wird[94], oder ob dieses Verb in Beziehung auf alle Christen: sowohl auf die bei der Parusie Lebenden als auch auf die schon Gestorbenen gebraucht ist[95]. Die Entscheidung muß hier zugunsten der zweiten Deutung fallen, weil Paulus in den Belegstellen für die erste Deutung immer expressis verbis differenziert zwischen bei der Parusie Lebenden und bei der Parusie Verstorbenen, während in Phil 3,21 eine solche Unterscheidung fehlt. Hinzu kommt, daß der Apostel in Röm 8,11, wo er vom Lebendigmachen eurer sterblichen Leiber spricht, ebenso alle Christen meint wie in 2 Kor 5,1–10, wo vom „Überkleidetwerden" die Rede ist. μετασχηματίζειν ist darum im umfassenden Sinne zu verstehen und auf alle Christen zu beziehen, denen hier die Verheißung gegeben wird, daß ihr Herr ihren „Leib der Niedrigkeit" seinem „Herrlichkeitsleib" gleichgestaltet machen wird. „Im Vordergrund steht allein die Umschaffung, die als Machttat zur definitiven Errettung durch den Soter gefaßt ist"[96]. Aus dem Fehlen des Ausdrucks „Totenauferstehung" in diesem Vers darf man darum nicht gleich auf einen Wandel in der paulinischen Eschatologie schließen[97], zumal ja der hier vermißte Terminus zehn Verse vorher (3,11) vorkommt. Der Ausdruck „Leib der Niedrigkeit" steht in Parallele zu dem „sterblichen Leib" in Röm 6,12; 8,11, zu „diesem Todesleib" von Röm 7,24, zu dem „psychischen Leib" von 1 Kor 15,44, der nach 1 Kor 15,42.50 durch Vergänglichkeit, nach 1 Kor 15,43 durch Schwachheit und Unehre

[92] Mit *E. Lohmeyer,* Philipper 158, gegen die bei *B. Spörlein,* Leugnung 165 Anm. 3 genannten Autoren.

[93] Vgl. 1 Kor 1,7; Gal 5,5; Röm 8,19.23.25.

[94] So *E. Güttgemanns,* Apostel 244f; *W. Wiefel,* Hauptrichtung 80 u. a. m.

[95] *W. Michaelis,* Philipper 64.

[96] *J. Gnilka,* Philipperbrief 208.

[97] *W. Wiefel,* Hauptrichtung 80.

charakterisiert ist, und zu der irdischen Zeltwohnung von 2 Kor 5,1, die sterblich ist (5,4). Den direkten Gegensatz zu diesem todverfallenen Leib drückt Paulus in 3,21 nicht anthropologisch, sondern christologisch aus: Es geht nicht um die Verleihung eines „geistlichen Leibes“[98] oder um ein „Überkleidetwerden“[99], sondern um eine Gleichgestaltung mit Christi Herrlichkeitsleib, um ein Partizipieren an Jesu Auferstehungsleib. Hier begegnet wieder eine für Paulus typische Syn-Aussage, die aber – im Unterschied zu V. 10 – nicht die Gleichgestaltung mit Christi Todesschicksal[100] und das ‚Mit-Leiden‘ von Röm 8,17, sondern das ‚Mit-Verherrlichtwerden‘ von Röm 8,17 intendiert, wobei aber beides untrennbar zusammengehört; denn das Mitverherrlichtwerden als Teilhabe an Christi Herrlichkeitsgestalt ist die Vollendung der das ganze Leben des Christen bestimmenden Christusgemeinschaft, die sich in einem bestimmten Wandel – im Zeichen des Kreuzes – auswirkt. Diese Gleichgestaltung mit Christus stellt darum einen das ganze Leben des Christen umfassenden Prozeß dar, wie Röm 8,29 und 2 Kor 3,18 besonders klar erweisen. In Phil 3,21 ist der Abschluß dieses Prozesses, die Heilsvollendung, akzentuiert, zumal die Verwendung von Ps 8,7 am Ende von V. 21 in die gleiche Richtung zeigt. Da das hier verwendete Wort ἐνέργεια im Neuen Testament „nur von überirdischen Wesen“ (Bauer) ausgesagt wird, ist Jesu göttliche Kraft anvisiert und insofern die Kyrios-Titulatur, die in V. 20 bestimmend ist. Als Kyrios besitzt Jesus sowohl die göttliche Kraft, uns umzuschaffen, als auch sich „das All“ zu unterwerfen. Wie in 1 Kor 15 stehen auch hier das „Universale“[101] und das „Individuelle“[102] in untrennbarem Zusammenhang, bedingt durch die christologische Ausrichtung dieser Ausführungen. Daß in Phil 3,21 „der universale und ekklesiologische Aspekt völlig zurücktritt“ zugunsten der „Heraushebung des individuell-eschatologischen Aspekts“[103], sollte darum nicht behauptet werden.

Die letzte Stelle, die interpretiert werden muß, ist Phil 1,23. Die Besonderheit dieser Aussage besteht darin, daß das „Mit-Christus-Sein“ hier nicht „als Schlußakt des apokalyptischen Dramas“, sondern als „Ausdruck der Sehnsucht nach der Christusgemeinschaft nach dem Tode“[104] begegnet. Gegen die oft daraus gezogene Konsequenz, dies sei das Schlußstadium innerhalb der

[98] 1 Kor 15,44; vgl. aber dazu V. 49!

[99] 2 Kor 5,2.4; vgl. aber dazu V. 8!

[100] Vgl. 2 Kor 1,5, 4.10.

[101] Vgl. 15,25f. 54ff.

[102] Vgl. 15,35ff.

[103] *W. Wiefel,* Hauptrichtung 80.

[104] *W. Wiefel,* Hauptrichtung 81.

„kontinuierlichen Entwicklung der Gedanken des Paulus“[105], ist jedoch nicht nur auf die bisher behandelten eschatologischen Aussagen im Philipperbrief zu verweisen, sondern auch auf die Situationsgebundenheit der in 1,23 gemachten Aussage. Der Apostel antwortet hier nämlich weder auf eine Anfrage aus der Gemeinde noch setzt er sich polemisch mit den Gegnern auseinander. Darum bietet er auch keine durch Verwendung von Traditionsgut gekennzeichnete Endgeschichte und kommt demzufolge nicht auf die Parusie zu sprechen. Insofern könnte man hier wirklich die eigentliche, persönlichste Meinung des Apostels zum Thema Zukunftshoffnung erwarten. Aber Paulus will ja in Kap. 1 keine Belehrung über das eschatologische Thema geben, sondern die Gemeinde angesichts seiner persönlichen Situation der Gefangenschaft und des möglicherweise bevorstehenden Todes[106] trösten, daß alles, was mit ihm geschieht – sei es Leben, sei es Tod – dem „Vorankommen“ (προκοπή) des Evangeliums und insofern der Verherrlichung Christi dient; denn am Anfang und am Schluß dieses Abschnitts ist vom „Fortschritt“ (προκοπή) des Evangeliums die Rede[107]. Aus dieser Situation erklärt es sich, daß hier der Gegensatz Leben–Tod vorherrscht, der aber von der erwähnten Zielstellung aus, wie V. 20f zeigt, relativiert wird. Weil Christus Grund und Ziel der apostolischen Existenz ist[108], die Gleichgestaltung mit dem gekreuzigten Christus also das Signum des Apostels Christi darstellt[109], der in dieser Christusbezogenheit unter der Verheißung des Mitverherrlichtwerdens steht[110], kann Paulus einerseits Christus mit „Leben“ gleichsetzen, andererseits sich aber nach dem Tod als Durchgang zur bleibenden personalen Gemeinschaft des „Mit-Christus-Seins“ sehnen. Ein besonderes Problem enthält V. 21: Bezieht sich τὸ ζῆν nur auf das irdische Leben, so daß Christus als Prädikat des Satzes anzusehen ist, wie es rein grammatikalisch gefordert ist, oder umfaßt „Leben“ auch das Leben nach dem Tod, so daß Christus das sachliche Subjekt dazu ist?[111] Auszugehen ist von V. 20, wo am Schluß „Leben“ und „Tod“ als Gegensatzpaar gebraucht sind und sich „Leben“ auf das leibliche Leben bezieht. Paulus will hier zum Ausdruck bringen, daß „welche von beiden Möglichkeiten vorliegt, von weit geringerer Wichtigkeit ist als dies, daß Christus sich mächtig erweist“[112]. Als Begründung verweist der Apostel

[105] *W. Wiefel,* Hauptrichtung 74. 79–81.

[106] Vgl. 1,13f. 16.20; 2,17.

[107] Vgl. 1,12 und 1,25.

[108] Vgl. neben 1,21 vor allem 1 Kor 9,1; 15,9; Gal 1,15f; 2,20; Röm 14,8; 2 Kor 5,15.

[109] Vgl. Röm 8,17.29; 1 Kor 1,26ff; 2 Kor 4,10f; Phil 3,10.

[110] Vgl. besonders Röm 8,17.

[111] Den besten Überblick über die Forschungssituation an diesem Punkt geben *P. Hoffmann,* Die Toten 292ff, und *P. Siber,* Mit Christus 88ff.

[112] *W. Michaelis,* Philipper 24.

in V. 21 darauf, daß sein Leben durch Christus bestimmt ist und gerade deshalb Sterben nicht Verlust, sondern Gewinn ist. Die Aussage geht damit in die Richtung von Röm 14,7–9, wo „Leben" und „Sterben" durch den Hinweis auf die Zugehörigkeit zum Herrn ihre Alternative verlieren. Insofern ist auch in Phil 1,21 das subjektivierte Verb τὸ ζῆν auf das leibliche Leben zu beziehen, zumal ja dann in V. 22 durch den Zusatz ἐν σαρκί ganz deutlich wird, welches „Leben" der Apostel in V. 20 und V. 21 gemeint hat[113]. Dieses irdische Leben dient dazu, „Frucht des Werkes", d.h. Vorantreiben der Evangeliumsverkündigung[114] und demnach Erfolg der Missionsarbeit zu bringen. Deshalb wird der Apostel zwischen dem (ihm persönlich) gewinnbringenden Tod und dem (für die Gemeinde) fruchtbringenden Leben hin- und hergerissen, um endlich in V. 24 die Entscheidung zugunsten des fruchtbringenden Lebens zu fällen, weil dies im Blick auf die Gemeinde notwendiger ist. Paulus lenkt darum gegen Ende des Abschnitts wieder auf den für ihn bestimmenden Gesichtspunkt der Evangeliumsverkündigung und damit des Dienstes an der Gemeinde zurück, wozu er sich als Apostel Jesu Christi gesandt weiß[115]. Auf diese Weise wird sein in V. 23 ausgedrücktes Verlangen, „abzuscheiden und mit Christus zu sein" zugunsten des Verbleibens in dem durch Christus bestimmten leiblich-irdischen Leben überwunden. Weil der gekreuzigte Christus sein Leben regiert, muß er sich für den Dienst der Agape entscheiden und darf er nicht an sein eigenes Heil denken, weil der gekreuzigte Christus sein Leben regiert, darf er aber auch im Sinne von 3,10f der Totenauferstehung, im Sinne von 3,20f der Gleichgestaltung mit Christi Herrlichkeitsleib und im Sinne von 1,23 des Mit-Christus-Seins gewiß sein. Der Nachdruck liegt bei Paulus immer auf dieser Gewißheit der über den Tod hinaus dauernden Gemeinschaft mit dem Christus, dem er schon in der Gegenwart den Zugang zur Gnade verdankt[116]. Daß Paulus – entgegen seinem sonstigen Sprachgebrauch – das Mit-Christus-Sein in Phil 1,23 bereits mit seinem Tod in Verbindung bringt, hat somit keine prinzipiellen theologischen Gründe, die auf einen Wandel in seinem eschatologischen Denken hinweisen, sondern ist durch die konkrete Situation und die sich daraus ergebende Fragestellung bedingt. Die ebenfalls im Philipperbrief vorhandenen Zukunftsaussagen 3,10f und 3,20f erweisen, wie wenig sich der Apostel auf eine bestimmte Begrifflichkeit und Vorstellungsweise festlegen läßt und wie groß seine Freiheit im Rezipieren tradierter Formulierungen ist. Die einzige Kontinuität in diesem Nebenein-

[113] Vgl. dazu auch *R. Bultmann,* in: ThWNT II, 870, bes. Anm. 312.

[114] Vgl. 1,12.25.

[115] Vgl. 1 Kor 1,17.

[116] Vgl. Röm 5,1ff; 8,2ff. 31ff; 14,7ff u. ö.

ander unterschiedlicher Zukunftsaussagen bildet die christologische Grundlegung und Ausrichtung der paulinischen Eschatologie, wie sie in den Syn-Aussagen ihren klarsten Ausdruck gefunden hat.
Dieses negative Ergebnis hinsichtlich der These einer kontinuierlichen Entwicklung der paulinischen Eschatologie soll zum Schluß noch durch ein paar zusätzliche Beobachtungen unterstrichen werden. Die genannte These muß davon ausgehen, daß der Philipperbrief in die späteste Zeit des Paulus gehört, weil sonst das ganze Gebäude zusammenfällt. Aber bereits diese Voraussetzung ist problematisch; denn als Abfassungsort dieses Briefes gilt heute weithin Ephesus, so daß seine Entstehung etwa in das Jahr 55 fallen würde[117]. Demzufolge müßte der Philipperbrief zwischen den 1. und den 2. Korintherbrief eingereiht werden. Dieser Zeitpunkt verschiebt sich sogar noch weiter nach rückwärts, wenn man Teilungshypothesen bejaht. 1,23 würde ja dann zum „Gefangenschaftsbrief" gehören, so daß sich die von P. Hoffmann vorgeschlagene chronologische Abfolge ergäbe: 1 Thess 4 – Phil 1,23 – 1 Kor 15 – 2 Kor 5[118]. Natürlich ist auch diese zeitliche Anordnung mit vielen Unsicherheitsfaktoren belastet. Ihre prinzipielle Möglichkeit macht jedoch deutlich, daß nicht so selbstverständlich der Philipperbrief einfach an den Schluß gestellt werden darf, um dadurch die These einer Entwicklung oder Wandlung von apokalyptisch-universaler Parusieerwartung zu hellenistisch-individualistischer Jenseitsmystik chronologisch zu ermöglichen.
Aber gerade diese für die Entwicklungsthese grundlegende Unterscheidung von jüdisch-apokalyptisch = universal und hellenistisch = individualistisch ist grundsätzlich in Frage zu stellen. Bezeichnenderweise finden sich im Philipperbrief selbst diese beiden Denkweisen, wie ein Vergleich von 3,11.20f mit 1,23 zeigt. Hinzu kommt, daß es aufgrund der heutigen Forschungssituation nicht mehr möglich ist, von der Unvereinbarkeit von jüdischer und hellenistischer Denkweise auszugehen; denn auch das palästinische Judentum wurde stark hellenistisch beeinflußt. Nach E. Grässer[119] hat sich „die Alternative ‚hellenistisch-palästinisch' endgültig als völlig abwegig" erwiesen. Wenn auch diese Formulierung überspitzt sein dürfte, so markiert sie doch eine im letzten Jahrzehnt gewonnene Einsicht in den komplexen Charakter des Frühjudentums bis zur Tempelzerstörung und seine starke Beeinflussung von der hellenistischen Umwelt. Davon ist auch die jüdische Apokalyptik nicht ausgenommen; denn die hier vorhandenen universalistischen und individua-

[117] Vgl. *G. Delling,* in: RGG³ V, 335; *J. Gnilka,* Philipperbrief 18–24; *P. Hoffmann,* Die Toten 326 f; *W. Marxsen,* Einleitung 63.
[118] *P. Hoffmann,* Die Toten 327.
[119] *E. Grässer,* Hebräerbrief 176.

listischen Tendenzen[120] sind im Zusammenhang mit dem kosmopolitisch und individualistisch ausgerichteten Hellenismus[121] zu sehen. Es ist darum heute methodisch unzulässig, universalistisch ausgerichtete Zukunftsaussagen der jüdischen Apokalyptik und individualistische Tendenzen in der Eschatologie schematisch dem Hellenismus zuzuweisen. Daß kein ausschließender Gegensatz zwischen der Vorstellung von einem eschatologisch-zukünftigen Heil und der von einem transzendenten Heil samt Zurückführung auf unterschiedliche religionsgeschichtliche Bereiche behauptet werden darf, dürfte P. Hoffmann überzeugend nachgewiesen haben[122].

Es ist darum zu überlegen, ob sich nicht die beobachteten Unausgeglichenheiten eschatologischer Aussagen bei Paulus und die fehlende Systematisierung im Blick auf eine Endgeschichte aus der Tatsache erklären, daß Paulus aus dem pharisäischen Judentum stammt, für das die Eschatologie zur Haggada gehörte und darum nicht dogmatisch genormt war. Für den pharisäischen Juden war nämlich nur das ‚Daß' der Totenauferstehung in Verbindung mit dem Endgericht als dem Ort des Vollzugs der an der Tora orientierten Gerechtigkeit unabdingbare Glaubensforderung, nicht aber das ‚Wie'[123]. Dementsprechend hält auch der Apostel an dem ‚Daß' der noch ausstehenden zukünftigen Totenauferstehung fest. Aber da für den christlichen Apostel an die Stelle der Tora als der norma normans der gekreuzigte und auferweckte Jesus Christus als Mitte des normativen Evangeliums getreten ist, wird nun verpflichtend und verbindlich, sich von Christus bestimmen zu lassen. Die Totenauferstehung hängt darum für Paulus als Apostel Jesu Christi nicht mehr mit dem Gesetz und seiner Gerechtigkeit zusammen, sondern sie wird als Folge der Auferweckung Jesu begriffen, führt darum zu einer Loslösung von der Gerichtsvorstellung und zielt auf die Gemeinschaft mit Christus, die infolgedessen eine dominierende Stellung in der paulinischen Zukunftserwartung einnimmt, wie die Syn-Aussagen bestätigen. Weil die Heilszukunft mit Jesu Auferweckung bereits begonnen hat, muß sich die Hoffnung ganz auf Christus richten, der das Heil in seiner Person verkörpert. Entsprechend dieser Personalisierung des Heils, die aber nichts mit Individualismus zu tun hat, verlieren die Fragen nach der Abfolge von bestimmten Endereignissen, nach konkreten Terminen, nach dem ‚Wie' und ‚Wann' und ‚Wo' der Christusgemeinschaft ihre Bedeutung, so daß der Apostel in größter Freiheit und

[120] Vgl. Anm. 29.
[121] Vgl. Anm. 30.
[122] *P. Hoffmann,* Die Toten 314–320.
[123] Vgl. MSanh X,1; bSanh 90a.

Unbekümmertheit unter Zuhilfenahme unterschiedlichsten Materials sich zu solchen Fragen äußern kann, wenn sie von Gemeinden an ihn gerichtet werden. Das Anliegen des Apostels würde verleugnet, wenn wir den Versuch unternähmen, die verstreuten und uneinheitlichen Aussagen zu eschatologischen Einzelfragen innerhalb seiner Briefe zu einer systematisch einwandfreien und widerspruchsfreien Gesamtgeschichte der Zukunft zu ergänzen.

Literatur

Bauer, K.-A., Leiblichkeit – Das Ende aller Werke Gottes (StNT 4), Gütersloh 1971.
Baumbach, G., Die von Paulus im Philipperbrief bekämpften Irrlehrer, in: K.-W. Tröger (Hrsg.): Gnosis und Neues Testament, Berlin 1975, 293–310 (= Kairos 13 [1971] 252–266).
Baumert, N., Täglich sterben und auferstehen. Der Literalsinn von 2 Kor 4,12–5,10 (StANT 34), München 1973.
Blank, J., Paulus und Jesus (StANT 18), München 1968.
Bornkamm, G., Die Vorgeschichte des sogenannten Zweiten Korintherbriefes (1961), in: Geschichte und Glaube II, Gesammelte Aufsätze IV, München 1971, 162–194.
Bultmann, R., Exegetische Probleme des zweiten Korintherbriefes, Uppsala 1947.
Demke, C., Zur Auslegung von 2 Kor 5,1–10: EvTh 29 (1969) 589–602.
Dibelius, M., An die Thessalonicher I/II, an die Philipper (HNT III/2), Tübingen ²1925.
Eichholz, G., Die Theologie des Paulus im Umriß, Neukirchen 1972.
Furnish, V. P., The Place and Purpose of Philippians III: NTS 10 (1963/64) 80–88.
Gnilka, J., Der Philipperbrief (HThKNT X/3), Freiburg–Basel–Wien 1968 (Nachdr. Leipzig 1968).
Grässer, E., Der Hebräerbrief 1938–1963: ThR NF 30 (1964) 138–236.
Güttgemanns, E., Der leidende Apostel und sein Herr. Studien zur paulinischen Christologie (FRLANT 90), Göttingen 1966.
Hennecke, E. – W. Schneemelcher, Neutestamentliche Apokryphen II, Tübingen ³1964 (Nachdr. Berlin 1966).
Hoffmann, P., Die Toten in Christus (NTA NF 2), Münster 1969.
Jewett, R., Conflicting Movements in the Early Church reflected in Philippians: NovT 12 (1970) 362–390.
Käsemann, E., Paulinische Perspektiven, Tübingen 1970.
Kümmel, W. G., Einleitung in das Neue Testament, Heidelberg ¹⁷1973.
Lohmeyer, E., Die Briefe an die Philipper, Kolosser und an Philemon, (Meyer K), Göttingen ¹¹1956.
Luz, U., Das Geschichtsverständnis des Paulus (BEvTh 49), München 1968.
Marxsen, W., Einleitung in das Neue Testament, Gütersloh ³1964.
Mattern, L., Das Verständnis des Gerichtes bei Paulus (AThANT 47), Zürich 1966.
Michaelis, W., Der Brief des Paulus an die Philipper (ThHK 11), Leipzig 1935.
Pfleiderer, O., Das Urchristentum. Seine Schriften und Lehren, Berlin 1887.
Rahtjen, B. D., The Three Letters of Paul to the Philippians: NTS 6 (1959/60) 167–173.
Schenk, W., ‚Wort Gottes' zwischen Semantik und Pragmatik: ThLZ 100 (1975) 481–494.
Schmithals, W., Die Gnosis in Korinth. Eine Untersuchung zu den Korintherbriefen (FRLANT 66), Göttingen ²1965.
Schmithals, W., Paulus und die Gnostiker. Untersuchungen zu den kleinen Paulusbriefen (ThF 35), Hamburg-Bergstedt 1965.
Siber, P., Mit Christus leben. Eine Studie zur paulinischen Auferstehungshoffnung (AThANT 61), Zürich 1971.
Spörlein, B., Die Leugnung der Auferstehung. Eine historisch-kritische Untersuchung zu 1 Kor 15 (BU 7), Regensburg 1971.
Strecker, G., Redaktion und Tradition im Christushymnus Phil 2,6–11: ZNW 55 (1964) 63–78.
Tarn, W. – G. T. Griffith, Die Kultur der hellenistischen Welt, Darmstadt ³1966.
Teichmann, E., Die paulinischen Vorstellungen von Auferstehung und Gericht, Freiburg–Tübingen 1896.
Wetter, G. P., Der Vergeltungsgedanke bei Paulus, Göttingen 1912.
Wiefel, W., Die Hauptrichtung des Wandels im eschatologischen Denken des Paulus: ThZ 30 (1974) 65–81.

„EUER GLAUBE AN GOTT“

Zu Form und Inhalt von 1 Thess 1,9f

Von Traugott Holtz

I.

In 1 Thess 1,9f begegnen wir einem merkwürdigen Satz, in dem Paulus das Bekehrungsgeschehen seiner Gemeinde zu Thessalonich inhaltlich zusammenfaßt. Obwohl der Satz, der die Hinwendung zu Gott weg von den Götzen und das Ziel dieser Hinwendung kurz beschreibt, in einem größeren und auch deutlich auf eine bestimmte Situation zugeschnittenen Zusammenhang steht, wird er seit geraumer Zeit häufiger aus diesem Zusammenhang gelöst und als eine Aussage betrachtet, die auch auf sich selbst steht und als solche einem anderen, viel weiteren Kontext zugehört, der möglicherweise gar nicht der des Paulus ist. „Es steht seit langem fest, daß Paulus an dieser Stelle in formelhafter Sprache Inhalt und Schema der hellenistisch-christlichen, monotheistischen Missions- und Bekehrungspredigt wiedergibt.“[1] Eine erste Anregung, den Satz in dieser Richtung zu verstehen, ging bereits von Harnack aus, der meinte: „Hier haben wir die Missionspredigt an die Heiden in nuce.“[2] Auch Bultmann zieht den Satz zur Bestimmung des „Kerygmas der hellenistischen Gemeinde“ heran, spricht aber weder von einem Schema noch von einer Formel. Er entnimmt dem Satz freilich, daß (auch) Paulus „seine Missionspredigt mit der Verkündigung des einen Gottes begann“[3], wertet ihn zugleich aber auch als Zeugnis für „die Zusammengehörigkeit der monotheistischen und der eschatologischen Predigt“.[4] Und dabei gehört die Predigt von Christus als dem eschatologischen Retter „nach 1. Th 1,9f unmittelbar mit der Verkündigung des einen Gottes zusammen“[5].

Besonders nachhaltig hat das Verständnis unseres Satzes als summarisch-kurze Zusammenfassung der „erste(n) Missionsverkündigung, wie sie neu

[1] *P. Stuhlmacher,* Evangelium 259; ebd. Anm. 2 Literaturverweise. Vgl. zu diesem Urteil von *Stuhlmacher* aber auch unten S. 467.

[2] *A. v. Harnack,* Mission 117.

[3] *R. Bultmann,* Theologie 71.

[4] AaO.; da „Gott der Schöpfer zugleich der Richter ist“, ist „die christliche Predigt vom einen wahren Gott ... zugleich eschatologische Verkündigung, die Predigt vom bevorstehenden Weltgericht“, ebd.

[5] AaO., 81.

entstandenen Gemeinden bzw. gerade ‚bekehrten' Christen als erste Überlieferung übergeben zu werden pflegte", und zwar „nach ihrem Inhalt und der Reihenfolge ihrer Topoi", U. Wilckens vertreten[6]. Dieses Urteil ist häufiger aufgenommen worden[7] und dabei z. T. akzentuiert in Richtung auf eine stärkere Distanzierung von der eigenen Verkündigung des Paulus[8].

Die Ansicht, daß in 1 Thess 1,9f eine „vorpaulinische" Formel von Paulus zitiert wird, ist begründet in einem Nachweis unpaulinischen Sprachgebrauchs, aber auch unpaulinischen Denkens; die Ansicht, daß es sich bei dieser „Formel" um ein Schema urchristlicher Missionspredigt handelt, stützt sich auf einen Vergleich mit Hebr 6,1 einerseits, Apg 14,15–17 und 17,22–31 andererseits[9]. Wir wenden uns zunächst der letztgenannten Ansicht und ihrer Begründung zu.

Der Satz, um den es uns geht, redet zumindest formal nur von einem einzigen Geschehen, nämlich der Hinwendung zu Gott fort von den Götzen, dessen Ziel und damit also dessen Sinn in zwei koordinierten Infinitiven entfaltet wird, nämlich zu dienen dem lebendigen und wahren Gott und zu erwarten den Sohn dieses Gottes vom Himmel, den er von den Toten auferweckt hat, Jesus, der die Angeredeten retten wird aus dem kommenden Zorn. In der Hinwendung zu Gott ist also zugleich der gegenwärtige Dienst dieses Gottes und die Erwartung des zukünftigen Retters beschlossen. Der Text legt es in keiner Weise nahe, dieses einheitliche Geschehen bewirkt anzusehen durch eine Bekehrungspredigt, die stufenweise ergangen ist, in der Aufeinanderfolge der Topoi: es gibt nur einen Gott, ihm muß man dienen, der auferweckte Jesus als der Gottessohn wird vom Himmel erscheinen und vor dem kommenden Zorn erretten[10]. Der letzte Topos zumindest hat nicht nur keine logische, sondern auch keine unmittelbar verständliche Be-

[6] *U. Wilckens,* Missionsreden, 81; vgl. auch 179f.

[7] Vgl. etwa *Ph. Vielhauer,* Aufsätze 189: „wie in der Forschung anerkannt, eine vorpaulinische Formulierung des Missionskerygmas an die Heiden". Wie verfestigt dieses Urteil ist, zeigt z.B. ein Blick in die Festschr. für H. Conzelmann: Jesus Christus in Historie und Theologie, hrsg. von G. Strecker, Tübingen 1975: 122 „Es darf als bekannt und längst begründet vorausgesetzt werden, daß Paulus sich hier auf ein Schema einer judenchristlichen hellenistischen Heidenmissionspredigt bezieht" *(J. Becker)*; 400 Anm. 16 „eine (vorpaulinische) Zusammenfassung der (an Nichtjuden gerichteten) Missionspredigt" *(D.-A. Koch)*; vgl. auch 479 „1 Thess 1,9f zitiert Paulus eine ihm vorgegebene urchristliche Wendung" *(E. Lohse)*; 518 „eine vorpaulinische Traditionseinheit" *(G. Strecker)*.

[8] Vgl. z.B. *F. Hahn,* Hoheitstitel 289: „ein Stück der für Paulus selbst nicht eigentlich bezeichnenden urchristlichen Missionspredigt"; *W. Kramer,* Christos 120ff (121 zu V. 10: „dies stößt sich mit dem Duktus paulinischer Theologie"); *L. Mattern,* Gericht 82.

[9] Vgl. dazu auch etwa *P. Stuhlmacher,* Evangelium 259f.

[10] So scheint diese „schematische Zusammenfassung der Missionspredigt" z.B. *H. Conzelmann,* Theologie 88, zu verstehen; vgl. aber zu *Conzelmann* unten S. 4[illegible].

ziehung zu dem Vorangehenden. Aber auch in sich ist die Reihenfolge der Einzelaussagen in diesem letzten – und für die christliche Predigt unter solcher Voraussetzung doch entscheidenden – Glied unmotiviert[11].
Ein Vergleich mit Apg 17,22–31 zeigt den tiefgreifenden Unterschied. In der Predigt in der Apostelgeschichte wird zunächst Gott verkündigt, sodann aus der verkündigten Art Gottes und der Beziehung des Menschen zu ihm die Abwegigkeit dargetan, Gott in Gestalt der εἴδωλα zu fassen und schließlich zur Umkehr gerufen. Zwar sieht Gott über die bisherige Zeit der Unwissenheit hinweg, aber er hat einen Gerichtstag eingesetzt, an dem er Gericht halten wird durch einen Mann, den er dazu durch die Totenauferstehung legitimiert hat[12]. In dieser Predigt geht es in Wahrheit überhaupt nur um das ἐπιστρέφειν πρὸς τὸν θεὸν ἀπὸ τῶν εἰδώλων, ohne daß die Aussage der beiden entfaltenden Infinitive von 1 Thess 1,9f überhaupt in den Blick käme. Denn auch von einem δουλεύειν dem Gott gegenüber, den der Prediger verkündigt, ist überhaupt nicht die Rede[13]. Es geht ausschließlich um das Begreifen Gottes und die Hinwendung zu ihm[14]. Und nur, um die Notwendigkeit der „Umkehr" zu begründen, wird auf das zukünftige Gericht verwiesen, Jesus nicht als Retter, sondern als Richter genannt, der zu solcher Aufgabe durch die Auferstehung ausgewiesen worden ist.
In Apg 14,15–17 ist gleichfalls nur von dem ἐπιστρέφειν ἐπὶ θεὸν ζῶντα (V. 15) die Rede. Die Abkehr von den Götzen, den Nicht-Göttern, wird anschaulich dargetan mittels der Abweisung der Verehrung der Apostel als Götter. So wird unmittelbar (für den Leser) einsichtig, daß die Götter der Heiden wirklich Nicht-Götter sind[15]. Von dem Dienst des lebendigen Gottes und einer von ihm her bestimmten Zukunft schweigt dieser Text ganz.
Nach Hebr 6,1f. besteht der bestimmende Anfang (ἀρχή) der Christus-Verkündigung in dem Fundament der Umkehr von den toten Werken und dem Glauben an Gott sowie in der Lehre von den „Taufen", der Handauflegung, der Auferstehung Toter und ewigem Gericht. Die – wenn auch schwierig stilistisch markierte – Gliederung[16] ist offenbar bewußt. Der Grundlegung durch die Abkehr von den toten Werken und den Glauben an Gott

[11] Vgl. *L. Mattern,* Gericht 83.
[12] πίστιν παρασχών Apg 17,31 ist auf ᾧ ὥρισεν zu beziehen; vgl. *E. Haenchen,* Apostelgeschichte 464; *U. Wilckens,* Missionsreden 88, bezieht den „Beweis" auf ἔστησεν ἡμέραν.
[13] Zur Bedeutung von δουλεύειν 1 Thess 1,9 s. unten S. 478f.
[14] Zum Zusammenhang von ἐπιστρέφειν und μετανοεῖν in Texteinheiten wie der vorliegenden vgl. *U. Wilckens,* Missionsreden 180; vgl. Lk 17,3f; Apg 26,20; vgl. auch *H. Conzelmann,* Mitte 91f.
[15] Zu μάταιος als Charakterisierung der Götzen vgl. *O. Bauernfeind,* ThWNT IV 527f.
[16] Vgl. *O. Michel,* Hebräer 238; *U. Wilckens,* Missionsreden 83.

tritt die Lehre über bestimmte Grundelemente der Verkündigung an die Seite. Es ist daher durchaus zu vertreten, in den ersten beiden Gliedern ein in sich zunächst geschlossenes Geschehen angesagt zu finden, die grundlegende Bekehrungspredigt[17]. Wilckens interpretiert nun die νεκρὰ ἔργα als heidnischen Götzendienst[18]. Dann begegnet auch hier als Inhalt der fundamentalen Missionspredigt die Umkehrforderung weg von dem Dienst der toten Götzen hin zu dem Glauben an Gott, den wahren Gott. Nun ist es allerdings überaus fraglich, ob μετάνοια ἀπὸ νεκρῶν ἔργων Hebr 6,1 als Abkehr vom heidnischen Götzendienst verstanden werden darf[19]. Es ist aber nicht unmöglich, daß die Formulierung eine dahinter stehende Wendung reflektiert, die zur Abkehr vom heidnischen Götzendienst rief.

Aber selbst wenn diese Möglichkeit eine Wirklichkeit sein sollte, dann läge auch hier doch nur der gleiche Topos zugrunde, der bereits Apg 14 und 17 begegnete: die Missionspredigt vor Heiden ruft allererst zur Umkehr von den Götzen hin zu Gott. Auch hier fehlt in der Aussage selbst die Erwähnung des δουλεύειν θεῷ als des Ziels der Hinwendung zu Gott und erst recht die der Erwartung des Gottessohnes Jesus als des Retters aus dem eschatologischen Zorngericht.

Natürlich darf man mit gutem Grund vermuten, daß die Umkehrpredigt der urchristlichen Heidenmissionare mit dem Ruf zu Gott auch ein Wort über Art und Inhalt des Dienstes dieses Gottes verband und ein Christuszeugnis auszurichten hatte. Aber hier kommt es zunächst darauf an zu sehen, daß diese beiden Elemente offensichtlich nicht in ein Schema gefaßt waren, dessen eine (und frühest bezeugte) Ausprägung 1 Thess 1,9f vorliegt. Im übrigen ist zu bedenken, daß das dann Stücke sind, die jeweils zur Umkehr zu Gott hinzukommen, während sie nach 1 Thess 1,9f in der „Bekehrung" als deren Ziel selbst enthalten sind.

Es bleibt mithin als gemeinsamer Bestand der Texte Apg 14; 17; 1 Thess 1,9f und – wenn man das für vertretbar hält – Hebr 6,1 das Umkehrgeschehen von

[17] *O. Michel,* Hebräer 238, erwägt die Zuordnung zur allgemeinen Verkündigung, die Zugehörigkeit der folgenden Stücke zum Katechumenenunterricht. *U. Wilckens,* Missionsreden 83f (vgl. auch 191 Anm. 3) denkt für 6,1f insgesamt an katechetischen Stoff, vermutet aber für das Begriffspaar V. 1 „traditionsgeschichtliche Selbständigkeit".

[18] Missionsreden 84 Anm. 2; die Berufung auf 4 Esra 7,119 gibt das freilich ebensowenig her, wie die Berufung für solche Interpretation auf *H. Windisch,* Hebräer 49, zutreffend ist.

[19] Die Wendung νεκρὰ ἔργα muß mit Blick auf 9,14 interpretiert werden; auch dort ist die positive Entsprechung λατρεύειν θεῷ ζῶντι. 4 Esra 7,119 dürfte an ähnliche „Werke" denken, wie sie den „Weg des Todes" nach Did 5,1ff bestimmen (vgl. *O. Michel,* Hebräer 239), an „Werke eines Toten", „Sünden, die zum Tode führen" *(H. Windisch,* Hebräer 49).

den Götzen zu Gott[20]. Im Verständnis der Aussage von 1 Thess 1,9f ist das gewiß auch das eigentliche und entscheidende Geschehen da, wo Menschen sich unter die Christus-Botschaft stellen. Die urchristliche Missionspredigt aber mußte gerade das doch wohl erst christologisch begründend entfalten. Da das in den Vergleichstexten aber gerade fehlt, kann man nicht von einem gleichartigen Schema urchristlicher Missionspredigt sprechen.

Freilich darf man möglicherweise von Apg 14; 17 und Hebr 6,1ff[21] her auf eine Tradition urchristlicher Heidenpredigt schließen, die – vielleicht im Anschluß an eine bestimmte Art jüdischer Bekehrungspredigt – mit der Verkündigung des einen wahren Gottes und, damit verbunden, des Aufweises der Nichtigkeit der Götzen und ihrer Verehrung begann. Nur darf dafür wiederum 1 Thess 1,9f schwerlich als Zeuge angeführt werden. Aus dem Wortlaut des Satzes jedenfalls ergibt sich in keiner Weise, daß die Missionspredigt, auf die sich sein Inhalt bezieht, „mit der Verkündigung des einen Gottes begann"[22].

Die Schwierigkeiten der Deutung von 1 Thess 1,9f als Schema der urchristlichen Bekehrungspredigt werden vermieden, wenn man den Satz als Zitat eines Bekenntnisses oder eines bekennenden Liedes bzw. eines entsprechenden Fragmentes versteht. Als Bekenntnis versteht den Satz Conzelmann, auch wenn er zunächst noch wieder ihn „eine schematische Zusammenfassung der Missionspredigt" nennt[23]. Ausdrücklich behandelt wird er dann aber unter der Überschrift „Der Ausbau des Kerygmas I. Die Bekenntnisformeln"[24]. Zugrunde liegt nach Conzelmann das zweigliedrige Credo, das sich durch Aufnahme des Bekenntnisses zu dem einen Gott in das christologische Bekenntnis, bedingt durch die Notwendigkeit im Rahmen der Heidenmission, herausgebildet hat. 1 Thess 1,9f spricht der Rahmen von dem lebendigen und wahren Gott und von der Erwartung seines Sohnes; in ihn ist als „christologischer Exkurs" die Auferstehungsaussage und die Aussage vom Gottessohn Jesus als unserem Retter eingefügt.

Indessen ist der Satz 1 Thess 1,9f in Wahrheit nicht zweigliedrig, sondern

[20] Das sieht offenbar auch *U. Wilckens,* wenn er Missionsreden 191 Anm. 3, meint, daß selbst wenn Hebr 6 ein Bezug auf das Christuskerygma fehlte, immer noch das gleiche Schema wie an den genannten Stellen vorläge; aber auch wenn doch ein christologisches Kerygma für Hebr 5,11ff vorauszusetzen ist, zeigt die Stelle, „daß im didaktischen Aufriß des Taufunterrichts die Bekehrung zu Gott der beherrschende erste grundlegende Lehrtopos war, dem die Christologie folgte".

[21] Unter Voraussetzung der Exegese von *U. Wilckens,* s. oben S. 461f.

[22] *R. Bultmann,* siehe oben Anm. 3.

[23] *H. Conzelmann,* Theologie 88.

[24] AaO., 107.

eingliedrig. Freilich wird die eine Grundaussage von der Hinwendung zu Gott zweigliedrig aufgefaltet, aber der ganze Satz ist traditionsgeschichtlich nicht so verständlich, daß er entstanden ist durch die Zufügung eines Bekenntnisses zu dem einen Gott zu einem christologischen Grundbekenntnis, das dann exkursartig erweitert worden ist. Eher möglich ist dann schon der Gedanke, daß der zweigliedrigen Auffaltung der einen Grundaussage ein frühes Bekenntnis der Art zugrunde liegt, wie es Conzelmann vermutet. Doch ist überaus fraglich, ob zu einer Zeit, in der die Erfordernisse der Heidenmission die Aufnahme des Bekenntnisses zu dem einen Gott in das Credo notwendig machten[25], noch ein derartig „archaisches" christologisches Bekenntnis wie das allein zu der Herabkunft des Gottessohnes (Jesus) vom Himmel die übernommene Basis bilden konnte. Und dabei ist noch völlig abgesehen von der Frage, ob es ein derartiges christologisches Bekenntnis auch als „archaisches" je gegeben hat. Aber auch das erste Glied der doppelten Entfaltung ist nicht ein Bekenntnis zu dem einen Gott, sondern höchstens zum δουλεύειν des einen wahren Gottes und daher nicht ohne weiteres jedenfalls Bekenntnissätzen wie 1 Kor 8,6; 1 Tim 6,13; Eph 4,4f oder gar dem Romanum[26] an die Seite zu stellen. In jedem Falle aber erklärt sich von solcher möglichen Herkunft gerade nicht das ganz Eigentümliche der Gesamtaussage, nämlich die Integration des Dienstes Gottes und der Erwartung des Gottessohnes Jesus in die Bekehrung zu Gott.
Als eine bekenntnisartige Bildung, aber einer bestimmten Situation und Gruppe zugehörig, will G. Friedrich unseren Satz begreifen[27]. Er spricht von „einem Lied ..., das aus zwei Strophen mit je drei Verszeilen besteht"[28]. Ähnlich, aber ohne Strophen zu bilden, hatte schon B. Rigaux den Text gegliedert[29]. Inhaltlich verstehen die beiden Genannten die Gliederung indessen durchaus verschieden. Nach Friedrich handelt die erste Strophe, ἐπεστρέψατε bis ἐκ τῶν οὐρανῶν, von den Heidenchristen, die zweite, die den Rest des Textes umfaßt, von Christus selbst. Nach Rigaux aber sprechen die ersten beiden Zeilen (καὶ πῶς bis ἀληθινῷ) in paralleler Weise von Gott, die nächsten beiden (καὶ ἀναμένειν bis ἐκ τῶν νεκρῶν) vom Sohn, die restlichen beiden vom Heil. Vor allem aber erkennt Rigaux kein absichtsvoll gestaltetes Lied, sondern sieht die Sprache des Paulus in gehobene Redeweise

[25] Das kann schwerlich vor der zweiten Hälfte der 40er Jahre gewesen sein, vgl. *T. Holtz,* Bedeutung 138f.

[26] Diese Texte führt *H. Conzelmann,* Theologie 106f im Zusammenhang an.

[27] Tauflied. Ihm schließt sich an *G. Eichholz,* Theologie 65. 71. (allerdings spricht *Eichholz* von einem „Taufliedfragment hellenistischer Judenchristen").

[28] Tauflied 508; dort auch der Text in solcher Gliederung.

[29] Thess 392.

übergehen; ohne in Stichen oder Poesie reden zu wollen, „la forme rejoint la formulation prophétique par petites phrases ou membres de phrases qui forment un tout et ne manquent pas de rythme“[30]. Über diese Ansicht von Rigaux wird man bei der Formbestimmung des Textes als eines poetisch gestalteten keinesfalls hinausgehen dürfen[31]. Ein Lied ist in ihm jedenfalls nicht zu erkennen, zumal auch die strophische Gliederung von Friedrich nicht überzeugen kann. Denn durch sie bekommt das freilich in jedem Falle auffällig plazierte Ἰησοῦν einen kaum zu akzeptierenden Platz.

Ganz auf einer Vermutung steht die Ansicht, daß es sich bei dem angenommenen Lied um ein Tauflied handelt. „Die Aussagen von der Auferweckung und von der Errettung von dem kommenden Gericht“ sind keineswegs an die Taufsituation und Taufverkündigung gebunden[32], vor allem da die Auferweckungsaussage in unserem Text rein christologisch ausgerichtet und die Errettung aus dem Gericht an die Erwartung der Erscheinung des Gottessohnes vom Himmel her gebunden ist.

Schließlich ist die Zuweisung des Liedes durch Friedrich an Missionare, die aus Gemeinden kommen, die durch die Theologie der Logienquelle geprägt worden sind[33], nach meinem Urteil willkürlich[34]. Eine entscheidende Stütze dessen ist die Annahme, τὸν υἱὸν αὐτοῦ V. 10 habe ein ursprüngliches τὸν υἱὸν ἀνθρώπου verdrängt. Dadurch rücke die Aussage von V. 10 in die Nähe von Lk 12,8[35]. Aber abgesehen davon, daß keine sprachlichen Berührungen bestehen[36] und daß nach Lk 12,8 der Menschensohn der Gerichtszeuge für seine Bekenner ist, nach 1 Thess 1,10 aber (der von den Toten auferweckte Gottessohn Jesus) der Retter der Christen, liegt das Gewicht der Aussage in Lk 12,8 auf dem Bekenntnis zu Jesus (als dem Menschensohn, obgleich das in Lk 12,8 [und erst recht Mt 10,32] gerade nicht gesagt ist, wohl aber doch gemeint) in der Gegenwart, während das Auffällige des Satzes 1 Thess 1,9f ja gerade darin besteht, daß für die Gegenwart expressis verbis nur von der Bekehrung zu Gott und dem Dienst dieses Gottes geredet wird, die christologische Aussage aber erst für die zukünftige Errettung eintritt. Viel näher liegt, sucht man eine Parallele, der Hinweis auf Röm 5,9!

[30] Thess 392; dabei rechnet *B. Rigaux* durchaus mit Aufnahme von überkommenen Formulierungen, vgl. 388, und vor allem seinen Aufsatz Vocabulaire.

[31] Vgl. auch *P. Stuhlmacher,* Evangelium 265 Anm. 3: „V. 9b und 10a sind Prosa“, „V. 10b enthält formuliertes Formelgut“.

[32] Darauf weist *G. Friedrich,* Tauflied 516, hin.

[33] *G. Friedrich,* Tauflied 514–516.

[34] Kritisch anfragend *G. Strecker,* Evangelium 518 mit Anm. 71.

[35] *G. Friedrich,* Tauflied 514 mit Anm. 49.

[36] Die einzige, der Titel υἱὸς τοῦ ἀνθρώπου, wird von *Friedrich* erst vermutungsweise hergestellt.

Die Formulierung Röm 5,9 σωθησόμεθα δι' αὐτοῦ (sc. Χριστοῦ) ἀπὸ τῆς ὀργῆς ist der in unserem Wort τὸν ῥυόμενον ἡμᾶς ἐκ τῆς ὀργῆς τῆς ἐρχομένης überdies gewiß nicht fremder als die φυγεῖν ἀπὸ τῆς μελλούσης ὀργῆς in dem aus Q hergeleiteten Täuferwort Mt 3,7/Lk 3,7, an die sich Friedrich erinnert fühlt. Und selbst wenn die Missionare, die aus Gemeinden kommen, die durch die Theologie der Logienquelle geprägt worden sind, kein Passionskerygma gekannt haben sollten – was immerhin sich vorzustellen schwerfällt –, so muß doch hinter 1 Thess 1,9f ein Glaube stehen, der den Tod Jesu mitbedachte. Das fordert schon die Aussage ὃν ἤγειρεν ἐκ τῶν νεκρῶν, Ἰησοῦν, erst recht aber die Erwartung des auferstandenen Gottessohnes Jesus als eschatologischer Retter[37]. Als ein Entsprechungsverhältnis zum Verhalten der Menschen in der Gegenwart ist diese Retterfunktion hier jedenfalls nicht gedacht (wie aber Lk 12,8).
Wie beinahe beliebig eine derartige geschichtliche Zuweisung unseres Stückes ist – ohnehin mehr als gewagt angesichts unserer wirklichen Kenntnis oder auch Unkenntnis von der theologiegeschichtlichen und geschichtlichen Frühzeit der christlichen Gemeinden[38] –, zeigt die ganz andere Zuweisung, die Wilckens ihm zuteil werden läßt, indem er mit Blick auf die in ihm sich artikulierende Tradition feststellt: „Das geschichtliche Detail spielt dabei gar keine Rolle; leidensgeschichtliche und Leben-Jesu-Stoffe werden nicht verwendet; ein Schriftbeweis fehlt"[39]. Trifft das zu, dann kann eine Traditionslinie zu Q schwerlich bestehen!
Ganz kühn ist endlich der Versuch von P. Hoffmann, beide Ansichten gleichsam zusammenzubinden[40]. Die Einfügung der Auferstehungsaussage in die Aussage von der endzeitlichen Funktion des Gottessohnes, auch wenn sie nicht literarisch sekundär erfolgt sein sollte, veranschaulicht, „wie eine Erwartung, die der Q-Überlieferung noch sehr nahe steht, mit dem Kerygma von der Erweckung Jesu zusammengewachsen ist"[41]. Bindet man nun diese Annahme ein in die chronologische Wirklichkeit, in die sie gehört, so ergeben sich beträchtliche Konsequenzen. Bereits deutlich vor dem Jahre 50 müßte die Q-Tradition nicht nur ausgebildet da sein, so daß sich eine Erwartung formulieren kann, die dieser Tradition „noch sehr nahesteht", sondern diese Tradition müßte auch schon als überholbar oder doch ergänzungs-

[37] Vgl. dazu auch unten S. 482.
[38] Da 1 Thess etwa im Jahre 50 geschrieben sein wird (vgl. *W. G. Kümmel,* Einleitung 221), das Stück aber als geprägtes übernommen sein soll, muß es zumindest einige Jahre früher entstanden sein.
[39] Missionsreden 86.
[40] Mk 8,31, 183f.
[41] AaO.

bedürftig angesehen worden sein, da sie in unserem Text bereits mit dem „Kerygma von der Erweckung Jesu" zusammenwuchs. Und ungefähr das gleiche gilt für eben dieses „Kerygma von der Erweckung Jesu". Es fällt nicht leicht, sich das geschichtlich vorzustellen.

Die Vorstellung von einer festen Ubernahme einer geprägten Formulierung hat ganz verlassen P. Stuhlmacher[42], obwohl auch nach seinem Verständnis 1 Thess 1,9f „Inhalt und Schema der hellenistisch-christlichen, monotheistischen Missions- und Bekehrungspredigt wiedergibt"[43]. Stuhlmacher erkennt jedoch, daß hier nicht einfaches Zitat einer „vorpaulinischen" Tradition vorliegt, die möglicherweise sogar mit der eigenen Predigt des Paulus in Spannung steht, sondern daß Paulus zwar gewiß traditionelle Formulierungen im einzelnen benutzt, im ganzen „aber sicher nicht nur geläufige Tradition (reproduziert), sondern ... zugleich ein Summarium der von ihm selbst vorgetragenen Verkündigung" bietet[44]. Die damit angezeigte Richtung dürfte in der Tat die richtige sein[45], auch wenn die Charakterisierung des Stückes als „Summarium der von ihm (sc. Paulus) selbst vorgetragenen Verkündigung" kaum zutreffend sein dürfte und die traditionsgeschichtlichen Folgerungen Stuhlmachers daraus auch aus anderen Gründen, die hier nicht zu erörtern sind, fraglich erscheinen.

II.

Der Satz, der uns beschäftigt, bildet den Abschluß eines ersten Teils der Danksagung des Paulus an Gott für die Gemeinde, eine Danksagung, die ziemlich fest zum paulinischen Briefformular gehört[46]. Sie ist aber keineswegs ein inhaltlich erstarrter Teil des paulinischen Briefes, sondern „gehört ... bereits zum ‚Kontext'; sie kann sogar dessen Hauptthema einführen"[47]. Besonders charakteristisch ist das gleichsam negative Beispiel des Galaterbriefes, in dem ein solches Proömium ganz fehlt; offensichtlich verbot die Lage der Gemeinden Paulus eine Danksagung[48]. In der Danksagung Röm

[42] Evangelium 259.

[43] Vgl. schon oben S. 459.

[44] Evangelium 259.

[45] Vgl. zur Verwendung von Tradition bei Paulus ganz allgemein die Erwägungen von *J. Munck,* I Thess I. 9–10, 95f.

[46] Vgl. insgesamt *P. Schubert,* Form; ferner etwa *H. Conzelmann,* 1 Korinther 39 Anm. 14.

[47] *H. Conzelmann,* 1 Korinther 39.

[48] *F. Mußner,* Galater 52f, meint, die Danksagung fehle im Galaterbrief, weil es Paulus zu sehr drängt, zur Sache zu kommen; Paulus weiß sonst aber sehr wohl, seine Sache mit der Danksagung zu verbinden.

1,10ff kündigt Paulus seinen Besuch in Rom an; ihn vorzubereiten dient der ganze folgende Brief. Aufschlußreich, insbesondere im Vergleich mit dem Galaterbrief, ist etwa auch das Proömium 1 Kor 1,4–9; es ist ein Bekenntnis zur korinthischen Gemeinde als einer wirklichen christlichen Gemeinde, ehe eben sie im folgenden Briefkorpus sehr deutlich ihrer Verirrungen wegen angesprochen wird.

1 Thess hat mit Blick auf diesen Briefteil eine Sonderstellung innerhalb der paulinischen Briefe. Die Danksagung reicht über einen ersten Abschluß mit unserem Satz weit hinaus, wird in 2,13[49] noch einmal eigens verbal artikuliert[50] und erreicht erst mit 3,13 ihren Abschluß. Sie umfaßt also weit mehr als die Hälfte des Briefganzen. Man kann die Frage, die sich von diesem Tatbestand her stellt, lösen durch die Aufteilung des Briefes in zwei Schreiben, die sekundär zusammengefügt worden sind[51]. Gegen solche Lösungen bestehen indessen schwerwiegende grundsätzliche Bedenken[52]; sie könnten nur überwunden werden, wenn sich auf andere Weise der Aufbau und die Aussage des Briefes nicht verstehen lassen. Das aber ist durchaus der Fall, sofern man bereit ist zuzugestehen, daß Paulus das Briefschema in freier Weise handhaben konnte[53]. Der unmittelbare Anlaß des Briefes ist die Rückkehr des Timotheus zu Paulus, der Gutes über die Gemeinde berichtet, um die Paulus in Sorge war (3,1ff). Doch auch noch zur Zeit des Briefes empfindet Paulus die Aufgabe, ihrem Glauben aufzuhelfen (3,10). Ein neuerlicher Besuch soll ihr dienen, natürlich aber auch schon der Brief, den Paulus jetzt schreibt. Die Gemeinde hat in leidender Bedrängnis gestanden, 1,6; 2,14 (3,3), die von den συμφυλέται der Thessalonicher ausging, also von ihren heidnischen Mitbewohnern[54]. Dieser Situation mußte die Gemeinde widerstehen, obwohl sie offensichtlich erst ganz jung ist, noch nicht einmal eine feste Organisationsform und Leitungsstruktur in ihr sich ausgebildet hat (5,12ff). Zwar redet der Brief von der Bedrückung als einer Vergangenheit, aber diese Vergangenheit kann noch nicht alt sein.

In solche Lage will die ausgedehnte Danksagung hineinwirken, die im Dank

[49] Vgl. auch 3,9.

[50] Zu den verschiedenen Formen der Danksagung hier und 1,2f vgl. *P. Schubert,* Form 35f; beide Formen begegnen auch sonst bei Paulus.

[51] So *W. Schmithals,* Briefkomposition 298. 301f.

[52] Vgl. *W. G. Kümmel,* Problem 224; *ders.,* Einleitung 225f.

[53] Zum Aufbau des Briefes vgl. *Ch. E. Faw,* Writing (zur „Danksagung" bes. 223f); *H. Boers,* Study (mit informativer Diskussion der gegenwärtigen amerikanischen Arbeiten; *Boers* selbst scheidet 2,13–16 als Interpolation aus, begrenzt die Danksagung auf 1,2–10 und läßt ihr in 2,1–12 die „apostolic apology", in 2,17 – 3,13 die „apostolic parousia" folgen).

[54] Der merkwürdige „antijüdische" Einschub 2,14–16 erklärt sich m.E. so, daß Paulus auch in Thessalonich die Juden im Hintergrund vermutet; doch kann dem hier nicht näher nachgegangen werden.

für die Vergangenheit und Gegenwart der Gemeinde sie für die Zukunft binden will. Gerade hierin besteht eine entscheidende Absicht des ganzen Briefes.

Der erste Teil der Danksagung, der hier wegen seines Abschlusses 1,9f genauer interessiert, erinnert die Gemeinde an das, was sich bei ihrer Bildung an ihr, mit ihr und durch sie ereignete. Dazu gehört auch ihr Eingefügtsein in die Gemeinschaft der bestehenden christlichen Gemeinden. Die Thessalonicher sind sogar Vorbild geworden allen Christen in ganz Griechenland (1,7). V. 8, der mit γάρ eng an V. 7 angeschlossen ist, weitet diesen Gedanken noch aus. Die Formulierung ist freilich schwierig, offensichtlich sind mehrere Vorstellungen ineinander geschoben[55]. Ob in V.8a wirklich an eine aktive missionarische Wirkung gedacht ist, die von der Gemeinde in Thessalonich auf Mazedonien und Achaia ausgeht, in V.8b an die Kunde vom Glauben[56] der Thessalonicher überall dort, wo Christen wohnten, der Satz also Steigerung und Einschränkung zugleich enthält[57], ist fraglich. Allerdings muß ὁ λόγος τοῦ κυρίου die durch den Herrn aufgetragene Botschaft meinen[58], aber gemeint ist von Paulus doch wohl, daß das (wirkende und wirksame) Evangelium, das von Thessalonich aus zu den anderen griechischen Christen erschallt, bei diesen vorbildhaft wirksam wird. Jedenfalls denkt der zweite Teil von V.8 gewiß an die Christen der Ökumene als Adressaten der Botschaft von dem Glaubensstand der Thessalonicher. Ihnen gegenüber hat Paulus nicht nötig, darüber etwas zu sagen, sie selbst berichten über ihn. So wird die Gemeinde zu Thessalonich im Zuge dieses ersten Teils der Danksagung eingebunden in die Gemeinschaft der Glaubenden, ja ihr neuer Glaubensstand ist Gegenstand rühmlichen Vorbilds in der christlichen Ökumene. Bezogen auf die geschichtliche Situation der Gemeinde setzt Paulus damit einen positiven Kontrast zu der Diffamierung dieses Glaubensstandes und die die natürliche Lebensgemeinschaft auflösende Bedrückung der Gemeinde durch die Mitbürger der Thessalonicher[59].

Von diesem Kontext her legt sich die Annahme nahe, daß die Inhaltsangabe dessen, was die Christen der Ökumene über den Glauben der Thessalonicher zu sagen haben und die wir in 1 Thess 1,9f lesen, ganz bewußt gleichsam ökumenisch formuliert ist. Jedenfalls gibt Paulus ein Urteil anderer wieder, nämlich das derjenigen, die von der Gemeinde zu Thessalonich gehört haben. Will man mit Blick auf 1 Thess 1,9f von einem Zitat sprechen –

[55] Vgl. *B. Rigaux,* Thess 385; *E. v. Dobschütz,* Thessalonicher 75.

[56] Vgl. dazu *G. Delling,* Wort Gottes 145 mit Anm. 30.

[57] So *E. v. Dobschütz,* Thessalonicher 75.

[58] Vgl. 2 Thess 3,1; die Wendung begegnet sonst nicht wieder so bei Paulus.

[59] Die Diffamierung des Glaubens über die Diffamierung der Prediger und die Bedrückung bilden den direkten Hintergrund des Folgenden, 2,1–16.

und das ist angesichts des Wortlauts des Textes nicht gänzlich unangemessen –, dann nicht von einem solchen einer „vorpaulinischen" Formulierung, sondern von einem einer allgemeinen Aussage über die Thessalonicher in der Gegenwart des Paulus, die das seinsgründende Tun der Gemeinde beschreibt[60]. Um ein Zitat dieser Art im strengen Sinne wird es sich indessen schwerlich wirklich handeln. Dem steht die allgemeine Formulierung αὐτοὶ γὰρ ... ἀπαγγέλλουσιν entgegen, die alle Christen so wie im Folgenden angegeben berichten läßt und mithin kein Einzelwort im Auge haben kann. Paulus selbst faßt zusammen, wie andernorts über die Thessalonicher gesprochen wird; aber seine Zusammenfassung will das wiedergeben, was andere sagen. Wir haben also von der Art unseres Satzes her damit zu rechnen, daß geprägtes, und nicht auf den spezifischen Sprachgebrauch des Paulus zurückgehendes Sprach- und Vorstellungsmaterial in ihm enthalten ist.

Der Kontext unseres Satzes ist aber auch in Einzelheiten für sein Verständnis interessant. Bereits in V.8 gibt Paulus ganz knapp zusammengefaßt das wieder, was als Kunde von den Thessalonichern in alle Welt hinausgeht: ἡ πίστις ὑμῶν ἡ πρὸς τὸν θεόν. Der Ausdruck als solcher, der in dieser Form im Neuen Testament sonst nicht begegnet, ist möglicherweise vorgeprägt[61], von Paulus aber mit Bedacht in die Aussage hineingebracht. „Die Hinwendung zu dem in der Verkündigung erschlossenen Gott"[62], das ist das Entscheidende, von dem die Welt erfährt, daß es die Gemeinde konstituiert. Und eben dieses entfaltet der Satz V.9f. Indem Paulus ihn in V.8 solcher Art vorbereitet, identifiziert er sich von vorneherein mit seiner entscheidenden Aussage. Und zugleich erweist er sich dadurch als genau inhaltlich in die Situation des Kontextes eingepaßt.

Bislang haben wir noch überhaupt nicht in den Blick gefaßt, daß der Inhalt des ἀπαγγέλλειν der anderen christlichen Gemeinden keineswegs mit dem Satz, der mit πῶς beginnt und den wir bisher ausschließlich betrachteten, vollständig erfaßt ist. Ihm vorgeordnet ist ein anderer, der vom εἴσοδος des Paulus bei der Gemeinde redet. Daß er dem Paulus gleich wichtig wie der ihm folgende ist, zeigt das περὶ ἡμῶν, mit dem er angibt, über wen berichtet wird. Vom vorangehenden Text her wäre ein περὶ ὑμῶν zu erwarten[63]. εἴσοδον ἔχειν πρός τινα wird am besten mit W. Bauer[64] meta-

[60] Der mit πῶς eingeführte Satz enthält den Inhalt der Aussage selbst; πῶς tritt für ὅτι ein; vgl. für ἀπαγγέλλειν πῶς Apg 11,13; Lk 8,36; *W. Bauer,* Wörterbuch, s.v. πῶς 2a (dort Belege und Literatur-Hinweise).

[61] Vgl. 4 Makk 15,24 (τὴν πρὸς θεὸν πίστιν); 16,22 (τὴν αὐτὴν πίστιν πρὸς τὸν θεόν) (in 1 Makk 10,27; 3 Makk 3,3 πίστις πρός für Vertrauen auf Menschen).

[62] *R. Bultmann,* ThWNT VI 205.

[63] So denn auch einige Textzeugen (B al d), aber sicher sekundär.

[64] Wörterbuch, s.v. εἴσοδος 1.

phorisch verstanden als „Eingang bei jmd. finden". Darin liegt das aktive Moment des Auftretens und das passive der Aufnahme ineinander[65]. Der Eingang, den Paulus fand[66], hat eine entscheidende Bedeutung für das Geschehen, das sich in Thessalonich vollzog, für die Begründung des Glaubens der Thessalonicher an Gott[67]. Tatsächlich gehört für Paulus die Geltung als Apostel, als von Gott beauftragter Verkündiger des Evangeliums, mit der Geltung des Evangeliums unmittelbar zusammen. Denn die Wahrheit des Evangeliums bricht sich Bahn über die Wahrhaftigkeit der mit ihm beauftragten Boten[68]. Deshalb wird Paulus im Folgenden, 2,1ff, so nachhaltig sein apostolisches Wirken in der Gemeinde in Erinnerung rufen, und zwar in hervorgekehrter Absetzung von selbstsüchtig begründeter Verkündigung. Das wiederum läßt den Schluß zu, daß die paulinische Predigt in Thessalonich verächtlich gemacht wurde durch Einebnung in den allgemeinen Predigtbetrieb der Zeit. Der Eingang, den der Prediger bei seinen Hörern findet, hat entscheidende Bedeutung für das, was seine Botschaft bewirkt. Paulus hat das mit Schärfe gesehen und wohl auch leidend erfahren. So handelt bestimmt der erste Teil dessen, was über die Gemeinde zu Thessalonich berichtet wird, von einem Geschehen, das für Paulus fundamental wichtig ist bezüglich seines Verständnisses von dem, was für die Bekehrung zum Glauben, den er zu verkündigen hat, grundlegend ist. Es ist auch von daher zu vermuten, daß der zweite Teil gleichfalls einen für Paulus selbst entscheidenden Inhalt hat[69].

[65] Vgl. auch *E. v. Dobschütz*, Thessalonicher 76.

[66] Er wird nicht qualifiziert, sondern mit ὁποίαν wird auf den Bericht darüber verwiesen.

[67] 2,13 wird das wieder aufnehmen und inhaltlich gefüllt aussprechen, 2,1–12 bereitet das vor; insofern hat *E. v. Dobschütz*, Thessalonicher 76, recht mit der Bemerkung: „Paulus bereitet in Gedanken die Selbstapologie 2,1–13 vor".

[68] Daher kämpft Paulus im 2. Korintherbrief und im Galaterbrief so entschieden um seine Anerkennung als vollgültiger Apostel, weil davon die Verbindlichkeit des von ihm verkündigten Evangeliums für die Hörer abhängt, vgl. dazu etwa *T. Holtz*, Bedeutung. Theologisch begründet gleichsam wird dieser Zusammenhang von Paulus am prägnantesten Röm 10,13ff; vgl. dazu *G. Delling*, „Nahe ...", 404f; *E. Käsemann*, Römer 281 (in dem Abschnitt „wird das Nahekommen des Wortes von der gottesdienstlich versammelten Gemeinde über den Beginn des Christenstandes zur apostolischen Sendung zurückverfolgt. Die Pointe des Ganzen liegt nicht im ersten, sondern im letzten Gliede der Kette").

[69] *K. Berger*, Jüdisch-hellenistische Missionsliteratur und apokryphe Apostelakten: Kairos 17 (1975) 240ff, will einen festen Topos schon in der hellenistisch-jüdischen Missionsliteratur nachweisen, wonach der himmlische Bote, der die Heilsbotschaft bringt, zunächst nicht erkannt wird und deshalb seine Botschaft abgelehnt wird; diese Sünde bedarf dann der Vergebung. Freilich halte ich nach wie vor den entscheidenden jüdischen Beleg dafür, JosAs 13,9f (= 57,25ff Batiffol) für christlich interpoliert. Immerhin reflektiert sich an den von *Berger* herangezogenen Stellen, auch wenn von einem himmlischen Boten die Rede ist, vielleicht eine Erkenntnis, die sich auch 1 Thess 1,9a ausspricht: die Botschaft ist nur über den Boten zu haben und insofern gehört er zu ihr hinzu.

III.

Der Sprachgebrauch des Satzes 1 Thess 1,9f ist in der Tat in zweifacher Hinsicht auffällig. Einerseits enthält er Züge, die sonst bei Paulus nicht nachweisbar sind, andererseits weist er eine unverkennbare Nähe zur sogenannten hellenistisch-jüdischen Missionsliteratur auf.

Das wohl hübscheste und instruktivste Beispiel für das Letzte steht JosAs 54,5–10 (Batiffol)[70], in einem Selbstgespräch der Asenat vor ihrem großen Bußgebet: ἀκήκοα δὲ πολλῶν λεγόντων ὅτι ὁ θεὸς τῶν Ἑβραίων θεὸς ἀληθινός ἐστι, καὶ θεὸς ζῶν, καὶ θεὸς ἐλεήμων … λοιπὸν τολμήσω κἀγὼ ἡ ταπεινή, καὶ ἐπιστρέψω πρὸς αὐτόν, καὶ καταφεύξομαι ἐπ' αὐτόν. Der ganze Text ist für unsere Fragestellung höchst interessant. Asenat, die zunächst sich der Begegnung mit Josef entzogen hat, ist jedoch sogleich von seiner Erscheinung fasziniert. Als sie beide zusammentreffen, verweigert Josef die Begrüßung der Asenat durch einen Kuß mit der Begründung, es zieme sich nicht für einen gottesfürchtigen Mann, einen Mund, der Götzendienst betreibt, zu küssen. Da er aber ihre Betroffenheit ob solcher Weigerung wahrnimmt, betet er über ihr zu dem Herrn, dem Gott seines Vaters Israel, dem höchsten und mächtigen Gott, der lebendig macht das All, damit auch sie lebendig gemacht würde und eingehe in die von Gott bereitete κατάπαυσις (Kap. 8). Asenat zieht sich daraufhin zurück und fastet sieben Tage lang, nachdem sie sich von ihrem Reichtum und ihren Götzen getrennt hat. Das Selbstgespräch, aus dem der angeführte Text stammt, bricht das Fasten. Es beginnt mit einer Klage über die Verlassenheit der Asenat, in die auch ὁ κύριος τοῦ δυνατοῦ Ἰωσὴφ καὶ θεός einbezogen wird, da er die Götzendiener haßt διότι θεὸς ζηλωτής ἐστι καὶ φοβερός (53,24ff Batiffol). Den Götzendienst hat sie nun zwar aufgegeben, dennoch wagt sie nicht, κύριον τὸν θεὸν τοῦ οὐρανοῦ, τὸν ὕψιστον καὶ κραταιὸν τοῦ δυνατοῦ Ἰωσὴφ ἐπικαλέσασθαι (54,3f). Erst daran schließt sich das oben angeführte Stück an, das einsetzt mit der Erinnerung an das Bekenntnis anderer Menschen zu dem Gott der Hebräer als einem wahren und lebendigen Gott, der zugleich ein barmherziger und vergebender Gott ist, zumal dem Menschen in Not gegenüber, der aus Unwissenheit sündigte. Im Zusammenhang liegt auf diesen letzten Charakterisierungen der Ton. Deshalb wagt es Asenat, sich zu ihm zu kehren, zu ihm zu flüchten.

Es ist der Gott, der sich als mächtig erweist in seinen Anhängern und dessen Verehrung allen Götzendienst ausschließt, weil er Nichtigen gilt[71], zu dem

[70] Bei *M. Philonenko,* Aséneth 166, fehlt zusammen mit fast dem ganzen Kap. 11 dieser Text; er darf gleichwohl als originaler Bestandteil der Schrift angesehen werden.

[71] Vgl. die Gegenüberstellung 8,5 (= 49,3ff): τὸν θεὸν ζῶντα – εἴδωλα νεκρὰ καὶ κωφά.

sich Asenat bekehrt. Sie kann das wagen, weil er ein Gott ist, der sich erbarmt und hilft. Er wird die verlassene Jungfrau beschirmen διότι, ὡς ἀκούω, αὐτός ἐστι πατὴρ ὀρφανῶν, καὶ τεθλιμμένων παραθυμία, καὶ τῶν δεδιωγμένων βοητός (54,15f). Der Gott, der sich in der Geschichte von Menschen als mächtig erweist und dessen Geschichtsmächtigkeit durch Menschen, die sie erfahren haben, bezeugt wird, erweist sich damit als der θεὸς ἀληθινός und der θεὸς ζῶν. Er ist freilich ein θεὸς ζηλωτής[72]; dem Zeugnis dessen korrespondiert die Verkündigung der Nichtigkeit der Götzen (49,6ff), der die Erfahrung bei der Trennung von ihnen entspricht (52,10ff).
Es ist also nicht primär eine monotheistische Predigt, die in JosAs die Bekehrung zu Gott bewirkt, sondern das erfahrene und gehörte Zeugnis für die Macht und Hilfe dieses Gottes, das die Hinwendung zu ihm veranlaßt. Das schließt freilich wie selbstverständlich die Trennung von den anderen Göttern und die Anerkennung des einen Gottes als des allein wahren und lebendigen Gottes ein.
Die besondere Akzentuierung des Bekehrungsweges in JosAs mag auch individuell bedingt sein[73]. Dennoch muß dieser Weg im ganzen als typisch empfunden worden sein, da Asenat als Prototyp der Proselyten verstanden ist (61,9ff)[74]. Daneben gab es gewiß den gleichsam mehr aufklärerischen Weg, der die tatsächlich monotheistische Predigt in den Vordergrund schob. Ein schönes Beispiel bieten die angeblichen Sophokles-Verse, die Ps-Hekatäus II in seinem Buch „Über Abramos und die Ägypter"[75] überliefert: „Ein einziger in Wahrheit, einer nur ist Gott; | Er schuf den Himmel und das weite Erdenrund, | Des Meeres finstre Wogen und des Sturms Gewalt; | Wir Menschen aber, oft verwirrt in unserm Sinn, | Errichteten zum Trost für alles Ungemach | Aus Stein uns Götterbilder und Gestalten auch | Aus Erz und Gold gefertigt oder Elfenbein ..."[76]. Es ist klar, daß die Missionspredigten Apg 14 und 17 in der Tradition dieser Art jüdischer monotheistischer Verkündigung stehen. Man darf aber nicht wie selbstverständlich voraussetzen,

[72] 53,25; dieser Zug gehört für JosAs offensichtlich zu den wesentlichen Bestandteilen des Zeugnisses für den „Gott der Hebräer".

[73] Es geht in der Schrift um das ihrer Zeit durchaus aktuelle Problem der Möglichkeit einer Ehe eines Juden mit einer Nichtjüdin.

[74] Vgl. *P. Stuhlmacher,* Evangelium 261.

[75] Vgl. dazu *N. Walter,* Aristobulos 189f. 195ff; *ders.,* Fragmente 149ff.

[76] Clem. Al., Strom. V. 113,1f (ebenfalls überliefert bei Ps. Justin, De monarchia 2); Übersetzung (nach *O. Stählin*) bei *N. Walter,* Fragmente 159f.
Vgl. weiter etwa Sib fr. I 2ff: „[7]Ein Gott (ist), der allein herrscht ... [15]ihn selbst, den allein Seienden verehrt, den Lenker der Welt ... [19]Aber ihr werdet für eure Torheit den würdigen Lohn empfangen [20]weil ihr es aufgegeben habt, den wahren und ewigen Gott [21]zu preisen und ihm heilige Opfer zu bringen, [22]und (dafür) den Dämonen, die in der Unterwelt (wohnen) eure Opfer veranstaltet habt".

daß auch das ἐπιστρέφειν πρὸς τὸν θεὸν ἀπὸ τῶν εἰδώλων, von dem 1 Thess 1,9 spricht, über eine solche Missionspredigt in Gang gesetzt wurde[77].

JosAs 54,10 bot auch das Wort ἐπιστρέφειν für die Hinwendung zu dem wahren Gott. Der Gebrauch dieses Wortes in der Apostelgeschichte läßt vermuten, daß es in der frühen Gemeinde geläufig war als Terminus der Bekehrung[78]. Solcher Gebrauch bahnt sich an in TestXIIPatr[79]. Einen eindeutigen Beleg für ἐπιστρέφειν in der Bedeutung „sich bekehren" mit Blick auf Heiden gibt es dort freilich nicht[80]. Wohl aber wird das Wort transitiv von der Heidenbekehrung durch Gott gebraucht, Test Seb. 9,8 (vom κύριος: καὶ ἐπιστρέψει πάντα τὰ ἔθνη εἰς παραζήλωσιν αὐτοῦ). Häufiger allerdings sagt es die Umkehr der Nachkommen der Patriarchen zu Gott aus (Test Jud 23,5; Issach 6,3; Dan 5,9; Naph 4,3 [Benj 5,1]) bzw. ihre Umwendung durch Gott (Seb 9,7; [Dan 5,11]; Naph 4,3) oder durch andere Menschen (Benj 4,5). Der Bezug auf das Gottesvolk bestimmt auch den entsprechenden Wortgebrauch in der LXX; er ist dort allerdings nicht auf die Zuwendung zu Gott beschränkt, sondern umgreift auch den Abfall von Gott[81].

In der letztgenannten Linie liegt der Gebrauch von ἐπιστρέφειν bei Paulus an den zwei anderen Stellen, an denen das Wort bei ihm – neben 1 Thess 1,9 –

[77] Das wird freilich weithin offenbar vorausgesetzt, wenn mit Blick auf unser Stück von monotheistischer Predigt gesprochen wird; vgl. schon *R. Bultmann,* Theologie 71; ferner z.B. *P. Stuhlmacher,* Evangelium 260, und bes. *W. Kramer,* Christos 121, der 91 mit Anm. 326 sogar zu εἷς θεός als einem „terminus technicus der frühchristlichen Heidenmission" auf 1 Thess 1,9 verweist (neben 1 Kor 8,6; Gal 3,20; Jak 2,19; 4,12, allesamt Stellen, die für die frühchristliche Mission gar nichts beweisen, da sie sämtlich [wie ebenso Röm 3,29f] in ausgesprochen theologisch argumentierenden Zusammenhängen sich finden).

[78] Apg 3,19 (folgend ist wohl εἰς, nicht mit Bℵ πρός zu lesen); 9,35; 11,21; 14,15; 15,19; (26,18); 26,20. ἐπιστρέφειν kann dabei absolut für „sich bekehren" verwendet werden (3,19; vgl. 15,3 ἐπιστροφή), wird jedoch in der Regel durch eine Wendung mit ἐπί näher bestimmt; 9,35; 11,21 ἐπὶ τὸν κύριον (wobei κύριος wohl den Kyrios Jesus [Christus] meint, was sich für 11,21 aus dem Kontext als natürlich ergibt), (14,15); 15,19; 26,20 ἐπὶ τὸν θεόν. Nur 14,15 steht das Wort im Kontext gleichsam reiner Gottesverkündigung, 3,19; 11,21 im Kontext der Christus-Verkündigung, 9,35 im Anschluß an eine Heilungstat, die Jesus Christus (durch Petrus) bewirkt, also im Zusammenhang der Bezeugung von Gottes Heilshandeln. Es scheint, als liege in der Apostelgeschichte bereits ein stark geprägter Gebrauch des Wortes vor, durch den es eine breite Anwendungsmöglichkeit gewonnen hat.

[79] Insgesamt aber: „In den Apokryphen u Pseudepigraphen tritt ἐπιστρέφω zurück", *G. Bertram,* ThWNT VII 724.

[80] TestJos 3,10 ist das Wort vielleicht intransitiv mit Bezug auf eine Heidin gebraucht, bedeutet aber dort dann zunächst nur „sich abkehren"; es ist allerdings fraglich, ob nicht ἀποστρέψει zu lesen ist.

[81] Vgl. *G. Bertram,* ThWNT VII 723f; die universalistische Ausweitung tritt nur am Rande hervor.

vorkommt, 2 Kor 3,16 und Gal 4,9. Beide Stellen sind, gerade für die hier zur Verhandlung stehende Frage, höchst interessant. Gal 4,8f wird die Hinwendung solcher, die ehedem Gott nicht kannten, sondern wesensmäßigen Nichtgöttern dienten, die jetzt aber Gott erkannt haben – oder vielmehr von ihm erkannt worden sind –, zu einer anderen als der paulinischen Evangeliumsverkündigung als ein ἐπιστρέφειν πάλιν bezeichnet. Diese andere Evangeliumsverkündigung ist eine solche judaisierender Art[82]. Die Hinwendung zu ihr ist „Bekehrung" von Gott weg hin zu den schwachen und armseligen Elementen, ein Vorgang, der von Paulus offenbar inhaltlich mit der Rückkehr zu den Nichtgöttern des Heidentums parallelisiert wird.
Der zweite Beleg, 2 Kor 3,16, findet sich in einer alttestamentlichen Anführung. Angeführt wird Ex 34,34, und zwar – trotz gewisser formaler Abweichungen und gewichtiger inhaltlicher Verschiebung – sicher nach der LXX. In der LXX-Form des Wortes aber findet sich ἐπιστρέψῃ nicht, vielmehr statt dessen εἰσεπορεύετο (Μωϋσῆς)[83]. Nun ist die traditionsgeschichtliche Analyse von 2 Kor 3 besonders schwierig und umstritten. Es ist hier nicht der Ort, darauf näher einzugehen. Am wahrscheinlichsten dürfte die vorsichtige Annahme von U. Luz sein[84], daß Paulus an eine ihm überkommene exegetische Tradition, die Ex 34,34 betraf, anknüpft. Zu ihr kann natürlich bereits die Form von Ex 34,34 gehört haben, wie sie 2 Kor 3,16 vorliegt; doch ist das keineswegs sicher. In jedem Falle aber ist hier – sei es durch Paulus selbst, sei es durch eine ihm wichtige Tradition – das Wort ἐπιστρέφειν als Bezeichnung der Hinwendung zum Christus-Glauben eigens eingeführt. Und das geschieht im Hinblick auf das historische Judentum der Zeit des Paulus, in Erfüllung einer alttestamentlichen Ansage. ἐπιστρέφειν πρὸς κύριον ist die Zuwendung zum Herrn im Gegenüber zur Fixierung auf die Buchstaben des Mose.
Wie in der LXX gebraucht Paulus ἐπιστρέφειν für den Abfall (Gal 4,9) wie für die „Bekehrung" (2 Kor 3,16); aber in beiden Fällen ist entweder ein judaisierender Glaube oder der Glaube des Judentums die negative Seite der Bekehrungsbewegung. So wird gleichsam aus dem Judentum das Wort von Paulus mitgenommen und wie selbstverständlich auf den Glauben übertragen, der sich auf das Christusgeschehen gründet. Es ist von daher ganz klar, daß ἐπιστρέφειν πρὸς τὸν θεόν 1 Thess 1,9 für Paulus jedenfalls

[82] Darauf kann hier nicht näher eingegangen werden, vgl. *T. Holtz,* Bedeutung 115f; zu Gal 4,10 siehe *M. Limbeck,* Die Ordnung des Heils, Düsseldorf 1971, 166. 194.

[83] *H. Windisch,* 2 Korinther 123, vermutet freilich, daß in der LXX, die Paulus benutzte, ein Text wie 2 Kor 3,16 stand; doch siehe dagegen *G. Bertram,* ThWNT VII 728 Anm. 33.

[84] Geschichtsverständnis 128ff.

nicht einen ersten Bekehrungsschritt zum jüdischen Monotheismus meint, dem erst das spezifisch Christliche zugefügt werden müßte[85], sondern daß von der Hinwendung zu Gott die Rede ist, der Jesus unseren Herrn von den Toten auferweckte, dem aber freilich auch schon Abraham glaubte[86].
Eine explizite Ausgrenzung gegen das Judentum liegt hier für Paulus natürlich nicht vor. Sie ist auch nicht vorauszusetzen in dem frühchristlichen traditionellen Gebrauch des Wortes, wie er hinter der Apostelgeschichte sichtbar wird und nun auch von unserer Stelle her zu vermuten ist. Denn in der Tat begegnet das Wort sonst in dieser Weise von der Bekehrung der Heiden bei Paulus nicht[87]. Da er 1 Thess 1,9f das Urteil der Ökumene über die Thessalonicher zusammenfaßt, wie wir sahen, ist es verständlich, daß er sich eines verbreiteteren Allgemeinausdrucks bedient. Daß er sich in seinem Gebrauch inhaltlich aussagen kann, darf nicht bezweifelt werden.
Auch der „traditionelle" Sprachgebrauch, der für ἐπιστρέφειν πρὸς τὸν θεόν hinter 1 Thess 1,9 zu vermuten ist, muß zweifellos mit Gott den Gott der Christus-Geschichte gemeint haben. Denn nur dieser ist Gott[88]. Die Verkündigung dieses Gottes kann sehr wohl über die Verkündigung der Christus-Geschichte erfolgt sein. Sie wäre dann dem „Bekehrungsweg", den wir in JosAs fanden, durchaus verwandt.
Die Abwendung vom Heidentum wird bezeichnet mit der Wendung ἀπὸ τῶν εἰδώλων. εἴδωλον in der Bedeutung „Götze" ist spezifisch jüdischer Sprachgebrauch. Im profanen Griechisch gibt es ihn nicht[89]. Im Judengriechisch aber bedeutet εἴδωλον nicht nur das Götterbild, sondern den Götzen selbst, der so polemisch als Wirklichkeits-los benannt wird[90]. Diese Redeweise ist von der frühen christlichen Gemeinde übernommen[91] und bei Paulus geläufig[92]. Die Wendung ἀπὸ τῶν εἰδώλων in der Bedeutung „weg

[85] Etwa gar erst in dem zweiten Finalsatz ἀναμένειν τὸν υἱόν ...; so häufig in der Literatur, z.B. *Ch. Burchard*, Untersuchungen 100 Anm. 2.

[86] Dazu siehe weiter unten S. 483ff.

[87] Vgl. z.B. *G. Friedrich*, Tauflied 503f.

[88] Ob ursprünglich im frühchristlichen Sprachgebrauch das Wort die Hinwendung zum Christusglauben vom Judentum aus bezeichnete, ist eine Frage, die hier nicht mehr verfolgt werden kann. 2 Kor 3,16 und Apg 3,19 könnten durchaus dafür sprechen.

[89] Vgl. *F. Büchsel*, ThWNT II 375.

[90] Vgl. *F. Büchsel*, ThWNT II 374f; vgl. z.B. JosAs 8,5 (49,6) εἴδωλα νεκρὰ καὶ κωφά; *B. Rigaux*, Thess 390: „Philon et Josèphe reflètent la même idée" (Belege dort; s. auch *F. Büchsel*, aaO.).

[91] Vgl. Apg 7,41; 15,20(29); 1 Joh 5,21; Offb 9,20 (hier ist die Identifizierung von Götterbild und Götze gut sichtbar).

[92] Röm 2,22; 1 Kor 8,4.7; 10,19; 12,2; 2 Kor 6,16. Hierher gehören auch die Wörter εἰδωλόθυτον, εἰδωλολατρία, εἰδωλολάτρης, εἰδωλεῖον. Wie *W. Kramer*, Christos 120f, den 1 Thess 1,9 vorliegenden Gebrauch von εἴδωλον zum Merkmal unpaulinischer Formulierung des ganzen Satzes machen kann, ist mir unverständlich.

von den Götzen" ist sowohl im Munde des Judentums als auch der frühen (juden-)christlichen Gemeinde als auch des Paulus[93] in gleicher Weise möglich. Denn in gleicher Weise sind ihnen die Götter der Heiden greuelvolle Bilder ohne die Wirklichkeit Gottes.

Auch der erste finale Infinitivsatz ist in der jüdischen Literatur denkbar, wenn auch so nicht nachweisbar. Die Bezeichnung θεὸς ζῶν καὶ ἀληθινός war uns ähnlich bereits in JosAs 54,6 begegnet[94]. Jer 10,10 wird Jahve nebeneinander der „wahre Gott" (elohim ämät) und der „lebendige Gott" (elohim ḥajim) genannt[95]; der Vers fehlt freilich in der LXX. Beide Gottesprädikate sind je für sich in der jüdischen Literatur breiter bezeugt[96]. Beide haben gleichfalls Eingang in die Sprache der christlichen Gemeinde gefunden[97]. Paulus benutzt freilich sonst nur noch eines von ihnen, nämlich ζῶν. 2 Kor 6,16 bezeichnet er die christliche Gemeinde als ναὸς θεοῦ ζῶντος im Gegenüber zu den ἄπιστοι[98]. Röm 9,26 wird mit einem Zitat aus Hos 2,1 die christliche Gemeinde als die, die υἱοὶ θεοῦ ζῶντος geheißen werden, betont dem historischen Judentum gegenübergestellt. 2 Kor 3,3 redet von der Gemeinde als dem Empfehlungsbrief, der nicht mit Tinte geschrieben ist, ἀλλὰ πνεύματι θεοῦ ζῶντος. Hier ist das Gegenüber offensichtlich eine sich auf das historische Judentum in irgendeiner Weise gründende Gruppe[99]. Nicht mehr das historische Judentum und nicht eine Verkündigung, die den Zusammenhang mit dem Judentum betont und gleichsam nachweisbar bewahrt, hat den θεὸς ζῶν hinter sich, sondern allein die Gemeinde, die sich zu dem Gott der Christus-Geschichte, wie sie Paulus verkündigt, bekennt. Die sachliche Nähe solcher Redeweise zu der, die wir bei ἐπιστρέφειν fanden, ist offensichtlich.

[93] Vgl. etwa auch 1 Kor 10,14: φεύγετε ἀπὸ τῆς εἰδωλολατρίας.

[94] Siehe oben S. 472.

[95] Vgl. *G. Friedrich,* Tauflied 511.

[96] Für ζῶν vgl. z.B. JosAs 8,5 (49,3f); Sib 3,763; ferner *Ch. Burchard,* Untersuchungen 103f; *M. Philonenko,* Aséneth 154; zum Alten Testament siehe *G. Friedrich,* Tauflied 511 mit Anm. 38; *B. Rigaux,* Thess 391. – Zu ἀληθινός Sib fr. I 20; III 46; *R. Bultmann,* ThWNT I 250; *A. Schlatter,* Der Evangelist Johannes, Stuttgart 1930, 319; *G. Friedrich,* aaO., 511 mit Anm. 39f. – Merkwürdigerweise sind beide Prädikate in TestXIIPatr nicht belegt.

[97] Für ζῶν vgl. Mt 16,16; (26,63); Apg 14,15; 1 Tim 3,15 u. ö.; Hebr 3,12; 9,14 u. ö. – ἀληθινός ist freilich nur gering bezeugt, Joh 17,3; 1 Joh 5,20; es gehört aber sicher schon zur johanneischen Tradition; beide Belege lassen einen Zusammenhang mit der Polemik gegen heidnische Götter erkennen. Vgl. auch Offb 3,7.

[98] Das Textstück 2 Kor 6,14 – 7,1 ist allerdings bezüglich seiner Verfasserschaft und literarischen Stellung stark umstritten, vgl. *W. G. Kümmel,* Einleitung 249f. 253f. Es dürfte gleichwohl seinen Platz behaupten können.

[99] Vgl. 11,22.

Das Gottesprädikat ἀληθινός ist trotz seines sonstigen Fehlens bei Paulus nicht einfach unpaulinisch zu nennen. Jedenfalls ist es außerhalb der johanneischen Tradition in der frühchristlichen Überlieferung überhaupt nicht nachweisbar. Freilich spricht die stark traditionell geprägte Sprache unseres Satzes für sein Vorhandensein in der Tradition. Nur ist es dort offensichtlich nicht so verbreitet gewesen, daß Paulus es wie eine Sigel übernommen hätte.

Wieder zunächst ganz jüdisch ist der Gebrauch von δουλεύειν zur Benennung des inhaltlich gefüllten Gottesverhältnisses, das sich aus der Hinwendung zu Gott ergibt. In der LXX dient das Wort in ausgeprägtem Maße dazu, das Dienstverhältnis des Menschen Gott gegenüber zu beschreiben. „δουλεύειν ist in LXX der häufigste Ausdruck für den Gottesdienst, und zwar im Sinne totaler Bindung an die Gottheit, nicht etwa im Sinne des gottesdienstlichen Einzelaktes“[100]. In dieser Weise wird das Wort auch in der juden-griechischen Literatur verwendet[101]. Freilich geschieht das offensichtlich nicht gerade in großer Breite.

Im Neuen Testament begegnet δουλεύειν θεῷ außer an unserer Stelle nur in dem der Logien-Überlieferung zugehörenden Wort Mt 6,24/Lk 16,13 οὐ δύνασθε θεῷ δουλεύειν καὶ μαμωνᾷ; die Bildung ist vielleicht von δουλεύειν μαμωνᾷ aus entworfen[102]. Zur Bezeichnung des Dienstes der Christen kennt das Wort δουλεύειν außerhalb des paulinischen Schrifttums nur noch Apg 20,19; es steht dort am Beginn der Paulus-Rede zu Milet, an dem der Redner auf sein δουλεύειν τῷ κυρίῳ hinweist.

Bei Paulus selbst ist δουλεύειν in der hier anstehenden Bedeutung ebenfalls nicht gerade häufig. Gal 4,8f wird es vom Dienst der heidnischen Götter und dem der στοιχεῖα gebraucht. An der – freilich problematischen[103] – Stelle Röm 7,25 redet er von seinem δουλεύειν νόμῳ θεοῦ im νοῦς, Röm 14,18; 16,18[104]; Kol 3,24 vom Dienst am (Kyrios) Christus[105].

[100] *K. H. Rengstorf*, ThWNT II 270; vgl. auch ebd. zu dem scharf Gegensätzlichen dieses Sprachgebrauchs zu Griechentum und Hellenismus; dazu s. auch z.B. *G. Schneider*, Gottesverkündigung.

[101] Vgl. z.B. Josephus, Ant. 7,367; 8,257; in TestXIIPatr nur Ass 3,2 (in einer antithetischen Formulierung); in JosAs nur 6,8 (47,4f) und 13,12 (entspr. 58,10f) für das Verhältnis, das Asenat zu Josef zu haben wünscht, wobei die erste Stelle als stark überhöht erscheint (christlich?).

[102] Vgl. TestAss 3,2.

[103] Es ist unsicher, in welcher Weise der Vers zum ursprünglichen Bestand des Briefes gehört, vgl. etwa *E. Käsemann*, Römer 201f.

[104] In negativer Formulierung.

[105] Röm 12,11 ist textkritisch unsicher; wahrscheinlich ist mit dem „westlichen“ Text τῷ καιρῷ zu lesen, vgl. *E. Käsemann*, Römer 330f; The Greek New Testament verweist καιρῷ allerdings als virtually certain in den Apparat. – Phil 2,22 redet von δουλεύειν εἰς τὸ εὐαγγέλιον, das Timotheus zusammen mit Paulus betreibt.

Die wichtigste Stelle ist Röm 7,6. Dort ist δουλεύειν absolut gebraucht und bezeichnet den Gottesdienst der vom Gesetz frei Gewordenen ἐν καινότητι πνεύματος καὶ οὐ παλαιότητι γράμματος.

An solches δουλεύειν denkt Paulus zweifellos auch 1 Thess 1,9, und von dem Vollzug dieses Dienstes seitens der Thessalonicher sprach man in der Ökumene. Dabei wußte man, daß der Dienst dem Gott galt, der in der Evangeliumsverkündigung sich endgültig enthüllt hatte, und daß er das ganze Leben bestimmte[106]. Ob freilich auch die frühchristliche, „vorpaulinische" Tradition schon in dem Begriff δουλεύειν davon sprach, ist angesichts des Textbefunds im Neuen Testament keineswegs sicher.

So ist es mithin nicht erst der zweite Finalsatz, der im Sinne des Paulus und derer, deren Urteil Paulus hier wiedergibt, das spezifisch Christliche zur Aussprache bringt. Allerdings spricht eben dieser letzte Finalsatz mit besonderer Deutlichkeit davon. Er ist denn auch nicht in dem Maße wie das Vorangehende auf jüdische Aussagen unmittelbar zurückzuführen. Das liegt in der Tat in seinem spezifisch christlichen Inhalt begründet. Denn in ihm geht es nicht um einen alten, aus dem Glauben des Judentums überkommenen Inhalt, der aufgrund eines neuen Geschehens neu, und d.h. richtig – endgültig richtig – begriffen wird, sondern um eine Hoffnung, die sich in ihrer Realisierung auf das neue Geschehen unmittelbar gründet.

Freilich darf man darüber nicht übersehen, daß sowohl der Grund, warum es solcher Hoffnung überhaupt bedarf, als auch die Hoffnung selbst durchaus auch jüdisch sind und die gesamte Aussage des letzten Satzteiles nur aus der Grundlage jüdischen Glaubens heraus verständlich ist. Sie setzt wie selbstverständlich – und darin ja gerade entscheidend anders als Apg 17,30f – das Wissen um eine ὀργὴ ἐρχομένη voraus, was weiter das Wissen impliziert, daß Gott der Welt ein Telos gesetzt hat.

Der Begriff ὀργή für das Endgericht[107] ist wiederum eindeutig herkunftsmäßig jüdische Redeweise[108]. Im Neuen Testament findet er sich außer bei Paulus nur in Joh 3,36[109], in der Apokalypse[110] und in der Täuferüberlieferung Mt 3,7/Lk 3,7. Der letztgenannte Beleg weist das Wort eher der Tradition über den Täufer zu (und doch wohl auch seiner Geschichte) als dem Begriffs- und Vorstellungsbereich einer Q-Gruppe oder -Gemeinde[111]. Bei

[106] Vgl. *B. Rigaux,* Thess z. St.: „une totale liaison à la divinité".

[107] Er bezeichnet „nicht den Affekt in Gott, sondern dessen Effekt", *E. v. Dobschütz,* Thessalonicher 79; s. auch *L. Mattern,* Gericht 59.

[108] Vgl. *L. Mattern,* aaO.

[109] Mit gegenwartseschatologischem Akzent.

[110] 6,16f; 11,18; (14,10; 16,19; 19,15).

[111] Vgl. oben S. 466 (zu *Friedrich*).

Paulus ist der Begriff mehrfach belegt[112]. 1 Thess 1,10 besonders verwandt ist seine Anwendung an der bereits oben[113] genannten Stelle Röm 5,9. Zwar fehlt dort die Näherbestimmung ἐρχομένη; aus der Struktur des Satzes ergibt sich aber klar die „Zukunft“ der ὀργή. Auch dort ist von der Hoffnung, die eine gewisse Erwartung ist[114], auf die Rettung durch Christus vor dem Endgericht die Rede.

Vielleicht hat auch das Wort ἀναμένειν schon zur judengriechischen Terminologie der eschatologischen Erwartung gehört. Darauf könnte Test Ass 5,2 (vgl. ähnlich 2 Klem 19,4) weisen[115]. Im Neuen Testament ist es jedenfalls hapax legomenon. Da Paulus sonst in gleichem Sinne[116] ἀπεκδέχεσθαι verwendet[117], kann man vermuten, daß das Wort in dem Kontext, den er hier verwendet, vorgegeben war. Dafür, daß das ein festgefügter frühchristlicher Sprachgebrauch war, spricht der Textbefund aber nicht.

Möglicherweise gilt ähnliches für ῥύεσθαι, obwohl das Wort im hier vorliegenden Gebrauch nicht als unpaulinisch bezeichnet werden kann[118]. Daß Paulus viel häufiger σῴζειν benutzt, teilt er mit dem übrigen Neuen Testament[119]. In diesem ist indessen ῥύεσθαι auffallend selten, auffallend gerade angesichts des Belegs im Vaterunser Mt 6,13 (Lk 11,4?). Das Wort begegnet außer bei Paulus und in den Pastoralbriefen ferner nur noch Mt 27,43 und Lk 1,74 sowie 2 Petr 2,7.9 und an keiner dieser Stellen im eschatologischen Sinne. Für Zugehörigkeit zur traditionellen jüdischen Terminologie könnte einerseits Röm 11,26 sprechen, wo in einem Zitat von Jes 59,20 Gott ὁ ῥυόμενος genannt wird[120], in der Einführung dazu Paulus aber σωθήσεται

[112] 1 Thess 2,16; 5,9; Röm 1,18; 2,5.8; 3,5; 5,9; 9,22; 12,19 (13,4f, vgl. dazu *U. Wilckens,* Rechtfertigung als Freiheit, Neukirchen-Vluyn 1974, 218f; doch ist das Verständnis als eschatologisches Strafgericht hier fraglich). An einer Reihe der genannten Stellen ist an das gegenwärtig sich vollziehende Gericht gedacht; Röm 1,18 zeigt bes. deutlich, daß es sich dabei gleichwohl um das vorlaufende Endgericht handelt, das dem eschatologischen Charakter der Gerechtigkeitsoffenbarung in Christus entspricht. Röm 2,5 und 5,9 aber ist eindeutig an den noch zukünftigen Gerichtstag gedacht.

[113] Vgl. oben S. 465f.

[114] Die Sätze Röm 5,5ff stehen insgesamt unter dem Stichwort ἐλπίς.

[115] Vgl. in der LXX Jes 59,11; Jer 13,16; Sir 2,7; Jdt 8,17; (Ijob 7,2). – IgnMg 9,3; Phld 5,2 steht es für die erfüllte Erwartung des Christus seitens der Propheten.

[116] Besonders nahe verwandt ist Phil 3,20: ἐξ οὗ (sc. οὐρανοῦ) καὶ σωτῆρα ἀπεκδεχόμεθα κύριον Ἰησοῦν Χριστόν.

[117] Dieses Wort gehört wiederum zum spezifischen Sprachgut des Paulus, vgl. *F. Laub,* Verkündigung 30.

[118] Vgl. Röm 7,24; 11,26; Kol 1,13.

[119] Ein Partizip von σῴζειν als Gottesprädikation aber nur 2 Tim 1,9 (τοῦ σώσαντος ἡμᾶς), vgl. *G. Delling,* Gottesprädikationen 30.

[120] Vgl. zur LXX *G. Delling,* Gottesprädikationen 18 mit Anm. 3 und 39 Anm. 1.

schreibt, andererseits der Befund, daß Schriften wie JosAs und TestXIIPatr ganz deutlich ῥύεσθαι vor σώζειν in der religiösen Sprache bevorzugen[121]. Die restlichen Worte und Wendungen des Satzteiles sind von der Sache her, die sie bezeichnen, sicher nicht der traditionellen Terminologie jüdischer Verkündigung entnommen. Sie wurzeln in der Besonderheit der christlichen Glaubenserfahrung. Als paulinisch werden an ihnen in der Diskussion um das Stück beanstandet der Plural ἐκ τῶν οὐρανῶν[122] und der Artikel bei ἐκ τῶν νεκρῶν[123]. Paulus ist aber sehr wohl der Gebrauch von οὐρανός im Plural bekannt, 2 Kor 5,1f und Phil 3,20 wechselt er – Phil 3,20 auch grammatisch – ganz selbstverständlich vom Plural in den Singular. Beide Formen sind ihm also identisch[124]. Der Artikel bei ἐκ τῶν νεκρῶν ist möglicherweise wirklich unpaulinisch, nämlich sekundär[125]. Jedenfalls ist die Wendung ἐγείρειν ἐκ νεκρῶν so fest geprägt[126], daß es kaum denkbar ist, Paulus sei der Artikel, hat er ihn geschrieben, durch eine vorgegebene Tradition an unserer Stelle aufgezwungen worden[127].
Eindeutig paulinisch und nur schwer aus der sogenannten vorpaulinischen Tradition ableitbar[128] ist der Gebrauch des Sohnes-Titels. Jedenfalls spricht gerade er an unserer Stelle nicht für von Paulus übernommene, frühchristliche Tradition. Paulus selbst aber verwendet den Sohnes-Titel für die „gesamte ‚Geschichte' des Christus von der Präexistenz bis zur Parusie"[129]. Und nach Kramer[130] drückt dieser Titel bei ihm gegenüber anderen „unmittelbar die Zusammengehörigkeit des Heilsträgers mit Gott aus"[131]. Das aber

[121] ῥύεσθαι in JosAs 12,7 (55,17); 12,10 (56,6); 56,10f (Kap. 12); 57,20 (Kap. 13); 15,13; (62,11); 82,6 (Kap. 27); dagegen σώζειν nur 4,8; (44,7) von der Rettung Ägyptens durch Josef (vgl. 25,6); 12,11; (56,11) liest *Batiffol* ῥῦσαί με statt σῶσόν με bei *Philonenko*. – In TestXIIPatr ist ῥύεσθαι von der Hilfe Gottes häufiger (Rub 4,10; Sym 2,8; Gad 2,5; Jos 1,7; 2,2; 4,3.8; 10,3), σώζειν nur Lev 2,4 und vielleicht Jud 24,6; die restlichen Belege dürften zu den christlichen Interpolationen gehören (Sym 6,5.7; Lev 2,11 [?]; Naph 8,3; Ass 7,3; Jos 19,11).
[122] Vgl. *G. Friedrich,* Tauflied 505.
[123] Vgl. *G. Friedrich,* aaO 505f.
[124] Siehe weiter 2 Kor 12,2; Kol 1,5 (neben 1,23); 4,1.
[125] So *W. Kramer,* Christos 17f Anm. 19.
[126] Vgl. *G. Delling,* Wort Gottes 93.
[127] Mit Artikel, aber stets in der Form ἀπὸ τῶν νεκρῶν, im Neuen Testament sonst nur bei Mattäus, 14,2 (vom Täufer); 27,64; 28,7 (17,9 aber ἐκ νεκρῶν).
[128] Das zeigt deutlich die ganze Diskussion um diesen Text als vorpaulinisch-traditionelle Formulierung, vgl. etwa *F. Hahn,* Hoheitstitel 292; *Ph. Vielhauer,* Aufsätze 189f; *W. Kramer,* Christos 188f; *U. Wilckens,* Missionsreden 238; *G. Friedrich,* Tauflied 512ff; *F. Laub,* Verkündigung 32; *G. Strecker,* Evangelium 518 Anm. 72.
[129] *W. G. Kümmel,* Theologie 143; vgl. auch *F. Hahn,* Hoheitstitel 292; Gottessohn ist bei Paulus „als umfassender Würdetitel für das gesamte Wirken Christi verstanden".
[130] Christos 189.
[131] Vgl. schon *A. Seeberg,* Katechismus 60.

entspricht genau dem Duktus der Gesamtaussage, in die dieser explizit christologische Satz eingefügt ist[132].
Auch der Jesus-Name wird von Paulus ganz umfassend angewendet; er ist „für ihn Bezeichnung der Person des Menschen Jesus, der auch der Auferstandene ist“[133]. Das ist angesichts der Gründung des christlichen Evangeliums auf die Jesus-Geschichte auch nur natürlich. Schon der Bekenntnisruf κύριος Ἰησοῦς (Röm 10,9; 1 Kor 12,3) identifiziert den κύριος betont mit Ἰησοῦς. 1 Thess 4,14; Röm 8,11; 2 Kor 4,14 (Röm 4,24[134]) und auch 2 Kor 4,10f ist der Jesus-Name allein im Zusammenhang mit Auferweckungsaussagen gebraucht, wie er auch hier im Bereich einer solchen Aussage steht[135]. Denn es ist offensichtlich die Funktion der Auferweckungsaussage an unserer Stelle, den erwarteten Gottessohn mit dem geschichtlichen Menschen Jesus identifizierend zu verbinden.
Freilich geschieht das nicht in einem Sinne, wie er für den offensichtlich in der Tat von Paulus aus der Tradition übernommenen Glaubenssatz Röm 1,4 anzunehmen ist[136], nämlich daß durch die Auferstehung die Einsetzung zum Gottessohn erfolgt sei. Unser Satz bezieht vielmehr das ὃν ἤγειρεν ... auf τὸν υἱὸν αὐτοῦ und identifiziert erst danach diesen mit Jesus. So nennt die Auferstehungsaussage in Abbreviatur auf die entscheidende Gottestat der Geschichte Jesu den Grund des Glaubens an Jesus als den Gottessohn, den die christliche Gemeinde als Retter aus dem kommenden Gericht vom Himmel her erwartet. Daß Paulus sich dabei wieder einer geprägten, bei ihm aber auch sonst häufigen und zentralen Formulierung[137] bedient, entspricht dem Charakter der ganzen Passage.
Der Glaube, den der letzte Finalsatz insgesamt ausspricht, ist – wie bereits gelegentlich deutlich wurde – durchaus paulinisch. In Röm 5,9 begründet Paulus die hoffende Gewißheit auf die endzeitliche Rettung durch Christus vor der ὀργή, in Phil 3,20 spricht er von der Erwartung des Herrn Jesus Christus als Retter vom Himmel[138].

[132] Deshalb ist es nach *W. Kramer,* Christos 122f auch ganz natürlich für Paulus, daß hier „Gottessohn“ steht.

[133] *W. G. Kümmel,* Theologie 137.

[134] τὸν κύριον ἡμῶν ist Apposition zu Ἰησοῦν.

[135] *W. Kramer,* Christos 35f Anm. 81, meint, er sei erst zusammen mit dieser eingefügt, was den „Sprachgebrauch der aramäisch-sprechenden Gemeinde“ widerspiegeln könnte.

[136] Vgl. dazu zuletzt *H. Schlier,* Zu Röm 1,3f; *E. Käsemann,* Römer 9f.

[137] Vgl. oben S. 481.

[138] Die Erwartung des Retters aus dem Himmel weist also keineswegs „in die Richtung der synoptischen Menschensohn-Christologie“, wie *F. Laub,* Verkündigung 31, meint.

IV.

Unsere Analyse von 1 Thess 1,9f ergab, daß Paulus mit diesem Satz nicht eine ihm geschlossen vorgegebene Formulierung übernimmt, die etwa gar ein zusammenfassendes Schema hellenistisch-judenchristlicher Missionspredigt darstellt, sondern daß er mit ihm zusammenfaßt, was nach Meinung der Glaubenden an jedem Ort die Thessalonicher taten, als sie die Christuspredigt annahmen. Noch geraffter hat er zuvor das Gleiche mit ἡ πίστις ὑμῶν ἡ πρὸς τὸν θεόν benannt. Nichts spricht dafür, daß Paulus in 1,9f nur zitiert und sich mit solchem Zitat nicht auch identifiziert oder ihm gar distanziert gegenübersteht. Die Stellung des Satzes am Schluß eines ersten Gedankenzuges der Danksagung für die Gemeinde macht es unbezweifelbar, daß Paulus in ihm eine gültige Aussage sieht. Es zeigte sich aber überhaupt, daß Paulus gar nicht eine geschlossene Aussage zitiert, sondern selbst formuliert, wenn auch unter bewußter Aufnahme von und Anlehnung an gemeinchristliche Formulierungen und Aussageweisen. Andererseits ergibt sich aus der Art des Satzes, daß ihm das ganz spezifisch Paulinische fehlen muß und ebenso das, was in den Bereich geschärft ausgerichteter theologischer Argumentation gehört[139].

Diese Besonderheit des Stückes bedarf der gebührenden Würdigung, da sie es in besonderer Weise bedeutsam macht. Es zeigt, in welchem Maße und in welcher Weise das Verständnis des Paulus von dem, was sich mit der Annahme seines Evangeliums durch die Heiden ereignet, mit dem entsprechenden Verständnis der christlichen Gemeinden sonst verbunden war.

Zunächst beeindruckt die vorstellungsmäßige und terminologische Nähe zu jüdischer Redeweise. Sie verführt leicht zu der Annahme, ihr entspreche – gleichsam als Prolegomena zur eigentlichen Christuspredigt – eine monotheistische Grundlegung, genau der jüdischen Missionspredigt analog, der etwa gar nur mit Blick auf die Zukunft die christologisch begründete Hoffnung zugefügt worden wäre[140]. Das dürfte indessen ganz ungeschichtlich gedacht sein. Der Gott Israels, den das historische Judentum der Zeit des Paulus für sich reklamiert, ist der Gott, den Paulus und mit ihm die christliche Gemeinde proklamiert, weil er in der Geschichte Jesu als des Christus endzeitlich gültig gehandelt hat. Erst indem und seit das Judentum diese Christus-Geschichte als die jetzt gültige Gottes-Geschichte ablehnt, hat es

[139] Vgl. auch den Hinweis von *G. Schrenk,* Studien zu Paulus (AThANT 26), Zürich 1954, 144: es wird immer wieder zu Unrecht postuliert, „der Paulus der Missionspredigt müsse ganz gleich reden wie der Paulus der Gemeindeunterweisung".

[140] Vgl. z.B. *G. Schneider,* Gottesverkündigung 68. 74.

Gott in Wahrheit verloren. Gott, ὁ θεὸς ζῶν καὶ ἀληθινός, ist nun nicht mehr der Gott, den das Judentum bekennt und verkündigt; aber das gilt nur, weil das Judentum seinem eigenen Gott ungehorsam war. Der sozusagen vorchristliche jüdische Gott ist mit dem christlichen identisch, nicht mehr jedoch mit dem nachchristlich jüdischen.

Weil nun der Gott Israels und des vorchristlichen Judentums sich in der Christus-Geschichte neu definiert hat, dabei aber in der Identität mit seiner Geschichte blieb[141], deshalb kann von Paulus und seinen Glaubensgenossen nur noch von dieser neuen Definition her verkündigt werden. Dieser Vorgang mag sich – natürlich nicht so sehr reflektiert als vielmehr glaubensmäßig erfahren – in der Auseinandersetzung mit dem „ungläubigen" Judentum in gewichtiger Weise auf dem Boden der Auslegung der Schrift vollzogen haben. In der Begegnung mit den Heiden aber ist dieser Gott sicher sogleich als der wahre und der lebendige Gott im Gegenüber zu den stummen und toten Götzen verkündigt worden. Im geschichtlichen Vollzug der frühchristlichen Heidenmissionierung werden beide Weisen der Verkündigung kaum gänzlich getrennt voneinander bestanden haben, da vermutlich auch die Heidenmission dieser Zeit von der Synagoge aus ihren Ausgangspunkt nahm und zunächst (zumindest vornehmlich) die Anrainer der Synagoge erfaßte[142]. Aber auch dort muß die Verkündigung der christlichen Missionare von allem Anfang an von dem Gott der Christus-Geschichte und seiner Identität mit dem Gott der Schrift und der Geschichte seines Volkes, das das jüdische ist, geredet haben[143]. Wir dürfen vermuten, daß solche Predigt strukturell derjenigen Rede von Gott verwandt ist, von der Asenat nach JosAs 54,5ff hörte[144].

Der erste Finalsatz δουλεύειν θεῷ ζῶντι καὶ ἀληθινῷ zeigt, daß weder die Gemeinde, von der das gesagt wird, noch die Gemeinden, die das sagen, auf eine Naherwartung fixiert waren, die Denken und Sein völlig beherrschte[145]. Wie dieses δουλεύειν θεῷ der Thessalonicher in den Augen des Paulus aussah, sagt etwa 1,3: τὸ ἔργον τῆς πίστεως καὶ ὁ κόπος τῆς ἀγάπης καὶ ἡ ὑπομονὴ τῆς ἐλπίδος τοῦ κυρίου ἡμῶν Ἰησοῦ Χριστοῦ.

[141] Das zu zeigen ist die Funktion des Schriftbeweises, vgl. *T. Holtz*, Zum AT.

[142] Vgl. *P. Stuhlmacher*, Evangelium 261; *T. Holtz*, Bedeutung 138. 140f.

[143] Vgl. 1 Kor 2,1f und Gal 3,1–5; dazu *G. Delling*, Wort Gottes 94; *J. Munck*, I Thess I. 9–10, 104–106.

[144] *E. v. Dobschütz*, Thessalonicher 77, macht darauf aufmerksam, daß Paulus nicht schreibt ἀπὸ τῶν εἰδώλων πρὸς τὸν θεόν („so ist die Methode vieler Missionspredigten"): „er zieht die Hörer zu Gott hin, und damit ergibt sich von selbst die Abkehr von den Götzen".

[145] Vgl. z.B. *U. Wilckens*, Missionsreden 184.

Aber auch 1 Thess 4,1ff will in diesem Zusammenhang bedacht sein. Paulus spricht dort von dem πῶς δεῖ ὑμᾶς περιπατεῖν, dem ἀρέσκειν θεῷ. Dieses soll dem θέλημα θεοῦ entsprechen, wie Paulus es in seinen παραγγελίαι der Gemeinde διὰ τοῦ κυρίου Ἰησοῦ übergab. Inhaltlich nun besteht der ἁγιασμός, der dem Gotteswillen entspricht, in der Enthaltung von Unzucht und Habsucht[146]. Das aber sind genau die beiden Verhaltensweisen, die TestXIIPatr nicht müde wird, den Lesern einzuschärfen[147]. Entscheidend ist nun aber der Schlußsatz, mit dem Paulus diese Mahnung abschließt. Noch gleichsam jüdisch setzt er ein mit dem Hinweis, daß der, der dieses verwirft, nicht einen Menschen, sondern Gott verwirft. Aber er qualifiziert Gott als den, der euch seinen heiligen Geist gibt. Die Gabe des Geistes ist mithin ein dem Tun des θέλημα θεοῦ vorlaufendes Geschehen.
Direkter setzt Paulus in Röm 7,6 den Geist mit dem δουλεύειν in Verbindung und zugleich damit dieses schärfer ab von dem δουλεύειν des Judentums. Es vollzieht sich ἐν καινότητι πνεύματος καὶ οὐ παλαιότητι γράμματος. Röm 12,1ff wird die λογικὴ λατρεία näher in den Blick fassen; auch zu ihr gehört das Prüfen, was das θέλημα θεοῦ sei.
Wir können die hier angedeuteten Tatbestände nicht näher entfalten. Es dürfte aber wenigstens in Sicht gekommen sein, daß für Paulus das δουλεύειν θεῷ in funktionaler Beziehung zum πνεῦμα steht, das Frucht der Glaubenspredigt ist, die Jesus Christus den Gekreuzigten vor Augen malt (Gal 3,1f)[148].
Für Paulus jedenfalls ist der Gottesdienst der Glaubenden ein Dienst, den Gott selbst erst ermöglicht durch die Gabe des Geistes, die er dem gibt, der an Christus glaubt. Ob solcher Glaube auch für diejenigen vorausgesetzt werden kann, zu deren Mund sich Paulus in 1 Thess 1,9f macht, ist damit natürlich noch nicht ohne weiteres gegeben. Es ist indessen nicht unwahrscheinlich, daß ihr Denken in die gleiche Richtung ging. Paulus setzt es offenbar so voraus.
Schließlich ist bedeutsam die Konzentration der Gesamtaussage auf Gott. Die Bekehrung ist eine Bekehrung zu Gott, der Dienst, zu dem sie führt, ist der Dienst des lebendigen und wahren Gottes, die Hoffnung richtet sich auf die Rettung durch Gottes Sohn aus Gottes Gericht. Diesem Inhalt entspricht die Angabe ἡ πίστις ὑμῶν ἡ πρὸς τὸν θεόν V.8. Daß der Heilsglaube der

[146] 1 Thess 4,3–8; die näheren Probleme dieses Abschnittes können hier nicht mehr erörtert werden.

[147] Vgl. z.B. TestJud 18 ([2]φυλάξασθε ... ἀπὸ τῆς πορνείας καὶ τῆς φιλαργυρίας... [3]ὅτι ταῦτα ἀφιστᾷ νόμου θεοῦ).

[148] Gal 3,2.5.14 zeigt im Vergleich mit Röm 3 und 4 besonders deutlich die Beziehung, die für Paulus zwischen Geistempfang und Rechtfertigung besteht.

Glaube an Gott ist, sagt in bezeichnender Füllung, die indessen auch in 1 Thess 1,8–10 vorauszusetzen ist, Röm 4,24f: Der Glaube wird zur Gerechtigkeit nicht nur Abraham angerechnet, sondern auch uns, die wir glauben an den, der Jesus unseren Herrn von den Toten auferweckt hat[149].

[149] Vgl. 1 Petr 1,21! Zur Bedeutung der Gottesprädikation „der, der Jesus von den Toten auferweckte", siehe *G. Delling*, Gottesprädikationen 31–35. 57.

Literatur

Bauer, W., Griechisch-deutsches Wörterbuch zu den Schriften des Neuen Testaments und der übrigen urchristlichen Literatur, Berlin ^{5}1958.

Boers, H., The Form-Critical Study of Paul's Letters: I Thessalonians as a Case Study: NTS 22 (1975/76) 140–158.

Bultmann, R., Theologie des Neuen Testaments, Tübingen ^{6}1968 (Nachdr. Berlin 1970).

Burchard, Ch., Untersuchungen zu Joseph und Aseneth (WUNT 8), Tübingen 1965.

Conzelmann, H., Grundriß der Theologie des Neuen Testaments, München 1967.

Ders., Der erste Brief an die Korinther (MeyerK 5), Göttingen $^{11(1)}$1969.

Ders., Die Mitte der Zeit (BHTh 17), Tübingen ^{5}1964.

Delling, G., Partizipiale Gottesprädikationen in den Briefen des Neuen Testaments: StTh 17 (1963) 1–59.

Ders., „Nahe ist dir das Wort": ThLZ 99 (1974) 401–412.

Ders., Wort Gottes und Verkündigung im Neuen Testament (SBS 53), Stuttgart 1971.

Dobschütz, E. von, Die Thessalonicher-Briefe (MeyerK 10), Göttingen $^{7(1)}$1909.

Eichholz, G., Die Theologie des Paulus im Umriß, Neukirchen–Vluyn, 1972.

Faw, Ch. E., On the Writing of Thessalonians: JBL 71 (1952) 217–225.

Friedrich, G., Ein Tauflied hellenistischer Judenchristen, 1 Thess 1,9f: ThZ 21 (1965) 502–516.

Haenchen, E., Die Apostelgeschichte (MeyerK 3), Göttingen $^{14(5)}$1965.

Hahn, F., Christologische Hoheitstitel (FRLANT 83), Göttingen 1963 (Nachdr. der 2. Aufl. Berlin 1965).

Harnack, A. von, Die Mission und Ausbreitung des Christentums I, Leipzig ^{4}1924 (Nachdr. ZA Leipzig 1965).

Hoffmann, P., Mk 8,31. Zur Herkunft und markinischen Rezeption einer alten Überlieferung, in: Orientierung an Jesus (Festschr. für J. Schmidt), Freiburg–Basel–Wien 1973, 170–204.

Holtz, T., Die Bedeutung des Apostelkonzils für Paulus: NovT 16 (1974) 110–148.

Ders., Zur Interpretation des Alten Testaments im Neuen Testament: ThLZ 99 (1974) 19–32.

Käsemann, E., An die Römer (HNT 8a), Tübingen 1973.

Kramer, W., Christos Kyrios Gottessohn (AThANT 44), Zürich 1963 (Nachdr. Berlin 1970).

Kümmel, W. G., Einleitung in das Neue Testament, Heidelberg $^{(17)}$1973.

Ders., Das literarische und geschichtliche Problem des ersten Thessalonicherbriefes, in: Neotestamentica et Patristica, Festschr. für O. Cullmann (NovTSuppl 6), Leiden 1962, 213–227.

Ders., Die Theologie des Neuen Testaments nach seinen Hauptzeugen Jesus – Paulus – Johannes (NTD ErgH 3), Göttingen 1969 (Nachdr. Berlin 1971).

Laub, F., Eschatologische Verkündigung und Lebensgestaltung nach Paulus (Bibl. Unters. 10), Regensburg 1973.

Luz, U., Das Geschichtsverständnis des Paulus (BEvTh 49), München 1968.

Mattern, L., Das Verständnis des Gerichtes bei Paulus (AThANT 47), Zürich, Stuttgart 1966.

Michel, O., Der Brief an die Hebräer (MeyerK 13), Göttingen $^{12(6)}$1966.

Munck, J., I Thess I. 9–10 and the Missionary Praeching of Paul: NTS 9 (1962/63) 95–110.

Mußner, F., Der Galaterbrief (HKNT 9), Freiburg–Basel–Wien 1974 (Nachdr. Leipzig 1975).

Philonenko, M., Joseph et Aséneth (St. Post-Biblica 13), Leiden 1968.

Rigaux, B., Saint Paul, Les Épitres aux Thessaloniciens (Ét. Bibl.) Paris–Gembloux 1956.

Ders., Vocabulaire chrétien antérieur à la première épître aux Thessaloniciens, in: Sacra pagina, ed. J. Coppens u.a. (BiblEThLov 12–13) Vol. 2, Paris–Gembloux 1959, 380–389.

Schlier, H., Zu Röm 1,3f, in: Neues Testament und Geschichte (Festschr. für O. Cullmann), Zürich–Tübingen 1972, 207–218.

Schmithals, W., Die Thessalonicherbriefe als Briefkompositionen, in: Zeit und Geschichte (Festschr. für R. Bultmann), Tübingen 1964, 295–315.

Schneider, G., Urchristliche Gottesverkündigung in hellenistischer Umwelt: BZ NF 13 (1969) 59–75.

Schubert, P., Form and Function of the Pauline Thanksgivings (BZNW 20), Berlin 1939.
Seeberg, A., Der Katechismus der Urchristenheit (1903) (ThB 26), München 1966.
Strecker, G., Das Evangelium Jesu Christi, in: Jesus Christus in Historie und Theologie (Festschrift für H. Conzelmann), Tübingen 1975, 503–548.
Stuhlmacher, P., Das paulinische Evangelium I (FRLANT 95), Göttingen 1968.
Vielhauer, Ph., Aufsätze zum Neuen Testament (ThB 31), München 1965.
Walter, N., Fragmente jüdisch-hellenistischer Historiker (JSHRZ 1,2), Gütersloh 1976.
Ders., Der Thoraausleger Aristobulos (TU 86), Berlin 1964.
Wilckens, U., Die Missionsreden der Apostelgeschichte (WMANT 5), Neukirchen–Vluyn [3]1975.
Windisch, H., Der Hebräerbrief (HNT 14), Tübingen [2]1931.
Ders., Der zweite Korintherbrief (MeyerK 6), Göttingen [9(1)]1924.

DIE URCHRISTLICHEN LEHRER NACH DEM ZEUGNIS DES JAKOBUSBRIEFES

Von Joachim Wanke

Die Frage nach dem Amt in der Kirche hat sich in jüngster Zeit zusehends als Hauptthema des ökumenischen Dialogs herauskristallisiert.[1] Das neutestamentliche Zeugnis erweist sich in diesem Dialog angesichts auseinanderstrebender Positionen sowohl als kritische Anfrage wie auch als zusammenführende und verbindende Mitte. Es bleibt freilich noch manche Dunkelheit in der urchristlichen Verfassungsgeschichte zu lichten. Gerade in der Frühzeit sind wir oft noch auf Vermutungen angewiesen, wenn es gilt, den Ursprung und die frühe Entfaltung einzelner kirchlicher Dienstfunktionen zu beschreiben. Es ist für den Erkenntnisfortschritt von Wichtigkeit, wenn trotz mangelnder Einzelinformationen der Versuch unternommen wird, die großen Linien in der Entwicklung der kirchlichen Dienste aufzuzeigen.[2] Doch bleibt die Aufgabe bestehen, durch Untersuchungen im Detail die aufgezeigten Entwicklungslinien und Tendenzen abzusichern bzw. zu korrigieren.
H. Schürmann hat vor kurzem in einer Studie über den urchristlichen Lehrerstand herausgearbeitet, daß in der „Kirche des Anfangs" der Lehrdienst als durchaus eigenständige, vom Propheten- und Hirtendienst sowohl unterschiedene wie auch auf diese hingeordnete Gnadengabe verstanden wurde.[3] In einigen Spätschriften des neutestamentlichen Kanons, den Pastoralbriefen

[1] Vgl. *H. Schütte,* Amt, Ordination und Sukzession im Verständnis evangelischer und katholischer Exegeten und Dogmatiker der Gegenwart sowie in Dokumenten ökumenischer Gespräche, Düsseldorf 1974; *V. Pfnür,* Kirche und Amt. Neuere Literatur zur ökumenischen Diskussion um die Amtsfrage (Catholica Beiheft 1), Münster 1975.

[2] Vgl. u. a. *A. v. Harnack,* Entstehung und Entwicklung der Kirchenverfassung und des Kirchenrechts, Leipzig 1910; *ders.,* Die Mission und Ausbreitung des Christentums in den ersten drei Jahrhunderten, I, Leipzig ⁴1924, bes. 332–378; *O. Linton,* Das Problem der Urkirche in der neueren Forschung. Eine kritische Darstellung, Uppsala 1932; *E. Schweizer,* Gemeinde und Gemeindeordnung im Neuen Testament (AThANT 35), Zürich ²1962; *H. v. Campenhausen,* Kirchliches Amt und geistliche Vollmacht in den ersten drei Jahrhunderten (BHTh 14), Tübingen ²1963; *U. Brockhaus,* Charisma und Amt, Wuppertal 1972; *K. Kertelge,* Gemeinde und Amt im Neuen Testament (Bibl. Handbibliothek 10), München 1972; *J. Delorme* (Hrsg.), Le Ministère et les Ministères selon le Nouveau Testament, Paris 1974; *J. Hainz* (Hrsg.), Kirche im Werden. Studien zum Thema Amt und Gemeinde im Neuen Testament, Paderborn 1976.

[3] *H. Schürmann,* Lehrer. Vgl. ferner *K. H. Rengstorf,* Art. διδάσκαλος; *F. V. Filson,* Teacher; *H. Greeven,* Propheten; vgl. auch *H. Merklein,* Das kirchliche Amt nach dem Epheserbrief (StANT 33), München 1973, bes. 313–319.

und bei Lukas, ist zu beobachten, daß die „Hirten" der Gemeinden, die Presbyter bzw. Episkopen, die Aufgabe der Lehre und der Unterweisung an sich ziehen und offensichtlich für sich allein beanspruchen. Diese Entwicklung kann sich nicht auf das ganze Neue Testament berufen, auch nicht auf alle sog. Spätschriften, wie gleich am Beispiel des Jakobusbriefes gezeigt werden soll. Es ist somit eine auch im Blick auf das heute nicht spannungslose Verhältnis zwischen kirchlichem Lehramt und Theologie lohnende Aufgabe, nach der Eigenart, dem kirchlichen „Ort" der Lehrer und der Lehre in der „Kirche des Anfangs" zu fragen.

Wir müssen es uns hier versagen, näher auf die literarische Eigenart des Jakobusbriefes einzugehen.[4] Pseudepigraphe Schreiben[5], besonders wenn sie sich – wie vermutlich im Falle des Jakobusbriefes – in der Darstellung und dem theologischen Kolorit dem wirklichen oder vermeintlichen Ideal ihres fiktiven Verfassers anzunähern suchen, bereiten der Auslegung vermehrte Schwierigkeiten. Wir gehen im folgenden davon aus, daß der Jakobusbrief um die Wende des 1. zum 2. Jahrhundert anzusetzen ist, daß der Verfasser ein Christ ist und an Christen schreibt (was nicht ausschließt, daß er Fragmente eines jüdischen Schreibens nach Art der Testamentenliteratur verwendet haben könnte)[6], daß er ferner scheinbar zusammenhanglos paränetische Materialien zusammenstellt, die kaum in eine Disposition zu bringen sind. Man hat den Jakobusbrief treffend als „paränetische Lehrschrift mit brieflicher Aufschrift"[7] bezeichnet. Diese literarische Eigenart des Schreibens berechtigt jedoch nicht, die Frage nach dem Verfasser, seinen theologischen Intentionen und seiner kirchlichen Gegenwart als illegitim zu erklären. Selbst wenn der Verfasser weithin traditionelle Spruchweisheit darbietet, so sagt er diese Tradition doch neu. Das zeigt sich nicht zuletzt daran, wie er seine Materialien verknüpft und welche leitenden theologischen Gedanken zum Tragen kommen.[8]

[4] Vgl. *W. G. Kümmel,* Einleitung 356–367; *A. Wikenhauser – J. Schmid,* Einleitung 563–579.

[5] Vgl. *N. Brox,* Falsche Verfasserangaben. Zur Erklärung der frühchristlichen Pseudepigraphie (SBS 79), Stuttgart 1975 (mit Lit.).

[6] *F. Spitta,* Jakobus, hat die Ansicht vertreten, beim Jakobusbrief handele es sich um ein genuin jüdisches Schreiben, das nur leicht christlich überarbeitet worden sei. *H. v. Soden,* Jakobus 172, äußerte die Vermutung, daß ein christlicher Verfasser größere Stücke jüdischen Ursprungs in seine Schrift aufgenommen habe (3,1–18; 4,11–5,6). *A. Meyer,* Das Rätsel des Jakobusbriefes, Gießen 1930, wollte im Jakobusbrief eine jüdische Grundschrift nach Art des Test XII Patr erkennen, die mit Namensallegorese gearbeitet habe. Einige Forscher neigen dieser These Meyers zu, vgl. *A. Jülicher – E. Fascher,* Einleitung 211ff; weitere Autoren bei *W. G. Kümmel,* Einleitung 358, Anm. 8; die Mehrzahl bleibt jedoch kritisch.

[7] *A. Jülicher – E. Fascher,* Einleitung 203.

[8] Vgl. *R. Hoppe,* Hintergrund, und unten II.5.

Für unsere Frage nach der Stellung und Bewertung der Lehrer im Jakobusbrief ist besonders das 3. Kapitel von Interesse (I). In einem weiteren Untersuchungsgang wird dann das Schreiben als Ganzes zu befragen sein (II).

I.

Mit Jak 3,1 setzt deutlich ein neuer Abschnitt des Briefes ein. Das Thema „werktätiger Glaube" (2,14–26) ist abgeschlossen und der Autor wendet sich in 3,1–12 einem neuen Thema zu: „Beherrschung der Zunge". Einleitend kommt er dabei auf die Lehrer zu sprechen (3,1f).

1. Die VV. 1f sind im Zusammenhang des Schreibens Überleitung zum neuen Thema. Der Verfasser beginnt mit einer konkreten Mahnung: „Seid nicht viele Lehrer, meine Brüder!" Diese Mahnung wird mit einem Hinweis auf das härtere Gerichtsurteil begründet, das „uns" Lehrer treffen wird. Ein „Gemeinplatz"[9] („Denn in vielfacher Hinsicht verfehlen wir uns alle") bildet die Brücke zu der verallgemeinernden Betrachtung des vollkommenen Mannes, der sich nicht im Reden verfehlt und – im Schlußverfahren a minori ad maius – somit den Nachweis führt, daß er auch den ganzen Leib beherrschen kann.
Jak 3,1f läßt erkennen, daß die Lehrer nach Auskunft des Autors einen von den übrigen Gemeindemitgliedern abgegrenzten Kreis oder „Stand" bilden. Wir gehen dabei mit M. Dibelius[10] davon aus, daß man πολλοί nicht adverbial übersetzen kann, also etwa: Tretet nicht zahlreich oder bei jeder Gelegenheit als Lehrer auf.[11] Das würde einen mehr funktionalen Begriff des Lehrers voraussetzen. Doch steht eben πολλοί nicht isoliert, sondern das Wort ist auf διδάσκαλοι zu beziehen. γίνεσθε dürfte Ersatz für den Imperativ von εἶναι sein, wie Jak 1,22 (vgl. auch 2,4) zeigt. Der Verfasser selbst gibt sich durch den Gebrauch der 1. Person Plural in V. 1b als zu den Lehrern gehörig zu erkennen, freilich ein durch die Berufung auf Jakobus besonders legitimierter Lehrer, was auf ein gewisses „Standesbewußtsein" schließen läßt. In V. 2a gehen die Gedanken des Autors schon auf die Gefährlichkeit der Zungensünden, wie die Wiederaufnahme des πταίειν in V. 2b zeigt. V. 2a begründet also vorwegnehmend, warum derjenige als „vollkommener Mann" zu preisen

[9] *M. Dibelius,* Jakobus 225.

[10] Jakobus 223; ähnlich *H. Windisch,* Briefe 20 („Werdet nicht zu viele Lehrer...").

[11] So *W. Beyschlag,* Brief des Jacobus (MeyerK), Göttingen ⁵1888, 157 („in Menge"); *J. Belser,* Die Epistel des heiligen Jakobus, Freiburg i. B. 1909, 136 („viel"); *H. v. Soden,* Jakobus 193 („in großer Zahl"); *F. Hauck,* Jakobus 149 („in Menge"); *A. Schlatter,* Jakobus 209 („zahlreich"); *F. Mußner,* Jakobusbrief 158 („bei jeder Gelegenheit"); *J. Schneider,* Kirchenbriefe 24 („in so großer Zahl").

ist, der angesichts der allgemeinen Sündhaftigkeit auf sein „Wort" achtgibt – scheinbar eine Bagatelle, aber doch Signal und Ursprung der größten Übel, wie der Verfasser nun mit Hilfe traditioneller Bilder und Vergleiche entfalten kann. M. Dibelius hat zutreffend beobachtet, daß V. 2 eine Übergangswendung des Autors ist: „Man sollte erwarten, daß die allgemeine Regel in V. 2b spezialisiert würde: wer sich aber ‚im Wort', d. h. beim Lehren, vergeht, hat besonders strenge Strafen zu gewärtigen. Statt dessen heißt es positiv: wer solche Verfehlungen meidet, ist ein τέλειος."[12] Warum setzt der Verfasser in 3,1 mit dem „Lehrerthema" ein, um erst dann mit Hilfe der Frage nach der (wahren) Vollkommenheit das Thema „Zungensünden" (3,3ff) einzuleiten?[13] Der Schreiber des Briefes gibt hier die Intention zu erkennen, die er mit der Darbietung des überkommenen paränetischen Materials verbindet. Das Thema „Zungensünden" wird der umfassenderen Frage nach der (wahren) Vollkommenheit untergeordnet. Schon in Jak 1,2f wurde eine paränetische Tradition, „die zur Freude angesichts der von Leiden und Bedrängnis bestimmten Situation des Christen mahnt", „in V. 4 auf die Forderung zur Vollkommenheit hin"[14] ausgelegt. Wurde in der Spruchreihe Jak 1,2–12 die Gabe der Vollkommenheit (vgl. 1,4) schon mit der der Weisheit (vgl. 1,5) als deren Ermöglichungsgrund verknüpft, so wird nun in Jak 3 gezeigt, daß Vollkommenheit (vgl. 3,2) nicht Ziel und Ergebnis eigenen Strebens im Sinne des griechischen Paideiaideals sein kann, sondern nur Gabe „von oben" (vgl. 3,17). Vollkommenheit ist eigentlich etwas, was niemand von sich aus schaffen kann (vgl. 3,8: niemand kann die Zunge bändigen und 3,2: wir verfehlen uns alle), sie ist Geschenk der erflehten (vgl. 3,5) und durch das „eingepflanzte Wort" der Glaubensbotschaft (vgl. 1,21) vermittelten Weisheit. Darin besteht der innere Zusammenhang zwischen 3,1–12 und dem das Weisheitsthema behandelnden Abschnitt 3,13–18.[15]

Der Verfasser des Briefes dürfte schon in 3,1f Vertreter einer (gnostisierenden?) Irrlehre im Blick haben, die möglicherweise das Stichwort „Vollkommenheit" auf ihre Fahnen geschrieben hatten und die er dann in 3,13–18 deutlicher angreift. Diese Leute scheinen offensichtlich in den Kreis der Gemeindelehrer hineinzudrängen, um deren anerkannte Autorität für ihre Ziele in Anspruch zu nehmen. Eben das beunruhigt den Autor. Mit seiner Warnung Jak 3,1,

[12] Jakobus 225.

[13] Im Jakobusbrief steht die allgemeine Mahnung der konkreten Einzelweisung voran, vgl. 2,1 und 2,2ff; 2,14 und 2,15ff. *M. Dibelius,* Jakobus 222, bemerkt: „Ein Unterschied unserer Abhandlung (sc. 3,1–12) von den vorhergehenden ist darin zu erkennen, daß hier die einleitende Mahnung einen Spezialfall, die Abhandlung ein allgemeines Thema behandelt."

[14] *R. Hoppe,* Hintergrund 73.

[15] Vgl. die Analysen bei *R. Hoppe,* Hintergrund 12–17 und 75f.

aber noch mehr mit der Abhandlung über die wahre „Weisheit von oben" will er den Gemeinden seines Gesichtskreises eine konkrete Hilfe geben.
2. „Worin zeigt sich die Weisheit des Weisen?" – so könnte der Abschnitt Jak 3,13–18 überschrieben werden. Der Übergang von 3,12 zu 3,13ff ist – wie oft im Jakobusbrief – unvermittelt, aber nicht ohne innere Konsequenz. Die Frage nach der wahren Vollkommenheit bzw. der wahren Weisheit ist für den Verfasser unseres Schreibens nicht rein akademischer Natur. Er muß sich mit diesen Themen auseinandersetzen angesichts gegnerischer Ansprüche, die sich mit Lehrautorität zu umkleiden und mit Weisheitsparolen abzusichern suchten. Die Rahmung bzw. die Verbindung der traditionellen Paränese läßt am ehesten erkennen, welche Akzente der Autor setzen will. Das in 3,1f herangezogene Stichwort „Lehrer" in Verbindung mit der Frage nach dem „vollkommenen Mann" dürfte mit großer Wahrscheinlichkeit auf den Verfasser des Jakobusbriefes (und nicht auf ein überkommenes Redemuster) zurückgehen. Am Ende des Abschnittes 3,1–12 klingt in V. 12 das Wort Mt 7,16 (vgl. Lk 6,44) an, das an das Kriterium der Früchte erinnert: „An den Früchten werdet ihr sie erkennen. Sammelt man denn Trauben von Dornen oder Feigen von Disteln?" Die lukanische Redaktion hat dieses Logion im 2. Teil der Bergpredigt vermutlich auf die innergemeindliche Falschlehre hin ausgelegt.[16] Gegenüber anmaßenden Ansprüchen bedarf es verläßlicher Kriterien der Wertung und Scheidung. Die Frage nach den „Früchten" wird dort akut, wo „Orthodoxie" sich durch „Orthopraxie" auszuweisen hat.[17]
Der Verfasser rechnet mit streitenden Parteien unter den Adressaten, wie der Hinweis auf „Kriege" und „Kämpfe" in 4,1 vermuten läßt. Wer sind diese Leute, denen gegenüber der Schreiber des Briefes auf die wahre Weisheit und deren Tugenden verweisen muß? Die Vorwürfe und deren literarische Gestaltung sind – wie in solchen paränetischen Kontexten üblich – sehr pauschal und wenig konkret. Es wird von „Eifersucht", „Parteienstreit", „Prahlerei" und „Verfälschung der Wahrheit" gesprochen (vgl. 3,14.16). Ein hilfreicher Hinweis ist jedoch der Gebrauch des Stichwortes „Weisheit" in unserem Abschnitt (vgl. sonst nur 1,5). Von einigen Autoren wird angenom-

[16] Vgl. *H. Schürmann,* Die Warnung des Lukas vor der Falschlehre in der „Predigt am Berge". Lk 6,20–49 (1966), in: Traditionsgeschichtliche Untersuchungen zu den synoptischen Evangelien, Düsseldorf 1968, 290–309, bes. 298ff.

[17] Auf die Beweiskraft der Werke wird Jak 1,22ff; 2,14–26; 3,13; 4,17 verwiesen, vgl. auch 1 Klem 38,2; Herm Mand XI,16. Der gute „Wandel" (Jak 3,13) ist nach Hebr 13,7 an jenen Vorstehern zu rühmen, die den Lesern das Wort Gottes verkündigt hatten. Auch 1 Tim 4,12 ist die Mahnung zu Verkündigung und Lehre mit dem Hinweis auf den (guten) „Wandel" verbunden.

men, daß der Verfasser in V. 17 eine Art Weisheitskatalog verwendet.[18] F. Mußner[19] spricht sogar von einem „Doppelkatalog", den er in die Nähe der qumranischen Vorstellung von den zwei Reichen (vgl. 1 QS III,18ff) ansiedeln möchte. U. Wilckens[20] rechnet dagegen mit einer gnostischen Anschauung als religionsgeschichtlichem Hintergrund: die himmliche, von oben kommende Weisheit wird mit der irdischen, psychischen, dämonischen Weisheit konfrontiert. Nach Ansicht Wilckens habe jedoch der Verfasser zu den gnostischen Spekulationen, die von der Sophia als personaler Größe redeten, keinen Zugang mehr gehabt. Er setzte einfach gegen die bekämpfte Lehre einen anständigen christlichen Wandel. Doch ist diese gnostische „Front" nicht eindeutig zu bestimmen, da keine weiteren Lehrgehalte der sog. irdischen Weisheit mitgeteilt werden.[21] So dürfte es wahrscheinlicher sein, daß der dualistische Weisheitsbegriff von Jak 3 in der Theologie des hellenistischen Judentums beheimatet ist.[22] Unbeschadet dieser religionsgeschichtlichen Einordnung erhebt sich jedoch die Frage, ob die katalogartige Reihung in Jak 3,17 schon von Anfang an mit dem Stichwort „Weisheit" verknüpft war.

a) Es darf die Vermutung geäußert werden, daß der Begriff „Sophia", der durchaus gegnerisches Selbstbewußtsein aufgreifen könnte, erst sekundär vom Verfasser des Jakobusbriefes mit der katalogartigen Reihung in V. 17 verbunden worden ist. Dafür sprechen einige Beobachtungen:

(1) Die der „Weisheit" in 3,17 zugeordneten Tugenden bzw. Eigenschaften weisen von sich aus nicht auf die Weisheit als deren Ursprungsort hin. Eine Durchsicht des Wortvorkommens der in 3,17 aufgezählten Adjektiva in der LXX ergibt, daß die hier genannten Tugenden nicht in der Weisheitsterminologie oder deren Umkreis angesiedelt sind.

(2) Eine katalogartige Aufzählung von Eigenschaften der Weisheit bzw. aus-

[18] Vgl. *F. Mußner,* Jakobusbrief 172 Anm. 5, mit Hinweis auf *E. Kamlah,* Die Form der katalogischen Paränese, (WUNT 7), Tübingen 1964, 39–50. 181; *M. Dibelius,* Jakobus 257 (V. 17 sei ein „Tugendkatalog"); *R. Hoppe,* Hintergrund 88.118.

[19] Jakobusbrief 172.

[20] Weisheit und Torheit (BHTh 26), Tübingen 1959, bes. 91 und 201 mit Anm. 1; *ders.,* in: ThWNT VII,526; vgl. auch *J. A. Kirk,* The Meaning of Wisdom in James: NTS 16 (1969/70) 24–38, der die Weisheit des Jakobusbriefes in die Nähe der Geistaussagen von Gal 5,22 rückt.

[21] Mit einer gnostischen Frontstellung des Jakobusbriefes rechnen z.B. *H. Schammberger,* Die Einheitlichkeit des Jakobus-Briefes im antignostischen Kampf, Gotha 1936; *H. Windisch,* Briefe 148 (Anhang von *H. Preisker*). *M. Albertz,* Die Botschaft des Neuen Testaments, I/2, Zürich 1952, 406, denkt an eine Vorform des Marcionismus. Zur Kritik vgl. *F. Hauck,* Jakobus 180, Anm. 19; *F. Mußner,* Jakobusbrief 21f; *M. Hoppe,* Hintergrund 247, Anm. 143.

[22] Vgl. *R. R. Halson,* The Epistle of James: „Christian Wisdom"?, in: StEv IV (TU 102), Berlin 1968, 308–314; *U. Luck,* Der Jakobusbrief und die Theologie des Paulus: ThGl 61 (1971) 161–179; *M. Hoppe,* Hintergrund 246–249.

drücklich der Weisheit zugeschriebener Tugenden[23] findet sich in der LXX nur Weish 7,22f. Doch keines der 3 mal 7 Attribute, die dort dem „Pneuma", das in der Weisheit ist,[24] zugeordnet werden, findet sich in Jak 3,17 wieder. Eine negative Komplementärreihung, etwa unter dem Stichwort „irdische Weisheit", fehlt.

(3) Die Wendung „von oben" bzw. „von oben herabkommend" (3,15.17) muß keineswegs ein Prädikat der Weisheit allein sein.[25] Die jüdisch-hellenistische Weisheitstheologie weiß zwar, daß die Weisheit von Gott kommt, doch kennt die LXX nicht die Wendung ἡ ἄνωθεν σοφία. Philo spricht an einigen Stellen[26] von der „Weisheit von oben", doch keineswegs im Sinne einer geprägten Wendung, die ihm vorgegeben wäre. ἄνωθεν ist einfach Wechselbegriff zu θεῖον.[27] Das zeigt auch der Verfasser des Hermas, der die Attribute ἄνωθεν bzw. ἐπιγείος mit den Stichworten „Pneuma" bzw. „Glaube" verknüpfen kann.[28] Schließlich setzt auch der Autor des Jakobusbriefes ἄνωθεν schriftstellerisch frei ein (vgl. Jak 1,17: „Jede gute Gabe und jedes vollkommene Geschenk kommt von oben").

(4) Dem Begriff „Weisheit von oben" korrespondiert nicht *ein* Negativbegriff (etwa „Weisheit von unten"), sondern drei: irdische, psychische, dämonische Weisheit. Es gibt also keine klare formale Parallelität zwischen der negativen Reihung V. 15 und der positiven in V. 17 (was vorsichtig machen sollte, von einem „Doppelkatalog" zu sprechen). Zum andern sind die dem Stichwort „irdisch" hinzugefügten Attribute interessant: „psychisch" wird Jud 19 zur Kennzeichnung von Falschlehrern gebracht. Der Vorwurf dämonischer Besessenheit gehört zu den Standardaussagen urchristlicher Polemik gegen Falschlehrer (vgl. 1 Tim 4,1; Herm Sim IX, 22,3).

So ist also weder die sprachliche Wendung „Weisheit von oben" noch deren ursprüngliche Verbindung mit dem nachfolgenden Tugendkatalog als „Weisheitskatalog" einsichtig zu machen, unbeschadet der religionsgeschichtlichen Beheimatung des ganzen Vorstellungskomplexes in der jüdisch-hellenistischen Weisheitstheologie.

[23] Es geht hier speziell um Weisheitskataloge, nicht um allgemeine Tugendkataloge, an denen das hellenistische Judentum und die Stoa reich sind, vgl. *S. Wibbing,* Die Tugend- und Lasterkataloge im Neuen Testament und ihre Traditionsgeschichte unter besonderer Berücksichtigung der Qumran-Texte (BZNW 25), Berlin 1959, 14–42.

[24] Vgl. *P. Dalbert,* Die Theologie der hellenistisch-jüdischen Missionsliteratur unter Ausschluß von Philo und Josephus (ThF 4), Hamburg–Volksdorf 1954, 81f. Im Buch der Weisheit sind die Begriffe „Weisheit" und „Pneuma" nahezu identisch.

[25] Vgl. *M. Dibelius,* Jakobus 256.

[26] Vgl. De fuga 138 und 166; De mutatione nom. 259f; vgl. auch Legum alleg. I,43.

[27] Vgl. *M. Dibelius,* Jakobus 256. Dibelius kann darum in Jak 3,15–17 keine Anspielung auf den aethHen 42 bezeugten Mythos von der auf Erden heimatlosen Weisheit erkennen.

[28] Vgl. Herm Mand XI,8.11f.14.21 einerseits und Herm Mand IX,11 andererseits.

b) Weitere Beobachtungen lassen vermuten, daß in Jak 3,17 ein Tugendspiegel verarbeitet ist, der ursprünglich auf die Lehrer in den Gemeinden zugeschnitten war und der erst durch die nachträgliche Verknüpfung mit dem Stichwort „Weisheit" und durch Erweiterungen des Verfassers des Jakobusbriefes zu einem allgemeinen Tugendkatalog geworden ist.[29]

(1) Der gedankliche Zusammenhang, in welchem V. 17 jetzt steht, weist auf polemische Auseinandersetzungen mit Leuten hin, die „Weisheit" (= Gnosis?) für sich beanspruchen und die vermutlich Teile der Gemeinden für sich eingenommen haben (vgl. 3,1f; 4,1). Sie wollen die „Vollkommenen" sein und „Vollkommenheit" bringen (vgl. Jak 1,4.17.25; 3,2). Das Schlagwort „Weisheit" könnte die Art des Lehrens kennzeichnen, die von jenen Leuten gepflegt wurde (vgl. Kol 2,23, wo von den „Lehrmeinungen" der Irrlehrer gesagt wird, sie gäben sich den Anschein von „Weisheit").

Es ist einleuchtend, daß der Verfasser bei der Zurückweisung dieser Weisheitslehre vom Ideal des wahren Weisen ausgeht, und das ist für ihn der christliche Lehrer, jener „Stand", zu dem er sich selbst bekannt hat.[30]

(2) Daß Anforderungen an Lehrende unter dem Stichwort „Weisheit" zusammengestellt werden, legt sich von der inneren Zuordnung von „Weisheit" und „Lehre" im Neuen Testament nahe. Wenn Paulus 1 Kor 12,8 von dem „Wort der Weisheit" spricht, das der Geist verleiht, dürfte das auf die Lehrsituation zu beziehen sein, während das „Wort der Erkenntnis" wohl prophetisches Reden meint.[31] Kol 1,28 heißt es: „Wir ermahnen und belehren einen jeden in aller Weisheit und führen so einen jeden zur Vollkommenheit in Christus." Kol 3,16 mahnt: „Das Wort (!) Christi wohne in reicher Fülle in euch. Belehrt und ermahnt einander in aller Weisheit..." (vgl. auch Kol 3,16). Gemäß 2 Petr 3,15 ist dem Apostel Paulus Weisheit verliehen worden (vgl. auch Pol Phil 3,2; 1 Klem 47,3), und zwar im Blick auf die von ihm geschriebenen Briefe, also als Lehrer (vgl. 1 Tim 2,7; 2 Tim 1,11).[32]

(3) An der Aufzählung V. 17 fällt auf, daß das erste Glied der Reihung (ἁγνή) mit πρῶτον eingeführt wird, die nachfolgenden jedoch alle unter ἔπειτα subsumiert werden. Eine Zählung ist also nur angedeutet, nicht kon-

[29] Vgl. *H. Schürmann,* Lehrer 139.

[30] Im rabbinischen Judentum sind der Lehrer und der Weise weithin identisch, vgl. *A. Schlatter,* Jakobus 231f; *F. Spitta,* Jakobus 105ff; *H. Kosmala,* Hebräer–Essener–Christen (Studia Post-Biblica 1), Leiden 1959, 284.

[31] Vgl. *E. E. Ellis,* ‚Weisheit' und ‚Erkennen' im 1. Korintherbrief, in: Jesus und Paulus (Festschr. für W. G. Kümmel), Göttingen 1975, 109–128. Gnosis und Sophia sind freilich für Paulus beides pneumatische Gaben. In der Person des Pneumatikers konvergieren sowohl die Rolle des Propheten wie die des Weisen.

[32] Vgl. *H. Conzelmann,* Paulus und die Weisheit: NTS 12 (1965/66) 231–244; zu 1 Tim 2,7; 2 Tim 1,11 vgl. *Wanke,* Der verkündigte Paulus der Pastoralbriefe, in: Dienst der Vermittlung (EThSt 37), Leipzig 1977, 165–189, bes. 170ff.

sequent durchgeführt wie etwa 1 Kor 12,28; vgl. auch Mk 4,28. Natürlich ist πρῶτον in der Bedeutung sehr abgeschliffen („zunächst“, „vorab“). Es ist durchaus möglich, daß einem πρῶτον kein ἔπειτα o. ä. zu folgen braucht.[33] Doch dürfte die formale Abhebung des ἁγνή von den anderen Tugenden darauf verweisen, daß ἁγνή diesen nicht ursprünglich zugeordnet war. Es wird sich auch ein Motiv für die Voranstellung von ἁγνή vor die Reihung aufzeigen lassen (s. u. 5). Zunächst sei noch ein Blick auf die dem ἔπειτα nachfolgenden Tugenden geworfen. Es ist bemerkenswert, daß die Reihe der einzelnen Adjektiva[34] durch μεστὴ ἐλέους καὶ καρπῶν ἀγαθῶν unterbrochen wird. Während es sich bei den Adjektiva um Hapaxlegomena des Jakobusbriefes handelt, greift die in Frage stehende Wendung auf vorausgehende Formulierungen des Briefes zurück. Vom Triumph des Erbarmens über das Gericht war schon 2,13 die Rede. Die Wendung μεστή mit Gen. findet sich schon 3,8. Der Hinweis auf die „Früchte“ erklärt sich als Assoziation an 3,11f (vgl. auch 3,18). Und wie jede vom Vater der Lichter kommende Gabe „gut“ ist und „von oben“ kommt (1,17), so zeitigt natürlich auch die „Weisheit von oben“ „gute“ Früchte. Es liegt also nahe, die Wendung μεστὴ ἐλέους καὶ καρπῶν ἀγαθῶν als Eintragung des Autors des Jakobusbriefes anzusehen.

(4) Die verbleibenden Tugenden, die dem ἔπειτα folgen, zeigen ihrem Inhalt nach in eine Richtung: friedlich (bzw. friedfertig),[35] milde,[36] folgsam (göttlicher Weisung etc.),[37] unparteiisch,[38] aufrichtig.[39] Sie weisen ihren Träger als Führungspersönlichkeit aus, sei es als Herrscher[40] oder aber auch als Lehrer des Volkes. Natürlich kann es nur eine Vermutung sein, die genannten Tugenden, die in der Tugendlehre der Stoa wie auch des hellenistischen

[33] Vgl. z. B. Herm Mand XI,8 und 12, wo jeweils zu Beginn der Beschreibung des echten bzw. des lügnerischen Geistes mit πρῶτον eingesetzt wird, aber kein ἔπειτα folgt.

[34] Es liegt eine gewisse „Klangverwandtschaft“ der beiden letzten Adjektive vor (*M. Dibelius,* Jakobus 257). Die drei ersten haben gleichen Anlaut.

[35] Vgl. noch Hebr 12,11 und häufige Belege in der LXX, wo das Wort meist im Zusammenhang mit der Art menschlicher Rede gebraucht wird.

[36] So die Übersetzung von *M. Dibelius,* Jakobus 256 mit Anm. 3. 1 Tim 1,3 wird die „Milde“ von den Episkopen gefordert.

[37] εὐπειθής ist neutestamentliches Hapaxlegomenon. Nach *M. Dibelius,* Jakobus 256, ist am ehesten mit „fügsam“ die Wortbedeutung getroffen.

[38] ἀδιάκριτος kommt ebenfalls im Neuen Testament nur an dieser Stelle vor. *M. Dibelius,* Jakobus 257, übersetzt: „einfältig“ oder „einträchtig“; *F. Mußner,* Jakobusbrief 174: „keine Unterschiede machend“; *R. Hoppe,* Hintergrund 98: „unerschütterlich“.

[39] Vgl. 2 Kor 6,6; 1 Tim 1,5; 2 Tim 1,5; 1 Petr 1,22. *F. Mußner,* Jakobusbrief 174: Die Äußerungen der Weisheit „entsprechen der wirklichen Überzeugung der Lehrenden“.

[40] Die Forderung nach „Milde“ und „Friedfertigkeit“ begegnen auch im antiken Regentenspiegel, vgl. *A. Vögtle,* Tugend- und Lasterkataloge 78.

Judentums ihre Vorgeschichte haben,[41] mit einem Pflichtenspiegel für urchristliche Lehrer in Verbindung zu bringen. Unsere Beobachtungen zu V. 17 wie auch seinem näheren und entfernteren Kontext geben dieser Vermutung zumindest eine gewisse Berechtigung. Zum andern beweisen die Pastoralbriefe, die Anforderungen an Episkopen, Diakone (und Diakonissen?), Presbyter katalogartig zusammenstellen,[42] daß es solche Berufspflichtenkataloge im Urchristentum gab. Zeitgenössische Parallelen aus dem Bereich hellenistischer wie jüdisch-hellenistischer Literatur belehren uns, daß derartige Pflichtenreihungen nicht zu berufsspezifisch gedacht werden dürfen. Tugenden, die einem Regenten, einem Feldherrn oder etwa selbst einer Hebamme anempfohlen werden, haben oft nur indirekt etwas mit der eigentlichen Berufsarbeit zu tun.[43] Ferner zeigt die juden-christliche Tradition Mt 23,8f, die der Evangelist im 1. Teil seiner Antipharisäer-Rede verarbeitet,[44] daß die Frage nach dem Selbstverständnis und dem „Berufsbild" des urchristlichen Lehrers in bestimmten Kreisen des Urchristentums durchaus akut war.

(5) Es bleibt noch zu fragen, wie sich die von uns postulierte Erweiterung der Tugendreihung durch die Voranstellung von „lauter" einerseits und durch die Wendung „voll von Erbarmen und guten Früchten" andrerseits erklärt. Schon Dibelius bemerkte, daß „lauter" im Gegensatz zu den anderen Tugenden, deren Sinnspitze er in der Hervorhebung des friedlichen Charakters der Weisheit sah, „in diesem Fall sehr allgemein (klingt)".[45] Der Autor dürfte bewußt die ihm vorgegebene speziellere Tugendreihung ausgeweitet haben. Er will ja nicht nur die Lehrenden in den Gemeinden ansprechen, sondern als Lehrer die ganze Gemeinschaft der Gläubigen. Das Spezielle muß dann ins Allgemeine, das Besondere ins Grundsätzliche gehoben werden.[46]

[41] *A. Vögtle,* Tugend- und Lasterkataloge 73–81, stellt Beispiele für Berufspflichtenkataloge in hellenistischen Schriften zusammen; vgl. auch das im Hellenismus beheimatete und im Neuen Testament übernommene Haustafelschema, das Pflichten der einzelnen Stände aneinanderreiht, dazu *K. Weidinger,* Die Haustafeln. Ein Stück urchristlicher Paränese, Leipzig 1928; *D. Schroeder,* Die Haustafeln des Neuen Testaments. Ihre Herkunft und ihr theologischer Sinn, Diss. Hamburg 1959; *J. E. Crouch,* The Origin and Intention of the Colossian Haustafel (FRLANT 109), Göttingen 1972.

[42] Vgl. 1 Tim 3,2–7; Tit 1,7–9 (Episkopen); Tit 1,6 (Presbyter); 1 Tim 3,8–10.12 (Diakone); 1 Tim 3,11 (Diakonissen?); vgl. auch 2 Tim 2,24–26 („der Knecht des Herrn").

[43] Vgl. *A. Vögtle,* Tugend- und Lasterkataloge 78–81, der einen Feldherrnspiegel und einen Hebammenspiegel aus dem 1. Jhd. nach Chr. untersucht.

[44] Vgl. *W. Pesch,* Theologische Aussagen der Redaktion von Matthäus 23, in: Orientierung an Jesus (Festschr. für J. Schmid), Freiburg–Basel–Wien 1973, 286–299.

[45] *M. Dibelius,* Jakobus 256.

[46] *F. Spitta,* Jakobus 107, sieht in ἁγνή das Wesen der Weisheit angezeigt, in den nachfolgenden Tugenden scheinbar deren Wirkungen; ähnlich *R. Hoppe,* Hintergrund 88: „...vielleicht soll damit (sc. ἁγνή) die die folgenden Inhalte bestimmende prinzipielle Grundhaltung angedeutet werden, in der die Weisheit von Gott gegeben wird."

Wir schauen zurück: Unabhängig von der Frage, ob sich in Jak 3,17 das Fragment eines Berufsspiegels für urchristliche Lehrer aufweisen läßt, der erst sekundär und durch den Verfasser des Briefes erweitert mit dem Oberbegriff „Weisheit" verknüpft wurde, scheint die polemische Akzentuierung des Abschnitts 3,13–18 deutlich erkennbar zu sein. Der Kontrast, mit dem der Verfasser arbeitet, läßt sich auch in anderen Passagen spätapostolischer Briefe, die sich mit Falschlehre auseinandersetzen, nachweisen.[47] Es gehört zu dem dabei entwickelten literarischen Schema, wenn die Falschlehre in einseitiger Schwarz-Weiß-Malerei mit der wahren Lehre konfrontiert wird, wobei es geläufiger Stil der Ketzerpolemik ist, dem Gegner auch moralische Verkommenheit nachzusagen. Der Kontrast erscheint hier in Jak 3 freilich gemildert, da der Autor *jede* irdische Weisheit als Selbstbetrug entlarven möchte, nicht nur die der Falschlehrer. Doch ist die tiefer liegende polemische Wurzel der Paränese noch erkennbar.

II.

Der Verfasser des Jakobusbriefes gibt sich Jak 3,2 selbst als urchristlicher Lehrer zu erkennen. Wir sind daher berechtigt, im Zusammenhang unserer Fragestellung auch den Brief als Ganzes zu untersuchen. Es sollte uns freilich bewußt bleiben, daß ein einziges literarisches Werk niemals alles über einen Autor sagen kann. Paränetische Schriften nach Art des Jakobusbriefes haben ihre eigene literarische Gesetzlichkeit, die dem individuellen Gestaltungswillen seine Grenzen setzt. Eine vorsichtige Auswertung des Briefinhalts, der Motivation seiner Paränesen, der Art und Weise, wie Traditionen ausgewählt und dargeboten werden, läßt jedoch einige Rückschlüsse auf den Verfasser zu.

1. Der Jakobusbrief könnte als Kronzeuge für die Ansicht von M. Dibelius gelten, daß die urchristlichen Lehrer ihre vornehmste Aufgabe in der Pflege und Ausübung der Paränese hatten.[48] Diese Funktionsbestimmung ist freilich als zu einseitig erkannt und durch den Hinweis auf die Tätigkeit der Lehrer bei der Ausformung und Weitergabe der urchristlichen Paradosis ergänzt

[47] Vgl. jeweils 1 Tim 4,1ff mit 4,12–16; 1 Tim 6,3–5 mit 6,11; 2 Tim 2,14.16.23 mit 2,22.24–26; Tit 1,9 mit 1,10–16; Jud 19 mit 20f; 2 Joh 7f mit 9f.

[48] Vgl. *M. Dibelius,* Formgeschichte 241: „Vermittler dieser Paränese sind offenbar vor allem die in der urchristlichen Literatur mehrfach erwähnten *Lehrer* gewesen... Die Tätigkeit der Lehrer scheint für die Weitergabe der ethischen Tradition von großer Bedeutung gewesen zu sein."

worden.[49] Der Jakobusbrief zeigt, daß beide Tätigkeitsbereiche eine innere Zuordnung haben. Da die paränetische Überlieferung sich bald auch Jesusworte zu eigen machte, haben die Lehrer „bewußt und unbewußt geholfen, die Überlieferung von Jesus aufzubewahren und zu sammeln."[50] So gehört zu dem, was die Lehrer weitergeben und was Paulus als Paradosis bezeichnet, „eben auch eine bestimmte Überlieferung, die auf Jesus zurückgeführt wird (Worte Jesu) und über ihn berichtet."[51] Von Bedeutung sind in diesem Zusammenhang die zahlreichen Anklänge des Jakobusbriefes an die synoptische Tradition, vornehmlich das Spruchgut, das sich auch in der Redenquelle (Q) und dem mattäischen Sondergut findet.[52]

a) Die synoptischen Anklänge im Jakobusbrief sind oft dargestellt und untersucht worden. Es ist hier nicht notwendig, die Frage der literarischen Abhängigkeit des Jakobusbriefes von der synoptischen Tradition oder gar von Mattäus aufzugreifen.[53] Vermutlich erklären sich die Berührungen am besten durch gemeinsam vorausgesetzte Tradition, wobei freilich zu beobachten ist, daß unser Autor der mattäischen Logientradition, die die Überlieferung der Redenquelle weiterentwickelt, besonders nahe steht.[54] Wir müssen damit rechnen, daß auch nach Fixierung der vorevangelischen und evangelischen Quellenschriften durchaus auch Spruchmaterial in freier Weise bei der christlichen Unterweisung Verwendung finden konnte.[55]

b) Von Interesse ist die Beobachtung, daß keine der vielen Anspielungen auf synoptische Herrenworte ausdrücklich als solche kenntlich gemacht sind, auch nicht das Schwurverbot Jak 5,12, das am deutlichsten an Mt 5,33–37 erinnert. Wir müssen feststellen, daß der Autor die Herrenworte nicht als Autoritätsbeweise einzuführen sucht. Die Motivation seiner Paränesen bleibt

[49] Vgl. *H. Greeven,* Propheten 17ff; zuvor schon *F. V. Filson,* Teacher, bes. 324ff, der ausdrücklich die Bedeutung der urchristlichen Lehrer für die Ausprägung der Jesustradition hervorhebt; vgl. ferner *J. Roloff,* Apostolat–Verkündigung–Kirche, Gütersloh 1965, 129 mit Anm. 312; *H. Schürmann,* Lehrer 114–121.

[50] *M. Dibelius,* Formgeschichte 241.

[51] *G. Delling,* Geprägte Jesus-Tradition im Urchristentum (1961), in: Studien zum Neuen Testament und zum hellenistischen Judentum, Berlin 1970, 164.

[52] Vgl. *F. Mußner,* Jakobusbrief 48–50, ebd. 47 Anm. 3 weitere Lit.

[53] Nur wenige Autoren denken an direkte Abhängigkeit des Jakobusbriefs von Mattäus, vgl. dazu *F. Mußner,* Jakobusbrief 51 mit Anm. 1. Weitgehend wird Berührung in der den Evangelien und dem Jakobusbrief vorausliegenden Tradition angenommen.

[54] Vgl. dazu *R. Hoppe,* Hintergrund 200–245.

[55] Vgl. *H. Köster,* Synoptische Überlieferung bei den Apostolischen Vätern (TU 65), Berlin 1957; *J. M. Robinson,* LOGOI SOPHON – Zur Gattung der Spruchquelle Q (1964), in: *H. Köster – J. M. Robinson,* Entwicklungslinien durch die Welt des frühen Christentums, Tübingen 1971, 67–106.

ganz dem herkömmlichen Denken verhaftet.[56] F. Spitta hat diese Beobachtung im Sinne seiner These gedeutet, die eine jüdische Herkunft des Schreibens postuliert, wenn er schreibt: „Beruhte wirklich die Ausführung des Jakobus auf dem engsten Anschluß an die Predigt Jesu, so wäre es völlig unerklärlich, weshalb er darauf verzichtet hätte, auch nur von fern anzudeuten, daß seine Behauptungen durch die Autorität Jesu gedeckt würden."[57] In der Tat verhält sich Jakobus hier ganz anders als etwa Paulus (vgl. nur 1 Kor 7,10; 9,14; auch 7,25).[58] Diese Beobachtung ist wohl nur so zu erklären, daß die Herrenworte im Munde der urchristlichen Lehrer mehr illustrierend als argumentierend gebraucht wurden. Die Motivationen für die paränetischen Materialien lagen eben schon als traditionelle „Muster" vor. Es dürfte auf die Vertrautheit unseres Schriftstellers mit dem synoptischen Spruchmaterial zurückzuführen sein, wenn er seinem Schreiben eine „jesuanische" Färbung gibt. Das bezeugt einmal, daß die urchristliche Paränese, wie sie von den Lehrern geübt und weitergegeben wurde, ihre Wurzeln nicht primär in den ethischen Weisungen des Herrn hat.[59] Das sieht man auch daran, daß die paränetischen Teile der paulinischen Briefe nicht unmittelbar aus dem theoretischen Briefteil ableitbar sind, sondern an traditionelle Topoi anknüpfen. Zum andern wird erkennbar, daß es zu den Aufgaben der urchristlichen Lehrer gehört, die in den Gemeinden gepflegten paränetischen Traditionen mit dem synoptischen Spruchgut zu verbinden. Sie „färben" diese gewissermaßen christlich ein, wodurch die Tendenz eingeleitet wird, nach und nach die überkommenen Motivationszusammenhänge abzustoßen. Es kann vermutet werden, daß wir beim Jakobusbrief möglicherweise ein relativ frühes Stadium dieses Prozesses vor Augen haben, der im 1. Petrusbrief, im Hebräerbrief, in der Didache und im 1. Klemensbrief schon weiter fortgeschritten ist.[60]

[56] Eine Prüfung der Motivationen, die vom Verfasser herangezogen werden, ergibt folgende Übersicht: 1. Eschatologische Begründungen: Lohn (1,12); Gericht (3,1; 5,12, vgl. auch 4,12 und 5,4f); die „Parusie" (5,8); die allgemeine Vergänglichkeit (1,10f; 4,14; 5,2f); 2. „theologische" Begründungen: Gott ist gütig (1,5.17); er erwählt die Armen (2,5); er versucht nicht (1,13); 3. Begründungen aus der Schrift: Zitate (2,8.23; 4,5 (?).6); Abraham (2,21.23); Rahab (2,25); Ijob (5,11); Elija (5,17f); die Propheten (5,10). In keiner dieser Motivationen ist der Jakobusbrief originär. Daß er mit dem Hinweis auf Ijob im Neuen Testament allein steht, mag Zufall sein, doch vgl. 1 Klem 17,3; 26,3.

[57] Jakobus 183.

[58] Vgl. *H. Schürmann,* „Das Gesetz des Christus" (Gal 6,2). Jesu Verhalten und Wort als letztgültige sittliche Norm nach Paulus in: *ders.,* Jesu ureigener Tod, Freiburg–Basel–Wien 1975, 97–120. Ausdrückliche Jesuszitate finden sich erst 1 Klem 13,1; 46,8; doch vergl. 1 Klem 22,1, wo Ps 33,12–18 als Wort Christi („durch den Heiligen Geist") zitiert wird.

[59] Zur urchristlichen Paränese und ihren Strukturgesetzen vgl. *M. Dibelius,* Formgeschichte 234ff.

[60] *F. Hauck,* Jakobus 12: Der Jakobusbrief „scheint einer Zeit zuzugehören, wo es noch nicht selbstverständlich war, daß man sich auf schriftlich festgelegte Herrenworte berief, sondern man scheint noch im Strom lebendiger mündlicher Überlieferung zu stehen."

2. Es braucht hier nicht gezeigt zu werden, in welchem Umfang die einzelnen Spruchgruppen bzw. Themen des Jakobusbriefes in den breiten Strom jüdisch-hellenistischer bzw. christlicher paränetischer Überlieferung einzuordnen sind.[61] Die folgende Übersicht mag verdeutlichen, wie verbreitet die vom Verfasser aufgegriffenen Topoi allein im Neuen Testament sind:
Aus der Anfechtung kommt Bewährung des Glaubens (Jak 1,2f, vgl. 1 Petr 4,12f);
die Reichen sollen nicht hochmütig sein (Jak 1,10; vgl. 1 Tim 6,17);
das Bildwort vom „Fleisch, das vergeht wie Gras" (= Jes 40,6f; Jak 1,10f; vgl. 1 Petr 2,24);
der Bewährte empfängt den Kranz des Lebens (Jak 1,12; vgl. 1 Kor 10,25; 2 Tim 4,8; 1 Petr 5,4; Offb 2,10);
Polemik wider die Zungensünden (Jak 1,26; 3,5ff; vgl. 1 Petr 3,10);
Lobpreis der Armen (Jak 1,9–11; 2,5; vgl. Offb 2,9);
echte Nächstenliebe gibt dem bedürftigen Bruder, was er nötig hat (Jak 2,15f; vgl. 1 Joh 3,17);
Abraham und Rahab als Beispiele werktätigen Glaubens (Jak 2,21.25; vgl. Hebr 11,17.31; 1 Klem 10 und 12);
Polemik wider Eifersucht und Streit (Jak 3,14; vgl. 1 Klem 6,1–4);
die Liebe zur Welt ist Feindschaft gegen Gott (Jak 4,4; vgl. 1 Joh 2,15; Röm 8,7);
Gott widersteht den Hoffärtigen (= Spr 3,34 LXX; Jak 4,6; vgl. 1 Petr 5,5; 1 Klem 30,2);
widersteht dem Teufel (Jak 4,7; vgl. 1 Petr 5,9; Herm Mand XII, 5,2);
richtet nicht über den Bruder (Jak 4,11f; vgl. Röm 2,1f; 14,4; Herm Mand II,1);
„so Gott will" (conditio Jacobaea) (Jak 4,15; vgl. 1 Kor 4,19; 16,7; Röm 15,32; Apg 18,21; Hebr 6,3);
geduldiges Warten auf die Parusie (Jak 5,7f; vgl. Hebr 10,36f);
der Richter steht vor der Tür (Jak 5,9; vgl. Mk 13,27; Offb 3,20);
biblische Vorbilder für geduldiges Leiden (Jak 5,10f; vgl. 1 Klem 5,1–5);
beten und psallieren in jeder Lebenslage (Jak 5,13; vgl. Kol 3,16);
Sorge um den irrenden Bruder (Jak 5,19f; vgl. Gal 6,1; Jud 22f; 2 Thess 3,15; 1 Joh 5,16).
Es ist sehr wahrscheinlich, daß ein Autor, der sich als so vertraut mit paränetischen Materialien ausweist, damit auch „ex professo" umging. Das zeigt

[61] Vgl. nur die Kommentare von *H. Windisch* und besonders *M. Dibelius*, die breit das Vergleichsmaterial zu den einzelnen Stellen entfalten.

sich bis in den Wortgebrauch und in kleine Wendungen hinein.[62] Zu Recht sagt Paulus, daß seine paränetischen Briefabschnitte Bekanntes und von den Gemeinden Praktiziertes vortragen (1 Thess 4,1; vgl. auch 1 Kor 4,17; Röm 6,17). Der Jakobusbrief bietet freilich keine entfalteten Paränesen, sondern er beschränkt sich auf die Darbietung des „Grundlagenmaterials". Wie ausgeführte Paränesen aussehen, illustriert uns das 2. Buch des Hermas, die Mandata. „Die Mandata des Hermas enthalten ... *ausgeführte* Paränese; sie stellen – und zwar meist in Dialogform – dar, was ein urchristlicher Lehrer zur Erläuterung und Anwendung paränetischer Sprüche zu sagen hatte."[63]

3. Die Schrift des Alten Testaments ist dem Verfasser eine vorgegebene Größe. Es dürfte sicher sein, daß er die Septuaginta benutzt bzw. daraus frei zitiert.[64] Der Brief enthält nur 5 eindeutige Schriftzitate, die vom Verfasser auch als solche kenntlich gemacht sind: *Jak 2,8* (= Lev 19,28) mit der Einleitungswendung κατὰ τὴν γραφήν; *Jak 2,11* (= Ex 20,13f bzw. Dtn 5,17f in Anlehnung an die LXX) mit der Einführung: ὁ (sc. θεός) γὰρ εἰπών; *Jak 2,23* (= Gen 15,6 LXX, vgl. Röm 4,3; Gal 3,6; 1 Klem 10,6) mit der Einführung: καὶ ἐπληρώθη ἡ γραφὴ ἡ λεγοῦσα; *Jak 4,6* (= Spr 3,34 LXX, vgl. 1 Petr 5,5; 1 Klem 30,2) mit der Einführung: διὸ λέγει. Woher das als Zitat aus der Schrift bezeichnete Wort *Jak 4,5* stammt, ist unklar.[65]

Anspielung an die Schrift dürfte in Jak 2,21 (= Gen 22,9; vgl. auch Hebr 11,17: Isaakopfer) vorliegen. Die Wendung „der Tag der Schlachtung" Jak 5,5 wird aus Jer 12,3 stammen; Jak 5,11 wird vermutlich Ps 102,3 bzw. 110,4 LXX herangezogen. Biblische Anklänge sind noch zu sichern in Jak 5,4 (der Lohn des Arbeiters ist nicht vorzuenthalten, vgl. Lev 19,13; Dtn 24,14f; Mal 3,5; vgl. auch Herm Vis III, 9,6); Jak 5,7 (Früh- und Spätregen, vgl. Jer 5,24); Jak 1,10f (wie eine Blüte des Grases, vgl. Jes 40,6f; vgl. auch 1 Petr 1,24). Alle anderen Anspielungen sind mehr oder weniger zufälliger Art und nicht eindeutig. Daß alttestamentliche Gestalten als Vorbilder herangezogen werden, ist in der urchristlichen Literatur weit verbreitet. Abraham (Jak 2,21.23) ist wohlvertrautes Exempel des Glaubens auch Röm 4; Gal 3; 1 Klem 10,1.6; 17,2; 31,2; Ign Philad 9,1; die Dirne Rahab (Jak 2,25) wird auch Hebr 11,31; 1 Klem 12,1.3 zitiert; der Hinweis auf Elija (Jak 5,17f) findet

[62] Vgl. z.B. „Täuschet euch nicht" (Jak 1,16 und Gal 6,7); „Wort der Wahrheit" (Jak 1,18 und 2 Kor 6,7; Kol 1,5; Eph 1,13; 2 Tim 2,15); „das Wort aufnehmen" (Jak 1,21 mit Lk 8,13; Apg 8,14; 11,1; 17,11; 1 Thess 1,6; 2,13; Hebr 13,22); „legt ab..." (Jak 1,21 und Röm 13,12; Kol 3,8; Eph 4,22.25; Hebr 12,1; 1 Petr 2,1; 1 Klem 13,1; 2 Klem 1,6); „der gute Name, der über euch angerufen worden ist" (Jak 2,7 und Herm Sim VIII, 6,4); „Frucht der Gerechtigkeit" (Jak 3,18 und Phil 1,11; Hebr 12,11).

[63] *M. Dibelius,* Jakobus 16.

[64] So das Urteil von *M. Dibelius,* Jakobus 43f.

[65] *F. Mußner,* Jakobusbrief 184, weist auf Apok Mos 31 als möglichen Anhaltspunkt hin.

sich auch Lk 4,25 und auf die Geduld und Beharrlichkeit der Propheten (Jak 5,10) wird wohl im Blick auf das Motiv vom „gewaltsamen Prophetenschicksal“[66] (vgl. Mt 5,12; Lk 13,33) angespielt.

4. Schwieriger ist die Frage zu beantworten, ob der Verfasser auch mit kerygmatischem Formelgut vertraut ist bzw. mit dessen Pflege und Aktualisierung zu tun hat.

a) Jak 1,16–18 dürfte der Autor an die christliche Taufe erinnern. „Mit Sicherheit kann man sagen, daß Jak an die eschatologische Schöpfung, in der die Christen gewissermaßen die ἀπαρχή sind, denkt, denn in V. 18 liegt deutlich ein fester Motivzusammenhang vor, der sehr wahrscheinlich seinen Sitz im Leben in der urchristlichen Taufpraxis hat.“[67] Die Wendung „Wort der Wahrheit“ meint nicht die Tauformel, sondern den praebaptismalen Taufunterricht, die Unterweisung an die Katechumenen. Es liegt nahe, die Thematik „Versuchungen“, die der Verfasser in 1,2–4.12 behandelt, als Bestandteil der Taufunterweisung zu verstehen. Das würde erklären, warum dieses Thema mit dem Hinweis auf die Taufe seinen Abschluß findet. Auch die Wendung „Erstlinge seiner Schöpfung“ könnte an vorgegebene Redeweise anknüpfen.[68] Eine weiterführende Reflexion des Taufgeschehens findet sich jedoch nicht, ist wohl auch nicht beabsichtigt.

b) Mit geprägten Wendungen, die wiederum in die Nähe der Taufparänese weisen, haben wir in Jak 1,21 zu rechnen. Gerade 1 Petr 2,1f („Legt ab...“) wird häufig mit der Unterweisung im Zusammenhang der Taufe in Verbindung gebracht.[69] Das „eingepflanzte Wort“, das zu retten vermag, könnte auf das Evangelium (oder das bei der Taufe übereignete bzw. angenommene Glaubensbekenntnis?) verweisen. Unter Hinweis auf Barn 9,9 („der die eingepflanzte Gabe seiner Lehre in uns gelegt hat“), auch Barn 1,2; Ps-Ign Eph 17,2 urteilt M. Dibelius, daß Jakobus „hier einem bereits bestehenden christlichen Sprachgebrauch“[70] folge. Ähnliches ist von der Wendung „das Wort annehmen“ zu vermuten.[71] F. Mußner sieht in dem „eingepflanzten Wort“ den Taufunterricht anklingen. „Näherhin kann dann damit nur die Bekanntgabe

[66] Vgl. *H. J. Schoeps,* Die jüdischen Prophetenmorde (1943), in: Aus frühchristlicher Zeit, Tübingen 126–143; *O. H. Steck,* Israel und das gewaltsame Geschick der Propheten, Neukirchen 1967.

[67] *F. Mußner,* Jakobusbrief 95; kritisch *G. Delling,* Taufe 84 mit Anm. 288.

[68] Vgl. *M. Dibelius,* Jakobus 137.

[69] Zu den Beziehungen zwischen 1 Petr und der urchristlichen Taufe vgl. *G. Delling,* Taufe 82ff (mit Lit.).

[70] Jakobus 145.

[71] Vgl. 1 Thess 1,6; 2,13; Lk 8,13; Apg (7,38); 8,14; 11,1; 17,11; vom apostolischen Mahnwort Hebr 13,22.

der christologischen Grundwahrheiten gemeint sein, die nicht bloß christologisch-soteriologischen, sondern auch ethischen Inhaltes sind."[72] Es dürften dann auch die Lehrformeln und Traditionen in Anwendung gekommen sein, auf die im Neuen Testament an den bekannten Stellen mehrfach angespielt wird. Der Jakobusbrief schweigt darüber, aber doch wohl nur deshalb, weil diese Darbietung nicht seine Intention ist.[73]

5. Mit dem Jakobusbrief als Dokument theologischen Denkens ist M. Dibelius hart ins Gericht gegangen, wenn er ihm „Theologie" und „gedankliche Originalität" rundweg abstreitet.[74]

a) Dieses Urteil gründet sich vor allem auf der starken Betonung der praktischen Frömmigkeit, von der her auch die berühmte Abhandlung Jak 2,14–26 zu verstehen ist. Es kann hier nicht die ganze Diskussion über das literarische Verhältnis zwischen dem Verfasser des Jakobusbriefes und Paulus aufgegriffen werden.[75] Eine direkte Kenntnis der paulinischen Briefe, besonders des Römerbriefes, ist wohl auszuschließen. Doch ist nicht zu verkennen, daß der Verfasser mit Anschauungen zu kämpfen hat, die man zumindest als einen falsch verstandenen Paulinismus erklären könnte. Es ist schon oft gezeigt worden, daß der Jakobusbrief nicht den paulinischen Glaubensbegriff aufnimmt und daß die Werke, um die es Jak 2,14ff geht, vor allem Werke der Nächstenliebe sind, nicht die „Gesetzeswerke", die Paulus im Auge hat. „Eine endgültige, gegen jeden Einwand gesicherte Antwort auf die Frage: Wer polemisiert gegen wen? wird es vermutlich nie geben."[76] Wenn der Autor aber polemisiert, dann dürfte er gerade dem Raum gewähren, was er an seinen Gegnern vermißt, und das war sicherlich, wenn wir Jak 3,13–18 richtig gedeutet haben, nicht Theologie.

b) Die Frage nach dem Verfasser als Theologen ist nur zu beantworten, wenn nicht die traditionsgebundenen Stoffe selbst, sondern deren Anordnung und Auslegung zum Gegenstand der Untersuchung gemacht werden. Dieser Aufgabe hat sich jüngst die Dissertation von R. Hoppe „Der theologische Hintergrund des Jakobusbriefes" unterzogen. Hoppe weist nach, daß sich zwei theologische Leitgedanken aus dem Brief herausschälen lassen: die Vorstellung von der Weisheit und die Frage nach dem Verhältnis von Weisheit und Glaube.

[72] *F. Mußner,* Jakobusbrief 102, unter Hinweis auf die bekannten Stellen in der neutestamentlichen Briefliteratur, die auf katechetische Strukturen im Urchristentum schließen lassen.

[73] Wie etwa Hebr 6,1 angedeutet ist, daß der Autor die „Anfangsgründe der Lehre von Christus" weglassen will.

[74] Vgl. Jakobusbrief 139, auch 69–73.

[75] Vgl. dazu die Kommentare; weitere Lit. bei *F. Mußner,* Jakobusbrief 12, Anm. 2.

[76] *F. Mußner,* Jakobusbrief 17.

An Jak 1,2–12 und 3,13–18 kann Hoppe zeigen, daß der Verfasser die Weisheit nicht nur als moralische Verpflichtung versteht, „sondern ihr kommt als theologische Größe heilsstiftende und den Menschen neuprägende Kraft zu."[77] An 2,1–13 und 2,14–26 schließlich werde erkennbar, daß der Christ erst in der Erfüllung des weisheitlich verstandenen Gesetzes der Verpflichtung seines geschenkten Glaubens gerecht werde und so „Erbarmen im Gericht" (2,13) finden könne. „‚Glaube' aber ist im Gegensatz zur jüdischen Tradition für den Christen nicht mehr Tat des Menschen, Leistung gegenüber dem Gesetz, sondern ... eine Gabe, die zur Erfüllung drängt."[78] Die Betonung und Hochschätzung der praktischen Frömmigkeit ist also nicht notwendig mit theologischer Konzeptionslosigkeit verbunden, wohl aber zusätzlich verständlich, wenn sie gegen eine vielleicht vorgnostische, zumindest mit den Stichworten „Vollkommenheit" und „Weisheit" oder gar mit Pauluslosungen operierende Falschlehre zu Felde ziehen will.

6. Die Stellung der Lehrer in den Gemeinden kann durch ihr Verhältnis zu anderen Gemeindediensten näher bestimmt werden. In Jak 5,14 werden ganz nebenbei und offensichtlich völlig unbetont die Presbyter der Gemeinde (οἱ πρεσβύτεροι τῆς ἐκκλησίας) eingeführt. Bei der Erkrankung eines Gemeindemitglieds treten sie scheinbar kollegial in Erscheinung: sie sollen über den Kranken beten und ihn mit Öl salben im Namen des Herrn. Wir müssen dankbar sein, daß der Verfasser durch diesen Hinweis das Vorhandensein von Presbytern bezeugt. Damit ist sichergestellt, daß es eine wie immer auch geartete Diastase zwischen Lehrern und Presbytern gab.[79] Der offensichtlich problemlose Hinweis auf „‚Älteste der Gemeinde' ... setzt das Ältesten-Institut in den Lesergemeinden als bekannt voraus."[80] Es ist unwahrscheinlich, daß mit den „Ältesten" hier nur ältere, u. U. medizinisch erfahrene Männer der Gemeinde gemeint sind. „Es muß sich ... um beamtete Älteste der Gemeinde handeln, und gerade mit ihrem Beamtencharakter muß ihre Heilkraft zusammenhängen."[81] Der gleiche Grund schließt auch den Gedanken an jüdische Presbyter aus, denn von diesen sind uns keine Heilungsfunktionen bekannt.[82] In diesem Zusammenhang verdient eine Beobachtung von M. Dibelius besondere Beachtung.[83] Jak 5,15 deutet mit der offenen und keineswegs

[77] *R. Hoppe,* Hintergrund 247.
[78] *R. Hoppe,* Hintergrund 248.
[79] Vgl. dazu *H. Schürmann,* Lehrer 135–142.
[80] *F. Mußner,* Jakobusbrief 219.
[81] *M. Dibelius,* Jakobusbrief 300.
[82] Vgl. *M. Dibelius,* Jakobus 301 (gegen *F. Spitta*).
[83] Vgl. Jakobus 303.

auf den Kreis der Presbyter einzuschränkenden Formulierung „das Gebet des Glaubens wird den Kranken retten" an, daß ursprünglich diese wunderwirkende Glaubenskraft ganz allgemein den Charismatikern zugesprochen war, hier aber auf den Kreis der Presbyter beschränkt wird. Daran ist zu erkennen, daß die Presbyter als Gemeindedienst schon eine Entwicklung hinter sich haben. Sie haben sich bestimmte Funktionen und Dienste im Gemeindeleben als feste „Domäne" erobert (Salbung der Kranken; liturgische Funktionen?) aber sie haben bezeichnenderweise nicht (oder noch nicht?) die Lehrer verdrängt.
Sicherlich sind aus der mehr beiläufigen Erwähnung der Presbyter keine zu weitreichenden Schlüsse zu ziehen. Doch ist im Blick auf das ganze Schreiben zu erkennen, daß der Verfasser den Presbytern keine große Bedeutung beimißt (ganz im Gegensatz etwa zu 1 Petr 5,1ff). Auch bei anderen Gemeindefunktionen, die im Jakobusbrief indirekt anklingen, etwa dem gegenseitigen Sündenbekenntnis und dem fürbittenden Gebet (5,16), der „Eulogie" (3,9) oder dem Beten und Psallieren (5,13) wird nicht gesagt, daß dabei die Presbyter besondere Aufgaben hätten. Das mag u.U. Zufall sein und an der Tendenz des Autors liegen, die Gesamtheit der Gemeinde anzusprechen. Doch werden z.B. auch keine Aufsichts- oder gar Lehrverpflichtungen der Presbyter angedeutet. Das hätte aber sehr nahe gelegen, wenn etwa in Jak 4,1 von „Kriegen" und „Kämpfen" unter den Adressaten gesprochen wird, oder in 3,13ff die in „Eifersucht" und „Parteienstreit" sich äußernde „irdische Weisheit" bekämpft wird. Nicht die Presbyter erscheinen als Träger der „Weisheit von oben", sondern der „Weise", der sich durch guten Wandel und bewährte Lehrtugenden (3,17) ausweist. Nicht ihnen obliegt es, ordnend und schlichtend in Streitigkeiten einzugreifen, sondern „uns" (Lehrern), die „im Wort" nicht anstoßen und darum zu Recht beanspruchen dürfen, als „Vollkommene" falschen Vollkommenheitsansprüchen entgegenzutreten. Von Bedeutung ist auch, daß der Verfasser sich im Namen des Jakobus an die Gemeinden wendet. Die Lehrer beanspruchen für sich eine apostolische successio verbalis, noch bevor sich die Presbyter auf eine apostolische successio personalis berufen. Die Tatsache, daß ein Lehrer als „Mund" des Jakobus sich an die „Stämme in der Zerstreuung" wendet, offenbart das hohe Selbstbewußtsein der urchristlichen Lehrer und es zeigt ferner, daß Lehre und Ermahnung eben an den Presbytern vorbei von den Lehrern direkt der Gemeinde zugesprochen werden.
Die in Jak 5,15 erkennbare Einengung ursprünglich weiter gedachter charismatisch-prophetischer Befähigungen auf die Presbyter dürfte auf ein allmähliches Zurücktreten des prophetischen Elements in den Gemeinden schließen lassen. Propheten werden im Schreiben nicht erwähnt und prophetische Funktionen sind kaum zu erkennen („Eulogie" und gemeinsames Gebet?,

vgl. 3,9; 5,13.16).[84] Diese Entwicklung könnte auch die in Jak 3,1 bezeugte Situation erhellen. Jene Leute, denen durch das Schwinden der Prophetie in den Gemeinden die Artikulationsmöglichkeit entzogen wurde, drängen nun zum vergleichsweise „nüchternen“ Lehrerstand. Es mag sein, daß die Lehrer in mancher Hinsicht die Nachfolge der urchristlichen Propheten übernommen haben, wobei sie sich mit den Presbytern die dabei anfallenden Aufgaben teilten. War nicht die Paränese im weitesten Sinn ursprünglich eine Aufgabe der Propheten (vgl. 1 Kor 14,3; Apg 15,32) und deutet nicht der Jakobusbrief an, daß die Lehrer (und Falschlehrer) manches von ihnen übernommen bzw. geerbt haben? Es bedarf freilich noch weiterer Untersuchungen anhand anderer neutestamentlicher Schriften, die klären müßten, ob dieses Urteil verallgemeinert werden kann.

Abschließend sollen die Beobachtungen zusammengefaßt und einige Schlußfolgerungen gezogen werden.

1. Der Jakobusbrief bezeugt die Existenz urchristlicher Lehrer in den Adressatengemeinden. Es darf angenommen werden, daß die Lehrer einen abgegrenzten „Kreis“ gebildet haben, der zwar auf Vergrößerung hin offen war, sich aber doch deutlich von den übrigen Gemeindemitgliedern abhob. Der Verfasser des Schreibens gibt sich selbst als Lehrer zu erkennen. Seine Berufung auf Jakobus zeigt, daß er sich in einer apostolischen Lehrsukzession stehend weiß. Dieses hohe Selbstbewußtsein ermächtigt ihn, sich an „die zwölf Stämme in der Zerstreuung“ (d. h. an die Gemeinden seines Gesichtskreises) zu wenden. Der im Namen des Jakobus sprechende urchristliche Lehrer weiß sich in seinem Dienst nicht nur auf eine Gemeinde beschränkt, sondern der Gesamtheit der Gemeinden verpflichtet.

2. Das im Jakobusbrief in Erscheinung tretende Lehrerkollektiv wehrt sich gegen lehrende Schwärmer, die vermutlich mit Weisheitsparolen und Vollkommenheitsforderungen operiert haben. Da in den Gemeinden offensichtlich der prophetische Dienst, die „Erkenntnisrede“ (1 Kor 12,8) und die Gabe der „Unterscheidung der Geister“ (1 Kor 12,10, vgl. 1 Joh 4,1) fehlen, kommt den Lehrern die Aufgabe zu, die Kräfte des Widerstands zu aktivieren. Es ist nicht erkennbar, daß andere Gemeindedienste, etwa die in Jak 5,14 erwähnten Presbyter, bei der Bekämpfung der Falschlehrer eine zusätzliche Rolle spielen. Die Lehrer tragen allein die Last des Abwehrkampfes.

[84] Wahrscheinlich haben in den Gemeinden, die die Geheime Offenbarung überschaut, Propheten Leitungsfunktionen, vgl. *A. Satake,* Die Gemeindeordnung in der Johannesapokalypse, Neukirchen-Vluyn 1966. Zum Phänomen der urchristlichen Prophetie vgl. jetzt *G. Dautzenberg,* Urchristliche Prophetie. Ihre Erforschung, ihre Voraussetzungen im Judentum und ihre Struktur im ersten Korintherbrief (BWANT 104), Stuttgart 1975 (mit Lit.); *U. B. Müller,* Prophetie und Predigt im Neuen Testament. Formgeschichtliche Untersuchungen zur urchristlichen Prophetie (StNT 10), Gütersloh 1975.

3. Bei der Abwehr der falschen Weisheit und ihrer Vertreter geht der Verfasser in Jak 3,13–18 vermutlich von seinem Selbstverständnis als urchristlicher Lehrer aus. Es gibt Hinweise darauf, daß der Tugendkatalog Jak 3,17 ursprünglich nicht mit dem Stichwort Weisheit verbunden war. Möglicherweise hat der Autor einen Berufsspiegel, der dem urchristlichen Lehrer zugedacht war, durch einige Erweiterungen zu einem Katalog weisheitlicher Tugenden umgestaltet. Danach wurden vor allem Friedfertigkeit, Milde, Fügsamkeit (gegenüber göttlicher Weisung), Standhaftigkeit im Parteienstreit und Aufrichtigkeit den Lehrern anempfohlen, dazu natürlich der Ausweis der „Orthopraxie". Die tatsächliche Existenz solcher urchristlicher Ämterspiegel wird durch die Pastoralbriefe belegt.

4. Der Schwerpunkt der Tätigkeit der urchristlichen Lehrer liegt nach Auskunft des Jakobusbriefes in der Gemeindeparänese. Daß der Verfasser die vorliegende literarische Gattung wählt, spricht für sich. Die paränetischen Materialien sind weithin vorgegeben. Das Alte Testament ist fraglose Autorität und wird als solche zitiert. Herrenworte werden mehr illustrierend als argumentierend verwendet. Die Pflege und Weitergabe der Jesustraditionen wird sich den urchristlichen Lehrern mehr indirekt als Aufgabe gestellt haben, und zwar im Zuge einer Entwicklung, die zu immer stärkerer christlicher Einfärbung der überkommenen paränetischen Stoffe tendierte. Die Tatsache, daß der Autor sich besonders mit der Spruchweisheit vertraut zeigt, läßt den Schluß zu, daß sich die Lehrer vielleicht vornehmlich der Weisheitstraditionen annahmen, auch der weisheitlich geprägten Jesustraditionen.[85] Aus den Anspielungen auf die Taufe im Jakobusbrief kann ferner gefolgert werden, daß die Lehrer eine besondere Aufgabe bei der Vermittlung des „Wortes der Wahrheit" (1,18) bzw. bei der „Einpflanzung des Wortes" (vgl. 1,21) hatten. Dabei dürften dann auch die Traditionen und Lehrformeln in Anwendung gekommen sein, die uns aus anderen neutestamentlichen Texten bekannt sind.

5. Leitungsfunktionen der Lehrer sind im Jakobusbrief nicht erkennbar. Da Presbyter erwähnt werden, ist zu vermuten, daß diese die Leitung der Gemeinden innehaben. Auch liturgische Funktionen scheinen mehr den Presbytern zuzukommen (vgl. Jak 5,14f und die nachfolgende Erwähnung von Sündenbekenntnis und fürbittendem Gebet). Lehrer und Presbyter haben wohl jeweils zusätzlich Aufgaben zu übernehmen, die durch den Ausfall der

[85] Vgl. 1 Kor 1,20ff; 12,8. Zum Thema Paulus und die Weisheit vgl. den Anm. 32 erwähnten Aufsatz von *H. Conzelmann*. *R. Hoppe,* Hintergrund 235–245, verweist auf die Übereinstimmungen von Jak 1,2–12; 3,13–18 mit Mt 11,25ff par Lk 10,21f; vgl. auch den Beitrag von *W. Grundmann* in diesem Band; ferner *D. Zeller,* Die weisheitlichen Mahnsprüche bei den Synoptikern (FzB 17), Würzburg 1977.

Prophetie in den Gemeinden unerledigt blieben, die Lehrer vornehmlich im Bereich der Gemeindeparänese und der Abwehr von Falschlehre. Das problemlose Nebeneinander von Lehrern und Presbytern in einer Gemeinde zeigt, daß dic „Vereinnahmung" der Lehre durch die „Hirten" (Episkopen oder Presbyter), wie sie in den Pastoralbriefen und bei Lukas erkennbar wird, nicht die einzige und bestimmende Entwicklung der ausgehenden apostolischen Zeit darstellt.

Literatur

Delling, G., Die Taufe im Neuen Testament, Berlin o. J. (1963).
Dibelius, M., Die Formgeschichte des Evangeliums, Tübingen [5]1966 (Nachdr. Berlin 1966).
Ders., Der Brief des Jakobus, hrsg. und ergänzt von *H. Greeven* (MeyerK), Göttingen [11]1964.
Filson, F. V., The Christian Teacher in the First Century: JBL 60 (1941) 317–328.
Greeven, H., Propheten, Lehrer, Vorsteher bei Paulus: ZNW 44 (1952/53) 1–43.
Hauck, F., Der Brief des Jakobus (KNT XVI), Leipzig 1926.
Hoppe, R., Der theologische Hintergrund des Jakobusbriefes, Diss. theol. (Masch.), Freiburg i. Br. 1975.
Jülicher, A. – Fascher, E., Einleitung in das Neue Testament, Tübingen [7]1931.
Mußner, F., Der Jakobusbrief (HThK XIII/1), Freiburg–Basel–Wien [2]1967.
Rengstorf, K. H., Art. διδάσκαλος in: ThWNT II (1935) 138–168.
Schlatter, A., Der Brief des Jakobus, Stuttgart [2]1956.
Schneider, J., Die Kirchenbriefe (NTD 10), Göttingen [10]1967.
Schürmann, H., „... und Lehrer". Die geistliche Eigenart des Lehrdienstes und sein Verhältnis zu anderen geistlichen Diensten im neutestamentlichen Zeitalter, in: Dienst der Vermittlung (Festschr. zum 25jährigen Bestehen des Philosophisch-theologischen Studiums im Priesterseminar Erfurt), Leipzig 1977, 107–147.
Soden, H. v., Hebräerbrief, Briefe des Petrus, Jakobus und Judas (HCNT III/2), Freiburg i. Br. [3]1899.
Spitta, F., Der Brief des Jakobus, in: *ders.*, Zur Geschichte und Literatur des Urchristentums, II, Göttingen 1896, 1–239.
Vögtle, A., Die Tugend- und Lasterkataloge im Neuen Testament (NTA XVI 4/5), Münster 1936.
Wikenhauser, A. – Schmid, J., Einleitung in das Neue Testament, Freiburg–Basel–Wien [6]1973 (Nachdr. Leipzig 1974).
Windisch, H., Die Katholischen Briefe, bearb. von *H. Preisker* (HNT 15), Tübingen [3]1951.

DER ERSTE PETRUSBRIEF UND DIE VERFOLGUNG UNTER DOMITIAN

Von Johannes B. Bauer

Das Thema der Verfolgung durchzieht das Neue Testament von den Evangelien bis zur Offenbarung. Aber nur 1 Petr 4,15f erscheint es im Zusammenhang als willkürliche Gewaltmaßnahme. Ältere katholische Interpreten, wie Bisping[1] haben an eine richtige Verfolgung gedacht und zwar an jene des Nero, die Bezeichnung der Christen als κακοποιοί konnte man zu diesem Zweck mit der Wendung Suetons (Nero 16) zusammenstellen: genus hominum superstitionis novae et maleficae. Aber man kam damit ein wenig in zeitliche Schwierigkeiten mit der petrinischen Autorschaft, also nahm man an, daß der Brief nicht lange vor Beginn der neronischen Verfolgung geschrieben worden sei, in einer Zeit, wo auch schon in der Welthauptstadt die Lage der Christengemeinde leidvoll war, wie der Apostelfürst ja auch durch die Benennung Roms (5,13) als Babylon zu verstehen gab. „Das von Petrus also entworfene Bild erhält eine Illustration durch die Bemerkung des Tacitus (Ann. XV,44) Ergo abolendo rumori Nero subdidit reos, quos per flagitia invisos vulgus Christianos appellabat. Danach werden die Angehörigen der christlichen Religion schon vor der neronischen Verfolgung als verbrecherische Menschen, als κακοποιοί von den Heiden angesehen"[2].

In neuerer Zeit hat man (vor allem protestantische Autoren) in 3,15 u. 4,16 den Hinweis auf eine richtige Verfolgung erkannt und sich für die Zeit Domitians oder gar Trajans ausgesprochen. Denn daß die Neronische Verfolgung über die Hauptstadt des Imperiums hinaus um sich gegriffen hätte, davon wissen alle unsere Quellen nichts. Neuestens ist aber auch ein anderes Element in die Untersuchung eingeführt worden. Wir wollen zuerst die Ansicht Marta Sordis besprechen, die 1965 ihre „Geschichte des alten Christentums" erscheinen ließ. Nero hätte schon früher als im Jahr 64, beim Brand Roms, wovon Tacitus berichtet, ohne ein Dekret zu erlassen, einen alten Senatsbeschluß anzuwenden beschlossen. Sordi stützt sich auf eine wenig bekannte Bemerkung Tertullians Apol 5,2(–4): „Es fügt sich auch das in unsere Verteidigung, daß bei euch die Gottheit vom freien Willen des Menschen abhängt: Wenn ein Gott dem Menschen nicht gefällt, wird er kein Gott sein; der Mensch

[1] *A. Bisping,* Erklärung 98.
[2] *J. Belser,* Einleitung 677.

wird dem Gott also gnädig sein müssen. Tiberius nun, zu dessen Zeit der Christenname in die Welt eintrat, berichtete das ihm aus dem syrischen Palästina gemeldete Geschehen, das dort die Wahrheit der wirklichen, reinen Gottheit offenbart hatte, dem Senat und befürwortete es mit seiner Stimme. Der Senat lehnte ab, weil er es nicht selbst geprüft hatte; der Kaiser blieb bei seiner Ansicht und verhieß den Anklägern der Christen schwerste Strafe. Schlagt eure Chroniken nach! Dort werdet ihr finden, daß als erster Nero gegen unsere Gemeinschaft, die gerade damals in Rom aufkam, mit dem kaiserlichen Schwert losgefahren ist. Aber auf einen solchen Stifter (dedicator) unserer Verfolgung sind wir sogar stolz. Denn wer ihn kennt, wird begreifen, daß etwas, was von Nero verfolgt worden ist, nichts anderes sein kann als ein besonderes Gut. Versucht hatte es auch Domitian, seiner Grausamkeit nach ein halber Nero; aber da er doch noch ein Mensch war, unterdrückte er bald das Beginnen und setzte sogar wieder in seine Würde ein, wen er verbannt hatte“[3].

Dazu vergleicht Sordi noch die Stelle Ad nationes 1,7,13f, wo es heißt: sub Nerone damnatio invaluit und weiter permansit ... hoc solum institutum Neronianum. Sordi vertritt nun nicht etwa die vielfach abgelehnte Auffassung, unter institutum sei ein Gesetz Neros: non licet esse Christianos gemeint. Sie weiß, daß das Wort institutum kein juristischer Fachausdruck ist, sondern nur die „Übung“, die „Gewohnheit“ bezeichnet. Für Tertullian war Nero nur der dedicator und nicht der auctor der Verurteilung der Christen.

Sordi versteht Tertullian so: Nero hat kein Gesetz gegen die Christen zu erlassen brauchen. Er hat den Senatsbeschluß, der unter Tiberius wohl gefaßt aber nicht angewendet worden war, erstmals angewendet. In diesem Senatusconsultum liege das vielfach von der Forschung als Phantasterei bezeichnete Gesetz gegen die Christen wirklich vor. Das Christentum war unter Tiberius als superstitio illicita erklärt worden, und darauf konnten sich die Anklagen beziehen, auch wenn fallweise andere Gründe für die Verurteilung zusätzlich genannt wurden wie Brandstiftung unter Nero, Atheismus und ἀσέβεια unter Domitian, die bekannten flagitia usw. Das waren Vorwürfe, mit denen man den Haß genährt hat, verurteilt wurden die Christen aber immer als Anhänger einer superstitio illicita. Wir wollen uns nicht mit einer Widerlegung aufhalten! Bei Nero lautet die Anklage auf Brandstiftung, und die Strafen waren Strafen für Brandstifter!

Auch Plinius wendet nur die magistratische coercitio an und weiß nicht, ob das nomen ipsum prinzipiell strafwürdig ist. Das Resultat seiner Inquisition

[3] *C. Becker,* Apologeticum 75.

ist ja: nihil aluid inveni quam superstitionem pravam, immodicam. Wenn dies allein zur Anklage und Verurteilung ausgereicht hätte, hätte Plinius nicht anzufragen brauchen. Auch die Antwort Trajans wollte noch keine endgültige Regelung sein, wenn sie es auch wurde: neque enim, schrieb der Kaiser zurück, in universum aliquid, quod quasi certam formam habeat, constitui potest (97,1).

Zurück zu Sordi's Argumentation, die auch den Neutestamentler interessieren muß, wie wir sofort sehen werden. Nach Tertullian hat also Tiberius einen Bericht aus Palästina erhalten und daraufhin beim Senat die consecratio Jesu beantragt. Der Senat hat den Antrag abgewiesen, womit das Christentum zur superstitio illicita erklärt worden ist, während Tiberius trotzdem den Anklägern der Christen Strafe angedroht hat.

Nach Sordi hätte Pilatus im Jahr 35 diesen Bericht an Tiberius geschickt. Ihre Überlegung ist folgende. Die Juden hatten das ius gladii nicht und brauchten daher beim Prozeß Jesu die Ratifizierung des Urteils des Synedriums durch Pilatus. Beweis: Als es im Jahr 62 vorübergehend keinen Statthalter gab, – Festus war tot und Albinus erst auf der Anreise, – nahm der damals regierende Hohepriester Ananus die Gelegenheit wahr, berief das Synedrium ein, und Jakobus wurde verurteilt und gesteinigt (Jos. Ant. 20,9,1ff).

Ananus wollte den neuen Statthalter vor vollendete Tatsachen stellen. Er wurde abgesetzt, eben weil er sich das ius gladii angemaßt hatte.

Nach Sordi ist nun der unmittelbare Anlaß für den Bericht des Pilatus an den Kaiser die Steinigung des Stephanus gewesen. Sie nimmt im Gegensatz zur modernen Acta-Forschung an, daß die prozessualen Züge, die Lukas dem Ereignis in den Acta gegeben hat, historisch wären, daß es sich keineswegs um eine Lynchjustiz gehandelt habe, sondern daß Stephanus regelrecht durch das Synedrium unter Kaiphas verurteilt und dann gesteinigt worden sei, ohne daß man die Ratifizierung des Urteils durch Pilatus erlangt hätte. Im Jahr 34, in dem nach Sordi der Tod des Stephanus anzusetzen ist, war Pilatus im Amt (er war das bis 36). Wie reagierte er auf den Affront, der eine Prestigeangelegenheit für das Imperium betraf? Er sandte einen Bericht an Tiberius über die Vorfälle in Palästina, die die wahre Gottheit Jesu geoffenbart hätten (frei nach Tertullian). Daraufhin also sei die Intervention des Kaisers im Senat erfolgt. Auf derselben Linie liege dann, so meint Sordi, der Auftrag des Kaisers an Vitellius: Die Christen hatten seit 36 Ruhe, soweit die Römer Herren der Lage waren; nicht in Damaskus, wo man Paulus verfolgte, weil Damaskus in den Händen des mit den Römern im Krieg liegenden Nabatäer-Königs Aretas war. Vitellius also, römischer Legat von Syrien mit Amtssitz in Antiochien, deponiert im Jahr 36 Pilatus, weil sich die Samariter über seine Ausschreitungen am Berg Garizim beschwert hatten und schickt ihn nach Rom

zum Kaiser, Pilatus langt aber erst nach dessen Tod an (17. 3. 37). Noch im Oktober 36, nachdem er Pilatus abgesetzt hatte, begab sich Vitellius selbst nach Jerusalem und verschaffte sich mit verschiedenen Erleichterungen die Gunst des jüdischen Volkes. „Hierauf deponierte er den Hohenpriester Kaiphas, ernannte zu seinem Nachfolger Jonathas und kehrte nach Antiochien zurück" (Jos. Ant. 18,4,3).
Josephus nennt den Grund für die Absetzung Kaiphas nicht. Sordi schließt mit größter Selbstverständlichkeit daraus, daß Kaiphas wegen der Anmaßung des ius gladii im Fall des Stephanus abgesetzt worden sei.
Nun ist es Zeit, daß wir Sordis Kartenhaus zum Einsturz bringen. Die schwächste Stelle scheint mir zunächst einmal, daß man doch nicht annehmen kann, ein Mann wie Kaiphas, der sich mit seiner Nachgiebigkeit den Römern gegenüber 18 Jahre im Amt hatte halten können, hätte nicht wieder die Zustimmung des Pilatus zu dem Todesurteil erstrebt und auch erreicht. Aber aus welchem Grund hat Vitellius wirklich Kaiphas seines Amts enthoben? Ich fand in der Literatur nirgends einen Hinweis. Reicke formuliert schwungvoll: „Vitellius ließ ohne Bedenken den unselbständigen Kaiphas durch einen dynamischen Sohn des Hannas namens Jonathan ersetzen"[4]. Was sollte Vitellius an einem unselbständigen Hohenpriester auszusetzen gehabt haben? Wenn ich eine Vermutung äußern darf: Mir erscheint die schon von anderen[5] beobachtete Koinzidenz der Absetzung des Pilatus und der Enthebung des Kaiphas durch die gleiche Instanz darauf hinzudeuten, daß Kaiphas die Aktion des Pilatus gegen die Samariter angezettelt hatte. Mit den Samaritern, die man mehr als Edomiter und Philister haßte, pflegte man keinen Verkehr, immer wieder gab es Auseinandersetzungen, noch unter Ventidius Cumarius (48–52) kam es zu einem Bürgerkrieg zwischen Juden und Samaritern, weil einige galiläische Jerusalempilger von Samaritern ermordet worden waren. In diesem Fall endete die römische Befriedungsaktion mit Todesstrafen für Juden und Samaritaner! Kaiphas könnte also wegen einer solchen Anstiftung das Mißfallen des Vitellius erregt haben.
Die Steinigung des Stephanus hat sich, so nimmt man allgemein an, unter dem von Vitellius bestellten Marzellus ereignet, der keine kaiserliche Vollmacht besaß, während Vitellius selbst gegen den Euphrat gezogen war.
Nach all dem erscheint es also nicht gerade wahrscheinlich, daß Pilatus im Anschluß an die illegale Steinigung des Stephanus einen Bericht an Tiberius geschickt hätte, der obendrein auf Capri saß und schwerlich sich durch diesen

[4] *B. Reicke,* Zeitgeschichte 172.
[5] *P. Gaechter,* Petrus 86f.

wunderlichen Bericht εἰς ἥρωτα πίστεως hätte führen lassen, wie Syncellus es später ausdrückt.
Aus unseren Quellen läßt sich das den Christen so wohlwollende Tiberiusbild Tertullians nicht belegen. Sueton sagt: „Die Götter und ihre Verehrung waren ihm gleichgültig, weil er sich der Astrologie verschrieben hatte und überzeugt war, daß alles vom Schicksal bestimmt würde" (Tib. 69). Er lehnte seine Vergöttlichung in einigen asiatischen Städten ab und widersetzte sich auch der Errichtung eines Altars ihm zu Ehren in Spanien (Tac. Ann. IV, 37f). Er soll Ärzte, Wahrsager und Druiden verfolgt haben, wie der ältere Plinius erzählt (N. H. 30,1,13). Isisjünger und Juden hat er nach einstimmigem Zeugnis des alten Historikers verfolgt. Es paßt nicht zu so einem Charakter, wenn man ihn, wie Tertullien das tut, sich für das Christentum so sehr einsetzen läßt, daß er sogar dem Senat entgegentrat.
Weiter: Seneca (ben. III, 26,1) erzählt, daß das Delatorenunwesen unter Tiberius geradezu eine publica rabies war, noch ärger als jeder Bürgerkrieg; und noch Caligula entschuldigt, wie Sueton (Cal. 30) weiß, die saevitia Tiberii als quasi necessaria cum tot criminantibus credendum esset. Wie sollte da Tiberius auf einmal gegen Delatoren vorgegangen sein? Es kann keine Rede sein von einer christenfreundlichen Initiative des Tiberius, die auch noch etwas voraussetzte, was zu seiner Zeit völlig anachronistisch wäre, daß man nämlich zwischen Juden und Christen bereits unterschieden hätte!
Schwierig ist die Frage, wie die Geschichte von dem Bericht des Pilatus aufkam. Man wußte natürlich, daß solche Berichte in Rom einlangten und wahrscheinlich schloß man aus der Tatsache, daß die Christen unter Tiberius unangefochten geblieben waren, auf einen christenfreundlichen Herrscher.
Das Urteil, das Rauschen formuliert hat, gilt also uneingeschränkt trotz aller Versuche Sordis: „Denique omnia, quae a veteribus de Tiberio Christi consecratore narrata sunt, pro fictis et commenticiis habenda sunt"[6]. Damit fallen aber auch die anderen Kombinationen Sordis: Nero hätte seine Haltung den Christen gegenüber im Jahr 62 geändert und schon vor dem verhängnisvollen Jahr 64 gegen sie Maßnahmen ergriffen, eben in Anwendung des angeblichen Senatsbeschlusses vom Jahr 35. Als Beweise für diese Sinnesänderung führt Sordi den ersten Petrusbrief und den zweiten Timotheusbrief an: im ersten Petrusbrief stehe die große Verfolgung erst bevor, obwohl sie schon in bedrängende Nähe gerückt erscheine. Die Christen seien schon invisi, wie Tacitus sagt, und man könne sie nach dem ersten Petr 4,16 ὡς χριστιανοί vor Gericht stellen, wie das eben der erste Petrusbrief auch voraussetze.
Der zweite Timotheusbrief müsse auch vor 64 geschrieben sein, denn sonst

[6] *G. Rauschen,* Tertulliani 25.

hätte Paulus wohl nicht 4,16 noch der römischen Gemeinde den Vorwurf gemacht, daß man ihn während seiner ersten Gefangenschaft im Stich gelassen habe.

Diesen Argumenten brauchen wir eine Widerlegung nicht mehr gegenüberzustellen. Wir wenden uns dem ersten Petrusbrief zu.

Daß der erste Petrusbrief dem Apostel Petrus zu Unrecht zugeschrieben wird, darf man wohl trotz mancher Gegenstimmen für so gut wie sicher halten.

C. H. Hunzinger hat zu Recht die Feststellung getroffen, daß der Deckname Babylon für Rom erst nach dem Jahr 70 aufgekommen ist und daraus den Schluß gezogen, daß der erste Petrusbrief nicht vor diesem Zeitpunkt geschrieben sein kann, wenn er 5,13 diesen apokalyptischen Namen gebraucht. Man hat im übrigen sehr enge Berührungen des ersten Petrusbriefs mit dem Konsultationsschreiben des jüngeren Plinius an Trajan gefunden und deshalb die Abfassungszeit des ersten Petrusbriefs unter der trajanischen Verfolgung angenommen.

Bei Plinius lautet die erste Frage: Nomen ipsum an flagitia nomini cohaerentia puniantur? Das entspricht 1 Petr 4,16 „Wer als Christ (und nicht als Übeltäter) verfolgt wird, soll sich nicht schämen, sondern in diesem Namen Gott die Ehre geben".

Besonders ergiebig ist – wir kommen noch darauf zurück – ein Vergleich der 1 Petr 4,15 aufgezählten Typen von Missetätern und der analogen Aufzählung in dem Pliniusbrief: „Keiner von euch soll leiden, verfolgt werden (πασχέτω) als Mörder, Dieb, Übeltäter oder ἀλλοτριεπίσκοπος". J. Knox will das so übersetzen: „Laßt nicht zu, daß man euch als Mörder, Dieb, Übeltäter oder Revolutionäre verurteilt!" Knox meint, der Autor des ersten Petrusbriefs rate den Christen, sie sollten alles daran setzen, den Richtern klarzumachen, daß ihr einziges Crimen das Christsein sei, daß sie keineswegs Mörder oder Diebe oder Revolutionäre seien. Sie sollten sich also unter keiner anderen Anklage verurteilen lassen. Das würde genau zu der Erfahrung passen, die Plinius gemacht hat, wenn er schreibt, daß ihm selbst diejenigen Christen, die sich vom Christentum wieder losgesagt haben, versicherten: „Unser ganzes Vergehen oder Versehen bestand darin, an einem bestimmten Tag vor Sonnenaufgang zusammenzukommen, um Christus als Gott im Wechselgesang einen Hymnus darzubringen und uns unter Eid zu verpflichten, nicht zu einem Verbrechen, sondern dazu, weder Diebstahl noch Raub noch Ehebruch zu begehen, nicht gegen Treu und Glauben zu verstoßen und anvertrautes Gut nicht zu unterschlagen. Nach dem Vollzug dieser Riten gingen wir regelmäßig auseinander und trafen uns erst wieder bei einem gemeinsamen Mahl alltäglicher, unschuldiger Art. Sie hätten aber auch das nicht mehr getan nach meinem Edikt, in dem ich in Ausführung deiner Mandate das Bestehen geschlossener Vereine untersagt hatte". Knox ist weiter der Meinung, daß Plinius nicht alle, sondern nur diejenigen Christen zum Tode verurteilt habe, denen pertinacia et inflexibilis obstinatio vorgeworfen werden konnte. Die beiden Diakonissen etwa, die er per tormenta verhört hatte, habe er wohl wieder laufen lassen. In diesem Sinn sei auch die Mahnung 1 Petr 3,15ff zu verstehen: „Haltet nur den Herrn Christus in euren Herzen heilig (Jes 8,13), immer bereit zur Antwort für jeden, der euch wegen der Hoffnung, in der ihr lebt, zur Rechenschaft fordert. Aber (sprecht) mit Zurückhaltung und Gottesfurcht. Ihr habt ja ein gutes Gewissen. So werden die, die eure saubere Lebensführung in Christus schmähen, beschämt werden, gerade wegen ihrer Verleumdungen. Denn es ist besser, daß ihr, wenn es Gottes Wille ist, lieber für Rechttun leidet als für Schlechttun!"

Die Mahnung liefe nach Knox darauf hinaus, daß die Christen ihre Ankläger weder schweigend verachten noch durch freche Reden reizen sollten. So richtig diese letzte Auffassung sein dürfte, so wenig einleuchtend erscheint mir die Deutung des πασχέτω durch Knox. Im Gegenteil, gerade in einer Zeit, da man bereit ist, von den Christen jede Schlechtigkeit zu glauben, darf nicht ein Christ wirklich aus einem solchen Grund verurteilt werden. Daher auch die Mahnungen in der Haustafel Tit 2,5.8.10 (vgl. 1 Tim 6,1) mit der Begründung: „Damit das Werk Gottes nicht gelästert werde ..., damit der Gegner beschämt werde ... damit der Name Gottes und die Lehre nicht gelästert werde". In diesen Tönen hatte schon Paulus den Juden Diebstahl, Ehebruch und Tempelraub als jene Vergehen vorgeworfen, um derentwillen der Name Gottes unter den Heiden gelästert wird (Röm 2,21–23). Und 2 Petr 2,2 beklagt, daß viele Christen libertinistischen Irrlehren in ἀσέλγεια folgen und deshalb der Weg der Wahrheit gelästert wird.

W. Speyer hat in hohem Grade wahrscheinlich gemacht, daß die bei den christlichen Apologeten erwähnten Beschuldigungen der Christen durch die Heiden wie Kindermord, thyesteische Mahlzeiten und Blutschande, durch tatsächlich geübte Praktiken einzelner unbedeutender, aber um so mehr auffallender häretisch-christlicher Gemeinden aufgekommen sind. Schon Tacitus spricht von diesen atrocia und pudenda!

Der Katalog 1 Petr 4,15 läßt sich durch einen Vergleich mit Plinius erhellen: Dem κλέπτης entspricht ne furta committerent, dem φονεὺς ne latrocinia, denn darunter ist höchstwahrscheinlich Raubmord zu verstehen (mucro latronis conditur heißt es in dem ambrosianischen Hymnus!). Nicht leicht faßbar ist der κακοποιός, das ist wenigstens kein juristischer Fachausdruck. Es ist aber möglich, daß der „Zauberer" gemeint ist, wie das von Tertullian bezeugte maleficus nahelegt. Unter ἀλλοτριεπίσκοπος könnte man in Ana-

logie zu dem ne depositum appellati abnegarent, den depositarius oder sequester verstehen. Diese Leute hatten ja nicht nur Geld oder Gut aufzubewahren, sondern betrieben vielfach auch Geschäfte, die sie mit dem Gesetz in Konflikt brachten. So war der sequester der Wahlhelfer, der die Bestechungsgelder aufzubewahren bzw. zu verteilen (als solcher hieß er divisor) pflegte, wogegen sich die verschiedenen Gesetze de ambitu wandten.
Man sollte vielleicht auch einmal im Zusammenhang mit den Christenprozessen auf etwas achten, was ja an sich bekannt ist, aber wie es scheint, zu wenig Berücksichtigung findet. Es gab eine Topik der Invektive, stereotype loci wie de adulterio, de impudicitia, Schmähungen, die in jeder Anklage vorgebracht und allein unter dem Gesichtspunkt ausgewählt wurden, ob sie für diesen Zweck brauchbar waren. Cicero hat in seiner Verteidigung des M. Caelius aus dieser Topik der maledictio gefolgert, daß es sich im konkreten Fall des Caelius nur um die bekannten τόποι und nicht um tatsächlich begründete Vorwürfe handelte. Die maledictio ist pars accusationis (pro Caelio 7). Sed aliud est maledicere, aliud accusare. Accusatio crimen desiderat, rem ut definiat, hominem ut notet, argumento probet, teste confirmet. Maledictio autem nihil habet propositi praeter contumeliam: quae si petulantius iactatur, convicium, si facetius, urbanitas nominatur (pro Caelio 6).
Bezeichnend ist, was die Ankläger des Caelius anführen: Cicero weist diese maledicta non crimina zurück: Adulter, impudicus, sequester convicium est, non accusatio, voces contumeliosae temere ab irato accusatore emissae (ib. 13).
Die Denunziation, die auf Caelius' Tätigkeit als Wahlhelfer, auf seine engen Beziehungen zu Clodia und zu Catilina anspielt, begnügte sich mit allgemeinen Behauptungen, die eine eigentliche Widerlegung unmöglich machen. Die maledicta sind keine Anklagepunkte, werden sie aber nicht scharf zurückgewiesen, so sind sie geeignet, den Angeklagten zu belasten. Ich möchte mit Sicherheit annehmen, daß die flagitia cohaerentia nomini auf diese Weise zustandegekommen sind. Man hat den Leuten, die sich als Christen ähnlich wie die Juden absonderten, alle möglichen dunklen Umtriebe zugetraut, sie verdächtigt und verleumdet und das lange genug, daß diese Verleumdungen am Christennamen hängenblieben.
Nebenbei sei hier angemerkt, daß orthodoxe christliche Kreise mit derselben Methode gegen Häretiker aufgetreten sind, denen sie geistig nicht gewachsen waren, was Hieronymus bezeugt: ecclesiastici simplices et rudes sunt, haeretici autem omnes aristotelici et platonici. So erzählt man von Markion, sein bischöflicher Vater habe ihn propter stuprum cuiusdam virginis exkommuniziert. Tertullian weiß davon noch nichts; Tertullian will aber wissen, daß der Markionschüler Apelles lapsus in feminam, desertor continentiae Marcionensis, ab oculis sanctissimi magistri Alexandriam secessit (praescr. 30).

Zurück zu Plinius. Bei ihm waren delationes eingegangen, in denen die Christen nominis causa verklagt wurden. Ihr Verbrechen war also, daß sie Christen waren, sonst nichts: die delatores mußten das allein als hinreichendes crimen betrachtet haben. Es erscheint also hier eine extra ordinem bestehende Deliktskategorie genannt, auf die die receptio nominis erfolgte. In der Hauptverhandlung fragte der Statthalter = Richter, ob diese Beschuldigung zu Recht bestehe. Die confessio führte zur Verurteilung. Es hätte dem bekannten Aufbau eines römischen Strafprozesses widersprochen, in diese Abfolge zwischen Prozeßeinleitung und Urteilsverkündigung noch crimina einzuschieben, die in der delatio nicht enthalten waren. Freudenberger trifft den Sachverhalt genau: „Die Frage des Plinius entspringt erst einer neuen Lage: Durch verschiedene Ereignisse wurde Plinius dazu gebracht, nachzuforschen, wie es sich mit den Christen überhaupt verhalte, das Ergebnis war: nihil aluid inveni quam superstitionem pravam, immodicam. Dieses Ergebnis stellte mehrere der von Plinius unkritisch aus der gängigen Praxis übernommenen Grundsätze in Frage, die Plinius bisher nie überprüft hatte. Cognitionibus de Christianis numquam interfui!“[7]

Wir befassen uns nun nicht mit den juristischen Fragen, die sich an den Pliniusbrief knüpfen, sondern stellen einige Überlegungen historischer Natur an. Plinius hat wahrscheinlich vom 17. Sept. 111 bis zum Jänner 113 u. zw. als kaiserlicher Legatus pro praetore (nicht als senatorischer Statthalter) die Provinz Pontus und Bithynien verwaltet. „Die Hauptaufgabe dieser Sondermission war die Überprüfung und Sanierung der zerrütteten Finanzen der Städte dieser Provinz, doch betraf die Mission auch die Korrektur all der anderen eingerissenen Mißstände; ep. 32,1: meminerimus ... te in istam provinciam missum quoniam multa in ea emendanda apparuerint, schreibt Trajan an seinen Legaten, und noch in ep. 10,117 weist er ihn an: sed ego ideo prudentiam tuam elegi, ut formandis istius provinciae moribus ipse moderareris et ea constitueres, quae ad perpetuam eius provinciae quietem essent profutura.“[8]

Die Mandate Trajans, mit denen Plinius betraut war, betrafen militärische, kriminal-prozeßrechtliche, vereinsrechtliche und finanztechnische Fragen. – Plinius war von 102–111 gelegentlich Mitglied des consilium principis, also Vertrauensmann des Kaisers. Die korrupten Verhältnisse der Provinz kannte Plinius sehr gut, da er die beiden früheren Prokonsuln von Bithynien C. Julius

[7] *R. Freudenberger,* Verhalten 78.
[8] *R. Freudenberger,* Verhalten 18.

Bassus (im Jahr 103) und Varenus Rufus (im Jahr 106/7) verteidigt hatte, als sie vor dem Senat wegen Erpressung angeklagt waren.
Mit Plinius kam also ein Mann in die verlotterte Provinz, der auf der einen Seite ein hochgeschätzter Anwalt und Jurist, auf der anderen „ein kultivierter, großherziger, milder und freundlicher Mensch" war[9]. Und dieser Mann sieht sich als corrector und curator auch mit einer Praxis konfrontiert, die er nicht gerecht findet. Diese Praxis der Christenprozesse gehört demnach in die Reihe all der anderen verbesserungsbedürftigen Zustände der Provinz. Man darf von vornherein annehmen, daß diese Praxis aus der Ära Domitians stammte. Er hat ja den Kaiserkult im ganzen Reich belebt, um damit die flavische Dynastie zu festigen und seine absolute Regierung abzusichern. Diese „blutrünstige Bestie" (immanissima belua nennt ihn Plinius) ließ sich dominus et deus nennen, was sich Augustus und Tiberius noch verbeten hatten. Erst zwei Jahrhunderte später wurde diese Titulatur üblich. Domitian ließ sich als erster zu Lebzeiten kultische Verehrung erweisen. In seinem Panegyricus für Trajan (52,7) entrüstet sich Plinius darüber, daß das abscheuliche Kultbild des entmenschten Herrschers in Rom mit einer solchen Menge Opfertierblut verehrt wurde, wie er selbst an Menschenblut vergossen hatte. Diesem Scheusal stellt Plinius seinen Trajan als Idealbild eines Herrschers gegenüber: „An keinem Ort wollen wir ihm als Gott, an keinem Ort als einem göttlichen Wesen schmeicheln. Denn wir reden nicht von ihm als einem Tyrannen, sondern vom Bürger, nicht vom Herrn, sondern vom Vater. Vor allem, er hält sich für einen von uns und vergißt nicht, daß er Mensch ist, so sehr er über Menschen gestellt ist" (Paneg. 2,3f). Dieser ideale Herrscher verlangt dann auch in seinem Reskript an Plinius von den Christen nur mehr, daß sie supplicando dis nostris ihre Loyalität bezeugen und verpflichtet sie nicht mehr zum Kaiserkult. Beim Opfertest in der herkömmlichen Form, wie ihn Plinius anwandte, mußte man auch vor einem herbeigebrachten Kaiserbild mit Weihrauch und Wein opfern.
Daß Trajan gerade diesen Zwang zum Opfer vor dem Kaiserbild fallen läßt, widerrät strikt der Annahme, daß die von Plinius vorgefundene Vorgangsweise gegen Christen etwa auf eine Verfügung Trajans zurückginge. Noch weniger kommt Nerva (96–98) dafür in Frage, der alle Spuren der Schreckensherrschaft Domitians milde und umsichtig getilgt hat. Es bleibt nur Domitian als Verantwortlicher für diese Praxis übrig. Auf diese Zeit weisen auch die Angaben der Apostaten bei Plinius, sie seien schon längere Zeit nicht mehr Christen; manche datierten ihren Abfall drei, manche mehrere, manche 20 Jahre zurück. Mag das eine auch eine runde Annahme sein, die den Abfall möglichst

[9] *H. Rüdiger,* Briefe XXXVII.

weit zurückdatieren soll, man wird diese Angaben trotzdem einigermaßen ernst nehmen müssen und damit zeitlich auf die Verfolgung unter Domitian kommen. Damals muß es auch bei den ohnehin skrupellosen Statthaltern, von denen es manche so trieben, daß sie der Erpressung angeklagt werden konnten, in Übung gekommen sein, Christen einfach als Christen, nomen ipsum, et si flagitiis careat, abzuurteilen, nachdem man sie vor dem Kaiserbild nicht zum Opfern gebracht hatte. Gerade diese beiden Umstände sind dem Plinius als rechtlich denkendem Menschen aufgefallen und einer Anfrage an den Kaiser wert gewesen. Die πύρωσις πρὸς πειρασμόν (4,12), diese Feuerprobe, vor der die Adressaten des ersten Petrusbriefs der starre Schrecken gepackt hat (ξενίζεσθε), kann im Grund nur die Aufrichtung des domitianischen Herrscherkults mit seiner intransigenten Art, sich durchzusetzen, gewesen sein.

Wenn die erwähnte Feuerprobe und Verfolgung unter Domitian stattgefunden haben soll, wie wir meinen, dann müssen wir uns zum Schluß noch kurz mit jenen Autoren auseinandersetzen, die wie J. Moreau eine Verfolgung unter Domitian überhaupt in Abrede stellen.

In seiner Rezension Moreaus hat Th. Klauser eine Differenzierung gefordert. Wer von der Kirche der Verfolgungszeit hört, meint, die Kirche hätte während der drei ersten Jahrhunderte dauernd unter der römischen Strafjustiz gelitten. Die von Trajan ja im Grunde nur erneuerte Maxime war aber: conquirendi non sunt, das galt bis Decius. Einer Ära eigentlicher Christenverfolgung ging eine Ära vereinzelter Christenprozesse voraus, bis auf Decius; diese Prozesse wurden nur durch Denunziation aus der Bevölkerung ausgelöst. Erst in der zweiten Ära gab es ein überall gültiges Gesetz.

Moreau[10] meint also, die Indizien, die für eine Verfolgung unter Domitian sprechen, seien recht spärlich. Aber er unterschätzt unsere Quellen sicher. Das wirft ihm auch Speigl in Bezug auf das Prooemium des ersten Clemensbriefs vor. Der in domitianischer Zeit entstandene Brief spricht von „den plötzlich und Schlag auf Schlag über uns gekommenen Unglücksfällen und Mißgeschicken" und erklärt 7,1 wie 1 Petr 5,9, daß wir alle am gleichen Kampfplatz stehen. Dieses aus der Agonistik stammende Bild ist geläufig für den sittlichen Kampf, hier aber im Zusammenhang mit dem Bericht über die Martyrien des Petrus und Paulus nicht ohne Zusammenhang mit dem buchstäblichen Sinn gebraucht. All das weist auf eine schwere und ernste Bedrohung der römischen Christengemeinde.

Ebenso unterschätzt Moreau das Zeugnis der Johannesoffenbarung: „Es steht

[10] *J. Moreau,* Christenverfolgung 39. Auch *Rossi* kommt in seinem ausführlichen Aufsatz zum gleichen Ergebnis.

keineswegs fest, daß ihr Text, der auf Martyrien in Vergangenheit und Zukunft anspielt, bis in die Zeit Domitians zurückreicht"[11]. Mit diesem Satz ist zu viel Skepsis ausgesprochen. Daß in der Offenbarung des Johannes Christuskult und Kaiserkult zusammenstoßen, ist nicht zu leugnen, und das kann nur unter Domitian gewesen sein. Unter Domitian läßt auch die älteste Überlieferung die Offenbarung des Johannes entstanden sein. Ebenso ergibt die Zählung der Kaiser in Kapitel 13 und 17 am ehesten Domitian. Das hat schon Harnack meines Erachtens sicher gezeigt[12].

Es scheint heute auch anerkannt, daß das Vorgehen Domitians gegen seinen Vetter, den Konsul Flavius Clemens und dessen Frau Domitilla, dessen Christentum mindestens zur Mitursache hatte, neben politischen Gründen. Daß politische Gründe nicht wirklich gegeben waren, betont Sueton, wenn er diesen Clemens als einen Mann von politischer Interesselosigkeit (contemptissimae inertiae) bezeichnet, wie sie den Christen zugeschrieben wurde (Dom 15,1). Aus Dio Cassius 67,14,1f entnimmt man auch, daß der Grund der Verurteilung Atheismus gewesen sei, was man nicht den Juden, sondern den Christen vorzuwerfen pflegte. Nach dem gleichen Autor sind gleichzeitig viele andere abgeurteilt worden, die zum jüdischen Glauben (das heißt zum Christentum) abgeirrt waren.

In der Chronik des Hieronymus steht dann: Scribit Bruttius plurimos Christianorum sub Domitiano fecisse martyrium[13]. Diese Berufung auf den wohl heidnischen Historiker, den auch Joh. Malalas[14] zweimal zitiert und σοφώτατος ἱστορικὸς χρονογράφος nennt, kann man nicht einfach abtun.

Es muß also bei der Verfolgung des Domitian bleiben, wenn auch nicht, das wurde schon gesagt, als einer systematischen Verfolgung, sondern als einer größeren Reihe von durch Denunziation in Gang gekommenen Christenprozessen, in denen offenbar die Verweigerung des Kaiserkults zum Beweismittel und Verurteilungsgrund gemacht worden war.

Es steht also nichts im Weg, den ersten Petrusbrief unter Domitian anzusetzen. Ob der Brief von Rom aus geschrieben sein muß, wie gern angenommen wird, steht dahin. Die Berührungen mit dem ersten Clemensbrief besagen dafür zu wenig. Es erschiene mir durchaus auch ein kleinasiatischer Ursprung dieses „Manifests", wie es Marxsen[15] nennt, denkbar. Der Autor holte zum Trost in der harten Zeit ein Schreiben des Petrus hervor, der 20 Jahre zuvor

[11] Ebd.

[12] *A. v. Harnack,* Chronologie I (1897) 245f.

[13] Ed. *R. Helm* GCS 47 (²1956) 192.

[14] *H. Peter,* Historicorum Romanorum fragmenta II (1906) 160.

[15] *W. Marxsen,* Einleitung 202.

das Blutzeugnis abgelegt hatte. Wie ergreifend klingen da die Worte vom μάρτυς τῶν τοῦ Χριστοῦ παθημάτων? (5,1)

Ich darf vielleicht mit der Frage schließen, die wie mir scheint, noch nicht beantwortet ist: Wie kam gerade Petrus dazu, daß unter seinem Namen eine so vielgestaltige, pseudepigraphe Literatur ausgegangen ist. Es gibt ein Evangelium, verschiedene Akten, Briefe und eine Apokalypse unter seinem Namen, nicht zu reden von all dem, was in den Pseudo-Clementinen von ihm und über ihn steht. Petrus war jedenfalls die populärste Gestalt unter den Aposteln, der Moses des Neuen Testaments, der Leiter und Hirt par excellence, nicht zuletzt auch der Prophet und Thaumaturg, an dem der gnostische Widerpart scheitert.

Literatur

Barnard, L. W., Clement of Rome and the Persecutions of Domitian: NTS 10 (1963) 300–310 und 428–444.
Becker, C., Tertullian, Apologeticum, München [2]1961.
Belser, J., Einleitung in das Neue Testament, Freiburg 1905.
Bisping, A., Erklärung der katholischen Briefe, Münster 1871.
Brox, N., Zur pseudepigraphischen Rahmung des ersten Petrusbriefes: BZ NF 19 (1975) 78–96.
Christ, K., Zur Herrscherauffassung und Politik Domitians: Schweizerische Zeitschrift für Geschichte 1962, 187–213.
Dockx, S., Date de la mort d'Étienne le Protomartyr: Bibl 55 (1974) 65–73.
Frend, W. H. C., Martyrdom and Persecution in the Early Church, Oxford 1965.
Freudenberger, R., Das Verhalten der römischen Behörden gegen die Christen im 2. Jahrhundert, dargestellt am Brief des Plinius an Trajan und den Reskripten Trajans und Hadrians. (Münchener Beiträge zur Papyrusforschung und antiken Rechtsgeschichte 52), München [2]1969.
Ders., Der Vorwurf ritueller Verbrechen gegen die Christen im 2. und 3. Jahrhundert: ThZ 23 (1967) 97–107.
Gaechter, P., Petrus und seine Zeit, Innsbruck 1958.
Grant, R. M., Sacrifices and Oaths as Required of Early Christians, in: Kyriakon (Festschr. für J. Quasten, Bd. 1), Münster 1970, 12–17.
Grodzynski, D., „Superstitio", REA 76 (1974) 36–60.
Gross, K., Domitian, RAC 4, Sp. 91–109.
Harnack, A., Die Chronologie der altchristlichen Literatur bis Eusebius, I, Leipzig 1897.
Henrichs, A., Pagan Ritual and the Alleged Crimes of the Early Christians. A Reconsideration, in: Kyriakon (Festschr. für J. Quasten, Bd 1), Münster 1970, 18–35.
Hunzinger, C. H., Babylon als Deckname und die Datierung des ersten Petrusbriefs, in: Festschrift für Hertzberg, Göttingen 1965, 66–77.
Jannssen, L. F., Die Bedeutungsentwicklung von superstitio/superstes: Mnemosyne 28 (1975) 135–188.
Keresztes, P., The Jews, the Christians, and Emperor Domitian: Vigiliae Christianae 27 (1973) 1–28.
Klauser, Th., Rez. Moreau, Christenverfolgung, JAC 4 (1961) Sp. 172ff.
Klink, J. L., Het Petrustype in het Nieuwe Testament en de Oud-Christelijke Letterkunde, Leiden 1947.
Knox, J., Pliny and 1 Peter: JBL 72 (1953) 187–89.
Marxsen, W., Einleitung in das Neue Testament, Gütersloh [3]1964.
Mayer-Maly, Th., Der rechtsgeschichtliche Gehalt der „Christenbriefe" von Plinius und Trajan: Studia et documenta historiae et juris 12 (1956) 311–328.
Molthagen, J., Der römische Staat und die Christen im zweiten und dritten Jahrhundert, Hypomnemata 28, Göttingen 1970.
Moreau, J., Die Christenverfolgung im römischen Reich, Aus der Welt der Religion N. F. 2, Berlin [2]1971.
Penna, A., Il „Senatoconsulto" del 35 d. C. e la prima lettera di S. Pietro, in: San Pietro, Atti della XIX Settimana Biblica, Brescia 1967, 337–366.
Rauschen, G., Tertulliani Apologetici recensio nova, Bonn 1906 (FLP 6).
Reicke, B., Neutestamentliche Zeitgeschichte, Berlin 1965.
Rossi, S., La cosidetta persecuzione di Domiziano. Esame delle testimonianze: Giorn. It. di Filologia 15 (1962) 303–341.
Rüdiger, H., Briefe des Altertums, Leipzig 1941.
Selwyn, E. G., Persecutions in 1 Peter, StudNTSoc-Bull (1950) 39–50.
Sordi, M., Il Christianesimo e Roma, Bologna 1965.
Dies., Aspetti Romani dei processi di Gesù e di Stefano: Riv. di Filologia 98 (1970) 304–311.

Speigl, J., Der römische Staat und die Christen. Staat und Kirche von Domitian bis Commodus, Amsterdam 1970.
Speyer, W., Zu den Vorwürfen der Heiden gegen die Christen: JAC 6 (1963) 129–135.
Waters, K., The Character of Domitian: Phoenix 18 (1964) 49–77.
Weber, W., Nec nostri saeculi est, Bemerkungen zum Briefwechsel des Plinius und Trajan über die Christen (1922), jetzt in: Das frühe Christentum im römischen Staat, hg. v. R. Klein, Darmstadt 1971, 1–32.

EXEGETISCHE REFLEXIONEN ZUR APOSTOLIZITÄT DES AMTES UND ZUR AMTSSUKZESSION

Von Anton Vögtle

Seitdem Heinz Schürmann seine auf katholischer Seite bahnbrechenden Untersuchungen „Das Testament des Paulus für die Kirche (Apg 20,18–35)“[1] und „Die geistlichen Gnadengaben in den paulinischen Gemeinden“[2] vorgelegt hat, ist die Diskussion des Themas „NT und kirchliches Amt“[3] auf breiter Ebene weitergegangen[4]. Im Hinblick auf die faktische Entwicklung und damit auf das unterschiedliche „Amts“-verständnis der christlichen Konfessionen steht naturgemäß im Mittelpunkt das Problem, ob sich den ntl. Zeugnissen eine verbindliche Gemeindeordnung oder doch ein normatives Prinzip ekklesialer Struktur entnehmen läßt. Der neuralgische Punkt, zumindest innerhalb der katholischen Diskussion, ist nach wie vor die Frage der „Apostolizität“ des Amtes und das Prinzip der apostolischen Amtsnachfolge. Unbeschadet der schwierigen Fragen, die der Begriff „die Apostel“, die unzulängliche Information über den Kreis und das Wirken der Apostel vor Paulus (Gal 1,17–19), die Aussonderung authentischer Apostelschriften = der authentischen Paulusbriefe[5] und damit die Unterscheidung von apostolischen und nachapostolischen Zeugnissen, von apostolischer und nachapostolischer Zeit mit sich bringen, gilt dabei heute auch für katholische Autoren als prinzipiell selbstverständlich: In ihrer Eigenschaft als heilsgeschichtlich einmalige Offenbarungsempfänger, als die sie eine normative Tradition konstituieren konnten, konnten sie von ihnen intendierte oder direkt bestellte „Nachfolger“ nicht haben; nur hinsichtlich ihrer Verantwor-

[1] 1962, jetzt in: Untersuchungen 310–340.

[2] Erstmals erschienen 1966; jetzt leicht überarbeitet in: Ursprung 236–267.

[3] Vgl. auch *H. Schürmanns* jüngeren Grundsatzartikel „Die neubundliche Begründung von Ordnung und Recht in der Kirche“: ThQ 152 (1972) 303–316.

[4] Eine Übersicht bieten *A. Lemaire,* The Ministries in the New Testament: Biblical Theology Bulletin 3 (1973) 133–166 und besonders *H. Schütte,* Amt, Ordination und Sukzession im Verständnis evangelischer und katholischer Exegeten und Dogmatiker der Gegenwart sowie in Dokumenten ökumenischer Gespräche, Düsseldorf 1974.

[5] Für die Beurteilung der Entwicklung ekklesialer Funktionen ist natürlich von beträchtlichem Belang, ob man entgegen der sententia communis den Eph für paulinisch hält oder/und gar für die wenigstens sachliche Herkunft der Past von Paulus plädiert; so *J. Jeremias,* Die Briefe an Timotheus und Titus (NTD 9), Göttingen 1975, 10; *Bo Reicke,* Chronologie der Pastoralbriefe: ThLZ 101 (1976) 82–94.

tung für die Verkündigung und Wahrung des Evangeliums wie für den diesem entsprechenden Lebensvollzug der Gemeinden können Nachfolger im „Apostelamt" in Betracht kommen.

Bis heute fehlt es nicht an Beiträgen, die das NT eine erstaunlich generelle und sozusagen geradlinig zur apostolischen Amtssukzession – als dem für die Kirche konstitutiven Prinzip – führende Entwicklung der ekklesialen Funktionen anzeigen lassen[6]. Die Problematik solcher Versuche verrät immerhin auch ein gelegentliches Verdikt über eine die Tradition und das Selbstverständnis der Kirche ignorierende Exegese[7]. Wohl noch beachtlicher ist indes ein weiterer Umstand. Bei manchen Autoren, die in Fragen der Verfasserschaft der vorherrschenden Meinung folgen und sich auch stärker der redaktions- und überlieferungskritischen Fragestellung öffnen, kann man nur den Eindruck haben, daß die Rollen geradezu vertauscht werden. So vertreten in einem neueren französischen Sammelband[8] katholische Autoren wie P. Dornier[9] und B. Sesboüé[10] die Ansicht, daß auch die Past die apostolische Sukzession nicht ins Auge fassen. Auch für A. Sand scheint sich in den Past das Problem der personalen apostolischen Sukzession überhaupt nicht zu stellen. „Einziger Garant der Überlieferung ist der Apostel, der Weg der Überlieferung ist allein die Verkündigung und Unterweisung. ‚Darum gibt es auch noch keinen Namen für irgendein Amt, das in der Nachfolge des Apostels seine Tradition weiterbilden könnte'." Die Autorität der Personen, denen die Bewahrung der überlieferten Predigt auferlegt ist, „ist keine Amtsautorität, sondern eine Autorität, die sich aus der treuen Erfüllung des auferlegten Dienstes ergibt. Autorität hat allein das Wort, die Botschaft ..."[11] Völlig gegenteilig äußert sich demgegenüber vor allem S. Schulz, dessen jüngster Band „Die Mitte der Schrift" den bezeichnenden Untertitel trägt „Der Frühkatholizismus im Neuen Testament als Herausforderung an den Protestantismus"[12]. Ihm liegt daran, außerhalb der anerkannten Paulinen mög-

[6] An neueren Beispielen seien genannt *Y. Congar,* Wesenseigenschaften 546.550; *B. D. Dupuy,* Theologie 404.495; *L. Bouyer,* Ministère 248f. Vgl. auch *E. Berbuir,* Die Herausbildung der kirchlichen Ämter von Gehilfen und Nachfolgern der Apostel: Wissenschaft und Weisheit 36 (1973) 110–128, besonders 126f. Völlig phantastisch ist m.E. der neueste Versuch von *S. Dockx OP,* L'ordination de Barnabé et de Saul d'après Actes 13,1–3: NRTh 108 (1976) 238–250. Äußerst massiv auch *Ch. Pietri,* Dès ministères pour le nouveau peuple de Dieu? in: Peuple de Dieu 5 (1976) 14–28, besonders 17–26.

[7] *L. Bouyer,* Ministère. 243–245.

[8] *J. Delorme* u.a., Ministère.

[9] Les épîtres pastorales aaO. 98.

[10] Ministères et structure de l'église aaO. 409.

[11] Anfänge einer Koordinierung verschiedener Gemeindeordnungen nach den Pastoralbriefen, in: *J. Hainz,* Kirche 235f.

[12] Stuttgart/Berlin 1976; vgl. demgegenüber die differenzierenden „Erwägungen zur Entstehung des ‚Frühkatholizismus' von *U. Luz:* ZNW 65 (1974) 88–111.

lichst viele frühkatholische Entwicklungen und Merkmale herauszuarbeiten[13], um als die sachkritische Mitte des NT das paulinische Evangelium zu postulieren, von dem aus die frühkatholische Entwicklung „zu kritisieren und rückgängig zu machen (ist)“[14]. Mehr als seine Auslassungen über die Past (103f) und über Apg 20 (116) überrascht sein Urteil über das Mt-Ev[15] und erst recht über den 2 Petr, der bekanntlich auch nicht mit einer Spur auf vorhandene Amtsträger hinweist, die etwa auf ihre spezielle Verantwortung anzusprechen wären. Obwohl Schulz zuvor feststellte, von nachapostolischen Amtsträgern (Presbyter, Episkopen) und einer auf Ordination beruhenden apostolischen Sukzession sei in 2 Petr „nicht ausdrücklich“ die Rede (296), folgen doch erstaunlich positive Behauptungen wie diese: „Nur die apostolisch verfaßte Kirche der nachapostolischen Amtsträger vermag die Schriftauslegung durch Lehrgesetz und Lehrgewalt zu regulieren und so die vorhandene Glaubenswahrheit zu hüten. Die Kirche des 2. Petrusbriefes besteht frühkatholisch aus den in apostolischer Tradition und wohl auch apostolischer Sukzession stehenden Amtsträgern als den alleinigen Charismatikern und Geistträgern, denen allein das Recht der Schriftauslegung zukommt.... Die Vertikale im Sinne einer Hierarchie von Amtsträgern und Laien und die Horizontale im Sinne einer apostolischen Sukzession der ordinierten Amtsträger reichen sich von nun an im fortgeschrittenen Frühkatholizismus die

[13] Vgl. die Aufzählung der wichtigsten typologischen Merkmale, aaO. 80f, von denen eines lautet: „Die Unterordnung des Geistes unter die kirchliche Institution mit neuen Ämtern und ordinierten Amtsträgern (monarchischer Bischof, Presbyter, Diakone, Witwen), apostolischer Lehrtradition und kirchlich geregelter Amtsnachfolge der apostolischen Sukzession“ (81).

[14] Mitte 429–433.82. Insofern *Schulz* durch die protestantischen Vertreter der historischen Kritik nicht nur „fast durchweg“ bestreiten läßt, daß der Übergang zum „Frühkatholizismus“ „sachlich-theologisch“ berechtigt war, sondern auch, daß „er in dieser Weise verlaufen mußte“ (82), urteilt er offenbar schärfer als *E. Käsemann*. Gewiß ist auch diesem „als Theologen jede historisch leicht zu entlarvende Legitimitätstheorie in der kirchlichen Ordnung, welche das einst Erforderliche für alle Zeiten verbindlich macht, (‚unerträglich‘)“. In seiner Auseinandersetzung mit *H. Küng* versichert er aber, daß er keineswegs gegen das Frühkatholische im NT schlechthin protestiere. „Im Gegenteil erkenne ich als Historiker wie als Theologe dessen Symptome in der Einführung der Ordination, des Presbyteriums, des monarchischen Episkopats und selbst der Lehrkontrolle aus der konkreten Verkündigungssituation im Sinne Diems als notwendig, verständig und also geistgewirkt durchaus an“: Das Neue Testament als Kanon, Göttingen 1970 = Berlin 1973, 374.

[15] Schon bei Mattäus seien „die Ansätze und Tendenzen zu einer naiven bzw. implizierten Sukzession ... erkennbar. Die Lehrgewalt ist nicht nur auf Petrus beschränkt – das ergäbe kaum einen Sinn –, sondern den in seine Nachfolge tretenden Amtsträgern, den Lehrern, Schriftgelehrten und Weisen, vorbehalten, die für die verbindliche Bewahrung, Auslegung und Weitergabe der Gesetzeslehre Jesu Sorge tragen“ (191).

Hände und sind in der fertigen frühkatholischen Großkirche um etwa 180 das Selbstverständlichste der Welt" (297f).[16]

I

Zur Klärung der Fragestellung sei von einem generellen Gesichtspunkt ausgegangen, über den man sich am ehesten einigen wird. Bei der in nachpaulinischer Zeit zu zunehmender Verfestigung und Institutionalisierung ekklesialer Funktionen führenden Entwicklung waren gewiß eine ganze Reihe von Faktoren im Spiel, auch wenn wir kaum mehr feststellen können, wie diese im einzelnen zusammenwirkten und in gewissen Regionen in unterschiedlichen Schritten und Formen zu einer Ämterstruktur in den Ortsgemeinden – nur diese, nicht schon eine gesamtkirchliche[17] oder auch nur regionale Organisation tritt in den neutestamentlichen Schriften zutage – führte. Für das nach 70 ohnehin im Vordergrund stehende paulinische Missionsgebiet ist an erster Stelle der Ausfall der Autorität des apostolischen Gründers und Vaters der Gemeinden, seines bestärkenden, bewahrenden und regulierenden Wortes zu nennen. Die Gemeinden mußten selbst mit alten und neuen Schwierigkeiten fertig werden. Mit der fortschreitenden Entspannung der Naherwartung ging allem Anschein nach auch ein Erlahmen des Eifers und der charismatischen Lebendigkeit Hand in Hand. Das paulinische Konzept „von einer wahrhaft christlich lebenden Gemeinde, aus der Realität geboren, aber

[16] Hingewiesen sei an dieser Stelle auch auf *K. M. Fischers* originelle Monographie: Tendenz und Absicht des Epheserbriefes. Zur Rechtfertigung seiner Hypothese, daß der Eph die beginnende Durchsetzung der neuen episkopalen Kirchenordnung in Kleinasien, die durch die Ämter der Bischöfe, Presbyter und Diakone repräsentiert werde, aufzuhalten versuche (21–39), verficht Fischer die Thesen, es handle sich bei „den Presbytern" von 1 Petr 5,4f nicht um ein kollegial, sondern um ein „von einem" (= Episkopos) ausgeübtes Amt (31), und die Offb würde die Durchsetzung dieser episkopalen Kirchenordnung in Kleinasien „ebenfalls indirekt" bezeugen (33). Ein eindeutiger Zeuge für die „Einsetzung des Bischofsamtes durch den Apostel Paulus", näherhin für die Fiktion, daß „der erste Träger der bischöflichen Sukzession nur der sein (kann), der vom ersten Tag an, an dem Paulus Asien betrat, mit ihm war", ist für unseren Autor der Verfasser der Apg (28–30). Und natürlich würden die Past die Einsetzung zu Bischöfen „kraft apostolischer Sukzession" kennen, zwar nicht durch den Apostel Paulus selbst, wohl aber durch die „im ausdrücklichen Auftrag des Paulus bischöfliche Gewalt" ausübenden Schüler Timotheus und Titus (26–28).

[17] Von der erst viel später erreichten institutionellen Einheit ist die ideelle Einheit der Kirche zu unterscheiden, die freilich schon in der ersten nachapostolischen Generation kräftig unterstrichen wurde, wie der Kol- und vor allem der Eph-Brief bezeugt. Bezüglich der Zeit des Paulus stellt *K. M. Fischer* treffend fest: „Die Einheit der Kirche war zur Zeit des Paulus nur eine personale und in actu demonstrierte, aber nicht institutionalisierte": Tendenz 44.

im Schwung der Begeisterung entworfen"[18], hat offenbar nach und nach an Wirkkraft verloren und unter dem Druck der Realitäten schon bald eine Relativierung erfahren. Das Gesetz der Masse und der Gewohnheit mochte sich mehr und mehr geltend machen; und die Bewältigung der Gegenwartsaufgaben (Funktionieren der gemeindlichen Lebensvollzüge, die Beantwortung neuer Fragen und Zweifel, die Abwehr individualistischer Tendenzen, neuer Auslegungen und vor allem häretischer Gefährdungen[19], nicht zuletzt gnostischer Art) forderte eine zunehmende Verfestigung und Institutionalisierung lebenswichtiger ekklesialer Funktionen. Das alles wird im Prinzip von niemandem bestritten.

Zur Verteidigung der nachapostolischen Entwicklung wird deshalb zu Recht die geschichtliche Notwendigkeit beschworen[20]. Wer das Sichverziehen der Parusie und damit den Fortbestand der christlichen Gemeinden für gottgewollt hält, kann den Umstand, daß urchristliche Gemeinden die Herausforderungen der Geschichte eben auch durch eine stärkere Stabilisierung lebenswichtiger Funktionen zu bestehen versuchten, zumindest nicht a priori als illegitim bezeichnen. Ganz generell betont F. Mußner im Hinblick auf die nachapostolische Entwicklung: „Was aus geschichtlicher Notwendigkeit geschieht, was in einer bestimmten Situation getan werden *muß,* kann grundsätzlich nicht als Fehlentwicklung und erst recht nicht als Abfall bezeichnet werden. Die Urkirche *mußte* in ihrem nachapostolischen Zeitalter einfach Antworten erarbeiten auf die Fragen, die die geschichtliche Situation selber mit sich brachte."[21] Ich würde freilich eine offenere Formulierung des ersten Satzes vorschlagen: (Was in einer bestimmten Situation getan werden *muß*), *muß* nicht schon grundsätzlich eine Fehlentwicklung oder gar einen Abfall darstellen. Das bedeutet eben, daß die Geltendmachung der geschichtlichen Notwendigkeit uns nicht schon der Aufgabe enthebt, speziell auch hinsichtlich der Gemeinde- und Ämterordnung nach der Legitimität der Entwicklung zu fragen. In dieser Hinsicht kann uns auch die Berufung auf das Wirken

[18] *J. Herten,* Charisma – Signal einer Gemeindetheologie des Paulus, in: J. Hainz, Kirche 89.

[19] Mit Recht vermerkt *H. Conzelmann,* man habe erst die Maßstäbe schaffen müssen, um Häresie von Orthodoxie abgrenzen zu können, und bei diesem Vorgang habe „die Formierung des Amtes konstitutive Bedeutung": Grundriß 335; vgl. denselben auch u. Anm. 21.

[20] So nachdrücklich auch von *F. Mußner,* Die Ablösung des apostolischen durch das nachapostolische Zeitalter und ihre Konsequenzen, in: H. Feld–J. Nolte, Wort Gottes in der Zeit (Festschr. für K. H. Schelkle), Düsseldorf 1973, 166–177.

[21] Die Ablösung 171. Vgl. auch *H. Conzelmann,* Grundriß 335: „Daß man nach festen Regeln und Ordnungen suchte, entspricht zunächst einfach den Erfordernissen, ist also noch kein ‚Abfall', keine grundsätzliche Verwandlung der Kirche. Man kann auf die Dauer nicht die ursprüngliche freie Regulierung von Fall zu Fall durch den Geist konservieren, schon deshalb nicht, weil man es jetzt mit kollektiven Phänomenen neuer Art zu tun hat (Häresie)."

„des schöpferischen Geistes" kaum weiterhelfen. Auch wenn wir das NT als normative Größe anerkennen, kann die historische Betrachtung ja nicht einfach eine allgemein anerkannte Gemeindestruktur als Ergebnis der im NT sichtbar werdenden Entwicklung konstatieren. Davon kann nicht einmal die Rede sein, wenn wir den 1 Clem und die Briefe des Ignatius von Antiochien noch hinzunehmen. Bei aller Vorsicht gegenüber dem argumentum e silentio lassen bekanntlich beachtliche Anzeichen ernstlich bezweifeln, ob sich die Idee des Amtsprinzips, das uns doch wohl in ausgebildeter Form in den Past begegnet, um die Jahrhundertwende, ja noch einige Jahrzehnte später (z.B. 2 Petr) allgemein durchgesetzt hat. Die den beiden letzten Jahrzehnten und der Jahrhundertwende zuzurechnenden neutestamentlichen Spätschriften sprechen eher für das Vorhandensein von zunächst noch unausgeglichenen „Lösungen".
Natürlich „mußte" die Urkirche in der nachapostolischen Zeit auf die durch diese aufgegebenen Fragen Antworten erarbeiten. Aber es kommt doch wohl darauf an, wie diese notwendig gewordenen Antworten in concreto aussehen. Werden bei institutionellen Funktionen, soweit solche in Erscheinung treten, Legitimationsgesichtspunkte sichtbar, und wenn, in welchem Sinne? Im besonderen interessiert uns die Frage, ob und inwieweit man von einer Legitimierung der nachapostolischen Entwicklung ekklesialer Funktionen durch die Apostel sprechen kann. Auf die kaum diskutablen Versuche, zum Nachweis dieser Legitimation bei den Jerusalemer Aposteln einzusetzen (Wahl des Mattias, „die Sieben", die Presbyter), kann hier nicht eingegangen werden. Einige neuere Versuche katholischer Autoren, die unsere Beachtung verdienen, setzen deshalb aus guten Gründen bei Paulus an.

II

In einer erstmalig systematischen Weise hat sich J. Hainz auf die Partizipation der unmittelbaren Mitarbeiter und der Gemeindedienste an der apostolischen Vollmacht Pauli berufen[22]. Er erblickt ein Grundübel darin, daß die Rolle des Geistes innerhalb der paulinischen Ekklesiologie vor allem in der protestantischen Forschung „zu Unrecht verselbständigt worden (ist)" und kaum zwischen „Geistesgaben" (= bestimmten pneumatischen Erscheinungen) und „Gnadengaben" (= Charismen) unterschieden wurde (362). Pauli Theologie der Gemeinde – nämlich der konkreten Gemeinden, von denen

[22] Ekklesia (BU 9), Regensburg 1972.

allein Paulus spreche – sei „*primär* eine Komponente seines Apostolatsverständnisses" (359). Nachdrücklich plädiert Hainz deshalb für den Apostolat als „Vollgestalt" und „Ursprung" aller besonderen Ämter in der Kirche; der Geist werde bei Paulus nie unmittelbar mit den Gemeindediensten in Verbindung gebracht – „außer in 1 Kor 12 und hier in besonderer Weise" (328). „Zwar ist die heilsgeschichtliche Funktion des Apostels als ‚Grund' legender Vermittler des Versöhnungsgeschehens vom Apostelamt unablösbar, aber die Funktionen innerhalb seines ἔργον als θεοῦ συνεργός an der οἰκοδομή der Gemeinde werden von anderen mit ihm geteilt und gehen allmählich – in einem Prozeß, der sich in den paulinischen Briefen selbst nur andeutet – auf andere über ..." (352). Der schon in den Tagen des Apostels erfolgende Ausleseprozeß, demzufolge es nur Einzelne waren, denen als Mitarbeiter Pauli (im engeren und weiteren Sinne) auch „apostolische Vollmacht" zukam, „wird in den paulinischen Gemeinden offenbar nicht durch Amtsübertragung gesteuert; er vollzieht sich nach natürlichen Gesetzen" (362).
1. Die bereits in dieser Erstschrift enthaltene Hypothese, daß Paulus selbst zu seinen Lebzeiten die Idee der Nachfolge im apostolischen Amt grundlegte (vgl. bes. 295–310), versucht Hainz in seinem neuen Beitrag „Amt und Amtsvermittlung bei Paulus"[23] durch die spezielle Berufung auf die unmittelbaren Mitarbeiter des Apostels noch mehr zu präzisieren. Zwischen dem Apostel und seinen „Mitarbeitern" bestehe kein Unterschied hinsichtlich des gemeinsamen „Werkes"; der eine wie die anderen seien „Mitarbeiter (συνεργοί) Gottes". Wohl ergebe sich aber ein Unterschied „aus der zeitlichen und sachlichen Nach- und Zuordnung zum Apostel". Sodann sei zu unterscheiden „zwischen den Verkündern, die der Gemeinde gegenüberstehen und sozusagen ‚von außen' gegenübertreten, und jenen Diensten, die *in* der Gemeinde und ihren Versammlungen die erforderliche Aufbauarbeit leisten auf dem vom Apostel und seinen Mitarbeitern gelegten Fundament" (119). Unter den freilich verschieden zu bewertenden Beispielen von Sendungen eines Mitarbeiters gebe es wenigstens einen Fall – nämlich die Phil 2, 19–24 in Aussicht gestellte Sendung des Timoteus nach Philippi –, der zeige, daß Paulus Timoteus „wohl doch als Nachfolger" in Aussicht nahm (116f), „der zumindest gegenüber der Gemeinde in Philippi seine apostolische Verantwortung übernehmen sollte" (118). Wenn auch alle Fragen der Amtsvermittlung offenbleiben, sei doch kaum zu leugnen, daß die „wesentlichen Grundlagen" der späteren Entfaltung der kirchlichen Ämterordnung „sich im Ansatz schon bei Paulus finden" (120).

[23] In: *J. Hainz*, Kirche 109–122.

Die historische und theologische Relevanz dieser Hypothese liegt auf der Hand. Paulus selbst hätte im Sinne der Vorsorge, nämlich „für den Fall, daß er – vielleicht für immer – darin [d.i. an seinem eigenen baldigen Kommen] gehindert werden könnte“ – wenigstens exemplarisch das Prinzip der Nachfolge im apostolischen Amt prophylaktisch ausgesprochen und antizipiert. Die Frage ist nur, ob sich diese Hypothese auch hinreichend begründen läßt. Man darf gewiß bereits bezweifeln[24], ob sich aus Phil 2, 19–24 mehr als die Idee des ad hoc „mit der vollen Autorität“ des Apostels ausgestatteten „Stellvertreters“[25], nämlich in jetzt gerade zu regelnden Angelegenheiten herauslesen läßt: eben die Idee des erkorenen Nachfolgers des Apostels[26]. Daß Paulus der Gemeinde den Timoteus als möglichen oder sogar designierten Nachfolger vorstellen will bzw. – nach einer zur Generalisierung tendierenden Formulierung von Hainz – daß Paulus aus den Reihen der mit bedeutsamen Gesandtschaften betrauten Mitarbeiter „z.B. auch Timotheus als einen möglichen Nachfolger (wählt)“ (118), würde doch wohl erst dann glaubhaft, wenn sich die Existenz dieser Nachfolger-Idee für die Zeit nach dem Tod Pauli einigermaßen wahrscheinlich machen ließe. Wäre, wenn „den Mitarbeitern als Gesandten und Nachfolgern die Repräsentation des Apostels (obliegt)“[27], nicht zu erwarten, daß diese „Repräsentation“- und Nachfolge-Funktion schon bald nach dem Tod Pauli auch irgendwie in Erscheinung tritt und sich nicht erst – allerhöchstens – in den Past widerspiegelt? Daß die unmittelbaren Mitarbeiter geradezu allesamt ihrem Meister schon in Bälde in den Tod folgten, wäre eine Annahme, die doch sehr nach einer Verlegenheitsauskunft riecht. Die gegenteilige Behauptung, zur Zeit der Abfassung des Kol und Eph hätten Apostelschüler wie Timotheus und Titus noch gelebt und somit Briefe wie die beiden genannten unter ihrem eigenen Namen schreiben können, wäre freilich nicht weniger gewagt und willkürlich[28]. Es ist aber doch wohl nicht unbillig, anzunehmen, daß der eine oder andere seiner Mitarbeiter den Apostel überlebte. Dürfte man unter Voraussetzung der Nachfolger-Hypothese dann nicht erwarten, daß sich diese Mitarbeiter oder wenig-

[24] Vgl. auch *E. Ruckstuhl* über die Diskussion bei der Tagung der Kath. Neutestamentler deutscher Sprache in Luzern vom 15. bis 19. März 1971 in: Erbe und Auftrag 47 (1971) 245.

[25] *J. Gnilka,* Philipperbrief 160.

[26] So schon *E. Lohmeyer,* Philipper 118.

[27] Wofür *Hainz* außer Phil 2,19–24 auf S. 118 A. 14 nur noch vorsichtig 1 Kor 4,17 als Beleg anführt. Er hätte sich übrigens auch auf *H. Schlier* berufen können, der in 1 Kor 4,17 einen Hinweis auf die „faktische und bald auch formelle Sukzession“ im apostolischen Dienst erblickt: Ekklesiologie 170.

[28] Was den Kol betrifft, hält laut mündlicher Auskunft übrigens auch *E. Schweizer* es für möglich, wenn auch nicht gerade für wahrscheinlich, daß der verhinderte Apostel den Brief durch Timotheus verfassen ließ.

stens einer in Wahrnehmung übergeordneter apostolischer Aufgaben auch mit überlieferungswürdigen Briefen an paulinische Gemeinden gewandt hätte? Nehmen wir des weiteren an, zur Zeit der Abfassung der ältesten Deutero-Paulinen sei kein, jedenfalls kein namhafter Mitarbeiter des Apostels mehr am Leben gewesen. Müßte es nicht selbst in diesem Fall überraschen, daß statt eines Mitarbeiters Pauli pseudepigraphisch und auch primär die Autorität des Paulus (Kol; 2 Thess) bzw. die des Paulus allein (Eph) bemüht wurde, obwohl man in den Jahren und ersten Jahrzehnten nach dem Tod Pauli darum wußte, daß der Apostel nach seinem Hingang von Nachfolgern repräsentiert wird, deren Vollmachten und Rechte durchaus den seinen entsprechen? Hätte es m. a. W. der Nachfolger-Vorstellung wie dem größeren zeitlichen Abstand von Paulus nicht mehr entsprochen, unmittelbar und ausschließlich bekannte und anerkannte Mitarbeiter als fiktive Verfasser von Lehr- und Mahnbriefen zu beanspruchen? Schon gar nicht könnte davon die Rede sein, daß der Paulus der Apg einen oder mehrere Mitarbeiter als seine möglichen Nachfolger ins Auge fassen würde. Meines Wissens verfiel auch noch niemand auf die Idee, den Verfasser der Milet-Rede in den Presbytern von Ephesus engere Mitarbeiter des Apostels erblicken zu lassen. Und der auf die apostolische Generation zurückblickende Verfasser des Eph denkt offensichtlich auch nicht daran, unmißverständlich (die) Mitarbeiter des Apostels unterzubringen, weder in Verbindung mit der Fundament-Aussage[29] noch in seiner Aufzählung der der Kirche in Vergangenheit und Gegenwart vom erhöhten Christus geschenkten Dienste (4,11). Da Hainz betont, daß auch Pauli Mitarbeiter mit den Rechten und Vollmachten des Apostels den Gemeinden gegenüberstehen und der Mitarbeiter im Falle des Timotheus „nicht etwa die Gemeindeleitung übernehmen (soll), sondern als Nachfolger und Vertrauensmann des Apostels ... dessen Funktionen gegenüber der Gemeinde“ (117), wird man schließlich eine weitere Überlegung nicht als abwegig bezeichnen können. Wäre in diesem Fall nicht zu erwarten, daß die Entwicklung zu „Monepiskopoi“ statt über ortsgemeindliche Presbyter- und Episkopenkollegien über die Mitarbeiter verlief? Läge es m. a. W. nicht in der Konsequenz der genannten Hypothesen, daß, wenn schon nicht Timotheus allein den paulinischen Gemeinden gegenüber als apostolischer Nachfolger in Funktion trat, sondern alle oder einige Mitarbeiter zum Zug kamen, diese in den Jahren nach Pauli Tod die Rolle von überörtlichen Kirchenleitern im Sinne der späteren Regionalbischöfe spielten? Was sich an Indizien gewinnen läßt,

[29] Obwohl die in der Gemeinde vorhandenen Dienste nach *Hainz* die erforderliche Aufbauarbeit leisten „auf dem vom Apostel und seinen Mitarbeitern gelegten Fundament“: Amt aaO. 119.

spricht doch wohl eher gegen als für die Annahme, nach dem Tod Pauli habe die Vorstellung existiert, seine Mitarbeiter würden als Nachfolger wie der Apostel selbst den Gemeinden gegenüberstehen und sein Werk zu sichern haben.

2. Auf den ersten Blick mag es zunächst überraschen, daß Hainz im gleichen Band einen weiteren Beitrag veröffentlicht[30], der zur Prüfung der Frage, ob es dem NT zufolge, „eine Apostelnachfolge" gibt, „die ‚göttlichen Rechts' und daher unveränderlich ist" (91), von der Erwähnung von „Episkopen und Diakonen" in Phil 1,1 ausgeht. Denn bei diesen handelt es sich auch nach ihm ja nicht um Mitarbeiter im engeren Sinne (wie bei dem nach Philippi gesandten Timotheus), von denen es hieß, daß sie im Unterschied zu innergemeindlichen Diensten den Gemeinden sozusagen von außen gegenübertreten, sondern um innergemeindliche Funktionsträger. Dieses zusätzliche Bemühen unseres Autors erklärt sich aus der Absicht, die spätere Verknüpfung des Gedankens der apostolischen Amtsnachfolge mit der Episkopenbezeichnung möglichst in der Intention Pauli zu verankern. Nachdem Paulus in der Gemeinde von Philippi ja bereits die Existenz von „Episkopen und Diakonen" voraussetzt, kann Hainz diese nicht durch einen Apostelschüler, etwa durch Timotheus, bestellt sein lassen. Andererseits hatte er die Voraussetzung für diesen gegenüber der Mitarbeiter/Nachfolger-Hypothese neuen Ansatz schon in seinem Hauptwerk „Ekklesia" bereitgestellt. Denn daselbst ließ er auch den innergemeindlichen Funktionsträgern (als Mitarbeitern im weiteren Sinne) apostolische Vollmacht zukommen.

Eine sehr vorsichtige Abwägung der Möglichkeiten der Herkunft und Bedeutung der Phil 1,1 genannten „Episkopen und Diakone" bestätigt zunächst für Hainz die heute überwiegende Auffassung, es handle sich um „amtliche Bezeichnungen, Titel für Personen, die in der Gemeinde von Philippi verantwortliche Tätigkeiten wahrnehmen", die sich jedoch nicht näher bestimmen ließen, wenn auch der Literalsinn der Begriffe auf „Aufsicht" und „Dienstleistungen" verschiedener Art hindeute (107). Obwohl es zu weit ginge, das Bischofsamt als apostolische Einführung auszugeben, müsse doch „offen bleiben, daß auch Paulus dieses Amt, dem wir in Phil in seinen frühesten Anfängen begegnen, als eine notwendige Entwicklung akzeptiert hat und daß die späteren Bischöfe tatsächlich die Nachfolge der Apostel übernommen haben". Wenn auch „schwankend und ungesichert", existiere eben „doch eine Brücke zwischen Phil 1,1 und dem späteren Bischofs- und Diakonenamt" (107). Zweifellos hat Paulus die so gut wie sicher aus der Gemeinde selbst er-

[30] Die Anfänge des Bischofs- und Diakonenamtes, in: *J. Hainz*, Kirche 91–122.

wachsene Bestellung von Funktionsträgern und deren Bezeichnung als ἐπίσκοποι und διάκονοι akzeptiert. Deren Stellung im Eingangsgruß des Briefes zeigt übrigens auch nach Hainz, daß dieselben „der Gemeinde zugeordnet, keinesfalls aber vor- und übergeordnet sind" (102; vgl. 106f). Da die Verknüpfung von Episkopen und Diakonen keine religionsgeschichtliche Parallele hat, ist sodann die Annahme, daß zwischen den beiden Phil 1,1 genannten Funktionsträgern und den beiden gleichnamigen, sicher weiterentwickelten Ämter der Past eine entwicklungsgeschichtliche Beziehung besteht, gewiß höchst vernünftig[31] – so schwierig es sein mag, die hier vorauszusetzende Brücke zu rekonstruieren. Der kritische Punkt des von unserem Autor versuchten Brückenschlags ist doch wohl der Ausgangspfeiler, nämlich die Befürwortung der Möglichkeit, daß Paulus das erstmals Phil 1,1 begegnende Episkopenamt als eine „notwendige" Entwicklung akzeptiert hat. Wie soll diese Behauptung mit dem Umstand harmonieren, daß Paulus anderswo unter anderen Bezeichnungen eine Vielzahl von Charismen und Gemeindediensten nennt, ohne dabei je „Episkopen" und/oder „Diakone" zu erwähnen? Zur Erklärung dieses Umstands müßte man schon die Annahme wagen, Phil 1,1 stelle sozusagen die letzte, frühere Denominationen gewissermaßen überholende Äußerung Pauli über die erforderlichen Dienste in einer Gemeinde dar. Unterstellen wir einmal diesen günstigsten Fall. Dann hätten sich Timotheus bzw. die als Nachfolger vorausgesetzten Mitarbeiter des Apostels nach dessen Tod doch für die möglichst baldige und ausschließliche Verbreitung des Episkopen- und Diakoneninstituts in den paulinischen Gemeinden einsetzen müssen. Aber auch wenn auf die Mitarbeiter/Nachfolger-Hypothese verzichtet wird, steht die Erwägung einer „notwendigen" Entwicklung in Spannung zu dem unbestreitbaren Faktum, daß schon in den ersten beiden Jahrzehnten nach Pauli Tod das synagogale Presbyterinstitut in das paulinische Missionsgebiet eingedrungen sein muß und sich als reguläre Amtsstruktur durchsetzte. Gewiß, der Eph kennt keine Presbyter. Er spricht aber auch nicht von „Episkopen" und „Diakonen"[32]. Und das müßte als noch auffälliger gelten, wenn die Befürwortung der Möglichkeit Sinn haben soll, daß Paulus das Episkopenamt – konsequenterweise dann wohl auch das Diakonenamt – als eine „notwendige" Entwicklung akzeptiert hat. Obwohl sich Apg 20,28, evtl. auch 1 Petr 5,2[33] der Beginn der Verbindung des

[31] Wie u.a. *J. Gnilka* dargetan hat: Geistliches Amt und Gemeinde nach Paulus: Kairos NF 11 (1969) 101f.

[32] Es ist auch sehr zweifelhaft, ob man hinter der „Hirten"-Bezeichnung Eph 4,11 den Episkopen-Titel erblicken darf, weil der Begriff ἐπισκεπ- motivgeschichtlich in Verbindung mit dem Bild der Herde und des Weidens begegnet.

[33] Zu der höchst unsicheren LA ἐπισκοποῦντες s.u. Anm. 119.

Presbyter-Instituts mit dem des Episkopenkollegiums anzeigen wird, ist die Brücke zwischen Phil 1,1 und den die Nachfolge der Apostel übernehmenden späteren Bischöfen jedenfalls insofern höchst „schwankend und ungesichert", als die befürwortete Möglichkeit, daß Paulus das Phil 1,1 genannte Episkopenamt als eine „notwendige" Entwicklung akzeptiert hat, eher als unwahrscheinlich denn als nur ungesichert gelten muß.

Der ganze Versuch, die Apostolizität des Amtes und der apostolischen Amtssukzession auf die Partizipation der unmittelbaren (den Gemeinden vorgeordneten) und mittelbaren (innergemeindlichen) Mitarbeiter an der apostolischen Vollmacht zu gründen, beruht, wie ich fürchte, auf unhaltbar einseitigen Prämissen; nämlich auf der Auffassung, die Gemeindetheologie Pauli sei „*primär* eine Komponente seines Apostolatsverständnisses" (359) und dementsprechend seien die Voraussetzungen des paulinischen Amtsverständnisses „durchweg am Apostolat orientiert" (353)[34].

III

Demgegenüber ging ein gleich zu nennender anderer repräsentativer Versuch, der die paulinischen Aussagen über seinen Apostolat ebenfalls mit den Gemeindediensten in Verbindung bringt, mit vollem Recht von der Charismentheologie aus. Was diese betrifft, hat die Diskussion zu einem weitgehenden interkonfessionellen Konsens geführt. Soweit dieser unsere spezielle Fragestellung berührt, müssen die wesentlichen Punkte hier kurz genannt werden.

1. Besonders seit der schon erwähnten grundlegenden Untersuchung von H. Schürmann[35] sind sich auch mehr und mehr katholische Systematiker und Exegeten[36] mit ihren evangelischen Kollegen[37] darin einig geworden, daß die Charismentheologie als grundsätzlicher und adäquater Ausdruck des pau-

[34] Vgl. auch die Rezension von *N. Walter:* ThLZ 99 (1974) 761–763.

[35] Gnadengaben, besonders 238–261.

[36] Vgl. etwa *H. Küng,* Die Kirche (Ökum. Forsch. I), Freiburg 1967; *G. Hasenhüttl,* Charisma-Ordnungsprinzip der Kirche (Ökumen. Forsch. V), 1969; *K. Kertelge,* Gemeinde 103–108; *H. Merklein,* Amt 226; zuletzt vor allem *J. Herten,* Charisma, in: J. Hainz, Kirche 57–89: Weil die 1 Kor gegebene Antwort „bei aller Konkretheit sehr prinzipiell angelegt und in Richtung auf ein Paulus vorschwebendes, ideales Gemeindebild stilisiert war" (80), könne Paulus aus vordergründig paränetischem Interesse durch Konzentration und Fortentwicklung seiner Gedanken von 1 Kor 12 in Röm 12 „eine prinzipielle Gemeindeparänese, die seine Idealvorstellung einer christlichen Gemeinde umreißt", entwickeln (88).

[37] Vgl. zusammenfassend *U. Brockhaus,* Charisma, bes. 89 mit Literaturverweisen und zuletzt besonders nachdrücklich *S. Schulz,* Die Charismenlehre des Paulus, in: Rechtfertigung (Festschr. für E. Käsemann), Tübingen/Göttingen 1976, 443–454 bzw. 460.

linischen Gemeindekonzepts zu gelten hat. Es lassen sich keine ausreichenden Gründe geltend machen, die uns zur Annahme berechtigen würden, Paulus habe die Dienstleistungen, die auch außerhalb der Charismenlisten (1 Thess 5,12f z.B. die προιστάμενοι; 1 Kor 16,15; Röm 16,5; auch Gal 6,6: τῷ κατηχοῦντι) oder nur außerhalb dieser (Phil 1,1: ἐπίσκοποι καὶ διάκονοι) begegnen, nicht ebenso als dem Wirken des Geistes verdankte Lebensvollzüge verstanden, wie etwa die 1 Kor 12 genannten „Fähigkeiten zur Hilfe, zur Verwaltung", wie die διακονία und den προιστάμενος von Röm 12,7f[38]. Die prinzipielle Geltung des am Organismusgedanken Leib Christi orientierten charismatischen Gemeindemodells dürfte auch durch die Wirkungsgeschichte bestätigt werden. Obwohl der Pragmatismus der Realität offenbar zunehmend sein Recht forderte, erwies das charismatische Gemeindemodell eine beträchtliche Wirkkraft (s.u. zu Eph und 1 Petr).

2. „Paulus hat" – wie U. Brockhaus eine annähernd allgemein anerkannte Erkenntnis formuliert – „seine Charismenlehre weder unter anti- noch unter proamtlichem Aspekt entworfen ..."[39] Im Vorblick auf die nachpaulinische Entwicklung erlaubt dieser unbestreitbare Satz, wie heute ebenso ganz überwiegend zugestanden ist, eine zusätzliche Differenzierung. Das paulinische Gemeindemodell liefert in einem gewissen Sinn immerhin Voraussetzungen oder, vielleicht besser, Ansätze, von denen eine spätere zur Hervorhebung und Institutionalisierung besonders unentbehrlicher Charismen führende Tendenz ausgehen konnte. Unbeschadet der Einbeziehung beliebiger, auch recht bescheidener, zum Teil schwer klassifizierbarer Charismen (wie die διάκρισις πνευμάτων und ἑρμηνεία γλωσσῶν), kennt Paulus auch in den Charismenlisten mehr dauernde und personal gebundene Funktionen und will er wohl mit der übernommenen Trias zu Beginn von 1 Kor 12,28 offenbar die wichtigsten und tragenden Charismen nennen.[40] Zu diesen auf Dauer angelegten und durch ihre Personbezogenheit qualifizierten Charismen darf man außer den „Lehrern" wohl auch die „Propheten"[41] rechnen, wohl auch

[38] Obwohl Paulus die Gemeinden zur Anerkennung und sogar zur Unterordnung unter fürsorgende und irgendwie ordnende Gläubige aufrufen kann, tut er das „stets nur am Rande, speziell in abschließenden Grußworten", ohne jene auf eine von ihm übertragene Verantwortung oder Mitverantwortung anzusprechen; vgl. auch *U. Brockhaus,* Charisma 126f.236. Für den prinzipiell charismatischen Charakter aller Dienste sprechen auch die Umschreibungen des Charismabegriffs, die auf die einem jeden erfolgte Zuteilung abheben, z.B. 1 Kor 7,17; 12,11; Röm 12,3.

[39] Charisma 239; vgl. auch *H. Conzelmann,* Art. χάρισμα ThWNT IX, 396,11ff.

[40] Zur Erklärung der Reihenfolge und der numerischen Aufreihung vgl. *H. Merklein,* Amt 245f.

[41] Vgl. *W. Schrage:* „Weiter ist wohl als einigermaßen gesichert anzunehmen, daß es sich bei den Propheten wie bei den Lehrern um einen zwar nicht grundsätzlich, aber doch relativ geschlossenen Kreis von bestimmten Charismatikern gehandelt haben wird (vgl. 1 Kor 12,28f.10)": Die konkreten Einzelgebote in der paulinischen Paränese, Gütersloh 1961, 182.

den – gewiß nicht leicht zu definierenden – προιστάμενος von Röm 12,8 bzw. die προιστάμενοι von 1 Thess 5,12f und schließlich die „ἐπίσκοποι und διάκονοι“ von Phil 1,1, bei denen man ohnehin von institutionellen Titeln sprechen kann. Insofern kann man sagen, die charismatische Gemeindekonzeption sei für eine organisatorische Verfestigung „amtlicher“ Elemente wie Autorität, Dauer und Titel offen[42]. Das Neben-, In- und Durcheinander in den Aufreihungen erlaubt es andererseits aber nicht, in den Charismenlisten eine Rangfolge, eine statische Über- und Unterordnung von Funktionen, gar durchweg personal gebundener und erkennbar abgestufter Funktionen zu entdecken[43]. Es wäre sonst unverständlich, „daß Paulus jeweils die Gesamtgemeinde als verantwortliche Instanz anschreibt und daß er sich ausdrücklich bemüht, diese Gesamtgemeinde als insgesamt organisch zusammenwirkende Korporation, eben als ‚Leib des Herrn‘ auftreten zu lassen“[44]. Paulus mißt die Gnadengaben der einzelnen „an ihrer Funktionsfähigkeit innerhalb der Gemeinde“[45], d.h. daran, inwieweit die einzelnen Charismen und Charismatiker dem Kriterium der Erbauung des Leibes Christi (1 Kor 12,12–27) und der Liebe (1 Kor 13) – als der alle Charismen gleichermaßen korrigierenden und relativierenden Norm – entsprechen.

3. Gegenüber dem immer noch virulenten Versuch, Paulus zwischen „Amtsträgern“ und „Charismatikern“ unterscheiden zu lassen[46], hat sich auf katholischer Seite m.W. am deutlichsten zuerst H. Schürmann ausgesprochen und seitdem auch nachdrücklich bestätigt erhalten[47]: „Eine Unterscheidung von ‚charismatischen‘ und ‚nichtcharismatischen‘ Diensten ist für ihn [Paulus] nicht durchführbar; auch die mehr amtlichen Dienste sind charismatisch verstanden“[48].

[42] Wie zuletzt bes. *U. Brockhaus* (Charisma 237) und *H. Merklein* (Amt 281–287) unterstrichen.

[43] Vgl. die Einzelübersicht bei *U. Brockhaus* (Charisma 215f) und die besonders treffende Charakterisierung der Geistesgaben durch *H. Schürmann:* Gnadengaben 252.

[44] Dieser Umstand verdient auch im Blick auf die rechtlichen Voraussetzungen für eine Vereinsgemeinde Beachtung. Wie *P. Stuhlmacher* gut beobachtet, vermeidet es Paulus jedenfalls „auffälligerweise, in den von ihm gegründeten und betreuten Gemeinden ebenfalls die Bildung eines übergeordneten gemeindeleitenden Gremiums von Archonten“ vorzuschlagen: Evangelium 37.

[45] *F. Hahn,* Grundlagen 23.

[46] So auch *H. Schlier,* der bezüglich der letzten meint: „Sie sind nicht wie die Amtsträger das ordnende Element der Kirche, aber sie sind ihre belebenden Energien“: Ekklesiologie 171. Vgl. auch die nachfolgende Zusammenfassung ebd.: Der Heilige Geist bedient sich zur Erbauung der Kirche „des menschlichen Wortes und bestimmter Zeichen und eröffnet sich die Dienste des Amtes und der Charismen“.

[47] Z.B. von *K. Kertelge:* „Versteht man ‚Charisma‘ nach Paulus als christliche Wesensstruktur aller Lebensvollzüge innerhalb der Gemeinde, so ergibt sich von selbst, daß eine Aufteilung der Gemeinde in ‚Amt‘ und ‚Charisma‘ in dieser Konzeption nicht gefragt ist“: Gemeinde 109.

[48] Gnadengaben 246; auf diesen Beitrag wird im Folgenden mit den Seitenzahlen verwiesen.

IV

Von dieser Erkenntnis ausgehend, versuchte H. Schürmann, einen neuen Ansatz zur Lösung des neuralgischen Punktes der Ämterfrage zu gewinnen. Nachdem er das Gesamt der vielfältigen geistgewirkten Gnadengaben als „Teile eines Ordnungsgefüges“ aufgezeigt hat (247–251), hält er nach „Ordnungsprinzipien“ Ausschau, und zwar konsequent nach „pneumatischen“ Ordnungsprinzipien. Als solche werden ihm sichtbar: die (relative) Selbstregulation der geistigen Ordnung im Grundcharisma der Bruderliebe (261–263) und „dahinter und grundsätzlicher die apostolische Tradition und Leitung als Verleiblichung und Vergegenwärtigung des Pneumas“ (261.264–266), das ordnende und leitende Wort des Apostels, „der jene Tradition im Geist zur Wirksamkeit und in neuen Verhältnissen auslegend zur Anwendung bringt“ (264). Und Schürmann merkt beiläufig an: „Nicht das von evangelischen Theologen gesehene Selbstregulativ der geistlichen Ordnung als solches ist falsch, sondern nur die Absolutsetzung dieses Prinzips und seine Ausspielung gegen jede ordnende Amtsfunktion. Paulus denkt theologisch komplexer; er schaut diese mit hinein in das Ganze der sich selbst regulierenden pneumatischen Gnadengaben. Das moderne Entweder-Oder zwischen Amt und Charisma ist gänzlich unpaulinisch“ (263 A.149). Das bedeutet dann im Endeffekt: „Die Selbstidentität der nachapostolischen Kirche mit der der Apostelzeit verlangt, daß es auch in nachapostolischer Zeit im Heiligen Geist allezeit ein lebendiges Applikationsprinzip gibt, wie die apostolische Kirche ein solches in dem Charisma der Apostel hatte“ (265).

1. Mit Recht läßt Schürmann, in fundamentalem Unterschied zu J. Hainz, Paulus den Apostolat nicht als „Ursprung“ der gemeindlichen Funktionen und Ämter betrachten, da für ihn auch der Apostel in das pneumatische Ordnungsgefüge der Gnadengaben eingeordnet ist. Trotzdem hat der Apostolat auch für unseren Autor überragende Bedeutung. Denn er läßt denselben als das gewissermaßen alle anderen Gnadengaben zusammenfassende Charisma und insofern – auf der menschlichen Ebene – als ein den anderen Charismen übergeordnetes Ordnungsprinzip begreifen. Da Paulus in der 1 Kor 12,28 vorangestellten Trias „Apostel“ in seinem strikten Sinne verstehen dürfte[49], braucht nicht bezweifelt zu werden, daß er, für den sein Apostolat χάρις, gnadenhafte Berufung ist (Röm 1,5), diesen Apostolat zu den Charismen zählt, und zwar demselben vorrangige Bedeutung beimißt. Die Nichterwähnung von „Aposteln“ in Röm 12,6–8 wie auch in 1 Kor

[49] Im Unterschied zu dem Apostelbegriff, der für die vorpaulinische, wahrscheinlich aus Antiochia stammende Trias anzunehmen ist: vgl. *H. Merklein,* Amt 278.

14,26–30 braucht nicht dagegen zu sprechen. Sie läßt sich schon daraus erklären, daß Paulus hier jeweils die innerhalb einer Gemeinde vorhandenen und möglichen Gnadengaben im Auge hat. Zudem hat Schürmann sodann gut belegt, daß Paulus alle Gnadengaben auch selbst vorweisen kann und der Apostolat für ihn „nicht nur die erste [Gnadengabe] (ist), sondern der Inbegriff von allem, was *Sendung* und *Begabung* im Neuen Bund heißt“ (245f). Mit der Berufung auf das ordnende und leitende Wort des Apostels wird deshalb gewiß ein unanfechtbarer Ausgangspunkt in die Debatte geworfen. Und es wäre bedenklich, wenn man die Diskussion vorweg abschneiden wollte mit dem Argument, die Idee eines mit dem apostolischen Charisma gegebenen Ordnungsprinzips und dessen bleibender Geltung sei schon deshalb zur Bedeutungslosigkeit verurteilt, weil sich das paulinische Idealbild einer christlichen Gemeinde ja gar nicht durchsetzte, weil dasselbe – um eine Formulierung von J. Herten aufzugreifen – „in der Kirchengeschichte – von den Ausnahmen kleiner Gruppen und Basisgemeinden abgesehen – Theorie (blieb), erstarrt in immer wieder erneuerter bewundernder Verehrung“[50]. Abgesehen davon, daß die Entwicklung keineswegs abrupt verlief und jenes Idealbild in der zweiten Generation immerhin noch wirksam blieb, ist jedenfalls zunächst die Frage ernst zu nehmen, wie sich das Phänomen „charismatische Gemeinde“ in der Sicht des Apostels selbst darstellt.

2. „Pneumatische Ganzheit und Einheit, deren Lebensprinzip Christus ist, läßt sich besser beschwören als verwirklichen“[51]. Dieses Urteil eines Paulusinterpreten, der wahrhaftig Herz und Sinn für Botschaft und Wirken des Apostels hat, scheint eben auch dieser selbst im voraus bestätigen zu müssen. Wären die Korinther von sich aus, d.h. aufgrund des Geistes als „des organisierenden Prinzips der christlichen Gemeinde“[52] zur Beseitigung der vom Apostel gerügten Mißstände gekommen? Hätten sie z.B. im Falle des Blutschänders von sich aus die vom Apostel verfügte Folgerung gezogen? Wäre die Gemeinde oder auch irgendwie führende Gemeindeglieder aus eigener Initiative dazu gekommen, dem dortigen enthusiastischen Individualismus, jener die Einheit der Gemeinde gefährdenden Überschätzung der ekstatischen Glossolalie restringierend entgegenzutreten? Niemand wird diese Fragen mit gutem Gewissen bejahen wollen. Wenn man zugeben muß, daß Paulus sehr bestimmt mit Anordnungen und Entscheidungen, die „durchaus rechtlichen“[53] oder doch „mehr ‚rechtlichen‘“[54] Charakter haben, in die Ge-

[50] Charisma, in: *J. Hainz,* Kirche 89.
[51] *E. Käsemann,* Römer 327.
[52] *H. von Campenhausen,* Amt 22.
[53] *G. Bornkamm,* Paulus 189.
[54] *K. Kertelge,* Gemeinde 112.

meinden und ihre Ordnungsfragen eingreift, und zwar – soviel wir sehen können – ohne daß ihm diese Befugnis bestritten wird, ist gewiß mit Fug und Recht vom apostolischen Charisma als „Ordnungsprinzip“ die Rede.
Genau an diesem Punkt stellt sich die entscheidende, im Grunde alte Streitfrage. Wie ist das Eingreifen des Apostels näherhin zu bewerten? Geht Paulus von der prinzipiellen Suffizienz der charismatischen Begabung seiner Gemeinden aus, so daß er sein Eingreifen in die innere Ordnung einer Gemeinde als subsidiäre Akte versteht, durch die er den jungen, mehr oder weniger noch werdenden Gemeinden zu voller Funktionsfähigkeit verhelfen will? Oder geht es nach paulinischem Verständnis um ungleich mehr? Ist das apostolische Charisma für ihn nicht nur die selbstverständliche Voraussetzung seines fundamentlegenden, gemeindegründenden Wirkens, sondern auch im Hinblick auf die bestehenden Gemeinden ein konstitutives Ordnungsprinzip, so daß es dem charismatischen Ordnungsgefüge wesensgemäß ist, wenn es zum vollen Funktionieren der gemeindlichen Lebensvollzüge des Eingreifens des in gewissem Sinne vor- und übergeordneten Charismas des Apostels bedarf? Man darf sich die Entscheidung nicht leicht machen. Gerade auch an einem Punkt wie diesem müssen wir mit dem fragmentarischen und okkasionellen Charakter der Äußerungen des Apostels rechnen. Sodann lassen sich immerhin für jede der beiden Möglichkeiten Argumente ins Feld führen.
Es mag nicht unnütz sein, folgende Erwägung voranzustellen: Situationen, die das Entscheidungs- und Ordnungsvermögen einer Gemeinde zu überfordern scheinen und das Eingreifen des Apostels – ob nun in dem einen oder in dem anderen Sinne – erforderten, mag es nicht nur in Korinth gegeben haben. Nun entscheidet aber doch erst die Bewährung in kritischen Situationen über den Wert einer gesellschaftlichen Struktur, also auch im Falle der christlichen Gemeinde. Muß Paulus deshalb nicht selber zur Reflexion über die Tragfähigkeit des Leitbildes seiner Gemeinden gedrängt worden sein? Muß er sich nicht wenigstens angesichts der Möglichkeit seiner Verurteilung, eines vorzeitigen gewaltsamen Todes Gedanken gemacht haben, wer nach seinem Tod die von ihm wahrgenommene Funktion des Ordnungsprinzips zu übernehmen habe? In der Konsequenz der Hypothese von dem alle anderen, eben auch die kerygmatischen und kybernetischen Charismen umfassenden und regulierenden Charisma des Apostels läge eigentlich die Bestellung *eines* für die paulinischen Gemeinden Verantwortlichen, allenfalls noch die Beauftragung Einzelner, sei es je für einen bestimmten Bereich von Gemeinden, sei es gar für jede Ortsgemeinde. Diese Erwägung ist naturgemäß nur in dem Grad sinnvoll, als dieser Vorgang oder wenigstens die Realisierung einer diesbezüglichen Intention des Apostels auch nur mit

größerer oder geringerer Wahrscheinlichkeit aus der nachpaulinischen Entwicklung erschlossen werden kann. Das ist aber anerkanntermaßen nicht der Fall. Dazu kommt ein weiterer Aspekt. Insofern mit dem Festhalten des Apostels an der Naherwartung – nachweislich bis zum Römerbrief[55] – zu rechnen ist, muß zumindest offen bleiben, ob sich Paulus überhaupt je ernstlich zur Besinnung auf die nach seinem Tod bzw. nach der eventuell gewaltsamen Beendigung seines Wirkens fortdauernde Existenz seiner Gemeinden und deren Schicksal gedrängt sah. Daß sich Paulus selbst je zu dieser Reflexion und gar zu entsprechenden Konsequenzen veranlaßt sah, wird gerade auch von Schürmann nicht im geringsten behauptet, wie seine überaus vorsichtigen Formulierungen (s. u.) auch indirekt bestätigen.
Auch wenn wir den Gesichtspunkt der möglichen Sorge Pauli um seine ihn überlebenden Gemeinden außer Betracht lassen und den Apostel auf die Gegenwart und die nächste Zukunft blicken lassen, wird man zunächst auch Röm 12,4–8 nicht übersehen dürfen. Diese Verse sprechen sicher eher gegen als für die Annahme, Paulus habe die Möglichkeit des Einsatzes des apostolischen Charismas zur Sicherung der innergemeindlichen Ordnung als ein prinzipielles Erfordernis betrachtet; jedenfalls dann, wenn wir den Apostel nicht völlig gedankenlos der römischen Gemeinde das charismatische Gemeindekonzept zumuten lassen. Wer soll in eventuellen Notfällen dieser Gemeinde nach paulinischem Beispiel das apostolische Charisma, auch nur subsidiär, zum Einsatz bringen? Ganz abgesehen davon, daß Röm 12,6–8 der Apostolat nicht genannt wird, berechtigt nichts zur Annahme, Paulus habe zum Zeitpunkt der Abfassung des Briefes damit gerechnet, daß auch in Rom ein Apostel, wie er es ist, einspringen könnte. Auch wenn die lange Grußliste 16,3ff wahrscheinlich nicht zum Röm gehört, wäre die Vermutung, Paulus setze die Anwesenheit des Petrus voraus, nicht zu begründen. Und schon gar nicht hat er die Absicht, nach seiner Ankunft in Rom sich selbst als apostolischen Ordnungsfaktor zur Geltung zu bringen. Trotzdem setzt er für die römische Gemeinde die charismatische Struktur voraus, ohne etwa auch nur eines der genannten Charismen im geringsten als vorrangig erkennen zu lassen.
Blicken wir dann also auf die von ihm selbst gegründeten Gemeinden. Für einen monarchischen Episkopat – sagt man – sei „vermutlich schon deshalb kein Raum" gewesen, weil „die Gemeindeleitung im strengen Sinn der Apostel selbst beansprucht, wenn auch nur gelegentlich durch Besuche oder Briefe ausgeübt haben (wird)"[56]. Oder nach einer Formulierung von J. Ernst

[55] *A. Vögtle,* Röm 13,11–14 und die „Nah"-Erwartung, in: J. Friedrich u.a., Rechtfertigung (Anm. 37) 557–573.
[56] *J. Hainz,* Die Anfänge, in: Kirche 105.

war in der grundlegenden Epoche der apostolischen Zeit „kein Raum ... für eine gegliederte und aufgeteilte Verantwortung. Das Berufungs- und Sendungsbewußtsein des Paulus ließ keine gleichberechtigten Partner zu“. So habe es auch in der Gemeinde von Philippi neben der Autorität des Paulus „keine konkurrierenden Ämter“ gegeben[57]. Warum soll eigentlich zu Lebzeiten Pauli noch kein Raum für eine aufgeteilte Verantwortung gewesen sein? Ist das wirklich völlig evident? Der Apostel war doch sicher, wie in der Diskussion immer wieder mit Recht betont wird, an einem geordneten Leben seiner Gemeinden interessiert; und ein Minimum „de souci pratique“ darf man ihm doch auch zutrauen[58]. Insofern könnte man durchaus erwarten, daß er in seinen Gemeinden für die – doch als Normalfall vorauszusetzende – Zeit seiner Abwesenheit wenn nicht einen Einzelnen so doch ein kleineres Gremium mit gewissen Ordnungsvollmachten betraute und diese konsequenterweise dann in seinen Briefen auch auf ihre Verantwortlichkeiten anspricht. So sinnvoll diese Erwartung an sich ist, muß man ihr eben doch die schon unzählige Male ausgesprochene Beobachtung entgegenhalten, daß sich jener Schritt nicht belegen oder auch nur einigermaßen wahrscheinlich machen läßt – auch nicht mit Hilfe gewisser Stellen, an denen Paulus „am Rande“ um Achtung und Gehorsam gegenüber irgendwie fürsorgenden und ordnenden Gemeindegliedern wirbt (besonders 1 Kor 16,15f). Warum eigentlich dieser „negative“ Befund? Warum äußert sich Paulus, was das praktische Funktionieren der Gemeinden betrifft, mehr über das „principe d'animation“ als über die „organes des fonctionnements“ – wie auch Autoren[59] einräumen, die die Initiative des Apostels ja nicht unterschätzt haben wollen? Erklärt sich das eben nicht am ungezwungensten daraus, daß Paulus die Ermöglichung eines geordneten Gemeindelebens vom Zusammenwirken der Gnadengaben erwartet, deshalb die Adressaten „immer nur aufruft, den Geist durch den Glauben wirksam werden zu lassen und sein Wirken aufzunehmen ...“[60], jeweils die Gemeinde als Ganzes auf ihre Verantwortung hin anspricht?[61] Und ist es eben doch nicht zufällig, daß Paulus dort, wo er von

[57] Von der Ortsgemeinde, in: J. Hainz, Kirche 125f.

[58] *P. Grelot,* Sur l'origine des ministères dans les églises pauliniennes: Istina 16 (1971) 457-468.

[59] Vgl. *P. Grelot* aaO. 455.

[60] *L. Goppelt,* Die apostolische und nachapostolische Zeit (KIG, 1A), Göttingen ²1966, 135.

[61] Das wird eben auch von *J. Ernst* befürwortet, wenn er in Verbindung mit den oben zitierten Sätzen bezüglich der Gemeinde von Philippi und der paulinischen Anfangsgemeinden insgesamt erklärt: „Das eigentliche Kennzeichen ist die Spontaneität, die ihre einzige Begründung in der lebendigen Erfahrung des Heiligen Geistes hat. Paulus spricht von der ‚κοινωνία πνεύματος‘ (2,1), die Hand in Hand geht mit ‚Ermahnung in Christus‘, ‚Zuspruch aus Liebe‘, ‚Zuneigung und Erbarmen‘.“: Von der Ortsgemeinde, in: J. Hainz, Kirche 126.

den Verschiedenheiten der χαρίσματα = διακονίαι = ἐνεργήματα spricht, wohl von ein und demselben Geist, Herrn und Gott spricht (1 Kor 12,4–6), ohne bei solcher Gelegenheit aber etwa auf die regulierende Funktion seines apostolischen Charismas hinzuweisen?

Wenn dem so ist, bleibt freilich nicht weniger, ja, wenn man so will, erst recht die Frage bestehen, warum und wozu der Apostel dann in Einzelfällen mit seinem entscheidenden Wort eingreift. Daß er sich dazu ermächtigt sehen konnte, steht außer Zweifel. Er spricht ja unmißverständlich von seiner ἐξουσία als Apostel (vgl. 2 Kor 10,8; 13,1) und setzt die Erteilung von Weisungen als offenbar selbstverständliches apostolisches Recht voraus (z.B. 1 Kor 7,17; 16,1). Und wo die Gültigkeit seines Evangeliums auf dem Spiel steht, nimmt er seine apostolische Autorität unbedingt wahr (Gal 3–5; 2 Kor 10–13). Es ist völlig einleuchtend, daß Paulus als unmittelbar von Christus selbst berufener Apostel normativer Ausgangspunkt und Garant des Evangeliums ist und daß seine apostolische Vollmacht „auch Gemeindeordnung und Leitungsfunktion" umfaßt. Weil bei Paulus Evangelium und Apostolat in der Offenbarung Jesu Christi unauflöslich verkoppelt sind, „muß Paulus" – wie H. Merklein weiter argumentiert – „auch als *Apostel* absolute Autorität sein" und „tritt er als *Apostel* seiner Gemeinde in absoluter Autorität" gegenüber[62]. Trotzdem fragt es sich, ob damit schon alles gesagt ist. Gerade bei Paulus ist das Autoritätsproblem „neu und bis an die Grenze der Paradoxie reflektiert (1 Kor 9,13ff; 2 Kor 11,7ff)", was ihn die Blicke „von sich weg auf Christus wenden läßt"[63]. Er kennt doch den erhöhten Herrn und den Geist als höchste, ihm selbst wie allen Gläubigen übergeordnete Autoritäten. Im Hinblick auf das tadelnde und verordnende Eingreifen des Apostels in die Gemeindeordnung kann deshalb der entscheidende Gesichtspunkt nur der sein, wie er den Einsatz seiner apostolischen Autorität versteht. Versteht er denselben wirklich als einen Akt, der für die Struktur der charismatischen Gemeinde konstitutiv ist und insofern nicht einem strukturwidrig defizitären Verhalten der Gemeinde, besonders etwa der mit den Charismen der Verkündigung, Lehre und Leitung beschenkten Gemeindeglieder angelastet werden kann?

[62] Amt 293–302; vgl. noch zugespitzter S. 306: Im Verständnis Pauli werde „der Apostelbegriff – wie das Evangelium selbst – zur Norm jeden Charismas in der Kirche".

[63] „Da er den gekreuzigten Christus als die Rechtfertigung der Gottlosen predigt, kann die Autorität des Apostels gerade darin deutlich werden, daß er als der in Ohnmacht und Schwachheit Vollmächtige, als der im Leiden Erhaltene und als der unverdientermaßen Begnadete die Blicke von sich weg auf Christus wendet (2. Kor 12,9f.)": *P. Stuhlmacher,* Evangelium 34f.

3. Die Bejahung dieser Frage erscheint zumindest sehr riskant. Bezeichnend ist doch wohl schon der Gesichtspunkt einer gegenseitigen Kontrolle der Dienste (vgl. 1 Kor 14,20), einer Art Kontrolle durch die ganze Gemeinde (1 Thess 5,20f)[64]. Die seinerzeit besonders nachdrücklich von H. von Campenhausen vertretene Auffassung läßt sich m.E. nicht leicht abtun. Der Apostel sehe auch die Freiheit der Gemeinde, und diese „Freiheit ist immer schon da und verlangt Anerkennung"; denn die Gemeinde ist „unmittelbar Christus selbst unterstellt". Der Apostel „schafft nicht selbst die Norm, der dann ohne weiteres zu gehorchen wäre, sondern die Gemeinde derer, die den Geist haben, muß ihm vielmehr in Freiheit folgen, und auf diese Freiheit hin spricht er sie an"[65]. Obwohl Paulus aufgrund seiner einzigartigen Vollmacht als „berufener Apostel Jesu Christi" (1 Kor 1,1) eingreift, „ist er auf ‚sehenden', ‚verstehenden' Gehorsam aus und bleibt sein Ziel, trotz aller Enttäuschungen und Rückschläge, die er vor allem im Umgang mit den Korinthern hinnehmen muß, stets die Mündigkeit und Selbständigkeit der Gemeinde"[66]. Die Diskussion dieser Problematik hat besonders den 1 Kor zu berücksichtigen, der ja vor allem Beispiele für das Eingreifen des Apostels in Fragen der gemeindlichen Ordnung bietet[67]. Als Testfall figuriert vor allem der Ausschluß des Blutschänders 5,1ff, eine Stelle, bei der im einzelnen freilich „vieles dunkel und umstritten" bleibt[68]. Die Gemeinde muß durch den Geist selbst heilig gehalten werden. Aber wer hat in der Sicht Pauli als unmittelbares Organ des Geistes zu fungieren? Der vor und unabhängig von der Gemeinde entscheidende Apostel oder diese selbst? Zur Tragweite der vom Apostel in 1 Kor getroffenen Verordnungen und Entscheidungen, speziell der über den Ausschluß des Blutschänders, hat katholischerseits vor allem K. Kertelge Stellung bezogen. Paulus treffe in 1 Kor 5,1–5 in Sachen des Blutschänders eine Entscheidung, deren Übernahme durch die korinthische Gemeindeversammlung er erwartet. „Paulus nimmt hier das Urteil der Ge-

[64] So auch *A. Lemaire,* Les épîtres de Paul, in: J. Delorme, Ministère 68f.

[65] Amt 50f.

[66] *A. M. Ritter–G. Leich,* Wer ist die Kirche? Göttingen 1968, 32, mit weiterer Literatur.

[67] Der augenfälligste Beleg dafür, daß sich in der Auffassung des Paulus ein Prophet oder Geistbegabter seiner – in diesem Fall zugleich durch ein Gebot des Herrn begründeten – Entscheidung fügen muß, nämlich 1 Kor 14,37f, entfällt, weil es sich, wie zuletzt *G. Dautzenberg* endgültig nachgewiesen haben dürfte, um eine nachpaulinische Interpolation handelt (Tradition, paulinische Bearbeitung und Redaktion in 1 Kor 14, 26–40, in: Tradition und Gegenwart [Festschr. für E. Schering], Frankfurt a.M. 1974, 17–29).
Der interpolatorische Charakter des (absoluten) Schweigegebotes für die Frauen bestätigt nach Dautzenberg nicht nur, daß die in nachapostolischer Zeit noch wirkenden Pneumatiker und Propheten und Prophetinnen bereits irgendwie suspekt wurden, sondern auch, daß für Paulus selbst „der Geist ... die eigentliche Autorität der Gemeinde (war)": aaO. 27.

[68] *O. Kuss,* Paulus, Regensburg 1971, 126 A.1.

meinde vorweg, das schon längst in ihrer Mitte – wohl von ihren Propheten, durch die die Stimme des in der Gemeinde wirkenden Geistes zu Gehör kommt – hätte gefällt werden sollen. Er nimmt also zusammen mit der Gemeinde und auch schon im voraus zu ihr eine rechtliche Funktion wahr, die nicht in Gegensatz zum Charisma tritt, sondern dieses gerade in einem besonderen Fall konkretisiert und aktualisiert. Was Paulus in diesen Fällen und auch bei seinen Anordnungen zum Phänomen des Zungenredens (12–14) in Anspruch nimmt, ist nicht ein außerhalb des Charisma liegendes Disziplinarrecht, das man gelegentlich gerne in besonderer Weise der apostolischen Autorität auch schon des Paulus zuschreiben möchte, sondern es ist, wie gerade 1 Kor 5,4f deutlich zeigt, das ‚durch Charismatiker vermittelte eschatologische Gottesrecht', das Paulus hier subsidiär ausübt, wie überhaupt jede rechtliche Machtausübung in der Gemeinde subsidiären Charakter hat."[69] In der gleichen Richtung äußern sich unter anderen Autoren[70] auch F. Hahn[71] und G. Bornkamm: „Wohl kann Paulus in extremen Fällen die Gemeinde an ihre vom Geist gegebene disziplinarische Pflicht und Vollmacht – bis hin zum Ausschluß notorischer Frevler – erinnern (1 Kor 5,3ff) . . ."[72] Wenn man die korinthischen Verhältnisse nicht als Normalfall einer paulinischen Gemeinde anzusehen hat und diesen „Sonderfall" etwa dahin kennzeichnen will, daß der „Ablösungsprozeß", an dessen Ende die „Mündigkeit" der Gemeinde zu stehen hätte, hier noch nicht begonnen hat bzw. auf ein falsches Gleis zu geraten drohte[73], dürfte die Hypothese vom „subsidiären" Charakter des ordnenden und entscheidenden Eingreifens Pauli in die innere Ordnung einer Gemeinde der Wirklichkeit doch am nächsten kommen. Paulus würde in diesem Fall jeder Gemeinde die prinzipielle Fähigkeit, durch das Zusammenspiel ihrer charismatischen Begabungen auch mit auftretenden Schwierigkeiten fertig zu werden, zuschreiben und mit seinem eigenen Eingreifen auf dieses Ideal voller Funktionsfähigkeit hinwirken wollen[74].

[69] Gemeinde 113; vgl. auch S. 115: „Am ‚ordnenden Wort des Apostels' besteht kein Zweifel. Aber es ist nicht der absolute Ausdruck der Wahrnehmung des ‚pneumatischen Regulativs' in der Gemeinde; es absorbiert nicht die übrigen ‚Worte' der gegenseitigen Belehrung und Ermahnung (vgl. Röm 12,7f), sondern hilft diesen auf und aus".

[70] *A. Jaubert,* Les épîtres de Paul: Le fait communautaire, in: J. Delorme, Ministère 18f; *A. Lemaire,* Les épîtres de Paul: La diversité des ministères, ebd. 64. *J. Herten,* Charisma, in: *J. Hainz,* Kirche 80–90.

[71] Paulus könne „den Apostolat unter die Gemeindeämter einordnen, da es ihm auch sonst um die Selbständigkeit und Selbstverantwortung der Gemeinden geht": Das Amtsverständnis im Neuen Testament, in: Pfälzisches Pfarrerblatt 61 (1970) 3.

[72] Paulus 190.

[73] *J. Roloff,* Apostolat 134.

[74] Vgl. auch *E. Käsemann* zum Charismenabschnitt Röm 12: „Trotz aller sich schon meldenden Schwierigkeiten wird auf die einigende und leitende Macht des Geistes vertraut, aus der heraus auch der Apostel konkrete Anweisungen gibt": Römer 328.

4. Die unterschiedlichen Konsequenzen ergeben sich von selbst. Wird die eben genannte Subsidiaritätshypothese akzeptiert, so mag man zwar auch für die nachapostolische Zeit eine lebendige regulierende und applizierende Instanz, als die Paulus, wenigstens in „Notfällen“, in Funktion trat, als wünschenswert, ja als praktisch notwendig erachten. Von einer „prinzipiellen“ Notwendigkeit könnte in diesem Fall aber nicht die Rede sein. Anders, wenn Paulus den möglichen Einsatz seines apostolischen Charismas als ein für die Wahrung und eventuelle Wiederherstellung der inneren Ordnung einer Gemeinde konstitutives Ordnungsprinzip angesehen hätte, dessen Grenze erst „dort gegeben ist, wo die Ordnung nicht mehr aus dem geoffenbarten Evangelium deduziert werden kann“[75]. In diesem Fall wäre durch das paulinische Gemeindekonzept selbst die Stellung und Beantwortung der Frage gefordert, wer in der nachapostolischen Zeit anstelle des Apostels die dem apostolischen Charisma entsprechende Ordnungs- und Leitungsvollmacht ausüben soll. Insofern legt sich als nächster Schritt die Frage nahe, was die nachapostolische Entwicklung, so weit sie sich in unseren dürftigen Quellen widerspiegelt, in dieser Hinsicht zu erkennen gibt.
Wie von einem Autor vom Format Schürmanns nicht anders zu erwarten, läßt er es – im Gegensatz zu vielfach recht kurzschlüssigen Redeweisen von der weitergehenden Wahrnehmung der apostolischen Vollmacht – an jeder nur wünschenswerten Vorsicht nicht fehlen. So sehr ihm an der Idee liegt, „daß die nachapostolische Kirchenordnung“ – die ohnedies anders aussehen müsse als eine noch durch das allumfassende apostolische Charisma bestimmte (253) – „eine Entfaltung der apostolischen ist und nur zu akzentuierter Ausreifung bringt, was in dieser schon keimhaft grundgelegt war“ (265), wird die Existenz eines allzeitigen lebendigen Applikationsprinzips in der nachapostolischen Zeit ihm zufolge von „der Selbstidentität der nachapostolischen Kirche mit der der Apostelzeit verlangt“ (265). Er beruft sich also keineswegs kurzerhand auf die faktische nachapostolische Existenz eines dem apostolischen Charisma entsprechenden lebendigen Applikationsprinzips. Er statuiert vielmehr ein Postulat, dessen Voraussetzung übrigens bestens zu begründen ist. Von der zweiten Generation an kommt ja unbestreitbar mit zunehmender Nachdrücklichkeit die Überzeugung vom normativen Charakter des von den Aposteln verkündeten Evangeliums zur Geltung. Darüber hinaus gibt Schürmann unmißverständlich die Schwierigkeiten zu verstehen, vor die sich der Versuch des Nachweises der Realisierung jenes Postulates in der nachpaulinischen Generation gestellt sieht, wenn

[75] *H. Merklein,* Amt 303.

er im unmittelbar folgenden Satz die normative Geltung des neutestamentlichen Kanons in Rechnung stellt: „Und wer den Kanon der neutestamentlichen Schriften nicht antastet, wird als Exeget auch für die nachapostolische Kirche in apostolischer Nachfolge stehende, ordnende Ämter anerkennen müssen" (265).

Es sei versucht, die von unserem Autor aufgeworfene Problematik, deren Einzeldiskussion ohnedies das eigentliche Anliegen seines Beitrags[76] überschritten hätte, wenigstens für eine Teilstrecke des abzuschreitenden Weges aufzunehmen und zu beleuchten.[77]

V

Als nicht leicht zu überschätzendes Moment ist zuvörderst das Faktum paulinischer Pseudepigraphie zu beachten. Die umstrittene Frage, welcher Brief das erste und älteste Beispiel dieser Art ist, muß hier auf sich beruhen bleiben. Es genügt hier, von dem fast allgemein als deuteropaulinisch anerkannten

[76] Diesem geht es um die betonte Konsequenz, daß alle „Leitungsgewalt" der Kirche „immer eingebettet (bleibt) in ein umfassenderes pneumatisches Geschehen, durch das der Herr seine Kirche auf mannigfache Weise durch die verschiedenen Gaben und Anregungen selbst leitet (wie uns das die Überraschungen des II. Vatikanischen Konzils unvergeßlich vor Augen gestellt haben)": 266.265–267.

[77] Ein dem apostolischen Charisma entsprechendes Ordnungsprinzip für die paulinischen Gemeinden würde sinnvollerweise wenn schon nicht *einen* übergemeindlichen Funktionsträger so doch eine personal bestimmte und eindeutig abgrenzbare Gruppe von Funktionsträgern in den einzelnen Gemeinden erfordern. Die Voraussetzung für die Erfüllung dieser Forderung hätte schon zu Lebzeiten Pauli bestanden, wenn seine Gemeinden Presbyterkollegien gehabt hätten, was *H. Schürmann* zunächst für wahrscheinlich hielt (Testament 331). Inzwischen räumte auch er der Sache nach ein, daß die Existenz der presbyteralen Verfassung in den paulinischen Gemeinden nicht nur „weithin verborgen" bleibt (aaO. 331f A.120), sondern sich als solche noch nicht anzeigt. In seiner letzten Bearbeitung des Beitrags „Die geistlichen Gnadengaben" sagt er deshalb nur, in den „Leitungsdiensten" von 1 Kor 12,28, den „Vorstehenden" von Röm 12,8 und 1 Thess 5,12 sowie an Stellen wie 1 Kor 16,15f; Röm 16,5; Phil 1,1 gebe „sich so etwas wie eine ‚Prästruktur' des Presbyteramtes zu erkennen" (Gnadengaben 258 A.123). Gegenüber *H. Merklein,* der im Interesse einer möglichst geradlinigen Entwicklung die ποιμένες von Eph 4,11 als Wechselbezeichnung für ἐπίσκοποι, d.i. „für die leitenden (und lehrenden) Männer in der Gemeinde" erklärt und die Stunde der Presbyter erst um die Jahrhundertwende gekommen sieht, als nämlich die im kleinasiatischen Raum verbreitete „Episkopen"-Verfassung von der „Presbyter"-Verfassung überlagert worden sei (Amt 385f), wird *Schürmann* sicher mehr Zustimmung erhalten, insofern er das in einem wohl fließenden Übergang erfolgende Eindringen des Preybyterinstituts in Gemeinden des paulinischen Missionsbereichs näher an Paulus heranrückt. Apg 20; 1 Petr 5 und 1 Clem (Korinth!) fordern nun einmal den Schluß, daß sich das Presbyterinstitut schon im Laufe der ersten nachpaulinischen Generation durchsetzte.

Eph auszugehen[78], der für das Ende der ersten nachpaulinischen Generation eine auffallend eigenständige Entwicklung ekklesialer Funktionen bezeugt, deshalb aber gewiß nicht weniger Interesse beanspruchen darf. Nach nächstliegender Annahme war sein Verfasser selbst einer der Lehrer, deren Existenz er nach 4,11 in den Gemeinden voraussetzt. Unbestreitbar statuiert und praktiziert er das Prinzip der Kontinuität und der Sukzession in der Verkündigung und Auslegung der apostolischen Lehre. Man kann H. Merklein sehr wohl beipflichten: bestes Beispiel dafür, daß die Ämter der nachapostolischen Gegenwart wie die Kirche als solche auf die Norm des Apostolischen verwiesen sind, sei „der Verfasser des Eph, der – selbst ein Lehrer (und Hirte?) – seine Lehre als ‚apostolische' Lehre ausweisen muß, was er durch Pseudonymität bewerkstelligt" (395; vgl. auch 355.397). Daraus wird aber schwerlich die richtige Folgerung gezogen, wenn darüber hinaus behauptet wird, die Pseudonymität sei ihrerseits „Zeichen für den amtlichen Charakter und Anspruch, mit dem der Verfasser als Verkünder auftritt" (231). Oder sogar – wie Merklein in seinem abschließenden „Ausblick" sagt –: Die Ansicht, „daß das Lehramt (konkret die Bischöfe) in der Nachfolge der Apostel stehe, wird hinsichtlich ihres theologischen Gehaltes durch zwei Beobachtungen dieser Untersuchung gestützt. Einmal zeigt die Pseudonymität des Eph, daß das je gegenwärtige Lehramt in der Verkündigung des apostolischen Evangeliums mit apostolischer Autorität aufzutreten berechtigt ist. Zum anderen konnte als Motiv und Kriterium der institutionellen Ausprägung des nachapostolischen Amtes die Norm des Apostolischen ausgewiesen werden" (400).

Was das erste Argument betrifft, belegt die Pseudonymität des Eph wohl die Überzeugung, daß jedes lehrende und ordnende Wort in der nachapostolischen Zeit am apostolischen Evangelium ausgerichtet sein muß. Daß die 4,11 genannten Lehrer darüber hinaus „mit apostolischer Autorität" aufzutreten berechtigt sind, belegt die Pseudonymität gerade nicht. Der Verfasser verbirgt sich nun einmal völlig hinter der Person und Autorität des Apostels Paulus.[79] Und das bedeutet doch wohl: Seine Position als Lehrer ist offenbar nicht so qualifiziert, daß er es wagt, aufgrund seiner Amtsstellung oder auch mit Berufung auf eine Mehrzahl solcher Lehrer (und Hirten) wie Paulus selbst

[78] Zu einem guten Stück gewinnt die Kontroverse um die Verfasserschaft des Eph ihren Impuls aus der im Hintergrund aufscheinenden theologischen Sachproblematik („Frühkatholizismus"). Darauf verwies jüngst treffend *H.-J. Klauck* (Das Amt in der Kirche nach Eph 4,1–16: Wissenschaft und Weisheit 36 [1973] 81–110), der selbst auch zum zwingenden Schluß kommt, daß der Eph nicht von Paulus selbst stammt (84–86).

[79] Das betonte Interesse an der Autorität des Apostels dürfte der Verfasser in der Tat auch damit verraten, daß er entgegen seiner Vorlage (Kol 1,1) Timotheus nicht in sein Präskript aufnimmt: *H. Merklein,* Amt 334.

das Christusgeheimnis auf die Gegenwart hin zu verkünden und auszulegen. Das hätte er doch eigentlich tun können, ja müssen, wenn er das Bewußtsein gehabt hätte, „in der Verkündigung des Evangeliums mit apostolischer Autorität" auftreten zu können. So sehr gerade auch im Hinblick auf ein schon in der altbiblischen Welt verbreitetes und im Urchristentum weiterwirkendes Wahrheitsverständnis[80] die Verwendung der Pseudepigraphie, in diesem Fall die fiktive Beanspruchung des Apostels Paulus, als gut begreiflich gelten kann, darf man diesen Umstand doch nicht zu einer baren Selbstverständlichkeit herunterspielen, als ob es ebensogut möglich gewesen wäre, daß sich gegen Ende der ersten nachpaulinischen Generation ein kirchlicher Amtsträger oder auch eine Gruppe solcher unter eigenem Namen mit einem Lehrschreiben an eine Gemeinde bzw. an Gemeinden gewandt hätte.

VI

Wenden wir uns sodann den einschlägigen Aussagen des Eph selbst zu.
Wie unter anderen neueren Autoren[81] besonders H.-J. Klauck[82] und J. Herten[83] herausgestellt haben, wurden im Eph „wenigstens äußerlich Rahmen, Idee und Intention des von Paulus entworfenen Modells beibehalten..."[84]. Statt der restriktiven Interpretation von 4,7 („Einem jeden von uns")[85] befürworten sie mit guten Gründen die Auslegung, daß der Verfasser mit diesem Vers zwar auch schon auf die in V. 11 hervorgehobenen Dienste vorausblickt, jedoch nicht nur diese, sondern die Gläubigen insgesamt im Auge hat[86]. Nachdem er die Einheit der Kirche betont und theologisch begründet hat, liegt ihm daran, daß diese Einheit zugleich in der Vielgestalt individueller Aktivitäten zum Ausdruck kommen müsse; „jeder einzelne Teil" des Leibes kann und soll nach dem ihm geschenkten „Maß" zum Wachstum des Leibes Christi beitragen (4,16). Die hauptsächlichsten Unterschiede zu den paulinischen Charismenlisten sind auf den ersten Blick ersichtlich. Die in 3,5

[80] Nämlich das „sehr schlicht gedachte Argument", daß alle relevante Wahrheit „schon am Anfang in ihrem ganzen Umfang" mitgeteilt wurde und in ihrem integren Bestand zu überliefern ist: *N. Brox,* Falsche Verfasserangaben zur Erklärung der frühchristlichen Pseudepigraphie (SBS 79), Stuttgart 1975, 118f.

[81] Z.B. *J. Gnilka,* Epheserbrief 205–214, und *J. Ernst,* Philipper 350–356.

[82] Vgl. den o. Anm. 78 zitierten Aufsatz.

[83] Charisma, in: *J. Hainz,* Kirche 84f.

[84] *J. Herten* aaO. 85.

[85] So z.B. *H. Schlier,* Der Brief an die Epheser, Düsseldorf 1975, 191; *H. Merklein,* Amt 61f.

[86] Vgl. auch *F. Hahn* in seiner nachträglich erschienenen gründlichen Rezension von H. Merkleins Band: ThR 41 (1976) 17.

als Offenbarungsempfänger gekennzeichneten „Apostel und Propheten" werden zugleich als Fundament der Kirche bezeichnet (2,20). Sie sind also, wie auch fast allgemein anerkannt wird, als Größen der Vergangenheit verstanden, auf die der Verfasser zurückblickt. Außer ihnen werden in 4,11 sodann als Gnadengaben Christi nicht mehr beliebig viele, sondern nur drei ausdrücklich genannt, nämlich die allem Anschein nach an bestimmte Personen gebundenen Dienste der Evangelisten, der Hirten und Lehrer. Diese werden gewiß mit Recht auf aktuelle, in der Gegenwart existente und tätige Größen gedeutet. Da die unter einen Artikel zusammengefaßten, also eng zusammengehörenden „Hirten und Lehrer"[87] für die Einzelgemeinden zu reklamieren sind, kommt ihnen im besonderen die Aufgabe zu, die Gläubigen für eine je eigenverantwortliche „Dienstleistung zum Aufbau des Leibes Christi" instandzusetzen und sie vor Unsicherheit, Irrtum und Verderbnis zu bewahren (4,12–14). Dem ekklesialen Engagement und der Verantwortlichkeit aller Gemeindeglieder entspricht auch, daß sich die Ermahnungen an die Gesamtheit richten (4,1–3.25–5,2; 5,21; 6,10). Insofern „die Hirten und Lehrer" als durch besondere Autorität und Verantwortung ausgezeichnete Charismenträger den übrigen Gemeindegliedern gegenüberstehen, wird man trotzdem mit J. Ernst sagen können, nach dem Eph überlasse die Kirche „die ihr gemäßen Funktionen nicht dem freien Charisma..."[88].

1. Für den unter dem Namen des Paulus schreibenden Verfasser des Eph steht, wie zutreffend beobachtet wurde, „die Gestalt des Paulus repräsentativ für ‚die Apostel und Propheten' der ersten Generation"[89]. Trotzdem wird im Hinblick auf unsere Fragestellung nicht völlig ignoriert werden dürfen, daß neben den Aposteln auch die christlichen Propheten das Fundament der Kirche bilden, so daß vom Standpunkt des Eph eigentlich von der „apostolisch-prophetischen" Kirche zu reden wäre[90]. Die Bedeutung der Miterwähnung der Propheten läßt sich gewiß durch die Erwägung abschwächen, die Apostel seien „direkte", die Propheten hingegen nur „mittelbare", „pneumatische" Offenbarungsempfänger; deshalb könnten „Apostel und Propheten als eschatologische Offenbarungsempfänger (Traditionsnorm) nebeneinandergestellt werden, ohne daß der absolute Charakter des Apostolischen in Frage gestellt wird"[91]. Trotzdem bleibt der Eindruck bestehen, daß der Ver-

[87] Beide Bezeichnungen wirken bereits technisch, sind aber wohl „in diesem Stadium noch keine ausgesprochenen Amtstitel, sondern Funktionsbezeichnungen": *H. Merklein,* Amt 378.

[88] Von der Ortsgemeinde, in: J. Hainz, Kirche 130.

[89] *K. Kertelge,* Gemeinde 132f.

[90] Wie auch *H. Merklein* einräumt: Amt 361.

[91] *H. Merklein,* Amt 385f.

fasser hinsichtlich der Fundamentfunktion nicht an einem exklusiven Privileg der Apostel interessiert ist. Bedeutsam ist zum zweiten jedenfalls, daß „die Apostel und Propheten" als Offenbarungsempfänger der Vergangenheit, dem Anfang der Kirche zugehören[92] und als solche „im Gegensatz zu anderen kirchlichen Institutionen – das Merkmal der Einmaligkeit und Unwiederholbarkeit" bekommen[93]. Das Bild vom Fundament ist sichtlich anders ausgerichtet als etwa bei der Kirchenbauverheißung Mt 16,18(19). Während diese auf eine besondere Qualifikation des Fundaments als „Fels" abhebt, der den unerschütterlichen Bestand des Baus zu sichern vermag, ist das hier und 1 Kor 3,11 gebrauchte θεμέλιος einfach „der Baugrund, nicht der felsige, sondern der aus vier zusammenhängenden Mauerzügen bestehende, auf denen das übrige Gebäude aufruht". Die fundamentale Funktion „der Apostel und Propheten"[94] ist deshalb dahin zu präzisieren, daß diese als einstige Offenbarungsempfänger ein für allemal „dem Bau Richtung und Gestalt gegeben haben"[95]. Daraus darf man selbstverständlich als Auffassung des Verfassers erschließen, daß alle Späteren, die zum Bau der Kirche beizutragen haben, alle Gläubigen und die 4,11 genannten drei aktuellen Dienste „Evangelisten, Hirten und Lehrer" im besonderen sich nach der fundamentalen, normierenden Christusverkündigung der Apostel und der Propheten zu richten haben. Aber auch nicht mehr! Der Gedanke einer Übertragung dieser Fundamentfunktion auf Nachfolgende liegt keinesfalls in der Konsequenz des hier verwendeten Bildes. Wollte man trotzdem von einer der fundamentalen Funktion „der Apostel (und Propheten)" entsprechenden Instanz, vom „Lehramt der Gegenwart" als „Fortsetzung der apostolischen Autorität" sprechen[96], würde sich diese Instanz, diese „apostolische Autorität" nach 4,11 übrigens auf zwei Gruppen aufteilen: auf „Evangelisten" = missionierende Wanderprediger einerseits und auf die den Ortsgemeinden zuzuordnenden „Hirten und Lehrer" andererseits. Diese Konsequenz ist vorweg zu bedenken gegenüber einer gleich zu nennenden Tendenz, im Endeffekt nur „die Hirten und Lehrer" als Repräsentanten des mit apostolischer Autorität ausgestatteten kirchlichen (Lehr- und Leitungs-)Amtes zu beanspruchen (s. u. 4).

[92] Nach *J. Ernst* sind – im Unterschied zu den Aposteln – die Propheten „keine Größen der Vergangenheit": Philipper 323.

[93] Wie auch *H. Merklein* unmißverständlich feststellt: Amt 350.

[94] Christus selbst wird durch ἀκρογωνιαῖος wohl nicht als „Eckstein", „Grundstein", sondern als „Schlußstein" bezeichnet; vgl. etwa *J. Gnilka,* Epheser 158; zuletzt auch *F. Hahn* aaO. (Anm. 86) und *H. Conzelmann,* Der Brief an die Epheser (NTD 8), Göttingen [14]1976, 101.

[95] *J. Gnilka,* Epheser 156.

[96] *H. Merklein,* Amt 395.

2. Soweit sich dem Eph eine Reflexion und direkte Aussage zur Legitimation der ekklesialen Dienste der nachpaulinischen Zeit abgewinnen läßt, zielt diese eindeutig auf die Christusunmittelbarkeit aller Funktionsträger. Durch seine christologische Interpretation eines Psalmtextes hat der Verfasser zunächst die Vollmacht Christi, seiner Gemeinde Geschenke zu geben, abgesichert (4,7ff), um dann in 4,11 die für ihn wichtigsten Gaben ausdrücklich zu nennen: „Und eben dieser gab die einen als Apostel..." Sowohl die gegenüber 1 Kor 3,10f neue Sehweise, der zufolge das Bild vom Baugrund auf die Apostel und Propheten als Offenbarungsempfänger angewandt wird, als auch die Inanspruchnahme paulinischer Verfasserschaft machen es voll begreiflich, daß er hier auch jene fundamentalen und fundamental bleibenden Größen der Vergangenheit nennt, und das natürlich an erster Stelle. Sein Hauptinteresse gilt in diesem Zusammenhang aber fraglos der Gegenwart: daß nämlich der erhöhte Herr auch für die nachapostolische Zeit die notwendigen Dienste erweckt. Und das bedeutet eben: In bezug auf Herkunft und Legitimität sieht der Verfasser die „offiziellen" Charismenträger der Gegenwart – wie übrigens auch alle je mit einem Charisma beschenkten Einzelchristen – auf gleicher Stufe mit den Aposteln und Propheten: als „die Gabe des Erhöhten, durch die er selbst Einheit und Aufbau der Kirche gewährleistet"[97]. Und dies doch offenbar deshalb, weil er von der paulinischen Charismentheologie (vgl. 1 Kor 12,28) inspiriert ist. Von daher brauchte sich die Frage einer zusätzlichen „Legitimierung" der gegenwärtigen Funktionsträger durch den (die) Apostel bzw. durch „die Apostel und Propheten" dem Verfasser des Eph überhaupt nicht zu stellen.[98]

3. Erlaubt uns der Eph, hinsichtlich der Legitimationsfrage noch einen Schritt weiterzugehen? Es bedarf ja vor allem einer Erklärung, warum trotz der Betonung des ekklesialen Engagements jedes einzelnen nur zwei innergemeindliche „Charismen" genannt werden, was doch eine ungleich stärkere Schrumpfung der Charismenliste darstellt, als sich in Röm 12 gegenüber 1 Kor beobachten läßt. Ohne hier auf die Details des imponierenden Erklärungsmodells von H. Merklein eingehen zu können, müssen hier doch seine Spitzenergebnisse zur Sprache kommen: In der nachapostolischen Zeit haben die Gemeinden den Normbegriff des Apostolischen geschaffen und aufgrund dieses objektiven Maßstabes bestimmten, nämlich durch das Charisma der

[97] *H. Merklein,* Amt 229.

[98] Unverständlich ist mir die Schlußfolgerung von *S. Schulz:* „Im Gegensatz zum allgemeinen Priestertum aller Gläubigen, wie es Paulus vertritt ..., wird im Epheserbrief das Charisma bereits bestimmten Ämtern zugeordnet, muß also von der *apostolischen* Amtsgnade gesprochen werden": Mitte 96f.

Lehre und Leitung besonders ausgezeichneten Gemeindegliedern die Prärogative autoritativer Überordnung zuerkannt. „Je mehr ... an die Stelle des Apostels der Begriff des Apostolischen trat (nachapostolische Zeit), um so mehr verlagert sich das Gewicht der Autorität von der persönlichen Begabung auf die kirchliche Anerkennung. Das Charisma bekommt immer stärkere Tendenzen, sich zu institutionalisieren" – nämlich in „Hirten und Lehrern", wobei die „gleichsam offiziell in der Leitungsfunktion anerkannte Lehrfunktion das Übergewicht über die reine Lehrfunktion (bekam)" (380f). Die genannte Anerkennung bestimmter Charismatiker ist zumindest für die erste Zeit als faktische, nicht schon als „ausdrückliche Einsetzung seitens der Gemeinde" zu denken. „Die führenden Leute wuchsen automatisch in diese Stellung hinein" (381). Dieses „im kirchlichen Bewußtsein existierende Modell eines Hirten und Lehrers" berechtigte immerhin dazu, „von einer latenten oder ideellen Institution zu sprechen, da Hirt und Lehrer zu sein nur innerhalb dieses Bewußtseinsmodells möglich war" (381). Auch dem Umstand, „daß die kirchliche Institution – wenigstens nach katholischer Auffassung – sich auf göttliche Anweisung zurückführen lassen muß, nach der Sprache des Kirchenrechts also juris divini sein muß", komme der Eph entgegen. Da die „kirchliche Institution" der Hirten und Lehrer in Eph 4,11 auf den erhöhten Christus zurückgeführt wird, „bahnt sich zumindest das Bewußtsein göttlicher Anweisung oder eines Iuris-divini-Charakters des Amtes an" (382). Zur Begründung dieses Charakters macht Merklein vor allem einen zwischen 1 Kor 12,28 und Eph 4,11 bestehenden Unterschied geltend. 1 Kor 12,28 handle es sich kaum um „ein grundsätzliches Urteil", sondern „eher um ein pragmatisches Urteil, in dem die konkret vorhandenen Funktionen in der Kirche auf Gottes Wirken zurückgeführt werden. Hier ist die Aussage von Eph 4,11 doch etwas anderes, sie hat tatsächlich grundsätzlich-dogmatischen Charakter". Die Zurückführung der als „kirchliche ‚Urinstitution'" verstandenen Apostel und Propheten auf Christus sei ein „grundsätzliches Urteil". „In dieselbe Grundsätzlichkeit werden dann auch die zur Zeit des Eph aktuellen Ämter, Hirten und Lehrer, einbezogen, so daß es tatsächlich so aussieht, als würden Hirten und Lehrer auf eine Einrichtung Christi zurückgehen, die es immer schon gegeben hat und die es in der Kirche immer geben muß. Das deckt sich mit dem Ergebnis unserer Exegese, welches von dem für die Kirche konstitutiven Charakter der 4,11 genannten Ämter sprach" (381f).

4. Wesentliche Punkte dieses Entwurfs verdienen m.E. volle Zustimmung. So vor allem die von Merklein oft betonte Grundthese, daß „Amt" Folge und Funktion des zu tradierenden Evangeliums ist und im besonderen die Funktionen der Verkündigung und Leitung als für die Kirche konstitutiv gelten

müssen. Es ist auch nicht zuviel gesagt mit dem Satz, die im Eph sich anbahnende Institutionalisierung sei „im Grunde nichts anderes als die Festlegung der als ekklesiologisch bedeutsam erkannten Charismen auf die Grenzen des Evangeliums und der Tradition" (383). So schwierig es sein mag, das Verhältnis der unter *einem* Artikel zusammengefaßten „Hirten und Lehrer" exakt zu klären[99], werden zum Hervortreten und zur sich anbahnenden Institutionalisierung dieser beiden Gruppen von innergemeindlichen Funktionsträgern vor allem die von Merklein genannten Momente zusammengewirkt haben: die für das Funktionieren und den Fortbestand der Gemeinde schlechthinige Notwendigkeit von Lehre und Leitung, die besondere Begabung und Bewährung gewisser Männer hinsichtlich dieser Gnadengaben und schließlich deren faktische Anerkennung seitens der Gemeinde.

Da „der Universalismus in zeitlicher und räumlicher Erstreckung" als hervorstechendes Merkmal der Kirche des Eph gelten kann[100], bezweifle ich auch nicht, daß es die von Christus geschenkten drei aktuellen Dienste nach Auffassung des Verfassers des Eph geben wird oder sogar muß, solange die Kirche existiert. Mehr besagt aber doch die Behauptung „einer dogmatischen Rückführung der amtlich strukturierten Kirche auf Christus", die – wie unser Autor bezeichnenderweise einschränkend formuliert – „mit Gewißheit für das Hirten- und Lehramt (Episkopen bzw. Presbyter)" gelte (400). Seine zum Iuris-divini-Charakter des kirchlichen Hirten- und Lehramtes führende Argumentation scheint den Eph ungebührlich theologisch zu überfrachten. Da der Verfasser ausgerechnet in 4,11 die Apostel und die Propheten nicht unter einem Artikel zusammenfaßt, sondern durch τοὺς μέν – τοὺς δέ separiert, ist bereits höchst zweifelhaft, ob er hier die beiden Größen als institutionelle Einheit, als „kirchliche ‚Urinstitution'" verstehen lassen und schon damit auf den institutionellen kirchenamtlichen Charakter „der Evangelisten, der Hirten und Lehrer" bzw. – wie Merklein in den oben aus S. 381f zitierten Sätzen lieber einschränkend formuliert – der „Hirten und Lehrer" abheben will. Wenn der Eph als „Funktion und Konsequenz des Evangeliums und seiner Tradition" die nachapostolische Konzeption „der ‚kirchlichen Institution Apostel'" bezeugen soll und man dieser „kirchlichen Festlegung, wie wir ihr in Eph begegnen, den Charakter ‚göttlichen Rechts' zugestehen müssen (wird)" (349), müßte der Verfasser an der für Merkleins Beweisführung ent-

[99] Die im Verlauf seiner Arbeit mehr und mehr Bestimmtheit gewinnende Vermutung, das Charisma der Lehre habe sich – eben als unmittelbare Konsequenz des zu tradierenden, auszulegenden und anzuwendenden Evangeliums – in erster Linie zur umfassenderen Funktion der Gemeindeleitung qualifiziert, weshalb die Hirten vor den Lehrern genannt würden (363–368.381), ist zumindest in sich einleuchtend.

[100] *J. Ernst,* Von der Ortsgemeinde, in: J. Hainz, Kirche 127.

scheidenden Stelle 4,11 auf die Propheten verzichten oder zumindest Apostel und Propheten unter einem Titel zusammenfassen. Da er weder das eine noch das andere tut, bliebe doch wohl nur der zweifelhafte Ausweg, er denke bei den Propheten von 4,11 im Gegensatz zu den beiden früheren Stellen nicht an Offenbarungsempfänger der Vergangenheit, die zusammen mit den Aposteln das Fundament der Kirche darstellen, sondern an gegenwärtig wirksame Propheten.
Sodann erlaubt das vom Verfasser des Eph gebrauchte Verbum berechtigten Zweifel, ob Eph 4,11 der Sache nach „grundsätzlicher", „dogmatischer" gemeint ist als 1 Kor 12,28: „Gott hat in der Gemeinde eingesetzt die einen..." Statt des 1 Kor 12,28 begegnenden ἔθετο, das an sich eher das Moment des Festlegens, des Institutionalisierens bestimmter Funktionen und Funktionsträger beinhalten kann, verwendet er ἔδωκεν (4,11), womit das den Ausgangsvers 4,7 einleitende ἑνὶ δὲ ἑκάστῳ ἡμῶν ἐδόθη ἡ χάρις aufgenommen wird. Gewiß ist die Verwendung von διδόναι durch den angezielten Schriftbeweis (V.8: ἔδωκεν δόματα τοῖς ἀνθρώποις) mitbedingt. Es wäre aber reine Willkür, in 4,11 einer institutionell-rechtlichen Interpretation zuliebe ἔδωκεν nicht in dem 4,7 und 4,8 gebrauchten eindeutigen Sinn des Schenkens, sondern im Sinn von „Verordnen", „Einsetzen" o.ä. zu verstehen. Zumindest dann, wenn gegen Merklein festgehalten werden muß, daß der Verfasser in V.7 außer den in V.11 hervorgehobenen Funktionsträgern grundsätzlich alle Gläubigen, nämlich deren Begnadung zu einer Dienstleistung in der Kirche, im Auge hatte; und das wird eben unter anderem durch den wiederholten Hinweis auf das Maß, mit dem den Einzelnen gegeben wurde (V.7 und 16), bestätigt. Im Grunde sperrt sich schon das prinzipielle Festhalten des Verfassers am Ideal der „charismatischen" Gemeinde gegen die Idee einer institutionell-rechtlichen Ausgliederung der 4,11 genannten Dienste[101], so sehr diese, eben auch die drei Dienste der Gegenwart, einen Vorrang besitzen, der sie in einem Paulus unbekannten Grad zwischen Christus und die übrigen „Charismatiker" der Gemeinde treten läßt. „Grundsätzlich-dogmatischen Charakter" – wenn man schon mit dieser Qualifikation operieren will – hat sodann die Aussage von 1 Kor 12,28 nicht weniger als die von Eph 4,11 und umgekehrt. Auch der Verfasser von Eph 4,11 gibt sich doch wohl damit zufrieden, die von ihm vorausgesetzten Funktionsträger der Gegenwart – wie die von ihm früher der Vergangenheit zugewie-

[101] „Les ministres énumérés en Eph 4,11 n'accaparent point l'œuvre de construction de l'Église. Chaque membre a reçu sa part de grâce et le corps tout entier réalise sa propre croissance grâce à l'énergie reçue du Christ et répartie à la mesure de chacun": *J. Delorme,* Diversité, in: ders. u.a., ministère 301f.

senen Apostel und Propheten – als Frucht der Initiative des erhöhten Christus zu begreifen, der nicht aufgehört hat und nicht aufhört, für das Wachstum seines Leibes zu sorgen[102].

Soll Eph 4,11 aber schon für „eine dogmatische Rückführung der amtlich strukturierten Kirche auf Christus" (400) herhalten, müßten zu dieser Amtsstruktur auch „die Evangelisten" gezählt werden, zumal das oben erwähnte Bild von der betont universalen, räumlich und zeitlich ausholenden Kirche sicherstellt, daß die Missionare für den Verfasser nicht nebensächlich sind. Diese zugunsten „der Hirten und Lehrer" unter den Tisch fallen zu lassen, wie das faktisch geschieht, vor allem je mehr es den Schlußformulierungen zugeht, ist inkonsequent und gerät zudem in Konflikt mit der von unserem Autor postulierten Praktizierung der regula des Apostolischen durch die Kirche. Was die den Einzelgemeinden zuzuordnenden „Hirten und Lehrer" betrifft, existierte in der Einzelgemeinde sehr wohl eine vorgegebene Instanz, die ausgezeichnete „Charismatiker" an der Norm des Apostolischen messen bzw. – wie vielleicht angemessener zu sagen ist – aufgrund des Eindrucks, daß sich diese im Rahmen dessen bewegten, was im Bewußtsein der Gläubigen als überkommenes apostolisches Evangelium galt, faktisch anerkennen konnte. Diese Voraussetzung traf für die „Evangelisten" zumindest insofern nicht zu, als diese nicht bloß in bestehenden Gemeinden auftraten, sondern auch und vor allem als neue Gemeinden gründende Missionare zu gelten haben. So sehr der Eph die Kirche als ideelle Einheit kennt, hilft die Berufung auf das Normbewußtsein der Kirche in diesem Fall nicht weiter. Diese bestand ja noch nicht als organisatorische Einheit, und eine konkrete Instanz, die für die kirchliche Anerkennung missionarischer Wanderprediger zuständig gewesen wäre, läßt sich nun einmal nicht nennen.

5. Das vorrangige Interesse des Eph gilt nicht mehr der konkreten Gemeinde mit der Vielzahl ihrer Charismen. So eindeutig seine betont universale Kirche auf dem Weg zur institutionellen Verfestigung von tragenden, für sie „konstitutiven" Funktionen ist, hat der Verfasser aber doch die paulinische Grundidee von der Begnadigung aller Christen zum ekklesialen Engagement bewahrt. Trotz der konzeptwidrigen Unterscheidung zwischen sozusagen „persönlichen" und „offiziellen", quasiamtlichen Aktivitäten und einer dem charismatischen Gemeindemodell Pauli nicht bekannten Vorordnung der letzteren hält er am prinzipiell charismatischen Charakter auch

[102] Auch *F. Hahn* äußert erhebliche Bedenken, dem Verfasser des Eph das Bewußtsein des Iuris-divini-Charakters des Amtes zuzuschreiben und seine heilsgeschichtliche Begründung eines sich konstituierenden Amtes „kirchen-rechtlich" zu interpretieren: aaO. (Anm. 86) 20f.

der drei offiziellen ekklesialen Dienste, die er für die Gegenwart anzuführen weiß, fest. Wenn die oben befürwortete Auslegung von 4,7 zutrifft, sieht er diese ja in gleicher Weise dem erhöhten Christus verdankt wie die jedem Christen zuteil werdende Gnadengabe. Das gilt eben auch von den allein ausdrücklich als innergemeindliche Manifestation der χάρις genannten Funktionen („Hirten und Lehrer"), obwohl ihre Träger nun in einer für das paulinische Gemeindekonzept nicht vorauszusetzenden Weise mit exzeptioneller Verantwortung ihren Gemeinden gegenüberstehen, nämlich die übrigen Gläubigen aktivieren, ja instandsetzen sollen, durch ihre je persönliche χάρις zum Wachstum des Leibes Christi beizutragen. Die drei genannten aktuellen Funktionsträger lassen sich aus der Sicht des Eph als „Nachfolger" der Apostel und Propheten bezeichnen, in dem Sinn nämlich, daß sie diesen zeitlich nachfolgen und in ihrem Wirken auf das normative apostolische Evangelium, genauer auf die „den Aposteln und Propheten" zuteil gewordene Offenbarung des Christusgeheimnisses verwiesen sind. Daß jene drei Gruppen von Funktionsträgern oder – inkonsequenterweise – doch die beiden letztgenannten („die Hirten und Lehrer") darüber hinaus mit apostolischer Vollmacht aufzutreten berechtigt, also wenigstens de facto Amtsnachfolger der Apostel seien, sogar in dem sich anbahnenden Sinn einer göttlich gesetzten Rechtsinstitution, läßt sich hingegen exegetisch nicht ausreichend begründen. Erst recht fehlt jeder Anhalt für den Gedanken an eine Bevollmächtigung der genannten aktuellen Dienste durch den Apostel Paulus oder durch einen seiner Mitarbeiter bzw. durch „die Apostel und Propheten". Das hat gerade auch H. Merklein durch seinen Entwurf erneut bestätigt. Denn das historische und theologische Prius, das er in der ersten nachpaulinischen Generation vom kirchlichen Bewußtsein hervorbringen und die zu seinem Ergebnis führende Entwicklung in Gang setzen läßt, ist die Norm des „Apostolischen", auf die sich die Kirche in allen ihren Lebensvollzügen verwiesen sah und die sie „die kirchliche ‚Institution Apostel'" habe konzipieren und festlegen lassen.

VII

Im Hinblick auf die Entwicklung ekklesialer Funktionen und Strukturen legt von den urchristlichen Schriften am meisten der wohl nicht viel nach dem Eph (80–90), möglicherweise sogar ziemlich gleichzeitig geschriebene 1 Petr einen Vergleich mit jenem nahe. Obwohl der Verfasser beträchtlich in paulinischer und deuteropaulinischer Tradition steht und sich außerdem an Gemeinden richtet, die jedenfalls zum Teil paulinisches Missionsgebiet waren, schreibt er unter dem Namen des Apostels Petrus, um, wie immer noch am plausibelsten erklärt wird, die Lehreinheit zwischen den beiden Hauptaposteln zu unterstreichen. Auch er bekundet somit in einer recht originellen Weise die seiner Zeit selbstverständliche Überzeugung vom fundamentalen, normativen Charakter des von den Aposteln verkündeten Evangeliums[103]. Vor allem: auch er bewegt sich noch in den Spuren der paulinischen Charismentheologie. Dem Verfasser des Eph vergleichbar, redet er 4,10f Gemeinden an, „in der jeder ein individuelles Gnadengeschenk (Charisma) empfangen hat, das der vielgestaltigen Gnade (charis) Gottes entstammt und zum Dienst aller an allen verwendet werden soll. Die Betonung der Verschiedenheit wie der Herkunft aus göttlicher Gnade verweist deutlich auf Röm 12,7"[104]. Sämtliche Elemente, die in 1 Petr 4,10f von Bedeutung sind, lassen sich bei Paulus nachweisen[105]. Wie der Verfasser des Eph kennt auch der des 1 Petr aus der Gemeinde herausragende Funktionsträger – freilich mit nicht geringen Unterschieden.

Auch die Liste von Eph 4,11 nennt aktuelle Funktionsträger, die bis auf „Lehrer" so in den paulinischen Charismenlisten nicht begegnen, nämlich die „Evangelisten", die die missionarische Aufgabe des Apostels weiterführen, und die „Hirten", die sich wohl zum Teil wenigstens mit kybernetischen und fürsorgenden Diensten der Charismenlisten in Deckung bringen lassen. Völlig neu gegenüber dem Eph ist die Verbindung des charismatischen Gemeindekonzepts mit einem Presbyterkollegium (5,1ff), das als einzige Gruppe von Funktionsträgern – statt zweier, wohl nicht nur der Bezeichnung nach unterschiedener Gruppen („die Hirten und Lehrer") – genannt und vorausgesetzt wird. Gegenüber dem paulinischen Idealbild einer charismatischen Gemeinde und der Tendenz zur Institutionalisierung, die schon der im Eph erreichten Weiterentwicklung und Modifizierung des paulinischen Modells anhaftet, markiert ein Presbyterkollegium ein neu ansetzendes Gemeindekonzept, da es, wie sich schon von der synagogalen Vorgeschichte her annehmen läßt, auf die Institutionalisierung bestimmter gemeindlicher Funktionen angelegt ist. Damit ist zu rechnen, obwohl das frühe Aufkommen des Presbyterinstituts in ehemals paulinischen Gemeinden kaum als schlagartiger Vorgang zu denken ist. Es mochten in erster Linie die „ersten" Christen einer Gemeinde, also die „ältesten" Gemeindeglieder gewesen sein, denen im beson-

[103] Abgesehen davon, daß christliche „Propheten" in 1 Petr nirgends erwähnt werden, somit unbekannt bleibt, ob sie im Vorstellungshorizont des Verfassers eine Rolle spielen und welche etwa, ist zu berücksichtigen, daß die Zuordnung der Propheten zu den Aposteln im Eph durch das diesem wichtige Moment der Offenbarung des Christusgeheimnisses (3,4f) bedingt oder jedenfalls mitbedingt ist.

[104] *J. Herten,* Charisma, in J. Hainz, Kirche 85f.

[105] Vgl. *H. Goldstein,* Petrusbrief 12–17.

deren charismatische Begabungen für Lehre, Paraklese und Leitung zuerkannt wurden und die deshalb im Zug eines zunehmenden Bedürfnisses nach einer eindeutigen und stabilen Leitungsinstanz zu „Ältesten" im Sinne des besonders verantwortlichen Kollegiums wurden[106]. Über den konkreten Prozeß, der zu christlichen Presbyterkollegien führte, informiert uns 1 Petr freilich so wenig wie die übrigen etwas jüngeren oder auch ungefähr gleichzeitigen Zeugen. Wie schon in der Apg und dann im Jak sind „die Presbyter" jedoch unverkennbar als anerkannte Einrichtung vorausgesetzt. Das ergibt sich indes nicht schon aus der Übernahme des höchstwahrscheinlich älteren Traditionsstückes 5,2f[107], das mit seiner, traditionelle Motive verwendenden Gemeindeleiterparänese[108] zwar bereits Ermüdungserscheinungen und die Gefahr einer Perversion des Hirtendienstes voraussetzt, den terminus „Presbyter" jedoch noch nicht bezeugt. Einen ausreichenden Beweis liefert aber der Schlußabschnitt 5,1–11. Das einleitende οὖν verrät die Absicht des Verfassers, aus den Mahnungen und Aufmunterungen, die er bis jetzt angesichts der die Gemeinde bedrängenden Prüfungen ausgesprochen hat, nun die praktischen Konsequenzen für die Gemeinden zu ziehen. Höchst selbstverständlich setzt er mit diesen speziellen Folgerungen bei „den Ältesten" ein. In der vorausgesetzten schweren Situation erachtet er eine effektive pastorale Führung, welche die Achtung der Gemeinde verdient und dieser als Vorbild dienen kann, als unerläßlich[109].

Unser Brief erlaubt es allerdings kaum, die Kompetenzen der Presbyter im einzelnen zu bestimmen. Doch empfiehlt bereits das Bild vom Weiden der Herde keine zu restriktive Auslegung, so daß man mit gutem Gewissen von Gemeindeleitern sprechen kann. Obwohl der Verfasser an der Stelle 4,10f – im Unterschied zum Eph – wenigstens zwei allgemein gehaltene Beispiele charismatischer Aktivitäten der Gemeindeglieder („Reden" und „Dienen") nennt, gilt zumindest, daß er den Presbytern innerhalb der Gemeinden „eine größere Gewichtigkeit einräumt als ihren charismatischen Momenten"[110]. Der Institutionscharakter und die starke Hervorhebung der pastoralen Verantwortung gegenüber dem Gesamt der Gemeinde (5,1–4) lassen sogar auf einen be-

[106] Vgl. *F. Hahn,* Grundlagen 26; *H. v. Campenhausen,* Amt 82–86.

[107] Daß hier eine schon weitgehend formulierte Instruktion übernommen wurde, hat vor allem *W. Nauck* begründet: Probleme des frühchristlichen Amtsverständnisses (I Ptr 5,2f): ZNW 48 (1957) 200–212.

[108] Vgl. dazu jetzt besonders *P.-R. Tragan,* La Parabole du „Pasteur" et ses explications: Jean 10,1–8. La genèse, les milieux littéraires, Thèse d. Kath. theol. Fakultät Strasbourg 1976, 249–252.

[109] So gut *J. N. D. Kelly,* Peter 196.

[110] *H. Goldstein,* Petrusbrief 24.

trächtlichen Grad der Überordnung der Presbyter schließen[111]. Umsomehr darf uns die Frage interessieren, ob sich eine Vorstellung des Verfassers hinsichtlich der Legitimation der vorausgesetzten Presbyterkollegien gewinnen läßt.

1. Im Unterschied zum Eph äußert sich der Verfasser nicht über die Existenzbegründung seiner gemeindlichen Funktionsträger. Diese werden weder auf Gott (1 Kor 12,28) noch auf den Geist (Apg 20,28) noch – jedenfalls nicht ausdrücklich – auf den erhöhten Christus (Eph 4,11) zurückgeführt. Die Selbstbezeichnung des fiktiven Petrus als συμπρεσβύτερος verleitet verständlicherweise immer wieder zu der Annahme, der Verfasser verstehe das Presbyteramt vom Apostolat her; dieses lebe „im Presbyteramt weiter in der Art, daß die Presbyter die Führungsaufgabe der Apostel übernehmen und ausüben". Das Presbyteramt werde hier „apostolisch autorisiert"[112]. Letztere Zuspitzung dürfte das eigentliche Aussageanliegen aber doch überschreiten[113]. Zunächst verdient Beachtung, daß an der früheren Stelle 2,25 der erlösend gestorbene und erhöhte Christus als „der Hirt und Hüter (ἐπίσκοπος)" der Gläubigen bezeichnet wird. Der Verfasser will daselbst den Lesern die tröstliche Versicherung geben: Was sie auch immer an Schwierigkeiten und Verfolgungen treffen mag, haben sie, die als einstige Heiden „irrenden Schafen" glichen, im erhöhten Christus einen wahrhaften Beschützer. Will er darüber hinaus zu verstehen geben, „daß Christus selbst im Amt der Kirche anwesend ist und wirkt"[114], die Existenz und Autorität des Presbyteramtes also christologisch begründet ist? Die Beantwortung dieser Frage ist zunächst mit folgendem Sachverhalt verknüpft: Das altbiblische

[111] Die von 1 Petr bezeugte Koexistenz von charismatischem Prinzip und presbyteraler Verfassung wäre anders zu beurteilen, wenn die Hypothese von *F. Schröger* zuträfe. Ihm zufolge ist das Schreiben aus einem ersten (1,1–4,11) und einem späteren, unter Umständen von einem anderen verfaßten Gemeindebrief (4,12–5,11) zusammengesetzt. Während der erste die paulinische Auffassung von den Charismen durchhalte, wolle der zweite den kleinasiatischen Gemeinden dringend nahelegen, „angesichts der sich ausbreitenden Verfolgung zu der in diesem Falle besseren presbyteralen Verfassung überzugehen": Die Verfassung der Gemeinde des ersten Petrusbriefes, in: J. Hainz, Kirche 239–252; besonders 240f.

[112] *R. Zollitsch,* Amt und Funktion des Priesters (Freiburger theol. Studien 96), 1974, 69f.

[113] Daß hinter dem sich als „Mitpresbyter" bezeichnenden Verfasser schon der Episkopos als Vorsitzender des kollegialen Presbyteriums stehe, wagt auch *R. Zollitsch* nur als „Vermutung" auszusprechen: aaO. 72; vgl. auch S. 74.

[114] *K. H. Schelkle,* Theologie des Neuen Testaments 4,2: Jüngergemeinde und Kirche, Düsseldorf 1976, 78; vgl. auch *G. Stählin:* „... Stellvertreter Christi im Hirtendienst (vgl. 1. Petr. 5,4 mit V. 2f)": Die Apostelgeschichte (NTD 5), Göttingen ²1966, 269; *B. Sesboüé:* „La continuité du vocabulaire du berger qui va du Christ aux presbytres souligne que leur ministère est une participation à la fonction et à la mission du Christ sur son Église. Nous retrouvons la correspondance qui s'exprimait dans *Hébreux* à travers le vocabulaire du guide et du ‚précurseur' Jésus": Ministères, in: J. Delorme u. a., ministère 388.

Hirtenbild und die auch zwischentestamentarisch nachweisbare Verbindung von ἐπισκεπ-/ποιμ- in atl Stellen, an denen die Hirtenfunktion im übertragenen Sinn als ἐπισκέπτεσθαι beschrieben wird, ist sicher auch bei der Erklärung der ekklesialen Bezeichnung „die Hirten" und der unbestritten in Apg 20,28 bezeugten Verbindung des Weidens der Herde mit der ἐπίσκοποι-Bezeichnung in Anschlag zu bringen[115]. Hat der hellenistische, aus paulinischer Tradition stammende Episkopen-Titel als ideelle Brücke zur gemeindlichen Funktionsbezeichnung „Hirten" gewirkt? Oder ist erst ποιμένες und ποιμαίνειν geläufige Funktionsbezeichnung geworden, die die Verwendung und Verbreitung des Episkopentitels mitbedingt? Im Interesse einer geradlinigen Entwicklung die Hirten- und Episkopenbezeichnung geradezu „als historisch und sachlich parallel anzusehen", ist auch nach F. Hahn „von den neutestamentlichen Texten her völlig unberechtigt"[116]. Dazu kommt die Frage nach dem Verhältnis von christologischer und ortsgemeindlicher Hirtenbezeichnung. H. Merklein wird zurecht besonders aus 1 Petr 5,2ff schließen, „daß der Gemeindeleiter-Hirt ursprünglich keine Übertragung der christo-logischen Hirtenbezeichnung ist"[117].
Läßt sich aber nun aus der Bezeichnung Christi als ἐπίσκοπος in 1 Petr 2,25 eine christologische Begründung des Presbyteramtes (5,2ff) erschließen? Das wäre möglich, wenn der Verfasser ἐπίσκοπος im technischen Sinne versteht, somit auf den Episkopentitel als Gemeindeleiterbezeichnung anspielt[118]. Obwohl letztere zur Zeit der Abfassung des Briefes schon geläufig sein konnte (vgl. Apg 20,28), bleibt eine bewußte Aufnahme der Gemeindeleiterbezeichnung unsicher. Einmal ist die Lesart ἐπισκοποῦντες in 5,2 nicht gesichert, sogar wahrscheinlich sekundär[119]. In der singulären Wendung „der Hirt und ἐπίσκοπος eurer Seelen" kann sodann das artikellos angeschlossene „Hüter eurer Seelen" sehr wohl Lesern, die mit dem altbiblischen „Hirten"-bild weniger vertraut sind, den Titel „der Hirt" erläutern wollen; dann hat ἐπίσκοπος hier nicht technischen, sondern den ursprünglichen Sinn von „one who inspects, watches over, protects"[120].

[115] Dazu jetzt vor allem *H. Merklein,* Amt 365–378.
[116] In seiner Anm. 86 zitierten Rezension: 20.
[117] Amt 372.
[118] So außer *K. H. Schelkle* auch *G. Bornkamm* (mit *H. v. Campenhausen* und *A. M. Farrer),* Art. πρεσβύτερος: ThWNT VI 666 Anm. 90, und *H. Merklein,* Amt 372.
[119] Das syntaktisch nicht notwendige und sachlich nichts Neues besagende ἐπισκοποῦντες kann sehr wohl unter dem Einfluß des ποιμὴν καὶ ἐπίσκοπος von 2,25 hinzugefügt worden sein. Das ist wohl wahrscheinlicher, als daß das Verb gestrichen wurde, weil es später „die Funktion eines Bischofs ausüben" besagte und dies für Presbyter als unpassend empfunden wurde: vgl. *J. N. D. Kelly,* Peter 200, und *B. M. Metzger,* A textual commentary on the Greek New Testament, 1971, 695f.
[120] *J. N. D. Kelly,* Peter 125.

Damit ist die Angelegenheit indes noch nicht abgetan. Denn sicher hat der Verfasser am Schluß seiner Presbyterparänese (5,4) zur Bezeichnung des zum Gericht kommenden Christus auf sein erstes früheres Christusprädikat ποιμήν (2,25) zurückgegriffen, wobei er die Einmaligkeit der Hirtenwürde Christi durch das steigernde ἀρχιποίμην = „Oberhirte", „Chefhirte" unterstrich[121]. Durch diesen Rückgriff kann der Verfasser sehr wohl den Presbytern zum Bewußtsein bringen wollen, daß sie ihr Amt als Delegaten Christi ausüben und als solche Christus verantwortlich sind. Insofern ist aus 1 Petr – auch unabhängig von der Interpretation der zweiten Christusprädikation (ἐπίσκοπον τῶν ψυχῶν ὑμῶν) – am ehesten eine christologische Begründung und Legitimierung des Presbyteramtes herauszulesen. Das könnte man m.E. geradezu mit Sicherheit geschehen lassen, wenn der Verfasser in 5,2 von „der Herde Christi" sprechen würde. Er behält jedoch den ihm wohl schon vorgegebenen Begriff „Herde Gottes" bei, der in der „Vorsteher"-Paränese offenbar geläufig war, wie auch die Parallelisierung der Hirten der ganzen Herde mit dem „Weiden der Kirche Gottes" in der Presbyterparänese Apg 20,28 bestätigt.

Auch wenn 1 Petr die Idee der christologischen Legitimierung des Presbyteramtes impliziert, ist diese sicher nicht der einzige, ja nicht einmal der vorrangige Punkt, der unserem Verfasser hinsichtlich der Beziehung zwischen dem „Oberhirten" Christus und den zum Weiden der Herde Gottes verpflichteten Presbytern vorschwebt. Das ist vor allem dem redaktionellen Vorspann 5,1 zu entnehmen, mit dem der Verfasser das paränetische Fragment 5,2 in seinen Kontext, näherhin in eine durch Leiden gezeichnete Situation integriert. Der Makrokontext wie der Mikrokontext 5,1–4 sprechen dafür, daß er Christus letztlich als verpflichtendes Vorbild jeder Ausübung der Hirtenaufgabe verstanden haben will. Das schließt natürlich keineswegs aus, daß Christus als „der Oberhirte" bei seiner Parusie das Urteil über die Hirten der Gemeinden spricht, näherhin – wie die abschließende Motivierung zum Befolgen der voraufgehenden Mahnungen besagt – denselben zur Belohnung „den unverwelklichen Kranz der Herrlichkeit" geben können soll (5,4).

2. Mit dem Vorspann 5,1 führt der hier redende Petrus nun aber zunächst und direkt sich selber ein. Wie geschieht das? Nach den einen läßt der Verfasser den Apostel Petrus mit der Selbstbezeichnung „Mitpresbyter" die Presbyter als „Amtskollegen" an seine Seite stellen, das Presbyteramt also

[121] Dieses ntl Hapax-legomenon hat eine Parallele in der Bezeichnung Christi als „des großen Hirten der Schafe" in Hebr 13,20, wo diese Bezeichnung die Einzigartigkeit Christi gegenüber allen anderen Hirten Israels, besonders Mose, anzeigt.

sozusagen aufwerten[122]. Nach den anderen läßt er den Apostel im Bescheidenheitsstil sich an die Seite der örtlichen Gemeindeleiter stellen, seinen apostolischen status also herunterspielen[123]. Abgesehen davon, ob und inwieweit der Verfasser von dieser alternativen Fragestellung bewegt war, darf zunächst eine Fehlanzeige ausgesprochen werden: Exegetisch ist jedenfalls nicht zu begründen, der hier redende Petrus berufe sich auf die ihm eigene apostolische Vollmacht und hege die Absicht, das Presbyteramt apostolisch zu autorisieren, dasselbe als Übernahme und Ausübung der ihm zuteil gewordenen apostolischen Vollmacht zu qualifizieren. Nichts berechtigt uns, für den Verfasser etwa die Kenntnis der Bestellung Petri zum Hirten der Schafe Christi von Joh 21,15–17 vorauszusetzen und dann zu argumentieren, der hier redende Petrus verstehe sich als „Oberhirten", dem die Presbyter als an seiner Oberhirtenvollmacht partizipierende und dieser zugleich verantwortliche Hirten bzw. Unterhirten zugeordnet sind. Petrus leitet seine Instruktion in 5,2 ja nicht ein mit „Weidet die Herde *Christi* bei euch". Zumindest „Christi" statt „Gottes" wäre zu erwarten, wenn der Gedanke an den Joh 21,15–17 ausgesprochenen Auftrag Christi an Petrus im Hintergrund stünde. Dieses Auftragswort weist zudem auch nicht andeutend auf weitere Hirten hin, da es nur zwischen den Christus gehörenden Schafen (= den Gläubigen) und Simon als dem Hirt unterscheidet. Im übrigen wird in 1 Petr ja Christus, nicht etwa Petrus, als „der Oberhirte" bezeichnet (5,4).

Mit dieser negativen Feststellung steht die Selbstbezeichnung „Mitältester" erneut zur Erklärung an. Positiv ist sicher zu sagen, daß sich der fiktiv redende Petrus mit den Gemeindepresbytern solidarisiert[124] und „ihr Amt als vergleichbar empfunden ist"[125], nämlich mit dem Dienst des Apostels. Die entscheidende Frage lautet deshalb, worauf die Vergleichbarkeit hinzielt, welche Absicht der hier redende Petrus mit seiner Solidarisierung verfolgt. Zur Beantwortung dieser Frage sind zunächst seine voraufgehenden Ausführungen zu beachten. Diese wiesen immer wieder auf schwere Bedrängnisse und sich anzeigende Verfolgungen hin (vgl. 1,6–12; 3,15f; 4,14–19). Um die Gemeinde für die Bewältigung der leidgeprüften Gegenwart zu stärken, hatte

[122] Nur vom Standpunkt seiner Hypothese (s.o. Anm. 111) ist die spezielle Auffassung *F. Schrögers* zu verstehen: der Verfasser wolle „innerlich einen gewissen Druck auf die Gemeinden ausüben, in Zukunft nichts gegen eine presbyteriale Struktur der Gemeinden einzuwenden, da ja schließlich auch der von allen akzeptierte und verehrte ‚Apostel' selbst als Presbyter fungiert hat" (Die Verfassung 251).

[123] Ganz wie Ignatius von Antiochien, der von den Diakonen der Kirche als seinen „Mitknechten" spricht: *J. N. D. Kelly,* Peter 198.

[124] Der Verfasser mag sehr wohl den Presbytern insinuieren wollen, „that the great Apostle shoulders the same responsibilities as they and can sympathize their difficulties": *J. N. D. Kelly,* 198.

[125] *K. H. Schelkle,* Petrusbriefe 128.

der hier sprechende Petrus deshalb schon vorher des öfteren, besonders in 4,12–14, versichert, daß die Gemeinschaft mit dem Leiden Christi auch die Anteilnahme an seiner kommenden Herrlichkeit verbürgt. Diese Konsequenz läßt der Verfasser den fiktiven Petrus zur Einleitung seiner Presbyterinstruktion auf sich selbst und seinen Zeugendienst für Christus anwenden: „(Ich), der Mitälteste und Zeuge der Leiden Christi, der auch teil hat an der bald offenbar werdenden Herrlichkeit (ermahne euch)" (5,1). „Zeuge der Leiden Christi" will der am besten begründbaren und auch sich durchsetzenden Auslegung zufolge[126] besagen: Petrus hat die allen Christen auferlegten Leiden Christi nicht nur mit Worten bezeugt, sondern für dieses Zeugnis auch Leiden auf sich genommen. Nicht ohne Grund steht „der Mitälteste und Zeuge für die Leiden Christi" unter *einem* Artikel. Die zweite Selbstbezeichnung will eben den speziellen Aspekt markieren, unter dem der hier sprechende Petrus sich mit den Gemeindepresbytern solidarisiert und diese mit ihm solidarisch werden sollen. Aufgrund seiner existentiellen Bezeugung der Leiden Christi, die er für seine Ausübung des apostolischen Dienstes beanspruchen kann, sieht er sich dazu berechtigt, die Presbyter zu einer echt pastoralen Ausübung ihres Dienstes zu ermahnen, die sie zu „Vorbildern" für ihre Herden werden läßt (5,3) und es dem zum Gericht erscheinenden „Oberhirten" ermöglicht, auch sie an seiner Herrlichkeit teilhaben zu lassen (5,4). Letztlich geht es ihm darum, seine Mahnungen zu freudig-hingebungsvoller, uneigennütziger und aller Herrschsucht baren Ausübung des Hirtendienstes[127] nicht nur mit seinem eigenen Beispiel, sondern auch mit dem Vorbild des bis zur Lebenshingabe leidenden „Oberhirten" zu motivieren.

3. Es ist somit nicht begründbar, der Verfasser des 1 Petr wolle das Presbyteramt geradezu als Übernahme und Fortsetzung apostolischer Vollmacht qualifizieren. Eher könnte eine christologische Begründung der Wirksamkeit und Verantwortung des Presbyteramtes impliziert sein. Soweit der Verfasser den Apostel Petrus sich zwischen Christus und den Presbytern einordnen läßt, hebt er einzig auf des Apostels existentielles Christuszeugnis als „Legitimation" für seine pastorale Ermahnung und damit auch als Vorbild echt pastoralen Verhaltens ab. Näherhin kann man sagen: die sonst separat vorkommenden Motive – Christus (Mk 10,45par; Joh 10,11–15; 13,12–17; Eph 5,2) und der Apostel (Apg 20,18–35; 2 Tim 3,10f; vgl. 1 Tim 4,12; Tit 2,7) als vorbildliche Paradigmen – sind hier miteinander verbunden.

[126] Vgl. etwa *C. Spicq,* Pierre 165; *J. N. D. Kelly,* Peter 198f; *W. Schrage,* Die katholischen Briefe (NTD 10), Göttingen 1973, 113.

[127] Zum einzelnen vgl. etwa auch *C. Spicq,* 165–169; *J. N. D. Kelly,* 199–201.

VIII

Schon wegen der zeitlichen Nähe muß noch die wohl um einige Jahre ältere Apostelgeschichte zu Wort kommen, die noch direkter als der Eph die Reflexion widerspiegelt, wie es in nachapostolischer Zeit weitergeht und weitergehen soll. Das wird vor allem durch die im ganzen vom Verfasser nach dem Genus der „Abschiedsrede" geschaffene Milet-Rede des Apostels vor den ephesinischen Presbytern (20,17–34)[128] ermöglicht. Denn eine Abschiedsrede erlaubt es, die von den pseudepigraphischen Apostelbriefen vorausgesetzte Transponierung der Situation der nachapostolischen Kirche in die Zeit des/der Apostel(s) noch deutlicher zum Ausdruck zu bringen. Sie kann Paulus ausdrücklich die Wende von seiner zu der nachapostolischen Zeit ankündigen und die Funktion der Amtsträger testamentarisch festlegen lassen. Im Unterschied zu Eph und 1 Petr kommt das typisch paulinische Konzept der charismatischen Gemeinde nicht zum Zug, so sehr der Geist als prägende Kraft der Kirche und aller Gläubigen im Vordergrund steht und etwa „gegenüber den Pastoralbriefen das Element des enthusiastischen Geistes in unvergleichlicher Weise lebendig ist"[129]. Wie der Verfasser von 1 Petr denkt auch der uns unbekannte Verfasser der Apg vom Presbyterinstitut her, das er als bekanntes und anerkanntes organisatorisches Element voraussetzt, ohne etwa bei seinem erstmaligen unvermittelten Auftreten in Jerusalem (11,30) über Woher und Wann Auskunft zu geben. Es entspricht seinem betonten Kontinuitätsprinzip, „daß er sie [d.i. die Presbyter] für eine möglichst frühe Zeit [nämlich für die Urgemeinde] und für einen möglichst weiten Umkreis geltend machen will"[130]. Während für 1 Petr eine beginnende Verbindung von Presbyter- und Episkopeninstitut unsicher bleibt, zeigt sich diese in der Apg unbezweifelbar an. Denn ihr Verfasser verwendet den aus paulinischer Tradition stammenden Episkopentitel als Funktionsbezeichnung (Aufseher, Wächter, Hüter) zur generellen Kennzeichnung der Aufgabe der Presbyter (20,28)[131]. Da er die eigentliche Bedeutung von ἐπίσκοπος durchscheinen läßt, ist vielleicht sogar die Annahme erlaubt, die Verbindung der presbyteralen und der sogenannten episkopalen Gemeindeordnung sei „von Lukas sehr vorsichtig und locker hergestellt, weil wohl der sachliche Unterschied beider Begriffe noch bekannt war"[132]. Obwohl der Autor wie der von 1 Petr „Presbyter" als den

[128] Jüngste zusammenfassende Untersuchung von *H.-J. Michel,* Abschiedsrede, bes. 23–97.

[129] *H. Steichele,* Geist und Amt als kirchenbildende Elemente in der Apostelgeschichte, in: J. Hainz, Kirche, 186–192.203.

[130] *H.-J. Michel,* Abschiedsrede 94.

[131] Vgl. *R. Schnackenburg,* Schriften zum Neuen Testament, München 1971, 248ff.

[132] *H.-J. Michel,* Abschiedsrede 92.

selbstverständlichen Titel der für die Einzelgemeinden Verantwortlichen voraussetzt, interpretiert er deren Aufgabe eben doch mit dem Episkopentitel – was sich von 1 Petr keineswegs sicher behaupten läßt. Der Weg, auf dem der Phil 1,1 bezeugte Episkopentitel zu Verbreitung und Bedeutung im paulinischen Missionsgebiet gelangte, liegt immer noch im Dunkeln. Gegenüber Phil 1,1 erfuhren die Episkopen in der ersten nachpaulinischen Generation jedenfalls eine Potenzierung der Funktion, was ja auch hinsichtlich des Presbyterinstituts (vor allem gegenüber einer möglicherweise schon frühen Rolle in palästinischen Gemeinden) anzunehmen ist. Diese Anhebung des Episkopentitels bezeugt Apg 20 wohl bereits durch die Kennzeichnung der Funktion der Presbyter = Episkopen als Hirtenaufgabe (20,28), sodann und vor allem durch die erstmals hier den gemeindlichen Funktionsträgern ausdrücklich zugeschriebene Aufgabe, die apostolische Tradition wachsam zu wahren, gegenüber den von außen (V.29) wie von innen (V.30) andringenden Irrlehrern[133].

1. Woher gewinnen die Presbyter ihre Legitimation? Die Frage ist vor allem durch eine Zusammenschau der Notiz 14,23 einerseits und der Milet-Rede anderseits gestellt, im besonderen durch die „Einsetzungs"-Aussage 20,28 sowie die „Übergabe"-Aussage 20,32. Der Kürze halber kann ich auf die doxographische Zusammenfassung der neueren Diskussion verweisen, die von meinem Schüler H.-J. Michel in seiner 1973 erschienenen Dissertation vorgelegt[134] und die inzwischen kaum durch neue Gesichtspunkte bereichert wurde. Die Interpretationen evangelischer Autoren reichen von G. Kleins Behauptung der Apg 20 bezeugten „Ratifikation des Prinzips apostolischer Sukzession"[135] über alle möglichen Zwischennuancen – unter die sich auch zurückhaltende Auffassungen katholischer Autoren wie J. Dupont (Amtsübertragung nicht ausgeschlossen) und H. Schürmann (keine Amtsübergabe) einreihen – bis zur These, die Milet-Rede enthalte „nicht die geringste Anspielung auf eine ihnen [den Presbytern] übertragene Amtsvollmacht. Im Gegenteil, nur vom ‚Herrn und dem Wort seiner Gnade' wird aller Bau der Gemeinde erwartet"[136]. Die stark differierenden Meinungen der Kommentatoren rechtfertigen in der Tat die Vermutung, „daß der Text keine eindeutige Antwort bereithält"[137].

[133] Eph 4,7–16 ist nur indirekt ausgesprochen, daß die kirchlichen Funktionsträger die Gläubigen auch zur Bewahrung vor Irrlehren zurüsten müssen.

[134] Abschiedsrede 93–97.

[135] Apostel 182.

[136] *E. Schweizer,* Gemeinde 197.

[137] Abschiedsrede 93.

Durch die 14,23 erwähnte Einsetzung von Gemeindepresbytern durch Barnabas und Paulus sieht jetzt auch wieder S. Schulz das lukanische „Prinzip apostolischer Sukzession" bestätigt.[138] Einsetzung der Presbyter durch den Geist (20,28) ist, wie man zunächst einräumen darf, mit der Einsetzung durch den Apostel „durchaus vereinbar"[139]. Gehen wir also von der Einsetzungsnotiz 14,23 aus. Angesichts des Umstandes, daß der Verfasser in den Gemeinden der Gegenwart Ältestenkollegien voraussetzt, und zwar als *das* „Amt" der nachapostolischen Zeit, ist es voll verständlich, daß er, nachdem er – gleich, mit welchem historischen Recht – von „den Presbytern" in der frühen Jerusalemer Urgemeinde gesprochen hatte, aufgrund seines Interesses am Kontinuitätsprinzip an einer Stelle seines Buches unbedingt zum Ausdruck bringen wollte, daß das urgemeindliche Presbyterinstitut in der ganzen Kirche, eben auch in den Gemeinden seines Hauptmissionars gilt. Eine denkbar gut passende Gelegenheit bot doch wohl die sogenannte erste Missionsreise, näherhin die Erwähnung, daß Barnabas und Paulus den Rückweg über von ihnen gegründete Gemeinden nahmen (14,21ff), die durch den Abschied der beiden, zunächst jedenfalls, sich selbst überlassen werden. Es versteht sich für den Verfasser gewiß von selbst, daß Paulus auch auf seinen weiteren Missionsreisen in den von ihm gegründeten Gemeinden Älteste bestellte, ohne daß dies jeweils gesagt werden müßte. Könnte sich der Zweck der Notiz 14,23 in dem genannten Anliegen sogar erschöpfen? Diese Erwägung ist vielleicht auch deshalb nicht abwegig, weil der Verfasser kein Interesse verrät, für die Existenz des urgemeindlichen Presbyterkollegiums die „zwölf Apostel", die für ihn doch die offiziellen Garanten der christlichen Tradition sind, verantwortlich oder doch mitverantwortlich zu machen.

Trotzdem könnte er noch ein weiteres Moment zum Ausdruck bringen wollen. Das 14,23 gebrauchte Verbum χειροτονεῖν meint „Auswahl und Bestallung"[140]. Abgesehen davon, daß sich eine Ordination im eigentlichen Sinne auch für Stellen, an denen ausdrücklich von „Handauflegung" die Rede ist (6,6; 13,3), nicht wahrscheinlich machen läßt, denkt der Verfasser bei der Verwendung dieses Verbums schwerlich an einen Ordinationsritus, zumal dieses Verbum erst im 4. Jahrhundert den Vorgang der Handauflegung (statt des Aufhebens der Hand) = Ordination bezeichnet. Trotzdem könnte er mit 14,23 auch auf den Gesichtspunkt abheben wollen, daß es wenigstens neben den „Zwölf" stehende „Apostel" (14,4.14) waren, die die Ältestenkollegien in den hellenistischen Gemeinden bestellten.

[138] Mitte 114.141.
[139] *H. Merklein,* Amt 168f.
[140] *W. Bauer,* WB ^{5}1958 s. v. χειροτονέω: 1742.

Erlaubt deshalb die Milet-Rede, die die Presbyter doch unbestreitbar mit der Bewahrung des apostolischen Evangeliums in der Zeit nach dem Tod des Apostels betraut, nicht doch noch einen Schritt weiter zu gehen und von der Übertragung des „Apostelamtes" zu sprechen und damit den Paulus von Apg 20 das Prinzip der apostolischen Amtssukzession praktizieren zu lassen[141]? Das wäre am ehesten zu bejahen, wenn der Apostel von 20,28 zu den ja schon im Presbyteramt Befindlichen sagen würde: „in der [d.i. der ganzen Herde] ich euch zu Episkopen *einsetze*". Denn das würde die Vorstellung erlauben, daß der Apostel in dem Augenblick, da er endgültig von seiner Funktion und Stellung, die er gegenüber den Gemeinden innehatte, zurücktritt, die Presbyter mit einer zusätzlichen, diesen bislang noch abgehenden Vollmacht und Verantwortung, eben der von ihm selbst ausgeübten, ausstattet. In diesem Fall würden „Episkopen" die spezifisch nachapostolische, mit apostolischer „Voll"-macht ausgestattete Stellung der Presbyter bezeichnen. Läßt der Verfasser an diesem Wendepunkt, von dem an Wohl und Wehe der Gemeinde in seiner Sicht faktisch vom persönlichen und dienstlichen Verhalten der Presbyter abhängen wird, den Apostel aber dann wenigstens auf 14,23 zurückgreifen, also wenigstens präterial von der durch diesen erfolgten Einsetzung der Presbyter sprechen? Nicht einmal das tut er. Dabei läßt er Paulus in seiner Rechenschaftsablage vor (VV.18–27) und nach V.28 (VV. 31–35) doch so betont in der Ich-Form von seinem vorbildlichen missionarischen und seelsorglichen Dienst sprechen. Beachten darf man auch, daß er im besonderen die schon V.20 ausgesprochene topische Beteuerung – wie deren gleichzeitig aktuelle Spitze auch zu bestimmen sein mag – unmittelbar vor V.28 wiederholt: „Denn ich habe mich der Pflicht nicht entzogen, euch den ganzen Willen Gottes kundzutun" (V. 27). Insofern könnte man durchaus erwarten, daß er auch die Einsetzung der für die Bewahrung der unversehrten apostolischen Lehre fortan verantwortlichen Presbyter als eine von ihm wahrgenommene Aufgabe bezeichnet, somit in der Ich-form fortfährt: (Habt acht auf euch und die ganze Herde), in der *ich* euch zu Episkopen eingesetzt habe..." Warum läßt der Verfasser also ausgerechnet an dieser Stelle Paulus den heiligen Geist und nur diesen als die Presbyter bestellende Größe nennen? Das spricht doch nächstliegend dafür, daß die vorliegende Einsetzungsaussage nicht von der speziellen Absicht bestimmt ist, auf die durch ihn erfolgte Einsetzung des Presbyteramts und damit auf eine geradlinige Herleitung desselben von seinem Apostolat abzuheben.

[141] Ob auch *H. Merkleins* Formulierung „Die Presbyter werden testamentarisch in die Funktion des Apostels eingesetzt" (Amt 368) das sagen will, wage ich nicht zu entscheiden.

Dafür, daß die Milet-Rede „ein die apostolische Sukzession garantierendes Ereignis“ ist, machte G. Klein – aus einem unverkennbaren Zugzwang seiner Gesamtschau des lukanischen Doppelwerks – vor allem das παρατίθημι von V.32 geltend[142], auf das sich jetzt wieder S. Schulz im gleichen Sinn beruft. „‚Übergabe‘, ‚übergeben‘ sind traditionelle Stichworte innerhalb der apostolischen Amtsnachfolge. Verwenden aber die mit dem lukanischen Paulus aufs engste verwandten Pastoralbriefe dieses Wort für den Akt der Übergabe der kirchlichen Wahrheit von einem Amtsträger an den andern (1 Tim. 1,18; 2 Tim. 2,2), also im Sinne der apostolischen Tradition, so der lukanische Paulus im Sinne der apostolischen Sukzession: Menschen werden ‚übergeben‘“[143]. Diese Argumentation kann schon deshalb schwerlich tragen, weil παρατίθεμαι nicht Amtsübergabe bedeutet, sondern eine Abschiedsformel ist, wie auch Apg 14,34.36; 15,40 belegt[144].

2. Sodann kann auch die gegenüber H.-J. Michel geltend gemachte Auffassung, bereits die Verwendung der Gattung „Abschiedsrede“ als solche zeige, daß die Presbyter als „Nachfolger“ der Apostel verstanden sind[145], nicht weiterhelfen. Diese generelle Behauptung empfiehlt sich nicht, sofern die verschiedenen motivlichen Möglichkeiten, die gerade Michel anhand seiner wohl annähernd erschöpfenden Sammlung von „Abschiedsreden“ belegt hat[146], zur Kenntnis genommen werden. Es gibt sehr wohl einige altbiblische Vergleichsstellen, die eine förmliche Einsetzung oder Inthronisation des Nachfolgers aussprechen. Von einer förmlichen Einsetzung der Presbyter durch Paulus kann aber, wie man Michel nicht abstreiten kann, Apg 20 sowenig die Rede sein wie von dem ebenso vereinzelt begegnenden Motiv der Benennung des Nachfolgers; nach 20,28 sind die Presbyter ja schon in ihr Amt eingesetzt. Es bleiben nur noch zwei andere topische Vorstellungen, die sich in Apg 20 entdecken lassen: einmal, „daß Paulus in Verbindung mit V.32 einen Zuspruch an die Ältesten in ihrer Funktion als Amtsträger richtet und ihnen göttlichen Beistand verspricht“; sodann die Nähe der Einsetzung der Episkopen durch den heiligen Geist zur altbiblischen Vorstellung, „daß der Nachfolger immer schon zuvor von Gott auserwählt ist“ – eine Analogie, die für Michel zurecht nicht ausreicht, für Apg 20 die Vorstellung der apostolischen Amtsnachfolge vorauszusetzen. „Die Ältesten werden nirgends als Nachfolger apostrophiert, auch nicht implizit, denn es

[142] Apostel 179.178–184.

[143] Mitte 116.

[144] *H.-J. Michel,* Abschiedsrede 93; vgl. auch *J. Roloff,* Apostolat 229 Anm. 213.

[145] *F. Mußner* in seiner Rezension: BZ NF 20 (1976) 131f.

[146] Vgl. zu unserem Fragepunkt die Zusammenfassung S. 70 mit Belegverweisen.

ist kein Amtsvorgänger genannt, dem sie nachfolgen könnten. Als Leiter einer Einzelgemeinde können sie nicht *die* Nachfolger des Paulus in seiner universalen Funktion sein"[147].

Oder könnte es schließlich einen ganz simplen Grund haben, daß 20,28 nicht von der durch Paulus erfolgten Einsetzung der Presbyter die Rede ist? Unterstellen wir folgende Möglichkeit: Vom Standort seiner Gegenwart ausgehend, könnte der Verfasser der Apg annehmen, die Ältesten von Ephesus, in denen er selbstverständlich zugleich die Ältesten der übrigen Gemeinden ansprechen läßt, seien personell nicht mehr dieselben wie in den Tagen Pauli. Um dieser Situation Rechnung zu tragen, lasse er Paulus in der Milet-Rede – im Unterschied zu 14,23 – nicht von der durch ihn erfolgten Einsetzung der Presbyter sprechen, sondern von der Bestellung durch den heiligen Geist, womit er zugleich die Frage offen lassen könne, durch welches – etwa noch unterschiedliches – Verfahren Presbyterkollegien in den Gemeinden seines Gesichtsfeldes ergänzt bzw. in neu gegründeten Gemeinden bestellt werden. So diskutabel die Ingredienz des letztgenannten Gesichtspunktes sein mag, so fraglich ist die oben supponierte Möglichkeit. Gerade jene Erwägung brauchte sich dem Verfasser nicht nahezulegen. Selbst wenn er auf die Möglichkeit oder Wahrscheinlichkeit reflektiert hätte, daß einige der von Paulus eingesetzten ephesinischen Presbyter nicht mehr am Leben sind, kann man jedenfalls nicht behaupten, das habe ihn davon abhalten müssen, Paulus in 20,28 von seiner Einsetzung der Presbyter sprechen zu lassen. Denn die Gattung der Abschiedsrede, der der Verfasser stärkstens verpflichtet ist, erlaubt es nun einmal, Vertreter der gegenwärtigen Generation anzusprechen. Eben weil die Milet-Rede von ihrer Gattung her es durchaus erlaubt hätte, Paulus ausdrücklich auf seine Einsetzung der Presbyter hinweisen bzw. von der Übertragung seines Amtes sprechen zu lassen, sollte man auch aus diesem Grund die von ihm gewählte Formulierung von V.28 nicht als bloß oder mehr zufällig ansehen. Schwerlich kann man diese ohne Willkür etwa dahin nivellieren: aufgrund seines Bewußtseins, aus der Kraft des Geistes zu sprechen und zu handeln, könne der Apostel zur Abwechslung ebensogut mit der Formulierung von V.28 die durch ihn erfolgte Einsetzung der Presbyter zum Ausdruck bringen.

3. Zweifelsohne gilt es nach Apg 20 als vornehmste „Amts"-Pflicht der Presbyter, die echte, unversehrte apostolische Überlieferung zu hüten. Der Traditionsgedanke ist hier mit dem Amtsgedanken verbunden, so wie auch „Insti-

[147] AaO. 70.

tution und Geist... verbunden (sind)“[148]. Und niemand bestreitet: „Insofern sollen sie [die Presbyter] dasselbe tun, was Paulus zu seinen Lebzeiten getan hat [nämlich „gegenüber den Irrlehrern das apostolische Wort zur Geltung zu bringen“], und können, *so gesehen,* als seine ‚Nachfolger‘ angesprochen werden“[149]. Was strittig ist, ist doch einzig das Verständnis dieser „Nachfolge“, ob diese hier als Fortführung apostolischer Amtsvollmacht verstanden ist. Und was diesen Punkt angeht, hat H. Schürmann längst doch wohl richtig erkannt, daß in Apg 20 eine Amtsübergabe nicht ausgesprochen ist. H.-J. Michel behauptet m.E. nicht zuviel und auch nicht zu wenig: „Ein Modellfall einer Sukzession liegt in Apg 20,17ff nicht vor; wohl aber ist der Gedanke herauszulesen, daß es zur Sicherung der wahren apostolischen Lehre eine berufene Institution geben muß“[150], als die die Apg eben ortsgemeindliche Presbyterkollegien kennt.

Eine Bestätigung erfährt dieses Ergebnis schließlich durch die bereits angedeutete paränetische Ausrichtung unserer Presbyterinstruktion[151]. Sosehr diese Paulus als den herausstellt, der allen, wie auch den angesprochenen Presbytern selbst, das unversehrte Evangelium vermittelte, verzichtet sie darauf, ihn auf seine Autorität und Vollmacht als Apostel abheben zu lassen. Sie zeichnet ihn als den in jeder Hinsicht vorbildlichen, keine Gefahr und schmerzliche Not scheuenden, jegliche Mühe und Arbeit auf sich nehmenden Evangeliumsverkündiger und Seelsorger, der keine andere Rücksicht kannte, als zum Heil aller „das Evangelium von der Gnade Gottes zu bezeugen“ (V.24). Auch die gattungsgemäße Ansage seines kommenden Endes ist geprägt vom Gedanken der vorbildlichen Bereitschaft, in Ausübung dieses Dienstes alles bis zur Hingabe des Lebens auf sich zu nehmen (VV. 22–25). Nachdem der hier redende Paulus toposgemäß die Presbyter auf die sie und ihre Herde überkommenden schweren Gefährdungen angesprochen hat (VV.28–30), erinnert er diese noch spezieller an sein dreijähriges, unermüdliches, jedem einzelnen nachgehendes seelsorgerliches Wirken in Ephesus (V.31). Und selbst nach dem Vermächtniswort des V.32 läßt er sich noch ausdrücklich die beispielhafte Uneigennützigkeit seines Abmühens bescheinigen (VV.33–35). Es geht dem Verfasser somit offensichtlich darum, die Ausübung des Dienstes Pauli, den dieser „von dem Herrn Jesus“ erhielt (V.24), als verpflichtendes, ideales Vorbild für den Dienst der Gemeindeleiter zu zeichnen – nicht aber darum, eine Kette der Amtsübertragungen zu

148 *H. Conzelmann,* Apostelgeschichte 118f.
149 Zitat mit Sperrung aus F. Mußners Rezension: aaO. 132.
150 Abschiedsrede 97.
151 Zur Verwendung traditioneller Motive der nachapostolischen Vorsteherparänese vgl. jetzt besonders *P.-R. Tragan,* La parabole (Anm. 108) 258 mit Anmerkungsteil.

statuieren, die vom Kyrios Jesus ausgeht und über den von diesem berufenen Apostel zu den von diesem bestellten Presbytern führt.

Auch die Rückführung des Hirten- und Wächteramtes der Presbyter auf den heiligen Geist will nicht theoretisch belehren oder gar die Existenz des Presbyteramtes formaljuridisch begründen. Es geht um das Wie der Amtsführung. Schon das einleitende „Habt acht auf euch selbst“ avisiert an erster Stelle die Möglichkeit des Versagens der Amtsträger. Deshalb will die Erwähnung der Bestellung durch den heiligen Geist in ebenfalls paränetischer Ausrichtung den Presbytern die Größe und hohe Verantwortung ihrer Aufgabe zum Bewußtsein bringen. Das ganze Gewicht der Bestellungs-Aussage ergibt sich aus der geradezu überladenen Kennzeichnung des Objekts: „... die Gemeinde Gottes zu weiden, die er durch $\frac{\text{sein (eigenes) Blut}}{\text{das Blut des Eigenen}}$ erworben hat.“[152]

Es ist das von Gott als sein höchstpersönliches und unveräußerliches Eigentum erworbene Volk, dessen Leiter und Hüter die Presbyter sind. Deshalb beschwört dieser Paulus die höchste Instanz, die den Dienst der Presbyter begründet und ermöglicht und vor der diese die Verwaltung ihres Amtes verantworten müssen[153]. Wenn der Verfasser anstelle des erhöhten Herrn „den heiligen Geist“ nennt, entspricht das zugleich – wie im Anschluß an den schon zitierten Beitrag von H. Steichele formuliert werden darf – seiner ausgeprägten Betonung von „Geist und Amt als kirchenbildenden Elementen“. Wie die Apostel derselben Autorin zufolge in der Apg nicht als „Kontrolleure“ des Geistes verstanden sind, sondern als seine besonders bevollmächtigten „Werkzeuge“, so auch die Presbyter als die nachapostolischen Amtsträger[154]. Diese stehen, wie die Apg auch zu sagen erlaubt, „in unmittelbarem Berufungsverhältnis zum erhöhten Kyrios“[155].

Abschließend versuche ich, die für unsere Fragestellung wesentlichen Ergebnisse dieses bruchstückhaften Durchgangs zu resümieren:

1. Die Apostolizität des Amtes und das Prinzip der Amtssukzession läßt sich weder durch Berufung auf engere (den Gemeinden von außen gegenübertretende) Mitarbeiter Pauli, denen als Gesandten und Nachfolgern die Repräsentation des Apostels obliege, noch durch die Berufung auf (innergemeindliche) Mitarbeiter im weiteren Sinne (näherhin auf die Episkopen von Phil 1,1) in der Intention des Apostels Paulus verankern.

[152] *H. Conzelmann,* Apostelgeschichte 118.

[153] Das hat zuerst *J. Dupont* gut herausgestellt: Paulus an die Seelsorger, Düsseldorf 1966, 118–129; vgl. auch *H.-J. Michel,* Abschiedsrede 97.

[154] Geist und Amt, in: J. Hainz, Kirche 199–203.

[155] *J. Roloff,* Apostolat 231.

2. Statt von der Voraussetzung, Pauli Theologie der konkreten Gemeinde und aller deren Dienste sei primär eine Komponente seines Apostolatsverständnisses, ist nach wie vor von der Charismentheologie als dem grundsätzlichen und adäquaten Ausdruck des paulinischen Konzepts und Ideals einer Gemeinde auszugehen. Obwohl dieses charismatische Gemeindemodell gewisse Elemente liefert, bei denen eine spätere, zur Hervorhebung und sogar Institutionalisierung bestimmter ekklesialer Funktionen führende Tendenz ansetzen konnte, ist jenem eine Unterscheidung zwischen charismatischen und nicht-charismatischen Diensten oder gar die Idee einer statischen Über- und Unterordnung der vielfältigen Gnadengaben fremd.

3. Der wohl bestbegründeten Interpretation zufolge schrieb Paulus jeder Gemeinde die prinzipielle Fähigkeit zu, durch das Zusammenspiel ihrer charismatischen Begabungen ihre Lebensvollzüge zu ordnen bzw. die gestörte Ordnung wiederherzustellen, und verstand er sein Entscheidungen fällendes Eingreifen in die innere Ordnung einer Gemeinde als subsidiäre Akte, durch die er dieser zur vollen Funktionsfähigkeit verhelfen wollte.

4. Daraus lassen sich im Hinblick auf die nachpaulinische = nachapostolische Zeit zwei Folgerungen ziehen:

a) In negativer Hinsicht: Da Paulus die Möglichkeit, sein apostolisches Charisma bzw. seine apostolische Autorität zur Wahrung oder eventuellen Wiederherstellung der innergemeindlichen Ordnung einzusetzen, nicht als ein Konstitutivum der charismatischen Gemeindestruktur, somit nicht als ein prinzipielles Erfordernis ansah, ist die Stellung der Frage, wer statt des Apostels in „Notfällen" entscheidend und ordnend eingreift, durch das paulinische Gemeindekonzept selbst nicht gefordert – so sehr die nachpaulinische Existenz einer regulierenden und applizierenden Instanz bereits im Hinblick auf das faktische Eingreifen des Apostels als wünschenswert, ja als praktisch notwendig erachtet werden mag.

b) In positiver Hinsicht: Insofern Paulus die Selbständigkeit und Selbstverantwortung der einzelnen Gemeinden anerkennt und erstrebt, kann man seinem Gemeindekonzept doch eine gewisse prinzipielle Offenheit für die Möglichkeit nicht absprechen, daß aufgrund allgemein anerkannter geschichtlicher Notwendigkeiten gewisse „Charismen" und Charismenträger gegenüber dem eigenverantwortlichen Engagement aller Gemeindeglieder eine zunehmende Hervorhebung und bis zur Vor- und Überordnung führende Potenzierung erfuhren. Überdies läßt sich wohl auch sagen: Wenn nachpaulinische Gemeinden einer begrenzten Zahl von Männern (zu denen jeweils im besonderen auch die „ältesten" Gemeindeglieder zählen mochten), die sich durch das Charisma des verkündigenden, lehrenden, mahnenden und leitenden Wortes ausgezeichnet und bewährt hatten, die Prärogative besonderer Autorität und Verantwortung zuerkannten und es dadurch schließlich zur organisatorischen Etablierung einer mehr und mehr der Gemeinde gegenüberstehenden, schließlich sogar ihr übergeordneten Instanz kam, kann man immerhin von einer gewissen Entsprechung zum nachhelfenden und regulierenden Eingreifen des Apostels selbst sprechen – so sehr diese Entwicklung zugleich mit einem früh einsetzenden Schwund bzw. auch einer Minderung der vielfältigen charismatischen Aktivitäten der übrigen Gemeindeglieder gleichbedeutend war und das Ideal des charismatischen Organismus mehr und mehr an Zugkraft verlieren ließ. Die für unseren Aspekt entscheidende Frage ist jedenfalls, ob und wie diese faktische personale, ja institutionelle (Presbyterinstitut) Stabilisierung von ekklesialen Funktionen – sowohl einer übergemeindlichen (wie der der Evangelisten) als auch und besonders der innergemeindlichen („die Hirten und Lehrer", „die Presbyter") – in den besprochenen Schriften vom Ausgang der ersten nachpaulinischen Generation begründet wird.

5. Die Forderung der Kontinuität und der Nachfolge in der Verkündigung und Auslegung des von dem (den) Apostel(n) bezeugten normativen Evangeliums ist in 1 Petr implizit und vom Paulus der Apg ausdrücklich ausgesprochen. Sie wird vom Verfasser des Eph durch die fiktive Beanspruchung des Apostels Paulus zwar unmißverständlich praktiziert, jedoch insofern nicht so deutlich ausgesprochen, als er sich dort, wo die ergangene Christusoffenbarung als für die ganze Kirche (für alle ihre Glieder und für die 4,11 hervorgehobenen Funktionsträger im besonderen) richtunggebend bezeichnet wird, am exklusiven Privileg der Apostel hinsichtlich der fundamentalen und normierenden Rolle nicht interessiert zeigt. Daß die ekklesialen Dienste („Evangelisten, Hirten und Lehrer") oder doch die ortsgemeindlichen Funktionsträger („Hirten und Lehrer – die Presbyter") in Ausübung ihres Dienstes mit apostolischer Vollmacht aufzutreten berechtigt sind, insofern de facto als Amtsnachfolger des/der Apostel(s) zu verstehen wären, oder gar von dem/den Apostel(n) durch direkte Einsetzung bzw. Amtsübertragung legitimiert sind, läßt sich nicht als Aussageintention unserer Verfasser nachweisen und trotz Apg 14,23 auch für die Apg nicht wahrscheinlich machen. Auch die Selbstbezeichnung des fiktiven Petrus von 1 Petr 5,1 rechtfertigt schwerlich den Schluß, der Verfasser wolle das Presbyteramt geradezu als Übernahme und Fortsetzung apostolischer Vollmacht qualifizieren. Der spezielle Versuch, mittels der Hypothese von der in der ersten nachapostolischen Generation erfolgten Festlegung „des kirchlichen ‚Institut Apostel'" die Eph 4,11 genannten Funktionsträger bzw. wenigstens die innergemeindlichen „Hirten und Lehrer" als Fortführung der apostolischen Autorität zu beanspruchen, beruht auf einer kaum tragfähigen Konstruktion.

6. Soweit Texte unserer Schriften als Aussagen zur Existenzbegründung und Legitimierung nachapostolischer Funktionsträger in Betracht kommen, werden über-apostolische Autoritäten genannt, nämlich der erhöhte Christus – so ausdrücklich Eph 4,11 und implizit möglicherweise in 1 Petr, wo die Absicht einer christologischen Begründung des Presbyteramtes freilich nicht sicherzustellen ist – und der heilige Geist; so in der Apg, wo das Presbyterinstitut trotz 14,23 in der gewichtigeren Einsetzungsaussage 20,28 nicht auf den Apostel, sondern auf den heiligen Geist zurückgeführt wird. Während diese Nennung des heiligen Geistes dem ausgesprochenen Interesse der Apg an Geist und „Amt" als kirchenbildenden Kräften entspricht, ist die Kennzeichnung der Eph 4,11 genannten Funktionsträger (aus Vergangenheit und Gegenwart) als Frucht der Initiative Christi von der paulinischen Charismentheologie inspiriert (wie der Kontext 4,7–16 zeigt) – ein Umstand, der neben anderen Gründen schwerlich dazu berechtigt, die Christusunmittelbarkeit der gegenwärtigen Funktionsträger bzw. speziell der gemeindlichen Hirten und Lehrer (Lehr- und Leitungsamt) institutionell-rechtlich, im Sinne eines sich anbahnenden Iuris-divini-Charakters verstehen zu lassen.
7. Ein hervorstechender Zug ist die paränetische Ausrichtung, ein geradezu vordergründiges Interesse an der verantwortungsvollen, echt pastoralen Ausübung des Gemeindeleiterdienstes, das in zwei der besprochenen Schriften, nämlich in 1 Petr und Apg 20, in unterschiedlicher Weise zum Ausdruck kommt. Auch wenn 1 Petr die christologische Begründung des Presbyteramtes impliziert, geht es dem hier sprechenden Apostel Paulus in erster Linie darum, seine Mahnung zu der in allem vorbildlichen Ausübung des Hirtendienstes der Presbyter mit seinem eigenen Beispiel als existentieller Zeuge der Leiden Christi und hintergründig mit dem Vorbild des bis zur Lebenshingabe leidenden „Oberhirten" Christus zu motivieren. Noch ausdrücklicher und betonter erscheint das in jeder Hinsicht vorbildliche missionarische und seelsorgerliche Wirken Pauli in Apg 20 als verpflichtendes Ideal und Vorbild der angesprochenen Presbyter. Auch hinter der Rückführung ihres Hirten- und Wächteramtes auf den heiligen Geist (20,28) steht letztlich die Absicht, den Gemeindeleitern der Gegenwart Größe und Verantwortung ihrer Aufgabe zum Bewußtsein zu bringen.
Damit konnte die im katholischen Bereich erstmals von unserem Jubilar sehr grundsätzlich und klar aufgeworfene Problemstellung freilich nur ein begrenztes Wegstück verfolgt werden, dies aber doch für die grundlegende Epoche von Paulus bis zum Ausgang der ersten nachapostolischen Generation. Die drei zuletzt befragten Schriften dürften immerhin die wichtigsten positiven Zeugnisse für den am Ausgang dieser Generation erreichten Entwicklungsstand liefern. Der Versuch einer Gesamtbeurteilung würde

freilich die Befragung der übrigen neutestamentlichen Spätschriften erfordern, und zwar derer, die keine unmittelbaren Aussagen über ekklesiale Funktionsträger machen, gewiß nicht weniger als der übrigen Dokumente aus der Zeit um und nach der Jahrhundertwende.

Literatur

Bouyer, L., Ministère ecclésiastique et succession apostolique: NRTh 105 (1973) 241–252.
Bornkamm, G., Paulus, Stuttgart 1969.
Brockhaus, U., Charisma und Amt, Wuppertal 1972.
Campenhausen, H. v., Kirchliches Amt und geistliche Vollmacht in den ersten drei Jahrhunderten (BHTh 14), Tübingen [2]1963.
Congar, Y., Die Wesenseigenschaften der Kirche, in: Mysterium Salutis. Grundriß heilsgeschichtlicher Dogmatik (hrsg. von J. Feiner und M. Löhrer), IV/1, Einsiedeln–Zürich–Köln 1972, 535–594.
Conzelmann, H., Grundriß der Theologie des Neuen Testaments, München 1967.
Ders., Die Apostelgeschichte (HNT 7), Tübingen [2]1972.
Delorme, J. u. a., Le ministère et les ministères selon le Nouveau Testament, Paris 1974.
Dupuy, B. D., Theologie der kirchlichen Ämter, in: Mysterium Salutis. Grundriß heilsgeschichtlicher Dogmatik (hrsg. von J. Feiner und M. Löhrer), IV/2, Einsiedeln–Zürich–Köln 1973, 488–525.
Ernst, J., Die Briefe an die Philipper, an Philemon, an die Kolosser, an die Epheser (RNT), Regensburg 1974.
Fischer, K. M., Tendenz und Absicht des Epheserbriefes (FRLANT 111), Berlin–Göttingen 1973.
Gnilka, J., Der Philipperbrief (HThK X/3), Freiburg i. Br. 1968 (Nachdr. Leipzig 1968).
Ders., Der Epheserbrief (HThK X/2), Freiburg i. Br. 1971 (Nachdr. Leipzig 1971).
Goldstein, H., Paulinische Gemeinde im Ersten Petrusbrief (SBS 80), Stuttgart 1975.
Hahn, F., Neutestamentliche Grundlagen für eine Lehre vom kirchlichen Amt, in: F. Hahn u. a., Dienst und Amt, Regensburg 1973, 7–40.
Hainz, J. (Hrsg.), Kirche im Werden. Studien zum Thema Amt und Gemeinde im Neuen Testament, München–Paderborn–Wien 1976.
Käsemann, E., An die Römer (HNT 8a), Tübingen [3]1974.
Kelly, J. N. D., A Commentary on the Epistles of Peter and of Jude (Black's NTC), London 1969.
Kertelge, K., Gemeinde und Amt im Neuen Testament, München 1972 (Nachdr. Leipzig 1975).
Klein, G., Die zwölf Apostel (FRLANT 77), Göttingen 1961.
Lohmeyer, E., Der Brief an die Philipper (MeyerK IX/1), Göttingen [13]1964.
Merklein, H., Das kirchliche Amt nach dem Epheserbrief (StANT 33), München 1973.
Michel, H.-J., Die Abschiedsrede des Paulus an die Kirche Apg 20,17–38 (StANT 35), München 1973.
Roloff, J., Apostolat – Verkündigung – Kirche, Gütersloh 1965.
Schelkle, K. H., Die Petrusbriefe (HThK XIII,2), Freiburg i. Br. 1961 (Nachdr. Leipzig 1967).
Schlier, H., Ekklesiologie des Neuen Testaments, in: Mysterium Salutis. Grundriß heilsgeschichtlicher Dogmatik (hrsg. von J. Feiner und M. Löhrer), IV/1, Einsiedeln–Zürich–Köln 1972, 101–214.
Schulz, S., Die Mitte der Schrift. Der Frühkatholizismus im Neuen Testament als Herausforderung an den Protestantismus, Stuttgart–Berlin 1976.
Schürmann, H., Das Testament des Paulus für die Kirche (Apg 20, 18–35) (1962), in: *Ders.*, Traditionsgeschichtliche Untersuchungen zu den synoptischen Evangelien, Düsseldorf 1968, 310–340.
Ders., Die geistlichen Gnadengaben in den paulinischen Gemeinden (1966), in: *Ders.*, Ursprung und Gestalt, Düsseldorf 1970, 236–267.
Schweizer, E., Gemeinde und Gemeindeordnung im Neuen Testament (AThANT 35), Zürich 1959.
Spicq, C., Les Épitres de Saint Pierre (Sources Bibliques), Paris 1966.
Stuhlmacher, P., Evangelium – Apostolat – Gemeinde: KuD 17 (1971) 28–45.

OFFENE FRAGEN ZUM THEMA „GEISTLICHES AMT" UND DAS NEUTESTAMENTLICHE VERSTÄNDNIS VON DER „REPRAESENTATIO CHRISTI"

Von Karl Kertelge

I. Aspekte der heutigen Amtsproblematik

Die Theologie des geistlichen Amtes hat in neuerer Zeit von den exegetischen Arbeiten zum Amtsverständnis der frühchristlichen Gemeinden und der neutestamentlichen Schriften vielfache Impulse erhalten. Dies kann und muß hier nicht im einzelnen nachgewiesen werden. In einem notwendigerweise begrenzten Überblick über die Diskussion zum Thema „Amt" läßt sich die durchgängige Orientierung der theologischen Beiträge am Schriftzeugnis des Neuen Testaments nicht übersehen. Auch wenn bezüglich der Schriftauslegung unterschiedliche hermeneutische und exegetische Voraussetzungen erkennbar werden, so ist doch für den größten Teil der heutigen Diskussionsbeiträge das Bemühen anzuerkennen, wissenschaftlich begründete Ergebnisse der exegetischen Forschung in die theologische Begründung des geistlichen Amtes einzubringen. Das in der Dogmatik geläufige Doppelzeugnis aus Schrift und Tradition fällt daher heute besonders aufgrund der exegetischen Arbeiten differenzierter aus als früher. Auf dem Weg zu einem besseren, vertieften Verständnis des geistlichen Amtes hat nicht zuletzt Heinz Schürmann, dem dieser Beitrag gewidmet ist, mit seinen exegetisch-theologischen Untersuchungen und Interpretationen wesentliche Anregungen gegeben[1], die auch für die hier zu behandelnden „offenen Fragen" manchen weiterführenden Hinweis bieten.

Die exegetische Behandlung des Themas „Geistliches Amt" mußte manche Frage, die in der neueren theologischen Diskussion gestellt wurde, als offene Frage zurückgeben. Das liegt zum Teil an der besonderen Art der literarischen Quellen des Neuen Testaments, die uns keine systematischen theologischen Entwürfe bieten, zum Teil auch an der Verschiebung der Fragerichtung zwischen Neuem Testament und kirchlicher Tradition. Manche Detailfrage um Wesen und Vollzug des kirchlichen Amtes war im Neuen Testament noch nicht relevant. Und umgekehrt haben einzelne neutestamentliche Struktur-

[1] Vgl. besonders die in den beiden Sammelbänden von *H. Schürmann* wiedergegebenen Aufsätze: Testament des Paulus; Apostolische Existenz; Gnadengaben; Verheißung an Simon Petrus; Petrus und Johannes.

elemente des Amtes später einen anderen Stellenwert erlangt. Mit der Darstellung einiger offener Fragen zum geistlichen Amt und seiner Begründung im Neuen Testament soll versucht werden, gewissen Übererwartungen an das Neue Testament zu begegnen und andererseits auch auf die den neutestamentlichen Schriften eigenen Möglichkeiten und die sich daraus ergebende Einsicht in unverzichtbare Grundstrukturen des geistlichen Amtes aufmerksam zu machen.

Die Rückfrage nach dem neutestamentlichen Amtsverständnis hat seit einiger Zeit besonders in der *Lehrverkündigung der katholischen Kirche* verstärkt eingesetzt. Die einschlägigen Dokumente des Zweiten Vatikanischen Konzils[2] halten zwar noch weitgehend an der traditionellen Weise eines eklektischen Schriftgebrauchs fest. Es läßt sich aber nicht übersehen, daß zahlreiche Sätze und Abschnitte der theologischen Darstellung in diesen Dokumenten von einem neuen Verständnis der neutestamentlichen Schriften inspiriert sind. Noch deutlicher und überzeugender tritt die bibeltheologische Argumentation in dem „Schreiben der deutschen Bischöfe über das priesterliche Amt"[3] hervor. Das Dokument der Römischen Bischofssynode 1971 „Der priesterliche Dienst"[4] weist ausdrücklich auf die biblischen Schriften, besonders des Neuen Testaments, als „Zugang zur Person und zum Mysterium Christi" hin, ein Hinweis, der durch eine ebenso differenzierte biblisch-theologische Hermeneutik[5] an Gewicht gewinnen würde. Die genannten Lehrdokumente sind bemüht, das katholische Verständnis vom geistlichen Amt auf das Schriftzeugnis zu gründen und damit auf die „Ansätze", die sich aus den neutestamentlichen Schriften eruieren lassen, zurückzuführen. Gegenüber einer Unterscheidung von primären und sekundären Schriftzeugnissen und einer damit verbundenen Zurückstellung der späteren, „frühkatholischen" Schrifttexte bei der neu-

[2] Siehe besonders die dogmatische Konstitution „Lumen gentium" (AAS 57, 1965, 5–71), das Dekret über die Hirtenaufgabe der Bischöfe „Christus Dominus" (AAS 58, 1966, 673–696) und das Dekret „Presbyterorum Ordinis" (AAS 58, 1966, 991–1024).

[3] Schreiben.

[4] Römische Bischofssynode 1971.

[5] Das Dokument begnügt sich in Nr. 10 mit dem Hinweis auf die Zusammengehörigkeit aller Schriften aufgrund ihrer Inspiriertheit als Voraussetzung für ihre Interpretation. „Alle Schriften, vorab die des Neuen Testamentes, sind als durch ein und dieselbe Inspiration innig untereinander verbunden und aufeinander hingeordnet zu interpretieren. Auch sind die neutestamentlichen Bücher ihrem Gewicht nach nicht so voneinander verschieden, daß einige als spätere Erfindungen bezeichnet werden könnten. Die personale, unmittelbare Beziehung zu Christus in der Kirche muß auch für einen heutigen Glaubenden das Bestimmende seines ganzen geistlichen Lebens sein" (ebd. 49). Hierzu bemerkt *Hemmerle* in der Einführung: „Noch weniger als im Dogmatischen sind in der exegetischen Begründung des Textes neue Elemente zu finden. Einigermaßen unbefangen geht er mit den Aussagen der Schrift um und legt sie auf jene Deutungen hin aus, die sie in der großen Tradition der Kirche gefunden haben. Auch hier ist indessen mehr Reflexion in die Aussagen investiert, als ein rasches Anlesen zeigt" (ebd. 9).

testamentlichen Begründung des geistlichen Amtes wird an dem *ganzen* Schriftzeugnis festgehalten. Diese Forderung ist zweifellos nur zu berechtigt; sie stellt allerdings auch umgekehrt vor die Aufgabe, die Gemeinde- und Amtsstrukturen, die in den unleugbar später zu datierenden Schriften des Neuen Testaments anzutreffen sind, in überzeugender Weise auf entsprechende Elemente des früheren und frühesten urchristlichen Amtsverständnisses, besonders in den Paulusbriefen, zurückzuführen. Nur in einer sachgemäßen geschichtlichen Perspektive, d.h. für das Neue Testament: mit überlieferungsgeschichtlicher Sichtung und Interpretation der einschlägigen Texte, läßt sich ein Schlüssel zum Verständnis des geistlichen Amtes im Neuen Testament gewinnen.

Die Rückfrage nach dem neutestamentlichen Amtsverständnis hat sich in neuerer Zeit vor allem im *ökumenischen Gespräch* als fruchtbar und anregend erwiesen. Durch eine erneute Besinnung auf die neutestamentlich-theologischen Grundlagen haben die verschiedenen Bemühungen um eine Verständigung in der Ämterfrage zwischen den Konfessionen und Kirchen[6] zu einigen bedeutsamen Teilerfolgen geführt. Eine weitgehende Annäherung zeigt sich in den verschiedenen Konsenserklärungen vor allem hinsichtlich der Verschiedenheit und Zusammengehörigkeit von allgemeinem Priestertum aller Glaubenden und besonderem kirchlichen Amt sowie hinsichtlich der Funktionen des besonderen kirchlichen Dienstamtes: Verkündigung, Spendung der Sakramente und Leitung der Gemeinde[7]. Offene Fragen bleiben hingegen trotz erkennbarer Annäherung in wichtigen Details bezüglich des sakramentalen Charakters der Ordination und der Bedeutung der apostolischen Sukzession als konstitutives Element des kirchlichen Amtes. Diese und andere damit zusammenhängende Fragen[8] erweisen sich in unterschiedlicher Weise als Schwierigkeiten für die von den Gesprächsgremien empfohlene bzw. geforderte gegenseitige Anerkennung der Ämter durch die Kirchenleitungen[9].

[6] Zu nennen sind hierzu besonders die Ergebnisse von „Faith and Order" (Weltrat der Kirchen), Tagung in Löwen 1971, der sogenannte Malta-Bericht von 1971 (evangelisch-lutherische/römisch-katholische Studienkommission „Evangelium und Kirche", vgl. hierzu die Darstellung von *H. Schürmann* in Trierer Theol. Zeitschrift 82, 1973, 53–60. 120–125. 172–180), das sogenannte Windsor Statement von 1971 als Ergebnis anglikanisch/römisch-katholischer Gespräche, der Bericht der Studiengruppe von Dombes von 1972 „Teilkonsens über das kirchliche Amt" und das Memorandum der Arbeitsgemeinschaft ökumenischer Universitätsinstitute von 1973 „Reform und Anerkennung kirchlicher Ämter". Eine ausführliche Zusammenstellung neuerer Literatur bietet *V. Pfnür,* Kirche und Amt.

[7] Vgl. *W. Kasper,* Es bleiben noch Fragen; *ders.,* Ökumenischer Konsens 221f.

[8] Vgl. *W. Kasper,* Ökumenischer Konsens 222–230, hier besonders zum Problem der apostolischen Sukzession in der Gestalt der „bischöflichen Sukzession" (228–230); *H. Bacht,* Amtsverständnis und Abendmahlsgemeinschaft.

[9] Vgl. *H. Fries,* Anerkennung.

Das für eine weiterführende Verständigung und die gegenseitige Anerkennung geforderte „Umdenken" bzw. „Überdenken" traditioneller Standpunkte[10] ist gewiß auch, aber nicht nur eine Sache des guten Willens der Gesprächspartner, sondern vor allem das Ergebnis einer umfassenden Klärung der in den verschiedenen kirchlichen Traditionen mitgegebenen theologischen Implikationen des Dienstamtes[11]. Nicht zu unterschätzen ist hierbei der Gesprächsbeitrag der orthodoxen Kirche, deren Ekklesiologie sich aus der Fortführung der apostolischen Überlieferung in der alten Kirche versteht, die aufgrund eines größeren Vertrauens auf das Wirken des Heiligen Geistes in der Kirche und ihren Gliedern die Amtsnachfolge der Apostel aber auch weniger juridisch faßt und in ihr vielmehr vor allem das Mittel für die vom Heiligen Geist selbst ermöglichte und getragene Kontinuität mit Jesus Christus und seinem fortwirkenden Heilsmysterium sieht[12]. Für ein weitergehendes, im eigentlichen Sinne ökumenisches Gespräch bedarf es freilich einer ständigen Besinnung auf die Konstituenten des kirchlichen Dienstamtes, die sich vom neutestamentlichen Ursprungszeugnis her erschließen lassen. Eine solche Besinnung löst nicht schlagartig alle offenen Fragen um das Amt, aber es ist zu erwarten, daß diese Fragen dadurch auf ein der Sache entsprechendes Maß zurückgeführt werden können.
Hinsichtlich des neutestamentlichen Zeugnisses vom kirchlichen Amt ist nicht nur nach den „Elementen" eines später sich durchsetzenden Amtsverständnisses zu fragen, sondern auch und vor allem danach, ob den elementaren Einzelaussagen nicht schon eine bestimmte ursprüngliche Konzeption vom geistlichen Amt zugrunde liegt, die freilich schon im Neuen Testament und erst recht in

[10] Gruppe von Dombes II/II, Nr. 2; Malta-Bericht Nr. 63.

[11] Die theologischen Implikationen eines in der jeweiligen kirchlichen Tradition gewonnenen Amtsverständnisses wirken recht nachhaltig weiter, auch über die oft mühsam erreichten ökumenischen Konsenserklärungen hinaus. Dies zeigt sich zum Teil schon in den Stellungnahmen vor allem zum Memorandum der ökumenischen Universitätsinstitute. In neuerer Zeit läßt z. B. ein Beitrag von *E. Lohse,* Die Gemeinde und ihre Ordnung 199, erkennen, wie sehr es noch einer theologischen Klärung und klärenden Vermittlung zwischen katholischen und reformatorischem Amtsverständnis bedarf. Nach Lohse scheint die starke Betonung der Stellung des Bischofs und seiner Bedeutung für die Kirche bei Ignatius von Antiochien die „hierarchische Struktur der katholischen Kirche" anzuzeigen und zu begründen. Diese Auffassung sei „aber weder vom Neuen Testament noch von der reformatorischen Theologie her zu rechtfertigen". Es fragt sich, ob das hiermit angezeigte Problem nur in einer Absage an Ignatius zu lösen ist, wie Lohse erklärt: „Wir müssen daher mit Entschiedenheit der Auffassung des Ignatius widersprechen, wo der Bischof sei, da sei die Kirche und Kirche könne ohne den Bischof nicht sein. Das Sein der Kirche ist vielmehr nach dem Neuen Testament wie nach der Lehre der Reformation allein durch die Verkündigung des Evangeliums und die sachgerechte Darreichung der Sakramente begründet."

[12] Vgl. *Panagopoulos,* Diakonia tes katallages; *J. D. Zizioulas,* Priesteramt; *J. Madey,* Gibt es Kirche ohne Apostolische Sukzession? Ebd. auch weitere Literatur.

der späteren Kirchengeschichte gewissen Modifikationen unterworfen ist. Eine solche den neutestamentlichen Aussagen zugrunde liegende Konzeption dürfte möglicherweise die Idee der *„repraesentatio Christi"* darstellen, die freilich nicht als bloße „Idee" vorkommt, sondern auf den geschichtlichen und theologischen Sachverhalt der Sendung der Jünger und Apostel durch Jesus Christus zurückzuführen ist.

Der Gedanke der Repräsentation Christi klingt in neueren exegetischen Darstellungen zum geistlichen Amt häufiger an, wird aber entweder einseitig institutionell vom jüdischen „Schaliach-Institut" her verstanden und in dieser Form oft als zu schematisch kritisiert oder nur punktuell an einzelnen Stellen des neutestamentlichen Textbefundes nachgewiesen. Einen umfassenden Versuch, die Ämter der Kirche von den Funktionen Jesu und deren Übertragung auf bevollmächtigte Repräsentanten her zu erhellen, hatte H. Riesenfeld bereits 1951 in einer verhältnismäßig wenig bekannten schwedischen Veröffentlichung[13] unternommen. Hiervon ist die Untersuchung des schwedischen Theologen P. E. Persson[14] über die „repraesentatio Christi" im Amtsverständnis der katholischen Theologie zumindest mittelbar mit angestoßen, der allerdings wiederum eine Unvereinbarkeit dieser theologischen Vorstellung mit der reformatorischen Rechtfertigungslehre und der Christologie feststellen zu müssen glaubt[15]. Ohne auf das hiermit angezeigte kontroverstheologische Problem einzugehen, das sich in neuerer neutestamentlich-theologischer Sicht kaum noch so widerständig zeigt, begnügen wir uns hier damit, einige wichtige Ansätze zur Entwicklung des Gedankens der Repräsentation Christi im Neuen Testament aufzuzeigen und zu interpretieren. Es ist zu erwarten, daß dadurch auch die Frage nach dem Wesen und dem theologischen Ort des kirchlichen Amtes geklärt und über eine polarisierende Entgegensetzung einer Repräsentation „von oben" und „von unten" hinausgeführt werden kann. Diese Sorge zeigt sich im Hintergrund vieler Interventionen gegen ein theologisch „erleichtertes" Amtsverständnis und eine entsprechend erleichternde Verständigung über dieses Thema vor allem im ökumenischen Gespräch.

[13] *H. Riesenfeld,* Ambetet i Nya testamentet. Hierauf und auf andere Veröffentlichungen der Uppsalenser Schule zum Thema nimmt *J. Roloff,* Apostolat 31–37 und passim, Bezug, nicht ohne dabei die unzureichende Berücksichtigung traditionsgeschichtlicher Gesichtspunkte festzustellen.

[14] *P. E. Persson,* Repraesentatio Christi 10.

[15] Ebd. 177.

Auszugehen ist von dem in den Evangelien überlieferten Verständnis der Sendung der Jünger durch Jesus. Das überlieferungsgeschichtlich analysierte Sendungsverständnis der Evangelien läßt einige wesentliche Strukturelemente erkennen, die das Verständnis vom kirchlichen Amt im Neuen Testament offenkundig von Anfang an bestimmt haben und als solche auf die Erfahrungen der Jünger mit Jesus während seines irdischen Wirkens zurückverweisen. Sodann ist die Eigenart der Beziehung des Apostels zu Jesus Christus und zur Gemeinde bei Paulus zu bedenken. Schließlich kann als „sekundäre" Anwendung des Sendungsgedankens die Bestimmung des geistlichen Amtes als „Hirtenamt" im Neuen Testament betrachtet werden. Die Anschlüsse zwischen den einzelnen Abschnitten sind nicht rein entwicklungsgeschichtlich zu denken, sondern als Neuansätze, in denen die überlieferungsgeschichtlich vorgegebenen Grundelemente des urchristlichen Sendungsverständnisses in geschichtlich andersartigen Situationen zu jeweils „neuen" Konzeptionen vom Amt führen.

1. *Die Sendung der Jünger durch Jesus*

Die Evangelien berichten in mehrfacher Überlieferung von der Sendung der Jünger durch Jesus. Die Berichte der synoptischen Evangelien lassen sich auf zwei Grundformen der Überlieferung zurückführen, die Aussendung der Zwölf nach Mk 6,6–13 (vgl. 3,14f)[16] mit den synoptischen Parallelen in Mt 10,1–14 und Lk 9,1–6 und die Sendungsworte aus der Logienquelle, die teilweise in Mt 10 und in ursprünglicherer Reihenfolge in Lk 10,1–16 (Aussendung der Siebzig und anschließende Worte Jesu) ihren Niederschlag gefunden haben. Ohne hier in eine Einzelanalyse der synoptischen Überlieferung einzutreten[17], kann im Hinblick auf unsere Fragestellung doch festgestellt werden, daß die Überlieferung von der Sendung der Jünger durch Jesus für die Evangelien und ihre Quellen das Selbstverständnis der nachösterlichen Jesusnachfolger als Boten und Vollmachtsträger Jesu erkennen läßt. Dabei ist der markinischen Überlieferung mehr an der besonderen Stellung der Zwölf als nachösterliche Kontinuitätsträger des Evangeliums Jesu gelegen[18], während die Überlieferung der Logienquelle auf die Verkün-

[16] Ausdrücklich ist von der *Sendung* in Mk 6,7 (ἤρξατο αὐτοὺς ἀποστέλλειν; vgl. 3,14) und für Q in Lk 10,3 par Mt 10,16 („siehe, ich sende euch wie Schafe mitten unter die Wölfe") sowie in Mt 10,40b par Lk 10,16b („... nimmt den auf, der mich gesandt hat") die Rede.

[17] Vgl. hierzu besonders *F. Hahn,* Mission 33–36; *P. Hoffmann,* Studien 237–286; *G. Schmahl,* Die Zwölf 67–81. Vgl. auch *H. Schürmann,* Mt 10,5b–6.

[18] Vgl. *K. Kertelge,* Funktion der „Zwölf"; *G. Schmahl,* Die Zwölf 81.

digungs- und Schicksalsgemeinschaft der Boten Jesu mit ihrem sie aussendenden Meister abhebt[19].

Die Frage nach einem *historischen* Sendungsauftrag Jesu an seine Jünger kann nur aufgrund sorgfältiger Analysen der synoptischen Evangelienüberlieferung beantwortet werden. Auch wenn man sieht, daß die Texte der Evangelien ein spezifisch nachösterliches Interesse der Autoritätsbegründung verraten, so ist nicht daran zu zweifeln, daß Jesus seine Jünger berufen hat, um sie zu Mitträgern seiner Verkündigungsbewegung zu machen[20]. Dies ist der historische Ansatzpunkt für die Begründung „kirchenamtlicher" Autorität im irdischen Wirken Jesu selbst. Einzelworte wie das von der großen Ernte und den wenigen Arbeitern (Mt 9,37f par Lk 10,2) und das von der Selbstidentifizierung Jesu mit seinen Boten (Mt 10,40 par Lk 10,16), die Jesus selbst nicht abzusprechen sind, bieten hinreichend Anhalt für diese Annahme.

Die Sendung der Jünger durch Jesus macht diese zu Mitwirkenden. Die Beziehung, die zwischen Jesus und seinen mitwirkenden Jüngern besteht, ist die einer ganzheitlichen Inanspruchnahme. Sowohl in ihrem Wort als auch in ihrem Lebensverhalten bringen sie die Intention Jesu zum Ausdruck. In der Erfüllung ihres Auftrags bleiben sie Gesandte und ganz vom Sendenden abhängig.

In diesem Sinne ist Lk 10,16 (par Mt 10,40) zu verstehen. „Wer euch hört, der hört mich, und wer euch verachtet, der verachtet mich. Wer aber mich verachtet, der verachtet den, der mich gesandt hat." Die einfachere und wahrscheinlich ursprünglichere Gestalt dieses Wortes hat Mt 10,40 bewahrt[21]: „Wer euch aufnimmt, der nimmt mich auf, und wer mich aufnimmt, nimmt den auf, der mich gesandt hat". Dieses Wort findet sich in abgewandelter Form auch in Joh 13,20: „Wer einen aufnimmt, den ich sende, nimmt mich an. Wer aber mich annimmt, nimmt den an, der mich gesandt hat". Man mag besonders hinter der lukanischen und johanneischen Fassung des Jesuswortes den jüdischen Rechtsgrundsatz erkennen, daß der Gesandte so viel gilt wie der ihn Sendende[22]. Sein letztes Gewicht gewinnt dieses Wort in seinen verschiedenen Abwandlungen durch die kettenartige Rückführung der den Jüngern zugesprochenen Autorität mit und über Jesus hinaus auf Gott selbst. Auch Mt 10,40 als die wahrscheinlich ursprünglichste Fassung des Wortes spricht nicht nur über die der Aufnahme der Jünger gegebene Verheißung, wie der mattäische Kontext nahelegt, sondern zunächst von der repräsentativen Gegenwart

[19] Vgl. besonders *P. Hoffmann,* Theologie 287–331.
[20] Vgl. *F. Hahn,* Mission 32, 34. Etwas zurückhaltender *P. Hoffmann,* Studien 262.
[21] Vgl. *P. Hoffmann,* Studien 285f.
[22] Vgl. *R. Schnackenburg,* Johannesevangelium III 32.

Jesu (und Gottes) in den Jüngern. Das vollmächtige Verkünden der Jünger, das in der markinischen Tradition als Teilnahme an der ἐξουσία Jesu gekennzeichnet wird, wird in der Tradition der Logienquelle, in Lk 10,16 vom Evangelisten noch besonders unterstrichen, als Botendienst anstelle Jesu und damit als repräsentative Selbstverkündigung Jesu gekennzeichnet. Letzlich will mit Jesus Gott und sein Wort bei den Hörern der Jünger ankommen.

Die Jüngergemeinde der Logienquelle hat um die unverwechselbare Beziehung zwischen Jesus und seinen Boten gewußt. Für diese Beziehung ist der Begriff der *Sendung* konstitutiv. Die Jünger, die sich als Boten Jesu verstehen, repräsentieren in ihrem Botendienst die Sendung Jesu durch Gott, wie Mt 10,40b par Lk 10,16b deutlich macht. Auf ihre Beziehung zu Jesus kann daher der Apostelbegriff angewandt werden[23], wenn auch in einem abgeleiteten Sinne. Sie stellen als Apostel immer nur die Sendung Jesu durch Gott dar. Der eigentliche Gesandte ist Jesus selbst. An seiner Sendung haben die Jünger teil. Es genügt daher nicht, zur Erklärung des Apostelbegriffs einerseits auf die jüdische Auffassung von der Entsprechung von Sendendem und Gesandtem und andererseits auf die Sendung der Apostel durch den Auferstandenen[24] hinzuweisen. Die Wurzeln für den urchristlichen Apostelbegriff dürften in dem Wissen urchristlicher Jüngerkreise um ihr Botenverhältnis zu Jesus und darüber hinaus in einem darin vorausgesetzten Selbstverständnis Jesu als Gesandten Gottes liegen[25].

2. *Die Sendung des Apostels bei Paulus*

Eine besondere Bedeutung gewinnt das Verhältnis des Apostels zu Jesus Christus als seinem Herrn und Auftraggeber bei Paulus. Der Apostel empfängt seine Berufung und Beauftragung durch den auferstandenen Christus selbst[26]. Er hat daher in seinem apostolischen Wirken nichts anderes zur Geltung zu bringen als die Botschaft vom gekreuzigten und auferstandenen Christus und damit das in Christus ergehende zum Leben erweckende Wort Gottes. Der

[23] Vgl. Lk 6,13: Auswahl der Zwölf, „die er auch Apostel nannte"; Mt 10,2. Schon Markus verwendet den Begriff ἀπόστολοι, 6,30: hier werden die von Jesus ausgesandten Zwölf bedeutungsvoll „Apostel" genannt.

[24] *K. H. Rengstorf,* in: ThWNT I 406–448: Ableitung des Apostelbegriffs vom jüdischen Schaliach-Institut; *J. Roloff,* Apostolat 56 (zum Apostelamt des Paulus): „Der Apostelname definiert darum sein Amt als das eines schaliach des Auferstandenen".

[25] *P. Hoffmann,* Studien 305, sieht in dem von der Logienquelle überlieferten prophetischen Sendungsverständnis Jesu den „vorgegebenen Rahmen, in dem die Q-Gruppe auch ihre Sendung begreift". Ebd. Anm. 56: „In der traditionellen Aussage von der Sendung der Propheten dürfte ... der urchristliche Apesteltitel seinen Ursprung finden" (mit Verweis auf *O. H. Steck,* Geschick der Propheten 229 Anm. 5).

[26] Vgl. *K. Kertelge,* Apostelamt; *F. Hahn,* Apostolat; *J. Eckert,* Voraussetzungen.

Dienst des Apostels ist in besonderer Weise ein *Dienst am Wort* – zur Auferbauung der Gemeinde[27]. Im Wort des Apostels wird der Gekreuzigte und Auferstandene präsent. Die Verkündigung und Mahnung des Apostels zur Versöhnung mit Gott geschieht daher „an Christi Stelle" (2 Kor 5,20), und zwar derart, daß in der Verkündigung des Apostels, die hier ausdrücklich als „Botschafterdienst" (πρεσβεύομεν)[28] gekennzeichnet wird, der Ruf Gottes zur Versöhnung zur Auswirkung kommt. Die Beziehung des Apostels zu Christus, an dessen Stelle er steht, und zu Gott und seinem Wort, das, wie in einmaliger Weise durch Christus, so immer wieder neu im Dienst des Apostels hörbar wird, läßt sich gewiß nicht „systematisieren"[29]. Dennoch wird an dieser Stelle wie überhaupt in der Verkündigung des Paulus sichtbar, daß der Apostel seinen Herrn nicht anders repräsentiert als in der selbstlosen, aber auch im Blick auf die Gemeinde verantwortlichen Unterstellung unter das Versöhnungsangebot Gottes. M. a. W.: Paulus kennt eine „repraesentatio Christi", die in der Berufung des Apostels durch den Auferstandenen begründet ist und sich in der Verkündigung des Evangeliums als des Leben erweckenden Wortes Gottes an die Menschen vollzieht[30].

Die so verstandene „repraesentatio Christi" beansprucht den Apostel nicht nur von Fall zu Fall, sondern *ganzheitlich*[31], wie auch die Berufung zum Glauben den Menschen ganzheitlich beansprucht. Der Kontext von 2 Kor 5,18–20 läßt die umfassende Anforderung des sendenden Herrn an den Apostel deutlich erkennen. Der Apostel nimmt in seiner Existenz teil an der paradoxen Erscheinungsform des ihn beauftragenden Herrn: Wie vom auferstandenen Christus immer nur im Rückblick auf seine Selbsthingabe als Gekreuzigter zu sprechen ist, so macht der Apostel die Lebensmacht des Wortes Gottes in

[27] Vgl. 1 Kor 3,9; 2 Kor 4,5; 10,8; 12,19; 13,10.

[28] Vgl. *G. Bornkamm,* in: ThWNT VI 681f; *J. Roloff,* Apostolat 123.

[29] Vgl. hierzu die abwägenden Ausführungen von *J. Hainz,* Ekklesia 275–280: „Der Apostel als Repräsentant Gottes und Christi". Die Verkündigung des Apostels ist „Vergegenwärtigung des Versöhnungshandelns Gottes in Christus" (277). Vgl. *ders.,* Amt und Amtsvermittlung.

[30] *J. H. Schütz,* Paul, betont vor allem die Zusammengehörigkeit von Evangelium und apostolischer Autorität. Die Autorität des Apostels besteht darin, daß er mit der Verkündigung des Evangeliums die „Macht", die das Evangelium selbst darstellt, zur Geltung bringt. Diese Sicht, die auf eine deutliche Unterscheidung zwischen der „Macht" des Evangeliums und apostolischer Autorität Wert legt, braucht einer mehr persönlichen Bindung des Apostels an Jesus Christus als seinen Herrn nicht zu widerstreiten. Schütz übergeht etwas zu schnell diese auch und gerade in der Bezeichnung „Apostel Jesu Christi" vorausgesetzte persönliche Bindung.

[31] *H. Schürmann,* Gnadengaben 245f, betont mit Recht den überragenden Charakter des Apostolates gegenüber den Charismen. Für Paulus ist der Apostolat „der Inbegriff von allem, was *Sendung* und *Begabung* im Neuen Bund heißt". Nach Schürmann wird im Gegenüber zu den Charismen (1 Kor 12) auch die grundlegende Bedeutung des Apostelamtes für die nachapostolische Gemeindeordnung erkennbar.

seiner eigenen Gleichheit mit der Todesexistenz Christi „ansichtig"[32]. So sind die Peristasenkataloge in 2 Kor 4,7–12 und 6,4–10 im Zusammenhang mit der Kennzeichnung des Apostelamtes als „Dienst der Versöhnung" (5,18) zu verstehen. Der „Dienst" des Apostels besteht darin, daß er Gottes Versöhnungsruf erklingen läßt und sich selbst mit seiner ganzen Existenz „als Diener Gottes erweist" (6,4). Die Leiden, die er in seinem Dienst zu ertragen hat, machen ihn gleichförmig mit Jesus Christus, der in seinem Tode gleichsam zum personalen Ausdruck des Versöhnungsrufes Gottes geworden ist[33].

Die paulinische Darstellung des Apostelamtes als „repraesentatio Christi" erhält ihr besonderes Gewicht durch die Auseinandersetzung mit dem andersartigen Repräsentationsverständnis der Gegner des Paulus. Der zweite Korintherbrief läßt in den gelegentlich recht scharfen Angriffen des Paulus gegen die judenchristlichen Wanderprediger und ihre Praktiken das andersartige Verständnis dieser „Apostel Christi" von ihrer Sendung erkennen[34]. Sie geben sich aus als „Apostel Christi" (11,13), aber sie verkünden einen „anderen Jesus, den wir nicht verkündet haben", sie vermitteln einen „anderen Geist, den ihr nicht empfangen habt", und sie vertreten ein „anderes Evangelium" als das, das die Korinther durch Paulus gehört und angenommen haben (11,4). Diese Apostel wiesen ihre Sendung durch Jesus durch ihre „pneumatische" Gleichförmigkeit mit Jesus aus. Sie konnten auf die „Zeichen des Apostels" (12,12) hinweisen, auf eindrucksvolle wunderbare Taten, die sie als die „Repräsentanten" des Charismatikers und Pneumatikers Jesus auswiesen. Wie Jesus selbst nach dieser Ansicht zu einer eindrucksvollen Offenbarung Gottes vor den Menschen wurde, so sollte der „Apostel Christi" die gleiche göttliche Kraftfülle Christi widerspiegeln, und zwar in einem entsprechend eindrucksvollen Auftreten. Apostel sind hier die Ebenbilder des θεῖος ἀνήρ Jesus.

Man mag hierzu fragen, wie illegitim das apostolische Selbstverständnis der Gegner des Paulus wirklich war und wie überscharf Paulus selbst seinen Apostelbegriff in der ihm aufgenötigten Auseinandersetzung gegen andere Verstehensweisen abgegrenzt hat. Immerhin zeigen sich auch bei Paulus Elemente eines pneumatologischen Apostelbegriffs. Sein Apostelamt ist διακονία τοῦ πνεύματος (2 Kor 3,8). In seiner Verkündigung wirkt der „Geist des

[32] Vgl. *E. Güttgemanns,* Der leidende Apostel 117f (über die „Epiphanie der apostolischen Leiden"). „Im Apostolat vollzieht sich die praesentia der Christuskraft; die ἀσθένεια ist die irdische Manifestation des Christus selbst" (118).

[33] Vgl. *G. Friedrich,* Amt und Lebensführung, der die Besonderheit des paulinischen Apostelamtes betont, darin aber auch einen Hinweis auf eine „unerläßliche Voraussetzung für jeden Dienst in der Kirche" sieht, nämlich „daß Verkündigung und Lebensgestaltung in der Person des Zeugen eine Einheit bilden" (59).

[34] Vgl. hierzu besonders *D. Georgi,* Gegner 220–300.

lebendigen Gottes" (3,3)[35]. „Auch" er verfügt über pneumatische Kräfte als Zeichen seines Apostelseins (12,11f). Und so vermag er in 1 Kor 12,28 den Apostolat zusammen mit den Funktionen der Propheten und Lehrer und mit den geistgewirkten Charismen zu nennen – als Ausdruck der Vielfalt der Wirkungen des *einen* heiligen Geistes (12,11)[36], ohne dadurch die Begründung des Apostelamtes in der Berufung durch den Auferstandenen zu relativieren. Für Paulus ist es vielmehr der Geist des Auferstandenen, der im Apostel wirksam ist, der auch die Glieder des ganzen Leibes durchwirkt und zusammenhält, dessen Haupt der auferstandene Christus ist und bleibt. Das unterscheidende Kennzeichen der paulinischen Geistauffassung ist die Bindung des Geistes und seiner Gaben an den *„für uns" gestorbenen und auferstandenen Christus*. Und so kann keiner, der den Geist empfangen hat, mehr für sich leben, sondern nur noch für den Herrn und aus der Gemeinschaft mit ihm für die Brüder (vgl. 2 Kor 5,15). Eben diese unverwechselbare christologische Qualität des Geistes teilt sich auch dem apostolischen Selbstverständnis des Paulus mit. Er ist der Apostel Jesu Christi, und das heißt Apostel des Gekreuzigten.

3. *„Repraesentatio Christi" im Hirtenamt*

a) Ist der Gedanke der Sendung durch Christus und damit die christologische Begründung wie auch der Bezug der Sendung auf die Gemeinde konstitutiv für das neutestamentliche Amtsverständnis, so kann dieser grundlegende Sachverhalt in verschiedenen Bildern und Symbolen noch vertieft und verdeutlicht werden. Hierzu gehört vor allem die Anwendung des *Hirtenmotivs* auf den Amtsträger in einigen Schriften des Neuen Testaments.

In Eph 4,11 begegnet ποιμήν = Hirt als feste kirchliche Amtsbezeichnung neben anderen, was freilich nicht ausschließt, daß die Bildhaftigkeit des „Hirten" und seiner Funktion hier noch ganz lebendig ist und im Vordergrund steht[37]. Die Ämter in der Kirche werden als die Gaben des erhöhten Christus ver-

[35] Vgl. *J. Hainz*, Ekklesia 333: „Vermittlerdienst des Apostolats und Wirksamkeit des Geistes (Gottes) im Apostel und durch den Apostel kommen in der Formulierung von 2 Kor 3,3 gleichermaßen deutlich zum Ausdruck".

[36] *J. Hainz*, a.a.O. 332–334, legt nicht ohne Grund Wert auf die *vermittelnde* Bedeutung des Geistes bei Paulus. Dennoch ist daran festzuhalten, daß dieses Verständnis bei Paulus nicht zu einer Konkurrenz zur Letztursächlichkeit Gottes führt, sondern daß auch der Geist – eben als Geist Gottes und Jesu Christi – als bewirkendes Prinzip verstanden werden kann, wie 1 Kor 12,4–6 zu belegen scheint.

[37] Vgl. *J. Jeremias*, in: ThWNT VI 497 (zur Bezeichnung ‚Hirte' in Eph 4,11): „Die Belege der Folgezeit zeigen ..., daß man sich stets des Bildes bewußt ist, wenn von den Führenden der Gemeinden als deren ‚Hirten' die Rede ist". Daraus ergibt sich allerdings nicht notwendig, daß die Bezeichnung hier „noch nicht fester Amtstitel" sei, wie Jeremias meint.

standen: „Er ‚gab' die einen als Apostel, andere als Propheten, andere als Evangelisten, andere als *Hirten* und Lehrer". Die hier aufgezählten Ämter haben ihre charismatische Grundstruktur, die den in 1 Kor 12,28f aufgezählten Ämtern und Funktionen der paulinischen Gemeindeordnung eigen ist, bewahrt. Zugleich treten sie aber als *Ämter* im Gegenüber zur Gemeinde deutlicher hervor. Die hier aufgezählten Ämter und unter ihnen besonders die in der Situation des Epheserbriefes relevanten Dienste der Evangelisten, Hirten und Lehrer[38] sollen „die Heiligen instand setzen", daß sie wiederum „ihren Dienst tun zum Aufbau des Leibes Christi" (V. 12). Die hier in den Blick genommenen Gemeindeämter „Hirten und Lehrer" setzen also schon ein deutliches Gegenüber von Amt und Gemeinde voraus, wenngleich die Tätigkeit der ganzen Gemeinde dabei noch den Rahmen und Aufgabenbereich der Ämter bestimmen. Dadurch wird das funktionale Gegenüber der Ämter zur Gemeinde zu einem guten Teil in das heilsbedeutsame Wirken der ganzen Kirche zurückgenommen[39].

Die „Hirten" üben zusammen mit den Lehrern eine pastorale Tätigkeit in der Gemeinde aus. Sie sind in bestimmter Weise Helfer oder noch besser auf das innergemeindliche Wachstum bedachte „Nachfolger" der Apostel und Propheten, die Eph 2,20 als das Fundament der gegenwärtigen Kirche und 3,5 als die ersten Empfänger der Christusoffenbarung genannt werden. Auch wenn die „Hirten" hier nicht wie in der ersten christlichen Generation die Apostel als Beauftragte und Repräsentanten Christi verstanden werden, so ist es doch Christus, der diese Ämter der Kirche als „Gaben" (V. 8) eingestiftet hat[40].

Deutlicher tritt die Beziehung zwischen dem innergemeindlichen Hirtenamt und dem Hirtesein Christi im ersten Petrusbrief hervor. 1 Petr 5,2 ermahnt die Presbyter dazu, „die Herde Gottes zu weiden". Ihnen wird zugleich die Verheißung gegeben, daß sie, „wenn der Erzhirte erscheint, den unvergänglichen Kranz der Herrlichkeit erlangen" (V. 4). Gegenüber den „Hirten" der Gemeinde ist Christus hier als der Erzhirte gekennzeichnet, während er 2,25 ebenso „Hirt" genannt wird („Hirt und Episkopos eurer Seelen"). In der Anwendung des Hirtenmotivs auf Christus und die Presbyter der Gemeinde sind beide Stellen aufeinander bezogen. Damit wird ein umfassenderer theo-

[38] Vgl. *J. Gnilka,* Epheserbrief 211f; *H. Merklein,* Das kirchliche Amt 332–392.

[39] Vgl. *H. Merklein,* Das kirchliche Amt 100 der hierzu auf 4,13 hinweist: Die 1. Pers. Plural in ‚bis wir hingelangen zu' und das betont nachgestellte ‚alle zusammen' „weisen den Ämtern ihren Platz innerhalb der Kirche zu. Sie stehen also nicht außerhalb des Baues. Dienstleistende und Dienstempfangende sind vielmehr gleichermaßen in den Wachstumsprozeß des Leibes einbezogen, so daß von einem Voranschreiten aller gesprochen werden muß".

[40] Vgl. *J. Ernst,* Briefe 355: „Alle Dienste sind als Gaben des Erhöhten unmittelbar auf diesen bezogen".

logischer Zusammenhang erkennbar, in dessen Mittelpunkt das besondere Verhältnis Jesu zu seiner Kirche steht. Jesus ist der eigentliche, für die Gläubiggewordenen sorgende (ἐπίσκοπος)[41] Hirte, nach Joh 10,9f. 10,15 der sie errettende und nährende Hirte, und die Presbyter sind die im Auftrag Christi an seiner Stelle Stehenden. Daß ihnen „die Herde *Gottes*" anvertraut ist, entspricht dem urchristlichen Verständnis von der Kirche als ἐκκλησία τοῦ θεοῦ[42].

In Apg 20,28 werden die von Paulus nach Milet gerufenen Presbyter von Ephesus als Episkopen angesprochen[43], denen „die Kirche Gottes" anvertraut ist, damit sie diese „weiden". In der Kennzeichnung der Presbyter als Episkopen spiegelt sich die Verschmelzung zweier verschiedener Typen urchristlicher Gemeindeordnung, der paulinischen Gemeinde mit der Ältestenverfassung[44]. Bemerkenswert ist die Kennzeichnung des kirchlichen Amtes als Hirtenamt. Als Hirten stehen die Presbyter der Kirche als Herde Gottes gegenüber. Letztlich stützt sich ihre Autorität auf die einmalige Bedeutung Jesu Christi, der die Kirche in seiner Lebenshingabe begründet hat und auf den sie angewiesen bleibt. Dieses einmalige Werk Jesu Christi und seine bleibende Bedeutung für die Kirche haben die Presbyter ständig in Erinne-

[41] Der Hirte wird hier und Apg 20,28 als ἐπίσκοπος gekennzeichnet, der auf die ihm Anvertrauten zu schauen hat. Vgl. besonders *R. Schnackenburg,* Episkopos.

[42] Der hier vorausgesetzte Zusammenhang zwischen dem Hirtenamt Jesu und der Presbyter ist wohl kaum rein überlieferungsgeschichtlich als Ableitung des einen aus dem anderen oder beider aus dem gleichen Vorstellungskreis zu erklären. Dies betont *H. Merklein,* Das kirchliche Amt 369–372, mit Recht. Das Hirtenamt Jesu setze als traditionsgeschichtlichen Hintergrund den „Vorstellungskreis des messianischen Hirten" (370) voraus, in dem eine weitere Übertragung der einmaligen Hirtenfunktion des Messias an andere „Hirten" ausgeschlossen ist. Für das „Hirtenamt" der Apostel und Presbyter sei dagegen auf die „jüdische – und durchaus auch im hellenistischen Raum verständliche – Vorstellung vom Hirtenamt als Bezeichnung einer Leitungsfunktion in einer Sozietät" (371) zu verweisen. Diese Feststellung braucht jedoch nicht auszuschließen, daß hinter der Rede vom Hirtenamt Jesu in 1 Petr 2,25 und dem Hirtenamt der Presbyter in 5,2–4 mehr assoziative Verbindungen bestehen, als vordergründig erkennbar ist. Immerhin vermag auch Merklein trotz der traditionsgeschichtlichen Vorbehalte der Auslegung seines Lehrers R. Schnackenburg zuzustimmen, „daß das apostolische Amt (im Hinblick auf Joh 21) und auch das Amt der Gemeindeleiter Teilhabe am Hirtenamt Christi selber sei" (ebd. 369, vgl. auch *R. Schnackenburg,* Episkopos 355–359). „Insofern das eine *theologische* Feststellung ist, deckt sie sich mit unseren Beobachtungen" [Hervorhebung von mir] (*H. Merklein,* a. a. O. 369, der hierzu besonders auf den Dienstcharakter des Hirtenamtes im Verständnis Jesu verweist). Zur Hirtenaufgabe der Presbyter in 1 Petr 2,2–4 vgl. auch *Goldstein,* Gemeindeverständnis 245f: „Wenn ... die Presbyter die Aufgabe haben, die Herde zu weiden, dann kann ihre Funktion nur als abgeleitete verstanden werden. Ihr Engagement für die Gemeinde ist Teilhabe am Munus Christi. In ihrer Hingabe für die christliche Gemeinschaft konkretisiert sich die Funktion Christi als des für Existenz und Fortbestand der Bruderschaft zuständigen Herrn."

[43] Vgl. Anm. 41.

[44] Vgl. *H. Conzelmann,* Apostelgeschichte 119.

rung zu rufen, und dadurch vollziehen sie ihr Hirtenamt. Als „Hirten" können sie nicht *schlechthin* an die Stelle des *einen* Hirten Jesus Christus treten. In seinem grundlegenden Erlösungswirken ist Jesus Christus unvertretbar. Dies gilt auch für die Anwendung des Hirtenmotivs auf das Amt des Petrus in Joh 21,15–17. Die einmalige soteriologische Beziehung des guten Hirten Jesus zu seiner Herde aus Joh 10,1–18 ist der Ermöglichungsgrund für das „Hirtenamt" des Petrus, geht als solcher aber nicht in die inhaltliche Beschreibung des apostolischen Hirtenamtes ein[45]. Die Amtsträger sind Hirten wie Christus, wenn sie der Gemeinde den unvertretbaren Hirtendienst ihres Herrn in Erinnerung rufen. Die Repräsentation des Hirtenamtes Christi durch die Presbyter ist funktional, und nur im Vollzug ihrer Sendung kommt der ontologische Grund ihres Amtes vor, nach Apg 20,28 ihre Bestellung und Befähigung durch den heiligen Geist.
Die theologische Deutung der Hirtensymbolik reicht in das Alte Testament zurück. Gott ist der Hirte seines Volkes[46]. Seine sich selbst opfernde Liebe zu seinem Volk wird im Neuen Testament als theologischer Hintergrund der Kennzeichnung Jesu als der „gute Hirt" (Joh 10,11) wirksam. Das Hirtenmotiv bildet so einen eindrucksvollen Hintergrund der Sendung, die die kirchlichen Amtsträger mit Christus und Gott selbst zusammenschließt. Dieser Zusammenhang wird im Neuen Testament dort aktualisiert, wo einerseits die Selbsthingabe Jesu für die Menschen verdeutlicht und andererseits den kirchlichen Amtsträgern für ihren Dienst an der Kirche ein verbindliches Leitbild gegeben werden soll. Eben dieses Leitbild ist geeignet, den Gedanken der repraesentatio Christi zu veranschaulichen und dabei festzuhalten, daß der Amtsträger im Vollzug seines Dienstes den selbstlosen Dienst Jesu Christi zur Geltung zu bringen hat.
b) Läßt sich somit das Amt der Presbyter (oder/und Episkopen) als „Hirtenamt" verstehen, ist im Hinblick auf die spätere kirchliche Ämterlehre und ihre Überprüfung in der neueren Diskussion zu fragen, ob im Neuen Testament in ähnlicher Weise wie vom Hirtenamt und zugleich in Abhebung von diesem auch von einem *Lehramt* und *Priesteramt* gesprochen werden kann und diese im Sinne der „repraesentatio Christi" verstanden werden können[47]. Hinsichtlich dieser Frage ist eine „dogmatische" Lösung für den Exegeten wohl kaum

[45] Vgl. *H. Merklein,* Das kirchliche Amt 371, Anm. 209: „Der zentrale Aspekt der christologischen Hirtenbezeichnung (= der messianische Hirt) ist allerdings nicht übertragbar". Das apostolische Hirtenamt des Petrus ist „Teilhabe ... an der Jesus vom Vater zugewiesenen Aufgabe, die ihm ‚gegebenen', zu seiner Glaubensherde gehörenden Menschen zu behüten und zu leiten" *(R. Schnackenburg,* Johannesevangelium III 435).

[46] Vgl. Ps 22; Jer 23,1–4; Ez 34; Zach 11,4–17.

[47] Vgl. hierzu *P.E. Persson*, Repraesentatio Christi. Zur neueren Diskussion seit dem II. Vatikanischen Konzil vgl. *H. Schütte*, Amt, besonders 276–287.

überzeugend. Sie ist immer wieder derart versucht worden, daß man für das Lehramt auf den Verkündigungsauftrag Jesu und besonders auf die als Lehrauftrag interpretierte Binde- und Lösegewalt im Mt 16,19 und 18,18 (vgl. auch 28,20) hingewiesen hat, während man für das Priesteramt einerseits die Hohepriester-Christologie des Hebräerbriefes in Anspruch nahm und andererseits die den Jüngern Jesu aufgetragene Eucharistiefeier als kultisches Opfergeschehen interpretierte.

Exegetisch sind die Verhältnisse jedoch differenzierter zu beurteilen[48]. Im Verkündigungsauftrag Jesu an die Jünger ist zwar der Lehraspekt mitgegeben. Aber in den urchristlichen Gemeinden bildete sich aufgrund der besonderen Erfordernisse des Lehrvollzugs ein eigener *Stand der Lehrer* neben den als „Hirten" waltenden Presbytern heraus (vgl. etwa Eph 4,11). Dieses Nebeneinander[49] vom Presbyter- und Lehrerstand schließt nicht aus, daß beide Dienstvollzüge gelegentlich auch in einer Person vereinigt waren. In den Pastoralbriefen wird für den Episkopos eine gewisse „pastorale" Lehrtätigkeit vorausgesetzt (vgl. 1 Tim 3,2; Tit 1,9). Daneben gibt es aber noch das „charismatisch" verwaltete Lehramt der „Lehrer"[50]. Eine eindeutige Konzentrierung der verschiedenen Amtsfunktionen auf *ein* Amt ist im Neuen Testament noch nicht gegeben, wenngleich sie in einzelnen Tendenzen schon vorbereitet wird[51].

Bekanntlich werden die Amtsträger im Neuen Testament nicht als *Priester* bezeichnet und ihre Dienstvollzüge gelegentlich auch nur im übertragenen Sinne als priesterlich qualifiziert. Letzteres gilt für das Apostelamt des Paulus in Röm 15,16: Er versteht sich in seiner apostolischen Tätigkeit als Diener (λειτουργός) Jesu Christi, der den Heiden das Evangelium Gottes priesterlich zudient, damit sie eine wohlgefällige Opfergabe werden. Man sollte in eine solche Stelle nicht einen erst später entstandenen Begriff vom christlichen

[48] *H. Riesenfeld*, Ämbetet 27, bezieht die Christusrepräsentation der Apostel und ihrer „Nachfolger" auf das „dreifache Amt" Jesu, das „königliche, priesterliche und prophetische", und betont damit die christologische Begründung und Gebundenheit des kirchlichen Amtes und der Kirche. Dem nachneutestamentlichen Ansatz beim „Munus-triplex-Schema" wird man auch für die Erhellung des neutestamentlichen Amtsverständnisses einen heuristischen Wert nicht bestreiten können. Eine methodisch geforderte traditionsgeschichtliche Betrachtung der neutestamentlichen Texte kann dieser Ansatz allerdings nicht ersetzen.

[49] Zu Eph 4,11 vgl. etwa *H. Schlier*, Der Brief an die Epheser 197; *H. Merklein*, Das kirchliche Amt 365.

[50] Vgl. *M. Dibelius*, Pastoralbriefe 35.

[51] Zur Bindung der Lehrfunktion an das Presbyteramt in der „Abschiedsrede des Paulus" Apg 20,18–35 vgl. *H. Schürmann*, Das Testament des Paulus für die Kirche, Apg 20,18–35, 320f. „Die Situation der Lehrunsicherheit ruft nach dem Amt, urteilt Lukas" (321).

Amtspriestertum hineininterpretieren wollen[52]. In der Tat beruht das Verständnis vom besonderen Priesteramt in der Kirche auf einer sehr komplexen Vorgeschichte, es läßt sich nicht so gradlinig auf das Neue Testament zurückführen, wie vielfach erwartet. Zwar stammt unser Wort „Priester" vom neutestamentlichen „Presbyter". Aber der Presbyterbegriff des Neuen Testaments ist (noch) nicht von der kultischen Priestervorstellung bestimmt, sondern von dem Vorbild der Ältestenverfassung der jüdischen Synagoge und im Urchristentum von den Erfordernissen der Gemeindeleitung[53]. Lediglich in der Johannesapokalypse nehmen die 24 Ältesten zusammen mit den vier „Wesen" eine „liturgische" Funktion wahr: Sie umgeben den Thron Gottes im Himmel und beten ihn an[54]. Diese Darstellung der himmlischen Liturgie dürfte wohl kaum Rückschlüsse auf ein kultisches Verständnis des kirchlichen Presbyteramtes zulassen[55].

In Anlehnung an die alttestamentlich-jüdischen Opfer- und Priestervorstellungen erscheint die Funktion der Presbyter zum erstenmal im ersten Klemensbrief als Priesterdienst[56]. Die damit sichtbar werdende Kultisierung[57] des Presbyteramtes findet in der Alten Kirche einen gewissen Abschluß in der Kirchenordnung des Hippolyt, in der die Presbyter in Unterordnung unter den Bischof Anteil an dessen priesterlicher Würde haben[58]. Diese Entwicklung wird begleitet von einer zunehmenden Tendenz, den Gottesdienst der Kirche in Analogie zum alttestamentlich-jüdischen und teils auch zum heidnischen Opferkult zu interpretieren.

Der in der nachneutestamentlichen Zeit drohenden Gefahr einer unkritischen Übernahme und Nachahmung vorchristlicher bzw. nichtchristlicher Kultformen und des darin sich ausdrückenden Sachverständnisses vom Gottesdienst konnte die Kirche nur begegnen, indem sie einerseits das spezifisch

[52] Vgl. auch *J. Hainz*, Ekklesia 175–179, zu Röm 15,15–18: „Die kultische Begrifflichkeit, mit deren Hilfe Paulus seinen apostolischen Dienst hier interpretiert, darf nicht mißverstanden werden im Sinn eines priesterlichen Mittlerdienstes. Diese kultischen Begriffe ..., deren Paulus sich bedient, finden ihre Verwendung zur metaphorischen Beschreibung seines apostolischen Selbstverständnisses, nicht zur Inhaltsbestimmung des apostolischen Amts" (178f).

[53] Vgl. *G. Bornkamm*, in: ThWNT VI 663–667.

[54] Apk 4,4–11; 5,6–10.14. Vgl. *J. Michl*, Die 24 Ältesten; *F. Schüßler Fiorenza*, Priester für Gott 265f. 284f.

[55] Vgl. *G. Bornkamm*, aaO. 669 Anm. 112; *H. Schürmann*, Marginalien 319.

[56] 1 Clem 40–44. Vgl. *H. von Campenhausen*, Anfänge 276.

[57] Vgl. *E. Dassmann*, Die Bedeutung des Alten Testaments 201: „Der 1. Klemensbrief wurde zum Schrittmacher für weitere Versuche, alttestamentliche Priesterordnung und kirchliches Amt in Beziehung zu setzen, bei denen dann leicht die Ebene des bloßen Vergleichs überschritten wurde".

[58] Vgl. *G. Bornkamm*, aaO. 680; *E. Dassmann*, aaO. 204–207; *R. Zollitsch*, Amt und Funktion des Priesters 248–250.

christliche Grundverständnis des Gottesdienstes als dankbaren Nachvollzug der Selbsthingabe Jesu („Eucharistie“) bewahrte und andererseits den Ansatz aufnahm, den der Hebräerbrief von einem neuen Verständnis des Priestertums als dem „besseren“ und eigentlichen, letztgültigen Hohenpriestertum Jesu Christi anbot. Die Konzeption vom Hohenpriester Jesus Christus versteht sich im Hebräerbrief nur in dem Sinne als Erfüllung allen bisherigen Priestertums, daß das Ein-für-allemal der Selbsthingabe Jesu auch die Andersartigkeit seines Opfers und seines Priestertums gegenüber allen religionsgeschichtlichen Analogien umschließt.

Insofern dieses neuartige, eindeutig auf Jesus Christus bezogene Verständnis des Hebräerbriefes vom Priestertum in die spätere, im Hebräerbrief selbst noch nicht sichtbare Entwicklung des Gedankens vom besonderen Amtspriestertum des Bischofs und der Presbyter eingehen konnte und eingegangen ist[59], bietet das Neue Testament einen deutlichen Anhalt für das priesterliche Verständnis vom geistlichen Amt[60]. Danach hat der Amtsträger in Ausübung seiner priesterlichen Funktion das neue und „zuverlässigere“ Priestertum Jesu Christi zu repräsentieren. Er bringt in seinem ganzen Dienst, nicht nur in den liturgischen Vollzügen, den hohepriesterlichen Opferdienst Jesu Christi zur Geltung, der den Menschen in seiner Selbsthingabe den Zugang zu Gott eröffnet und so der ihm nachfolgenden Kirche den Weg gewiesen hat[61]. Die priesterliche repraesentatio Christi im kirchlichen Dienstamt ist in diesem

[59] Zu beachten ist, daß der Bezug auf die Hohepriesterwürde Jesu in der Alten Kirche recht problemlos vor sich ging, so daß dabei die tiefere Bedeutung der „Kulttheologie“ des Hebräerbriefes weitgehend übersehen wurde.

[60] Zu diesem Resultat kommt auch die Untersuchung von *J. Colson*, Ministre de Jésus-Christ 343f, wobei er einerseits den theologischen Ort des besonderen Dienstamtes „inmitten des priesterlichen Gottesvolkes“ und andererseits die Originalität des Priestertums des Neuen Bundes unterstreicht. „ Ce refus [die Nichtanwendung der Priesterbezeichnung für das besondere Dienstamt], en effet, n'a pas pour but de nier la condition sacerdotale de leur ministère mais bien d'éviter de le confondre avec celle des ἱερεῖς de l'ancienne Alliance. Cela, encore une fois, fait apparaître le caractère totalement original de la fonction sacerdotale des ministres de la nouvelle Alliance, en comparaison du sacerdoce juif, et à plus forte raison des sacerdoces païens. Le ministère chrétien est fondamentalement, essentiellement *apostolique* et, à ce titre, n'est qu'une *fonction*, une *instrumentalité*, une ‚sacramentalisation‘ du seul ἱερεύς efficace: le Christ Rédempteur dont il proclame la mort et la Résurrection et l'actualise rituellement.“ Vgl. auch *P.J. Cordes*, Sendung zum Dienst 35–160: „Der theologische Ort des Amtsträgers innerhalb des priesterlichen Gottesvolkes“.

[61] Darin sieht auch *W. Thüsing*, „Laßt uns hinzutreten ...“, den Sinn der „Kulttheologie“ im Hebräerbrief. Es geht um „das Werk bzw. die Funktion Christi als Ermöglichung des Zugangs zum heiligen Gott“ (ebd. 16).

Sinne nicht rein statisch, sondern relational und funktional zu sehen[62]. Das kirchliche Amt dient der Selbstvergegenwärtigung des ewigen Hohenpriesters Christus und seines Werkes und damit der Kontinuität der Kirche mit Christus, dem Verbleiben der Glaubenden auf dem Weg der Nachfolge Jesu.

III. Schlußfolgerungen

Aufgrund der vorhergehenden Überlegungen zum Verständnis des geistlichen Amtes als „repraesentatio Christi" läßt sich die Aufgabe einer Begründung des Amtes aus dem Neuen Testament besser angehen und lösen. Dies soll abschließend in Form einiger Schlußfolgerungen gezeigt werden.

1. Die Kirche hat von Anfang an nicht ohne das besondere Dienstamt in seinen verschiedenen Gestalten existiert. Dies hat seinen theologischen Grund darin, daß das Amt die Aufgabe hat, die bleibende Bedeutung Jesu Christi für die Kirche zur Geltung zu bringen und in einem entsprechenden Handeln auch „darzustellen". Der kirchliche Amtsträger ist in seinem Dienst ganz auf die Heilsbedürftigkeit der Glaubenden gerichtet[63], aber im Vollzug seines Dienstes zugleich ganz abhängig von Jesus Christus als der ständigen Quelle des Heiles. Insofern ist sein Dienst ein *vermittelnder* Dienst. Diese repräsentative Vermittlung von Christus her zu den Menschen hin schließt eine Vermittlung von den Menschen zu Christus und zu Gott, von „unten" nach „oben", nicht aus, sondern ein, nämlich im Sinne eines Nachvollzugs des hohepriesterlichen Dienstes Jesu Christi, durch den wir den Zugang zu Gott haben. Der Nachvollzug des Dienstes Christi findet seinen zentralen Ausdruck im Gottesdienst der Kirche, in dem der Amtsträger als Liturge für die Gemeinde wirksam

[62] Vgl. *P.J. Cordes*, Sendung zum Dienst 194–208, der die Überwindung einer „statisch-objektivischen Repräsentationsauffassung" durch das Vaticanum II „mindestens in P.O." zugunsten eines „handlungsbezogenen Gegenwärtigwerdens Christi im Amtsträger" (204) nachweist. Cordes betont die Notwendigkeit einer „ständigen Korrektur" (191) des geläufigen Ausdrucks der repraesentatio Christi als Kennzeichnung des besonderen Dienstamtes gegenüber einer vereinfachenden Identifizierung des Amtsträgers mit Christus. In diesem Sinne interpretiert er den in den Konzilsdokumenten mehrmals begegnenden Ausdruck vom Handeln des Amtsträgers „in persona Christi" (LG 10. 21. 28) im Kontext des Dekrets Presbyterorum Ordinis und sieht darin vor allem den ermöglichenden christologischen Grund des priesterlichen Tuns angezeigt: „Es ist Christus, der dem Tun des Presbyters Wirksamkeit gibt" (207).

[63] *P. Krämer*, Dienst und Vollmacht 100–117, spricht in diesem Sinne im Anschluß an die Lehre des II. Vatikanischen Konzils von der „heilsökonomischen" Bedeutung der „sacra potestas".

wird und zugleich auf Christus als den eigentlichen hohenpriesterlichen Liturgen vor Gott verweist[64].

2. Die Darstellung des Dienstes Jesu Christi für die Menschen ist im geistlichen Amt immer nur in abgeleiteter Form möglich. Die „repraesentatio Christi" durch den Amtsträger erfolgt nicht in einer ungeschichtlichen Identifizierung mit Person und Werk Jesu Christi, sondern in der Weise der *Nachfolge Jesu*. Indem der Amtsträger ständig von Jesus als dem Vorangehenden „lernt" und so zu seinem Dienst fähig wird, macht er für die ihm anvertraute Gemeinde den Blick auf Jesus nicht überflüssig, sondern verhilft ihr vielmehr dazu. Hierin hat sich zu bewähren, daß das geistliche Amt gerade den dienenden Christus zu repräsentieren hat, der selbst Bote des Offenbarungswortes Gottes ist. Das Hirtenbild im Neuen Testament und besonders das Hirtesein Jesu nach Joh 10 unterstreicht den dienenden Charakter des Amtes. Hierin hat jede Rede von der Repräsentation Christi als des „Hauptes" seines Leibes durch das kirchliche Amt ihre Grenzen.

3. Das geistliche Amt begegnet in den Anfängen der Kirche einerseits in der besonderen und einmaligen Gestalt des Apostelamtes und andererseits in den „Ämtern" ihrer Mitarbeiter sowie in den Charismen und Diensten innerhalb der von ihnen gegründeten Gemeinde. Hiermit ist eine Pluralität der Gestalt des geistlichen Amtes angedeutet, die in der Folgezeit ihre feste Form in einer hierarchisch gegliederten Kirchenverfassung erhielt. So sehr die Ausgestaltung der einzelnen Ämter immer auch geschichtlich wandelbar bleibt und bestimmten Bedürfnissen der pastoralen Situation der Kirche Rechnung tragen muß, so sehr muß sich jedes Amt von seiner *apostolischen Grundgestalt* her als Darstellung des Dienstes Jesu Christi bewähren. Diese unverzichtbare Bindung an Christus, aus der dem Amtsträger auch die geistliche Begabung zum Dienst zukommt, wird in der Weihe (Ordination) des Amtsträgers hergestellt. Die Weihe entspricht damit der Sendung der Apostel durch Jesus Christus.

[64] Vgl. Gruppe vom Dombes II/I, Nr. 5: „In dem der Amtsträger die Sakramente feiert, bringt er zeichenhaft zum Ausdruck, daß Christus selbst es ist, der bei ihnen den Vorsitz führt und ihnen die verheißende Wirksamkeit verleiht"; ebd. Nr. 4: „Das Spezifische des pastoralen Amtes besteht darin, die Abhängigkeit der Kirche von Christus, dem Ursprung ihrer Sendung und dem Fundament ihrer Einheit, zu sichern und zeichenhaft darzustellen". Das Memorandum der ökumenischen Universitätsinstitute betont für das kirchliche Leitungsamt besonders die „öffentliche Wahrnehmung der gemeinsamen Sache" und damit die Aufgabe, die „christliche Gemeinschaft ... nach außen und gegenüber den einzelnen Gliedern zu repräsentieren" (Nr. 12). Daneben steht freilich in Nr. 15 der Hinweis auf die Ordination als Bevollmächtigung „zur öffentlichen Wahrnehmung der einen Sendung Christi, zu deren zentralen Aufgaben Verkündigung und Sakramentsverwaltung gehören". Bei Anerkennung einer Vielfalt von Ämtern und Charismen in der Kirche sollte aber gerade auch das Leitungsamt vom gleichen Gedanken der Sendung Christi, die von diesem Amt in der sachentsprechenden Gestalt des Dienstes wahrgenommen wird, bestimmt sein.

4. Die Sendung durch Jesus Christus und damit die dienende Repräsentation Christi für die Menschen ist der *theologische Kern* des geistlichen Amtes. Er wird in der apostolischen Sukzession, in der die Kirche als „apostolische Kirche" steht, bewahrt und durch sie zur Erhaltung der Kirche in der Kontinuität mit Jesus Christus stets neu aktualisiert. Die Sendung des Amtes als „repraesentatio Christi" steht daher in einem engen Zusammenhang mit der Sendung der Kirche insgesamt[65]. Dieser Zusammenhang hebt die christologische Begründung des Amtes nicht auf, sondern gibt dem Vollzug des Amtes Richtung und Ziel. Aufgabe des geistlichen Amtes ist es nicht, die Sendung der Kirche und aller ihrer Glieder überflüssig zu machen, sondern sie zum Dienst in der Welt und für die Welt nach dem Vorbild des „Weltdienstes" Jesu zu befähigen.

[65] Das Memorandum „Reform und Anerkennung kirchlicher Ämter" (hier: S. 189–207 der Beitrag der ökumenischen Institute der Universität München) betont in diesem Sinne die „Einheit" der Sendung. „Das Amt hat deshalb keine andere Sendung als die Gesamtkirche; in und mit der Kirche ist es berufen, die Sendung Christi weiterzuführen. Dennoch hat es seine Vollmacht nicht von den Gläubigen empfangen, sondern vom Herrn und Haupt der Kirche" (ebd. 190). Die besondere Teilnahme des Amtes an der *einen* Sendung der Apostel durch den auferstandenen Christus beinhaltet dann allerdings auch zu ihrem Vollzug eine über die ekklesiale Repräsentation hinausreichende besondere Repräsentation Christi gegenüber der Kirche.

Literatur

Bacht, H., Amtsverständnis und Abendmahlsgemeinschaft. Ein Bericht über die Entwicklung die Entwicklung seit dem Zweiten Vatikanischen Konzil: StdZ 191 (1973) 231–239.

Bornkamm, G., Art. πρέσβυς κτλ, in: ThWNT VI, 651–683.

Campenhausen, H. von, Die Anfänge des Priesterbegriffs in der alten Kirche, in: Tradition und Leben. Kräfte der Kirchengeschichte. Aufsätze und Vorträge, Tübingen 1960, 272–289.

Colson, J., Ministre de Jésus-Christ ou le sacerdoce de l'évangile, Étude sur la condition sacerdotale des ministres chrétiens dans l'église primitive (Théologie historique 4), Paris 1966.

Conzelmann, H., Die Apostelgeschichte (HNT 7), Tübingen 1963.

Cordes, P. J., Sendung zum Dienst. Exegetisch-historische und systematische Studien zum Konzilsdekret „Vom Dienst und Leben der Priester" (Frankfurter Theol. Studien 9), Frankfurt/Main 1972.

Dassmann, E., Die Bedeutung des Alten Testaments für das Verständnis des kirchlichen Amtes in der frühpatristischen Theologie: BuL 11 (1970) 198–214.

Dibelius, M., Die Pastoralbriefe (HNT 13), Tübingen ²1931.

Eckert, J., Zu den Voraussetzungen der apostolischen Autorität des Paulus, in: Kirche im Werden. Studien zum Thema Amt und Gemeinde im Neuen Testament, hrsg. von J. Hainz, München 1976.

Ernst, J., Die Briefe an die Philipper, an Philemon, an die Kolosser, an die Epheser (RNT), Regensburg 1974.

Friedrich, G., Amt und Lebensführung. Eine Auslegung von 2. Kor. 6,1–10 (BSt 39), Neukirchen 1963.

Fries, H., Was heißt Anerkennung der kirchlichen Ämter?: StdZ 191 (1973) 507–515.

Georgi, D., Die Gegner des Paulus im 2. Korintherbrief. Studien zur religiösen Propaganda in der Spätantike (WMANT 11), Neukirchen 1964.

Gnilka, J., Der Epheserbrief (HThK 10,2), Freiburg 1971 (Nachdr. Leipzig 1971).

Goldstein, H., Das Gemeindeverständnis des Ersten Petrusbriefs. Exegetische Untersuchungen zur Theologie der Gemeinde, theol. Diss. masch., Münster 1973.

Gruppe von Dombes, Teilkonsens über das kirchliche Amt: HK 27 (1973) 36–39.

Güttgemanns, E., Der leidende Apostel und sein Herr. Studien zur paulinischen Christologie (FRLANT 90), Göttingen 1966.

Hahn, F., Der Apostolat im Urchristentum: KuD 20 (1974) 54–77.

Ders., Das Verständnis der Mission im Neuen Testament (WMANT 13), Neukirchen 1965.

Hainz, J., Amt und Amtsvermittlung bei Paulus, in: Kirche im Werden, hrsg. von *J. Hainz*, München 1976, 109–122.

Ders., Ekklesia. Strukturen paulinischer Gemeinde-Theologie und Gemeinde-Ordnung (Bibl. Untersuchungen 9), Regensburg 1972.

Hoffmann, P., Studien zur Theologie der Logienquelle (NTA N. F. 8), Münster 1972.

Jeremias, J., Art. ποιμήν, in: ThWNT VI, 484–501.

Kasper, W., Es bleiben noch Fragen. Ökumenischer Fortschritt im Amtsverständnis: KNA, Krit.-Ökumen. Informationsdienst Nr. 10/11, 28. Febr. 1973, 5–8.

Ders., Ökumenischer Konsens über das kirchliche Amt: StdZ 191 (1973) 219–230.

Kertelge, K., Das Apostelamt des Paulus, sein Ursprung und seine Bedeutung: BZ N. F. 14 (1970) 161–181.

Ders., Die Funktion der „Zwölf" im Markusevangelium. Eine redaktionsgeschichtliche Auslegung, zugleich ein Beitrag zur Frage nach dem neutestamentlichen Amtsverständnis: TThZ 78 (1969) 193–206.

Krämer, P., Dienst und Vollmacht in der Kirche. Eine rechtstheologische Untersuchung zur Sacra Potestas-Lehre des II. Vatikanischen Konzils (Trierer Theol. Studien 28), Trier 1973.

Lohse, E., Die Gemeinde und ihre Ordnung bei den Synoptikern und bei Paulus, in: Jesus und Paulus (Festschr. für W. G. Kümmel), Göttingen 1975, 189–200.

Madey, J., Gibt es Kirche ohne Apostolische Sukzession? Eine ostkirchliche Stellungnahme zum Ämtermemorandum: KNA, Krit. Ökum. Informationsdienst Nr. 16, 11. April 1973, 5–7.
Malta-Bericht: Bericht der evangelisch-lutherisch/römisch-katholischen Studienkommission „Das Evangelium und die Kirche": HK 25 (1971) 536–544.
Merklein, H., Das kirchliche Amt nach dem Epheserbrief (StANT 23), München 1973.
Michl, J., Die 24 Ältesten in der Apokalypse des hl. Johannes, München 1938.
Panagopoulos, J., „Diakonia tes katallages" (2 Kor 5,18). Eine orthodoxe Studie zur exegetischen und dogmatischen Problematik des Amtes: Una Sancta 20 (1965) 126–151.
Persson, P. E., Repraesentatio Christi. Der Amtsbegriff in der neueren römisch-katholischen Theologie (Kirche und Konfession 10), Göttingen 1966.
Pfnür, V., Kirche und Amt. Neuere Literatur zur ökumenischen Diskussion um die Amtsfrage (Catholica Beiheft 1), Münster 1975.
Rengstorf, K. H., Art. ἀπόστολος, in: ThWNT I, 406–448.
Riesenfeld, H., Ämbetet i Nya testamentet, in: En Bok om Kyrkans Ämbete, hrsg. von H. Lindroth, Stockholm 1951, 17–69.
Roloff, J., Apostolat–Verkündigung–Kirche. Ursprung, Inhalt und Funktion des kirchlichen Apostelamtes nach Paulus, Lukas und den Pastoralbriefen, Gütersloh 1965.
Römische Bischofssynode 1971: Der priesterliche Dienst / Gerechtigkeit in der Welt, eingeleitet von K. Hemmerle und W. Weber, hrsg. von der Deutschen Bischofskonferenz, Trier 1972.
Schlier, H., Der Brief an die Epheser. Ein Kommentar, Düsseldorf [6]1968 (Nachdr. Leipzig 1965).
Schmahl, G., Die Zwölf im Markusevangelium. Eine redaktionsgeschichtliche Untersuchung (Trierer Theol. Studien 30), Trier 1974.
Schnackenburg, R., Episkopos und Hirtenamt. Zu Apg 20,28 (1949), in: Schriften zum Neuen Testament, München 1971, 247–267.
Ders., Das Johannesevangelium, III. Teil (HThK 4,3), Freiburg 1975 (Nachdr. Leipzig 1977).
Schreiben der deutschen Bischöfe über das priesterliche Amt. Eine biblisch-dogmatische Handreichung, Trier 1969.
Schürmann, H., Die Arbeit und der Bericht der evangelisch-lutherisch/römisch-katholischen Studienkommission „Das Evangelium und die Kirche" 1967–1972: TThZ 82 (1973) 53–60. 120–125. 172–180.
Ders., Der Dienst des Petrus und Johannes (Lk 22,8) (1951), in: Ursprung und Gestalt. Erörterungen und Besinnungen zum Neuen Testament, Düsseldorf 1970, 274–276.
Ders., Die apostolische Existenz im Bilde. Meditation über 2 Kor 2,14–16a (1963), in: Ursprung und Gestalt, 229–235.
Ders., Die geistlichen Gnadengaben in den paulinischen Gemeinden (1966), in: Ursprung und Gestalt, 236–267.
Ders., Neutestamentliche Marginalien zur Frage der Entsakralisierung. Recht und Grenzen des theologischen Säkularismus (1968), in: Ursprung und Gestalt, 299–325.
Ders., Mt 10,5b–6 und die Vorgeschichte des synoptischen Aussendungsberichtes (1963), in: Traditionsgeschichtliche Untersuchungen zu den synoptischen Evangelien, Düsseldorf 1968, 137–149.
Ders., Das Testament des Paulus für die Kirche Apg 20,18–35 (1962), in: Traditionsgeschichtliche Untersuchungen, 310–340.
Ders., Die Verheißung an Simon Petrus. Auslegung von Lk 5,1–11 (1964), in: Ursprung und Gestalt, 268–273.
Schüßler Fiorenza, E., Priester für Gott. Studien zum Herrschafts- und Priestermotiv in der Apokalypse (NTA N. F. 7), Münster 1972.
Schütte, H., Amt, Ordination und Sukzession im Verständnis evangelischer und katholischer Exegeten und Dogmatiker der Gegenwart sowie in Dokumenten ökumenischer Gespräche, Düsseldorf 1974.
Steck, O. H., Israel und das gewaltsame Geschick der Propheten. Untersuchungen zur Überlieferung des deuteronomistischen Geschichtsbildes im Alten Testament, Spätjudentum und Urchristentum (WMANT 23), Neukirchen 1967.

Schütz, J. H., Paul and the Anatomy of Apostolic Authority (SNTS Mon. Ser. 26), Cambridge 1975.
Thüsing, W., „Laßt uns hinzutreten ..." (Hebr 10,22). Zur Frage nach der Kulttheologie im Hebräerbrief: BZ N. F. 9 (1965) 1–17.
Zizioulas, J. D., Priesteramt und Priesterweihe im Licht der östlich-orthodoxen Theologie, in: Der priesterliche Dienst V: Amt und Ordination in ökumenischer Sicht, hrsg. von H. Vorgrimler (QD 50), Freiburg 1973, 72–113.
Zollitsch, R., Amt und Funktion des Priesters. Eine Untersuchung zum Ursprung und zur Gestalt des Presbyterats in den ersten zwei Jahrhunderten (FreibThSt 96), Freiburg 1974.

ISRAEL UND KIRCHE IM NEUEN TESTAMENT

Von K. H. Schelkle

Israel und Kirche sind miteinander verbunden und voneinander getrennt. Das Verhältnis muß immer neu verstanden und neu versucht werden. Dies möge im Folgenden mit einer Besinnung auf den Ursprung, das Neue Testament, geschehen.*

1. Gemeinsamkeit und Verbundenheit

Über Jesus als der Mitte steht die Kirche in tiefer Gemeinschaft mit Israel. Er stammt aus dem jüdischen Volk. Israel hat der Welt den strengen Monotheismus übermittelt, der auch Religion der Kirche ist. Der eine Gott ist der, der schafft, erlöst, vollendet. Jahwe, der Gott Abrahams, Isaaks und Jakobs, ist auch der Vater Jesu Christi. Mit dem Namen Jesus, der bedeutet: Jahwe ist Heil, bleibt für immer gesagt, daß der Gott des Alten Bundes auch der Gott des Neuen Bundes ist. Die Hoheitstitel Jesu (Davidssohn, Messias, Menschensohn, Sohn, Heiland, Herr) sagen die Erfüllung alttestamentlicher Hoffnung aus. Daß sie freilich im zeitgenössischen Judentum für den endzeitlichen Heilbringer nicht (oder kaum) gebraucht wurden, läßt zugleich einen bedeutsamen Unterschied zwischen der Gemeinde Jesu und diesem Judentum erkennen.

Das Buch des Alten Bundes ist Quelle des Glaubens und Ordnung des Lebens auch des Neuen Bundes, der Kirche. Wie das frühe Judentum nennen wir die Bibel „Heilige Schrift", welche Bezeichnung durch 2 Tim 3,15 der Kirche vermittelt ist. Das Alte Testament wird als Zeugnis der Heilsgeschichte, als Gesetz und als Verheißung vom Neuen Testament anerkannt und, allerdings kritisch (so Mk 7,2–6.14–23; 10,2–9; 2 Kor 3,6), aufgenommen. Zwei Bewegungen, die aus dem Judentum auf das Neue Testament zuführen, das Rabbinentum im Pharisäismus und die Gemeinde von Qumran, bemühen sich in besonderer Weise, die Schrift auszulegen und zu vergegenwärtigen.

* Es möge gestattet sein, als Literaturhinweis lediglich anzuführen: *K. H. Schelkle,* Theologie des Neuen Testaments 2, Düsseldorf 1973, 33–57 (Altes Testament im Neuen Testament); und ebd. 4,2, Düsseldorf 1976, 156–185 (Israel und Kirche).

Die Exegese des ehemaligen Pharisäers Paulus läßt nicht selten erkennen, daß er die Methode rabbinischer Exegese wie auch ihre Inhalte benutzt. Der „Lehrer der Gerechtigkeit" in Qumran verstand und lehrte die Überlieferung der Propheten (1 Qp Hab 7,4f). Die Angehörigen der Gemeinde „sollen den dritten Teil aller Nächte des Jahres gemeinsam wachen, um im Buch zu lesen und nach dem Recht zu forschen" (1 QS 6,6f). Manche biblische Texte finden sich im messianischen Beweis in Qumran wie im Neuen Testament (so Dtn 18,18 in 4 Qtest 5 und Apg 3,22; Am 9,11 in 4 Q flor 1,12 und Apg 15,16). Wie von den Frommen Israels gilt von der Urgemeinde in Jerusalem, daß sie „in den Schriften forschten" (Apg 17,11). Die neutestamentliche Kirche erweiterte die Hochschätzung der Heiligen Schrift vom Alten Testament auf das Neue Testament.

Das kirchliche Sakrament der Einweihung ist die Taufe. In vielen heiligen Strömen wird getauft. Die Jüngergemeinde setzte aber zunächst die von Johannes dem Täufer angeführte Taufbewegung fort. Die Gemeinde von Qumran übte ein vielfaches System von Waschungen und Bädern. Auch die jüdische Proselytentaufe mag, wenn sie auch erst vom 1. Jahrh. n. Chr. an sicher nachweisbar ist, nachwirken.

Das Mahlsakrament der Kirche bewahrt die Form des jüdischen Mahles. Auch dieses wurde als Danksagung, Eucharistie, gefeiert. Qumran beging das tägliche Mahl in strengem und feierlichem Ritus. Die Teilnehmer erschienen nach einem Tauchbad in weißen Linnengewändern. Ein Priester sprach Dank und Segen über Brot und Wein und begann das Mahl (1 QS 6,4f; 1 QSa 2,1–22).

Ausschluß und Wiederaufnahme ist für die neutestamentliche Gemeinde Mt 18, 15–18 geregelt. Eine Zurechtweisung soll zunächst unter zwei Brüdern, dann unter Zuziehung zweier Zeugen erfolgen. Dann mag der Fall vor die Gemeinde gebracht werden. Der Instanzenzug hat eine genaue Parallele in der Regel von Qumran (1 QS 5,25–26). Man muß wohl annehmen, daß diese Ordnung von der neutestamentlichen Gemeinde übernommen wurde.

Unter den Ämtern der Kirche stammen nach Bezeichnung und Art aus dem Alten Testament und der Synagoge das Amt des Ältesten und das Amt der Propheten. In der alttestamentlichen Volksgemeinde waren Älteste zunächst Sippenhäupter, dann Amtsträger überhaupt (Dtn 19,12; Esr 10,8). Im Synedrium zu Jerusalem waren die Ältesten die Vertreter der Laien (Mk 11,27). In den Ortsgemeinden bildeten sieben Älteste den Rat der Synagogen (Lk 7,3). In der Gemeindeversammlung zu Qumran hatten die Ältesten ihren Sitz nach den Priestern und vor dem Volk (1 QS 6,8–10). War Ältester ursprünglich eine Altersbezeichnung, so war es längst ein Würdetitel geworden. Danach waren Älteste Amtsträger auch in den judenchrist-

lichen Gemeinden (Apg 11,30). Sie bildeten den Rat um Jakobus, den Leiter der Urgemeinde (Apg 21,18). Sie waren die Hirten der Gemeinde nach dem 1. Petrusbrief (5,1–4). Gemäß dem Alten Testament, in dem die Propheten von großer Bedeutung sind, treten Propheten im Neuen Testament als charismatische Verkündiger hervor (Mt 10,41; 23,34; Apg 11,27; 1 Kor 12,28f). Sie tragen die Gottesdienste mit (1 Kor 14,3–39).
Nach aller Kritik am gegenwärtigen Israel erscheint die vollendete Kirche unter der Gestalt des idealen vollendeten Israel. Die in der eschatologischen Not zu ihrem Schutze Versiegelten (Offb 7,3–17) sind 144000, das sind zwölfmal 12000 aus den zwölf Stämmen Israels. Johannes schaut sie als die große Schar vor dem Throne Gottes und vor dem Lamm. Die herrliche Frau, die am Himmel erscheint (Offb 12,1–12), trägt auf ihrem Haupt eine Krone von zwölf Sternen und ist damit als Israel, das Volk der zwölf Stämme, gekennzeichnet. Die Frau gebiert den Messias. Ihre Nachkommen bewahren das Zeugnis Jesu. Das Volk Gottes des Alten und Neuen Bundes, Israel und Kirche sind in eins gesehen. In anderen Bildern ist die vollendete Kirche die Versammlung auf dem Berg Sion (Offb 14,1–5), wie das vom Himmel herabsteigende neue Jerusalem (Offb 21,2). Die Geretteten singen das Lied des Moses, das zugleich das Lied des Lammes ist (Offb 15,2f).
Das geschichtliche Judentum mag den Anspruch auf den Ehrennamen Jude verloren haben (Offb 2,9; 3,9). Er ist Ehrenname der Christen geworden (Röm 2,29). Die Christen sind Abrahams Söhne (Gal 3,29; 4,22), die Christinnen Töchter der Sarah (1 Petr 3,6). Die Kirche ist die wahre Beschneidung (Phil 3,3). Die Kirche verwirklicht das schon immer im Himmel vorhandene präexistente Jerusalem. Es ist unsere freie Mutter (Gal 4,26f). Diese Kirche ist das Volk der zwölf Stämme in der Zerstreuung (Jak 1,1).

2. *Gegensatz und Trennung*

Mehr als von Gemeinschaft und Verbundenheit berichtet das Neue Testament von Trennung und endlicher Gegnerschaft zwischen Israel und der Kirche. Die Auseinandersetzung beginnt in den Reden Jesu. Die Gleichniserzählung von den bösen Winzern (Mk 12,1–12) bedeutet den Übergang von Berufung und Heil von Israel zu den Völkern. Schrifttheologie der Gemeinde betont die Verwerfung Israels mit Ps 118,22 (wie Mk 12,10 so Apg 4,11; 1 Petr 2,4.7, Barnabas 6,2). Auch das Gleichnis vom Mahl (Mt 22,1–14; Lk 14,16–24) handelt von der verlorenen Erwählung Israels und der Berufung der Heiden an seiner Stelle.
Schwerwiegende Worte Jesu nennen Israel, das immerzu sein Glaubens-

bekenntnis: „Höre Israel, unser Gott ist ein Herr“ (Dtn 6,4) aufsagt, ein „ungläubiges und verkehrtes Geschlecht“ (Mt 17,17). Die Heiden werden in Gottes Königtum eingehen, die erstberechtigten Söhne des Reiches werden in die äußerste Finsternis verworfen werden (Mt 8,11f). Im Gericht werden die Völker weit besser als Israel bestehen (Mt 11,20–24).

Ein strenges Wort Lk 13,25–28 überweist jene, die mit Jesus gegessen und getrunken haben, und auf deren Straßen er gelehrt hat, also die zeitgenössischen Juden, dem Gericht und der Verdammung. Ist dies ein ursprüngliches Wort Jesu oder ein späteres Wort über das ungläubige Israel?

Die Gegnerschaft zwischen Israel und Kirche ist eingezeichnet in die Aussendungsrede Mt 10,17–23. Die Jünger werden den Synedrien ausgeliefert und in den Synagogen gegeißelt. Diese sind „ihre (der Juden) Synagogen“. Es ist schon die Situation der christlichen Mission dargestellt (2 Kor 11,24f).

Im Laufe des öffentlichen Wirkens Jesu entstand ein heftiger Gegensatz zwischen Jesus und den Pharisäern. Da diese mit frommen Ernst, Eifer und Opferwillen sich um das Gesetz Gottes in Lehre und Tat bemühten, stellt sich zunächst die nicht einfachhin zu beantwortende Frage, wie diese Gegnerschaft entstehen konnte. Es schiene doch leichter zu erklären, wenn Jesus und unreligiöse und amoralische Juden Feinde geworden wären. Die Evangelien berichten denn auch zunächst, daß Jesus die Gemeinschaft mit Pharisäern fand (Lk 7,36–50; 11,37–43; 14,1–5; Joh 3,1). Die Evangelien nennen als Gründe der Auseinandersetzung ein verschiedenes Gesetzesverständnis. Die Pharisäer steigern die äußeren Reinheitsgesetze, vergessen aber die innere Haltung (Mk 7,9–13). Sie kritisieren, daß Jesus am Sabbat heilt (Mk 12,1–14). Schweren Anstoß nehmen sie daran, daß Jesus die Gemeinschaft mit den Sündern aufnimmt (Mt 9,11; Lk 7,36–50). Jesus rechtfertigt sein Verhalten mit den drei Gleichnissen vom Verlorenen (Lk 15,3–32). Im Gleichnis vom Pharisäer und Zöllner (Lk 18,9–14) wird der Sünder gerechtfertigt, nicht der Fromme. Dies alles wird man so erklären dürfen: Nach dem Urteil der Frommen gefährdet Jesus die Ordnung des Gesetzes, zutiefst aber den jüdischen Gottesbegriff, in dem Gott als der Gott der Gerechten verstanden war.

Der Gegensatz ist im Evangelium dargestellt in der großen Rede gegen die Schriftgelehrten und Pharisäer Mt 23,1–7.13–33. Die Rede ist eine höchst wirkungsvolle Schöpfung des Evangelisten, insbesondere durch die Reihe der sieben sich steigernden Weherufe. Über den Tempelplatz hinhallend (Mt 24,1) rechnen sie mit dem Judentum in der Mitte seiner Existenz ab.

Die Rede Jesu anerkennt zunächst (Mt 23,2f) in erstaunlicher Vorbehaltlosigkeit das Lehramt der Lehrer Israels. Sie haben den Lehrstuhl des Mose inne. Ihre Lehre ist gültig. „Alles, was sie euch sagen, tuet.“ Doch, „sie tun nicht, was sie sagen“. Hier mag das Judenchristentum sprechen, das das Lehramt in

Israel anerkennt (vergleichbar Mt 5,17ff). Doch Wort und Werk widersprechen einander. Die Frömmigkeit wird zur Schau gestellt (Mt 23,5ff). Mt 23,13–22 werden die Schriftgelehrten und Pharisäer auch falscher Lehre beschuldigt. In den sieben Weherufen (Mt 23,13–32) werden die Gegner als „Heuchler" verurteilt. Diese Heuchelei muß freilich nicht immer bewußte und gewollte subjektive Unwahrhaftigkeit sein. Sie kann auch im objektiven Widerspruch zwischen Ideal und Wirklichkeit bestehen. Die jüdischen Missionare werden beschuldigt, sie machen den Proselyten „zu einem Sohn der Hölle, doppelt so schlimm wie sie selbst" (Mt 23,15). Ist der Vorwurf gerecht? Die christliche Mission ging oft auf den vorbereiteten Wegen der jüdischen Mission, wie Paulus nach der – vielleicht schematischen – Darstellung der Apostelgeschichte regelmäßig zuerst in der Synagoge predigte, wobei er, wenn er auch von den Juden abgewiesen wurde, oft unter den „Gottesfürchtigen" erste Jünger gewann (Apg 13,5.14; 14,1; 17,1.12.17; 18,4.19). Ist der Vorwurf gegen die jüdische Mission vielleicht deshalb so hart, weil jüdische und christliche Mission sich in ihren Gebieten als feindliche Konkurrenz begegneten? Ging der Jude so leichtfertig mit dem Eid um, wie die ihm unterstellte Kasuistik Mt 23,16–22 behauptet? Für den wahren Juden galt: „Jeden bindenden Eid, den jemand auf sich genommen hat, um etwas vom Gesetz zu tun, soll er selbst um den Preis des Todes nicht lösen" (Damaskusschr. 16,7f). Die Pharisäer werden angeklagt, daß sie die Denkmäler der Propheten und Gerechten bauen. Sie bekunden aber damit nur, daß sie Söhne der Prophetenmörder sind (Mt 23,29–32). In nicht wenigen Völkern und Zeiten mögen Nachfahren Denkmäler zu sühnender Erinnerung errichten. Darf man den Späteren vorhalten, sie seien Söhne der Verbrecher? Die Weherufe haben teil an zeitgenössischer Kritik des Pharisäertums (Himmelfahrt d. Mose 7,3–10; wohl auch 1 QH 4,10–16). Worte Jesu mögen in die Rede miteingegangen sein. Einige Angaben (Mt 23,15.17.27.29) setzen wohl Verhältnisse vor der Verwüstung durch den römisch-jüdischen Krieg 66–70 voraus. Andere Sprüche lassen wohl aber auch schon Erfahrung christlicher Mission erkennen. Als ganze bezeugt die Rede den Gegensatz zwischen Israel und Kirche als zwei feindlichen Religionen. Dies ist der Zustand zur Zeit der Niederschrift des Matthäusevangeliums etwa der Jahre 80 bis 90.
In der Rede erscheint auch der Vorwurf der Prophetenmorde (Mt 23,30–37). Israel selbst klagte sich so an (Neh 9,26; Prophetenleben 3 u. 13–15; Himmelfahrt d. Jesaja 5). Die Beschuldigung ist in dieser Allgemeinheit nicht aus der Geschichte zu erweisen. Israel ging in dieser Selbstanklage mit sich überstreng ins Gericht. Die Anklage wird vom Neuen Testament aufgenommen (auch Mk 12,5; Apg 7,52; 1 Thess 2,15; Hebr 11,36f). Darf sie von der Christenheit weitergegeben werden?

Zwischen Israel und der Kirche stand die Frage der Schuld am Tode Jesu auf. Mögen Einzelheiten der rechtlichen Zuständigkeiten und Machtverhältnisse zwischen der römischen und jüdischen Regierung unklar sein, so hatte doch damals allein Rom in Jerusalem das Recht, in einem Gerichtsverfahren die Todesstrafe auszusprechen, wie denn nach den Evangelien der römische Prokurator Jesus zum Tode verurteilte und die Kreuzigung durch römische Soldaten vollstreckt wurde. Die Evangelien haben aber die Tendenz, die Römer zu entlasten (Mt 27,24; Lk 23,4–22; Joh 18,38; 19,6–12) und die Juden zu belasten. Gemäß den Leidensweissagungen sind es „die Ältesten, Hohenpriester und Schriftgelehrten", die Jesus „töten" (Mk 8,31; 10,33). Im Prozeß beabsichtigen sie von Anfang an, „Jesus zu töten" (Mk 14,1). Die Kirche erhebt von Anfang an die Anklage gegen die Juden, daß sie die Mörder des Messias geworden sind (Apg 2,36; 4,10; 7,52). „Sie haben den Herrn getötet und die Propheten" (1 Thess 2,15). Die antijüdische Tendenz verstärkt sich grob in nachkanonischer Überlieferung im Petrusevangelium. In der Passa-Homilie des Meliton von Sardes (96) begegnet auch zum erstenmal der unheilvolle Vorwurf des Gottesmordes. „Gott ist ja getötet worden".

Die wichtigste Urkunde der Auseinandersetzung zwischen Synagoge und Kirche sind die Briefe des Apostels Paulus. Daß sein eigenes Volk das Heil ablehnte und verlor, war für ihn „große Traurigkeit und unablässiger Schmerz" (Röm 9,2). Bei aller Mühe der Heidenmission hatte er sein Volk im Sinn, das er auf das Heil der Heiden eifersüchtig machen wollte (Röm 11,13f). Zunächst muß Paulus die Freiheit seiner Gemeinden gegen die Judaisten verteidigen, die jener das Gesetz aufzwängen wollen (so in Galatien nach Gal 4,10; 5,3.12; 6,12). Er schließt (Gal 6,15): „Weder Beschneidung ist etwas, noch Unbeschnittenheit, sondern allein neue Schöpfung". Auch in Philippi kämpft Paulus gegen judaistische Umtriebe (Phil 3,2). Im Römerbrief ringt Paulus mit der bedrängenden Frage Israel. Eben jetzt, da Israels Herrlichkeit ganz verdunkelt werden soll, breitet Paulus noch einmal dessen Reichtum aus (Röm 9,4f). Er gibt sich und der Kirche eine Antwort auf jene Frage mit der Besinnung darauf, daß Gott immer der souveräne Herr ist, der frei wählt und sein Wort ans Ende führt. Dies weist er aus Israels Geschichte nach (Röm 9,6–21). Paulus bestätigt Israel, daß es Eifer für Gott hat – und das ist nicht wenig –, freilich „ohne Einsicht" (Röm 10,2). Es versuchte, durch selbstgerechtes Werk seine Begnadung umzudeuten in eigene Würdigkeit und Größe. Das Alte Testament aber weist schon auf den Heilsweg der Gerechtigkeit durch Glauben (Röm 10,1–13). Israel bleibt jedoch das erwählte Volk. „Gott gereut es nicht seiner Gnadengaben und Berufung" (Röm 11,29). Paulus vermag das Geheimnis zu enthüllen, daß, nachdem die Fülle der Völker in das Heil eingegangen ist, „ganz Israel gerettet wird" (Röm 11,25).

Eine schwere Beschuldigung Israels steht 1 Thess 2,14ff. Paulus klagt die Juden an: „Sie haben Jesus, den Herrn, getötet und die Propheten. Sie haben uns verfolgt. Sie gefallen Gott nicht und sind allen Menschen feind... Doch der Zorn Gottes ist über sie gekommen bis zum Ende". Die Vorwürfe, daß die Juden die Propheten und Jesus gemordet haben, begegneten uns wiederholt (s.o.). So wie Paulus, beschuldigt profane Judenfeindschaft des Altertums die Juden der Gottlosigkeit und des Menschenhasses. Ihr Gesetz verbot den Juden die Teilnahme an heidnischen Kulten, während sie selbst einen bildlosen Gottesdienst des reinen Wortes pflegten. Das Gesetz erschwerte oder verunmöglichte ihnen Ehe, Handel und Verkehr mit den Heiden. Mochten diese daher ihre Vorwürfe der Gottlosigkeit und des Menschenhasses herleiten, doch bedachte auch Paulus jene Gründe nicht?
Was besagt endlich der geheimnisvolle Satz, daß der Zorn Gottes über sie gekommen ist bis zum Ende? Sollte gesagt sein, daß der Zorn Gottes über sie bis ans Ende der Zeit dauern wird, oder daß er bis zum Höchstmaß über sie gekommen ist? Wie verhält sich diese Unheilsdrohung zur Heilszusage Röm 11,26: „Ganz Israel wird gerettet werden"? Der 1. Thessalonicherbrief mag im Jahr 50 geschrieben sein, der Römerbrief wohl 57/58. Hat sich das Urteil des Paulus geändert? Hat ihm etwa die Offenbarung des Geheimnisses über Israel (Röm 11,25) neue Einsicht gewährt? Seit Ferdinand Christian Baur den 1 Thess eben wegen 2,14–16 Paulus abgesprochen hat, wird immer wieder die Annahme vertreten, 1 Thess 2,14ff sei ein späterer, fremder Zusatz zum Brief des Paulus. 2,16 sollte danach schon auf das Ende Jerusalems im Jahre 70 zurückblicken. Ist es wirklich möglich, Paulus von 1 Thess 2,14ff zu entlasten?
Das Johannesevangelium läßt die Ferne erkennen, die – um 100 – zwischen Kirche und Synagoge bestand. Die Fremdheit bekundet sich, wenn die Rede ist „von den Gebräuchen der Juden" (2,13; 5,1; 6,4; 7,2; 11,55; 19,42) oder vom Gesetz als „eurem Gesetz" (8,17; 10,34). Merkwürdig sind die Sätze, daß sich viele „aus Furcht vor den Juden" nicht zu Jesus zu bekennen wagten (7,13; 20,19). Jesus und seine Jünger wie die Gegner waren ja doch Juden in gleicher Weise. „Die Juden" sind von Anfang an feindselig und ungläubig (1,19; 1,18.20), entschlossen, Jesus zu töten (5,6.18; 7,1; 10,31ff). Es ist sicherlich geschichtlich genauer, wenn die älteren Evangelien berichten, daß die Scheidung zwischen Jüngern und Gegnern Jesu sich erst nach einiger Zeit bildete und erkennbar wurde.
Die Auseinandersetzung zwischen Jesus und den Juden im Johannesevangelium ist ein dogmatischer Streit um die Person des Christus. Das Evangelium bezeugt ihn als den Sohn, der in der Einheit des Vaters war und ist. Dieser Anspruch ist für die Juden Gotteslästerung (10,31ff). Die Auseinandersetzung

zwischen Synagoge und Kirche um Jesus als den Messias wird sich in jenen Streitgesprächen niedergeschlagen haben. Der Streit war oft ein solcher um das rechte Schriftverständnis (5,37.45f, 6,31; 7,42.51; 8,56; 10,34ff). Die Kiche will der Synagoge die Schrift entwinden.
Der Streit verläuft immerzu in Mißverständnissen (2,20; 3,3f; 4,10–15.32f; 6,33f; 7,34f; 8,21f.32f; 14,4.7f; 16,16ff). Dies ist literarisch-theologische Darstellungsart. Die Welt begreift das Wort Gottes nicht, und sie nimmt den, der Gottes Wahrheit und Offenbarung ist, nicht an. Die Juden stellen die ungläubige Welt dar.
Die Auseinandersetzung erreicht äußerste Schärfe 8,30–59. Die Juden behaupten, als Abrahams Söhne frei, niemandens Knechte, ja Gottes Kinder zu sein (8,41). Jesus erwidert, daß sie als Abrahams wahre Söhne wie dieser Gottes Wort gehorchen und an den Messias glauben müßten. In Wahrheit ist nicht Abraham ihr Vater, sondern der Teufel (8,44). Die Juden haben des Teufels Art und gehören ihm zu, wie er der Fürst dieser Welt ist (14,30).
In alldem aber anerkennt das Johannesevangelium die einstige und bleibende Würde und Bedeutung Israels. Jesus schließt sich mit diesem Volk zusammen: „Wir beten an, was wir kennen. Denn das Heil kommt von den Juden" (4,22). Die Geschichte Israels ist die Geschichte des wahren, offenbarenden Sprechens und Handelns Gottes mit der Welt.
Kirche und Synagoge schließen sich als Feinde aus. Wie die Christen sich von den Juden trennen, so verstoßen die Juden die Christen aus den Synagogen (9,22; 16,2). Um das Jahr 90 war in das Achtzehn-Bitten-Gebet als 12. Bitte eine Verfluchung aufgenommen worden: „Es mögen die Nasoräer (d.h. Christen) und die anderen Abtrünnigen in einem Augenblick vergehen. Sie seien aus dem Buch des Lebens getilgt und mit den Frommen sollen sie nicht aufgeschrieben werden. Gepriesen seist du, Herr, der du die Frechen beugst."
Kirchenväter haben bisweilen die strengen Urteile des Neuen Testaments über die Juden bekräftigt oder noch gesteigert. Aber andere Väter haben Warnungen mahnend auf ihre eigene Kirche bezogen. So Origenes zu Röm 11,8f (J. P. Migne, Patrologia Graeca 14,1183f): „Jeder von uns muß fürchten, daß nicht der Tisch der göttlichen Worte, von dem wir die Speise des Wortes Gottes nehmen, uns zur Schlinge werde oder Vergeltung oder Anstoß, wenn wir nicht verständig und rein, wie es würdig ist, uns reine göttliche Speise der Weisheit davon nehmen."

DIE „SÖHNE (KINDER) GOTTES“ IM NEUEN TESTAMENT

Von Gerhard Delling

Die Bezeichnung der Christen als Söhne oder als Kinder Gottes[1] geht traditionsgeschichtlich zunächst auf das Judentum zurück, darüber hinaus auf das Alte Testament; alttestamentliche Stellen werden in jüdischen Texten denn auch verschiedentlich verwertet[2]. Im Neuen Testament erhält die Bezeichnung dann ihre besondere soteriologische und ekklesiologische Füllung.

Eine ganze Reihe von Aussagen über die Söhne beziehentlich die Kinder Gottes findet sich je in der literarisch ältesten und in einer der jüngsten Schriftengruppen des Neuen Testaments; sie fügen sich in bemerkenswerter Weise jeweils in einen bestimmten sachlichen Rahmen. Das wird insbesondere bei Paulus alsbald sichtbar. Es handelt sich zunächst um drei wichtigere Abschnitte, Gal 4,4–7; 3,26f und Röm 8,14–17 (mit VV.19.21.23).

Der geschlossenste Gedankengang liegt in Gal 4,4–7 vor. Hier erscheint in einer Kette von Sätzen die Sohnschaft der Christen als Ziel des Heilshandelns Gottes: Gott sandte seinen Sohn in das volle Menschsein (V. 4), damit er uns von der Gewalt des Gesetzes loskaufte, (und das heißt,) damit wir die Sohnschaft empfingen (V. 5). Herrschaft des Gesetzes bedeutet Unfreiheit, Sklavesein (im Judentum ist umgekehrt die Tora eine Gabe, mit der Gott die Söhne auszeichnet); Freisein vom Gesetz bedeutet Sohnschaft (vgl. u. Mt 17,26).

Mit der Aufnahme in die Sohnschaft, die auf das stellvertretende Sterben des Sohnes hin geschieht, ist ein völlig neues Verhältnis zwischen Gott und den zu Söhnen Angenommenen gegeben. Die Einsetzung in die Sohnschaft bildet ihrerseits die Grundlage für das weitere Handeln Gottes an den Angenommenen. Das wird in VV.6f deutlich. Weil, so heißt es zunächst, ihr Söhne seid, sandte Gott den Geist seines Sohnes in unsere Herzen (V. 6). Hier wird zum zweiten Mal in unserem Passus bedeutsam, daß es der Sohn ist, durch den wir Söhne sind. In Gal 4 klingt der Gedanke im voraus an in der Aussage der Sendung des Sohnes (VV.4f); er wird nun deutlicher in V. 6.

[1] *W. Twisselmann*, Gotteskindschaft; *A. Oepke*, ThWNT V, 651–653; *E. Schweizer*, ThWNT VIII, 392–395. 402; *De Villiers*, betekenis. Zu Paulus auch *J. Blank*, Paulus 258–278. Das spezielle Thema findet in der Literatur wenig Aufmerksamkeit; behandelt wird meist der Vatergedanke.

[2] *G. Delling*, Bezeichnung.

Paulus redet vom „Geist seines Sohnes“[3] nicht von ungefähr: in der Sendung des Geistes des Sohnes wird die Sohnschaft bestätigt. Der Geist des Sohnes macht uns in unseren Herzen[4] der Sohnschaft gewiß. Das wird erkennbar in dem Ruf *abba,* den er (durch uns) spricht. Er betet in uns, er bekennt durch uns; durch ihn gewährt uns Gott das Glauben, in unserem Zusammenhang das Glauben an unsere Gotteskindschaft.

Wie gefüllt für Paulus die Gabe der Gotteskindschaft ist, deutet sich schließlich in der Folgerung V. 7 an: wenn du Sohn bist, dann bist du Erbe durch Gott, d.h. durch seine Setzung. Die Bildrede vom Erben kann sich bei Paulus auch auf das beziehen, was dem Glaubenden jetzt zugeeignet wird (Gal 4,1, s. VV. 2f); aber charakteristisch ist der Bezug auf die eschatologische Vollendung des Heils (Gal 5,21; 1 Kor 6,9f; 15,50; Kol 3,24). Das zeigt sich insbesondere in Röm 8,17 usw. (s.u.).

Die Aussagen von Gal 4,4f finden ihre bemerkenswerte Parallele bzw. Ergänzung in Gal 3,26f. Hier wird die Sohnschaft in Relation gesetzt zu dem Glauben, der in Christus Jesus (gegeben) ist[5]. „Glaube“ bezeichnet im Kontext insbesondere Gottes heilsames Tun in Christus (vgl. V. 23 „bevor der Glaube kam“, V. 25 „nachdem der Glaube kam“, V. 23 „auf den Glauben hin, der offenbart werden sollte“), das in der Rechtfertigung (V. 24) zugeeignet wird. „Glaube, der in Christus Jesus (gegeben) ist“, meint nichts anderes als das dann in Gal 4,4.5a ausgesagte Handeln Gottes. Das Heil, das für Paulus durch das Wort Christus bezeichnet ist, haben die Christen „angezogen“ (3,27b; das Bild vom Anziehen z.B. des Heils meint schon im Alten Testament, daß man von dem „Angezogenen“ völlig bestimmt wird, s. z.B. Jes 61,10[6]). Das γάρ in Gal 3,27 besagt dann also, daß die Sohnschaft im „Anziehen“ des Christusheils zustandekommt, und eben dieses Anziehen geschieht – das ist das Spezifische von V. 27 – in der Taufe.

Die Sätze in Gal 4,6f sodann haben ihre ebenso bemerkenswerte Entsprechung in Röm 8,15–17[7]. Hier setzt Paulus erst bei der Aussage über die Sendung des Geistes ein und interpretiert diese. In V. 15 wird nunmehr in aller Form dem Geist der Sklaverei der Geist der Sohnschaft entgegengesetzt. Die Wiedergabe von υἱοθεσία mit „Sohnschaft“ legt sich von der Gegenüber-

[3] Anderswo sagt er „Geist Christi“ (Röm 8,9), „Geist Jesu Christi“ (Phil 1,19), „Geist des Herrn“ (2 Kor 3,17). Christus wirkt durch den Apostel in der Kraft des Geistes (Röm 15,18f).

[4] Zum Wirken des Geistes in den Herzen s. Röm 5,5; 2 Kor 1,22.

[5] Das bzw. den Glauben an ... bezeichnet Paulus mit πιστεύω εἰς bzw. πίστις εἰς (bzw. beim Substantiv mit dem Genetiv).

[6] Weitere Belege bei *van der Horst,* Observations 182.

[7] Um die Einordnung von Röm 8,15 und Gal 4,6 in die paulinische bzw. z.T. schon vorpaulinische Theologie bemüht sich *W. Grundmann,* Geist.

stellung zu δουλεία her nahe; gewiß klingt aber noch der Gedanke der Einsetzung in die Sohnschaft mit. Daß in V. 15b bei πνεῦμα an den heiligen Geist gedacht ist, zeigt der unmittelbare Kontext. Auch in Röm 8 ist der Ruf *abba* durch den Geist gewirkt (V. 15c); in V. 16 werden aber ausdrücklich Schlüsse gezogen, die sich in Gal 4 nur andeuteten: der Geist selbst (d.h. der heilige Geist) bezeugt zusammen mit unserem Geist, daß wir Gottes Kinder sind (durch das Zusammenstimmen zweier Zeugen wird eine Aussage voll bestätigt, Dtn 19,15). In Röm 8,17a (τέκνα) wird Gal 4,7b (υἱός) nahezu wiederholt. In Röm 8,17b wird dann der Gedanke des „Erbes" präzisiert: die Kinder (Söhne) sind Erben Gottes, das heißt, Gott hat ihnen eine Zusage von unbedingter Gültigkeit gegeben. Die Redeweise geht letzten Endes auf alttestamentlichen Sprachgebrauch zurück; dort beziehen sich „erben" und „Erbe" zumal auf das verheißene Land Palästina[8]. Die im Pentateuch situationsgemäß auf die Zukunft bezogene Redeweise wird im Urchristentum auf die feste Zusage des Endheils angewandt. In V. 17 wird der Bezug auf die eschatologische Vollendung der Heilsgabe deutlich durch den ausdrücklichen Hinweis auf die für den Christen noch zukünftige Herrlichkeit. Der Sohn hat schon empfangen, was die Söhne erst empfangen werden; dahinter steht wohl wiederum der Satz: um des Sohnes willen sind auch die Söhne Erben, Miterben, s. 8,29 (hier stellt sich in aller Form die Assoziation Erstgeborener/Brüder ein).

Der Gedanke der eschatologischen Erfüllung der Sohnschaft spielt auch in der Fortsetzung von Röm 8,15–17 eine Rolle. Die künftige Gabe wird in V. 19 als Offenbarwerden der Söhne Gottes bezeichnet. Den Söhnen wird hier in bemerkenswerter Weise die κτίσις gegenübergestellt, d.h. entweder die Schöpfung überhaupt oder die Menschheit[9]. Die Schöpfung schaut sehnsüchtig danach aus, daß die Söhne Gottes als solche offenbar werden in der Parusie (im Empfang des Auferstehungsleibes, vgl. 1 Kor 15,23.43f), weil sie dann ebenfalls befreit werden wird von der Versklavung an die Vergänglichkeit zu der Freiheit, die Anteil an der Herrlichkeit bedeutet, die den Kindern Gottes als „Erbe" gewährt wird. Nicht von ungefähr begegnet hier wieder der Gegensatz von Sklaverei und Freiheit, der in den Gegensatz Sklaven/Söhne eingeschlossen ist[10]. In Röm 8,23 wird dann die (Offenbarung der) Sohn-

[8] Dann auch auf den dort einer Gruppe oder dem einzelnen zugeteilten Landbesitz als Erbbesitz. Vgl. *Herrmann,* ThWNT III, 768–775; für LXX und Judentum *Foerster,* ebd. 776–781.

[9] κτίσματα ist auf die Menschheit bezogen in Jak 1,18, in einem ein Stück weit entsprechenden Zusammenhang. Ferner vgl. R. Aqiba, Abot 1,12: „... in dem du die Geschöpfe (berijjot) liebst und sie zur Tora bringst".

[10] In der dritten Aussagengruppe, in der sich der Gegensatz Sklaverei / Freiheit findet (Röm 6,16–20 usw.), nimmt Paulus nicht ausdrücklich auf die Sohnschaft der Christen Bezug.

schaft als Befreiung des Leibes bestimmt, d. h. als Befreiung vom Verfallensein des Leibes an den Tod, die im Empfang des Auferstehungsleibes geschieht. Wird im Unterschied zu der Aussage in V. 15 die Sohnschaft in V. 23 als künftige Gabe bezeichnet (wie schon V. 19), so entspricht das dem Schon und Noch-nicht, dem Gegenwärtig- und Zukünftigsein des Empfangens der Heilsgüter in anderen Sätzen des Paulus. Wie bedeutsam dabei das Schon in Röm 8 ist, wird durch den Ansatz der Ausführungen VV. 15ff in V. 14 sichtbar: die Sohnschaft der Christen wirkt sich darin aus, daß der Geist Gottes die gesamte Existenz der Christen bestimmt (s. V. 13).

Ein Vergleich der Aussagen des Judentums über die Gottessöhne (Gotteskinder) mit denen des Paulus zeigt, daß Paulus einerseits an die dort vorgegebene Redeweise und bestimmte mit ihr verbundene Vorstellungen anknüpft. Die Söhne Gottes sind in Altem Testament und Judentum das Volk Gottes, das Gott liebend erwählte[11]. Das Prädikat „Söhne Gottes" bezieht sich auf ein bereits vollzogenes Handeln Gottes (ant bibl 32,8 usw.), kann aber auch eine noch ausstehende Vollendung einschließen (s. u.). Für Paulus ist das Prädikat jedoch in einer ganz anderen Weise gefüllt. Das Hineinnehmen in die Sohnschaft bezieht sich auch im Judentum ausdrücklich oder implizit auf geschichtliche Ereignisse (Exodusgeschehen usw.). Das geschichtliche Ereignis, in dem die Einsetzung in die Sohnschaft gründet, ist für Paulus Gottes Handeln in Jesus Christus. Von daher ist die Sohnschaft der Christen an die Person Jesu Christi gebunden. Paulus geht in spezifischer Weise von der (im engeren Sinn des Wortes) christologischen Prädikation Jesu Christi als des Sohnes aus, wenn er von der Sohnschaft der Christen um des Sohnes willen spricht. Dabei ist betont der Sohn der Gekreuzigte und der Gekreuzigte der Sohn (vgl. Röm 5,10; 8,3.32; Gal 2,20; 4,4f).

In Jub 1,23f wird den Söhnen Gottes für die künftige Verwirklichung der Kindschaft auch speziell die Gabe des erneuernden Geistes verheißen. Bei Paulus wird diese Gabe den Söhnen um des Sohnes schlechthin willen zuteil. Sie ist Merkmal der Erfüllung der Zusage Gottes in der Gegenwart. Als endzeitliche Gabe macht der Geist die Glaubenden der Sohnschaft zugleich gewiß auf die noch ausstehende Vollendung hin.

Bemerkenswerterweise macht Paulus selbst den alttestamentlich-jüdischen Hintergrund der Bezeichnung der Heilsgemeinde als der Söhne Gottes in aller Form sichtbar. In Röm 9,4 nennt er in der Reihe der Gaben Gottes an Israel alsbald ausdrücklich die von Gott gewährte Sohnschaft (υἱοθεσία). Wie für die Judenschaft, so gehören auch für Paulus nach dieser Reihe Bund und Gesetzgebung mit der Sohnschaft zusammen (ant bibl 32,8).

[11] Die Bezeichnung „Söhne Gottes" entspricht mithin im Neuen Testament der der „Erwählten Gottes".

Das mit Röm 9,4 gegebene Stichwort wird durch Paulus in VV.7f bzw. 6–8 aufgenommen. Paulus setzt hier bestimmte jüdische Aussage voraus, einmal die Gleichsetzung von „Israel“ und „Kinder Gottes“ als Bezeichnungen des Gottesvolkes (VV.6.8)[12], sodann die Begründung der Zugehörigkeit zu den Kindern Gottes durch die Abstammung von Abraham (VV.7f)[13]. Zu den Kindern Gottes rechnen jedoch nach Gottes Willen nur die, die auf Grund der Verheißung Abrahams Nachkommen sind (V. 8); ihr Prototyp wird Isaak (VV.8f; vgl. Gal 4,22f.28). Damit wird die Zugehörigkeit zu den Kindern Gottes an Gottes souveräne Setzung gebunden. Ist das Prädikat „Söhne Gottes“ schon im Judentum mit der Vorstellung der Erwählung verknüpft, so erhält dieser Gedanke bei Paulus eine neue Wendung, die die Ausweitung des Prädikats auf die Heiden ermöglicht.

In Röm 9,26 wird dann akzentuiert ausgesprochen, daß die Zugehörigkeit zu den Söhnen nicht an die Zugehörigkeit zum jüdischen Volk gebunden ist. Diese Aussage begründet Paulus hier mit einer alttestamentlichen Verheißung, die in Hos 2,1 auf die Wiederherstellung der vollen Sohnschaft Israels geht[14]. Die Stelle wird im jüdischen Schrifttum ebenfalls als Zusage für die Heilszeit verstanden (Jub 1,25), die aber auf das jüdische Volk beschränkt bleibt. Für Paulus ist das „Nichtmeinvolk“, das „Söhne des lebendigen Gottes“ genannt wird, die Heidenschaft.

Einbezogen ist die Heidenschaft nach dem Kontext auch in 2 Kor 6,18; hier ist offensichtlich 2 Sam 7,14 aufgenommen[15]. Die Anwendung der Verheißung für den Nachfolger Davids auf das Gottesvolk begegnet im Judentum bereits Jub 1,24 (dagegen wird die Stelle in den Texten von Qumran auf den messianischen König bezogen, 4Qflor 1,11f[16]). Das Mosaikzitat in 2 Kor 6,16–18 ist kaum erst für den Kontext zusammengestellt worden; wahrscheinlich wurde eine jüdische Vorlage verwertet[17]. Im jüdischen Bereich könnte die Reinhaltung des Volkes (2 Kor 6,17) als Voraussetzung für die volle Gültigkeit der Zusagen VV.16.18 aufgefaßt worden sein. Wäre das Gottes-

[12] Für Volk Gottes = Kinder Gottes s. z.B. Weish 9,7; 12,19.

[13] Auf Grund seines „Bundes“ mit Abraham ist Jahwe der Gott der Nachkommenschaft Abrahams, Gen 17,7.

[14] Entsprechend setzt Paulus auch sonst alttestamentliche Worte um, Röm 10,20.

[15] Dafür spricht auch die Schlußwendung in V. 18, λέγει κύριος παντοκράτωρ, mit der der Gottesspruch in 2 Sam 7 eingeleitet ist (V. 8).

[16] Das ist für die Frage der Abhängigkeit des Passus 2 Kor 6,14–7,1 (bzw. VV. 16–18) von Qumran nicht belanglos. Zu dem Problem insgesamt s. Bericht und Stellungnahme bei *H. Braun,* Qumran 201–203. Neuerdings s. die eingehende Prüfung des Passus durch *H. D. Betz,* 2 Cor 6, der die im Titel gestellte Frage bejaht. – Zu 2 Kor 6 vgl. die Redeweise des Paulus in 1 Kor 5,13.

[17] An „eine Art urchristliche Predigt“ denkt *U. Wilckens,* Testament 637.

wort VV. 16–18 von Paulus eingesetzt, so hätte er es wohl im Sinn der nunmehr vollzogenen Verheißung verstanden, die aber ständig im Verhalten der Gemeinde zu realisieren ist (7,1[18]).

Der Gedanke, daß sich die Kinder Gottes in ihrer Lebensführung als solche zu bewähren haben, ist Paulus keineswegs fremd, wie Phil 2,15 zeigt (vgl. schon Röm 8,13f). Auch hier wirkt ein alttestamentlicher Text ein, wenn auch unter erheblicher Veränderung, die wahrscheinlich bewußt vorgenommen wird. Im Unterschied zu dem Scheltwort Dtn 32,5 werden die Adressaten aufgefordert, sich als untadelige[19] Kinder Gottes zu erweisen mitten in einem verkehrten und verdrehten Geschlecht. Offenbar schließt die Kindschaft der Christen die Möglichkeit zu solcher Bewährung ein („unter welchen ihr leuchtet wie Gestirne in der Welt" V. 15, „indem ihr das Wort des Lebens festhaltet" V. 16). Es ist bemerkenswert, daß auch hier einer der alttestamentlichen Texte zum Stichwort Gottes Söhne (Kinder) verwendet wird.

In anderer Weise werden die Christen in der Paränese Eph 5,1 auf ihre Gotteskindschaft angeredet. Dabei bezieht man sich auf die Liebe Gottes, die in der Annahme zu Kindern realisiert wird. Eben die hier gebrauchte Bezeichnung „geliebte Kinder" hat ihre Entsprechung in der Benennung „geliebte Söhne" in der jüdischen Literatur (Jdt 9,4, vgl. Abot 3,14, ferner Jub 1,25). Bereits im Rahmen der Eulogie des Eingangs des Briefes begegnet die grundlegende Aussage, daß Gott (vor aller Zeit, s. V. 4) „uns", die neue Heilsgemeinde, „zur Sohnschaft durch Jesus Christus" bestimmte nach seiner freien Wahl (1,5); der Satz soll offenbar paulinisches Gedankengut zusammenfassen.

Auch in Mt 5,44f wird die Mahnung von der Sohnschaft her begründet. Der Inhalt der Mahnung entspricht der von Eph 5,1 (mit 2a), insofern es dort und hier um die Liebe geht, die das eigene Verhalten nicht bestimmt sein läßt von dem unguten Verhalten der anderen. Darin bewährt sich rechte Sohnschaft. Dabei ist in Mt 5,45 auf das entsprechende Verhalten Gottes Bezug genommen (vgl. Eph 4,32)[20]; von dort her ist offenbar speziell die Bezeichnung „Söhne eures Vaters im Himmel" veranlaßt. Insgesamt meint das „euer" in dem Prädikat „euer Vater" die, die zu Jesus gehören[21]; um ihn

[18] Vgl. z. St. ThWNT VIII, 63.

[19] „Unbefleckte"; in LXX werden die „ihm nicht Kinder" befleckt genannt, „ein verkehrtes und verdrehtes Geschlecht". Die Umkehrung der Aussage weist auf die ganz andere Situation des neuen Gottesvolkes.

[20] „Söhne des Höchsten" Lk 6,35 ist kaum die ältere Fassung des Logions, s. *Bertram,* ThWNT VIII, 618. Zu dem Ausdruck vgl. Ps 82(81),6; Esth 8,12q (E 16).

[21] Vgl. die kritische Sichtung und Besprechung der Logien bei *J. Jeremias,* Abba 41–46.

sammelt sich das neue Gottesvolk. Denen, die Jesus auf ihre Gotteskindschaft hin anspricht, wird diese auf Grund ihrer Zugehörigkeit zu ihm zu eigen. Daß Menschen sich als Kinder Gottes verstehen dürfen, ist schlechthin Geschenk – um Jesu willen. Erst auf die Zusage Jesu hin, auf Grund der Annahme durch Jesus können die Angenommenen sagen: „Mein Vater". Insofern die Stellung des Menschen vor Gott seine Existenz schlechthin bestimmt, ist diese damit neu gesetzt.

Das Logion Mt 17,26 (Sondergut) spricht von den Söhnen im Rahmen gleichnishafter Redeweise[22]. Aus der Feststellung, daß die Söhne der Könige keine Steuern zahlen, wird gefolgert: „Also sind die Söhne frei"[23], die Söhne des „großen Königs" (Gottesprädikat 5,35). Die Söhne Gottes sind nicht das jüdische Volk, sondern die zu Jesus Gehörenden (für sie steht im Kontext Petrus)[24]. Die Beziehung zwischen Sohnschaft und Freiheit, speziell auch vom Gesetz, wird mithin nicht nur bei Paulus herausgestellt (die Doppeldrachme wurde auf Grund von Ex 30,11–16 erhoben[25]).

Eine eschatologische Heilszusage ist mit der Bezeichnung „Söhne Gottes" in der siebenten Seligpreisung nach dem Mattäus-Evangelium verbunden. Daß die Zusage in 5,9 endzeitlich bezogen ist, zeigen die Parallelen in der gesamten Reihe. Die Sohnschaft ist das künftig gewährte volle Heil („genannt werden" sagt das Begabtwerden mit der vollen Gotteskindschaft aus[26]). Schon jüdische Texte weisen in die Richtung, daß in zukunftsbezogenen Aussagen die Gotteskindschaft die volle Gemeinschaft mit Gott gewährt (vgl. Jub 1,24f). Wahrscheinlich ist auch die Abfolge 5,8 („sie werden Gott schauen") und 9 in der Ordnung des Mattäus-Evangeliums nicht von ungefähr. Eine spezielle Beziehung zwischen dem Tun, dem die Verheißung in V. 9 gilt, und der Verheißung selbst kann allenfalls vermutet werden[27].

[22] Verwendet wird, im Rahmen einer Jüngerbelehrung, die Form des Gesprächs (VV. 25f), das eingeleitet wird mit einer Frage, die vorzugsweise im Mattäus-Evangelium benutzt ist (18,12; 21,28; 22,17.42; sie dient der Urteilsfindung, vgl. 26,66; in entsprechender Weise wird zur Stellungnahme aufgefordert Lk 10,36; die spezielle Form des Mattäus in Evangelien nur noch Joh 11,56, aber anders gebraucht).

[23] Zur Freiheit als Merkmal der Söhne jüdische Texte bei *A. Schlatter,* Matthäus 540f.

[24] Vgl. *A. Schlatter,* Matthäus 541.

[25] *P. Billerbeck,* Kommentar I, 760f.

[26] Zu genannt werden = sein s.u. zu 1 Joh 3,1, vgl. Jub 1,25; Abot 3,14; s. auch *A. Schlatter,* Matthäus 140. Weiterhin s. (auch sachlich) Weish 5,5, der Gerechte wurde nach seinem Tode „unter die Söhne Gottes gerechnet".

[27] *H. Windisch,* Friedensbringer, findet eine indirekte Beziehung, Gott ist „der Friedestifter in der Welt" (259, s. 245–247), und eine direkte, der Messias (247–251) und heidnische Herrscher als Friedebringer (251–257). – Nach *E. Dinkler,* Eirene 40, wäre Mt 5,9 „an die Überbringung von Gottes ‚Frieden' im Sinne des šālōm" gedacht.

In einer ungewöhnlichen[28] Beziehung wird der Ausdruck „Söhne Gottes" in Lk 20,36 verwendet. Er charakterisiert hier die Existenzweise derer, die der Auferstehung für würdig erachtet werden (V. 35), im Gegensatz zu der Daseinsweise, in der es Zeugung (VV.34f, s. 28) und Tod gibt. Die „Söhne Gottes" sind „engelgleich" und deshalb unsterblich, sie sind „als Söhne der Auferstehung Söhne Gottes" (V. 36). Gegenüber der Fassung des Logions in Mk 12,25/Mt 22,30 (beide stimmen fast wörtlich überein) ist die erweiterte in Lk 20,35f anscheinend bemüht, den Zustand der Auferweckten genauer zu kennzeichnen. Dazu wird unsere Wendung in einem im Judentum kaum vorbereiteten Sinn gebraucht. Eine gewisse Berührung mit Röm 8,19.21.23 deutet sich wenigstens insofern an, als dort die Sohnschaft im Empfangen des Auferstehungsleibes offenbar wird. Im Judentum wie bei Paulus ist aber der Ausdruck „Söhne Gottes" zuerst dadurch bestimmt, daß er die Stellung der Söhne vor Gott bezeichnet.

An jüdische Verwendung der Sohnesbezeichnung (Weish 12,21f; 16,10f) erinnert dagegen wieder – in ganz anderem Zusammenhang – Hebr 12,5–8. Hier wird die Züchtigung, die den Söhnen durch Gott widerfährt, als Beweis ihrer tatsächlichen Zugehörigkeit zu Gott, ihrer echten Sohnschaft verstanden (V. 8). Was in dem dafür als Beleg zitierten Text Spr 3,11f eben anklingt (Jahwe „züchtigt einen jeden Sohn, den er annimmt", V. 12b[29]), das wird in Hebr 12,5–8 zum speziellen Motiv der Paränese. In V. 7c ist wohl der Gedanke der Liebe des Vaters zu den Söhnen eingeschlossen (der Satz wird aus Spr 3,12a abgeleitet). In der Züchtigung behandelt uns Gott als Söhne, erweist sich die Sohnschaft (V. 7).

Der Hintergrund dieser Sätze ist die Annahme der Söhne, die Gott zur Herrlichkeit führt (Hebr 2,10). Dieses Tun Gottes beginnt damit, daß er Jesus zum priesterlichen Dienst instand setzt durch sein Leiden (ebd.). Auf Grund des hohepriesterlichen Handelns Jesu vor Gott werden die πολλοί, für die Jesus zum Urheber der Rettung wurde, zu Söhnen[30] angenommen, die die Anwartschaft auf die künftige δόξα haben (s. Röm 8,18f; in Röm 8 wie im Hebräerbrief wird davon ausgegangen, daß die künftigen Empfänger der Herrlichkeit jetzt schon Söhne sind, s. Hebr 12,5–8). Die Kennzeichnung der Gottesbeziehung durch den Sohnestitel wird in Heb 2,10 ohne weiteres als gegeben vorausgesetzt, im Kontext einer gefüllten und betonten, für den

[28] In Lk 3,38 drückt „(Sohn) Gottes" offenbar das Geschaffensein durch Gott aus („unsere Entstehung ist aus Menschen, ihn [Adam] aber hat Gott geschaffen", Philo, opif 140).

[29] Vgl. Ps Sal 13,9f.

[30] Die Söhne sind die Geheiligten, V. 11 (dazu s. 10,10.14 usw.). Vgl. Ps Sal 17,26f.

Hebräerbrief mehrfach charakteristischen Aussage[31]. Man kann fragen, ob etwa für den Hebräerbrief ein Zusammenhang zwischen den Aussagen über die Söhne und den Sohn schlechthin besteht; dafür spricht nicht zuletzt die sich im unmittelbaren Anschluß (γάρ V. 11) ergebende Bezeichnung der durch den Sohn vor Gott Geheiligten als Brüder des Heiligenden (V. 12[32]).
In einen größeren Rahmen ordnen sich, wie eingangs angemerkt wurde, sichtlich wieder die Aussagen über die Gotteskindschaft in Johannes-Evangelium und 1. Johannesbrief[33]. Wir besprechen beide Schriften getrennt; daß sachliche Beziehungen zwischen ihnen vorliegen, ist nicht zu übersehen. Einzusetzen ist bei der umfassenden Feststellung Joh 1,12[34]. Der im Prolog bis V. 16 namentlich Ungenannte gab denen, die ihn annahmen und d.h. „an seinen Namen glaub(t)en", das Anrecht auf die Gotteskindschaft. Die Annahme zur Gotteskindschaft ist an die Person Jesu gebunden, durch den Gott kundtut, daß er Menschen annimmt, und durch den er dieses Annehmen vollzieht.
Trotz des Anschlusses an VV.10f ist V. 12 umfassend zu verstehen. Durch Jesus wird schlechthin den Menschen die Möglichkeit erschlossen, von Gott in das Verhältnis der Kindschaft aufgenommen zu werden. Gott gewährt die Gabe der Gotteskindschaft allen, die an „seinen" Namen glauben, an „den Namen des einzigen Sohnes Gottes" (3,18), d.h. an ihn als den Sohn (3,36; 6,40), an ihn als den, in dem Gott sich selbst kundgibt. An ihn glauben heißt nach dem Johannes-Evangelium, an den glauben, durch den man das ewige Leben hat (3,36; 6,40), usw. Die Fülle der Aussagen über das Heil, das den an Jesus Glaubenden zuteil wird, ist mit dem „er gab ihnen das Anrecht, Kinder Gottes zu werden,"[35] angedeutet (eine spezifische Aussage dazu, die ausdrücklich von den Kindern Gottes redet, begegnet uns dann in 11,52). Hinter Joh 1,12 könnte sowohl die Vorstellung der Adoption stehen[36] – ἐξουσία ist eine Vokabel aus dem rechtlichen Bereich[37] – wie der Gedanke der Aufnahme in die Sohnschaft um des Sohnes willen; der Sache nach ist er eingeschlossen,

[31] ἔπρεπεν, die solenne Gottesprädikation im Relativsatz (vgl. Röm 11,36; 1 Kor 8,6), ἀρχηγός, τελειῶσαι (ThWNT VIII, 83f).

[32] Vgl. die Ausweitung des Gedankens der Bruderschaft auf die irdische Existenz Jesu in V. 17.

[33] Dazu *R. Schnackenburg,* Johannesbriefe, Exkurs 8: „Gotteskindschaft und Zeugung aus Gott".

[34] In VV. 9–13 wird die Bedeutung des Kommens des heilbringenden Wortes für die Menschen dargelegt, in verdichteter Aussage in V. 12.

[35] Zu ἐξουσίαν δίδωμι mit Inf. jemanden zu etwas berechtigen s. 1 Makk 1,13; 10,6; Polyb 18,4,8. Das Gesetz „gebe jedem Verfügenden das Recht (διδόναι ἐξουσίαν), seine Habe zu hinterlassen, wem er will", Corp. Pap. Rainer I 18,16 (124 nC.).

[36] Auch dafür s.u. zu 11,52.

[37] Mannigfache Belege z.B. bei *F. Preisigke,* Wörterbuch I, s.v., besonders unter 4; s.o. Anm. 35.

auch wenn er im Johannes-Evangelium nicht in der Form ausgesagt werden kann, wie bei Paulus, da das Johannes-Evangelium υἱός für den Sohn schlechthin vorbehält.
Aus dem umfassenden Satz 1,12 wird in V. 13 der Sache nach die Bezeichnung „Kinder Gottes" aufgenommen und in einer speziellen Weise weiterführend interpretiert: Gottes Kinder sind die, die „aus Gott geboren wurden"[38]. Was damit gemeint ist, läßt sich von späteren Sätzen her erkennen, 3,3.5. Sie gehören einem der Gesprächsgänge des Johannes-Evangeliums an, die durch einen den Hörern schwer verständlichen Satz eröffnet werden; die Gesprächspartner tun denn auch ihr Nichtverstehen durch eine Frage kund, worauf der Satz wiederholt[39] und entfaltet wird. Um diesen Ablauf in Gang zu setzen, wird mithin für den Ausgangssatz eine für die Hörer mehrdeutige oder schwer deutbare Formulierung gewählt. Im Nikodemusgespräch dient dazu insbesondere das Wort ἄνωθεν (V. 3). Es kann an sich beides bedeuten, „von neuem" und „von oben". Nikodemus versteht es (im Rahmen des aufgezeigten Schemas) prompt im ersten Sinn, wie seine zweiteilige Äußerung (V. 4) zeigt: „Wie kann ein Mensch geboren werden, wenn er alt ist? Er kann doch nicht etwa in den Schoß seiner Mutter ein zweites Mal eingehen und geboren werden?" Das Wort ἄνωθεν wird dabei zwar vermieden, aber im Sinn des „von neuem" vorausgesetzt (δεύτερον). Sowohl vom Kontext aus (V. 5–7[40]) wie von 1,13 her ist deutlich, daß das Adverb „von oben her"[41] meint, daß also ausdrücklich von der Geburt aus Gott (von Gott her)[42] die Rede ist („von oben" heißt ἄνωθεν übrigens auch sonst im Johannes-Evangelium ausschließlich; im räumlichen Sinn begegnet es in profanem Kontext 19,23, im Sinn eines „von Gott her" 19,11; hier wie 3,3 ersetzt es die mit der Präposition verbundene Gottesbezeichnung; τὰ ἄνω der „Bereich" Gottes 8,23).

[38] *J. Galot,* Être, befaßt sich speziell mit dem textkritischen Problem der Stelle im Kontext; G. tritt für den Singular ein.

[39] In 3,5 akzentuiert durch ein „wahrlich, wahrlich, ich sage dir". So in einem entsprechend strukturierten Kontext auch 6,53; nach Einwänden der Hörer in Frageform 8,34.58, vgl. sonst 5,19; 6,32.

[40] Vgl. unten zu V. 7.

[41] Epiktet kann nach I 13,3 sagen, daß auch der Sklave „Zeus zum Vorfahren hat, wie sein Sohn aus denselben Samen (Plur.) entstanden und der gleichen Grundlegung/Aussaat von Anfang an/von oben" (ἐκ ... τῆς αὐτῆς ἄνωθεν καταβολῆς); aber er meint damit die natürliche Entstehung – in Rahmen des zeitgenössischen Kosmosverständnisses – durch die Reihe der Vorfahren, I 9,4.6; vgl. die weitere Verwendung der Sohnesbezeichnung I 3,2; 19,9 (sonst begegnet sie noch in bezug auf Herakles, II 16,44; III 26,31).

[42] *A. Schlatter,* Johannes 86f.88f hat gezeigt, wieso eine solche Aussage dem pharisäischen Denken unzugänglich ist.

Wir haben jetzt zu fragen, was „von oben her geboren werden“[43] im Kontext Joh 3 bedeutet. Die grundlegende Antwort wird in V. 5 gegeben: „Wenn einer nicht aus Wasser und[44] Geist geboren wird[45], vermag er nicht einzugehen in die Gottesherrschaft“. Voraussetzung für die Teilhabe am Heil ist die Geburt von Gott her, die „aus“ Wasser und Geist geschieht. ἐκ bezeichnet offenbar den Ursprung, auf Gott bezogen den Urheber[46] des neuen Lebens[47]. Die neue Geburt geschieht von Gott her, von der Taufe her, vom Geist her. Das heißt, Gott wirkt sie durch die Taufe und durch den Geist (an denen, die an Jesus glauben, s.o. zu 1,12), er schafft durch sie das neue Leben[48]. Da der Geist im Johannes-Evangelium Bedeutung für das Christsein als ganzes hat (Joh 14–16), liegt es nahe, daß die neue Existenz durch den heiligen Geist bleibend verwirklicht wird (wer das neue Leben empfangen hat, „ist“ Geist, 3,6b). Wie die Geburt aus dem Geist realisiert wird, das entzieht sich menschlichem Nachprüfen, so betont V. 8; dadurch wird V. 7 mit dem wiederholten

[43] Nach dem Kontext ist offenbar von geboren werden, nicht von gezeugt werden die Rede. γεννάω gebären 1 Esr 4,15; Jes 66, 9 bzw. passivisch geboren werden Ijob 42,13; Jer 16,2 usw., gewiß auch an Stellen wie Spr 17,17; Sir 23,14; ebenso in außerbiblischen Texten. Das Bild von der Geburt aus Gott bestimmt Jak 1,18; dort wird gesagt, daß sie durch das Wort geschieht. Zur Vorstellung von der Gotteszeugung in der Umwelt vgl. *H. Windisch–H. Preisker,* Briefe 122f, mit Literatur. Gegen ihre Übertragung auf die johanneischen Aussagen von *A. v. Harnack,* Terminologie 116.

[44] Textkritisch sind die beiden letzten Wörter nicht anfechtbar. Der irische Kodex der Vulgata aus dem 13. Jahrh. (Brit. Mus. Harl. 1023), der sie nicht hat, dürfte nicht als einziger den ursprünglichen Text aufbewahrt haben. Der Wortlaut bei Justin, apol 61,4, „Wenn ihr nicht wiedergeboren werdet, werdet ihr gewiß nicht in die Herrschaft der Himmel eingehen“, ist frei nach Joh 3,5 (usw.) formuliert: zweite Person im Plural (3,7) statt der dritten im Singular, Kompositum (vielleicht unter Einfluß des ἄνωθεν 3,3) statt Simplex, Fehlen auch des „aus Geist“, „wird gewiß nicht“ statt „vermag nicht“, „Himmel“ statt „Gott“ (3,3); buchstäblich hat Justin also nur (ἐὰν/ἂν) μὴ, οὐ und εἰς τὴν βασιλείαν übernommen. Justin gestaltet die Worte, die er aus dem Neuen Testament anführt, auch sonst frei. Ein Beleg dafür, daß Origenes teilweise das Fehlen von „Wasser und“ bezeuge, ließ sich nicht finden. – In 3,8 fügte sich „Wasser und“ (so Sinaiticus, Itala usw.) nicht ein, weil hier ein Wortspiel Wind/Geist vorliegt.

[45] In den Johannesschriften wird nirgends „wiedergeboren werden“ o.ä. gesagt.

[46] Wenn Philon von Gott in bezug auf den Menschen sagt: γεννήσας αὐτόν (opif 84), dann meint er nichts anderes als die Erschaffung durch Gott (in opif 84 wird auf Gen 1,26 Bezug genommen). Auf die Erschaffung der Welt durch Gott bezieht sich das Verb spec 1,329; heres 200; somn 1,76, der Pflanzen und Tiere mut 63, der Fische opif 66 usw., auf das Schaffen der Gesetze durch Gott Jos., ant 4,319, das Geschaffenwerden Adams 8,62; 10,148. Entsprechende Aussagen über den Menschen mit γεννάω bei Epiktet, von Gott IV 10,16, von der Natur III 1,30.

[47] Belege für ἐκ als Wiedergabe von *min* zur Bezeichnung des Ursprungs bei *M. Johannessohn,* Gebrauch 287f. Belege für ἐκ (τοῦ) θεοῦ aus Josephus bei *A. Schlatter,* Johannes 21(f).

[48] Zu γεννάω „schaffen“ s.o. Anm. 46, besonders die auf Adam bzw. den Menschen bezogenen Stellen.

„von oben" erläutert: als Geschehen „von oben" ist das neue Leben menschlich unerklärbar[49]. Daß Gott (bzw. der erhöhte Christus, s.u.) durch den Geist (mittels des Wortes) wirkt, wird im Johannes-Evangelium mehrfach deutlich (14,26; 15,26f; vgl. auch 6,63).

In dem Nacheinander von Wasser und Geist in Joh 3,5 ist die Reihenfolge wohl nicht nur dadurch veranlaßt, daß im folgenden vom Geist die Rede ist; das einmalige Geschehen wird dem weitergehenden vorangestellt. Bezeichnet ἐκ in 1,13 und 3,5 den Ursprung, wird das ἐκ ... von 1,13 in dem zwiefältigen ἐξ ... von 3,5 expliziert und wird das letzte durch das erste festgelegt, so ist es Gott, der in der Taufe handelt, in ihr die neue Existenz grundlegend gewährt. Gott nimmt den Täufling in die Kindschaft hinein (3,5 mit 1,12f; vgl. Gal 3,26f).

Es ist nicht zu übersehen, daß in Joh 3,5–8 bereits in die nachösterliche Situation hinein gesprochen wird (das gilt offenbar schon von 1,13); Johannes läßt die Wirksamkeit des Geistes eindeutig erst von Ostern her einsetzen (7,39; 14,16; 16,13; 20,22). Damit, daß er in die Lage nach Ostern hinein redet, steht der Passus im Johannes-Evangelium nicht allein, auch wenn der Verfasser sonst weithin auf den Unterschied der Situationen achtet.

Jüdischer Hintergrund deutet sich in einer besonderen Weise im Rahmen der Aussage über die Gotteskindschaft in Joh 11,52 an. Hier wird es als die Aufgabe Jesu bezeichnet, „die zerstreuten Kinder Gottes zusammenzuführen in eines". Jüdische Redeform wirkt speziell ein in der Wendung „die zerstreuten ... zusammenzuführen"; damit wird eine vorgegebene Ausdrucksweise aufgenommen, s. συνάξει ἡμᾶς ... οὗ ἐὰν σκορπισθῆτε ... (Tob 13,5 BA), „er werde ... alle die wieder sammeln, die zerstreut sind" (syr Bar 78,7)[50]. Sie reicht bis in das Alte Testament zurück, Gott „wird dich wieder sammeln aus allen Völkern, unter die dich Jahwe, dein Gott, zerstreut hat" (συνάξει ... διεσκόρπισεν[51] ..., Dtn 30,3; vgl. Jes 11,12; 56,8; Ps 147[146],2, s. für die Literatur des Judentums die Gebetsworte Ps Sal 8,28; 2 Makk 1,27[52]). Der Messias (1,41) Jesus sammelt das neue Gottesvolk – in dem eben skizzierten Zusammenhang weist die Bezeichnung „Gottes Kinder" deutlich auf die Vorstellung vom Gottesvolk, die vom Judentum her für dieses Prädikat vorgegeben ist[53]. Die Zusage, die auf die Judenschaft

[49] Diese spezifische Pointe geht bei der Wiedergabe des ἄνωθεν durch „von neuem" verloren.

[50] Diese beiden Stellen bei *P. Billerbeck,* Kommentar IV, 902f.

[51] διασκορπίζω ist das jüngere Wort; in LXX ist es nicht wesentlich seltener (rund 50mal) als das schon klassische διασπείρω (rund 65mal).

[52] Diese beiden Stellen bei *Schmidt,* ThWNT II, 99.

[53] Der Verfasser des Johannes-Evangeliums hebt den Anspruch der Juden heraus, Gottes rechtmäßige Kinder zu sein, 8,41. Vgl. Röm 9,4.

bezogen war, wird in einem neuen Sinn verwirklicht; sie gilt nunmehr denen, die in der weiten Welt[54] an den Namen Jesu glauben (1,12). Und nun wird in 11,51f ausdrücklich gesagt, daß Jesus ans Kreuz geht, damit er auch die Kinder Gottes in der Ökumene zusammenführe. Damit das Gottesvolk aus der weiten Welt zusammengebracht wird, trägt Jesus stellvertretend (11,52) die Schuld der Menschheit (1,29), sein so verstandener Tod ist die Voraussetzung für die Sammlung der Kinder Gottes, der Heilsgemeinde[55].
Damit scheint sich ein ganz anderes Verständnis der Gotteskindschaft zu eröffnen als in Joh 3,5. Wir erinnern uns jedoch daran, daß es sich schon für 1,12 nahelegte, daß dort hinter der Bezeichnung „Kinder Gottes" der Gedanke der Annahme zu Gotteskindern stehe. In 11,52 wird das bestätigt und in einem besonderen Verständnis präzisiert. Die Aussage in 1,12 war mit 3,3.5 durch 1,13 eng verbunden. Für den Verfasser des Johannes-Evangeliums besteht zwischen den Vorstellungen der Aufnahme in die Gotteskindschaft und der Geburt von Gott her offenbar ein sachlicher Zusammenhang. In beiden ist das Handeln Gottes am Menschen entscheidend, der dem Menschen ein neues Verhältnis zu sich gewährt und in ihm ein neues Leben schafft. Die neue Gottesbeziehung ist die die Existenz des Menschen bestimmende Gabe Gottes an ihn; in dem neuen Leben wird sie ständig realisiert.
Es ist deutlich, daß in den Aussagen über die Söhne bzw. Kinder Gottes bei Paulus und bei Johannes bestimmte Entsprechungen vorliegen. Für beide ist mit diesen Prädikaten das neue Gottesverhältnis bezeichnet, das in dem Handeln bzw. Sichkundmachen Gottes in Jesus gründet. Dabei ist für beide auch die spezielle Beziehung auf das Kreuz gegeben. Für beide steht die Taufe in Zusammenhang mit dem Beginn des Gotteskindseins. Bei beiden steht die Gotteskindschaft in einem besonderen Bezug zu dem Wirken des heiligen Geistes und damit zum neuen Leben des Christen. In den vorliegenden Aussagen des Paulus ist der Gedanke der Einsetzung in die Sohnschaft stärker akzentuiert; deshalb redet er betont von der Freiheit der Söhne, die nicht Knechte sind, sondern Erben. Die johanneische Bezeichnung τέκνα könnte zuerst an die Gabe des Lebens erinnern; sie begegnet indessen häufig genug bei Paulus; drückt sie bei ihm die Nähe zu dem Vater aus[56], so ist das ebenso bei Johannes denkbar. In den johanneischen Schriften kommt die ausdrückliche Verknüpfung der Aussagen über Gotteskindschaft und neue

[54] Von der Zerstreuung über die Ökumene ist im hellenistischen Judentum des öfteren die Rede.

[55] *S. Pancaro,* People betont, daß es sich dabei um die Kinder Gottes aus Juden und Heiden handelt (126–129).

[56] Paulus verwendet überdies auch in Aussagen über Freiheit und Erbesein die Bezeichnung τέκνα, Röm 8,17.21; vgl. das oben S. 623 zu Joh 1,12 Gesagte.

Existenz in spezifischer Weise dadurch zustande, daß die Begabung mit dem neuen Leben bildhaft als Geburt von Gott her bezeichnet wird[57].
Im 1. Johannesbrief treffen wir auf ein Miteinander von Sätzen über die Kinder Gottes (3,1.2.10; 5,2) und das Geborenwerden von Gott her (3,9.9; 4,7; 5,1.1.4.18; 2,29[58]), das dem im Johannes-Evangelium entspricht. Beide Aussageweisen sind zumal eng verbunden in 5,1f. Für 5,1 ist zunächst die Nähe zu Joh 1,12f besonders bemerkenswert: „Jeder, der glaubt, daß Jesus der Gesalbte ist[59], ist von Gott her geboren". An Jesus als den Heilbringer glauben und von Gott her geboren werden, sind voneinander untrennbar; Gott wirkt auch den Glauben an die Messianität Jesu, und mit diesem Glauben ist der Anfang der neuen Existenz gegeben. Die in 1 Joh 5,1f folgenden Aussagen setzen voraus, daß „geboren von Gott her" und „Kinder Gottes" korrespondierende Bezeichnungen sind; einmal ist von der Liebe zu den aus Gott Geborenen die Rede, einmal von der Liebe zu den Kindern Gottes.
Auch in 2,29/3,1(f) folgen „von Gott her[60] geboren" und „Kinder Gottes" unmittelbar aufeinander[61]. Die jubelnde Aussage in 3,1a ist veranlaßt durch den vorangehenden Satz über den von Gott her Geborenen. Die Aufnahme in die Gotteskindschaft ist nach 3,1 der vollkommene Ausdruck der Liebe Gottes. Das ist ein gut alttestamentlicher, ein gut jüdischer Gedanke (s.o. zu Paulus). Die Liebe Gottes wird nach dem Johannesbrief jedoch insbesondere kund in der Hingabe des Sohnes an das Kreuz (4,9f). In 3,1 wird in aller Form ausgesprochen, daß mit dem Titel „Gottes Kinder" eine Wirklichkeit bezeichnet ist: „... daß wir Gottes Kinder genannt werden und (tatsächlich) sind" (im alttestamentlich-jüdischen Bereich ist es ohne weiteres gegeben, daß „nennen" bzw. „genannt werden" ein gültiges Zusprechen u.ä. meint, vgl. für unseren Sachzusammenhang Hos 2,1 [1,10]).
An Röm 8,19–23 erinnert 1 Joh 3,2 durch den Gedanken, daß die Aufnahme in die Gotteskindschaft auf eine eschatologische Vollendung ausgerichtet ist. Die vollendete Existenz der Gotteskinder zu kennzeichnen, ist freilich nach dem Verfasser nicht möglich; er macht jedoch die hohen Aussagen, daß wir, „wenn er offenbar werden wird, ihm gleich sein" und „ihn schauen wer-

[57] Auch wenn im Gebrauch der Wendung der Gedanke des Geschaffenwerdens nicht auszuschließen ist, s.o. Anm. 46.
[58] Zu den beiden letzten Stellen vgl. jeweils *R. Schnackenburg,* Johannesbriefe; *R. Bultmann,* Johannesbriefe.
[59] Vgl. Joh 20,31: „... damit ihr glaubt, daß Jesus der Gesalbte, der Sohn Gottes, ist". Der Gesalbte (1 Joh 5,1) ist der Sohn Gottes (s.o. zu Joh 1,12).
[60] Zu ἐξ αὐτοῦ s. o. S. 625 mit Anm. 47.
[61] Vgl. *R. Bultmann,* Johannesbriefe 50 oben.

den, wie er ist". Ist das „ihn" bzw. „er" auf den Erhöhten zu beziehen, so ist für die Christen an die Auferstehungsexistenz zu denken (vgl. Röm 8, besonders V. 29).

Parallel erscheinen die Bezeichnungen „von Gott her geboren" und „Kinder Gottes" noch einmal in 1 Joh 3,9f. Nach dem Zusammenhang charakterisieren beide das Woher des Bestimmtseins des Menschen (das wird durch die Antiparallele „Kinder Gottes"/„Kinder des Teufels" und das ἐκ τοῦ θεοῦ in V. 10 erkennbar). Wie gefüllt die Aussage „von Gott geboren" ist, zeigt V. 9: der so Prädizierte „ist nicht imstande zu sündigen", nämlich als von Gott gänzlich Erneuerter, in dem das von Gott geschaffene Leben „bleibt"[62]. Er sündigt nicht, der Teufel rührt ihn nicht an, so betont 5,18 nochmals (wiederum ist „von Gott geboren" parallel „aus Gott", VV. 18f[63]). Daß auch der Christ vom Sündigen nicht durchaus frei ist (1,8f; 2,1f; 5,16), weist darauf, daß das neue Leben im konkreten Handeln des Christen noch nicht völlig verwirklicht ist. Mit der Spannung, die in dem Nebeneinander beider Aussagen sichtbar wird, hängt es zusammen, daß im 1. Johannesbrief immer neu vom Sichverhalten des von Gott Geborenen die Rede ist. In der Aussageweise einer deskriptiven Ethik wird er dahin charakterisiert, daß er die Gerechtigkeit und d.h. Gottes Willen tut (2,29), daß er den Bruder liebt (4,7), den (wie er) von Gott Geborenen (5,1). Der von Gott Geborene „besiegt die Welt" – diesem Satz korrespondiert im gleichen Vers die Aussage (5,4): „Das ist der Sieg, der die Welt (d.h. den Bereich des ichsüchtigen Begehrens, das dem Willen Gottes entgegensteht, 2,16f) besiegt(e), unser Glaube"; das heißt nach V. 5 insbesondere, unser Glaube(n)[64] an Jesus als den Sohn Gottes. Wieder begegnet die Zuordnung der Aussagen von Joh 1,12 und 13 zueinander. –

Bei aller Vielfalt der neutestamentlichen Sätze über die Söhne (Kinder) Gottes ist nicht zu übersehen, daß sie bestimmte Gemeinsamkeiten haben; wir bemerkten dazu einiges für die Schriftengruppen, in denen am eingehendsten von der Gotteskindschaft die Rede ist (sonst auch in Querverweisen). Dabei ist das Nachwirken alttestamentlichen Redens und Denkens deutlich. Es macht sich schon darin geltend, daß sehr häufig pluralisch geredet wird von den Söhnen oder Kindern Gottes. Beide Wendungen sind im Alten Testament bzw. LXX und Judentum gleichbedeutend in der Anwendung auf das durch

[62] „Sein Same" mag zunächst den heiligen Geist meinen, der indessen durch das Wort wirkt, vgl. 2,27.

[63] „Aus Gott" sein begegnet außer 3,10; 5,19 auch 4,1.2.3.4.6.7.

[64] 1 Joh 5,4 ist die einzige Stelle, an der sich im Johannes-Evangelium und im 1. Johannesbrief das Substantiv πίστις findet, im Unterschied zur Häufigkeit des Verbs.

Gott erwählte Heilsvolk. In den pluralischen Sätzen des Neuen Testaments ist von daher die ekklesiologische Prägung des Ausdrucks Söhne (Kinder) Gottes vorgegeben (bei Paulus ist sie von Röm 9,26.4 her ohne weiteres im Blick, im Johannes-Evangelium durch 11,52). Im Neuen Testament sind die Söhne (Kinder) Gottes die neue Heilsgemeinde. Daß man zu ihr nicht mehr auf Grund der Abstammung gehört, sondern auf Grund der personaliter empfangenen Zusage Gottes[65], ist von dem umfassend gültigen Handeln Gottes in Christus her gegeben. Auf die, denen das Heil in Christus zu eigen wird, überträgt man nun die überkommene Bezeichnung, übernimmt mit ihr bestimmte Vorstellungen, füllt sie mit neuem Inhalt. Sie wird damit zu einer Signatur des eschatologischen Gottesvolkes, die in einer besonderen Weise das in Christus gesprochene Ja Gottes hörbar macht.

[65] Daß nicht das Volk, sondern die Gemeinde der Frommen Gottes Söhne (Kinder) sind, begegnet z. T. in Altem Testament und Judentum, Ps 73,15; Weish 2,13.18; 5,5.

Literatur

Betz, H. D., 2 Cor 6:14–7:1: An Anti-Pauline Fragment? : JBL 92 (1973) 88–108.
Billerbeck, P. (–Strack, H. L.), Kommentar zum Neuen Testament aus Talmud und Midrasch, Bd. I–IV, München 1926ff.
Blank, J., Paulus und Jesus (StANT 18), München 1968.
Braun, H., Qumran und das Neue Testament, Bd. I, Tübingen 1966.
Bultmann, R., Die drei Johannesbriefe (MeyerK XIV), Göttingen 1967.
Delling, G., Die Bezeichnung „Söhne Gottes" in der jüdischen Literatur der hellenistisch-römischen Zeit, in: Festschr. für Nils Astrup Dahl, Oslo 1976.
Dinkler, E., Eirene. Der urchristliche Friedensgedanke (SAH 1973,1), Heidelberg 1973.
Galot, J., Être né de Dieu: Jean 1,13 (AnBib 37), Rom 1969.
Grundmann, W., Der Geist der Sohnschaft, in: In disciplina Domini, Berlin 1963, 172–192.
Harnack, A. von, Die Terminologie der Wiedergeburt und verwandter Erlebnisse in der ältesten Kirche (TU 49/3), Leipzig 1918.
Horst, P. W. van der, Observations on a Pauline Expression: NTS 17 (1972/73) 181–187.
Jeremias, J., Abba, Göttingen 1966.
Johannessohn, M., Der Gebrauch der Präpositionen in der Septuaginta, in: NAG 1925 (Beiheft) 167–388.
Pancaro, S., ‚People of God' in St. John's Gospel?: NTS 16 (1969/70) 114–129.
Preisigke, F., Wörterbuch der griechischen Papyrusurkunden, Bd. I, Berlin 1925.
Schlatter, A., Der Evangelist Johannes, Stuttgart 1930.
Ders., Der Evangelist Matthäus, Stuttgart 1929.
Schnackenburg, R., Die Johannesbriefe (HThK XIII/3), Freiburg i. Br. ²1963 (Nachdr. Leipzig 1963).
Twisselmann, W., Die Gotteskindschaft der Christen nach dem Neuen Testament (BFchrTh 41/4), Gütersloh 1939.
Villiers, Jan L. de, De betekenis van υἱοθεσία in de briewe van Paulus, Diss. theol. F.U. Amsterdam 1950 (English summary 201–211).
Wilckens, U., Das Neue Testament übersetzt und kommentiert, 1970.
Windisch, H., Friedensbringer – Gottessöhne: ZNW 24 (1925) 240–260.
Ders. – H. Preisker, Die katholischen Briefe (HNT 15), Tübingen ³1951.

BIBLIOGRAPHIE HEINZ SCHÜRMANN

Veröffentlichungen
seit 1949
(bearbeitet von Assistent C.-P. März)

Neuauflagen und *Überarbeitungen, Nachdrucke* bzw. *Teilabdrucke, Lizenzauflagen* und *Übersetzungen* sind jeweils beim Grundtitel in einer Weise angefügt, die das Abhängigkeitsverhältnis kenntlich werden läßt. *Selbständige Veröffentlichungen* sind kursiv gesetzt.
Die *Abkürzungen* sind die des LThK I ff(²1957ff); außerdem werden die folgenden Aufsatzsammlungen und Periodica abgekürzt zitiert:

TrU = H. Schürmann, Traditionsgeschichtliche Untersuchungen zu den synoptischen Evangelien
(=Ges. Aufsätze)
(s.u. Nr. 90).

UG = H. Schürmann, Ursprung und Gestalt
(=Ges. Aufsätze)
(s.u. Nr. 98).

JT = H. Schürmann, Jesu ureigener Tod
(=Ges. Aufsätze)
(s.u. Nr. 121a–c).

OrNT = H. Schürmann, Orientierungen am Neuen Testament
(=Ges. Aufsätze)
(s.u. Nr. 127).

JA = H. Schürmann, Jesu Abendmahlshandlung als Zeichen für die Welt
(Drei Vorträge)
(s.u. Nr. 99).

GJ = H. Schürmann, Das Geheimnis Jesu (Versuche zur Jesusfrage)
(s.u. Nr. 105).

ThJb = Theologisches Jahrbuch
(ab 1957 hrsg. v. A. Dänhardt, ab 1973 v. S. Hübner u.a.,
Leipzig (St. Benno-Vlg.) 1957ff.

KA = Kirchliches Amtsblatt der Ordinariate und Bischöflichen Ämter in der Deutschen Demokratischen Republik,
Leipzig (St. Benno-Vlg.) 1ff (1951ff).

1949

1 *Aufbau und Struktur der neutestamentlichen Verkündigung (= Paderborner Schriften zur Pädagogik und Katechetik H. 2), Paderborn (Vlg. F. Schöningh) 1949. 56 S.*

1950

2 Der Sohn des Menschen hat nicht, wo er das Haupt niederlegen kann, in: Die Hegge (hrsg. von Th. Kampmann und L. Glanz), H. 4/5, Paderborn (Vlg. F. Schöningh) 1949/1950, 57–67.

3 Christliche Erneuerungswelle. 1. Deutscher Liturgischer Kongreß, in: Zeitung Westfalenpost Jg. 1950, Nr. vom 28. 6. 1950.

1951

4 Die Semitismen im Einsetzungsbericht bei Markus und bei Lukas (Mk 14,22–24/Lk 22,19–20), in: ZKTh 73 (1951) 72–77.

5 Der Dienst des Petrus und Johannes (Lk 22,8), in: TThZ 60 (1951) 99–101
= UG 274–276 (durchgesehen, mit Nachtrag).

6 Lk 22,19b–20 als ursprüngliche Textüberlieferung, in: Bibl 32 (1951) 364–392.522–541
= TrU 159–192 (mit Nachtrag).

7 Die Anfänge christlicher Osterfeier, in: ThQ 131 (1951) 414–425
= UG 199–206 (mit Nachtrag).

1952

8a Eine dreijährige Perikopenordnung für Sonn- und Festtage, in: LJ 2 (1952) 58–72.
– Nachdr. (gekürzt) in: Unsere Seelsorge Jg. 1953, Nr. 6 (Sept.) 6–7.
– Teildr. in: Gottesdienst. Werkbuch zum „Laudate" (hrsg. von E. J. Lengeling), Münster (Vgl. Aschendorff) 1955, 43–44.
Dasselbe, ebd., 2. und verschiedene weitere Aufl., Münster (Vlg. Aschendorff) 1958ff, 43–44.

8b Verbesserter Nachdr.:
Eine dreijährige Perikopenordnung für Sonn- und Festtage (= Handreichungen zur Seelsorge), Berlin (Selbstverlag des Referates Seelsorge im Bistum Berlin), o. J. (1956). 20 S.

8c Franz. Übers.: Une répartition triennale des péricopes pour les dimanches et jours de fête, in: Paroisse et liturgie 39 (1957) 230–241.

8d Fotomech. Nachdr. (vgl. 8b), mit neuem Vorwort:
Eine dreijährige Perikopenordnung für Sonn- und Festtage. Ein Lese- und Predigtvorschlag, Düsseldorf (Vlg. Patmos) o.J. (1960). 20 S.
2. (durchgesehene) Aufl., Düsseldorf (Vlg. Patmos) o.J. (1962). 20 S.
– Nachdr. in: ThJb 1962, 456–472.

9 Lk 22,42a das älteste Zeugnis für Lk 22,20?, in: MThZ 3 (1952) 185–188 = TrU 193–197 (mit Nachtrag).

1953

10 *Der Paschamahlbericht Lk 22,(7–14.)15–18. I. Teil einer quellenkritischen Untersuchung des lukanischen Abendmahlsberichtes Lk 22,7–38 (NTA XIX/5), Münster (Vlg. Aschendorff) 1953. XXII/123 S.*
2. Aufl. (= fotomech. Nachdr.), Münster (Vlg. Aschendorff) 1968. XXII/123 S.

11 Das apostolische Interesse am eucharistischen Kelch, in: MThZ 4 (1953) 223–231
= UG 188–196 (mit Nachtrag).

12 Die Dubletten im Lukasevangelium. Ein Beitrag zur Verdeutlichung des lukanischen Redaktionsverfahrens, in: ZKTh 75 (1953) 338–345 = TrU 272–278.

13a Das immerwährende Christusgebet, in: KatBl 78 (1953) 358–361.
– Nachdr. in: Tag des Herrn. Katholisches Kirchenblatt (Leipzig) 3 (1953) Nr. 47/48, 186–187.
– Teildr. in: Laudate. Gebet- und Gesangbuch für das Bistum Meissen, Leipzig (St. Benno-Vlg.) 1953, 30.353–354.
– Dasselbe, ebd. 2.–12. Aufl., Leipzig (St. Benno-Vlg.) 1954–1969, 30.353–354.
– Teildr. in: Gottesdienst (vgl. Nr. 8a) 387.389–391.
– Dasselbe, ebd., 2. und weitere Aufl. (vgl. Nr. 8a) 1958ff; 1964, 387.389–391.

13b *Das immerwährende Christusgebet, Leipzig (St. Benno-Vlg.) 1955. 6 S.*
2. Aufl., Leipzig (St. Benno-Vlg.) 1955. 6 S.
– Nachdr. (der 2. Aufl.), in: Gebetserziehung im Religionsunterricht (hrsg. v. Kl. Tilmann) (= Past.-Kat. Hefte, hrsg. v. H. Aufderbeck und M. Fritz, H. 6), Leipzig (St. Benno-Vlg.) 1957, 68–73.
3. (abermals verbesserte) Aufl., Leipzig (St. Benno-Vlg.) 1961. 8 S.

13c *1. (verbesserte) Lizenzaufl., München (Vlg. J. Pfeiffer) 1957. 8 S.*

– Nachdr. (der 1. Lizenzaufl.; gekürzt) in: Das größere Leben (hrsg. v. P. Eismann), München (Vlg. J. Pfeiffer), 4. Aufl. 1959, 58–74.

2. (abermals verbesserte) Lizenzaufl., München (Vlg. J. Pfeiffer) 1960. 8. S.

– Nachdr. (gekürzt) in: M. Haller, Unser Dienst. Ein Taschenkalender für Ministranten auf das Jahr 1962, München (Vlg. J. Pfeiffer) 1961, 4–5 u.ö.

13d Christusgebete (teilweiser Nachdr., neu paraphrasiert), in: Gotteslob. Katholisches Gebet- und Gesangbuch (hrsg. von der Berliner Ordinarienkonferenz u.a.), Leipzig (St. Benno-Vlg.) 1976, 29.

1954

14 Die Dublettenvermeidungen im Lukasevangelium. Ein Beitrag zur Verdeutlichung des lukanischen Redaktionsverfahrens, in: ZKTh 76 (1954) 83–93
=TrU 279–289.

15 „Es tut not, der Worte des Herrn Jesus zu gedenken" (Apg 20,35), in: KatBl 79 (1954) 254–261.

16 Gemeinde als Bruderschaft im Lichte des Neuen Testaments, in: Ihr sollt mir Zeugen sein. Der 76. Deutsche Katholikentag vom 31. August bis 5. September 1954 in Fulda, Paderborn (Vlg. Bonifacius-Druckerei) 1954, 319–326.

– Nachdr. in: Christliches Zeugnis in der Diaspora. Ein Arbeitsheft, Paderborn (Vlg. Bonifacius-Druckerei) 1954, 14–21.

– Nachdr. (erweitert) in: Diaspora, Gabe und Aufgabe. Priesterjahrheft des Bonifaciusvereins, Paderborn (Vlg. Bonifacius-Druckerei) 1955, 21–31.

17a Gemeinde als Bruderschaft, in: Ite missa est. Arbeitshefte für Seelsorge und Laienapostolat (hrsg. vom Erzbischöflichen Seelsorgeamt Paderborn), Paderborn (Vlg. Bonifacius-Druckerei) NF 1 (Mai 1958) 5–19.

17b Nachdr. (leicht überarbeitet) in: Bruderschaft und Brüderlichkeit (=Past.-Kat. Hefte, hrsg. v. H. Aufderbeck und M. Fritz, H. 22), Leipzig (St. Benno-Vlg.) 1964, 36–54
=UG 61–73 (mit Nachtrag).

18a Geistliche Stunde (Vorbemerkungen), in: KA 4 (1954) 94.

18b – Nachdr. (erweitert) in: Die Feier der 40 und 50 Tage (hrsg. v. H. Aufderbeck), Leipzig (St. Benno-Vlg.) 1958, 178–179.
Dasselbe, ebd., 2. Aufl., Leipzig (St. Benno-Vlg.) 1960, 178–179.
– Nachdr. in (der gekürzten Lizenzaufl. von: „Die Feier der 40 und 50 Tage" unter dem Titel): Quadragesima und Pentekostes (hrsg. v. Liturg. Institut Trier), Trier (Paulinus-Vlg.) 1960, 61–62.

19 Geistliche Stunde am Quatembermittwoch im Advent: Metanoeite, in: KA 3 (1954) 94.
– Nachdr. unter dem Titel: Das kleine Geheimnis, in: Die Feier der 40 und 50 Tage (vgl. Nr. 18b) 182–184.
Dasselbe, ebd., 2. Aufl. (vgl. Nr. 18b) 182–184.
– Nachdr. in: Quadragesima und Pentekostes (vgl. Nr. 18b) 65–68.

1955

20 *Der Einsetzungsbericht Lk 22,19–20. II. Teil einer quellenkritischen Untersuchung des lukanischen Abendmahlsberichtes Lk 22,7–38 (NTA XX/4), Münster (Vlg. Aschendorff) 1955. XII/153 S.*
2. Aufl. (=fotomech. Nachdr.), Münster (Vlg. Aschendorff) 1970. XII/153 S.

21a *Worte des Herrn. Jesu Botschaft vom Königtum Gottes, Leipzig (St. Benno-Vlg.) 1955. VIII/412 S.*
2. (durchgesehene) Aufl., Leipzig (St. Benno-Vlg.) 1956. VIII/412 S.
– Teilabdr. in: Tag des Herrn. Katholisches Kirchenblatt 6 (1956) 2.10.22.29.44.46.62.70.78.86.94.102.110.119.
3. (verbesserte) Aufl., Leipzig (St. Benno-Vlg.) 1960. VIII/440 S.
4. (abermals verbesserte) Aufl., Leipzig (St. Benno-Vlg.) 1966. VIII/432 S.
– Teilabdr. in: H. Blessenohl, Erkenne – entscheide. Arbeitsbuch für den katholischen Religionsunterricht in der Realschule (9.–11. Klasse), Düsseldorf (Vlg. Patmos) 1968, 67ff.87.96ff.119f.133.139.147.156.
– Teilabdr.: Die Ankündigung des nahenden Königtums, in: Theologisches. Beilage der „Offertenzeitung für die katholische Geistlichkeit Deutschlands", Abensberg, Dez. 1972, 2–6.22–25.
– Teilabdr. in: Marienkalender 72 (1970), Leipzig (St. Benno-Vlg.) – Heiligenstadt (Vlg. F. W. Cordier) 1970, 5.7.9.11.13.15.19.21.23.25.27.

– Teilabdr. in: J. Beckmann (Hrsg.), Gespräch mit Gott, Leipzig (St. Benno-Vlg.), 4. Aufl. (in Druck).

21b *Lizenzaufl., Mainz (Matthias-Grünewald-Vlg.) 1956. VIII/412 S.*

21c *1. Lizenzaufl. (der 3. verbesserten Aufl.) (Herder-Bücherei 89), Basel–Freiburg–Wien (Vlg. Herder) 1961. 192 S.*

2. Lizenzaufl. (Herder-Bücherei 89), Basel–Freiburg–Wien (Vlg. Herder) 1963. 192 S.

3. Lizenzaufl. (Herder-Bücherei 89), Basel–Freiburg–Wien (Vlg. Herder) 1964. 192 S.

– Teilabdr. (aus der 3. Lizenzaufl.): Die Botschaft vom Königtum Gottes, in: Der Christliche Sonntag. Katholisches Wochenblatt 12 (1960) 10.

21d *Lizenzaufl. (der 4. Aufl. Leipzig, ohne deren Verbesserungen), Freiburg–Basel–Wien (Vlg. Herder) 1966. 430 S.*

21e Ital. Übers. (der 4. Aufl.): *Parole del Signore. Messaggio di Gesù sul Regno di Dio, Torino-Leumann (Vlg. Elle di Ci) 1966. 440 S.*

21f Poln. Übers. (der 4. Aufl.): *Słowa Pana. Nauka Jezusa o królestwie bożym, Posen–Warschau (Vlg. Pallottinum) 1969. 426 S.*

22 Hrsg.: *Die Botschaft Gottes. Eine biblische Schriftenreihe. II. Ntl. Reihe (hrsg. v. Heinz Schürmann), Leipzig (St. Benno-Vlg.) 1955ff.*

23a *Der Abendmahlsbericht Lukas 22,7–38 als Gottesdienstordnung, Gemeindeordnung, Lebensordnung (= Die Botschaft Gottes II/1), Leipzig (St. Benno-Vlg.) 1955. 108 S.*

2. (durchgesehene) Aufl. (= Die Botschaft Gottes II/1), Leipzig (St. Benno-Vlg.) 1958. 108 S.

3. (durchgesehene) Aufl. (= Die Botschaft Gottes II/1), Leipzig (St. Benno-Vlg.) 1960. 108 S.

4. (durchgesehene) Aufl. (= Die Botschaft Gottes II/1), Leipzig (St. Benno-Vlg.) 1967. 108 S.

= UG 108–150 (geringfügig verbessert).

23b *1. Lizenzaufl. (Paderborner Schriften zur Pädagogik und Katechetik H. 9) (der 1. Aufl. Leipzig), Paderborn (Vlg. F. Schönigh) 1957. 108 S.*

2. Lizenzaufl. (Paderborner Schriften zur Pädagogik und Katechetik H. 9) (der 1. Aufl. Leipzig), Paderborn (Vlg. F. Schöningh) 1963. 108 S.

23c Franz. Übers. (nach der 4. Aufl. Leipzig), mit Faltblatt: *Le récit de la dernière cène Luc 22,7–38, Le Puy–Lyon (Vlg. X. Mappus) 1968. 96 S.*

24 Mithrsg.: *Erfurter Theologische Schriften (hrsg. v. Erich Kleineidam und Heinz Schürmann), Bd. 1–10, Leipzig (St. Benno-Vlg.) 1955–1973.*

25 Die Gestalt der urchristlichen Eucharistiefeier, in: MThZ 6 (1955) 107–131
=UG 77–99 (mit Nachtrag)
=JA 13–62 (mit Nachtrag).
– Nachdr. in: ThJb 1961, 40–66.
– Nachdr. in: Liturgie in der Gemeinde (hrsg. v. P. Bormann und H.-J. Degenhardt) Bd. I, Salzkotten (Meinwerk-Vlg.) 1964, 69–93.

26 Ein Apostel schreibt seiner Gemeinde. Der erste Brief des Apostels Paulus an die Thessalonicher, in: Kirchl. Anzeiger für die kath. Gemeinden Groß-Dortmunds 37 (1955), in laufenden Fortsetzungen.
– Nachdr. in: Petrusblatt 12 (1955), in laufenden Fortsetzungen.

27 *Rez.:* B. Lohse, Das Passafest der Quartadecimaner (BFChTh 54), Gütersloh 1953, in: ThRv 51 (1955) 26
=UG (unter dem Titel: Vorgang und Sinngehalt der urchristlichen Osterfeier. Zu: Bernhard Lohse, Das Passafest der Quartadecimaner) 207–209.

28 Geistliche Stunde am Quatembermittwoch: Das neue Herz, in: KA 4 (1955) 15.
– Nachdr. in: Die Feier der 40 und 50 Tage (vgl. Nr. 18b) 180–182. Dasselbe, ebd., 2. Aufl. (vgl. Nr. 18b) 1960, 180–182.
– Nachdr. in: Quadragesima und Pentekostes (vgl. Nr. 18b) 63–65.

1956

29 Ein Apostel schreibt seiner Gemeinde. Der zweite Brief des Apostels Paulus an die Thessalonicher, in: Kirchl. Anzeiger für die kath. Gemeinden Groß-Dortmunds 38 (1955), in laufenden Fortsetzungen.

30 Geistliche Stunde am Quatember im September: Der nächste Schritt, in: KA 5 (1956) 68.
– Nachdr. in: Die Feier der 40 und 50 Tage (vgl. Nr. 18b) 185–186. Dasselbe, ebd., 2. Aufl. (vgl. Nr. 18b) 185–186.
– Nachdr. in: Quadragesima und Pentekostes (vgl. Nr. 18b) 68–70.

1957

31a *Das Gebet des Herrn. Aus der Verkündigung Jesu erläutert (Die Botschaft Gottes II/6), Leipzig (St. Benno-Vlg.) 1957. 144 S.*

2. (durchgesehene) Aufl. (Die Botschaft Gottes II/6), Leipzig (St. Benno-Vlg.) 1958. 144 S.
3. (durchgesehene) Aufl. (Die Botschaft Gottes II/6), Leipzig (St. Benno-Vlg.) 1959. 146 S.
4. (durchgesehene) Aufl. (Die Botschaft Gottes II/6), Leipzig (St. Benno-Vlg.) 1961. 146 S.
5. (verbesserte) Aufl. (Die Botschaft Gottes II/6), Leipzig (St. Benno-Vlg.) 1965. 144 S.
– Nachdr. (nach der 5. Aufl., gekürzt), in: Jahr des Herrn 1970 (Kath. Hausbuch), Leipzig (St. Benno-Vlg.) 1969, 1f.4ff.9ff.69ff.119ff. 193ff.231f.233ff.303ff.361ff.379ff.404.

31b *1. Lizenzaufl. (der 2. Aufl. Leipzig), Freiburg (Vlg. Herder) 1958. 144 S.*
2. Lizenzaufl. (der 2. Aufl. Leipzig), Freiburg (Vlg. Herder) 1962. 144 S.
3. Lizenzaufl. (der 2. Aufl. Leipzig), Freiburg–Basel–Wien (Vlg. Herder) 1966. 144 S.

31c Span. Übers. (nach der 3. Aufl. Leipzig): *Padre Nuestro (Perspectivas 20), Madrid (Ediciones Fax) 1961. 216 S.*

31d Niederl. (in den Anm. stark gekürzte) Übers. (nach der 4. Aufl. Leipzig): *Het Gebed des Heren, Roermond-Maaseik (Vgl. J. J. Romen & Zonen) 1961. 128 S.*

31e Amerik. (paraphrasierende) Übers. (nach der 4. Aufl. Leipzig): *Praying with Christ. The „Our Father" for Today, New York (Vlg. Herder and Herder) 1964. VIII/141 S.*

31f Franz. Übers. (nach der 4. Aufl. Leipzig): *La Prière du Seigneur, a la lumière de la prédication de Jésus (Études théologiques 3), Paris (Éditions de l'Orante) 1965. 120 S.*

31g Ital. Übers. (nach der 5. Aufl. Leipzig): *Il Padre nostro alla luce della predicazione di Gesù, Rom (Città Nuova Editrice) 1967. 172 S.*

31h Japan. Übers. (nach der 5. Aufl. Leipzig), *Tokio 1967. 210 S.*

32 *Jesu Abschiedsrede Lk 22,21–38. III. Teil einer quellenkritischen Untersuchung des lukanischen Abendmahlsberichtes Lk 22,7–38 (NTA XX/5), Münster (Vlg. Aschendorff) 1957. XIV/162 S.*
2. Aufl. (= fotomech. Nachdr., mit Nachträgen zum Literaturverzeichnis und „Bemerkungen über die Handhabung der redaktionsgeschichtlichen Methode" Münster (Vlg. Aschendorff) 1977 XX/170 S.

33 Mithrsg.: *Erfurter Theologische Studien (hrsg. im Auftrag des Phil.-Theol. Studiums Erfurt v. Erich Kleineidam und Heinz Schürmann), Bd. 1–29, Leipzig (St. Benno-Vlg.) 1957–1973.*

34 Art. Abendmahl Jesu, I. Im NT, in: LThK I (²1957) 26–31.

35 Mitarbeit: *Des Volkes Heil bin ich, Leipzig (St. Benno-Vlg.) 1957. 20 S.*
2. (verbesserte) Aufl., Leipzig (St. Benno-Vlg.) 1959. 20 S.

1958

36a *Die exegetische Seminararbeit. Arbeitsanweisungen für Seminarteilnehmer, Leipzig (St. Benno-Vlg.) 1958. 8 S.*
2. (verbesserte) Aufl., Leipzig (St. Benno-Vlg.) 1959. 12 S.
3. (abermals verbesserte) Aufl., Leipzig (St. Benno-Vlg.) 1968. 12 S.
4. (abermals verbesserte) Aufl., Leipzig (St. Benno-Vlg.) 1970. 16 S.

36b *5. (erweiterte) Aufl.: H. Schürmann / J. Wanke, Die exegetische Seminararbeit, Leipzig (St. Benno-Vlg.) 1976. 43 S., darin: H. Schürmann, Arbeitsanweisungen für Seminarteilnehmer, S. 5–16.*

37 Die Sprache des Christus. Sprachliche Beobachtungen an den synoptischen Herrenworten, in: BZ 2 (1958) 54–84
= TrU 83–108 (mit Nachtrag).

38 Joh 6,51c – ein Schlüssel zur johanneischen Brotrede, in: BZ 2 (1958) 244–262
= UG 151–166 (mit Nachtrag).

39 Osterfeier und Bußsakrament, in: Die Feier der 40 und 50 Tage (vgl. Nr. 18b) 58–68.
Dasselbe, ebd., 2. Aufl. (vgl. Nr. 18b) 58–68
= UG 210–216 (mit Nachtrag).
– Nachdr. in: LJ 8 (1958) 11–18.

40 Das entscheidende Ja, in: Die Feier der 40 und 50 Tage (vgl. Nr. 18b) 186–189.
Dasselbe, ebd., 2. Aufl. (vgl. Nr. 18b) 186–189.
– Nachdr. in: Quadragesima und Pentekostes (vgl. Nr. 18b) 70–72.

41 Betrachtendes Rosenkranzgebet, in: Kirchl. Anzeiger für die katholischen Gemeinden Groß-Dortmunds 39 (1958) 174f. 184. 192f. 204. 224.
– Nachdr. (gekürzt) in: Die Feier der 40 und 50 Tage (vgl. Nr. 18b) 244–254. 438–441.
Dasselbe, ebd., 2. Aufl. (vgl. Nr. 18b) 244–254. 438–441.

– Nachdr. in: Quadragesima und Pentekostes (vgl. Nr. 18b) 107–118.207–211.

42 Das häusliche Liebesmahl am Gründonnerstag, in: Die Feier der 40 und 50 Tage (vgl. Nr. 18b) 311–314.
Dasselbe, ebd., 2. Aufl. (vgl. Nr. 18b) 311–314.
– Nachdr. in: Quadragesima und Pentekostes (vgl. Nr. 18b) 63–65.
– Nachdr. in: LJ 9 (1959) 52–54.

1959

43 Die Eucharistie als Repräsentation und Applikation des Heilsgeschehens nach Joh 6,53–58, in: TThZ 68 (1959) 30–45.108–118
=UG 167–187 (mit Nachtrag).

44 Eschatologie und Liebesdienst in der Verkündigung Jesu, in: Kaufet die Zeit aus (Festgabe f. Theoderich Kampmann), Paderborn (Vgl. F. Schöningh) 1959, 39–71.
– Nachdr. (gekürzt, mit Replik an A. Auer) in: ThJb 1962, 320–340.
– Nachdr. (leicht verbessert) in: Vom Messias zum Christus (hrsg. v. K. Schubert), Wien–Freiburg–Basel (Vlg. Herder)
=UG 279–298 (mit Nachtrag).

45 Zur Traditions- und Redaktionsgeschichte von Mt 10,23, in: BZ 3 (1959) 82–88
=TrU 150–156.

46a Die Heilige Schrift im Gemeindeleben, in: Im Dienste des Wortes (Past.-Kat. Hefte, hrsg. v. H. Aufderbeck und M. Fritz, H. 9), Leipzig (St. Benno-Vlg.) 1959, 54–80.
– Nachdr. in: G. Fischer, Bibelkunde, Leipzig (St. Benno-Vlg.) 2. Aufl. 1963, 123–151.
– Nachdr. (überarbeitet) in: BuL 3 (1962) 149–173.
– Teilabdr.: Die Heilige Schrift im gottesdienstlichen Raum der Gemeinde, in: Liturgie und Gemeinde (hrsg. v. P. Bormann und H.-J. Degenhardt) Bd. I, Salzkotten (Meinwerk-Vlg.) 1964, 94–101.
– Nachdr. in: O. Knoch – H. Schürmann, Bibel und Seelsorge (=Nr. 71a), 161–191.

46b Ital. Übers.: La S. Scrittura nella vita della communità, in: O. Knoch – H. Schürmann, La parola di Dio nella pastorale (=Nr. 71b), 173–215.

47 Art. Dank(sagung), in: LThK III ([2]1959) 158–159.

48 Art. Einsetzungsberichte, I. Im NT, in: LThK III (^{2}1959) 762–765.

49 Art. Eucharistiefeier, I. urchristliche, in: LThK III (^{2}1959) 1159–1162.

1960

50a Die Anfänge der Logientradition. Versuch eines formgeschichtlichen Zugangs zum Leben Jesu, in: Der historische Jesus und der kerygmatische Christus (hrsg. v. H. Ristow und K. Matthiae), Berlin (Evgl. Verlagsanstalt) 1960, 342–370
=TrU 39–65 (mit Nachtrag)
=GJ 14–72 (mit Nachtrag).
Dasselbe, ebd., 2. Aufl., Berlin (Evgl. Verlagsanstalt) 1961, 342–370.
Dasselbe, ebd., 3. Aufl., Berlin (Evgl. Verlagsanstalt) 1963, 342–370.

50b Span. Übers. (Extrakt): Cornienzos pre-pascuales de la tradition de los logia. Un intento de aceso a la vida de Jesús a través de la historia de las formas, in: selecciones de teologia 9 (1970) Nr. 33, S. 17–29.

50c Ital. Übers.: *La tradizione dei detti di Gesù (Biblioteca minima di Cultura Religiosa), Brescia (Paideia Editrice) 1965. 77 S.*

51 Sprachliche Reminiszenzen an abgeänderte oder ausgelassene Bestandteile der Spruchsammlung im Lukas- und Matthäusevangelium, in: NTS 6 (1959/60) 193–210
=TrU 111–125 (mit Nachtrag).

52 „Wer daher eines dieser geringsten Gebote auflöst ...". Wo fand Matthäus das Logion Mt 5,19?, in: BZ 4 (1960) 238–250
=TrU 126–136 (mit Nachtrag).

53 Das Gebet des Herrn. Ein Übertragungsversuch, in: BuL 1 (1960) 261–265.

54 Art. Herrenmahl, in: LThK V (^{2}1960) 271.

1961

55 *Rez.:* Protolukanische Spracheigentümlichkeiten? Zu Fr. Rehkopf, Die lukanische Sonderquelle. Ihr Umfang und Sprachgebrauch, in: BZ 5 (1961) 266–286
=TrU 209–227.

56 Art. Kerygma, I. im NT, in: LThK VI (^{2}1961) 122–125.

57 Art. Kult, Kultus, III. Im NT, in: LThK VI ([2]1961) 662–665.

58a Die neutestamentliche Handbibliothek des Seelsorgsgeistlichen, in: Pastorale Handreichungen. Beilage zum KA 10 (1961) 50–52.
– Nachdr. in: TThZ 71 (1962) 112–115.
– Nachdr. (erweitert) in: Theologie der Gegenwart 6 (1963) 12–16.
– Nachdr. in: Unsere Seelsorge 14 (1964) 6–8.

58b – Nachdr. unter dem Titel: Die Biblische Handbibliothek des Seelsorgers, II. Neues Testament, in: O. Knoch – H. Schürmann, Bibel und Seelsorge (= Nr. 71a) 209–214.

1962

59a Mithrsg.: *Geistliche Schriftlesung, Erläuterungen zum Neuen Testament für die Geistliche Lesung (hrsg. in Zusammenarbeit mit Karl Hermann Schelkle und Heinz Schürmann v. Wolfgang Trilling), Leipzig (St. Benno-Vlg.) 1962ff und – in Gemeinschaftsarbeit – Düsseldorf (Vlg. Patmos) 1962ff.*

59b Ital. Übers.: *Commenti spirituali del Nuovo Testamento, Rom 1964ff.*
2. Aufl., Rom 1968ff.

59c Span. Übers.: *El Nuevo Testamento y su mensaje. Commentario para la lectura espiritual, Barcelona 1967ff.*

59d Portug. Übers.: *Coleão Nóvo Testamento. Commentarios ao Novo Testamento para Leitura Espirituale, Petrôpolis 1967ff.*

59e Franz. Übers.: *Parole et Prière, Paris 1967ff.*

59f Amerik. Übers.: *New Testament for Spiritual Readings, New York 1969ff.*

59g Engl. Übers.: *New Testament for Spiritual Readings, London 1969ff.*

59h Indones. Übers.: *Seri Buku Batjaan Rohani, Ende/Flores 1972ff.*

60a Beilage in allen Bänden und Auflagen von Nr. 59a: *Geistliche Schriftlesung, Leipzig und Düsseldorf 1962ff. 8 S.*
– Nachdr. in: BuL 3 (1962) 70–74.

60b–h Übers.: in allen Ausgaben Nr. 59b–h, 8 S.

61a *Der erste Brief an die Thessalonicher (Geistliche Schriftlesung 13), Leipzig (St. Benno-Vlg.) 1962. 108 S.*
2. (unveränderte) Aufl., Leipzig (St. Benno-Vlg.) 1966. 108 S.

61b *Parallelausgabe zur 1. Aufl. Leipzig 1962 (Geistliche Schriftlesung 13), Düsseldorf (Patmos Vlg.) 1962. 108 S.*
2. (unveränderte) Aufl., Düsseldorf (Patmos-Vlg.) 1962. 108 S.
3. (unveränderte) Aufl., Düsseldorf (Patmos-Vlg.) 1963. 108 S.
4. (unveränderte) Aufl., Düsseldorf (Patmos-Vlg.) 1964. 108 S.
– Auszug: Der Glaube weiß um die herrliche Zukunft, in: Münchener Kath. Kirchenzeitung 61 (1968) Nr. 45.
– Verschiedene Auszüge in: H. Bacht, Zeiten des Herrn, I. Lesejahr A, Frankfurt/M 1971, 342.351f.356f.360.

61c Ital. Übers.: *Prima lettera ai Tessalonicesi, Rom (città nuova editrice) 1965. 116 S.*
2. Aufl., Rom (città nuova editrice) 1968. 116 S.

61d Span. Übers.: *Primera carta a los Tesalonicenses, Barcelona (Vlg. Herder) 1967. 103 S.*
2. Aufl. der span. Übers., Barcelona (Vlg. Herder) 1975. 103 S.

61e Franz. Übers.: *La première lettre aux Thessaloniciens, Paris (Vlg. Desclée et Cie) 1967. 112 S.*

61f Portug. Übers.: *A Primeira Epístola aos Tessalonicenses, Petrópolis (Ed. Vozes) 1969. 126 S.*

61g Amerik. Übers.: *The First Epistle to the Thessalonians (New Testament for Spiritual Readings 18), New York (Vlg. Herder and Herder) 1969. VII/82 S.*

61h Engl. Übers.: *The First Epistle to the Thessalonians (New Testament for Spiritual Readings 18), London (Vlg. Burns and Oates) 1969. VII/82 S.*

62 Evangelienschrift und kirchliche Unterweisung. Die repräsentative Funktion der Schrift nach Lk 1,1–4, in: Miscellania Erfordiana (Erfurter Theologische Studien 11), Leipzig (St. Benno-Vlg.) 1962, 48–73.
= TrU 251–271 (mit Nachtrag).
– Nachdr. (nach TrU 251–271) in: G. Braumann, Das Lukas-Evangelium (Wege der Forschung CCLXXX), Darmstadt (Wissenschaftl. Buchgesellschaft) 1974, 135–169.

63 Das Testament des Paulus für die Kirche Apg 20,18–35, in: Unio Christianorum (Festschr. f. Erzbischof Dr. Lorenz Jaeger), Paderborn (Vlg. Schöningh) 1962, 108–146.
= TrU 310–340 (mit Nachtrag).
– Nachdr. in: ThJb 1964, 23–61.

64 Im Glauben sehen – in Liebe dienen, in: Pastorale Handreichungen. Beilage zum KA 11 (1962) 34–37.

65a *Geistliches Tun. Rekollektionsvorträge. (= Past.-Kat. Hefte, hrsg. v. H. Aufderbeck und M. Fritz, H. 18), Leipzig (St. Benno-Vlg.) 1962. 64 S.*
– Teildr., Unser Wunsch: Gottes Wille im Tagewerk, in: Im Dienste der Seelsorge. Beilage zum Kirchlichen Amtsblatt des Erzbistums Paderborn 7 (1963) 5–8.
– Teildr., Der Priester im Dienst an der Einheit, in: Oberrheinisches Pastoralblatt 1964, 225–233.
– Teildr., in: neue stadt 8 (1965) 45–48.
2. (überarbeitete) Aufl., Leipzig (St. Benno-Vlg.) 1965. 72 S.

65b *(verbesserte) Lizenzaufl., Freiburg–Basel–Wien (Vlg. Herder) 1965. 120 S.*
– Teildr., Die Zweite Bekehrung, in: Hefte zum geistlichen Leben 16 (1965) 49.
2. Lizenzaufl., Freiburg–Basel–Wien (Vlg. Herder) 1966. 120 S.
– Teildr., Die „geringsten Brüder" Jesu, in: Der Christliche Sonntag. Katholisches Wochenblatt 17 (1965) 277.

65c Franz. Übers.: *action spirituelle, Lyon (Éditions X. Mappus) 1968. 104 S.*

1963

66 Mt 10,5b–6 und die Vorgeschichte des synoptischen Aussendungsberichtes, in: Neutestamentliche Aufsätze (Festschr. f. Josef Schmid), Regensburg (Vlg. Pustet) 1963, 270–282
= TrU 137–149.

67 Das Thomasevangelium und das lukanische Sondergut, in: BZ 7 (1963) 236–260
= TrU 228–247 (mit Nachtrag).

68a Der Jüngerkreis Jesu als Zeichen für Israel (und als Urbild des kirchlichen Rätestandes), in: Erbe und Auftrag (Festschr. zum hundertjährigen Bestehen der Armen Franziskanerinnen von der ewigen Anbetung zu Olpe), Werl (Dietrich-Coelde-Vlg.) 1963, 5–21.
– Nachdr. (leicht überarb.) in: GuL 36 (1963) 21–35
= UG 45–60 (mit Nachtrag)
= GJ 126–154 (gekürzt, mit Nachtrag).
– Nachdr. in: ThJb 1965, 300–316.

– Nachdr.: Der Jüngerkreis Jesu als Zeichen für Israel und als Urbild des kirchlichen Rätestandes, in: Zeitgemäße Erneuerung des Ordensstandes (Past.-Kat. Hefte, hrsg. v. H. Aufderbeck und M. Fritz, H. 40), Leipzig (St. Benno-Vlg.) 1968, 83–102.

68b Franz. Übers.: Le groupe des disciples de Jésus prototype de la vie selon les conseils, in: Christus 13 (1966) 184–209.

68c Engl. Übers. (Extrakt): Jesus' disciples: prototype of religious life, in: Theology Digest 15 (1967) 138–143.

68d Niederl. Übers., in: Tijdschrift voor geestelijk leven 33 (1977) 469–495.

69 Verkündigung – ein existentielles Geschehen. 2 Kor 2,14–16a als Meditation, in: BuL 4 (1963) 130–137
=UG 229–235 (unter dem Titel: Die apostolische Existenz im Bilde. Meditation über 2 Kor 2,14–16a).

70 Christusbetrachtungen im Kirchenjahr, in: Pastorale Handreichungen. Beilage zum KA 11 (1962) 90–92; 12 (1963) 7–8.15.24.30.44–45.63–64.77.
– Nachdr. in: LJ 13 (1963) 213–221.

1964

71a Hrsg.: *Otto Knoch – Heinz Schürmann, Bibel und Seelsorge (Bibel und Kirche. Werkhefte zur Seelsorge 1), Stuttgart (Vlg. Katholisches Bibelwerk) 1964. 238 S.*

71b Ital. Übers.: *O. Knoch – H. Schürmann, La parola di Dio nella pastorale, Bologna (Ed. Dehoniane) 1970. 232 S.*

72 Der „Bericht vom Anfang". Ein Rekonstruktionsversuch auf Grund von Lk 4,14–16, in: Studia Evangelica, Vol. II, Part. I: The New Testament Scriptures (ed. F. L. Cross) (TU 87), Berlin (Akademie-Vlg.) 1964, 242–258
=TrU 69–80 (mit Nachtrag).

73a Das hermeneutische Hauptproblem der Verkündigung Jesu. Eschatologie und Theo-logie im gegenseitigen Verhältnis, in: Gott in Welt (Festgabe für Karl Rahner), Freiburg–Basel–Wien (Vlg. Herder) 1964, 579–607
=TrU 13–35 (mit Nachtrag)

=GJ 156–206 (mit Nachtrag).
– Nachdr. in: ThJb 1966, 281–308.

73b Niederl. Übers.: Het hermeneutische Hoofdprobleem van de Verkondiging van Jezus. Eschato-logie en theo-logie in onderlinge Verhouding, in: God en wereld 4: Eschatologie in het bewußtzijn van Jezus en van de Kerk, Hilversum–Antwerpen (Vlg. P. Brand) 1965, 99–126.

73c Franz. Übers.: Le problème fondamental posé à l'herméneutique de la prédication de Jésus. Eschato-logie et théo-logie dans leur rapport mutuel, in: Le message de Jésus et l'interprétation moderne (Mélanges Karl Rahner), Paris (Les Éditions du Cerf) 1969, 115–149.

74a L'Évangile (Lc 5,1–11). La promesse à Simon-Pierre, in: Assemblées du Seigneur, Nr. 58, Brüssel 1964, 27–34.
– Neudr. (durchgesehen und ergänzt) in: Assemblées du Seigneur, Nr. 36, Brüssel 1974, 63–70.

74b Übers.: Die Verheißung an Simon Petrus. Auslegung von Lk 5,1–11, in: BuL 5 (1964) 18–24
=UG 268–273 (mit Nachtrag).
– Nachdr. in: Die Heilige Schrift in der Gemeinde II. Ein Bibelwerkbuch (hrsg. v. H.-A. Egenolf), Leipzig (St. Benno-Vlg.) 1969, 108–115.

75a Das Wort Gottes in der Konstitution des Zweiten Vatikanischen Konzils über die Heilige Liturgie, in: BuL 5 (1964) 73–79.
– Nachdr. in: Congregare. Pastorale Aufsätze (hrsg. v. H. Aufderbeck), Leipzig (St. Benno-Vlg.) 1965, 24–30.
– Nachdr. in: Liturgie und Gemeinde (hrsg. v. P. Bormann und H.-J. Degenhardt) Bd. II, Salzkotten (Meinwerk-Vlg.) o. J. [1965], 128–134.
– Nachdr. in: O. Knoch – H. Schürmann, Bibel und Seelsorge (=Nr. 71a) 192–200.

75b – Ital. Übers.: La parola di Dio nella constituzione del Vaticano II sulla liturgia, in: O. Knoch – H. Schürmann, La parole di Dio nella pastorale (=Nr. 71b) 217–229.

76 *Rez.*; O. Karrer, Die Worte Jesu einst und jetzt, München 1963, in: ThPQ 112 (1964) 345.

77 *Rez.*; T. Gallus, Die Mutter Jesu im Johannesevangelium. Ein bibel-theologischer Lösungsversuch zu Jo 2,4 und 19,25–27, Klagenfurth 1963, in: ThPQ 112 (1964) 345f.

1965

78 „Der Geist ist hier ...", in: Der große Entschluß 20 (1965) 515–519.

79 Der Einheitsgedanke in der Liturgie-Konstitution, in: LJ 15 (1965) 99–102.

80 meine tägliche not, in: neue stadt 8 (1965) 4–6.

1966

81a Die Geistlichen Gnadengaben, in: De Ecclesia I (hrsg. v. G. Baraúna), Frankfurt/M (Vlg. J. Knecht) – Freiburg–Basel–Wien (Vlg. Herder) 1966, 494–519.

81b–g Übers. in 6 Sprachen.

81h *Die Geistlichen Gnadengaben in den paulinischen Gemeinden (Die Botschaft Gottes II/18), Leipzig (St. Benno-Vlg.) 1966. 88 S. (überarb. u. erweitert).*
2. (durchgesehene) Aufl., Leipzig (St. Benno-Vlg.) 1970. 88 S.
= UG 236–267 (gekürzt; mit Nachtrag).
– Nachdr. (nach UG 236–267) in: K. Kertelge (Hrsg.), Das kirchliche Amt im Neuen Testament (Wege der Forschung CDXXXIX), Darmstadt (Wissenschaftl. Buchgesellschaft) 1977, 362–412.

82 Die Warnung des Lukas vor der Falschlehre in der „Predigt am Berge" Lk 6,20–49, in: BZ 10 (1966) 59–81
= TrU 290–309.

83 Weisen der Geistlichen Schriftlesung, in: Der große Entschluß 21 (1966) 108–111.149–151.

84a Ntl. Perikopenreihe, Teil der: „Perikopenordnung für die Meßfeier an Werktagen" (hrsg. im Auftrage der Berliner Ordinarienkonferenz durch das Erzbischöfliche Kommissariat Magdeburg), Leipzig (St. Benno-Vlg.) 1966.
– Nachdr. in allen deutschspr. Ausgaben dieser „Perikopenordnung".

84b ff. Übers. in viele Sprachen.

85 Die vorläufige Perikopenordnung für Werktage. Bibeltheologische Grundlagen und Prinzipien, in: LJ 16 (1966) 2–18.
– Nachdr. in: Perikopenordnung (s. Nr. 84a) 75–91.

86 „Sie gebar ihren erstgeborenen Sohn ...". Lk 2,1–20 als Geschehnisdeutung im Lichte von Verheißung und Offenbarung, in: Liturgie und Mönchtum 39 (1966) 29–35
= UG 217–221 (mit Nachtrag).

87 Aufbau, Eigenart und Geschichtswert der Vorgeschichte von Lukas 1–2, in: Bibel und Kirche 21 (1966) 106–111
=TrU 198–208.

88 „Es wurde ihm der Name Jesus gegeben ...“: Am Tisch des Wortes, H. 14, Stuttgart 1966, 34–40
=UG 222–226 (mit Untertitel: Zum biblischen Verständnis eines liturgischen Festes).

1967

89 Lukanische Reflexionen über die Wortverkündigung in Lk 8,4–21, in: Wahrheit und Verkündigung (Festschr. f. Michael Schmaus), Münster–Paderborn–Wien (Vlg. F. Schöningh) 1967, 213–228
=UG 29–41 (mit Nachtrag).
– Nachdr. in: ThJb 1968, 77–90.

1968

90 *Traditionsgeschichtliche Untersuchungen zu den synoptischen Evangelien. Beiträge (Kommentare und Beiträge zum Alten und Neuen Testament), (= Ges. Aufsätze), Düsseldorf (Vlg. Patmos) 1968. 368 S.*
(=Nr. 6,9,12,14,37,45,50a,51,52,55,62,63,66,67,72,73a,82,87).

91a Neutestamentliche Marginalien zur Frage der „Entsakralisierung“. Der Haftpunkt des Sakralen im Raum der neutestamentlichen Offenbarung, in: Der Seelsorger 38 (1968) 38–48.89–104
=UG 299–325 (Untertitel: Recht und Grenzen des theologischen Säkularismus; mit Nachtrag)
=JA 103–160 (mit Nachtrag).

91b Franz. Übers.: Réflexions en marge du problème de la „désacralisation“. Le point d'attache du sacral dans la révélation néotestamentaire, in: Paroisse et liturgie 5 (1968) 401–432.

91c Engl. Übers. (Extrakt von 91a): New Testament notes on the question of „desacralisation“: the point of contact for the sacral within the context of NT revelation, in: theology digest 17 (1969) 62–67.

91d Ital. Übers.: Desacralizzazione e NT: il punto chiave del sacro nel contesto della rivelazione neotestamentaria, in: Ekklesia 4 (1970) 95–142.

92a Die Überwältigung der antiken Stilregel durch die Geschichte Christi, in: Via indirecta. Beiträge zur Vielstimmigkeit der christlichen Mitteilung (Festschr. f. Theoderich Kampmann), München–Paderborn–Wien (Vlg. F. Schöningh) 1969, 79–86
=UG 326–332 (etwas erweitert)
=GJ 208–220 (etwas erweitert).
– Nachdr. in: ThJb 1971, 29–36.

92b Tschech. Übers. (gekürzt): Prekonání ho pravidla odvojim stylu v evangelích, in: Křesťanská revue 42 (1976) 4–7.

93a Jesu Abendmahlsworte im Lichte seiner Abendmahlshandlung, in: Conc (D) 4 (1968) 771–776
=UG 100–107.

93b Engl. Übers.: Jesus' Words in the Light of His Actions at the Last Supper, in: Conc (GB/USA) 10 (1968) 61–67.

93c Niederl. Übers.: Jezus' avondmaalswoorden in het licht van zijn avondmaalshandeling, in: Conc (N) 4 (1968) 112–124.

93d Portug. Übers.: As Palavras da instituiçao da Eucaristia à luz dos gestos de Jesus na última cena, in: Conc (P) 4 162–172.

93e Franz. Übers.: Les paroles de Jésus lors de la Dernière Cène envisagées à la lumière de ses gestes, in: Conc (F) 4 (1968) 103–113.

93f Ital. Übers.: La parole di Gesù durante la Cena alla luce dei suoi gesti. in: Conc (I) 10 (1968) 132–143.

93g Poln. Übers.: Słowa Jezusa przy Ostatniej Wieczerzy w świetle wykonanych przy niej czynności, in: Conc (Pl) 1969, 589–597.

93h Span. Übers.: Palabras y acciones de Jesús en la última Cena, in: Conc (E) 40 (Dez. 1968) 629–640.

94 Vorwort, in: Die Heilige Schrift in der Gemeinde I. Ein Bibelwerkbuch (hrsg. v. H.-A. Egenolf), Leipzig (St. Benno-Vlg.) 1968, 5–7.

95 Über die geschichtliche Wahrheit der Heiligen Schrift, in: Bibel und Kirche 4 (1968) 196–207.
– Nachdr. (durchgesehen) in: Die Heilige Schrift in der Gemeinde IV. Ein Bibelwerkbuch (hrsg. v. H.-A. Egenolf), Leipzig (St. Benno-Vlg.) o. J. (1973) 22–36.

1969

96a *Das Lukasevangelium. Erster Teil. Kommentar zu Kap. 1,1–9,50 (HThK III/1), Freiburg–Basel–Wien (Vlg. Herder) 1969. XLVIII/591 S.*

96b (durchgesehene) Parallelausgabe: *Das Lukasevangelium. Erster Teil. Kommentar zu Kap. 1,1–9,50, Leipzig (St. Benno-Vlg.) 1970. XLVIII/591 S. 2. Aufl., Leipzig (St. Benno-Vlg.) 1971 (mit Druckfehlerliste S. 591f). XLVIII/592 S.*

97 Jesu letzte Weisung Jo 19,26–27a, in: Sapienter ordinare (Festschr. f. Erich Kleineidam) (Erfurter Theologische Studien 24), Leipzig (St. Benno-Vlg.) 1969, 105–123
=UG 13–28.

1970

98 *Ursprung und Gestalt. Erörterungen und Besinnungen zum Neuen Testament (Kommentare und Beiträge zum Alten und Neuen Testament), (=Ges. Aufsätze), Düsseldorf (Patmos-Vlg.) 1970. 360 S.*
(= Nr. 5,7,11,17b,23a,25,27,38,39,43,44,68a,69,74b,81h,86,88,89,91a, 92,93a,97).

99 *Jesu Abendmahlshandlung als Zeichen für die Welt. Drei Vorträge (Die Botschaft Gottes II/27), Leipzig (St. Benno-Vlg.) 1970. 160 S.*
(=Nr. 25,91a,107a).

100 Zur Traditionsgeschichte der Nazareth-Perikope Lk 4,16–20, in: Mélanges Bibliques (Festschr. f. B. Rigaux), Gembloux 1970, 187–205.

101 Die Symbolhandlungen Jesu als eschatologische Erfüllungszeichen. Eine Rückfrage nach dem historischen Jesus, in: BuL 11 (1970) 29–41.73–78
=GJ 74–110 (durchgesehen; Untertitel: Eine Rückfrage nach dem irdischen Jesus).
– Exzerpt unter dem Titel: Eine Rückfrage nach dem irdischen Jesus in der neutestamentlichen Forschung der letzten Jahrzehnte (Ein Rückblick), in: Bibelhilfe für die kirchliche Jugendarbeit 1974, Ausgabe A für Ältere (hrsg. v. E. Elliger und G. Opitz), Berlin (Evgl. Verlagsanstalt) 1974, 134–136.

102a Unité dans l'Esprit et diversité spirituelle. 1 Co 12,3b–7.12–13, in: Assemblées du Seigneur Nr. 30, Paris 1970, 35–41.

102b Dtsch. Übers.: Pfingsten. – 1 Kor 12,3b–7.12–13, I. Exegetische Textbesprechung, in Kj. Lange (Hrsg.), Das Wort an die Gemeinde. Lukasjahr II, 2. Lesungen, Leipzig (St. Benno-Vlg.) 1977, 13–19.

1971

103a Die Freiheitsbotschaft des Paulus – Mitte des Evangeliums?, in: Cath 25 (1971) 22–62
= OrNT 13–49 (mit Nachtrag).
– Nachdr. (gekürzt und alteriert) in: E. Schott (Hrsg.), Taufe und neue Existenz, Berlin (Evgl. Verlagsanstalt) 1973, 21–52.

103b Span. Übers. (Extrakt): El mensaje de libertad centro del Evangelio?, in: seleciones de teologia 12 (1973) 272–282.

1972

104a *Der Geist macht lebendig. Hilfen für Betrachtung und Gebet, Leipzig (St. Benno-Vlg.) 1972. 160 S.*
2. (durchgesehene) Aufl., Leipzig (St. Benno-Vlg.) 1973. 168 S.

104b *1. Lizenzaufl. (der 1. Aufl. Leipzig), Freiburg–Basel–Wien (Vlg. Herder) 1972. 166 S.*
2. Lizenzaufl. (der 1. Aufl. Leipzig), Freiburg–Basel–Wien (Vlg. Herder) 1972. 166 S.
3. Lizenzaufl. (der 2. durchgesehenen Aufl. Leipzig), Freiburg–Basel–Wien (Vlg. Herder) 1972. 166 S.
4. Lizenzaufl. (der 2. durchgesehenen Aufl. Leipzig), Freiburg–Basel–Wien (Vlg. Herder) 1974. 166 S.
5. Lizenzaufl. (der 2. durchgesehenen Aufl. Leipzig) Freiburg–Basel–Wien (Vlg. Herder) 1975. 166 S.

104c Franz. Übers.: *Quand l'Esprit surgit. Méditations sur l'Évangile selon saint Jean, Mulhouse (Editions Salvator) 1973. 136 S.*

104d Span. Übers.: *El Espiritu da vida. Ayudas para la meditacion y la oracion (Colección „Mundo Nuevo" 33), Santander/Spanien (Ed. „Sal terrae") 1974. 139 S.*

104e Niederl. Übers.: *De Geest maakt levend. Biddend door het Johannes-evangelie (spiritualiteit 13), Nimwegen (Uitgeverij B. Gottmer) / Brüssel (Uitgeverij Emmäus) 1977. 104 S.*

105 *Das Geheimnis Jesu. Versuche zur Jesusfrage (Die Botschaft Gottes II/28), Leipzig (St. Benno-Vlg.) 1972. 224 S.*
(=Nr. 50a,68a,73a,92,101,106).
2. Aufl., Leipzig (St. Benno-Vlg.) 1972. 224 S.

106 Hat Jesus seinem Tod Heilsbedeutung zugesprochen? Eine methodologische Besinnung, in: GJ 112–123.
Dasselbe, ebd., 2. Aufl., Leipzig (St. Benno-Vlg.) 1972, 112–123.

107a Das Weiterleben der Sache Jesu im nachösterlichen Herrenmahl. Die Kontinuität der Zeichen in der Diskontinuität der Zeiten, in: BZ 16 (1972) 1–23
=JA 63–101 (etwas gekürzt, teilweise erweitert)
=JT 66– 96 (ohne Erweiterungen).
– Dasselbe, ebd. 2. Aufl. (vgl. Nr. 121a)

107b Poln. Übers. (gekürzt): Ostatnia Wieczerza Jezusa jako eschatologiczny znak wypętnienia, in: Współczesna Biblistyka Polska (hrsg. v. J. Łach und M. Wolniewicz), Warschau 1972, 27–54.

107c Franz. Übers.: La survie de la cause de Jésus dans le Repas du Seigneur, après Pâques. La continuité des signes dans la discontinuité des temps, in: JT (vgl. Nr. 121b) 83–116.

107d Ital. Übers. in: JT (vgl. Nr. 121c; in Druck).

108a Der proexistente Christus – die Mitte des Glaubens von morgen?, in: Diakonia 3 (1972) 147–160
=JT 121–155 (stark erweitert, mit Untertitel: Eine theologische Meditation).
– Dasselbe, ebd. 2. Aufl. (vgl. Nr. 121a)

108b Franz. Übers. (abermals ergänzt: Le Christ „proexistant" sera-t-il au cœur de la foi de demain? Meditation théologique, in: JT (vgl. Nr. 121b) 145–184.

108c Ital. Übers. (abermals ergänzt) in: JT (vgl. Nr. 121c; in Druck).

109 Kirche als offenes System, in: IntKathZ 1 (1972) 306–323.

110 Die Gemeinde des Neuen Bundes als der Quellort des sittlichen Erkennens nach Paulus, in: Cath 26 (1972) 15–37
=OrNT 64–88 (mit Nachtrag).
– Nachdr. in: ThJb 1973, 217–235.

111 Die neubundliche Begründung von Ordnung und Recht in der Kirche, in: ThQ 152 (1972) 303–316
=OrNT 50–63 (mit Nachtrag).
– Nachdr. in: ThJb 1973, 217–235.

112 10. Sonntag im Kirchenjahr – Römerbrief 4,18–25. I. Zur Exegese, in: B. Dreher, Neues Predigtwerk; Matthäusjahr II, Episteln, Graz–Wien–Köln (Vlg. Styria) 1972, 46–49.

1973

113a Wie hat Jesus seinen Tod bestanden und verstanden?, in: Orientierung an Jesus (Festschr. f. Josef Schmid), Freiburg 1973, 325–363 (= Ausführung der Skizze Nr. 106)
= JT 16–65 (durchgesehen und weiter ergänzt).
– Nachdr. (durchgesehen und ergänzt) in: ThJb 1974, 128–163.
– Dasselbe, ebd. 2. Aufl. (vgl. Nr. 121a).

113b Franz. Übers. (abermals ergänzt): Comment Jésus a-t-il affronté et compris sa mort? Réflexions critiques sur la méthode, in: JT (vgl. Nr. 121b) 21–81.

113c Ital. Übers. in: JT (vgl. Nr. 121c; in Druck).

114 Jesu Auferstehung – ein historisches Faktum? Ein Vortrag, in: Die Heilige Schrift in der Gemeinde IV. Ein Bibelwerkbuch (hrsg. v. H.-A. Egenolf), Leipzig (St. Benno-Vlg.) o. J. (1973), 40–47.

115a Die Arbeit und der Bericht der Evangelisch-lutherisch/Römisch-katholischen Studienkommission „Das Evangelium und die Kirche" 1967–1972: TThZ 82 (1973) 53–60.120–125.172–180.
– Nachdr. (durchgesehen und erweitert) in: ThJb 1974, 516–542.

115b *H. Schürmann (Hrsg.), Der Malta-Bericht. Mit Kommentar von H. Schürmann, Leipzig (St. Benno-Vlg.) 1975, 50 S. (= Sonderdruck aus: ThJb 1974).*

116 Zur aktuellen Situation der Leben-Jesu-Forschung, in: GuL 46 (1973) 300–310.

1974

117 *Rez.*: H. Meyer, Luthertum und Katholizismus im Gespräch. Ergebnisse und Stand der katholisch/lutherischen Dialoge in den USA und auf Weltebene (Ökumen. Perspektiven), Frankfurt/M (Vlg. Lembeck-Vlg. Knecht) 1973, in: ThLZ 99 (1974) 131–136.

118 Die geistgewirkte Lebensentstehung Jesu. Eine kritische Besinnung auf den Beitrag der Exegese zur Frage, in: Einheit in Vielfalt (Festschrift f. Hugo Aufderbeck) (Erfurter Theologische Studien 32), Leipzig (St. Benno-Vlg.) 1974, 156–169.

119a „Das Gesetz des Christus" (Gal 6,2). Jesu Verhalten und Wort als letztgültige sittliche Norm nach Paulus, in: Neues Testament und Kirche (Festschr. f. R. Schnackenburg), Freiburg–Basel–Wien (Vlg. Herder) 1974, 282–300
= JT 97–120.
– Nachdr. (durchgesehen) in: Confirmare (Pastorale Aufsätze 6, hrsg. v. H. Aufderbeck), Leipzig (St. Benno-Vlg.) 1975, 95–112.
– Dasselbe, ebd. 2. Aufl. (vgl. Nr. 121a).

119b Franz. Übers.: „La Loi du Christ" (Gal 6,2). Le comportement et la parole de Jésus comme norme morale suprême et définive d'après saint Paul, in: JT (vgl. Nr. 121b) 117–144.

119c Ital. Übers. in: JT (vgl. Nr. 121c; in Druck).

120 Vorwort des Herausgebers (zum 75. Geburtstag von Heinrich Schlier am 31. 3. 1975), in: H. Schlier, Der Apostel und seine Gemeinde. Auslegung des ersten Briefes an die Thessalonicher (Die Botschaft Gottes II/31), Leipzig 1974, 5–7.

1975

121a *Jesu ureigener Tod. Exegetische Besinnungen und Ausblick (= Ges. Aufsätze), Freiburg–Basel–Wien (Vlg. Herder) 1975. 155 S.*
2. (durchgesehene) Aufl., Freiburg–Basel–Wien (Vlg. Herder) 1976. 155 S.
(= Nr. 107a,108a,113a,119a und neue Einleitung: Das Kreuzesthema neu thematisch, S. 5–15).

121b Franz. Übers. (der 2. Aufl., abermals durchgesehen und etwas erweitert): *Comment Jésus a-t-il vécu sa mort? Exégese et théologie (Lectio Divina 93), Paris (Les Éditions du Cerf) 1977. 190 S.*

121c Ital. Übers. (in Druck)

122 Haben die paulinischen Wertungen und Weisungen Modellcharakter? Beobachtungen und Anmerkungen zur Frage nach ihrer formalen

Eigenart und inhaltlichen Verbindlichkeit, in: Gr 56 (1975) 237–269 (mit franz. Resümee 270–271)
=OrNT 89–115 (mit Nachtrag).

123a Die Frage nach der Verbindlichkeit der neutestamentlichen Wertungen und Weisungen, in: J. Ratzinger, unter Mitarbeit von H. Schürmann und H. Urs von Balthasar, Prinzipien christlicher Moral, Einsiedeln (Johannes-Vlg.) 1975, 7–39.
– Nachdr. in: ThJb 1976, 208–222.

123b Franz. Übers. (einer Kurzfassung), eingeleitet durch Ph. Delhaye: La question du caractère obligatoire des jugements de valeur et des directives morales du Nouveau Testament: Actes du Saint-Siège Nr. 1682 (7.–21. septembre 1975) 763–766.
– Nachdr. der franz. Übers. mit erweiterter Einleitung von Ph. Delhaye unter dem Titel: L'impact actuel des normes morales du Nouveau Testament, in: Esprit et Vie Nr. 85 (16. Okt. 1975) 593–600.

123c Sloven. Übers.: Kakšna je obveznost vrednostnik sod in moralnih smernic v novi zavezi, in: Bogoslovni Vestnik 36 (1976) 82–91.

124 Beobachtungen zum Menschensohn-Titel in der Redequelle. Sein Vorkommen in Abschluß- und Einleitungswendungen, in: Jesus und der Menschensohn (Festschr. f. A. Vögtle), Freiburg–Basel–Wien (Vlg. Herder) 1975, 124–147.

1976

125 Bemerkungen über die Handhabung der redaktionsgeschichtlichen Methode. Zum fotomechanischen Nachdruck der 2. Aufl. von Nr. 32 161–170.

1977

126a „... und Lehrer". Die geistliche Eigenart des Lehrdienstes und sein Verhältnis zu anderen geistlichen Diensten im neutestamentlichen Zeitalter, in: Dienst der Vermittlung (Festschr. zum 25jährigen Bestehen des Philosophisch-Theologischen Studiums im Priesterseminar Erfurt) (Erfurter Theologische Studien 37), Leipzig (St. Benno-Vlg.) 1977, 107–164.

126b *– Sonderdruck (neu durchgesehen und erweitert), Leipzig (St. Benno-Vlg.) 1977. 44 S.*
=OrNT 116–156.

127 *Orientierungen am Neuen Testament. Exegetische Gesprächsbeiträge (=Ges. Aufsätze), Düsseldorf (Vlg. Patmos) 1977. 156 S.*
(=103a, 110, 111, 122, 126).

128a Das eschatologische Heil Gottes und die Weltverantwortung des Menschen. Hermeneutische Anmerkungen zur Relevanz der biblischen Aussagen, in: Internationale Theologenkommission / K. Lehmann (Hrsg.), Theologie der Befreiung, Einsiedeln (Johannes-Vlg.) 1977, 45–78.

128b – Vorabdr. (gekürzt) in: GuL 50 (1977) 18–30.
Span. Übers.: 1977 (in Druck).

128c Span. Übers.: La salvación escatalógica de Dios y la responsabilidad del hombre frente al mujdo, in: Comisión Teológica Internacional, Promoción humana y salvación cristiana, Salamanca (Universidad Pontificia) 1978 (in Druck).

129 Engagiert im Engagement Gottes. Besinnung auf die Mitte, in: GuL 50 (1977) 166–178.

130 Aspekte der Zukunftskirche. Ein utopischer Orientierungsversuch, in: Bischöfliches Amt Magdeburg (Hrsg.), Amtliche Mitteilungen – Beilage 3/1977, 1–15.

131 Die zwei unterschiedlichen Berufungen. Dienste und Lebensweisen im einen Presbyterium, in: In libertatem vocati estis (Gal 5, 13) (Festschr. f. B. Häring) (Studia moralia XV), Rom (Accademia Alfonsiana) 1977, 401–420.

132 *Das immerwährende Christusgebet im Herrenjahr (Lesejahr A), Leipzig (St. Benno-Vlg.) 1978. 12 S.*

REGISTER DER MODERNEN AUTOREN

Achtemeier, P. J. 116
Aland, K. 116. 133. 147–150
Albertz, M. 494
Alt, A. 138
Arvedson, T. 183. 234
Audet, J.-P. 302
Auerbach, E. 128

Bacht, H. 585
Baird, J. A. 120
Balz, H. 82. 119
Bammel, E. 214. 247. 255
Bardenhewer, O. 61
Barnikol, E. 208f
Barrett, C. K. 36. 47. 105. 247. 258. 264. 266. 271. 387. 391. 395
Batiffol, P. 216
Bauer, J. B. *513–527*
Bauer, K.-A. 442
Bauer, W. 43. 82. 85. 384. 572
Bauernfeind, O. 461
Baumbach, G. *435–457*
Baumert, N. 439f. 442
Baur, F. Chr. 613
Beasley-Murray, G. R. 105. 266
Becker, C. 514
Becker, J. 40. 46. 257. 277. 288. 294. 460
Beilner, W. 9
Beissner, F. 248
Belser, J. 491. 513
Benoit, P. 111
Benz, E. 425
Berbuir, E. 530
Berdesinski, D. 9
Berger, K. 28. 30. 40ff. 471
Bernard, J. H. 258. 392
Berrouard, M. F. 291
Bertram, G. 474f. 620
Best, E. 118
Betz, H. D. 619
Betz, O. 252. 258. 292
Beutler, J. 9. 290
Beyer, K. 40
Beyschlag, W. 491
Billerbeck, P. 64. 67ff. 216. 229. 232. 234. 315. 621
Bisping, A. 513
Bjerkelund, C. J. 299
Blank, J. 407. 447. 615
Blinzler, J. 118f. 411
Boers, H. 468
Bogaert, P. 227
Boismard, M.-E. 108. 111
Boman, Th. 119
Bonnard, P. 10
Boring, M. E. 40
Bornkamm, G. 120. 216. 247. 333. 419f. 445. 544. 550. 566. 591. 598
Bosch, R. 266
Bousset, W. 10. 77. 175. 216. 223. 235
Bouyer, L. 530
Bowman, J. 117
Braun, H. 223. 233. 235. 619
Brockhaus, U. 489. 540ff
Broer, I. 203f. 214f. 217ff
Brown, R. E. 265. 291f. 303. 339. 342. 345f. 357. 364. 375f. 386. 393
Brown, S. 104
Brox, N. 227. 236. 490. 554
Bruce, F. F. 229
Buber, M. 156
Büchsel, F. 476
Bultmann, R. 10f. 36. 65. 67. 80f. 116. 120. 135. 153. 231. 233f. 259. 261. 266. 269. 280. 294. 303. 387. 395. 398. 427. 441f. 453. 459. 463. 470. 474. 477. 628
Burchard, Ch. 476f
Burckhardt, J. 424. 426. 431
Burgers, W. 206
Bussche, H. van den 278. 297. 303. 364. 367. 386
Bussmann, W. 108
Butler, B. C. 106

Campenhausen, H. v. 202. 489. 544. 549. 564. 566. 598
Cerfaux, L. 202. 364. 366
Charlot, J. P. 405. 408. 410
Chevalier, M. A. 269
Christ, F. 179f. 183
Coke, P. T. 39
Colpe, C. 36. 44. 217f
Colson, J. 599
Congar, Y. 530
Conzelmann, H. 73. 178. 270. 379ff. 397f. 408. 413f. 460f. 463f. 467. 496. 509. 533. 541. 556. 576f. 595
Cordes, P. J. 599f
Crouch, D. E. 498
Cullmann, O. 13. 76. 224. 282

Dalbert, P. 495
Dalman, G. 13. 61
D'Aragon, J.-L. 278
Dassmann, E. 598
Dautzenberg, G. 100. 226. 232. 235. 242. 302. 508. 549
Davies, J. G. 381
Davies, W. D. 106
Deissmann, A. 237
Delling, G. 81–85. 88f. 454. 469. 471. 480f. 484. 486. 500. 504. *615–631*
Delorme, J. 489. 530. 560
Demke, Ch. 442. 444
Derrett, J. D. M. 83. 86
Devisch, M. 106
Dibelius, M. 67. 116. 325. 430. 436. 491f. 494f. 497 bis 506. 597
Dihle, A. 190
Dilschneider, O. 247
Dinkler, E. 234. 621
Dobschütz, E. v. 430. 433. 469. 471. 479. 484
Dockx, S. 530
Dodd, C. H. 254. 265. 283. 292. 363
Dörrie, H. 384
Doeve, J. W. 39
Dornier, P. 530
Dumont, C. 9

Dungan, D. L. 115
Dunn, J. G. D. 266
Dupont, J. 11f. *97–114*. 203. 215ff. 382. 571. 577
Dupuy, B. D. 530

Eckert, J. 590
Edlund, C. 192
Edwards, R. A. 41
Ehrardt, A. 384
Eichholz, G. 84. 447. 464
Eissfeld, O. 240
Ellis, E. E. 496
Ernst, J. 57–*78*. 546f. 555f. 559. 594

Farmer, W. R. 106. 115
Farrer, A. M. 380. 566
Fascher, E. 175. 425. 490
Faw, Ch. E. 468
Feuillet, A. 112. 382. 387
Filson, F. V. 101. 489. 500
Fischer, K. M. 532
Flusser, D. 43
Foerster, W. 617
Fohrer, G. 140. 177. 239
Forestell, J. T. 284
Formesyn, R. 365f. 375
Freudenberger, R. 521
Friedrich, G. 126. 302. 464ff. 476f. 479. 481. 592
Fries, H. 585
Fuchs, A. 108
Funk, R. W. 280
Furnish, V. P. 445

Gaeta, G. 288
Gärtner, B. 244
Galot, J. 624
Gaston, L. 111
Geist, H. 249
Georgi, D. 592
Ghiberti, G. 406
Giblet, J. 265f
Glasswell, M. E. 126
Gnilka, J. 116f. *223–246*. 418–421. 431ff. 444–450. 454. 536. 539. 554. 556. 594
Goguel, M. 397
Goldstein, H. 563f. 595
Goppelt, L. 269f. 547
Grabner-Haider, A. 299
Grässer, E. 19. 454
Grass, H. 119
Greeven, H. 13. 489. 500
Greinacher, N. 9
Grelot, P. 547
Greshake, G. 266. 319
Greßmann, H. 175. 223
Griffith, G. T. 439
Großmann, S. 278
Grundmann, W. 32. 63. 65. 70f. 80. 85. 89. 98. 101. 103. 116f. 156. 167. *175 bis 199*. 233. 509. 616
Güttgemanns, E. 449f. 592
Gunkel, H. 138
Guy, H. A. 152

Haacker, K. 278
Haag, H. 239
Hadas, M. 122
Haenchen, E. 111. 210. 280. 299. 461
Hahn, F. 10–13. 16. 32. 40. 100. 139. 244. 248. 250. 271f. 289. 309. 460. 481. 542. 550. 554. 556. 561. 564. 566. 588ff
Hainz, J. 489. 534–539. 543. 546. 591. 593. 598
Halson, R. R. 494
Hamilton, N. Q. 117
Hare, D. R. A. 97. 101. 106
Harnack, A. v. 233. 459. 489. 524. 625
Hartmann, L. 98. 100. 111. 266
Hasenhüttl, G. 540
Hasler, V. 30–34. 40
Hauck, F. 37. 67. 126. 149. 491. 494. 501
Haufe, G. 426f
Havers, W. 407
Heinemann, I. 427
Heitmann, C. 278
Helm, R. 524
Hemmerle, K. 584
Hendriks, W. M. A. 151
Hengel, M. 48
Herrmann, J. 617
Herten, J. 533. 540. 544. 550. 554. 563
Hertzberg, H. W. 239f
Herzog, R. 70
Higgins, A. J. B. 26. 30
Hill, D. 40
Hobbs, G. C. 117
Hofbeck, S. 364. 376
Hoffmann, P. 21. 38. 41. 102. 104. 179. 194. 196. 214. 435f. 438f. 441f. 444. 452. 454f. 466. 588ff
Hofius, O. 422
Holtz, T. *459–488*
Holtzmann, H. J. 101
Holtzmann, O. 67
Hoppe, R. 176. 490. 492. 494. 497f. 500. 505f. 509
Horst, J. 89
Horst, P. W. van der 117. 616
Horstmann, M. 119. 123
Houlden, J. L. 280
Huby, J. 297
Hummel, R. 106
Hunzinger, C. H. 518

Ibuki, Y. 253. 255f. 258. 265

Jaubert, A. 550
Jeremias, G. 228. 234
Jeremias, J. 40. 44. 67f. 70ff. 74f. 81. 83. 85. 88ff. 175. 179. 184f. 187. 194. 210. 244. 269ff. 316. 408. 413. 430. 529. 593. 620
Jewett, R. 445
Johannessohn, M. 625
Johnston, G. 252. 265. 285. 290. 292
Jonas, H. 427
Jonge, M. de 280
Joüon, J. 386
Jülicher, A. 67. 81. 85f. 89f. 92f. 102. 490
Jungmann, J. A. 69

Kaddari, M. Z. 408
Käsemann, E. 10. 40. 125. 277. 307. 310. 322–329. 331ff. 422. 448. 471. 478. 482. 531. 544. 550
Kamlah, E. 429. 494
Karl, W. 397
Karnetzky, M. 119
Kasper, W. 585
Kasting, H. 209f

Kee, H. C. 124
Kelly, J. N. D. 564. 566. 568f
Kertelge, K. 40. 203ff. 210f. 242. 244. 308. 489. 540. 542. 544. 549. 555. *583 bis 605*
Kilpatrick, G. D. 106
Kirk, J. A. 494
Klauck, H.-J. 553f
Klauser, Th. 523
Klein, G. 201f. 210. 212f. 571. 574
Klinzing, G. 244
Klopfenstein, M. A. 44
Klostermann, E. 10. 13. 65. 67. 89. 101. 135f. 150. 169
Knauer, P. 25
Knoch, O. 278
Knox, J. 518f
Knox, W. L. 10
Koch, D.-A. 460
Koch, G. 9
Koch, K. 177. 429
Köhler, F. 84
Köster, H. 122. 500
Kohler, M. 397. 399
Kosmala, H. 496
Kothgasser, A. M. 247. 253 bis 257
Krämer, P. 600
Kraft, H. 281
Kragerud, A. 302
Kramer, W. 123. 410. 460. 474. 476. 481f
Kraus, H.-J. 84. 137. 144
Kredel, E. M. 202
Kremer, J. *247–276*. 405. 414
Kümmel, W. G. 26. 36ff. 40f. 115f. 213. 247. 264. 272. 277. 279f. 380. 419. 424. 431. 436f. 444. 466. 468. 477. 481f. 489
Küng, H. 531. 540
Kuhn, H.-W. 116. 242
Kuhn, K. G. 315. 423
Kuss, O. 549

Lagrange, M.-J. 101. 296. 380. 386. 395
Lamarche, P. 239
Lambrecht, J. 98f. 102. 107. 110ff. 264
Lampe, G. W. H. 47. 381
Langbrandtner, W. 277
Lattke, M. 277. 323
Laub, F. 480ff
Laurentin, R. 278
Law, R. 397
Leaney, R. 270
Lehmann, K. 248. 405. 408. 414f
Leich, G. 549
Lemaire, A. 529. 549f
Lentzen-Deis, F. 40. 193
Léon-Dufour, X. 295. *363 bis 378*
Lietzmann, H. 211
Lightfoot, R. H. 116f. 119
Limbeck, M. 475
Lindars, B. 257f. 292. 355
Lindeskog, G. 43
Linnemann, E. 72. 80f. 85. 89. 115. 147. 148. 150. 206
Linton, O. 489
Lövestam, E. 103
Lohfink, G. 266. 319
Lohmeyer, E. 111. 117f. 206. 214. 216. 227. 417f. 420f. 427. 430. 433. 447. 450. 536
Lohse, E. 236. 237. 242. 244. 428f. 460. 586
Loisy, A. 101. 303. 386. 391f. 394. 398
Lubsczyk, H. *133–174*
Luck, U. 494
Lührmann, D. 21. 102f. 179. 214. 233
Luz, U. 217. 438f. 441. 443f. 475. 530
Lyonnet, S. 392

Madey, J. 586
März, C.-P. 18
Mahoney, R. 352
Maier, G. 248
Mánek, J. 122
Manson, T. W. 67. 219
Martyn, J. L. 258. 277. 279
Marxsen, W. 98. 101. 110. 117f. 121. 235. 380. 454. 524
Mattern, L. 443. 460f. 479
Maurer, Ch. 9
McNeile, A. H. 101
Menzies, A. 127
Merklein, H. 489. 540. 542f. 548. 551ff. 555–560. 562. 566. 572f. 594–597
Metzger, B. M. 115. 566
Meyer, A. 490
Meyer, H. A. W. 101
Michaelis, W. 101. 418. 421. 424. 430f. 447. 452
Michel, H.-J. 570f. 574. 576f
Michel, O. 29. 43. 461f
Michl, J. 216. 287. 598
Miguens, M. 254. 258. 265. 303
Molitor, J. 414
Mollat, D. 365ff. 376. 383. 387f. 391
Montefiore, C. G. 127
Moreau, J. 523
Morgenthaler, R. 150
Mühlen, H. 278
Müller, K. 48
Müller, U. B. 48. 252. 257. 277. 285. 294. 302. 508
Munck, J. 467. 484
Mußner, F. 9. 40. 247. 255. 260. 289f. 309. 319. *405 bis 416*. 467. 491. 494. 497. 500. 503–506. 533. 574. 576

Nauck, W. 299. 428f. 433. 564
Neirynck, F. 110
Nestle, W. 424. 431
Nicol, W. 363
Nilsson, M. P. 424. 427f.
Nineham, D. E. 111
Norden, E. 183

Oepke, A. 272. 615
Olsson, B. 350. 391
Osten-Sacken, P. v. d. 177
Otto, R. 196
Ottosson, M. 241

Panagopoulos, J. 586
Pancaro, S. 627
Patsch, H. 41. 242f
Pauly-Wissowa, G. 58f
Pax, E. 406
Percy, E. 102. 186. 233
Perlitt, L. 163
Perrin, N. 30. 117. 269

Perry, B. E. 122
Persson, P. E. 587. 596
Pesch, R. *25–56*. 99. 110f. 116. 119. 145. 151. 212. 217. 264f. 340. 342. 344. 347f
Pesch, W. 217. 295. 498
Peter, H. 524
Petersen, N. R. 119. 124
Pfeiffer, G. 178
Pfleiderer, O. 435
Pfnür, V. 489. 585
Philonenko, M. 472. 477. 481
Pietri, Ch. 530
Planerts, W. 407
Plöger, O. 216
Pokorný, P. *115–132*
Polag, A. 179. 328
Popkes, W. 243
Porsch, F. 247. 252–255. 257. 259. 265f. 271. 285f. 288. 290ff. 294. 300. 303
Potterie, I. de la 286. 288. 291. 299f. 303. *379–403*
Preisigke, F. 623
Preisker, H. 494. 625
Pretscher, J. 9

Rad, G. v. 138. 177. 410
Rahner, K. 201. 278. 307
Rahtjen, B. D. 445
Rauschen, G. 517
Reicke, B. 66. 516. 529
Rengstorf, K. H. 38. 89ff. 210. 215. 478. 489. 590
Richardson, J. L. 117
Richter, G. 277. 288
Riddle, D. W. 266
Riedlinger, H. 252
Riesenfeld, H. 44. 89–92. 587. 597
Rigaux, B. 204f. 211. 213. 217. 464f. 469. 476f. 479
Ringgren, H. 183
Ritter, A. M. 549
Robinson, J. M. 122. 178. 185. 278. 500
Roloff, J. 124. 202. 242. 500. 550. 574. 577. 587. 590f
Ruckstuhl, E. 278. *339–362*. 536
Rüdiger, H. 522
Rüstow, A. 18

Sahlin, H. 89f
Samain, E. 379ff
Sand, A. 106. 530
Sasse, H. 303
Satake, A. 508
Schammberger, H. 494
Schanz, P. 101
Scharbert, J. 239f
Schelkle, K. H. 565f. 568. *607–614*
Schenk, W. 115. 124. 442
Schenke, L. 206
Schick, E. 297
Schierse, F. J. 264. 268ff
Schille, G. 118. 122f. 202. 207
Schlatter, A. 64. 89. 236. 477. 491. 496. 621. 624f
Schlier, H. 44. 248. 250. 297. 299. 482. 536. 542. 554. 597
Schmahl, G. 146. 151. 159. 202ff. 206f. 210ff. 214f. 217f. 588
Schmauch, W. 214. 419
Schmid, J. 10. 16. 32. 80. 85. 89. 93f. 99. 102. 106ff. 133. 147f. 217. 233. 277. 281. 490
Schmidt, J. 423
Schmidt, K. L. 206. 626
Schmithals, W. 116. 147. 150. 154. 201f. 209f. 442. 446. 468
Schmitt, A. 410
Schmitt, J. 410
Schnackenburg, R. 18f. 112. 121. 124. 127. 247. 252 bis 258. 260. 266. 269ff. 277 *bis 306*. 311. 313f. 318f. 322–325. 330. 335. 339. 345. 347. 352. 375. 386. 414. 570. 589. 595f. 623. 628
Schneemelcher, W. 117
Schneider, G. *9–24*. 12. 16. 19. 26. 80f. 89. 91. 94. 109. 206. 209. 478. 483
Schneider, J. 234. 491
Schniewind, J. 111
Schoeps, H. J. 504
Schoonenberg, P. 9
Schottroff, L. 277
Schrage, W. 541. 569
Schramm, T. 264
Schreiber, J. 116. 146. 152. 167
Schrenk, G. 83. 89. 483
Schroeder, D. 498
Schröger, F. 565. 568
Schubert, P. 467f
Schürmann, H. 11. 13–16. 18. 26. 28. 30. 34. 36. 41. 57. 62f. 66. 75ff. 98. 101. 111f. 128. 135. 140. 167. 176. 179. 188. 196. 202f. 207. 214f. 217f. 224. 234. 242f. 248. 256. 264. 269ff. 278. 308. 316f. 319f. 326f. 379. 405. 489. 493. 496. 501. 506. 529. 540. 542ff. 551f. 571. 583. 585. 588. 591. 597f
Schüßler Fiorenza, E. 598
Schütte, H. 489. 529. 596
Schütz, J. H. 591
Schütz, F. 99
Schulz, A. 217. 234
Schulz, S. 12. 14. 21. 28. 30. 32f. 40f. 43. 102. 107ff. 122. 179. 204. 214. 217f. 231. 233. 264. 293. 323f. 530f. 540. 557. 572. 574
Schweizer, E. 32. 48. 116. 118. 125. 147. 153. 254. 259. 266. 278. 294f. 363. 449. 489. 571. 615
Scott, E. F. 266
Seebaß, H. 37
Seeberg, A. 481
Serra, A. 391
Sesboüe, B. 530. 565
Siber, P. 436f. 443. 449. 452
Smet, W. 278
Smith, M. 122
Soden, H. v. 490f
Sordi, M. 513–517
Speyer, W. 519
Spicq, C. 82–86. 88f. 569
Spitta, F. 490. 496. 498. 506
Spörlein, B. 437. 439f. 444. 450
Staats, R. 249

Stählin, G. 565
Stamm, J. J. 240
Steck, O. H. 38. 180. 233. 235. 504. 590
Stegemann, H. 423
Steichele, H. 570. 577
Stemberger, G. 363
Stock, A. 248
Stöger, A. 62. 65. 69
Stolz, F. 37. 48
Strahtmann, H. 98. 101
Strecker, G. 102. 106. 118. 121. 217. 449. 460. 465. 481
Streeter, B. H. 179
Strobel, A. 107. 111
Stuhlmacher, P. 248f. 252. 269. 459f. 465. 467. 473f. 484. 542. 548
Suenens, L. 278
Surkau, H. W. 226

Tarn, W. 439
Taylor, V. 111. 126
Teeple, H. M. 41
Teichmann, E. 435. 441
Theissing, J. 217
Thüsing, W. 257f. *307–337*. 364. 599
Thyen, H. 242f. 328ff
Thysman, R. 101
Tillmann, F. 258
Todorov, T. 368. 371ff
Tödt, H. E. 40. 179. 210. 217. 243
Tragan, P.-R. 564. 576
Trilling, W. 12f. 16. 101. 106. *201–222*. 295
Trites, A. A. 108
Trocmé, E. 117. 119
Troeltsch, E. 249
Turner, C. H. 101
Twisselmann, W. 615

Valk, M. van der 147
Vaux, R. de 138
Veenhof, J. 284
Vielhauer, Ph. 30. 40f. 122f. 138. 209f. 212. 439. 460. 481
Villiers, J. L. de 615
Vögtle, A. 32. 212. 214. 217. 269. 411. 497f. *529 bis 582*

Wagenmann, J. 202
Walker, R. 106
Walker, W. O. 40
Walter, N. *417–434*. 473. 540
Wanke, G. 177
Wanke, J. 73. 76. 347. *489–511*
Weeden, Th. G. 124
Weidinger, K. 498
Weihnacht, H. 123f
Weiser, A. 139. 171
Weiß, B. 67. 101
Weiß, J. 116. 211
Weiß, K. 85
Wellhausen, J. 101. 116. 210
Wendland, P. 429
Wendt, H. H. 279. 397ff
Wengst, K. 225. 237
Wernberg-Møller, P. 241
Westcott, B. F. 386. 392. 395
Westermann, C. 43. 138
Wetter, G. P. 443
Wibbing, S. 495
Wichmann, W. 429
Wiefel, W. 435–441. 443f. 447. 450ff
Wikenhauser, A. 133. 277. 281. 489
Wikgren, A. 127. 379
Wilamowitz-Moellendorf, U. v. 424
Wilckens, U. 177. 210. 414. 460–463. 466. 480f. 484. 494. 619
Windisch, H. 257. 263. 266. 418. 462. 475. 491. 494. 502. 621. 625
Wohlenberg, G. 116. 126f.
Wolf, P. 46
Wolff, H. W. 243
Woude, A. S. van der 43. 229
Wrede, W. 122
Wrege, H.-Th. 10

Yong, F. W. 257

Zahn, Th. 101. 116
Zeller, D. 509
Zimmerli, W. 239
Zimmermann, H. *79–95*
Zizioulas, J. D. 586
Zmijewski, J. 94. 99f. 105. 110f
Zollitsch, R. 565. 598

REGISTER DER SCHRIFTSTELLEN (IN AUSWAHL)

Mattäus
3,7 466. 479
4,1–11 194
5,3–10 12
5,9 621
5,11f 234. 235
5,33–37 500
5,44f 620
6,14f 41f
6,19–21 194
6,24 478
6,25–33 195
6,33 187
7,7–11 187
7,7 31
7,14 32
7,16 493
7,21 9–24
7,22f 15f
8,19–22 194
8,20 181
9,37f 589
10,1–14 588
10,17–20 101f. 105ff
10,19f 263. 627
10,21 231
10,25 235
10,28–32 195
10,28 232
10,32 25–56. 465
10,34 32. 231
10,37f 194. 232f
10,39 235
10,40 589
11,16–19 180
11,25ff 48. 182. 183–186
11,28ff 182
12,41f 179
16,18 354. 556
16,19 597
16,25 235
17,26 621
18,18 597
19,28 213–219
22,1–14 196
22,10 32
22,30 622
23,8f 498
23,34–39 180
24,9–14 99
25,29 32
28,20 597

Markus
1,1 115–132. 379f
1,2 134f
1,9–11 138. 167
1,14f 121
3,14 205. 588
3,16 205
3,35 233
6,6–13 588
6,34 140
8,27ff 139
8,34 233
8,35 ·235
8,38 25–56
9,2–8 143
10,28f 32
10,35–45 155f
10,45 241–244
12,1–12 143
12,25 622
12,35ff 135
13,9–11 97–114. 230
13,11 263–267. 292
13,12 231
14,10 206
14,20 206
14,27 140
14,28 145
14,43 206
16,7 117–120
16,8 115–132. 146. 149
16,9–20 115f. 133–174

Lukas
3,7 466. 479
3,23 380
4,1–13 194
4,14f 380
6,20–49 188–193
6,20–23 12
6,22f 234f
6,27 21
6,44 493
6,46 9–24
6,47ff 13
7,31–35 180
8,21 18
9,1–6 588
9,24 235
9,57–62 194
9,58 181
10,1–16 588
10,2 589
10,16 589
10,21f 48. 182–185
11,2 316–319
11,9ff 187
11,9 31
11,31f 179
11,49ff 180
12,4–7 195
12,4f 32. 232
12,8 465f
12,8f 25–56
12,11f 102ff. 106–111. 263–267
12,28–32 195
12,31 187
12,33f 194
12,51f 32. 231
13,23 18
13,24f 32
13,34f 180
14,1–24 57–78
14,1–6 64ff
14,7–11 67ff
14,11 41
14,12ff 69ff
14,15–24 71–74. 196
14,24 32
14,26f 194. 232ff
16,13 478
17,33 235
18,1–8 79–95
19,26 32
20,36 622
21,12–19 99f
21,14f 263f
21,16 231
22,28ff 213–219
24,9–14 106
24,34 412
24,47 381

Johannes
1,1f 384ff
1,12 623. 626
1,13 624
2,11 374. 390f
3,3ff 624ff. 627
3,5–8 288
3,16 324
3,36 479
6,64 391f
7,39 283
8,25 386–389
8,44 389
10,1–18 596
10,9f 595
10,11 596
10,15 595
11,42 311
11,52 626f
12,27f 311
12,32 346
12,33 355. 375
13,20 589
13,36ff 352f
14,15 21
14,16 289. 292
14,17 284f
14,26 289
15,12f 324
15,26f 290. 297
15,27 394f
16,4 393f
16,8–11 291
16,12 253
16,13 247–276. 289. 303
16,14 258f
16,15 259
17,1–26 307–337
17,1 313–319
17,11–16 320f
17,17ff 325
17,20 267
17,22f 322f. 329
20,22 284. 299
20,30 375
21,1–25 339–362
21,1–14 340–351
21,5 347ff
21,10 347ff
21,15–24 352–358
21,15–19 352–356
21,15–17 568. 596
21,20–24 356ff

Apostelgeschichte
2,29 411
6,10 105
10,40ff 128
11,15 381
13,29 411f
14,15ff 461
14,23 571ff. 575. 579f
17,22–31 461
20,17–34 570–577
20,19 478
20,28 354. 539. 566. 570f. 573. 575. 580. 595
20,32 574

Römer
1,3f 125. 482
4,24 482. 486
5,9 465f. 480. 482
7,6 479. 485
7,25 478
8,11 482
8,15ff 616f
8,17 451
8,18 622
8,19 617
8,23 617f
8,29 451
9,4 618
9,6ff 619
9,26 477. 619
10,9 482
11,26 480
12,6ff 546
12,8 542. 552
14,7ff 453
14,18 478
15,16 597
16,5 541
16,18 478

1. Korinther
3,10f 557
3,11 556
4,17 536
5,1ff 549f
8,6 464
12,3 482
12,4ff 548
12,11 593
12,28 541. 543. 552. 558. 560. 593f
14,20 549
14,37f 549
15,1–58 437ff
15,3–5 119ff. 123. 125. 128. 405–416
15,5 210ff
15,51 450
16,15 541. 547. 552

2. Korinther
3,3 475. 593
3,8 592
3,16 475
3,18 451
4,10f 482
4,13 441
4,14 482
4,16 440
4,17 442
4,18 441
5,1–10 439–444. 450
5,18ff 591f
6,14–7,1 619
6,16ff 619
6,17 477
6,18 619
12,11f 593

Galater
3,1f 485
3,26f 616
4,4–7 615f
4,8f 475. 478
5,6 21
6,6 541

Epheser
2,20 594
3,5 594
4,4f 464
4,7 554. 560. 562
4,11 537. 552–555. 557 bis 561. 563. 579f. 593. 597
5,1 620

Philipper
1,1 538–542. 571. 577
1,12ff 429f
1,21f 452f
1,23 451–454
1,27–30 421–424
1,29 430f
2,15 620

2,19–24 535f
3,10–21 444–454
3,10f 447f
3,20f 442. 448–451. 454. 481f

Kolosser
3,24 478

1. Thessalonicher
1,3 484
1,8 469f. 485
1,9f 459–488
1,10 449f
2,14ff 613
4,1ff 485
4,13–18 436f. 443
4,14 413. 450. 482
4,16 450
5,10 437. 443
5,12f 541f. 552
5,20f 549

1. Timotheus
6,13 464

2. Timotheus
2,12 26

Hebräer
2,10 622f
6,1f 461f. 463
12,5–8 622
13,20 567

Jakobus
1,16ff 504
1,21 504f
2,8 503
2,11 503
2,14–26 505
2,23 503
3,1–12 491ff
3,13–18 493–499
3,17 494–498
4,5 503
4,6 503
5,12 500
5,14f 506

1. Petrus
2,25 565f. 594f
3,15 513. 519
4,10f 563f
4,12ff 569
4,15f 513. 518
5,1–11 564
5,1 525. 567
5,2 539. 564. 566ff. 594f
5,4 354. 532. 567f. 594f
5,9 523
5,13 518

2. Petrus
2,2 519

1. Johannes
1,1 396ff
2,1 292
2,7 399f
2,12ff 296. 398f
2,24 399f
2,27 286. 295
2,29 628
3,1f 628
3,8 399
3,9 286. 629
3,11 399f
3,24 284
4,1 302
4,13 284
5,1f 628

2. Johannes
5f 399f

Offenbarung des Johannes
3,5 26